제4판

新국제경제법

한국국제경제법학회

박영사

머 리 말

1995년 세계무역기구(WTO) 설립으로 획기적인 발전의 계기를 마련한 국제경제체제는 2022년 현재 중대한 전환기에 직면해 있습니다. 국제통상법을 국제법의 가장 흥미롭고 중요한 분야로 부각시켰던 WTO분쟁해결제도가 현재 존립의 위기에 처해 있고, 산적한 기존 규범의 개편 논의는 도하협상의 사실상 폐기로 전면적인 체제 개혁 논의에 묻혀있습니다. WTO를 대신해 국제통상규범을 개선하는 역할을 하던 자유무역협정(FTA)들도 트럼프 행정부 시기를 거치면서 역할이나 위상이 대폭 축소되었습니다. 한편, 제3판 출간에 즈음하여 지적했던 신통상 쟁점들은 탄소중립, 디지털통상, 공급망 개편, 노동자 중심 통상정책 등으로 한층 더 구체화되어 학계와 실무진들에게 새로운 과제를 제시하고 있습니다. 코로나 바이러스로 인한 글로벌 공급망의 불확실성은 이 같은 국제경제관계의 혼란을 더욱 가중하는 상황입니다.

그러나 현 시점의 불안정한 정치외교적인 문제에도 불구하고 여전히 국제경제체제를 관장하는 국제규범은 거의 대부분의 영역에서 공고히 운영되고 있습니다. WTO가입 여부를 떠나 대부분 국가들의 무역과 투자는 WTO협정의 기본 원칙과 수많은 투자규범을 준수하며 이행되고 있으며, FTA로 심화된 국제경제질서도 코로나 위기를 극복하는 경제활동의 핵심 기반으로 역할하고 있습니다. 급격한 디지털전환과 신통상규범들을 포용해 새로운 국제경제체제를 대비해야 하는 현 단계의 국제경제법 관점에서 본 저서에서 포괄적으로 다루는 다양한 쟁점들에 대한 정확한 이해는 무엇보다 중요한 기초입니다.

이번 개정판에서는 학회를 대표하는 저자들께서 이러한 최신 상황을 반영하여 연구자와 실무진들이 국제경제법에 입문할 때 필요한 사항들을 일목요연하게 정리했습니다. 지금까지처럼 이번 개정 작업을 거친 『신국제경제법』이 국내에서 국제경제법 분야에 활동하는 많은 분들에게 유용한 지침서가 되리라 믿습니다.

　　이 자리를 빌려 본 교재의 개정 작업에 참여해 주신 모든 저자들 그리고 함께 수고해 주신 학회 분들께 깊은 감사의 말씀을 전합니다. 그리고 원고의 편집 작업에 큰 수고해 주신 박영사 편집부 양수정 대리와 본 교재의 출간을 꾸준히 지원해 주신 박영사 안종만 회장님, 안상준 대표님과 조성호 이사님께 감사드립니다. 본 교재가 통상입국을 표방하는 우리나라의 통상전문가 양성에 토대가 되기를 기원합니다.

2022년 2월
한국국제경제법학회

신국제경제법 집필진 소개

강준하　홍익대학교 법과대학 교수

강 호　(전)건국대학교 경제통상학과 겸임교수

고준성　산업연구원 선임연구위원

권현호　성신여자대학교 법과대학 교수

김대식　한국조달연구원 선임연구위원

김대원　서울시립대학교 법학전문대학원 교수

김두수　한국외국어대학교 외래교수

김민정　서울대학교 국제학연구소 책임연구원

김병일　한양대학교 법학전문대학원 교수

김채형　부경대학교 법학부 교수

박노형　고려대학교 법학전문대학원 교수

배정생　전북대학교 법학전문대학원 교수

서철원　숭실대학교 법과대학 교수

성재호　성균관대학교 법학전문대학원 교수

손기윤　인천대학교 무역학부 교수

신희택　(전)서울대학교 법학전문대학원 교수

신국제경제법 집필진 소개

오선영　숭실대학교 글로벌통상학과 교수

왕상한　서강대학교 법학전문대학원 교수

유선봉　광운대학교 정책법과대학 교수

유준구　국립외교원 연구교수

이로리　계명대학교 법학과 교수

이재민　서울대학교 법학전문대학원 교수

이환규　미래전략법정책연구원 원장

장승화　서울대학교 법학전문대학원 교수

정찬모　인하대학교 법학전문대학원 교수

조영진　이화여자대학교 국제대학원 교수

주진열　부산대학교 법학전문대학원 교수

최승필　한국외국어대학교 법학전문대학원 교수

최승환　경희대학교 법학전문대학원 명예교수

최원목　이화여자대학교 법학전문대학원 교수

최혜선　전남대학교 법학전문대학원 교수

표인수　법무법인 태평양 국제변호사

차   례

제 3 부　주요 상품무역협정

제 5 부   서비스무역 및 무역관련 지식재산권

      5. 국내규제 455

      6. 인정제도 456

      7. 독점·배타적 서비스공급자 및 영업관행 457

      8. 지불 및 이전 458

      9. 보 조 금 459

   제 4 절 GATS의 구체적 약속 ·· 460

      1. 시장접근 460

      2. 내국민대우 463

      3. 추가적 약속 464

   제 5 절 GATS의 기본원칙에 대한 제한 ····························· 465

      1. 긴급수입제한조치 465

      2. 국제수지 보호를 위한 제한 465

      3. 정부구매 466

      4. 일반적 예외 및 안보상의 예외 466

   제 6 절 서비스무역의 점진적 자유화 및 분쟁해결 ··········· 469

      1. 구체적 약속에 대한 협상 469

      2. 양허표의 수정 470

      3. 협의 및 분쟁해결 470

   제 7 절 부문별 부속서, 각료결정 및 양해 ························· 472

      1. 부문별 부속서와 주요 내용 472

      2. 각료결정 및 양해 475

   제 8 절 GATS와 서비스무역의 미래 ································· 476

제22장 TRIPs협정 ··· 478

   제 1 절 TRIPs협정의 개요 ··· 478

   제 2 절 TRIPs협정상의 일반규정 및 기본원칙 ················ 480

   제 3 절 실체규정 ··· 482

      1. 저 작 권 483

      2. 상   표 488

      3. 지리적 표시 490

      4. 디 자 인 492

제7부   WTO의 새로운 동향과 신통상의제

제8부　지역무역협정

제 9 부 국제투자법

제10부 국제금융법

제1부

국제경제법 개관

집필자 명단

제1부   국제경제법 개관

제**1**장
국제경제법의 개념과 법원*

국제경제법(國際經濟法) 또는 통상법(通商法)이라 불리는 법의 영역은 국제법에서도 다른 영역에 비교하면 새로운 영역인데, 대외경제질서에 크게 의존하고 있는 한국에서 특히 중요한 학문으로서 인정되고 있다. 세계무역기구(WTO) 출범으로 이 분야에 대한 관심이 높아짐에 따라 많은 수준 높은 연구와 이에 바탕을 둔 교육으로 국제경제법의 개념에 대한 혼동은 사라진 것으로 보인다. 아래에서 국제경제법의 개념과 법원 및 교과목으로서 국제경제법의 내용 등을 간략히 검토한다.

제1절 국제경제관계의 특성과 법

국제경제법의 개념을 이해하기 위하여 국제경제법이 적용되는 대상을 올바로 이해할 필요가 있다. 국제경제법은 그 적용대상인 통상관계를 포함한 국제경제관계의 속성을 반영하기 때문이다.[1]

1. 국제경제관계의 특성

(1) 국제경제관계의 복합성

국제경제관계는 크게 두 가지 유형으로 구분할 수 있다. 하나는 기업을 포함

---

* 본고의 원본 작성에 고대 연구교수 정명현 박사 및 개정본 작성에 고대 대학원 천영환 학생이 큰 도움을 주었다. 본고의 집필 책임은 본인에게 있다.
1) *ubi societas, ibi jus*(법이란 그 사회를 반영한다).

한 사인(私人)이 활동하는 영역이고, 또 다른 하나는 국제법주체인 국가 또는 국제기구가 활동하는 영역이다. 전자는 한국에서 타이어를 생산하는 기업이 자신이 생산한 타이어를 미국의 자동차회사에 수출하는 경우처럼 기업 등 사인이 그러한 활동의 법주체가 된다. 후자는 미국 정부가 한국에서 생산되어 미국에 수출된 타이어에 대하여 반덤핑관세나 상계관세를 부과하는 경우처럼 국제법주체인 국가가 그러한 활동의 법주체가 된다.

상품의 생산, 운송, 보험, 대금의 지불과 같은 실제의 직접적인 경제활동은 기업 등 사인의 차원에서 수행된다. 물론 국가도 정부구매 또는 국영무역 등을 통하여 직접적인 경제활동의 주체가 될 수 있다. 이 경우에 국가는 기업과 같은 사적인 지위에서 경제활동을 수행하는 것이다. 따라서 이 경우에 국제법상 국가에 부여된 주권면제와 같은 특권은 적용되지 않는다. 한편, 국가간 차원에서 국제경제관계의 특징은 국가 사이의 경제정책의 조화와 국제경제협력의 수행이다. 사인 차원의 국제경제관계와는 달리 국가 사이의 경제관계는 순수하게 경제적이지 않고 종종 정치적 성격을 가지게 된다. 사인 차원의 국제경제관계에 적용되는 법은 대체로 국제거래법(international transaction law)이고, 국가간 국제경제관계에 적용되는 법은 국제경제법(international economic law)이다.

표 1-1	국제경제관계의 유형과 법영역	
국가간 차원	경제정책의 조정과 협력	국제경제법
사인간 차원	상품의 생산, 운송, 보험 및 대금의 지불 등 실물 경제활동	국제거래법

(2) 국제경제관계의 상호의존성

통상을 포함한 국제경제관계는 상호의존적이다. 어느 한 국가도 어느 한 기업도 자신의 영토 내에 국한하여 의미 있는 경제활동을 단독으로 수행할 수 없기 때문이다. 상호의존적 국제경제관계는 제2차 세계대전의 종식 후 본격화된 과학기술의 발전 결과이다. 교통과 통신의 발전으로 국경을 넘는 국제적 거래가 활성화되고, 한 국가에서의 경제적 사건은 물론 자연재해 등이 즉시 다른 국가에게도 큰 영향을 주게 되었다. 20세기 말 이후 급속하게 발전한 인터넷으로 이러한 국제경제관계의 상호의존성은 더욱 공고해지고 있다.

상호의존적 국제경제관계의 긍정적 측면은 국제경제학의 기본원칙인 비교우위(comparative advantage)의 원칙으로 설명된다. 상품과 서비스는 가장 적은 비용이 소요되는 국가에서 생산되고, 소비자는 국내외에서 생산된 상품과 서비스를 가장 좋은 조건으로 구입하며, 궁극적으로 규모의 이익이 실현되어 세계 전체의 부가 증대된다는 것이다. 국제경제관계의 이러한 상호의존적 성격은 미국과 같은 초강대국에게도 예외는 아니다. 예컨대 1970년대에 미국 등의 이스라엘에 대한 지지에 반발한 중동 산유국들이 원유 생산을 감축한 오일쇼크는 미국에게도 큰 타격을 주었다.

이 같은 국제경제관계의 상호의존성으로 기업의 경제활동은 한 국가 내에 국한되지 않고 여러 국가에 걸쳐서 수행된다. 따라서 국가가 자신의 영토 내에 국한하여 기업 활동을 통제하는 것은 의미가 없게 된다. 또한 실제로 경제활동에 참여하는 기업을 포함한 사인은 불확실한 국제경제관계에서 더욱 큰 어려움을 경험할 수 있다. 이 점에서 안정적이고 예측가능한 국제경제관계의 형성을 위한 국가 사이의 협력과 조정이 요구된다. 국가 사이의 경제협력과 조정을 도모하는 국제경제법은 상호의존적 국제경제관계에서 국가의 권한 행사를 통제함으로써 실제로 국제경제활동을 수행하는 기업 등에게 안정적이고 예측가능한 경영환경을 보장할 수 있다. 따라서 국제경제법에 기초한 국가간 차원의 국제경제관계의 발전은 기업 등 사인 차원의 국제경제관계의 발전에 도움이 된다.

2. 복합적이고 상호의존적인 국제경제관계의 법

위에서 검토되었듯이, 통상을 포함한 국제경제관계는 복합적이고 상호의존적이다. 따라서 국제경제관계에 관한 법(law of international economic relations), 즉 국제경제법도 복합적이고 상호의존적 성격을 갖는다.

특히 국제경제법의 이행을 위하여 제정된 국제경제 관련 국내법은 해당 국제경제법 규범과 긴밀한 관계를 갖는다. 국제경제법은 국내의 경제정책과 관련 법의 하부구조 요건을 충족시키기 때문이다.[2] 또한 국제경제법의 준수와 이행은 국제경제 관련 국내법의 제정과 개정을 요구한다. 이 점에서 국제경제법과 국제

---

2) P.V. van Themaat, *The Changing Structure of International Economic Law* (The Hague: Martinus Nijhoff, 1981), p. 16.

경제 관련 국내법이 긴밀한 상호작용을 하고 있음에 주목해야 한다. 예컨대 1947년 채택된 '관세와 무역에 관한 일반협정'(GATT)은 미국의 통상 관련 국내법·정책의 많은 영향을 받았지만, 1995년 WTO가 출범하면서 미국의 통상법은 WTO법과의 일치를 위하여 개정되었다.3) 이렇게 국제경제법과 국제경제 관련 국내법과의 관계를 양방향적이라고 이해할 수 있다. 또한, 한국의 반덤핑관세나 세이프가드조치의 부과에 관한 법규범은 WTO의 관련 협정을 반영한다. 한국이 미국과 같이 WTO규범의 발전에 긍정적 영향을 주기 위하여는 관련 국제규범의 협상에 적극적으로 참여하여 한국이 원하는 규범이 채택되도록 적극 노력하여야 할 것이다. 이렇게 할 수 있는 능력은 곧 한국의 국제경제법 학문과 실무의 수준이라고 보아야 한다.

한편, 국제경제법의 정립에 보다 많은 국가들이 적극적으로 참여함에 따라 어느 특정 국가의 국제경제법 발전에 대한 영향력은 점차 약화되고 있다. 즉, WTO 출범 이전의 GATT체제에서는 미국과 EU국가들이 주도하여 대체로 그들이 원하는 규범이 채택되곤 하였다. 그러나 WTO체제에서는 미국과 EU국가들의 영향력은 개발도상국들의 반발로 상당히 제한되고 있다. 특히 1999년 11월 미국 시애틀에서 개최된 각료회의를 출발점으로 하여 개발도상국들이 총의(consensus)에 따른 의사결정을 활용하여 미국과 EU국가들이 규범협상을 주도하는 것을 저지하고 있는 점에 주목하여야 한다. 예컨대, 2001년 도하 카타르에서 개최된 제4차 각료회의에서 채택된 도하선언에 따라 도하개발의제(DDA) 다자간협상에서 무역과 투자 등 소위 싱가포르이슈가 협상의제로서 포함되어 있었다. 그런데, 미국과 EU국가들이 적극적으로 추진한 싱가포르이슈에 대하여 개발도상국들이 강력하게 반발하였다. 결국 2003년 멕시코 칸쿤에서 개최된 제5차 각료회의는 싱가포르이슈 등에 대한 개발도상국들의 반발로 실패하였고, 2004년 8월 1일 채택된 '2004년 7월 패키지'(July 2004 Package)에서 무역과 투자 등은 협상의제에서 삭제되고 말았다.

복합적인 국제경제관계에 국제경제법과 국제거래법의 어느 하나만이 배타적으로 적용될 수는 없다. 결국 국제경제관계의 법체계는 국제경제법, 국제경제 관련 국내법 및 국제거래법의 복잡한 상호작용의 결과로 이해되어야 한다. 다만,

---

3) 이러한 목적으로 미국은 'Uruguay Round Agreements Act of 1994'를 채택하였다.

현재와 같은 다수의 국가 대신에 지구상에 단일의 세계정부(world government) 아래 통일된 법·정치·경제·사회적 체제가 존재하게 되면 국제경제법은 단일의 국제경제 관련 국내법으로 통합되고 국제거래법은 본연의 상법의 일부로서 재인식될 것이다.

제 2 절 국제경제법의 의의

1. 국제경제법의 정의

국제경제법(international economic law; international trade law; droit international economique)을 정의하기는 그렇게 어려운 일이 아니다. 다만, 국제경제법의 적용 대상인 통상을 포함한 국제경제관계의 동적인 특성을 고려할 때, 국제경제법이 다른 분야의 법과 명쾌하게 구분되는 경계의 확정은 쉽지 않을 수 있다. 이러한 현상은 민법과 상법, 헌법과 행정법 등에서도 발견될 수 있다. 중요한 점은 국제경제법이라고 할 핵심적 영역이 존재한다는 사실이다.

국제경제법을 정의하기에 앞서, 그 명칭에 대한 검토가 필요하다. 주지하다시피, 국내에서 국제통상법, 국제경제법 및 통상법은 대체로 같은 의미로 혼용되고 있다. 굳이 엄격하게 구분하자면, 국제통상법은 국제경제관계에서 특히 통상관계를 규율하는 반면, 국제경제법은 보다 일반적으로 국제경제관계 전반을 규율한다고 볼 수 있다. 즉, 국제경제법이 국제통상법보다 더 넓은 개념이라고 볼 수 있다. 그러나 현실에서 통상관계가 국제경제관계의 주된 내용을 차지하고 있음을 고려할 때 국제통상법은 사실상 국제경제법과 동일하다고 보아도 무방할 것이다. 통상법은 국제통상법을 의미하거나, 국제통상법 내지 국제경제법에 상응하는 국내법으로 이해될 수 있다.

국내에서 국제경제법의 개념에 관한 가장 두드러진 논의는 국제경제법의 범주에 국제거래법이 포함되느냐 여부에 관한 것이다. 그러나 국제경제법의 적용 영역과 국제거래법의 적용 영역은 명확하게 구분된다. 실제로 이들 두 법체제는 학문이나 실무에 있어서 명확히 구분되고 있다. 대학에서 국제경제법은 사실상 상법의 내용과 상당하게 중복되는 국제거래법과 별도의 교과목으로 개설되어 있다.4) 또한 실무에서도 국제경제법은 정부의 통상 관련 부처와 기업이나 산업협회의 통상관련 부서에서 주된 관심을 가지는 반면에, 국제거래법은 기업의 국제거래업무 부서에서 관심을 갖는다. 이렇게 국제경제법과 국제거래법은 그 성격, 주체, 객체 및 규율방법에서 서로 다르기 때문에 서로 분명히 구별되는 독립된 법영역이다.5) 이렇게 서로 다른 두 법체제를 하나의 '법의 혼합된 영역'(mixed branch of law)으로 통합하려는 것은 법학방법론상 잘못이라 할 것이다.6)

국제경제법의 정의에 관하여 보다 현실적인 문제는 국제경제관계에서 국제경제법이 국제경제 관련 국내법과 밀접한 관계를 갖는 점이다. 국제법으로서 국제경제법은 대체로 국제경제 관련 국내법에 의하여 이행되어야하기 때문이다. 예컨대 WTO회원국인 한국은 UR협상에서 합의된 반덤핑협정, 보조금협정과 세이프가드조치협정 등 국제경제법을 이행하기 위하여 국제경제관계에 관한 국내법인 관세법과 대외무역법을 개정하고, '불공정무역행위 조사 및 산업피해 구제에 관한 법률'(산업피해구제법)을 제정하였다. 이 점에서 국제법인 국제경제법이 1차적으로 존재하고, 국제경제법의 국내에서의 연장(extension)인 국제경제 관련 국내법이 2차적으로 존재하며, 국제경제법과 국제경제 관련 국내법은 광의의 경제법을 구성하는 것으로 이해될 수 있다.7) 굳이 법학의 강학적인 구분인 국내법과 국제법의 이분법으로서 이해한다면, 국제경제법은 국제법이고, 그 방계영역인 국제경

---

4) 예컨대 미국의 로스쿨에서는 담당 교수에 따라 과목의 명칭과 그 내용이 다소 다르지만, 대체로 국제경제법은 'international trade law' 또는 'international economic law', 국제거래법은 'international business transactions'의 제목으로 교육된다. Jackson교수 등도 국제경제법과 구분되는 국제거래법이 다른 과목(courses)에서 다루어짐을 밝히고 있다. J. Jackson, W. Davey and A. Sykes, Jr., *Legal Problems of International Economic Relations* (West Publishing Company, 1995). 국제법학자들의 연구학회인 'International Law Association'(ILA)의 국제경제법위원회(Committee on International Trade Law)는 WTO를 중심으로 국제경제법을 다루고 있다.
5) 국제거래법은 여러 국가에 걸친 기업의 국제거래활동에 적용되는 법체제로서 국가의 관련 사법, UNCITRAL 등을 중심으로 채택된 관련 조약, 상관습법(*lex mercatoria* 또는 law merchant) 등으로 구성된다.
6) S. A. Voitovich, *International Economic Organizations in the International Legal Process* (Martinus Nijhoff, 1995), p. 7.
7) 이같이 국제법의 1차적 존재와 국내법의 2차적 존재를 통한 긴밀한 관계는 최근에 환경 분야와 형사 분야 등 여러 분야에서 발견될 수 있다. 예컨대, 1989년 채택된 '유해폐기물의 국가간 이동 및 그 처리의 통제에 관한 바젤협약'은 국내에서 1997년 채택된 '폐기물의 국가간 이동 및 그 처리에 관한 법률'로 이행되고, 1963년 채택된 '항공기 내에서 행한 범죄 및 기타 행위에 관한 협약'은 국내에서 1974년 채택된 '항공기 운항 안전법'으로 이행되었다.

제 관련 국내법은 국내법이다.

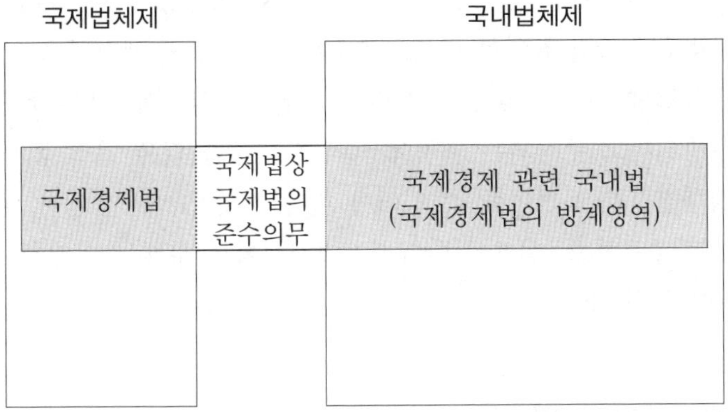

국제법체제		국내법체제
국제경제법	국제법상 국제법의 준수의무	국제경제 관련 국내법 (국제경제법의 방계영역)

그림 I-I 국제경제법의 구조적 이해

결국 학문의 체계상 국제경제법의 기본영역은 '국경 넘어 또는 달리 두 국가 이상에 대하여 함의를 갖는 상품, 자본, 사람, 무형재산, 기술, 선박 또는 항공기 등의 이동에 관련된 경제적 거래에 관한 모든 국제법과 국제협정'이 되고, 국제경제법은 '개인이 아닌 국가의 행태를 규율하는 법규칙'으로서 정의될 수 있다.[8]

2. 국제경제법의 주체

국제경제법의 주체는 기본적으로 국가 또는 국제기구이다.[9] 국제경제법의 연구대상은 국제경제관계에서의 국가와 국제기구의 행위 및 그 규범이 된다. 이 점에서 국제경제법은 기업을 포함한 사인이 법적 주체인 국제거래법과 구별된다.

---

8) The American Law Institute, *Restatement of the Law: Foreign Relations Law of the United States*, Part Ⅷ, Introductory Note, p. 261 (1987). 원문은 다음과 같다: "The law of international economic relations in its broadest sense includes all the international law and international agreements governing economic transactions that cross state boundaries or otherwise have implications for more than one state, such as those involving movement of goods, funds, persons, intangibles, technology, vessels or aircraft … It deals with rules that govern the behavior of states rather than of private persons directly."

9) I. Seidl−Hohenveldern, *International Economic Law* (Kluwer Law International, 1992), p. 24.

물론 최근 들어 WTO 등 국제기구의 투명성을 촉진하는 차원에서 비정부간기구 (NGOs) 등 국제법상 주체가 아닌 실체가 국제기구의 활동에 관여하려고 노력하고 있다. 또한 국제경제관계의 실질적 주체 내지 이해당사자인 기업 등 사인이 국제기구의 활동에 직접 참여할 수 있어야 한다는 주장도 제기되고 있다. 예컨대, WTO의 분쟁해결에 그 회원국인 정부만 참여할 수 있는데, 다른 회원국 정부의 WTO법에 위반된다고 주장되는 조치에 의하여 피해를 입은 기업 등 사인이 직접 WTO의 분쟁해결절차에 참여할 수 있어야 한다는 것이다.[10] 그러나, 이러한 주장의 타당성에도 불구하고, 현재의 국제경제법체제에서 주체는 여전히 국가 및 국제기구로 보아야 할 것이다.

3. 국제경제법의 법원

국제경제법의 적용을 위하여 국제경제법의 법원(法源), 즉 존재형식이 확인되어야 한다. 국제경제법은 대체로 국제법의 일부로서 또는 국제법에서 분화된 법영역으로 인정된다. 이 점에서 국제경제법의 법원은 국제법의 법원의 관점에서 검토될 수 있다. 국제법 법원은 기본적으로 조약과 관습법으로 구분되는데, 국제경제법은 주로 조약에 근거하지만 관습법에 크게 의존하지 않는다.

(1) 국제경제법의 법원

1) 조 약

국제경제법의 법원으로서 조약은 가장 중요한 지위를 갖는다. 조약에는 국가 또는 국제기구의 두 국제법주체 사이에서 체결된 양자조약과 여러 국제법주체 사이에서 체결된 다자조약 또는 지역조약이 있다. 양자조약에는 이중과세를 방지하기 위한 조약, 양국 사이의 긴밀한 경제관계를 도모하는 우호항행통상(FCN)조약, 투자보장조약(BIT), 자유무역협정(FTA) 등이 대표적이다. 다자조약은 여러 국가 사이의 국제경제관계 일반 또는 특정 분야에 관한 규율을 위하여 체결된다.

---

10) 국제투자분쟁을 해결하기 위하여 1965년 채택된 워싱톤협약(Convention on the Settlement of Investment Disputes between States and Nationals of Other States)은 개인투자자와 국가 사이의 분쟁을 중재 등을 통하여 해결하게 함으로써 국가에 상응하는 개인의 지위를 인정하고 있다. 이러한 개인 투자자의 지위는 FTA와 BIT에서 일반적으로 인정되고 있고, 최근에 채택된 한국과 미국의 FTA에도 반영되었다.

다자조약을 통하여 WTO, 국제통화기금(IMF) 및 세계은행(IBRD) 등 국제경제기구
가 창설된다. 또한 일부 다자조약은 국제무역거래나 금융거래의 신속한 체결 및
안전한 이행을 위하여 관련법의 통일을 목표하기도 한다.[11]

국제경제관계에 적용되는 조약에서 대체로 다음과 같은 공통된 국제법원칙
을 발견할 수 있다. 첫째, 최저기준(minimum standard)의 원칙이다.[12] 외국인의 대
우에 관하여 국가가 적용하여야 할 국제법상 요구되는 최소한의 기준으로 이해
된다. 최저기준의 원칙은 형평대우의 원칙으로 불리기도 한다.[13] 둘째, 최혜국대
우(most-favoured-nation treatment)의 원칙이다. 복수의 외국, 외국인, 외국산 상품
또는 서비스 등의 대우에 있어서 차별을 금지하는 최혜국대우는 국제경제에 관
련된 조약에 일반적으로 규정되고 있다. 특히 WTO법의 중심인 GATT는 무조건
적 최혜국대우를 규정한다. 그러나 최혜국대우는 그 보편적인 적용에도 불구하고
관습법적 지위를 갖는 것으로 이해되지는 않는다.[14] 셋째, '동등한 대우'(equal
treatment)의 원칙이다. 동등한 대우의 가장 대표적인 유형은 내국민대우(national
treatment)이다. 한 국가는 다른 국가 국민이나 기업 등에게 자신의 국민 또는 기
업 등에게 부여한 동일한 대우를 부여하여야 한다는 것이다. 이 원칙도 역시 조
약에 근거한다. 넷째, 특혜대우(preferential treatment)의 원칙이다. 특혜대우의 원칙
은 위의 최혜국대우의 원칙에 대한 예외이다. 특혜대우의 원칙은 지리적이나 역
사적으로 긴밀한 관계에 있는 국가들 사이에서 적용되었다. 또한, 국제경제관계
에서의 실질적 평등을 보장하기 위하여 개발도상국에게 부여된 일반특혜관세
(GSP) 및 FTA 등의 지역통합에 참여한 국가에 대한 특혜대우가 상당히 광범위하

11) 국제거래에 관한 실체법과 절차법 규범의 조화와 통일을 목표로 UNCITRAL을 중심으로
   많은 조약이 체결되어 있다. 예컨대 1974년 New York협약(Limitation Convention for
   International Sale of Goods), 1980년 Vienna협약(Convention on the International Sale of
   Goods), 1978년 UN협약(Convention on the Carriage of Goods by Sea: Hamburg Rules),
   2014년 '투명성에 관한 모리티우스협약'(Convention on Transparency in Treaty-based
   Investor-State Arbitration) 등이 채택되었다. 이들 조약은 국제거래법의 발전에 중요한 영
   향을 미친다.
12) 이 원칙은 조약에 규정된 여부를 불문하고 국제사회에서 당연히 인정된다는 주장도 있다.
   van Themaat, pp. 16-18.
13) K. Hossain and M. Bulajic, "Legal aspects of the new international economic order", ILA,
   Report of the 61st Conference, p. 125 (1984).
14) G. Schwarzenberger, "Equality and Discrimination in International Economic Law", 25
   Yearbook of World Affairs 163 (1971).

게 인정되고 있다.

국제경제법의 대표적 내용인 WTO법은 조약에 기초한다. 이 중에서 가장 중요한 조약은 'WTO를 창설하는 마라케쉬협정'(Marrakesh Agreement Establishing the World Trade Organization: 이하 'WTO협정'이라 함)이다. WTO법의 핵심인 WTO협정은 국제기구인 WTO에 관한 조직 및 절차를 규정한다. WTO법의 실체법, 즉 국제무역에 관한 회원국의 권리와 의무는 WTO협정에 부속된 다양한 협정, 즉 반덤핑협정 등 상품무역에 관련된 협정, '서비스무역에 관한 일반협정'(GATS) 등 서비스무역에 관련된 협정, '무역관련 지식재산권 협정'(TRIPs협정) 및 정부구매협정 등에 별도로 규정된다. WTO협정의 영어, 불어 및 서반아어 본문이 정본이다.

최근에 국제환경의 보호, 문화다양성의 보호 등 다른 국제적 가치를 위한 조약들이 그들 규범의 강제성 내지 독립성을 보장하기 위하여 종종 무역을 제한하는 조치를 규정하고 있다. 예컨대, 2000년 1월 채택되고 2003년 9월 발효한 생명공학안전성의정서(Biosafety Protocol)와 WTO협정, 특히 위생검역조치협정(SPS협정)의 양립가능성 및 2005년 채택된 UNESCO문화다양성협약과 WTO협정의 양립가능성 여부가 국제적으로 문제가 되고 있다.

2) 국제관습법

국제관습법은 국제법주체의 일정한 관행과 그러한 관행이 의무적이라는 '법적 확신'(opinio juris)을 요구한다. 국제경제관계에서 관습법의 중요성에 관하여는 대체로 부정적이다.[15] 국제경제법의 대표적 내용인 WTO법도 거의 절대적으로 조약에 기반을 두는 만큼, 관습법은 큰 의미를 갖지 않는다. 그러나 국가의 주권평등, 불간섭, 무력사용의 금지, 국제분쟁의 평화적 해결, 자결(self-determination)의 원칙 및 '약속은 지켜야 한다'(pacta sunt servanda) 등과 같은 국제관습법원칙은 국제경제관계에서도 여전히 요구된다.[16]

또한 국제법의 다음과 같은 전통적 영역은 국제경제법에도 깊이 관련된다. 예컨대, 조약법은 국제경제 분야의 조약 체결부터 해석에 이르는 문제를 규율한

---

15) 20세기 들어 국제경제법의 개념을 처음으로 확인한 Schwarzenberger는 국제경제법의 법원으로서 관습법의 존재를 부정하였다. Schwarzenberger (1971), p. 163; Restatement (1987) 참조. 그러나 최근의 국제경제관습법의 논의에 대하여 S. Zamora, "Is there customary international economic law?", 32 GYIL 9 (1989) 참조.

16) Voitovich (1995), p. 14.

다.[17] 국제분쟁의 평화적 해결에 관한 법은 국제경제 분야의 분쟁 해결에 기초를 제공한다. 국가승계에 관한 법은 국제경제조약은 물론 국가 재산과 부채에 대하여 적용된다. 국가책임에 관한 법은 국제경제법 위반에 대하여 적용된다. 국제법의 전통적 영역인 해양법상 심해저 자원 개발, 어업 및 항해는 물론 2010년 체결되고 2014년 발효한 나고야의정서의 유전자원의 '접근 및 이익 공유'(access and benefit sharing: ABS)에 관한 규정도 국제경제법의 한 분야로 볼 수 있다. 투자, 주권면제, 통화 등에 대한 관할권 행사에 관한 국제관습법은 국제경제관계에서도 중요한 의미를 갖는다.

3) 국제경제기구의 결의 등

국제경제관계에서 WTO, IMF 및 IBRD 등 다양한 국제경제기구가 중요한 역할을 수행한다. 이들 국제경제기구를 창설하는 조약은 국제경제기구의 창설은 물론 회원국인 국가들의 국제경제관계에서의 권리와 의무를 규정한다.[18] 더욱이 이들 국제기구의 결의(resolution)와 결정(decision)도 국제경제법 발전에 중요한 역할을 수행한다.

일반적으로 권고적 성격을 갖는 국제기구의 결의는 국제기구 내부의 문제에 관하여 대체로 법적 구속력을 갖는다. 국제기구 결의의 중요성은 해당 결의가 채택된 당시의 법적 지위에 있는 것이 아니라, 그러한 결의가 종국적으로 조약 등의 형식으로 국가들을 공식적으로 구속할 수 있는 미래적 지위에 있다고 볼 수 있다. 또한 국제기구 결의의 중요성은 소위 연성법(soft law)으로도 설명된다.[19] 조약과 단순한 정치적 선언의 사이에 위치하는 것으로 이해되는 연성법은 엄격한 의미에서 강제적인 법적 효력을 갖지는 않는다. 그러나 연성법이 국제경제관계에서 국가 또는 기업 등의 행위에 대한 지침으로서 종국적으로 조약과 같은 국제법적 효력을 갖게 될 수 있음을 고려할 때 현실적으로 무시될 수는 없다.[20]

---

17) 예컨대 WTO법을 구성하는 WTO협정 등의 해석에 있어 조약의 해석에 관한 국제관습법이 적용된다. WTO패널과 상소기관(AB)은 '1969년 조약법에 관한 비엔나협약' 제31조와 제32조를 조약의 해석에 관한 국제관습법을 의미하는 것으로 인정하고 있다. 분쟁해결양해 제3.2조 참조.

18) 예컨대 국제경제법의 대표적 실체규범인 GATT, GATS 및 TRIPs협정 등은 WTO협정의 부속서로서 규정되어 있다.

19) van Houtte (1995), pp. 11-12.

20) 예컨대 OECD의 1976년 '다국적기업에 대한 지침'(Guidelines for Multinational Enterprises)

(2) 국제경제 관련 국내법의 법원

1) 국내법의 성격

국가는 자신의 영토 내에서의 모든 경제활동을 규율할 권한을 갖는다. 이러한 권한은 법의 형식으로 행사된다. 이 경우에 적용되는 법은 물론 자신의 법이다.[21] 예컨대 국가는 상품과 서비스의 수출과 수입을 포함한 관세 분야, 환율의 결정을 포함한 통화 분야 및 재정을 위한 조세 분야에 이르는 매우 다양한 분야에서 관련 법을 통하여 권한을 행사한다. 경제활동의 공정한 경쟁관계를 유지하는 경쟁정책도 국가의 주요한 권한이다. 이러한 국내법에는 국제경제법의 이행을 위하여 제정된 국제경제 관련 국내법이 포함된다.

국내법의 적용은 해당 국가의 영토에 국한된다. 그러나 국내법이 해외에 적용되는 경우도 있다. 이 경우에 소위 법의 '역외적용'(extraterritorial application)의 문제가 야기된다.[22] 특히 미국과 EU는 경쟁정책 관련 법의 역외적용에 적극적이다. 한국의 경우 공정거래위원회는 2002년 4월 흑연전극봉의 국제카르텔에 참여한 미국, 독일, 일본의 6개 외국사업자에 대하여 시정명령과 함께 과징금을 부과하였고, 2003년 4월 비타민의 국제카르텔에 참여한 독일, 프랑스, 네덜란드, 스위스 및 일본의 6개 외국사업자에 대하여 유사한 조치를 부과함으로써 공정거래법을 역외 적용하고 있다.

역외적용은 국제경제관계에서 국가의 주권 행사와 관련되어 아주 미묘한 문제를 야기한다. 예컨대 국제법상 관할권의 근거로서 인정된 국적주의(nationality principle)에 따라 미국은 해외에 있는 미국인에 대하여 자신의 관련 법을 적용할 수 있다. 그러나 동시에 그 미국인이 소재한 외국도 국제법상 영토주의(territoriality principle)에 근거하여 그 미국인에 대하여 자신의 법을 적용할 수 있다. 이러한 국제법상 관할권의 충돌은 조세 등 여러 경우에 발생할 수 있다. 이에 국가들은 관할권 충돌을 해소하기 위하여 이중과세 방지를 위한 조약[23]과 사회보장제도에

참조.

21) 외국법이 적용될 가능성도 있다. 예컨대 첨단기술의 수출을 금지하는 미국법에 따라 관련 상품의 인도가 불가능한 경우에 해당 법원은 계약의 불이행에 관하여 미국의 관련 법을 고려할 수 있다.

22) 역외적용을 정당화하는 대표적 이론은 효과이론(effects doctrine)이다.

23) 이러한 조약은 OECD의 '모델조세협약'(Model Tax Convention on Income and on Capital)

관한 조약24) 등을 체결하고 있다. 경쟁정책에 관하여도 미국과 EU를 중심으로 양자적인 협력관계를 위한 조약이 체결되고 있다.25)

2) 국제경제 관련 국내법

국가는 자신이 가입한 조약에 규정된 국제경제법규범을 준수할 국제법상 의무를 갖는다. 이렇게 국가는 국제경제법의 이행을 위하여 국제경제 관련 국내법을 제정 또는 개정하여야 한다. 예컨대 WTO법상 반덤핑관세가 부과되기 위하여는 덤핑과 피해라는 사실의 존재와 이들 두 사실 사이의 인과관계의 존재가 요구된다. 이러한 요건은 WTO반덤핑협정에 규정되어 있으며 국제경제법의 중요한 규범이다. 따라서 WTO회원국인 한국은 예컨대 중국에서 수입되는 승용차를 규제하기 위하여 단지 덤핑이라는 사실만을 이유로 반덤핑관세를 부과할 수 없다. 즉, 덤핑 이외에 동종 국내산업에 대한 피해의 사실이 존재하고, 이들 두 사실의 사이에 인과관계가 존재하여야 한다. 한국 정부가 이러한 국제경제법의 내용을 준수하기 위하여는 국제경제 관련 국내법에 이에 상응하는 내용이 규정되어야 한다. 이렇게 국제경제 관련 국내법에 규정되어야 외국 기업이 예측가능성을 가지고 안정적으로 한국에 수출할 수 있게 된다. 이러한 예측가능성과 법적 안정성은 법제도의 일반적인 존재이유이다.

한국의 국제경제 관련 국내법의 예로는 관세법, 대외무역법, 산업피해구제법 등의 법률과 관련 시행령 등이 있다. 미국의 국제경제 관련 국내법으로는 '1974년 무역법 301조'(외국정부의 조치에 대한 대응)와 '1974년 무역법 201조'(긴급수입제한조치) 및 '1930년 관세법 703조'(반덤핑법) 등이 있다. EU의 국제경제 관련 국내법으로는 유럽의회/이사회규칙(EU) 2016/1036(반덤핑법), 이사회규칙(EC) 3286/94(무역장벽규칙: Trade Barriers Regulation) 등이 있다. 이들 국제경제 관련 국내법은 WTO 규범 등 국제경제법에 위반할 수 없다.

에 기초하는 것이 보통이다. 한국은 소득에 대한 이중과세를 방지하기 위하여 벨기에, 일본, 프랑스, 오스트리아, 독일 등 많은 국가들과 조약을 체결하였다.
24) 한국은 사회보장에 관하여 일본, 이란, 독일 등 여러 국가와 조약을 체결하였다.
25) 한국도 2004년 EU와 '한·EU 경쟁당국간 협력에 관한 양해각서'를 체결함으로써 경쟁정책 분야의 협력을 도모하고 있다.

제 3 절   국제경제법의 교육

통상을 포함한 국제경제관계의 다양성으로 국제경제관계를 규율하는 국제경제법도 다양한 내용을 갖는다. 현재의 법 발전 단계에 있어서 국제경제법의 가장 중요한 내용은 WTO 중심의 국제무역에 관한 규범이다. 국제경제관계에서 국제무역만큼 상세한 국내, 지역적 및 세계적 규범체제가 마련된 영역은 아직 없기 때문이다. 따라서 국제무역에 관한 규범이 국제경제법의 가장 큰 부분을 구성한다.

그러나 국제무역 이외에도 통화·금융, 투자, 지식재산권, 경쟁정책, 노동, 환경, 운송, 조세, 산업협력, 과학기술협력, 국제경제 분쟁의 해결 등 분야에서 국제경제관계가 발전되고 있다. 따라서 이들 특정 분야에 따라 국제경제법은 국제무역법(international trade law), 국제통화·금융법(international monetary/financial law), 국제투자법(international investment law), 국제지식재산권법(international intellectual property law), 국제경쟁법(international competition law), 국제노동법(international labour law), 국제환경법(international environmental law), 국제운송법(international transport law), 국제통신법(international telecommunications law) 등으로 세분화되고 있다. 최근에는 개인정보를 포함한 데이터의 국경간 자유로운 이동의 요구에 따라 디지털무역법(digital trade law)이 태동하고 있다.26) 물론 이들 국제경제법의 개별 분야는 그 대상인 국제경제문제의 상호 긴밀한 관계로 인하여 중첩될 수 있다.27)

법체제로서 국제경제법의 범위는 국제무역법에서 국제경쟁법에 이르기까지 매우 넓다. 그러나 대학의 교과목으로서 국제경제법의 교육은 제한된 시간과 자료를 통하여 현실적으로 가능하여야 한다. 또한, 통상을 포함한 국제경제관계에서 첨병 역할을 수행할 장래의 전문가들이 갖추어야 할 기본 능력의 배양이 교육의 목표가 되어야 한다.28)

---

26) 디지털무역에 관하여 미국과 일본 등이 주도하여 2016년 체결한 환태평양동반자(TPP)협정의 전자거래에 관한 장의 규정에 주목하여야 한다. 미국의 트럼프 대통령은 2017년 취임 직후 미국의 TPP협정에서의 탈퇴를 결정하였다.

27) 예컨대 국제무역조약인 WTO의 TRIPs협정은 지식재산권조약인 WIPO의 파리협약 등의 규정을 통합하여 지식재산권을 국제적으로 보호한다.

28) 다만 2009년 국내에서 법학전문대학원의 도입으로 국제경제법 등의 전문적 교육이 활성

| 표 I-2 | 대학에서의 국제경제법의 교육내용 예시 |

핵심내용 (주당 3시간 강의 기준)	입　　문	국제경제법의 기본 개념 WTO법체제의 이해: 조직 및 권한 등
	시장접근	관세: 관세양허/분류/평가, 원산지규정 등 　수량제한의 금지
	비차별대우	최혜국대우 내국민대우
	무역구제조치	덤핑 및 반덤핑관세 보조금 및 상계관세 세이프가드조치
	무역에 대한 기술장벽	표준/기술규정/적합성판정(TBT) 위생조치(SPS)
	기　　타	예외: 일반적/안보상 예외 서비스무역(GATS) 무역관련지식재산권(TRIPs협정) WTO분쟁해결제도
추가내용 (주당 1시간 추가될 수 있는 경우)		경제통합 정부구매 국가무역 농업무역 투자, 경쟁정책, 환경과 무역 등 　국제통상법의 새로운 문제 개발도상국을 위한 특별대우 국제통화체제(IMF) 국제개발체제(IBRD)
별도의 교과목 (주당 3시간 강의 기준)		한국의 국제경제 관련 국내법 미국의 국제경제 관련 국내법 EU의 역내외 경제 관련 법

　국제경제법의 핵심 분야는 국제무역법이고, 쉽게 말하면 WTO법이다. WTO 법은 제2차 세계대전의 종식 후 50년 가까이 세계무역질서의 근간이었던 GATT 를 중심으로 또 다른 축인 서비스무역에 관한 GATS와 무역관련 지식재산권에 관한 TRIPs협정으로 구성된다. 다만, 1994년 UR협상에서 채택된 GATS와 TRIPs협정 은 규범으로서 더욱 보완되어야 할 것이어서, GATT를 중심으로 상품무역법의 비

　화될 것으로 기대되었지만, 이와 달리 국제경제법의 교육이 학생들 참여 등에서 저조한 현 실은 향후 국내에서 국제경제법의 학문과 실무 발전이 제한될 것이라는 우려를 주고 있다.

중이 여전히 크다고 할 수 있다.

또한, 현재의 국제경제관계 기본질서를 형성하고 있는 브레튼우즈체제의 또
다른 축인 IMF의 국제통화체제와 IBRD의 국제개발체제에 관한 기본적인 규범도
교육되어야 할 것이다. 결국 대학의 교과목으로서 국제경제법의 내용은 WTO의
GATT, GATS, TRIPs협정, 분쟁해결제도, 및 국제통화 및 금융, 해외투자 등이 포
함되어야 할 것이다. 또한, 국제경제법에 직접적으로 연관되는 한국의 국제경제
관련 국내법의 교육도 똑같이 중요하다. 한국의 관세법, 대외무역법 및 산업피해
구제법 등 국제경제 관련 국내법은 기본적으로 WTO법 등 해당 국제경제법의 이
행이다. 따라서 국제경제법과 관련 국내법은 대체로 그 내용이 일치한다. 국제경
제법의 올바른 이해는 국제경제 관련 국내법의 올바른 이해에 도움이 된다. 따라
서 법학, 경제학이나 경영학 계열에서 국제경제 관련 국내법이 국제경제법과 함
께 교육되는 것이 바람직할 것이다. 특히 통상정책의 수립과 집행에 있어 정부기
관의 역할과 관련 법령의 이행과정 등도 교육되어야 할 것이다.

끝으로 한국과 깊은 국제경제관계를 맺고 있는 미국과 EU는 물론 중국 등의
국제경제 관련 국내법도 소위 비교법적 차원에서 기본적인 내용이라도 교육될
필요가 있다. 미국과 EU 등의 국제경제 관련 국내법은 실제로 국제경제법의 발
전에 중요한 영향을 미치고 있고 한국의 주요 수출시장의 법제도이기 때문이다.
이 경우에 통상정책의 수립과 집행에 있어 정부기관의 역할과 관련 법령의 지위
및 이행과정 등이 교육되어야 할 것이다. 국제경제관계에서 규범과 현실에서 중
요한 지위를 갖는 이들 주요 국가의 국제경제 관련 국내법의 최소한의 기본지식
은 국제경제법의 교육에 필요하다고 본다.

제 4 절 결   어

국제경제법은 기본적으로 국제경제관계에서 국가의 행위를 규율하는 법체제
이다. 따라서 국제경제법은 국제경제관계에서 국제거래에 관한 사인의 행위를 규
율하는 국제거래법과 구별된다. 국제경제법이 그 법적 주체인 국가에 의하여 국
제경제 관련 국내법으로서 준수되어야 하는 점에서 국제경제에 관련되는 국내법
은 국제경제법의 방계영역으로서 이해될 수 있다.

　　국제경제법은 수에 있어서는 극히 적지만 한국의 「通商立國」을 위하여 사명
감을 가진 전공교수들에 의하여 연구되고 교육되고 있다. 국제경제법 전공교수들
은 국제경제관계를 경제학적 관점에서 연구하는 국제경제학, 무역학 또는 통상학
전공교수들과 긴밀하게 협력하고 있다. 국제경제법이야 말로 국제사회에서 한국
이 국제경쟁력을 가질 것으로 기대할 수 있는 학문분야이다. 앞으로 훌륭한 자질
을 가진 후학들에 의한 국제경제법의 발전을 기대한다.

제 2 장
WTO 설립협정

제1절 WTO협정의 체계

1. WTO협정의 구성

WTO협정은 최종의정서, WTO 설립협정, 각료결정 및 선언으로 구성된다. 최종의정서는 우루과이라운드(UR)의 결과 및 향후 절차에 대한 포괄적인 선언을 담고 있다. WTO 설립협정은 최종협정의 본문에 해당하는 것으로, WTO의 구조 · 기능 · 조직 · 의결방법 등에 관한 본 협정과 각 분야별 부속서를 두고 있다. 각료결정 및 선언은 WTO 설립협정과 다자간무역협정을 보완하고, UR 타결 전의 중요한 결정사항을 담고 있는 것이다.

WTO 설립협정은 4개의 부속서로 이루어진다. 제1부속서는 상품무역에 관한 다자협정(MTA), 서비스무역에 관한 일반협정(GATS), 무역관련지적재산권협정(TRIPs)으로 구성된다. 제2부속서는 분쟁해결규칙 및 양해각서(DSU)이며, 제3부속서는 무역정책검토제도(TPRM), 제4부속서는 복수국간무역협정(PTA)이다.

제1부속서의 상품무역에 관한 다자협정은 13개의 개별협정으로 구성된다. 여기에는 GATT 1994, 농업협정, 위생 및 식물위생조치협정, 섬유 및 의류협정, 무역에 관한 기술장벽협정, 무역관련투자조치협정, 반덤핑협정,[1] 관세평가협정,[2] 선적전검사협정, 원산지규정협정, 수입허가절차협정, 보조금 및 상계조치협정, 긴급수입제한조치협정이 포함되어 있다.

---

1) GATT 1994 제6조 이행협정.
2) GATT 1994 제7조 이행협정.

「GATT 1994」는 ⓐ WTO협정 발효시까지 개정되거나 수정된 GATT규정, ⓑ GATT 1947하에서 발효된 관세양허와 관련된 의정서·GATT 가입에 관한 의정서·GATT 제25조 하에서 부여된 면제에 관한 결정·기타 GATT 체약국과 관련된 결정들, ⓒ GATT 1994의 일부규정 해석에 관한 7개의 양해각서, ⓓ GATT 1994에 대한 마라케쉬의정서로 구성된다. WTO 설립협정의 채택으로 GATT 1994가 등장함에 따라, 1947년 10월 30일 채택되어 WTO협정 발표시까지 개정 또는 수정된 GATT를 「GATT 1947」이라 하여, GATT 1994와 구별하여 지칭하고 있다. GATT 1994는 GATT 1947을 하나의 구성부분으로 포함하고 있으므로, WTO는 GATT를 흡수한 것으로 볼 수도 있다.[3] 그러나 그 법적 성질에 있어서는 GATT 1947과 GATT 1994는 분명히 구별되는 것이다.[4] GATT 1994의 일부규정해석에 관한 양해각서는 GATT 제 2 조 1항 (b)의 해석에 관한 양해각서, GATT 제17조 해석에 관한 양해각서, GATT 수지균형에 관한 양해각서, GATT 제24조 해석에 관한 양해각서, GATT 의무면제에 관한 양해각서, GATT 제28조 해석에 관한 양해각서, GATT 제35조 해석에 관한 양해각서가 포함된다. GATT 1994에 대한 마라케쉬의정서는 의정서에 첨부된 양허표가 GATT 1994상의 양허표임을 규정하여, 각국의 시장개방협상으로 도출된 관세, 비관세장벽의 완화 및 철폐 약속이 WTO협정의 불가분의 일부임을 규정하고 있다.

제 4 부속서인 복수국간무역협정은 WTO 설립협정의 부속서 형식으로 되어 있으나, 실질적인 면에 있어서는 완전히 독립된 무역협정이다. 왜냐하면, 제 1 부속서의 다자간무역협정에 대한 가입은 WTO 가입시 일괄채택이 반드시 필요한 선결요건에 해당하나, 제 4 부속서의 복수국간무역협정은 가입이 강제되지 아니하고, 가입에 대한 회원국의 재량이 인정되기 때문이다. 도쿄라운드에서 채택된 코드(code) 중 민간항공기협정, 정부조달협정, 국제낙농협정, 국제우육협정은 다른 코드와 달리 일부 국가만이 서명한 까닭에 복수국간협정(plurilateral agreements)으로 불리워졌다.[5] 이들 4개의 협정은 WTO체제에 들어서도 복수국간무역협정으로 남게 되었는데, 국제낙농협정과 국제우육협정은 1997년 종료됨으로써 이들 분야

---

3) Jack J. Chen, "Going Bananas: How the WTO Can Heal the Split in the Global Banana Trade Dispute," *63 Fordham Law Review*(1995), p. 1289.
4) WTO 설립협정 제 2 조 4항.
5) WTO, *World Trade Report 2007*, pp. 24, 51.

는 농업협정과 위생 및 식품위생조치협정에서 다루어지게 되어 다자의무에 포섭
되었다.[6] 복수국간무역협정은 WTO 전체 회원국이 아닌 일부 국가에만 적용되기
때문에 다자간 통상규범으로 일반화하기 어렵다.

```
최종의정서
WTO 설립협정
      제 1 부속서
            A: 상품무역에 관한 다자협정(MTA)
                  GATT 1994
                  농업협정
                  위생 및 식물위생조치협정
                  섬유 및 의류협정
                  무역에 관한 기술장벽협정
                  무역관련투자조치협정
                  반덤핑협정
                  관세평가협정
                  선적전검사협정
                  원산지규정협정
                  수입허가절차협정
                  보조금 및 상계관세조치협정
                  긴급수입제한조치협정
            B: 서비스무역에 관한 일반협정(GATS)
            C: 무역관련지적재산권협정(TRIPs)
      제 2 부속서: 분쟁해결규칙 및 절차에 관한 양해각서(DSU)
      제 3 부속서: 무역정책검토제도(TPRM)
      제 4 부속서: 복수국간 무역협정(PTA)
                  민간항공기협정
                  정부조달협정
                  국제낙농협정
                  국제우육협정
각료결정 및 선언
```

그림 2-1   WTO협정의 구성

---

6) WTO, Termination of the International Dairy Agreement−Decision pursuant to Article
Ⅷ:3−, IDA/8(30 September, 1997); WTO, Termination of the International Bovine Meat
Agreement−Decision pursuant to Article Ⅵ:3−, IMA/8(30 September, 1997).

2. 협정간의 관계

WTO협정과 다자간무역협정간에 저촉이 있을 경우에는 WTO 설립협정이 우선한다.[7] 이것은 다자간무역협정이 WTO 설립협정의 부속서인 까닭에, 논리적인 측면에서 보더라도 당연한 것이다. WTO 설립협정이나 다자간무역협정에 규정이 없는 경우에는, GATT 1947의 체약당사국단과 GATT 1947에 의해 설치된 기관이 행한 결정 · 절차 · 관행을 따른다.[8]

GATT협정과 WTO의 다자간무역협정의 관계는 또 다른 관계에 있다. GATT협정과 GATT체제하에서 채택된 개별협정의 관계는 주종의 관계에 있었다. 즉 개별협정은 GATT협정을 보완하거나 해석하는 기준, 또는 별도의 예외적 사항을 규정한 것으로 인정되었기 때문에 GATT가 우선하여 적용되었다. 그러나 WTO협정하에서는 GATT는 제 1 부속서의 13개 다자간무역협정에 포함된 하나의 협정에 불과한 것이다. 그런 까닭에 종래의 GATT규정과 WTO협정 제 1 부속서의 다자간무역협정이 저촉되는 경우에는, 그 범위 내에서 다자간무역협정이 우선하는 신법우선(新法優先)의 원칙이 적용된다.[9] 저촉(conflict)이란 두 가지 의미를 가진다. 하나는 GATT 1994의 의무와 WTO협정 제 1 부속서 다자간무역협정상의 의무가 충돌하는 것으로, 이는 회원국이 두 가지 의무를 동시에 따를 수 없다는 의미에서 해당 의무들이 상호배타적인 경우를 말한다. 다른 하나는 한쪽 협정상의 규정에서 명백히 허용하는 것을 다른 협정상의 규정이 금지하는 상황을 의미한다.[10] 예컨대 GATT 1994 제11조 1항은 일부 예외를 인정하고 있지만 수량제한을 금지하고 있는 반면, 섬유 및 의류협정 제 2 조는 섬유와 의류 분야에서 수량제한의 부과를 인정하고 있는 것이 그러한 경우이다. 이 경우 WTO협정의 규정에 따라 섬유 및 의류협정상의 의무가 GATT 1994에 규정된 의무에 우선하는 효력을 가지게 된다.

---

7) WTO 설립협정 제16조 3항.
8) WTO 설립협정 제16조 1항.
9) General Interpretative Note to Annex 1A.
10) Panel Report on *EC—Regime for the Importation, Sale and Distribution of Bananas*(*EC—Bananas* Ⅲ), WT/DS27/R/GTM, WT/DS27/R/HND, adopted on 22 May, 1997, para. 7.159.

제2절   WTO협정의 특성

1. GATT와의 비교

(1) 법적 지위

1980년대 들어 경기침체가 계속된 반면, 국제적 투자의 급속한 팽창과 서비스무역의 증대로 국제무역이 한층 복잡해지게 되었다. 이에 따라 많은 분야에서 새로운 통상규칙의 필요성이 대두되었으며, 「관세 및 무역에 관한 일반협정」(GATT)의 분쟁해결제도 또한 효과적으로 기능하지 못하고 있다는 지적이 제기되었다.[11] 이와 같은 국제교역의 현실에 대응하기 위하여 GATT는 새로운 다자간 협상에 착수하였는데, 이것이 바로 우루과이라운드(UR)이다.

GATT의 8번째 통상협상인 UR은 GATT 역사상 가장 큰 규모로, 1986년 9월 우루과이의 푼타 델 에스테에서 발표된 각료선언에 의해 발족되었다. 이후 8년에 걸친 협상 끝에 1994년 4월 모로코의 마라케쉬에서 최종의정서(Final Act)가 채택됨으로써, 1995년 1월 1일 세계무역기구(WTO)가 설립되었다. WTO는 UR의 결과를 구체화한 것으로, GATT의 계승자로 등장한 것이다.[12] 본시 UR은 WTO를 설립할 목적으로 시작된 것이 아니라, 푼타델에스테 각료선언에 따라 'GATT체제의 미래'(Future of the GATT System: FOGS)를 다루는 데 그 목적이 있었다.[13] 기구설립에 관한 논의는 오히려 UR 내에서가 아닌 여러 다른 측면에서 진행되었다. 이를 토대로 1990년부터 캐나다와 EC가 기구설립에 관한 제안서를 공식적으로 제출하면서부터 기구설립 문제가 다루어지기 시작하였다.[14] 처음에는 다자간무역기구(MTO)로 등장하였으나, 1994년 4월 모로코에서 현재와 같은 WTO라는 명칭으로

---

11) USTR, *The GATT Uruguay Round: Report on Environmental Issues*(1994), pp. 9−10.

12) *World Trade Organization: Trade into the Future*(WTO Information and Media Relations Division, 1995), p. 4.

13) John H. Jackson, William J. Davey, and Alan O. Sykes, *Legal Problems of International Economic Relations: Cases, Materials, and Text on the National and International Regulation of Transnational Economic Relations*, Fifth ed.(Thomson/WEST, 2008), p. 224.

14) Gardner Patterson and Eliza Patterson, "The Road from GATT to MTO," *Minnesota Journal of Global Trade* vol.3(1994), pp. 41−42.

최종 결정되었다.[15) WTO의 설립은 국제사회가 종래의 GATT에 대하여 어떠한 태도를 보여왔는가를 보여주는 것이다. 그 동안 GATT가 사실상의 국제기구로서 기능하고 있음을 부정하지는 않았으나, 그 존재를 공식적인 국제기구로 인정하지도 않았음을 반증하는 것이다. 이는 단순한 국제협정에 불과하던 GATT가 국제기구로서의 WTO로 대체되었음을 의미한다.

혹자는 UR의 특징으로 일괄채택방식과 UR 최종의정서의 법적 지위를 들고 있다.[16) 일괄채택(single undertaking)방식이란 UR협상의 결과를 전부 수락하든지 아니면 전부를 거부하든지 두 가지 중 한 방법만을 취하여야 함을 의미한다.[17) 최종의정서는 WTO를 창설하는 내용을 담고 있으며, GATT 및 GATT관련 협정을 부속서로 두고 있는데, 이러한 지위는 기존 협정의 개정이 아니라 새로운 협정으로 최종의정서를 채택한 결과라고 할 수 있다.[18)

이와 같이 WTO는 WTO협정을 총괄 시행하며, 앞으로 이를 다듬어갈 수 있는 개선된 기구구조(機構構造)를 제공한다는 점에서 큰 의미를 갖는다.[19) 「WTO 설립을 위한 마라케쉬협정」(Marrakesh Agreement Establishing the World Trade Organization)은 WTO의 법인격을 명백히 규정하고 있고, 회원국은 WTO가 그 기능을 수행하는 데 필요한 법적 능력과 특권 및 면제를 허용할 것을 규정하고 있다.[20) WTO가 누리는 특권과 면제는 기구 자체뿐 아니라 직원과 회원국 대표에게도 부여되는 것으로, 1947년 11월 21일 UN총회에서 승인한 전문기관의 특권과 면제에 관한 협정과 유사한 것이다.[21)

(2) 규제대상

GATT규범은 상품무역에만 적용되었으나, WTO규범은 상품무역에 더하여, 서비스무역과 지적재산권의 교역관련 측면까지도 규제대상으로 한다.

---

15) Jackson et al., *supra* note 13, p. 225.
16) John H. Jackson, *The World Trading System*, Second ed.(MIT, 1997), p. 47.
17) Patterson and Patterson, *supra* note 14, p. 40.
18) Jackson, *supra* note 16, *Ibid*.
19) Susan M. Collins and Barry P. Bosworth, *The New GATT : Implications for the United States*(Brookings Institute, 1994), p. 15.
20) WTO 설립에 관한 마라케쉬협정 제 8 조 1항, 2항, *The Law of the WTO : Final Text of the GATT Uruguay Round Agreements, Summary*(Oceana Publications, 1995), p. 178.
21) WTO 설립협정 제 8 조 4항.

WTO 설립협정에 따르면, WTO는 이 협정에 포함되는 협정 및 부속서와 관련된 사항에 있어 회원국간의 무역관계의 수행(conduct of trade relations)을 위한 공통의 기구적 구조를 제공하여야 한다고 규정하고 있다.[22] WTO협정의 구성을 보면, 그 중에는 상품무역에 관한 다자협정뿐만 아니라 서비스무역에 관한 일반협정, 무역관련지적재산권협정이 부속서로 포함되어 있다. 따라서 WTO는 GATT가 규제대상으로 하지 않았던 서비스와 지적재산권에 관계되는 사항을 규제한다는 점에서 GATT와 대비되는 것이다.

이와 더불어 GATT는 잠정적 기초 위에서 적용되었던 반면, WTO상의 책임은 완전한 것이며 항구적인 것이라는 점에서도 차이가 있다.[23]

(3) 가입방식

WTO가 종래의 GATT와 다른 결정적인 요소는 바로 일괄채택방식(一括採擇方式, single undertaking)을 취하였다는 점이다. GATT는 1980년까지 채택된 많은 무역협정에 대하여 가입을 강제하지 않았으나, WTO는 가입을 위하여 WTO협정을 일괄적으로 수락하여야 하며, 유보나 조건부 가입은 인정하고 있지 않다.[24] 일괄적 수락의 의무성은 브라질 코코넛 분말 사건에서 재확인되었는데, 항소기구는 "모든 회원국은 WTO협정과 제1, 2, 3 부속서상의 모든 권리와 의무에 귀속된다"고 밝힌 바 있다.[25] 이와 같이 WTO협정의 수락이나 가입여부는 일괄채택방식을 취함으로써, 특히 개발도상국을 포함한 많은 국가들이 과거 무임승차를 누려왔던 분야에서 새로운 의무를 즉시 이행하여야 한다.[26]

일괄채택방식은 UR협정과 GATT를 단일화된 법적 구조로 통합하는 것으로, 종래 GATT가 지니고 있던 몇 가지 문제점을 해결하게 되었다.[27] 첫째, 대부분의 협정을 하나로 통합함으로써, 현재까지 존재하던 GATT상의 권리와 책임이 분할되던 문제점을 해소하게 되었다. 이러한 통합체제에 따라 모든 회원국은 단일화

---

22) WTO 설립협정 제2조.

23) World Trade Organization, *supra* note 12, p. 11.

24) WTO 설립협정 제16조 5항.

25) Appellate Body Report, *Brazil—Measures Affecting Desiccated Coconut*, WT/DS22/AB/R, p. 12.

26) Jeffery Schott, *The Uruguay Round*(Institute for International Economics, 1994), p. 15.

27) Judith H. Bello and Mary E. Footer, "Uruguay Round: GATT/WTO," *29 The International Lawyer*(1995), pp. 340−341.

된 분쟁해결체제와 무역검토제도상의 감시를 포함하여 다자간협정을 준수하여야 한다. 둘째, 이러한 통합을 통하여 소위 '무임승차자'(free riders)의 문제를 많이 줄일 수 있게 되었다. WTO에 있어서도 개발도상국은 새로운 의무에 관하여 장기의 과도기간이 허용되었으나, 종국적으로는 선진국과 같이 그러한 의무를 수행하도록 요구하고 있다. 더욱이 저개발국에 대한 의무면제가 인정되는 경우에도 엄격한 요건 하에 일정한 기간 동안만 인정된다. 셋째, UR의 무역자유화를 위한 노력으로 더욱 많은 국가들이 GATT에 참여하게 됨으로써, WTO는 GATT에 비하여 훨씬 더 보편적인 것이 되었다. 넷째, GATT는 잠정적 기초 위에서 적용되던 것이었지만, WTO협정은 우루과이라운드 최종의정서에 의하여 완전히 적용되기에 이르렀다. 다만 제 4 부속서상의 복수국간 무역협정은 일괄채택방식을 따르지 않고, 서명국에만 적용되도록 하였다.

이와 더불어 GATT에서 인정되던 「잠정적용에 관한 의정서」는 GATT 1994에 포함시키지 않음으로써, 소위 말하는 조부조항(祖父條項, grandfather clause)은 인정되지 않게 되었다. 이에 따라 모든 회원국은 자국의 국내법규 및 행정절차를 부속서상의 다자협정에 규정되어 있는 의무에 합치시켜야 하고,[28] WTO에서 인정되지 않는 일방적 보복조치나 무역상의 장벽은 금지되고 있다.

(4) 분쟁해결

WTO의 분쟁해결절차는 GATT에 비해 신속성을 요구하고 있고, 기계적으로 적용되는 차이를 갖고 있다. 따라서 GATT체제상의 분쟁해결절차에 비하여 방해를 덜 받게 된다. 뿐만 아니라, WTO 분쟁해결절차에서 채택된 결정은 GATT에 비해 그 이행이 쉽게 확보될 수 있다는 장점이 있다.

2. WTO의 역할

(1) 목 적

WTO의 설립으로 국제통상체제는 국제법인격을 가진 완전한 형태의 국제기구 위에 굳건히 설 수 있게 됨으로써, 견고한 구조를 갖추게 되었다. WTO는 주

---

28) WTO 설립협정 제16조 4항.

목할 만한 국제기구의 창설을 상징하는 데 그치지 않고, 국제사회가 완전히 기능
할 수 있는 통상체제를 만들었다는 데 더욱 중요한 의미가 있다.[29] 즉 WTO는 협
정문과 부속문서에 관련된 사항에 관하여 회원국간 통상관계의 수행을 위한 공
통의 기구적 틀을 제공하는 것이다.

WTO의 기초가 되는 철학은 시장개방, 비차별, 국제무역상의 세계적 경쟁이
모든 국가의 복지에 도움이 되는 것이어야 한다는 것이다.[30] 이를 위하여 WTO
설립협정은 WTO의 목표와 목적을 설정하고 있다. WTO는 회원국들간의 관계에
서 무역과 경제 분야의 노력을 행함에 있어, 생활수준의 향상·완전고용·실질소
득과 유효수요의 충분하고 꾸준한 성장·상품과 서비스의 생산·무역의 확대를
목표로 하고 있다.[31] 이러한 목표를 달성하기 위한 수단으로 WTO는 두 가지 목
적을 제시하고 있다. 하나는 실질적인 관세인하와 무역의 비관세장벽 감축을 하
는 것이고, 다른 하나는 국제무역관계에 있어 차별적 대우를 제거하는 것이다.[32]
이들 목적을 달성하기 위하여는 다음의 세 가지 전제가 요구된다. 첫째, 세계의
자원에 대한 최적의 이용과 일치되는 방법으로 이들 목적이 추구되어야 한다. 둘
째, 지속적 개발의 수요와 환경의 보존 및 보호에 대하여 유의하여야 한다. 셋째,
개발도상국이 그들의 경제적 개발에 대한 수요를 반영하는 국제교역의 발전에
있어 동참할 수 있는 수준을 취할 수 있도록 확보하여야 한다.[33]

(2) 기 능

무역정책에 있어 가장 최선의 방법은 자유무역이다. WTO는 GATT나 서비스
무역에 관한 일반협정 등을 통하여 무역장벽의 감축과 관세의 단계적 감소를 이
끌어내 이러한 목적을 달성할 수 있도록 하는 것이다.[34] 그러나 WTO는 흔히 알
려진 바와 같이 자유무역을 위한 기관이 아니라, 공정한 무역을 위한 기관에 지

---

29) Ashif H. Qureshi, *The World Trade Organization*(Manchester, 1996), p. 3.

30) Bernald M. Hoekman and Michel M. Kostechi, *The Political Economy of the World Trading System*(Oxford, 1995), p. 1.

31) WTO 설립에 관한 마라케쉬협정 서문, *The Law of the WTO : Final Text of the GATT Uruguay Round Agreements, Summary*, p. 175.

32) *op. cit.*, p. 177.

33) *op. cit.*, p. 175.

34) Bernard M. Hoekman, *Trade Laws and Institutions : Good Practices and the World Trade Organization*(The World Bank, 1995), p. xv.

나지 않는다.35) 이러한 모습은 GATT에 있어서와 동일한 것으로, GATT는 어디에
서도 궁극적 목적을 자유무역이라고 언급한 적이 없다. 그 대신 무역장벽의 감축
을 촉진하고, 체약당사국들에게 시장접근의 조건과 관련하여 평등성을 확대하도
록 함으로써,36) 공정한 무역을 확보하기 위한 노력을 전개하여 온 것이다.

이러한 취지에 따라 WTO는 다음과 같은 기능을 가진다. 첫째, 관세인하와
무역의 비관세장벽을 감축하고, 국제무역관계의 차별철폐를 위한 실질적인 행동
규범을 제공한다. 둘째, WTO는 실질적 규범집행을 위한 기구적 구조를 제공하는
것으로, 과거의 모든 무역협정과 모든 UR협정의 집행과 운용을 위한 통합적 구
조를 갖고 있다.37) 셋째, WTO는 실질적 규범의 이행을 확보한다. 이를 위하여
무역관련사항의 분쟁해결을 위한 장을 제공하고,38) 국가의 무역정책 및 관행을
감시하게 된다.39) 넷째, WTO는 회원국간 국제무역관계에 관한 매개물로서 행동
하게 된다. 특히 향후의 무역자유화협상과 국제무역체제의 개선을 위한 장으로서
기능하게 된다.40) 마지막으로, WTO는 세계경제정책의 강력한 통합을 위하여 국
제통화기금(IMF)이나 국제부흥개발은행(IBRD) 및 그 부속기관들과 협력하게 된
다.41) 이러한 맥락에서 국제통화기금과 세계은행은 1996년 WTO 일반이사회에서
영구적 참관국의 지위(permanent observer status)가 인정되었다.42)

WTO가 규율하는 다양한 조약들은 주권국가나 관세지역간에 적용되는 것으
로, 정부정책을 다루는 것이다. 바꾸어 말하면, WTO는 사인간의 거래행위에는
직접 관계하지 않고 정부의 조치만을 다루는 것으로, 관세·쿼터·보조금·국가
무역과 같은 무역정책수단에 관한 규율을 확립하는 것을 목적으로 한다. 이와 같
이 WTO는 교역이나 국내시장으로 수입된 상품이 직면하고 있는 경쟁조건에 영
향을 주는 정부의 규제적 행동을 규율하는 국제기구로 존재한다.43) 기능적 측면

35) World Trade Organization, *supra* note 12, p. 6.
36) Hoekman and Kostechi, *supra* note 30, p. 13.
37) WTO 설립협정 제 3 조 1항.
38) WTO 설립협정 제 3 조 3항.
39) WTO 설립협정 제 3 조 4항.
40) WTO 설립협정 제 3 조 2항.
41) WTO 설립협정 제 3 조 5항.
42) General Council, *WTO Agreements with the Fund and the Bank, Approved by the General
Council at its Meeting on the 7, 8 and 13 November 1996*, WT/L/195(Nov. 18, 1996),
Annex 1, para. 6 & Annex 2, para. 5.
43) Hoekman and Kostechi, *supra* note 30, p. 9.

에서 보면, WTO는 과거의 GATT와 전혀 차이가 없는 것이나, 앞서 언급한 바와 같이 그 법적 지위에 있어서는 종래의 GATT와 현격한 차이가 있음을 알 수 있다.

(3) WTO의 한계

이상에서 보는 바와 같이 WTO의 기구적 구조는 완벽한 것은 아니지만, 국제통상체제의 기반이 되는 헌장 구조를 제공하는 것이라고 할 수 있다. 즉 국제무역분야의 입법메커니즘을 제공하고, 분쟁해결기구를 제공하며, 감시장치와 집행구조를 제공하는 것이다. 뿐만 아니라, 그 헌장적 구조는 국제무역관계의 긴박성에 대응할 수 있는 탄력성을 갖고 있다. 이에 따라 WTO의 입지는 종래보다 광범해진 국제경제질서 상황에서도 매우 안정되어 있다.

그러나 WTO에도 몇 가지 단점이 발견되고 있다. 첫째, WTO의 목적과 목표는 그 범위가 매우 제한되어 있다는 점이다. 둘째, WTO는 미래의 국제통상규제가 객관적으로 결정된 국제통상체제의 필요에 대응하도록 하는 효과적 장치라기보다, 국제로비스트의 영향력에 따라 제한될 수 있는 한계를 가지고 있다. 셋째, WTO가 회원국의 의지와 다르게 행동할 때 그 국제적 법인격은 매우 제한적인 것일 수밖에 없다. 넷째, WTO의 창설은 완전히 새로운 협상에서 비롯된 것이 아니고, GATT로부터 나온 것이라는 점이다. 그런 까닭에 WTO는 GATT의 단점 중 일부를 이어 받았다. 실제로 종래 GATT의 관행은 향후 WTO행동의 중심축이 되고 있음을 알 수 있다. 나아가 기술적인 측면에서 보면, WTO 구조 하의 실체법은 완전히 성문화된 상태가 아니고, 여전히 상이한 국제협정의 모자이크로 구성되어 있다. 이것은 복잡성을 반영할 뿐만 아니라, 협정간의 불일치나 충돌을 야기할 가능성이 있음을 보여준다. 이러한 이유에서 앞으로 WTO의 기구적 변화가 나타날 것이라는 것은 명약관화한 것이다.[44]

---

44) Qureshi, *supra* note 29, p. 9.

제 3 절 WTO의 구성

1. 회 원 국

(1) 가입자격 및 절차

WTO 설립협정에 따라 회원국은 원회원국과 신규가입국으로 구분된다. 원회원국의 자격은 WTO 설립협정 발효시에 GATT 1947의 체약당사국으로서, WTO 설립협정과 제 1 부속서상의 다자간무역협정을 받아들이고, 서비스무역협정에 부속된 이행계획서를 수락한 국가에 국한된다.[45] 유럽공동체(EC)도 원회원국의 자격을 가진다. 그러나 UN이 최빈국이라고 인정하는 경우에는 그 국가의 발전과 재정·무역상의 필요 또는 자국의 행정적·제도적 능력에 맞는 범위 내에서 이행하고 양허하면 원회원국의 지위를 가진다.[46] 1995년 5월 일반이사회는 최빈국 20개국의 상품무역 및 서비스무역에 관한 양허표 및 구체적 약속을 승인한 바 있다.[47]

신규가입의 자격은 WTO 설립협정과 다자간무역협정, 서비스무역협정상의 이행계획서를 수락한 국가에 인정되는데, 가입희망국과 WTO간에 합의된 조건에 따라 가입이 허용된다. 일반적으로 WTO 가입을 희망하는 국가는 참관국(observer)으로 먼저 참여하고 있으며, WTO에 가입하기로 결정한 경우 가입을 희망한다는 취지의 통보(communication)를 사무총장에게 제출하게 된다. 가입희망국의 통보는 모든 WTO 회원국에게 회람되며, 일반이사회는 가입을 위한 작업반을 설치할 수 있다. 이후 가입신청국은 외국과의 통상체제 및 자국의 규칙 규정, 관련 경제정책, 경제통계 등을 상세하게 기재한 각서(memorandom)를 사무국에 제출하여야 한다. 동 각서는 모든 회원국에게 회람된다. 이후 작업반은 각서, 각 회원국들이 제기한 질문, 향후 필요한 통상체제에 대한 변화 등에 관하여 신청국과 논의를 시작하게 된다. 논의가 충분히 이루어진 후 가입을 원하는 국가는 기존

---

45) WTO 설립협정 제11조 1항.

46) WTO 설립협정 제11조 2항.

47) General Council, *Approval by the General Council of Schedules on Goods and Services Pursuant to the Marrakesh Decision in Favour of Least-Developed Countries*, WT/L/70 (June. 12, 1995).

회원국과 양자적 기반 위에서 시장접근을 포함하는 양허에 관한 합의를 도출하
는 협상을 행하여야 한다. 실제로는 가입희망국과 주요 무역이해를 가진 국가간
의 상호적 합의에 달려 있는 경우가 대부분이다. 이러한 과정이 완료된 후 신청
국은 GATT 1994 및 그 부속서에 관한 양허표 및 GATS에 관한 구체적 약속을 준
비하게 된다. 양허표 및 구체적 약속은 다자적으로 검토되고 가입의정서에 부속
된다. 가입의정서는 신청국과 작업반을 구성하였던 회원국이 동의한 가입조건을
포함한다. 일반적으로 작업반은 총의로 가입의정서 초안을 포함한 보고서를 승인
하며, 가입의정서는 작업반의 논의와 초안결정에 관한 요약과 함께 일반이사회
내지 각료회의에 제출된다. 일반이사회는 2/3 다수결로 가입의정서를 채택하고,
가입의정서는 신청국의 서명 또는 비준서 기탁 후 30일이 지나면 효력이 발생한
다. 가입희망국은 필요한 WTO 의무 모두를 수락하여야 하며, 자국의 법과 규칙
을 WTO 의무에 합치하도록 하는 것이 요구된다. 신규회원국에 대한 가입결정은
각료회의의 결정으로 이루어진다. 그리고 대외무역관계와 WTO 설립협정 및 다
자간무역협정상의 사항을 수행하는 데 완전한 자치능력을 갖춘 독립된 관세지역
도 이상의 조건을 구비하면 가입이 허용된다.[48] 이 규정에 따라 홍콩과 마카오도
당사자로 가입되어 있고, 2001년 11월 11일 도하각료회의에서는 Chinese Taipei를
구성하고 있는 대만(臺灣, Taiwan), 팽호(澎湖, Penghu), 금문(金門, Kinmen), 마조(馬
祖, Matsu)가 독립관세영역으로서 WTO 가입이 허용되었다.

GATT 제15조상의 규정에 따른 의무의 면제는 WTO 설립협정 제9조에 의
하여 연장되지 않는 한, WTO발족 후 2년 내에 종료되어야 한다.[49] 회원국은 다
른 회원국과의 관계에서 WTO 설립협정과 다자간무역협정을 적용하지 않음을
밝힐 수 있다. 실제로 터키는 아르메니아를 상대로 WTO 설립협정과 다자간무
역협정을 적용하지 않겠다는 의사를 밝힌 바 있다.[50] 동 조항은 쌍방이 모두
WTO 회원국이 되는 시점에만 적용되며,[51] 원용하는 국가가 가입승인 전에 각
료회의에 그 뜻을 고지한 경우에만 적용된다.[52] 원회원국간에도 이미 GATT 제

---

48) WTO 설립협정 제12조 1항.
49) GATT 1994하의 의무면제에 관한 양해각서 제2조.
50) WTO Communication, Accession of the Republic of Armenia, *Invocation by the Republic of Turkey of Article XIII of the Marrakesh Agreement Establishing the World Trade Organization with respect to the Republic of Armenia*, WT/L/501(Dec. 3, 2002).
51) WTO 설립협정 제13조 1항.

35조에 따라 적용되어 효력을 유지하고 있는 경우에는 이러한 비적용조항(非適用條項, non-application clause)이 적용될 수 있다.[53] 과거 미국은 공산권국가와의 관계에서 비적용조항을 수차례 원용하고, 자국 의회에서 정상적 통상관계(normal trade relations)로 인정된 후에 이를 철회한 바 있다.[54] 회원국의 WTO 경비에 대한 분담금은 당해 회원국의 국제통상에서의 점유지분에 따른다.[55]

(2) 탈　퇴

회원국은 탈퇴의 자유가 인정되나, 탈퇴의 고지가 WTO 사무총장에게 접수된 후 6개월이 지나야 그 효력이 발생하도록 하였다. 탈퇴의 효과는 WTO 설립협정과 다자간무역협정 모두에 나타난다.[56] 이는 GATT에서와 같이 탈퇴의 자유를 인정하되, 일정기간의 과도기간을 둠으로써 WTO체제의 안정성을 유지하려는 목적을 가진 것이다.

2. WTO의 기관

WTO 조직의 구조를 개관하면 그 기본구조는 간결하고 단순한 형태의 전형이라 할 수 있다.[57]

WTO는 국제기구로서의 법인격을 보유하며, 그 기능수행을 위한 특권과 면제가 인정된다. 특권과 면제는 국가의 사법적 관할권으로부터의 면제, 집행조치로부터의 면제, 토지 및 재산, 문서의 불가침, 통화 및 재정특권의 향유, 공적 통신의 자유 등 5가지 측면에서 향유되는 것이다. 사무국과 사무총장을 두고, 예산조치나 다른 국제기구와의 관계를 발전시키기 위한 권한을 인정받는 등 전통적인 기구규정도 갖추고 있다. 이와 같이 WTO 설립협정은 세계무역기구의 기구적 측면을 강화시켰다는 점에서 좋은 평가를 받을 수 있다. 그러나 IMF나 IBRD의

---

52) WTO 설립협정 제13조 3항.
53) WTO 설립협정 제13조 2항.
54) Jackson et al., *supra* note 13, p. 244.
55) WTO 설립협정 제 7 조.
56) WTO 설립협정 제15조 1항.
57) Mary E. Footer, *An Institutional and Normative Analysis of the World Trade Organization*(Martinus Nijihoff, 2006), p. 3.

집행위원회에 견줄 수 있는 운영위원회가 없기 때문에, WTO의 운영은 일반이사회에 의해 이루어지게 되어 효율성이 떨어질 수 있다는 점이 문제점으로 지적될 수 있다.58)

WTO는 피라미드형의 단계적 구조를 갖고 있다. 최고 정점에는 각료회의가 있고, 그 다음 단계에는 일반이사회가 있다. 다음 단계로는 상품무역이사회, 서비스무역이사회, 무역관련지적재산권이사회와 같은 전문이사회가 있으며, 일련의 수평적 위원회59)가 있다. 그 아래에는 독립된 다자간무역협정에 따라 설치되는 위원회가 있는데, 이 위원회들은 각각의 전문위원회에 보고하게 된다. 전체로는 약 70개의 기관이 있는데, 그 중 34개는 상설기관이다.60)

(1) 각료회의

각료회의(Ministerial Conference)는 모든 회원국의 고위급 대표로 구성되는 WTO 최고의 기관으로, GATT의 체약국단에 견줄 수 있는 것이다.61) 매 2년마다 1차례 이상 회합하도록 되어 있는데, 주로 회원국의 통상장관들이 참석하게 된다. 각료회의는 WTO의 기능을 수행하게 되며, 그 기능을 수행하기 위한 범위 내에서 필요한 조치를 취하게 된다. 그 외에도 다자간무역협정의 모든 사항에 관하여 결정권을 가지는 최고의 권위를 가진다.62)

각료회의의 중요성은 회원국이 각료 차원에서 만나는 유일한 장소라는 점과 최고위급 결정기관이라는 점에 있다. 각료회의는 결정권한 외에 WTO협정에 규정되어 있는 다양한 권한을 갖고 있다. 사무총장의 지명권과 사무총장의 권한과 의무, 근무조건 및 임기에 관해 규칙을 채택할 수 있다.63) 그러나 실제로는 2005년까지 10년 동안 사무총장의 지명은 일반이사회에서 이루어졌는데, 그 이유는 각료회의가 2년의 기간마다 개최되는 데 있다. 그 외에도 사무국 직원의 의무와 근무조건을 규율하는 규정,64) 일반이사회와 함께 WTO 설립협정과 다자간무역협

58) Schott, *supra* note 26, p. 16.
59) 상설위원회, 가입에 관한 작업반, 복수국간무역협정에 따른 위원회.
60) Footer, *supra* note 57, p. 36.
61) Jack J. Chen, "Going Bananas: How the WTO Can Heal the Split in the Global Banana Trade Dispute," *63 Fordham Law Review*(1995), p. 1291.
62) WTO 설립협정 제4조 1항.
63) WTO 설립협정 제6조 2항.
64) WTO 설립협정 제6조 3항.

정의 유권적 해석을 채택할 배타적 권한,[65] 회원국에게 부과되는 의무의 면제 부여,[66] WTO협정의 개정 채택권,[67] WTO 가입승인권[68] 등이 있다.

각료회의 산하에는 무역개발위원회, 무역수지위원회, 예산·재정·행정위원회 등 3개 위원회를 설치하도록 규정하였고, 그 외에도 필요한 위원회를 더 둘 수 있도록 하였다. 이에 따라 1994년 4월 마라케쉬에서 개최된 각료회의의 결정에 따라 첫 번째 일반이사회에서 무역환경위원회를 설치하도록 하였다. 무역개발위원회는 후진국에 관한 다자간무역협정상의 특별규정을 정기적으로 검토하고, 적절한 조치를 위하여 일반이사회에 이를 보고한다. WTO의 모든 회원국은 이들 위원회의 구성원이 될 수 있다.[69]

(2) 일반이사회

일반이사회(General Council)는 회원국의 대표로 구성되는데, 필요하다고 생각하는 시기마다 개최할 수 있다. 보통 제네바에 있는 각국 대표들이 참여하게 되는데, 각료회의가 열리지 않는 동안 각료회의의 모든 기능을 수행하게 된다. 각료회의는 최소 2년에 한 번씩 회합하도록 되어 있으나 자신의 고유권한을 이행하기에 충분한 시간이 아닌 까닭에, 중국의 WTO 가입 등과 같은 고도의 정치적 사안이 아닌 한 사실상 일반이사회가 각료회의의 기능을 수행하여 오고 있다.[70] 그 외에도 WTO 설립협정에서 부과된 기능을 수행한다.[71] 일반이사회는 일반적 결정권한, WTO 설립협정에 기반한 특정 권한, 하위 기관에 대한 감독권한 등 3가지 다른 차원의 집행 권한을 갖고 있다. 이러한 의미에서, 일반이사회는 WTO의 기관차에 해당하는 것이라고 할 수 있다.[72] 일반이사회는 종래 GATT와 비교할 때, GATT이사회(GATT Council)에 해당하는 것이다.[73]

---

65) WTO 설립협정 제 9 조 2항.
66) WTO 설립협정 제 9 조 3항.
67) WTO 설립협정 제10조.
68) WTO 설립협정 제12조.
69) WTO 설립협정 제 4 조 7항.
70) Pieter Jan Kuijper, "WTO Institutional Aspects" *in* Daniel Bethlehem, Donald McRae, Rodney Neufeld and Isabelle Van Damme(eds.), *The Oxford Handbook of International Trade Law*(Oxford, 2009), p. 86.
71) WTO 설립협정 제 4 조 2항.
72) Qureshi, *supra* note 29, p. 6.
73) Chen, *supra* note 61, p. 1291.

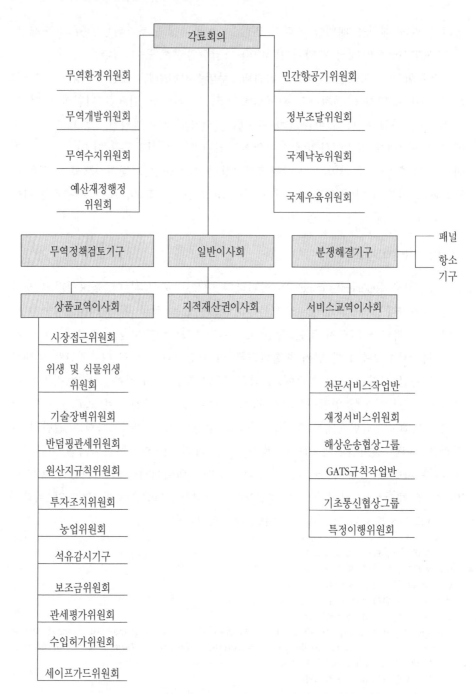

각료회의

무역환경위원회
무역개발위원회
무역수지위원회
예산재정행정
위원회

민간항공기위원회
정부조달위원회
국제낙농위원회
국제우육위원회

무역정책검토기구　　일반이사회　　분쟁해결기구 ─ 패널
　　　　　　　　　　　　　　　　　　　　　　　 항소
　　　　　　　　　　　　　　　　　　　　　　　 기구

상품교역이사회　　지적재산권이사회　　서비스교역이사회

시장접근위원회
위생 및 식물위생
위원회
기술장벽위원회
반덤핑관세위원회
원산지규칙위원회
투자조치위원회
농업위원회
석유감시기구
보조금위원회
관세평가위원회
수입허가위원회
세이프가드위원회

전문서비스작업반
재정서비스위원회
해상운송협상그룹
GATS규칙작업반
기초통신협상그룹
특정이행위원회

그림 2-2　 WTO 기구구성

일반이사회는 분쟁해결에 관한 양해각서에 따라 설치되는 분쟁해결기구와, 무역정책검토제도에 따라 설치되는 무역정책검토기구에 임무를 부과하기 위하여 적절한 때 회합하게 된다. 분쟁해결기구와 무역정책검토기구는 독자적인 의장을 선출하고, 부과된 임무를 수행하기 위해 필요한 독립된 절차규칙을 가진다.[74]

일반이사회 산하에는 상품무역이사회, 서비스무역이사회, 무역관련지적재산권이사회가 설치된다. 이들 이사회는 모든 회원국의 대표들로 구성되는데, 각각 상품무역에 관한 다자협정, 서비스무역에 관한 일반협정, 무역관련지적재산권협정상의 임무와 일반이사회가 부과한 기능을 수행하게 된다. 이를 위하여 독자적인 절차규칙을 제정할 수 있는데, 그 절차규칙은 일반이사회의 승인을 받도록 하고 있다. 세 이사회는 필요하다고 생각될 때마다 회합할 수 있고,[75] 각 이사회는 그들이 필요하다고 인정하는 보조기관을 설치할 수도 있다.[76]

그 외에도 복수국간무역협정상의 기능을 수행할 기관을 설치하게 되는데, 이들 복수국간무역협정상의 기관은 WTO의 기구구조 내에서 운영되며, 그 활동상황을 일반이사회에 고지하여야 한다.[77]

(3) 무역정책검토기구

무역정책검토기구는 본질상 다른 구조 하에서 활동하는 WTO 일반이사회로서,[78] 무역정책검토기구의 설립은 WTO의 기구구조상 가장 큰 특징이라 할 수 있다. 본 기구의 목적은 회원국이 WTO의 규칙과 규율, 양허를 잘 따르도록 하기 위하여,[79] 다자간무역체제에 대한 회원국의 무역정책과 관행의 영향을 검토하기 위하여,[80] 그리고 국내법과 관행의 투명성을 더욱더 강하게 확보하기 위한 것이다. 투명성은 다른 WTO협정 하의 통지의무로 확보될 수 있으나, 무역정책검토기구의 검토는 이러한 통지가 불충분한 경우 이를 보충하는 역할을 하기도 한다.[81]

---

74) WTO 설립협정 제4조 3항, 4항.
75) WTO 설립협정 제4조 5항.
76) WTO 설립협정 제4조 6항.
77) WTO 설립협정 제4조 8항.
78) WTO 설립협정 제4조 4항.
79) WTO 설립협정 제3 부속서 A(i).
80) WTO 설립협정 제3 부속서 A(ii).
81) Mitsuo Matsushita et al., *The World Trade Organization - Law, Practice, and Policy*

즉 무역정책검토기구는 UR을 통해 채택된 다자간무역규범을 강화하고, 세계무역
체제를 안정되게 하는 중요한 요소가 된다.

무역정책검토기구는 회원국의 무역정책과 관련제도 및 관행을 정기적으로
검토하여, 회원국이 무역상의 의무를 어떻게 준수하는지를 검토하고, 상품과 서
비스의 무역을 방해하는 장벽에 관한 보고서를 작성한다.[82] 이를 통하여 회원국
의 무역정책과 관행의 투명성을 확보함으로써, 회원국으로 하여금 다자간무역협
정하의 규범이나 내용의 이행을 독려하고, 다자간무역체제의 기능을 더욱 원활히
하는 것이다. 이와 같이 무역정책검토기구는 회원국 무역정책의 투명성을 요청하
는 것이기는 하나, 협정상의 의무이행이나 분쟁해결절차를 위한 토대로서 기능하
기 위한 것이 아니며, 회원국에 새로운 정책이행을 부과하기 위한 것도 아니다.[83]
무역정책검토기구는 단순한 협의의 형식을 취하며, 회원국의 정책이 WTO협정에
부합 혹은 일치하는지의 여부, 그리고 WTO협정의 이행여부를 검토한다.[84] 물론
이러한 검토는 WTO의 분쟁해결제도와는 별개로 수행되는 것이며, 법적 구속력
이 없다.[85] 그러나 근래에 들어와 몇몇 회원국들은 무역정책검토기구의 검토에
따라 그들의 무역정책을 WTO협정에 부합하도록 함으로써, 무역정책검토는 분쟁
해결의 추가적인 방법으로 평가받기도 한다.[86]

무역정책검토기구는 무역정책검토제도를 운영하고 세계무역체제의 발전에
관한 연례보고서를 제출할 책임이 있는데, 검토결과는 일반이사회에 보고한다.
검토방법은 대상국이 규정에 따라 제출한 보고서 및 사무국이 작성한 보고서에
기초한 토의와 회원국 무역정책에 관한 세미나의 형식으로 진행된다. 각 회원국
에 대한 검토 정도는 다자간무역체제의 기능에 미치는 개별 회원국의 영향에 따
라 결정된다. 미국 · 일본 · EU · 캐나다 등 최대 교역국 4국은 2년마다, 5위에서
20위까지의 16개국은 4년마다, 여타 국가들은 6년마다 행하되, 최빈국은 그 기간

(2003), pp. 43-44.

82) Schott, *supra* note 26, p. 16.

83) WTO 설립협정 제 3 부속서 A(i).

84) Trade Policy Review Body, *Report of the Trade Policy Review Body for 2006*, WT/TPR/W/36, (Oct. 23, 2006), p. 12.

85) World Trade Organization, Ministerial Conference of 30 Nov.-3 Dec. 1999, *Appraisal of the Operation of the Trade Policy Review Mechanism*, WT/MIN(99)/2 (Oct. 8, 1999), p. 3.

86) Kumar Ratnesh, *WTO(World Trade Organization): Structure, Functions, Tasks, and Challenges*(2002), p. 42.

을 연장할 수 있게 하였다.[87]

(4) 분쟁해결기구

분쟁해결기구와 무역정책검토기구는 일반이사회와는 구별되는 별도의 기관으로, 그 자신만의 권한을 가진다. 1996년 분쟁해결기구는 수행규칙(Rules of Conduct)을 채택한 바 있는데, 동 규칙은 패널위원과 패널을 지원하는 사무국 직원의 임무수행을 위한 내용을 담고 있다. 이는 분쟁해결기구에 내재된 권한을 행사한 것으로 볼 수 있는 것이다. 2000년 10월 분쟁해결기구의 권고이행을 위해, 부여된 합리적 기간을 한 달 연장하는 결정도 내재된 권한에 따라 행한 것이다. 이행을 위한 합리적 기간을 연장한 것은 미국−외국판매회사(Foreign Sales Corporations) 사건에서 미국 의회가 미국 세법에 규정된 외국판매회사 관련 규정을 개정하는 데 시간이 더 필요하였기 때문이었다.[88] 분쟁해결기구는 분쟁해결규칙 및 절차에 관한 양해각서 제21조 3항에 근거하여 회원국의 요청에 따라 분쟁해결기구의 결정 이행을 위한 합리적 기간을 부여할 권한이 있다. 이러한 권한에는 제21조 3항 (c)에 따라 합리적 기간에 관한 기속적 중재에의 회부 및 내재된 권한의 확대를 통해 이러한 합리적 기간을 수정하는 권한이 포함되는 것이다.[89]

분쟁해결기구는 패널과 상설항소기구(standing appellate body)로 구성되는데, 이들이 발행하는 보고서는 분쟁해결기구에 의해 채택되어야 분쟁 당사국간 법적 구속력을 갖게 된다.

(5) 전문이사회

전문이사회인 상품무역이사회, 무역관련서비스이사회, 무역관련지적재산권이사회는 일반이사회의 바로 아래 단계에서 각료회의와 일반이사회가 그 기능을 수행하는 것을 돕는다. 예컨대 다자간무역협정의 유권적 해석과 관련하여 해당 전문이사회의 권한은 권고적일 뿐이며, 그 권한도 해당 협정에 실질적 감독권한을 가진 경우에만 가능하다.

---

87) WTO 설립협정 제 3 부속서 C(ii).
88) Dispute Settlement Body, Annual Report(2010), *Overview of the State of Play of WTO Disputes, Addendum*, WT/DSB/51/Add.1(Dec. 3, 2010), p. 105.
89) Footer, *supra* note 57, p. 51.

WTO 설립협정 제 4 조 5항에 근거하여 상품무역이사회는 부속서 1의 다자간 무역협정의 운영을 감독하고, 서비스무역이사회는 서비스무역에 관한 일반협정의 운영을 감독하고, 무역관련지적재산권이사회는 무역관련지적재산권에 관한 협정의 운영을 감독한다. 이들 이사회는 각각의 협정과 일반이사회에 의하여 부여된 기능을 수행하게 되는데, 일반이사회의 승인에 따라 각각의 의사규칙을 제정하게 된다. 이사회는 자신의 기능을 수행하기 위하여 필요할 때마다 회합하게 되며, 각 이사회는 WTO 설립협정 제 4 조 6항에 따라 필요한 보조기관을 추가로 둘 수 있다. 예컨대 상품무역이사회는 GATT 1994 제17조 해석에 관한 양해각서 제 5 항에 따라 회원국 국영 무역기업의 통보 및 역통보를 검토하기 위해 국영 무역기업에 관한 작업반을 설치한 바 있다.

서비스무역에 관한 일반협정에 따라 서비스무역이사회는 서비스무역에 관한 일반협정의 운용을 촉진하고 그 목적을 증진하기 위하여 자신에게 부여될 수 있는 기능을 수행한다.[90] 이 규정을 통해 볼 때 서비스무역이사회는 일정한 대외적 권한을 갖는 것으로 볼 수 있다. 예컨대 서비스 분야에 관해 UN이나 UN의 전문기관과 협의하고 협력하는 것은 일반이사회의 권한이지만, 일반이사회는 이를 서비스무역위원회에 이양할 수 있다.

무역관련지적재산권이사회는 TRIPs협정의 기능을 감독하는데, 그 감독권한은 매우 광범위한 것이다. 지적재산권 보호에 관한 회원국 국내법을 검토하는 프로그램의 설치 및 운용, TRIPs협정 운용과 회원국의 준수에 대한 모니터링, 지리적 표시의 보호에 관한 향후 협상의 검토, 경과기간의 만료에 따라 개발도상국의 TRIPs 이행에 관한 2년 주기의 검토 등을 수행한다. 그 외에도 무역관련지적재산권이사회는 최빈개발도상국에 부여된 10년의 경과기간을 연장할 수 있는데, 이를 소위 mini-waiver라 부르기도 한다.[91] 그리고 비위반제소 및 상황적 제소의 경우 WTO 설립협정의 발효일로부터 5년간 TRIPs협정에 따른 분쟁해결에는 적용되지 아니한다고 규정하고 있는데, 무역관련지적재산권이사회는 TRIPs협정 제64조에 따라 소위 비위반제소 및 상황적 제소의 비적용관행을 유지하는 범위 및 방식을 검토하는 권한과 각료회의의 승인을 위해 권고를 제출하는 권한을 부여받고 있다.[92]

90) 서비스무역에 관한 일반협정 제24조 1항.
91) Footer, *supra* note 57, p. 61.
92) 무역관련지적재산권협정 제64조.

(6) 위 원 회

모든 회원국이 참여하는 일련의 위원회, 작업당사국, 작업반도 3단계에서 활동한다. 이들 기관은 일반이사회에 곧바로 보고하는 것으로, 3개의 전문이사회에 보고하지 않기 때문에 WTO의 전체 기구구조에서 수평적인 것으로 표현된다.

WTO는 무역개발위원회, 무역수지위원회, 예산ㆍ재정ㆍ행정위원회의 3개의 상설위원회를 두고 있다. 이 세 위원회는 종래의 GATT체제 하에서도 존재하였는데, WTO에서는 각료회의의 결정에 의해 설치되도록 하였다. 실제로는 각료회의 중간에 그 기능을 수행하는 일반이사회에서 설치결정이 이루어졌다.

일반이사회는 동일한 근거에서 무역환경위원회와 지역무역협정위원회를 추가로 설치하였다. 이와 유사하게 신규 회원국의 가입에 관한 작업당사국이 있는데, 작업당사국은 모든 회원국이 참여하고, 일반이사회의 직접적이고 배타적인 권한 하에서 활동하고 일반이사회에 보고한다. 이들 기관은 임시적인 것으로 협상의 종료에 따라 가입의정서가 발효되며 그 임무는 종료된다. 그 외에도 각료회의에서 무역과 여타 경제적 활동 분야와의 연결 주제를 검토하는 다양한 작업반이 설치되는데, 1996년 싱가포르 각료회의에서 무역과 환경의 관계에 관한 작업반, 무역과 경쟁정책의 상호작용에 관한 작업반, 정부조달에 있어 투명성에 관한 작업반이 설치되었다. 2001년 제 4 회 도하 각료회의에서는 무역 부채 및 재정에 관한 작업반과 기술이전에 관한 작업반이, 그리고 2003년 제 5 회 칸쿤 각료회의 후 1년이 지난 2004년 10월에는 무역촉진에 관한 협상단이 설치되었다.

(7) 사 무 국

WTO 사무국은 사무총장과 사무국 직원으로 구성된다. 사무총장은 각료회의에서 지명하는데, 각료회의에서 사무총장의 권한과 의무, 근무조건 및 임기를 정하게 된다.[93] 사무국 직원의 임명과 그들의 의무 및 근무조건은 각료회의에서 정한 규칙에 따라 사무총장이 임명한다. WTO 설립 이후 사무총장 임명은 일반이사회에서 이루어지고 있다. 일반이사회는 2003년 1월 29일 각료이사회 권한의 대행(제 4 조 2항), 각료이사회의 사무총장 임명(제 6 조), WTO의 의사결정 방식인 총의(consensus)(제 9 조 1항)에 관한 관련 WTO 설립협정 규정에 근거하여 사무총장

---

93) WTO 설립협정 제 6 조 1항, 2항.

임명절차에 관한 규칙을 채택하였다.[94]

　사무총장과 사무국 직원은 국제공무원으로서, 어떠한 정부나 WTO 외부의 당국으로부터도 지시를 받아서는 아니 된다. 국제공무원으로서의 신분에 반하는 어떠한 행동도 삼가야 한다. 회원국도 사무총장이나 사무국 직원의 책임이 가지는 국제적 성격을 존중하여야 하며, 그들의 의무수행에 영향을 끼치려고 하여서는 아니 된다.[95] 뿐만 아니라, 사무국 직원은 그 기능을 독자적으로 수행하는 데 있어서 필요한 특권과 면제를 향유한다.[96]

제 4 절　WTO의 의사결정

1. 총 의 제

　어떠한 국제기구이든 결정을 도출하는 방법은 매우 중요한 문제이다. 일단 협상을 통하여 초안이 마련되면, 해당 사안을 처리할 권한을 갖춘 기관에서 투표를 행하는 것이 일반적이다. 이때 만장일치나 다수결원칙 중 어떤 쪽을 취할 것인가의 문제에 봉착하게 된다. 특히 국제경제기구와 관련하여 국제사회의 경향을 보면, 양자 중 어느 방법을 취할 것인가에 대하여 대립된 모습을 보게 된다. 1940년대에서 1950년대에 설치된 IMF나 IBRD, FAO 등의 국제경제기구를 보면, 다수결방식이 주조를 이루고 있다.[97]

　반면에, 1960년대 이후 등장한 국제경제기구에서는 만장일치나 총의(consensus)방식이 주된 경향으로 나타나고 있다. 이러한 경향은 식민지국가들의 독립이라는 점도 배경으로 작용하는 것이지만, 다수결제도가 가진 결점을 보완하기 위하여 등장한 측면도 강하다. 다수결에 따라 결정이 이루어진 경우 이행상의 문

---

94) WTO, *Procedures for the Appointment of Directors—General*, adopted by the General Council on December 10, 2002, WT/L/509(January 20, 2003).

95) WTO 설립협정 제 6 조 4항.

96) WTO 설립협정 제 8 조 3항.

97) 그러나 이 기간 동안에도 다수결방식이 절대적인 것이 아니라, 유럽평의회(Council of Europe)와 같이 일부 지역적 국제경제기구는 만장일치와 다수결을 결합하는 방식을 취하여 왔다. Sergei A. Voitovich, *International Economic Organizations in the International Legal Process*(Martinus Nijhoff, 1995), pp. 73—74.

제점이 등장하였기 때문에, 유효한 규범을 산출할 수 있도록 하기 위하여 만장일
치나 총의방식을 도입한 것이다. 즉 회원국간 이익과 기회를 균형잡기 위하여 소
수의 이익을 보호할 수 있는 장치로서 만장일치 또는 총의가 대안으로 등장한 것
이다. 1966년 유럽경제공동체(EEC)에서 이루어진 '룩셈부르크의 타협'은 만장일치
제가 승기를 잡게 된 중요한 계기가 되었다.[98] 특히 1990년대까지 설립된 경제협
력개발기구(OECD), 유럽자유무역기구(EFTA), 석유수출국기구(OPEC) 등의 많은 국
제경제기구들은 만장일치나 총의를 추구하는 경향이 두드러진다.[99] 그러나 근자
에 설립된 일부 국제경제기구에서는 일반적으로 총의방식을 취하되, 총의가 어려
우면 다수결방식을 따르도록 하고 있다.[100] 1960년에 설치된 GATT 이사회도 총
의에 의한 결정방식을 취하고 있고, GATT 체약국단회의도 협정상 총의가 규정되
어 있지 않음에도 불구하고 대부분의 경우 투표보다는 총의를 선호하는 경향을
보여 왔다.[101]

　　GATT체제하에서는 GATT 제25조가 다수결 원칙을 명시하였음에도 불구하고
총의로 결정하는 관행이 형성되었는데, WTO는 이러한 관행을 명문화하였다. 다
만, 분쟁해결을 위한 패널설치, 패널과 항소기구의 보고서 채택, 보복권한부여의
결정은 역총의(reverse/negative consensus)에 따라 결정된다.[102] WTO에서는 GATT
와 달리, 총의방식과 다수결투표를 결합하는 방식을 취하게 되었다. 어떤 안건을
처리하기 위하여 총의방식을 먼저 시도하고, 총의가 도출되지 못하는 경우에는
투표를 통하여 결정을 내리게 되는 방식이다.[103] 이 두 규정간의 관계는 명확하
지 못한 부분도 남아 있는데, 그 관계는 WTO하에서 일정기간의 활동을 거친 후
에야 명확해질 수 있을 것으로 보인다.[104] 총의에 도달하지 못하는 경우 첫 단계
의 기관들은 WTO 절차에 관한 규칙 제33조에 따라 차상위 기관으로 옮겨가게
된다. 이를 소위 'kick-up'규정이라 한다. 지금까지 WTO에서는 다수결로 의사결
정이 이루어진 예가 없으며, 2/3 다수결 및 3/4 다수결절차를 따르도록 하고 있

98) *op. cit.*, p. 74.
99) Voitovich, *supra* note 97, p. 74.
100) 아프리카산유국기구(APPA) 이사회, 주석생산국기구(ATPC)의 각료위원회 및 집행위원회,
　　아프리카경제공동체(AEC)의 총회 및 이사회가 그 대표적인 경우이다. *op. cit.*, p. 75.
101) *Ibid.*
102) DSU 제 6 조 1항, 제16조 4항, 제17조 14항, 제22조 6항.
103) WTO 설립협정 제 9 조 1항.
104) Chen, *supra* note 61, p. 1292.

는 경우(WTO 설립협정 제 9 조 2항, 제10조 1, 3, 4, 5항)조차 총의로 결정하는 관행을 이어오고 있다. 이는 WTO에서 총의가 실질적으로 의사결정방식으로 이용되고 있음을 보여주는 것이라 하겠다.[105]

총의의 개념에 대하여 WTO 설립협정 제 9 조의 주석은 해당 문제의 회의에 참석한 회원국 중 제안된 안건에 공식적으로 반대하는 국가가 없는 경우 결정이 이루어지는 방식이라고 설명하고 있다. 소위 소극적 총의(passive consensus)를 취하고 있는 것이다. 즉 결정 채택에 반대가 없으면 동의한 것으로 보는, 즉 침묵은 동의를 표시한 것으로 보는 것이다. 따라서 회의에 불참한 국가나 기권한 국가는 총의의 성립에 영향을 끼치지 않는다. 그러나 총의를 엄격하게 적용하면 회의에 참석한 모든 국가에게 거부권을 주는 것이 되어, 최소한의 공통분모에 대하여조차 발의를 억제한 결과가 나올 수 있는 우려가 있다.[106]

타협점에 이르기 위한 협상, 조정 등 결정 절차에서 나타나는 적극적 총의 (active consensus)도 있다. 적극적 총의는 향후 협상이 이루어질 것인가에 대하여 아무런 총의도 이루어지지 않았음을 밝힐 경우 등에 사용되는 것으로, 세부적 부분에서 반대가 있다 할지라도 참가자로 하여금 전체로서의 결과를 명백히 할 수 있게 한다. 싱가포르 각료회의에서 향후 협상은 그러한 협상에 관하여 회원국간 명백한 총의 결정이 취해진 후에만 이루어질 것이라고 한 경우가 그에 해당된다. 한편, 일반이사회가 분쟁해결기구로서 소집되었을 경우 분쟁해결규칙 및 절차에 관한 양해각서 제 2 조 4항에 따라 총의로 결정하도록 하고 있다.[107] 이를 강제적 총의(mandated consensus)라고 한다.[108] 또 다른 경우로는 회원국의 면제부여와 관련하여 각료회의 4분의 3 다수결로 정하도록 하고 있으나, 과도기간이나 단계별 이행기간을 조건으로 하는 의무로서 의무면제 요청회원국이 관련기간의 종료시까지 이행하지 못한 의무에 대한 면제부여는 총의에 의하여서만 결정된다고 하였다.[109]

---

105) Pieter Jan Kuijper, "WTO Institutional Aspects" *in* Daniel Bethlehem, Donald McRae, Rodney Neufeld and Isabelle Van Damme(eds), *The Oxford Handbook of International Trade Law*(Oxford, 2009), p. 96.

106) John H. Jackson, *The World Trading System*(The MIT Press, 1998), pp. 65, 69.

107) WTO 설립협정 제 9 조 1항의 주 3).

108) Footer, *supra* note 57, p. 137.

109) WTO 설립협정 제 9 조 3항의 주 4).

각료회의나 일반이사회에서 투표가 이루어질 때에는 모든 회원국은 하나의 투표권만을 가진다. IMF나 IBRD와는 달리 가중투표제도를 두고 있지 않다는 점에서, 모든 회원국에게 평등한 참여를 보장하는 매우 민주적인 방법이라 할 수도 있다.110) 유럽공동체의 경우 회원국 숫자만큼의 투표권을 가지게 되는데, 엄밀한 의미에서 보면 이것도 1국 1표주의에 합치되는 것이다.

이와 같은 WTO의 의사결정방식은 3가지 점에서 특기할 만한 것이다. 첫째, 총의에 의한 결정은 외형적인 가중투표제만큼이나 강력한 것일 수 있다. 그 이유는 결정을 위한 논의과정에서 경제적으로 우세한 국가가 제시한 의견에 다른 국가들이 드러나지 않게 영향을 받을 수 있기 때문이다. 이러한 이유에서 총의에 의한 투표방식은 '보이지 않는 가중투표제에 의한 결정방식'으로 간주되기도 한다. 이러한 경향은 도쿄라운드 이후 두드러지게 나타난다. 도쿄라운드에서 실질적 협상은 미국과 유럽공동체, 일본에 의해 주도되었다. 여기에 캐나다 등 일부 국가가 적극적으로 참여하는 형식이었고, 대다수의 국가는 협상의 마무리에 이르기까지 거의 영향을 끼칠 수 없는 상황이었다. UR에서는 협상에 적극적으로 참여하는 국가수가 늘긴 하였으나, 핵심 4개국의 주도하에 협상이 진행된 점은 별반 차이가 없는 것이었다.111) 둘째, 투표는 거수방식에 의하고, 비밀투표가 없다. 이것 또한 첫 번째 이유와 같이 경제적으로 우월한 지위에 있는 국가의 영향을 받는다는 측면에서, 가중투표제와 동일한 효과를 가질 수 있다. 셋째, 유럽공동체는 관세동맹으로서가 아니라, 유럽공동체의 자격에서 회원국 수만큼의 투표권을 가진다. 이것은 국제경제에 관련된 사안을 결정할 때, 유럽공동체 회원국의 수에 해당하는 다수의 표가 하나로 통합되어 나타난다는 점에서, 유럽공동체의 가중치를 반영하는 것이 된다.112) 이러한 의미에서 WTO의 의사결정방식은 실제 규정내용과는 달리, 가중다수결과 같은 현실적 결과를 나타낼 수 있다.

---

110) Qureshi, *supra* note 29, p. 6.
111) Jackson, *supra* note 106, p. 70.
112) Qureshi, *supra* note 29, pp. 6-7.

2. 의결정족수

(1) 일반적 절차

총의가 도출되지 못하여 투표를 하게 될 경우 별도의 규정이 없으면 단순과
반수를 원칙으로 한다.113)

그러나 유권적인 해석결정, 특정 상황 하에서 의무의 개별적 면제를 허용하
는 규정, UR협상에서 이룩한 협정 조항의 개정을 허용하는 규정에서는 특별한
투표절차가 필요하다.

(2) 회원국 가입

신규가입에 관한 결정은 각료회의에서 이루어진다. 가입조건에 관한 협정의
승인은 회원국 2/3의 찬성이 있어야 한다.114)

(3) 해석결정

WTO 설립협정과 제1부속서의 다자간무역협정에 관한 해석결정은 모든 회
원국 3/4의 다수로 결정된다. 각료회의와 일반이사회의 배타적 권한에 속하는 사
항이나, 해당 협정의 운용에 책임이 있는 관련 이사회의 권고를 토대로 결정을
내리게 된다.115) 해석결정은 조약법에 관한 비엔나협약 등에 명기된 국제적 해석
원칙에 따라야 하므로, UR의 준비작업이나 GATT 1947 하의 결정이나 관행, 아바
나헌장의 원칙 등을 참고하여야 한다.116)

협정의 해석권한이 정치적 기관에 부여되어 있다는 것은 주어진 시간에 회
원국의 일반적 총의에 대한 해석결정을 조율하는 이점을 가지고 있어서, 협정에
대한 해석의 목적적 접근이 가능하게 된다. 이러한 방법을 통하여 해석결정을 준
수할 것이란 기대가 증진될 수 있다는 점에서 매우 큰 의의가 있는 것이다.117)

---

113) WTO 설립협정 제9조 1항.
114) WTO 설립협정 제12조 2항.
115) WTO 설립협정 제9조 2항.
116) Qureshi, *supra* note 29, p. 7.
117) *op. cit.*, pp. 7−8.

(4) 의무면제

각료회의는 WTO 설립협정과 제 1 부속서의 다자간무역협정상의 의무를 면제시켜 줄 수 있다. 각료회의에서 총의가 이루어지지 않는 경우, 면제를 부여하기 위한 결정은 회원국의 3/4 다수결에 의한다.[118] 그러나 과도기간이나 단계적 이행을 위한 기간이 정해진 의무와 관련하여 해당 국가가 동 기간 내에 의무를 이행하지 아니한 경우, 그 의무를 면제하기 위한 결정은 총의로만 행할 수 있다.[119]

의무면제의 요청은 상품무역이사회나 서비스무역이사회, 지적재산권이사회 등 관련이사회에 제출되어야 하며, 해당 이사회는 각료회의에 보고서를 제출하도록 되어 있다. 다만 의무면제는 국제통상체제의 변화와 국제무역관계의 긴급성에 따른 것인 만큼, 지속적인 재검토를 전제로 예외적 상황 하에서 제한된 기간 동안에만 허용된다. 이러한 방법으로 국제통상체제는 엄격성을 회피하면서도 그 통합성을 보장받게 된다.

(5) 협정개정

모든 회원국은 각료회의 일반이사회에 대하여 협정을 개정하기 위한 제안을 할 수 있다. 투표요건과 개정의 효과는 개정의 본질에 따라 다르다. 정해진 기간 동안 총의가 불가능한 경우 개정을 위한 결정은 회원국의 2/3 다수결에 의하는 것이 일반적이다.[120] 그러나 WTO 설립협정 제 9 조(의사결정), GATT 1994 제 1 조(최혜국대우), 제 2 조(양허표), 무역관련지적재산권협정 제 4 조(최혜국대우)는 모든 회원국이 수락한 경우에만 개정될 수 있다.[121] 일반적으로 개정은 그를 수락한 국가에만 구속력을 가진다. 각료회의가 정한 기간 내에 개정사항을 수락하지 아니한 국가에 WTO로부터 탈퇴할 자유를 줄 것인가 또는 회원국의 지위를 유지할 수 있는 자유를 줄 것인가에 관한 개정은 3/4 다수결에 의한다.[122]

GATT 1947에서도 일부의 개정을 위해서는 만장일치가 요구되었으나, 한 번도 이루어진 적이 없었다. 체약당사국이 증가함에 따라 2/3 다수결도 얻어내기가

---

118) WTO 설립협정 제 9 조 3항.
119) WTO 설립협정 제 9 조 3항의 주.
120) WTO 설립협정 제10조 1항.
121) WTO 설립협정 제10조 2항.
122) WTO 설립협정 제10조 3항.

무척 어려운 일이었기 때문이다. 이러한 다수결 획득의 어려움으로 인하여 도쿄 라운드에서는 개정의 방법을 통하지 않고, GATT와는 별도로 존재하는 코드 (Code)들을 체결하게 된 것이다.[123)

(6) 복수국간무역협정 사항

복수국간무역협정에 관한 결정과 개정은 개별 협정에 규정된 바에 따른다. 다만, WTO 설립당시의 4개 복수국간무역협정에 새로운 협정을 추가하기 위한 결정은 각료회의에서 총의가 이루어져야 한다.[124)

---

123) Jackson, *supra* note 106, p. 69.
124) WTO 설립협정 제10조 9항, 10항.

제 3 장
WTO 분쟁해결절차

제1절 들어가며

1993년 12월 우루과이 라운드 협상이 성공적으로 타결되면서 그 결과 탄생한 최종 협정문을 놓고 과연 누가 협상의 승자이고 누가 패자인지에 관한 여러가지 다른 평가가 엇갈렸다. 이는 그 협정문을 바라보는 시각의 차이에 연유하는 것이었다. 그런데 단 한 가지 모든 협상 참가자뿐만 아니라 외부 인사들 사이에 의견일치를 보이는 측면이 있었다. 이 협상의 결과는 "법률가의 외교관에 대한 승리"(Lawyers' triumph over diplomats)[1]라는 것이었다. 이러한 평가는 위 협정문의 두 가지 특징을 지칭한 것이었다. 첫째, 우루과이 협정문의 집행은 그 조문의 분량이나 내용의 복잡성 등을 고려할 때, 과거처럼 외교관들이 협상의 기억을 더듬는 방법이 아닌 법률가의 논리적인 조문 해석을 통할 필요가 있다는 것이다. 둘째, GATT의 가장 치명적인 맹점 중에 하나였던 분쟁해결절차가 독립된 부속협정인 분쟁해결양해(Dispute Settlement Understanding: DSU)에 따라 법률적으로 유의미한 절차로서 작동할 수 있게 되었고, 따라서 이 분야에서는 외교관의 역할보다는 법률가의 역할이 더 중요해졌다는 것을 의미하였다.

WTO의 DDA 협상이 기대한 만큼 진전을 이루지 못하자 이제 WTO는 FTA 등 지역간 무역협정에 자리를 내어 주고 더 이상 그 역할을 제대로 수행하지 못하는 것 아니냐는 우려가 제기되고 있다.[2] 물론 WTO가 새로운 협상의 마당을

---

1) Michael K. Young, "Dispute Resolution in the Uruguay Round: Lawyers Triumph over Diplomats," 29 *Int'l Law*, p. 389(1995).

2) Jane Kelsey, World Trade and Small Nations in the South Pacific Region, 14*WTR Kan. J.L. & Pub. Pol'y* 247(2005), p. 247; Ujal Singh Bhatia, "Save Doha Round, Save the WTO," *The Economic Times*, 11 Jun, 2011, at ⟨http://economictimes.indiatimes.com/opinion/policy/

제시하고 그 결과 새로운 협정을 체결하도록 하는 것이 중요한 역할이지만 또 다른 WTO의 중요한 역할은 이미 체결된 기존 협정을 잘 집행하는 일이다. 또한 그 집행 과정에서 회원국들 사이에 이해의 충돌이 생기고 분쟁이 발생하면 이를 잘 해결하는 역할도 중요하다.[3] 그런데, 이제 WTO출범 이후 근 23년이 지나면서 기존의 협정만으로 해결할 수 없는 문제나 기존의 협정 해석에 이견이 존재하는 부분들이 다수 수면 위로 부상하게 되었고 원래는 새로운 협상으로 문제를 해결해야 하는 것들이 DDA 협상의 교착상태로 인하여 해결할 수 없게 되었다. 따라서 회원국들은 우선 작동가능한 분쟁해결절차를 통해서 위 문제들에 대한 답을 얻을 수밖에 없게 되었으며 그 결과 WTO의 기능 중 사법적 기능, 즉 분쟁해결 기능이 상대적으로 중요해 질 수밖에 없게 되었다.[4] 현실적으로도 FTA의 등장에도 불구하고 분쟁해결에 관하여는 아직까지 분쟁당사국들이 WTO 분쟁해결절차에 절대적으로 의존하고 있다는 점은 흥미로운 사실이다. 이하에서는 우선 WTO 분쟁해결절차의 역사를 더듬어 보고, DSU 규정을 중심으로 실제로 WTO 분쟁해결절차가 어떻게 작동하고 있는지를 살펴본다. 다만, 이미 DSU 규정에 대한 자세한 조문 소개는 다른 문헌에도 많이 있을 뿐만 아니라 이는 독자 스스로 법조문을 읽어 보면 되는 것이므로, 여기에서는 조문의 설명보다는 해당 절차들이 실제로 어떻게 작동하고 있는지를 설명하는데 주안점을 둘 것이다.

제 2 절   WTO 분쟁해결의 역사와 GATT 제 XXⅢ조

　　WTO 분쟁해결절차와 그 근거 협정인 DSU에 대하여 일반인이 가지는 가장 큰 오해는 그 제도와 협정은 우루과이 협상에서 처음 발명되었다고 하는 인식이다. 실제로 DSU는 GATT 협정 중 분쟁해결에 관한 규정인 제 XXⅡ조와 제 XⅢ조를 근간으로 해서 GATT 시절에 체약국들이 발전시켜온 분쟁해결에 관련된 절차들을 한 단계 더 발전시킨 것이다. GATT 하에서도 분쟁해결 관련된 '양해(Understanding)'

---

save−doha−round−save−the−wto/articleshow/8809392.cms⟩.
3) WTO 설립협정 제 3 조(세계무역기구의 기능).
4) 예로서 무역과 환경, 또는 목화 보조금 등의 분야를 들 수 있을 것이다. 관련 사례로는, '미국−새우' 사건(Appellate Body Report, *United States−Import Prohibition of Certain Shrimp and Shrimp Products*, WT/DS58/AB/R) 참조.

들이 수차례 개정을 거치면서 채택되었고,[5] DSU는 그것들을 계승 발전시킨 것이기 때문에 다른 협정(Agreement)과는 달리 '양해'라는 이름을 그대로 채택한 것이다. DSU 제3조에서 WTO 회원국들은 GATT 제XXII조 및 제XIII조와 GATT 하에서 그 조문들을 더 발전시키고 수정시킨 규칙이나 절차를 따라 분쟁을 해결하였던 원칙들을 그대로 준수한다고 선언하고 있는데 이는 바로 이러한 역사를 보여주는 것이다. 물론 GATT하에서의 '양해'들과 DSU는 법적으로 근본적인 차이가 있다. DSU는 법적으로 WTO회원국 모두를 구속하지만, GATT 하에서의 양해들은 법적 구속력이 없는 것들이었다. 또한, DSU는 그 이전의 양해들이 갖지 못한 분쟁해결절차로서의 핵심적 요소들—예를 들어, 패널설치나 패널보고서 채택의 강제성—을 구비하게 되었는데, 이에 관해서는 아래서 다시 구체적으로 언급하기로 한다.

위에서 언급한 연혁적인 이유에서도 WTO 분쟁해결절차를 설명하면서 가장 먼저 고찰해야 하는 WTO협정 조문은 GATT 제XXII조와 제XXIII조이다. 다만 제XXII조는 비사법적 절차인 협의에 관한 것이기 때문에 설명을 생략하고 제XXIII조에 관해서만 보도록 한다. 동 조문은 다음과 같다.

제23조 무효화 또는 침해

1. 체약당사자가 다음의 결과로 이 협정 하에서 직접적 또는 간접적으로 자신에게 발생되는 이익이 무효화되거나 침해되고 있거나 이 협정의 목적 달성이 방해되고 있다고 인정하는 경우

(a) 다른 체약당사자의 이 협정 하의 자신의 의무의 불이행 또는

(b) 이 협정 규정과의 저촉 여부를 불문하고 다른 체약당사자에 의한 조치의 적용 또는

(c) 그 밖의 상황의 존재

동 체약당사자는 동 문제의 만족스러운 조정을 목적으로 관련이 있다고 동 체약당사자가 간주하는 다른 체약당사자 또는 체약당사자들에게 서면으로 의견을 제시하거나 제의를 할 수 있다. 이렇게 의견을 제시받거나 제의를 받은 체약당사자는 자신에게 행하여진 동 의견 또는 제의에 대하여 호의적인

---

5) 예를 들면 DSU 제26조 2항에 나오는 'Decision of 12 April 1989(BISD 36S/61−67)' 같은 것들이다.

고려를 한다.

2. 합리적인 시간 내에 당해 체약당사자간에 어떠한 만족스러운 조정도 이루어지지 아니하는 경우 또는 그 어려움이 이 조 제1항 (c)에 기재된 형태인 경우 동 문제는 체약당사자간에 회부될 수 있다. 체약당사자단은 자신에게 회부된 문제를 신속히 조사하고, 경우에 따라 체약당사자단이 관련이 있다고 인정하는 체약당사자에게 적절한 권고를 하거나 동 문제에 관하여 판정을 한다. 체약당사자단은 협의가 필요하다고 인정하는 경우 체약당사자, 국제연합 경제사회이사회 및 적절한 정부간기구와 협의할 수 있다. 체약당사자단은 상황이 그러한 조치를 정당화할 만큼 충분히 심각하다고 간주하는 경우 체약당사자단이 동 상황 하에서 적절하다고 결정하는, 이 협정하의 양허 또는 그 밖의 의무의 다른 체약당사자 또는 체약당사자들에 대한 적용을 체약당사자 또는 체약당사자들이 정지하는 것을 승인할 수 있다. 체약당사자에 대한 양허 또는 그 밖의 의무의 적용이 실제로 정지된 경우, 동 체약당사자는 이러한 조치가 취하여진 후 60일 이내에 이 협정에서 탈퇴할 의사를 체약당사자단의 사무국장(체약당사자단은 1965년 3월 23일의 결정으로 GATT 사무국 수장의 명칭을 사무국장(Executive Secretary)에서 사무총장(Director-General)으로 변경함)에게 서면으로 통보할 자유가 있으며 이러한 탈퇴는 동 통보가 사무국장에 의하여 접수된 다음 날로부터 60일째 되는 날 발효한다.

이 조문은 WTO 분쟁해결절차를 발동할 수 있는 실체법적 청구원인을 제시한다. 즉, (a) 협정상 의무이행의 실패(위반청구), (b) 협정위반과 상관없는 정부조치의 적용(비위반청구), 또는 (c) 상황의 존재(상황청구)가 있는 경우에 그로 인하여 (i) 협정에서 직·간접적으로 나오는 이익이 무효화 또는 침해되거나, (ii) 협정의 목적 달성이 저해되어야 한다. 따라서 이론적으로는 여섯 가지 청구 유형이 존재한다. 다만, 실무적으로 대부분의 청구원인은 협정위반으로 인한 이익의 무효화·침해이다. 비위반청구는 아주 예외적인 경우에 청구원인으로 원용되었다.6) 상황

---

6) GATT체제하에서는 주로 생산보조금이 비위반제소 대상이었으나, WTO체제하에서는 극소수 사건만이 비위반제소에 해당하였다. 예를 들자면, *Japan-Film* 사건(Panel Report, *Japan-Measures Affecting Consumer Photographic Film and Paper*, WT/DS44/R), *EC-Asbestos* 사건(Appellate Body Report, *European Communities-Measures Affecting Asbestos and Asbestos-Containing Products*, WT/DS135/AB/R) 등 참조.

청구는 실무적으로도 거의 활용되지 않았고 현재 DSU 제26조 2항에서 그 적용여지를 거의 없애 버렸기 때문에[7] 사문화된 것으로 보아도 무방하다. 위 청구원인을 이루는 사실이 존재한다는 입증책임은 물론 제소국에게 있다. 다만, DSU 제3조 8항에서 GATT하에서의 관행을 조문화하여, 협정위반이 인정되면 이익의 무효화·침해가 추정되는 것으로 규정하고 있기 때문에 결국 분쟁에서 핵심적 쟁점은 문제된 피제소국의 정부조치가 해당 WTO협정을 위반하는지 여부이다.

GATT XXIII조 1항 후단에서는 위 청구원인이 존재하면 당사자간 협의를 하도록 하고, 2항에서는 협의가 실패할 경우에 체약국이 문제된 사안을 조사하여 적절한 권고를 하거나 결정을 내릴 수 있도록 규정하고 있다. 이 조문을 자세히 들여다 보아도 GATT체제하에서 실제로 작동하였던 '패널(panel)'이라는 단어는 찾아 볼 수 없다. 그럼에도 불구하고 GATT체약국들은 앞서 언급한 법적 구속력 없는 분쟁해결에 관한 규칙과 절차(또는 양해)를 채택하고, 거기에서 패널절차를 도입하여 실무적으로 운영하였던 것임을 알 수 있다. 다만, GATT체제하에서의 분쟁해결절차는 다음과 같은 근본적 한계를 지니고 있었다.

첫째, 분쟁이 발생하여도 이를 정식으로 체약국들이 조사하기 위해서는 피제소국을 포함한 체약국 전체의 의사합치가 있어야 한다.[8] 이는 피제소국이 패널설치를 거부할 수 있음을 의미한다. 또한 패널이 설치되어도 패널리스트들을 선임하는 것 역시 체약국의 만장일치를 요하기 때문에 피제소국의 거부권 행사가 사실상 가능하다. 또한 패널이 구성된 이후의 절차 진행에 정해진 시한이 없기 때문에 피제소국이 절차진행에 협조하지 않으면 시간이 얼마나 소요될지 기약할 수가 없다. 가장 결정적인 것은 패널보고서가 작성되어도 이를 채택하려면 다시 만장일치를 요하므로 피제소국은 결과를 보고 이를 수용할지를 정할 수 있게 된다는 점이다. 설사 패널보고서가 채택되었다고 하여도 그 내용대로 집행할 수 있다는 보장이 없었음은 물론이다. 피제소국의 이러한 비협조적인 행위는 GATT체약국으로서의 위신을 손상시킬 수 있을 것이나, 개별 국가들은 언제든지 국익에 비추어 그런 위신 추락을 감수하는 선택을 하였다.[9]

---

7) 패널보고서의 채택, 이행 감독에 관하여 DSU를 적용하지 않고 GATT하의 결정인 Decision of 12 April 1989(BISD 36S/61-67)를 적용하게 함으로써 역만장일치제 등이 적용되지 않는다.

8) 이는 GATT의 의사결정은 GATT 제XXV조에 따른 공동행동(joint action)에 의할 수밖에 없고 이는 만장일치를 요하기 때문이다.

위와 같은 GATT의 만장일치를 요하는 의사결정방식에서 연유하는 한계 이
외에 GATT 분쟁해결절차는 단일한 절차를 유지할 수가 없었다. GATT 1947이 만
들어진 이후에 후속적으로 합의된 관련 협정들(예: 반덤핑협정, 보조금협정 등)은 법
적으로 GATT에 부속된 협정이 아니라 그 해당 협정의 체약국가들에게만 적용되
는 별개의 협정이다. 따라서 당연히 내용적 관련성을 가짐에도 불구하고 GATT와
다른 별개 협정들은 서로 독자적인 분쟁해결절차를 가지고 개별적으로 적용될
수 있었다.

제 3 절 WTO 분쟁해결의 일반원칙

우선 DSU와 관련된 가장 중요한 원칙이자 GATT 분쟁해결절차와 근본적으
로 차이를 보이는 것은 DSU는 강제규범으로서 회원국 전부를 구속한다는 점이
다.[10] DSU 제 1 조 1항에 따르면, 그 적용범위 역시 무역정책검토제도(Trade Policy
Review Mechanism)에 관한 WTO협정 부속서 3을 제외한 모든 부속협정과 마라케
쉬협정(WTO 설립협정) 그 자체를 포함한다. 즉, 어느 WTO협정 위반이 되더라도
일단 이 DSU의 적용을 받게 된다. 다만, 이에 대한 예외는 DSU 제 1 조 2항에서
규정하고 있다. 즉 만약 DSU와 구체적인 특별규칙 사이에 차이가 있다면, DSU
부속서 2에서 규정하는 '특별 또는 부가적 규칙과 절차' 규정에 따라 그 특별규칙
이 적용된다. 다만, 항소기구는 이 규정을 해석하면서 가능한 두 규칙이 조화되
는 방향으로 적용되어야 하며, 단지 두 규칙 사이에 '차이'가 있다는 사실만으로
DSU의 규정을 전면 배제하여서는 아니 되고, 두 규칙이 상호 '충돌'되는 경우에
한해서 DSU를 배제하고 특별규칙을 적용해야 한다는 취지로 판시하고 있음에 유
의하여야 한다.[11]

---

9) 예를 들어 환경관련 분쟁으로 가장 유명했던 돌고래-참치 사건에서 미국은 패널보고서
   채택을 두 번이나 거부하였다. Mitsuo Matsushita, Thomas J. Schoenbaum and Petros C.
   Mavroidis, *The World Trade Organization: Law, Practice, and Policy*(Oxford University
   Press, 2006), p. 797.
10) WTO 설립협정 제 2 조(세계무역기구의 범위)
    2. 부속서 1, 2 및 3에 포함된 협정 및 관련 법적 문서(이하 "다자간무역협정"이라 한다)
    는 이 협정의 불가분의 일부를 구성하며, 모든 회원국에 대하여 구속력을 갖는다.
11) Appellate Body Report, *Guatemala-Anti-Dumping Investigation Regarding Portland*

DSU 제 2 조에서는 분쟁해결을 주관하는 기관으로 분쟁해결기구(Dispute Settle–ment Body: DSB)를 설치하는 근거를 마련하고 있다. DSB는 패널을 설치하고, 패널보고서 및 항소기구 결정문을 채택하며, 권고안 및 결정의 이행을 감독하고, 보복조치를 수권하는 기능을 행사한다. 다만, 이 DSB는 전 회원국들이 참가하는 의사결정기구이기 때문에 개별분쟁에 DSB가 실질적 영향을 미치는 경우는 거의 없고, 대부분 패널이나 항소기구 또는 중재인이 결정한 내용을 사실상 자동적으로 채택하는 기능을 수행한다.[12]

DSU의 일반원칙은 주로 제 3 조에 규정되어 있다. 1항은 가장 먼저 DSU가 GATT체제 하에서의 분쟁해결과 관련된 절차나 원칙들을 계승하는 것임을 선언하고 있다. 2항은 분쟁해결제도가 다자간무역체제를 안정시키는 데 중추적인 요소임을 선언하면서, 분쟁해결제도는 국제공법상 조약의 해석에 관한 관습법에 따라 WTO협정의 규정들을 명확히 하는 데 기여한다[13]는 점을 강조한다. 해당 조문은 다음과 같다.

1. 회원국은 지금까지 1947년도 관세 및 무역에 관한 일반협정 제22조와 제23조에 따라 적용되어 온 분쟁관리원칙과 이 양해에 의하여 더욱 발전되고 수정된 규칙 및 절차를 준수할 것을 확인한다.

2. 세계무역기구의 분쟁해결제도는 다자간무역체제에 안전과 예견가능성을

Cement from Mexico('Guatemala–Cement I'), WT/DS60/AB/R, 2 November 1998, para. 65: "In our view, it is only where the provisions of the DSU and the special or additional rules and procedures of a covered agreement *cannot* be read as *complementing* each other that the special or additional provisions are to *prevail*. A special or additional provision should only be found to *prevail* over a provision of the DSU in a situation where adherence to the one provision will lead to a violation of the other provision, that is, in the case of a *conflict* between them. An interpreter must, therefore, identify an *inconsistency* or a *difference* between a provision of the DSU and a special or additional provision of a covered agreement *before* concluding that the latter *prevails* and that the provision of the DSU does not apply."

12) 물론 DSU 제16조 4항에 따라 개별 회원국들은 패널보고서나 항소기구 결정문에 자신의 의견을 피력할 수 있지만, 그 의견들은 실무적으로 결정문 채택절차에 전혀 영향을 주지 않는다.

13) 항소기구는 위 규정들을 명확화 한다고 해서 항소기구로 하여금 특정분쟁의 해결 차원을 넘어서 '입법(law–making)'을 하라는 취지는 아님을 분명히 하고 있다. Appellate Body Report, *US – Wool Shirts and Blouses*, p. 19, DSR 1997:I, p. 323 at 340 참조.

부여하는 데 있어서 중심적인 요소이다. 세계무역기구의 회원국은 이 제도가 대상협정에 따른 회원국의 권리와 의무를 보호하고 국제공법의 해석에 관한 관례적인 규칙에 따라 대상협정의 현존 조항을 명확히 하는 데 기여함을 인정한다. 분쟁해결기구의 권고와 판정은 대상협정에 규정된 권리와 의무를 증가시키거나 축소시킬 수 없다.

7항에서는 분쟁해결제도의 목표는 분쟁의 긍정적인 해결을 담보하려는 것이며, 따라서 양 분쟁 당사국에게 상호 수용가능한 해결책을 찾는 것이 가장 선호되어야 하는 방법임을 확인하고 있다. 만약 상호 수용가능한 해결책을 찾지 못하면 차선책은 협정위반인 조치를 철회시키는 것이며, 이것이 실현 불가능할 때에만 임시적인 조치로서 당사자간 보상이 이용되어야 한다. 그리고 이 모든 해결책이 불가능할 때에만 마지막 수단으로서 보복조치가 활용되어야 한다고 선언한다. 이 규정은 보통 보복조치가 분쟁해결절차의 꽃이라고 생각하는 오해를 불식시키고, 가능하면 양 분쟁 당사국들이 보복조치까지 가기 전에 상호협의나 위반조치의 철회를 통해 문제의 소지를 원천적으로 제거할 것을 우선 권유하려는 취지로 해석된다. 이는 보복조치라는 것 자체가 무역장벽을 인위적으로 또 설정하는 것임에 비추어 볼 때 타당한 규정이다.

9항에서는 분쟁해결제도가 각료회의나 일반이사회의 WTO협정에 대한 유권해석 등을 침해하는 것은 아니라는 점을 강조하고 있다. 이는 분쟁해결제도는 구체적 사건의 해결을 일차적 목적으로 하는 것이지, 문제된 조항에 대한 일반적 해석을 시도하는 것이 아님을 확인하는 것이다. 그런데 이는 이론적으로는 적절하나, 실무를 고려하면 이 조항의 의미는 축소해석되어야 한다. 즉, WTO가 설립된 이래 각료회의나 일반이사회가 특정 WTO협정의 일반적 해석을 시도한 경우는 거의 없다. 또한 일반적 해석을 시도한 경우에도 후진국 이익보호 등 정책적인 목적을 실현하기 위한 일반적인 경우이었지 특정 분쟁에 영향을 줄 수 있는 협정 조항의 해석을 시도한 적은 아직 없다.[14] 반대로 패널보고서나 항소기구 결

---

14) 예를 들어 *EC*-바나나 사건과 관련하여 EC가 DSU 제21조 5항의 'sequencing' 관련 일반이사회의 유권해석을 받으려고 했으나, WTO 회원국들은 이 시도가 회원국들 사이의 분열을 일으킬 소지가 있다는 이유로 반대하였으며, 이에 따라 일반이사회 의장이 이를 의제에 상정하지 않았다.

정문을 보더라도 문제된 협정 조문의 일반적 해석기준을 제시하는 경우가 많고, WTO 법리상 선례구속(stare decisis)의 법리가 인정되지는 않지만[15] 실제로 항소기구 결정문은 그와 비슷한 성질의 사안에 실질적으로 선례로서의 기능을 한다는 점에 비추어 보면 더욱 그러하다. 다만, 패널이나 항소기구는 그 본질상 분쟁해결기관이기 때문에 특정분쟁해결을 위해 필요한 범위 내에서만 협정 조문을 해석해야 한다는 한계가 있다.[16]

제 4 절   WTO 패널 및 항소심 절차

1. 패널 전단계 및 패널 이외의 절차

일반적으로 WTO 분쟁해결절차가 개시되었다는 것은 제소국이 피제소국을 상대로 DSU 제 4 조에 따라 협의를 요청하였다는 것을 의미한다. 이 협의절차는 GATT 제 XXII 조와 제 XXIII 조상의 협의절차를 보다 자세하게 규정한 것이다. 일반적으로 협의절차는 제소국이 협의요청서를 제출하면 그에 대해 피제소국이 답변서를 제출하고, WTO 사무국에서 두 당사국이 WTO 건물에서 회동할 수 있게 주선을 해 준다. 그러나 이것이 WTO 사무국에서 개입하는 전부이며, 협의절차는 철저히 양 분쟁당사국 사이의 양자 간 문제이다. 물론 이 단계에서 분쟁이 양자 간 수용 가능한 타협안을 도출하여 해결되는 경우도 종종 있지만, 어차피 패널절차로 가기로 작정한 사건에서는 이 협의절차는 요식행위에 불과하다. 이런 경우 피제소국은 매우 형식적으로 제소국의 협의요청에 응할 뿐인 경우가 많다. 여하튼 협의절차개시 후 60일이 경과하면 제소국은 패널설치 요청을 할 수 있다.

DSU 제 5 조는 패널 이외의 알선, 조정 및 중개(good offices, conciliation and mediation) 등 비사법적인 분쟁해결절차를 규정하고 있다. 이 절차들은 GATT 시대의 유물들이다. GATT 초기에는 실제로 사무국이 이런 비사법적인 절차를 활용

---

15) Appellate Body Report, *Japan ─ Taxes on Alcoholic Beverages*, WT/DS8/AB/R, WT/DS10/AB/R, WT/DS11/AB/R("However, [the adopted panel reports] are not binding, except with respect to resolving the particular dispute between the parties to that dispute.").

16) 이와 같은 취지의 항소기구 판정문 개별의견은, Appellate Body Report, *India ─ Solar Cells and Panels*, WT/DS456/AB/R, adopted 14 October 2016, para. 5.163 ─ 156 참조.

해서 분쟁을 중간에서 조정하는 역할을 종종 했었다. 소위 '외교적'으로 분쟁을 처리한 것이다. 그러나 WTO 출범 이후 이 절차는 활용되지 않고 있으며 모든 분쟁은 협의 및 패널절차를 거쳐 해결되고 있다. 이는 다시 한 번 DSU의 도입은 '법률가의 외교관에 대한 승리'라는 점을 확인시켜 준다.

많은 사람들에게 잘 알려져 있지 않지만, WTO 분쟁은 중재(arbitration)를 통해서도 해결할 수 있고, DSU 제25조가 그 근거규정이다. 이 중재는 양 분쟁당사국들이 합의하여 패널절차와는 전혀 상관없이 사적으로 진행되는 절차를 말한다. 그러나 이 중재절차 역시 WTO 출범 이후로 한 번도 활용된 적이 없다.

2. 패널절차의 진행

패널절차는 제소국이 DSU 제 6 조에 따라 서면으로 패널설치 요청서를 DSB 에 제출하면서 시작된다. 제 6 조 2항에는 설치 요청서에 기재되어야 할 사항이 명시되어 있다. 첫째, 협의절차의 경유 사실 표시, 둘째, 문제된 구체적 조치의 특정, 셋째, 문제를 명확히 제시하는 데 충분한 정도로 청구의 법적 근거를 요약할 것 등이다. 실제로 이 패널설치 요청서의 형식적 요건 구비 여부는 자주 다툼의 대상이 된다. 즉, 피제소국은 패널이 설치되면 바로 이 설치요청서가 제6.2조의 요건을 충족하지 못하기 때문에 패널은 실체적 사항을 심리하지 말고 요청서 자체를 각하해 달라는 주장을 하는 경우가 많다. 따라서 패널설치 요청서를 작성할 때에는 상당한 주의를 요한다. 다만, 실제 여태까지의 이 쟁점에 관한 패널과 항소기구의 결정례를 조망해 보면, 위 세 가지 요건—특히 두 번째와 세 번째—을 충족하였는지에 관한 판단은 문안의 기계적인 해석에 의하기보다는 실제로 패널요청서만으로 패널에게 위임하는 사항(terms of reference)을 충분히 특정할 수 있었는지, 그래서 결과적으로 피제소국이 그로 인하여 자기의 방어권을 행사하는 데 지장을 초래하였는지 여부를 종합적으로 고려하여 결정하고 있음을 알 수 있다.[17]

제 7 조에서는 표준 위임사항(standard terms of reference)을 정하고 있다. 분쟁당사자들이 달리 합의하지 않는 한 패널에 대한 위임사항은 다음 표준문구로 정

---

17) Appellate Body Report, *European Communities—Regime for the Importation, Sale and Distribution of Bananas*, WT/DS27/AB/R, adopted 25 September 1997.

해진다.

　　[분쟁당사자가 인용하는 대상협정명]의 관련 규정에 따라[당사자 국명]이 문
　　서 번호 ……으로 분쟁해결기구에 제기한 문제를 조사하고, 분쟁해결기구가
　　동 협정에 규정된 권고나 판정을 내리는 데 도움이 되는 조사결과를 작성
　　한다.

　　결국 패널에 대한 위임사항은 문제된 사안을 관련 WTO협정에 비추어 조사
한 다음, DSB가 권고 내지는 결정을 내리는 데 도움이 되는 판단을 하는 것이다.
여기에서 세 번째 줄의 '문서(document)'는 특별히 당사국들이 달리 정하지 않는
한 주로 패널설치요청서를 의미한다.

　　DSU 제8조는 패널의 구성에 관한 조항이다. 기본적으로 당사국들이 합의하
지 않는 한 패널리스트는 제3국의 국민이어야 한다. 4항에서 소위 패널명부
(indicative list)를 비치하고 이를 패널리스트 선정에 활용할 수 있도록 하고 있으
나, 실무적으로 이 패널명부는 거의 기능을 하지 못한다. 대개 WTO 사무국에서
6항에 따라 해당 사건의 특성, 당사국들의 국적 등을 고려하여 후보자들을 양 당
사국들에게 추천하고, 만약 그 후보자 중 3명에 대하여 양 당사국들이 합의할 수
있으면 이 방법이 가장 빠른 시간 내에 패널을 구성하는 방법이다. WTO 출범 초
기에는 이 방식이 많이 채택되었으나, 당사국들이 쉽게 패널리스트 구성에 동의
하지 않게 되면서, 7항에 따라 WTO 사무총장이 임명하는 방식이 많이 활용되고
있다. 다만, 실무상 사무총장은 직접 임명을 하기 전에 분쟁당사국들에게 최종후
보자를 알려 주고 마지막까지 당사국들의 암묵적 동의를 받고자 노력한다. 물론
이는 사무총장의 업무처리 취향에 따라 달라질 수 있다. 제네바의 일반적인 관행
을 보면 의장 패널리스트는 경험이나 연륜이 있는 현직 또는 전직 제네바 주재
대사나 고위직 외교관을, 패널리스트 중 한 명은 해당 분야의 전문가를, 또 한 명
은 현직 제네바 주재 외교관을 임명하는 경우가 많다.

　　제10조는 제3국의 참가 절차에 관하여 규정한다. 기본적으로 분쟁 사안에
'상당한 이해관계(substantial interest)'를 가졌으면 제3국으로 참가할 수 있다.
EC-바나나 사건에서 항소기구가 위 이해관계의 범위를 넓게 해석한 이래, 실질
적으로 어떤 회원국이라도 구체적 분쟁에 대하여 경제적 이해(economic interest)가

아니더라도 다자무역체제 전반에 대한 이해관계(systemic interest)가 있다고 주장하면 제 3 국으로 참가가 허용되어, 사실상 위 요건은 의미가 없게 되었다. 다만, 참가의 범위는 자신의 서면을 한 번 제출하고 패널 앞에서 의사발언을 하고, 분쟁당사국들의 제 1 차 서면을 받아볼 수 있는 선에서 그친다.18) 실제 분쟁에서 제 3 국이 강대국이고 분쟁당사국이 약소국일 때, 강대국이 유사 사안에 관하여 자국이 곧 분쟁당사국이 될 가능성이 있는 경우에는 제 3 국으로 적극 참여하여 의견표명을 하고, 그 의견이 사안의 해결에 결정적인 영향을 주는 경우도 없지 않다.

패널의 기능은 기본적으로 분쟁해결을 위해 DSB를 보조하는 것이다(DSU 제 11조). 위임사항에 따라 문제된 사안의 사실관계를 확정하고 관련 협정을 적용하여 사안의 객관적인 평가(objective assessment)를 한 다음, DSB가 그 사안에 권고안을 채택하거나 결정을 내리도록 도와주는 것이다. 그러나 실무상으로는 패널은 독립된 재판부처럼 활동을 하면서 패널의 권고안과 결정을 보고서 결론에 담는 형식을 취한다. 다만, 법률적으로는 패널보고서의 결론은 DSB가 이를 채택함으로써 비로소 그 의미를 갖게 된다.

실제로 어떠한 시간표에 따라 패널절차를 진행할지는 제12조에서 언급하는 작업절차(Working Procedures)에 따른다. 패널이 구성되면 가장 먼저 착수해야 하는 작업이 바로 부록 3에 예시된 작업절차 모델조항을 사안에 맞추어 편집하고 필요 사항을 추가하여 당사자들과 협의를 거쳐 이를 확정하는 것이다. 부록 3의 모델 조항에 나타나 있지 않지만 실무상 대부분 추가되는 사항은 DSU 제 6 조 2 항의 요건충족 심사 등 소위 예비적 항변(preliminary objections)에 관한 것이다. 이는 대부분 제 1 차 서면의 제출 이전에 이루어진다. 제 1 차 서면이 교환되고 나서 제 1 차 구두변론회의를 갖는다. 여기서는 제소국이 먼저 구두변론을 하고 이어서 피제소국이 구두변론을 한 다음, 패널이 정하는 절차에 따라 분쟁당사국이 상호 간 질문, 답변을 하거나 패널이 당사자국들에게 질문을 하는 방식으로 이루어진다. 패널에 따라서는 제 1 차 구두변론회의를 개최하기에 앞서 서면질문을 당사국들에게 전달하고, 그에 대한 답변을 구두변론회의에서 듣거나, 서면으로 다시 답변을 하게 하기도 한다. 제 1 차 구두변론회의 이후 분쟁당사국들은 제 2 차서면을

---

18) 항소기구 절차에서는 당사국들만이 파악하는 사실인정 문제가 아닌 법률적 쟁점만을 심사하고 구두변론절차에서 제 3 국의 참여를 특별히 제한하는 규칙이 없기 때문에, 제 3 국의 의지와 능력에 따라 사건의 결과에 미치는 영향력이 높을 경우도 있다.

교환하고 이어서 제 2 차 구두변론회의를 가진다. 여기서는 피제소국이 먼저 구두변론을 시작할 기회를 부여받는다.

　　제 2 차 구두변론회의가 종료되면, 패널이 요청한 질문사항에 대해서 분쟁당사국들이 답을 하는 것은 별론으로 하고, 일단 패널은 합의절차에 들어가게 된다. 합의의 방식은 정해진 절차가 있는 것은 아니며, 의장이나 패널리스트들의 시간과 일정에 따라 융통성 있게 치러진다. DSU 제14조가 규정하듯이 합의는 대외적으로 비공개이다. 대개는 WTO 건물 회의실에서 사무국 직원의 배석 하에 구두토론을 하는 방식을 거쳐서, 그 결과를 사무국 법률가(legal officer)가 서면으로 정리를 한 후 패널리스트들이 이를 기초로 반복되는 토론을 거쳐 패널보고서를 완성해 가는 작업이다. 실제로 누가 패널보고서를 작성하는가? 패널의 합의단계에 참가해 보지 못한 외부인들에게 가장 궁금한 질문이다. 이는 패널이 누구로 구성되었는지에 따라 다소 차이를 보이지만, 기본적으로는 패널의 토론 결과를 사무국이 서면으로 정리하고, 이에 터 잡아 패널리스트들이 다양한 방법으로 — 구두로 수정지시를 내리거나 직접 보고서 최종본을 작성하는 등 — 보고서의 완성에 기여한다고 정리할 수 있을 것이다. 패널리스트는 개별의견을 쓸 수 있으나 자신의 이름을 밝힐 수는 없다(제14조 3항).

　　WTO 패널절차가 다른 분쟁해결제도와 특히 다른 점 중에 하나는 DSU 제15조에서 정하는 '중간점검(interim review)' 제도를 두고 있다는 것이다. 패널보고서의 서술적 부분(descriptive sections) — 사실관계와 당사자 주장 — 이 완성되면 이를 당사자들에게 보여주고 의견진술기회를 부여한다. WTO 출범 초기에는 이 단계가 실질적으로 존재하였으나 언제부턴가 당사자 주장 부분은 따로 작성하지 않고 당사자가 제출한 서면을 패널보고서에 첨부함으로써 이 절차는 큰 의미가 없게 되었다. 그 다음 패널의 판단과 결론 부분을 포함한 중간보고서를 분쟁당사국들에게 회람하여 의견진술기회를 부여한다. 처음 이 제도를 만들 때 DSU 협상자들이 의도하였던 것과는 상관없이, 이 절차는 패소당사국 뿐만 아니라 승소당사국도 적극적으로 활용하고 있다. 그 이유는 항소가능성을 생각할 때 승소당사국은 일단 패널보고서를 가능하면 무결점의 상태로 개선시키려는 동기가 작용하기 때문이다.

　　패널에 사건이 위임된 이후 6개월 이내에 패널보고서가 완성되어 분쟁당사국에게 송부되어야 하지만, 이 기한에 관한 DSU규정은 훈시규정이며, 실제로 복잡하고 난이도가 높은 사건의 경우에는 훨씬 더 시간이 소요된다. 패널보고서가 완성되어 분쟁당사국에게 송달되고 이어서 전 회원국들에게 회람되면 그로부터 60일 이내에 항소가 제기되지 않으면 패널보고서는 소위 역총의제 — 만장일치로 채택을 반대하지 않으면 자동 채택 — 에 따라 DSB에서 채택된다(제16조).

3. 항소심 절차

항소기구는 전원이 7명으로 이루어져 있으나, 실제 개별사건의 심리는 3명이 맡는다. 다만 모든 사건과 관련한 문서들은 7인 전원에게 전달되며 이들은 모든 사건에 대해 전원합의 형식으로 의견을 표명할 수 있다. 그러나 최종 결정은 재판부를 구성하는 3인의 몫이다. 매사건마다 임명되는 패널리스트와 달리 항소기구 재판관은 임기가 4년(1회 연임 가능)이며 언제든지 사건 심리에 참여할 수 있는 준비가 되어 있어야 한다. 항소기구 재판관은 자기 국적과 상관없이 모든 사건에 배정될 수 있으며, 항상 독립성을 유지해야 한다.

항소는 패널보고서의 법적 쟁점이나 패널이 제시한 법적 해석에만 국한된다(DSU 제17조 6항). 즉, 항소기구는 법률심이지 사실심이 아니다. 다만 사실관계에 관한 다툼이더라도 그것이 패널의 증거채택 및 판단과 관련한 증거법칙의 문제, 또는 DSU 제11조상의 '패널이 사안을 객관적으로 평가하였는지'의 문제로 등장하면 역시 항소의 대상이 된다. 항소이유서가 제출되고 이에 대한 답변서가 제출되고 나면, 항소기구는 항소가 제기된 날로부터 60일 이내에 보고서를 완성해야 하지만, 30일을 연장할 수 있다. 그 기간 중 적절한 시점에 항소기구는 구두변론기일을 잡는다. 전통적으로 항소기구의 변론기일은 항소기구 재판관들이 핵심쟁점들에 관하여 질문을 던지고, 양측 대표나 대리인들이 이에 답변하는 형식으로 진행된다.

항소기구 재판관들의 합의는 대외적으로 공개되지 못하며, 개별의견을 쓴 재판관의 이름이 공개되지 않는다는 점은 패널과 동일하다(제17조 10, 11항). 항소기구는 패널의 법적인 판단과 결론을 유지, 변경 또는 번복할 수 있다(제17조 13항). 다만, 이 조항에는 통상적으로 항소심에 인정되는 파기환송(remand) 권능이 빠져 있다. 그 때문에 항소기구는 캐나다-정기간행물 사건에서부터, 패널보고서 결론을 변경 또는 번복하고 이를 다시 패널에 환송할 수 없기 때문에 충분한 사실자료가 기록에 포함되어 있다는 전제 하에서 직접 판단(completing the legal analysis)을 하는 관행을 수립하여 실천해 오고 있다.[19] 항소기구의 채택에도 패널보고서와 마찬가지로 역총의제가 적용된다(제17조 14항).

　　패널보고서나 항소기구의 결론 부분에는 문제된 조치가 협정을 위반한 것이 인정되는 경우에는 그 조치를 해당 협정과 합치시키라는 권고안이 포함되어 있다(제19조 1항). 패널이나 항소기구는 그 권고안을 이행하는 방법을 보고서에서 제안할 수 있다. 그러나 당사국들의 주권을 존중한다는 취지에서 패널이나 항소기구는 구체적 이행안을 제시하지 않는 것이 대부분이나, 사안에 따라서는 그 이행방법에 관한 또 다른 분쟁을 예방한다는 차원에서 구체적 이행안을 제시하기도 한다.

제 5 절   권고안 및 결정의 이행 감독

　　DSU 제21조 이하에서 DSB의 권고 및 결정을 이행하는 절차와 그에 대한 감독절차를 구체적으로 명시한 것은 WTO 분쟁해결절차의 가장 큰 강점이다. 패널이나 항소기구 보고서가 채택된 날로부터 30일 이내에 피제소국은 DSB 권고나 결정의 이행에 관한 입장을 밝혀야 한다. 실무적으로 모든 패소국들은 일단 적절하고 성실하게 이행하겠다는 취지의 서신을 DSB에 제출한다. 그 다음 실무적으로 중요한 문제는 합리적인 이행기간의 확정이다. 분쟁당사국 사이에 이에 관한 합의가 있으면 좋지만, 이에 관한 다툼이 있으면 중재에 회부되어 그 기간을 정하게 된다. 이제는 이 중재인으로 전현직 항소기구 재판관 중 한 명이 선임되는 것이 제네바 관행으로 자리를 잡게 되었다. 중재인은 15개월을 기준으로 합리적 이행기간을 정하게 되며(제21조 3항), 이에는 불복할 수 없다.

　　합리적 이행기간이 진행 중이거나 종료할 시점에 분쟁당사국간에 권고나 결

---

19) 다만 항소기구가 이 직접 판단을 할 것인지를 결정할 때에는 우선 사실관계에 다툼이 없거나 패널이 사실인정을 충분히 하였는지 여부, 그리고 그 사안에 대하여 당사국들이 충분히 변론할 기회가 보장되어 적정절차(due process)가 지켜졌는지 여부 등을 고려하고 있다. Appellate Body Report, *EC−Export Subsidies on Sugar*, WT/DS283/AB/R, adopted 19 May 2005, para. 339, Appellate Body Reports, *EC−Seal Products*, WT/DS400/AB/R, adopted 18 June 2014, para. 5.69.

정을 준수하기 위해 취해진 조치의 존재나 WTO 합치성이 다투어질 수 있다. 이 분쟁을 해결하기 위하여 소위 이행점검패널(compliance review panel)이 설치되며 이 패널은 가능한 한 원래 패널 구성원으로 임명된다(제21조 5항). 이행점검패널은 사안 회부시점으로부터 90일 이내에 결정을 내려야 한다. 다만, 이 사안은 실무적으로 매우 비현실적인 경우가 많다. 그 이유는 이행관련 분쟁은 주로 새로 도입된 대체조치에 관한 WTO 합치성 심사를 요하는 경우가 많은데, 이런 대체조치들은 원래 WTO 위반으로 판단된 조치에 비하여 그 합치성 판단이 더 어려운 경우가 종종 있기 때문이다. 이행점검패널 결정에 대해서도 다시 항소할 수 있는지가 실무상 다투어졌었다. 그러나 현재에는 WTO 회원국들 사이에 항소가 가능한 것으로 공감대가 형성되고, 실제로 항소절차가 이루어지고 있다.

DSB는 정기적으로 이행을 감독하는 일반적인 기능을 수행한다. 다만, 위반조치가 완전히 철회되기 전까지 제소국에 대한 구제조치가 인정되어야 하기 때문에 제22조에서 보상과 보복조치에 관하여 규정하고 있다. 만약 피제소국이 합리적 이행기간까지 위반된 조치를 제거하지 못하는 경우에 분쟁당사국들은 임시적 구제수단으로서의 보상에 관하여 합의할 수 있다. 만약 위 기간 종료 후 20일 이내에 보상에 관한 합의가 이루어지지 못하면 승소국은 DSB에 보복조치의 수권을 요청할 수 있다. 이 보복조치는 문제된 해당 산업뿐만 아니라 다른 산업분야에 대해서도 가해질 수 있으나(소위 '교차보복조치'), 그 보복조치의 수준은 문제된 조치 때문에 협정상의 이익이 무효화·침해된 수준에 상응(equivalent)하여야 한다(제22조 4항).

보복조치 수권 요청이 있으면 DSB는 합리적 이행기간 종료일로부터 30일 이내에 역총의제를 적용하여 이를 승인하여야 한다. 만약 제22조 4항상의 보복조치 수준에 관하여 분쟁당사국간에 다툼이 있으면 이를 중재에 회부할 수 있고, 중재인은 가능하면 원래 패널구성원으로 구성하되, 불가능한 사정이 있으면 사무총장이 임명한다. 이 중재결정은 합리적 이행기간 종료시점으로부터 60일 이내에 이루어져야 한다(제22조 6항). 실제 이 중재결정은 법적인 판단과 경제학적인 판단을 모두 요구하는 매우 힘든 작업이다. 문제된 조치로 인한 협정관련 이익의 무효화·침해 수준을 객관적으로 확정짓는 것은 매우 어렵기 때문에 이 과정에서는 WTO 사무국 내부의 경제학자나 통계학자들이 함께 참여하여 중재인을 보조하면서 보복조치의 수준을 결정한다.

위 이행절차와 관련하여 *EC*-바나나 사건 중에 불거진 소위 'sequencing'이라는 문제가 있었다. 제21조 5항상의 이행점검패널은 사건 회부일로부터 90일 내에 결정을 하여야 하는데, 제22조 6항상 DSB는 보복조치 수권요청이 있으면 합리적 이행기간 종료시점으로부터 30일 이내에 보복조치 수권을 하여야 하고, 보복수준이 중재에 회부된 때에도 중재인은 위 시점부터 60일 이내에 중재결정을 내려야 한다. 두 절차의 시한과 관련하여 논리적으로나 정책적으로는 DSB가 이행점검패널(또는 항소기구)의 결정이 내려진 이후에 보복조치 수권을 해야 하는 것이 맞겠지만, 현재 DSB규정은 그렇게 만들어져 있지가 않다. *EC*-바나나 사건에서는 결국 이행점검패널과 중재인의 구성이 동일하고 두 결정문을 동시에 배포하면서 구조적인 문제를 회피하였지만, 위 두 규정의 시한을 상호 조율하여야 한다는 목소리가 자연스레 높아지면서 이는 DDA협상의 일환인 DSB Review 단계에서 가장 먼저 다루어졌다. 다만, 아직까지는 DSU가 개정되지 않았으므로, 일단 이행점검패널을 설치하고 보복조치 수권요청도 제기된 상태에서 분쟁당사국들의 합의로 보복조치 수권절차의 진행을 이행점검패널 및 그에 대한 항소기구 보고서가 채택되는 시점까지 중지시키는 관행을 만들어 시행하고 있다.

제 6 절 기타 DSU규정

1. 다자체제의 강화

제23조는 '다자체제의 강화'라는 제목을 가지고 있다. 그 요지는 WTO협정상 의무의 위반 또는 이익의 무효화·침해를 이유로 구제수단을 강구할 때에는 DSU 규칙 및 절차에 회부하고 그에 따라야 한다는 것이다. 또한 그러할 경우, 회원국들은 DSU 절차 및 규칙에 따른 분쟁해결을 거치는 경우를 제외하고는 협정위반이 발생하였거나 이익이 무효화·침해되었거나 또는 협정상의 목적달성이 저해되었다는 취지의 결정을 해서는 아니 된다. 회원국들은 또한 합리적 이행기간을 정하는 데 DSU 제21조상의 절차를 따라야 하며, 합리적 이행기간 내에 이행을 하지 못하여 보복조치를 할 때에도 제22조에 정한 보복조치의 수준을 정하는 절차를 따르고 DSB의 승인을 받아야 한다.

이 조문을 도입하게 된 배경으로 DSU의 협상역사를 알아야 할 필요가 있다.

우루과이라운드 협상이 시작할 당시인 1980년대 중후반 미국은 GATT 분쟁해결 절차를 불신하여 미국의 1974년 통상법에 기초한 소위 '통상법 제301조'를 적용해 타국의 GATT협정 위반에 대하여 자력구제조치를 활용하고 있었다. 물론 GATT협 정을 위반한 나라가 원인을 제공한 것이기는 하지만, 통상법 제301조는 다분히 일방주의적 요소를 갖고 있었기 때문에 문제가 된 조치가 실제로 GATT 위반인 지와 그에 대하여 어떠한 보복조치를 취할 것인지를 미국 당국이 일방적으로 결 정을 하였다. 그 결과 미국의 교역상대국들은 오히려 DSU와 같은 법적인 강제력 이 있는 분쟁해결규범을 다자차원에서 만드는 것이 필요하다는 인식을 공유하게 되었다. 우루과이협상을 통해 이들은 WTO협정상의 권리구제와 관련해서는 미국 의 통상법 제301조는 더 이상 활용되어서는 안 된다는 입장을 견지하였고, 이와 관련 미국과 협상을 하여 얻어낸 결과가 바로 DSU 제23조이다.

그러나 제23조는 우루과이협상이 타결된 직후부터 집행상 문제의 소지가 많 이 있음이 드러났지만, EC-바나나 사건 이행 분쟁을 거치면서[20] 결국 운영상 문 제의 소지를 만들지 않는 방향으로 귀결되고 있다. 물론 앞으로 미국이 통상법 제301조를 어떻게 활용하느냐에 따라 다시 WTO 합치성문제가 제기될 가능성은 여전히 남아 있다.[21]

2. 비위반제소에 관한 특칙 등

앞서 GATT 제XXIII조상의 청구원인 중 하나인 비위반청구에 대하여 DSU 제 26조는 특칙을 마련하고 있다. 원래 비위반제소는 세 가지 요건을 충족하여야만 성립할 수 있다. 첫째, 문제된 조치가 정부조치이어야 한다. 따라서 정부조치가 아닌 사적 조치는 WTO 분쟁해결절차의 제소 대상이 될 수 없다. 둘째, WTO협 정상의 정당한 이익이 무효화·침해되어야 하고, 셋째, 그 조치와 무효화 사이에 인과관계가 존재하여야 한다.[22] 다만, 비위반제소는 위반제소와 달리 협정위반을

20) Panel Report, *United States—Sections 301–310 of the Trade Act of 1974*, WT/DS152/R, adopted 27 January 2000.

21) Seung Wha Chang, "Taming Unilateralism under the Multilateral Trading System: Unfinished Job in the WTO Panel Ruling on *U.S. Sections 301–310 of the Trade Act of 1974*," 31 *Law & Pol'y Int'l Bus*, 1151(1999–2000).

22) Panel Report, *Japan—Measures Affecting Consumer Photographic Film and Paper*,

초래하지 않는 정부조치를 문제삼은 것이기 때문에 제26조에서 다음과 같은 특칙을 마련하고 있다.

우선 제소국은 자신의 청구에 대한 자세한 정당화 근거를 제시해야 한다. 이는 위반제소의 경우 협정위반의 점만 입증이 되면 이익 무효화·침해는 추정되는 것과는 다른 부분이다. 또한 문제된 조치를 철회할 의무가 피제소국에게 없으며, 패널이나 항소기구는 양 당사국들이 상호 만족할 만한 조정을 통해 문제해결할 것을 권고할 수 있다. 한편, 합리적 이행기간을 정하는 중재인은 이익 무효화·침해 수준에 대한 결정을 하여 상호만족할 만한 조정이 이루어지게 도울 수 있으며, 위반제소의 경우 임시적 해결방안인 보상이 비위반제소에서는 종국적인 구제수단이 된다.

동조 2항에서는 상황제소에 대한 규정을 담고 있다. 앞서 언급한 바와 같이 상황제소에는 패널보고서의 채택 등에 대한 역총의제의 적용을 제한하고 있기 때문에 사실상 상황제소는 활용가치가 없어졌다고 보아야 한다.

3. DSU Review

WTO 출범 이래 DSU와 그에 따른 분쟁해결절차에 대하여는 비교적 긍정적 평가가 내려지고 있다. 다만, 1994년 4월 마라케쉬 각료회의에서 우루과이라운드 협상 종결시부터 1999년 1월까지 DSU 검토(통상 "DSU Review"라고 불리운다)를 마친 후 이 분쟁해결절차를 지속, 수정 혹은 종결할지를 결정하기로 하였기 때문에 DSB는 1997년 후반부터 DSU 검토를 시작하였으나 합의안 도출은 실패하였다. 2011년 11월 도하각료선언문(Doha Development Agenda)에서는 다른 분야 협상과는 별도로 특별회의를 통해 DSU의 개선 및 명료화를 위한 협상 개시에 합의하였으나 그 동안 DDA의 협상진전이 난관에 봉착하면서 DSU에만 합의를 도출하는 것도 실패하였다. 다만, 현재에도 DSB 의장 주도하에 협상이 계속되고 있으며, 개별 협상 주제에 따라서는 어느 정도 합의점에 도달한 것도 있다.

WT/DS44/R; Appellate Body Report, *European Communities－Measures Affecting Asbestos and Asbestos－Containing Products*, WT/DS135/AB/R, adopted 5 April 2001.

협상이 답보상태를 보이고 있고 언제 그 결과물을 수확할 수 있을지가 미지수이기 때문에 구체적 내용은 속하지 않기로 한다. 다만, DSU Review의 주요 논의 항목에는 (1) 제 3 국의 참여할 권리(Third Party Rights), (2) 패널구성(Panel Composition), (3) 파기환송(Remand), (4) 당사국간 합의에 의한 해결(Mutually Agreed Solution), (5) 비밀정보 보호(Confidential Information), (6) 이행과 보복절차 순서(Sequencing), (7) 보복 이후 절차(Post-Retaliation), (8) 투명성 및 비정부기관 의견(Transparency and Amicus Curiae Brief), (9) 단계별 시한 설정(Timeframe), (10) 개도국 특별 대우(S&D Treatment for Developing Countries), (11) 효과적 이행(Effective Compliance) 등이 포함된다.

제 **2** 부

GATT의 주요
원칙과 예외

제 4 장
최혜국대우원칙

제 1 절 비차별원칙과 최혜국대우

차별하지 말라는 것은 WTO의 핵심 원칙이다. 특정국 제품을 다른 체약국들로부터의 수입품보다 나쁜 조건으로 대우하지 말고, 외국산 수입품들이 자국산 물품보다 불리한 법을 적용하지 말라는 것이 비차별 원칙의 내용이다.

차별을 허용하지 않는 비차별주의 원칙은 WTO 협정에 규정된 최혜국대우(Most Favored Nation: MFN)원칙과 내국민대우(National Treatment)원칙으로 표현되고 있다. 그리고 최혜국대우원칙과 내국민대우원칙은 WTO 체제를 지탱하는 양 축이라고도 해도 과언이 아니다.

WTO 회원국인 A국으로부터의 수입품과 B국으로부터의 동종 수입품을 달리 대우하거나, 또는 자국 제품과 외국으로부터 수입된 동종 물품을 어떤 형태로든 다르게 취급하는 것은 비차별주의 원칙 위반이다. 제품의 국적에 바탕을 둔 차별정책은 수요와 공급에 의해, 즉 시장에서 가격을 결정하고 그렇게 결정된 가격에 의해 재화를 배분하는 것이 아니라, 시장외적 요소를 개입시켜 인위적 변수에 의해 시장을 영향 받게 함으로써 소비자들의 최종 선택을 왜곡시킬 수 있다.

최혜국대우원칙은 모든 체약국들의 제품을 어느 특정국 제품에만 특혜를 주는 일이 없이 모두를 똑같이 대우해야 한다는 것을, 그리고 내국민대우원칙은 외국산 제품을 내국산 제품에 비해 불공정하게 대우하지 말라는 것을 요지로 한다. 비차별주의 원칙이 적용되면, 적어도 이론적으로는 특정 시장에서 국내외 모든 제품들이 소비자들로부터 최종 선택을 받음에 있어 말 그대로 공정한 경쟁 환경(Level Playing Field)을 보장받을 수 있다.

최혜국대우 원칙을 문자 그대로 정의하면 "통상조약 등에 의거하여 그 나라가 줄 수 있는 최선의 교역 조건을 상대국에게 부여하라"는 것으로 요약할 수 있다. 이에 비해 내국민대우원칙은 "외국산 물품을 자국산 제품과 동일하게 대우하라"는 것으로 정의된다. 내국민대우원칙은 그 개념 안에 차별하지 말라는 것이 담겨져 있다. 하지만 최혜국대우원칙은 차별하지 말라는 내용이 그 정의에 포함돼 있지 않다. 그렇다면 어떤 이유에서 최혜국대우를 비차별주의 원칙에 포함시켜 말하는 것일까.

가령 한국 정부가 일본산 자동차에 대해 10%의 관세를 부과하고 미국산 자동차에 대해서는 5%의 관세를 부과한다고 가정하자. 한국정부가 다른 나라 자동차들에 대해 미국산 자동차보다 유리한 관세율을 적용하지 않는 이상 한국이 미국산 자동차에 대해 최혜국대우 지위를 부여하는 것은 맞다. 하지만 미국산 자동차보다 높은 관세를 내야 한국 시장에 들어갈 수 있는 일본산 자동차는 한국정부로부터 최혜국대우를 받지 못하는 것이 분명하다. 따라서 최혜국대우원칙의 위반 소지를 없애려면 미국산이든 일본산이든 그 원산지와 무관하게 모든 교역국 제품을 동일하게 취급해야 한다. 바꿔 말하면 교역 상대국을 차별하지 말아야 최혜국대우를 위반하지 않는 것이다. 최혜국대우원칙은 그 개념에 차별하지 말라는 내용을 담고 있지 않지만, 최혜국대우원칙을 적용한 결과는 교역 상대국들에 대한 비차별로 귀결한다.

최혜국대우원칙은 제품의 '국적'에 따른 차별을 하지 말라는 것으로, 이 원칙이 적용되면 경제적으로는 제품의 원산지를 확인하는 과정에서 소요되는 제반 비용을 절약할 수 있다. 뿐만 아니라 특정국간의 특혜적 거래와 특정국만을 대상으로 한 규제 조치를 금지함으로써 국제사회에 불필요한 긴장 관계를 조성하지 않게 하는 장점도 있다.

하지만 단점도 있다. 무임승차(free rider)가 그 예이다. 협상에 임하는 당사국 일방이 비싼 대가를 치르고 상대국 시장을 개방하고 그 관세를 인하시켰을 때, 그로 인한 혜택은 협상에 참여하지 않은 다른 모든 당사국들에게도 동일하게 돌아간다. 굳이 얼굴을 붉히고 상대와 씨름을 하지 않더라도 누군가 대신 싸워 성과를 얻어내면 그 과실은 모두에게 똑같이 돌아가는 것이다. 따라서 최혜국대우원칙은 협상에 적극적으로 임하기보다 다른 나라의 협상 결과를 지켜보는 방관자들을 양산하는 요인이 될 수도 있다.[1]

'최혜국대우'(most-favored nation)라는 용어 자체가 사용된 것은 아니었지만, 그 개념이 국제사회에 처음 등장한 것은 12세기로 거슬러 올라간다. 15, 16세기를 거쳐 국제 교역량이 급격히 늘어나면서 최혜국대우는 17세기에 들어 국제거래계의 원칙으로 등장했다. 그리고 1860년대 유럽 제국이 최혜국대우원칙을 담은 상호통상협정을 체결하면서 최혜국대우원칙은 국제거래계의 주요 원칙 중 하나로 자리 잡았다.

상업적 이익을 극대화하기 위해 한자동맹 등을 비롯한 배타적 그룹들이 치열하게 경쟁하던 시기에 유럽 각국들은 교역에서의 이익을 극대화하기 위해 자국의 시장을 상대국에게 개방하지 않을 수 없었고 최혜국대우원칙을 담은 국가 간 조약은 이러한 배경에서 체결됐다. 초기 최혜국대우원칙은 특정국에 대해서만 부여하는 것이었지만, 시장을 개방하는 국가들이 늘어나면서 이 원칙은 교역 대상국 전체로 확대되기 시작했다.

중상주의(mercantilism)는 근대자본주의가 산업혁명에 의해 지배를 확립하기까지의 초기 단계에서 원시적 축적을 수행하는 데 사용된 여러 정책과 이를 뒷받침한 이론체계를 말한다. 경제정책으로서의 중상주의의 핵심은 초기 산업자본을 위해 국내시장을 확보하고, 국외시장을 개척할 목적으로 수행되는 보호주의 제도로서 외국제 완제품의 수입 금지와 제한, 외국산 원료의 수입 장려, 국내 상품의 수출장려, 국내 원료의 수출금지 등의 조치를 직접 입법 및 관세정책으로 실행하였다. 그러나 이와 같은 중상주의는 상호 호혜를 지향하는 최혜국대우원칙이 국제사회에 확산되면서 인류 역사에서 종언을 고하게 된다.[2]

국가와 국가 사이의 조약에서 규정되던 최혜국대우원칙이 다자간 조약에서 받아들여진 것은 '관세 및 무역에 관한 일반협정'(GATT)이 처음이었다.[3]

---

1) 1980년대 들어 미국이 해외 시장 개방을 위해 상대국 정부와 '무역전쟁(trade war)'을 방불케 할 정도로 격렬한 협상을 진행할 때 "시장을 여는 것은 미국의 역할이지만 그 시장을 차지하는 것인 일본의 역할(to open the market is the U.S. role but to take over that market is the Japanese role)"이라는 비아냥은 최혜국대우 원칙의 적용으로 인한 무임승차를 단적으로 표현한 바라 할 수 있다.

2) 최혜국대우원칙의 역사적 배경에 대해서는 John H. Jackson, William J. Davey, Alan O. Sykes, Jr., 'Legal Problems of International Economic Relations'(West Publishing Co., 5th ed., 2002), pp. 471-473 등 참조.

3) "조건부 MFN은 1778년 미국이 처음 사용했는데 미국은 독립 이후 세계 통상계의 새로운 진출자로서 대영제국과의 관계가 단절된 상태에서 다른 국가들과 동등한 위치를 확보하는데 많은 어려움이 있었다. 즉, 영국은 물론이고 프랑스, 스페인은 그들의 해외 식민지와 미

1947년 채택된 GATT는 제 1 조 1항에서 GATT 체약국 상호간에 최혜국대우를 서로 부여하는 것을 의무화하고 있다. 자유무역주의에 의거해서 세계무역을 확대·발전시키려는 GATT는 그 맨 앞에 비차별주의의 핵심인 최혜국대우를 명기한 것이다.

최혜국대우원칙은 비단 관세에만 국한되지 않는다. 수출입 절차를 비롯한 기타 교역 대상 제품에 대한 모든 운용적 측면에 있어서도 어떤 형태의 차별적인 제한이나 부담도 없어야 한다. 특정국과의 교역에 있어 수출 또는 수입 과정에, 예컨대 같은 농산물임에도 불구하고 검역 시간이 더 소요된다거나 각종 검사 수수료를 다르게 부과하는 것도 차별이다. 같은 품목임에도 불구하고 이 제품을 수입함에 있어 관계 당국에 제출해야 할 서류들이 상대국에 따라 다르게 요구되면 이 또한 차별이다. 통관에 필요한 검역 시간이 적게 걸리는 나라, 이런 저런 절차에서 요구되는 각종 검사 수수료를 적게 부담하는 나라, 그리고 관계 당국에 제출해야 할 서류가 적은 나라는 그렇지 않은 나라보다 절대적으로 유리한 입장에서 경쟁을 하게 된다. 설혹 관세율에 있어 최혜국대우를 적용받는다 하더라도 수출입 절차를 비롯한 제반 운용적 측면에서 차별을 받으면 최혜국대우의 의미는 반감될 수밖에 없다. 그런 까닭에 GATT는 최혜국대우원칙을 광범위하게 적용하여 타국산 제품 및 타국으로 발송되는 제품에 대해 즉시, 또한 무조건으로 최혜국대우를 부여하는 것을 의무화하고, 동시에 모든 교역조건을 평등하게 할 것을 도모하고 있다.

국과의 무역을 막으려고 하면서도 미국 시장에의 진입을 원한 것이고, 반면 미국은 고율의 관세를 부과하는 동시에 미국 시장에 대한 다른 국가들의 접근을 미국이 해당국 시장에의 접근이 가능할 때에만 허용했다. 조건부 MFN은 1830–1860년 사이에 최고조에 달하였지만 19세기 중반 이후 유럽을 휩쓴 자유주의는 국제무역에 있어서도 무조건적인 MFN을 다시금 사용하게 하였다. 하지만 미국은 그럼에도 불구하고 조건부 MFN 원칙을 고수하다 1922년 관세법 개정을 통해 무조건적 MFN 원칙을 적용할 수 있는 근거를 마련하고, 1934년 무역협정법에서 무조건전 MFN 조항을 미국 국내법의 요건으로 만들었다." 법무부, 「UR협정의 법적 고찰(上)」(창신사, 1994), pp. 23–25. 그외 관련 문헌으로 서헌제, 「국제경제법」(율곡출판사, 1998), p. 69; 성재호, 「국제경제법」(박영사, 2003), p. 74; John H. Jackson, *World Trade and the Law of GATT*(1969), p. 255 등.

제 2 절   최혜국대우원칙에서의 차별 판단기준

차별하지 말라는 것이 WTO의 근본 원칙이고, 적용 결과 체약국들을 차별하지 말라는 최혜국대우원칙은 그 한 내용이다. 그렇다면 과연 무엇이 차별일까. '차별'(discrimination)과 '구별'(differentiation)은 분명 다른 개념이다. '차별'은 나쁘지만, '구별'은 나쁘지 않다. 그렇다면 어떻게 하는 것이 '차별'이고 '구별'과는 무엇이 다른 것일까.

결론부터 말하자면 같은 것을 달리 대하는 것이 차별이고, 다른 것을 다르게 대하는 것이 구별이다. 같은 제품에 다른 관세를 부과하는 것은 차별이고, 서로 다른 제품에 각각 다른 세율을 부과하는 것은 구별이다. 그렇다면 핵심 쟁점은 과연 무엇을 기준으로 '같은' 제품인지를 판단할 것인가에 있다. 차별 여부를 시비하는 교역국 사이에서 그 판단 기준은 예민할 수밖에 없다.

이와 관련하여 GATT 제 1 조 1항은 다음과 같이 규정하고 있다. "수입품에 대하여 그리고 수입 또는 수출과 관련하여 부과되거나, 수입 또는 수출에 대한 지불의 국제적 이전에 대하여 부과되는 관세 및 모든 종류의 과징금에 관하여, 그리고 이러한 관세 및 과징금의 부과 방법에 관하여, 그리고 수입과 수출에 관련한 모든 규칙 및 절차에 관하여, 그리고 제 3 조 2항과 4항에 기재된 모든 사항에 관하여, 체약국이 타국의 상품 또는 타국에 적송되는 상품에 대하여 허여하는 이익, 특전, 특권 또는 면제는 모든 다른 체약국 영역의 동종상품 또는 이러한 영역에 적송되는 동종상품에 대하여 즉시 그리고 무조건적으로 부여되어야 한다."

GATT 제 1 조 1항에 규정된 '동종상품'(like product)은 그 의미가 무엇인지 명확하게 정의된 규정을 찾을 수 없다. GATT 제 1 조 1항뿐만 아니라 제 3 조 2항과 제 6 조 7항, 제 7 조 2항, 그리고 제 9 조 1항 등도 'like product', 'like commodity', 'like merchandise', 'like or competitive products' 등의 용어를 사용하면서 그 의미가 무엇인지를 시비가 없게끔 분명하게 정의하는 규정은 없다.

GATT에 명확한 정의 규정이 없는 까닭에 '동종상품' 여부가 시비됐을 경우 WTO 분쟁해결기구는 해당 제품의 외형, 성향, 그리고 그 제품의 소비 형태, 최종 소비 목적 등을 종합적으로 고려하여 판단하고 있다. 그리고 '절대적' 기준은 아니지만 각국은 일반적으로 HS(Harmonized Commodity Description and Coding System,

Harmonized System)에 의해 동종상품 여부를 결정하고 있다.

GATT가 여러 조항에서 담아내고 있는 'like product', 'like commodity', 'like merchandise', 'like or competitive products' 등의 용어들은 각 조항이 갖고 있는 의미와 성격에 따라 달리 해석할 수 있다. 그리고 최혜국대우원칙과 관련한 동종 상품 판단은, 최혜국대우원칙이 기본적으로 국제 무역의 활성화를 도모하기 위한 규정임을 감안할 때 다른 규정에서의 그것보다는 가급적 넓게 해석해야 한다는 주장도 설득력이 있다.[4]

그리고 그 판단은 일차적으로 해당국 정부에 있고, 또한 관세 분류와 관련한 정책은 기본적으로 각국 정부의 재량에 속한다는 것이 WTO 분쟁해결기구인 패 널의 입장이다. 이와 관련해서 1989년 7월 캐나다가 일본을 제소한 '일본 규격 재'(規格材, dimension lumber) 사건[5]을 살펴본다.

이 사건은 일본 정부가 목재를 특정 사이즈로 자른 규격재에 대해 0%에서 8%에 이르는 관세를 각각 달리 부과하였는바, 캐나다 정부가 이러한 일본의 관 세 정책이 최혜국대우원칙을 위반한 것이라며 제소한 사건이었다.

캐나다는 규격재가 측량, 질의 등급, 마무리 등에 관한 표준 형태인데 이러 한 형태의 목재는 캐나다와 미국 등에서 플랫폼 집을 건축하는 데 많이 사용되고 있으며 일본에서도 광범위하게 이용되고 있다고 주장했다. 이에 대해 일본은 규 격재에는 여러 가지 형태가 존재하고 이에 대한 관세 분류가 국제적으로 공인된 것이 없을 뿐만 아니라, 일본이 취하고 있는 제품 분류는 목재의 두께와 마무리 등급 외에 생물학적 속 또는 종 사이의 구별에 근거해서 결정하고 있다고 반박했 다. 이러한 제품 구별에 따라 캐나다산 규격재는 다른 일반 규격재와 다르다는 것이 일본의 주장이었다.

이 사건에서 패널은, 관세 부과를 위한 제품의 분류 방식에 대해 GATT가 각 체약국들에게 재량권을 부여하고 있음을 확인했다. 제소국인 캐나다와 피제소국 인 일본이 공히 채택하고 있는 HS에 대해 HS가 관세 부과를 위한 제품 분류의 기준을 제공하고 있는 것은 맞지만, 해당국 정부에 대해 각 관세분류에 대한 구 체적인 사항까지 준수해야 할 의무를 부과하는 것은 아님을 명확히 했다. 또 목 재의 규격에 대해서도 캐나다와 미국 등에서 채택되고 있는 기준이 있고, 일본

---

4) 법무부, 「UR협정의 법적고찰(上)」(창신사, 1994), pp. 26-27 등 참조.
5) GATT Panel Report adopted July 19, 1989. 36th Supp. BISD 167(1990).

또한 이에 부합하는 기준을 사용하고 있다 하더라도 관세 분류가 이러한 목재 규격 기준과 반드시 일치해야 하는 것은 아니라는 점을 분명히 했다.

패널은, '관세분류'(tariff classification)는 각국이 재량적으로 채택할 수 있는 통상정책 가운데 하나이고 제품의 세부 분류를 각국이 그 형편에 맞게 융통성 있게 운영할 수 있도록 넓은 재량권을 주고 있기 때문에 만약 이로 인한 차별을 주장하는 정부가 있다면 문제의 '차별적 관세'가 그 나라가 취할 수 있는 관세 정책 본연의 목적을 벗어나 국제 교역의 차별적 수단으로 이용되고 있음을 입증해야 할 책임이 있다고 판단했다. 요컨대 최혜국대우원칙에 의해 교역 상대국을 차별하면 안 되지만, 그것이 동종상품인지에 대한 판단은 기본적으로 관세를 부과하는 나라의 재량에 속한다는 게 이 사건에서 보여준 패널의 입장이었다.

제 3 절 최혜국대우원칙의 예외

예외 없는 원칙은 없다. 최혜국대우 원칙에도 예외가 존재한다. WTO에 규정된 예외와 GATT/WTO가 지향하고 있는 자유무역주의보다 중요한 상위 목적을 위해 당연히 인정되어야 할 예외가 있다.

1. 제 1 조 최혜국대우조항에 규정된 예외

1947년 채택된 GATT는 '잠정협정'이었다. 당초 항구적인 목적으로 만들어진 협정이 아니라, 국제무역기구("ITO", International Trade Organization) 설립을 위한 하바나 헌장(Havana Charter)을 특히 미국이 그 비준을 지연시키자, ITO가 제대로 운영될 때까지 일종의 '한시적' 규범으로 만든 것이 GATT이었다.

이러한 이유에서 GATT는 엄연한 국제규범이었음에도 불구하고, 밀고 당기는 치열한 협상 대신 적절한 선에서 타협한 결과가 곳곳에 남아 있다. GATT가 출범할 당시만 해도 '임시적' 성격의 조항으로 이해되던 내용들이 ITO의 설립, 운영이 끝내 무산되면서 GATT가 WTO로 대체될 때까지 존속된 것도 있다.

그 한 예로 제 1 조 최혜국대우조항에 담긴 예외들이 그렇다. 여기에 적시되어 있는 조부조항(Grandfather Clause)은 체약국의 국내법이 GATT와 불합치한 내용을 담고 있음에도 불구하고 그러한 국내법을 그대로 존치시킬 수 있는 권리를 말한다. 본래 임시조항으로 간주되던 이 내용은 그러나 이후 WTO로 대체되기까지 GATT 체제 내에서 계속 유지되었다.

영연방 국가, 프랑스 동맹지역, 베네룩스 관세동맹지역, 미국과 그 식민지지역 등에 있어 이들 나라 사이에 부여된 각종 특혜들은 분명 최혜국대우원칙을 위반한 것이지만, 그럼에도 불구하고 제1조 최혜국대우조항이 제1조 2항에서 4항까지 예외로 규정한 것에 해당하는 것으로 해석함으로써 그 시비를 차단했다.

2. 수권조항(Enabling Clause)[6]

일반특혜관세(Generalized System of Preference: GSP)란 개발도상국들에 대해 그것이 개발도상국들로부터 수입된 제품이라는 이유만으로 선진국들로부터 부여받는 우대 관세를 말한다. 즉, 미국 등 선진국들이 개발도상국으로부터 수입되는 각종 물품에 대해 관세를 면제하거나 다른 나라에서 수입된 동종상품보다 낮은 관세율을 적용하는 것이 일반특혜관세이다. '수권조항'(Enabling Clause)에 근거한 GSP는 최혜국대우원칙의 분명한 예외조치로 선진국들이 개발도상국에 대해 부여하는 각종 특혜 가운데 하나라 할 수 있다.

제2차 세계대전이 끝날 무렵 연합국 대표들은 미국 브레튼우즈에 모여 전후 세계 경제질서와 그 방향에 대해 논의했고 그 결과를 담아 국제무역기구(International Trade Organization: ITO), 국제통화기금(International Monetary Fund: IMF), 국제부흥개발은행(International Bank for Reconstruction and Development: IBRD) 등을 축으로 한 이른바 '브레튼우즈 시스템(Bretton Woods System)을 출범시키고자 했다. 그러나 이중 ITO는 미국 의회의 반대로 결국 좌초되었고 이에 따라 그 역할을 대신한 GATT가 세계무역기구(World Trade Organization: WTO)를 거쳐 오늘에 이른다.

인류의 참극인 제2차 세계대전의 원인 가운데 하나가 당시 극한으로 치닫던 보호무역주의에 있었음을 공감함 연합국 대표들은 전후 세계경제는 자유무역주의를 지향하는 것이어야 한다는 데 인식을 같이 했다. 그러나 관세율 인하를

---

6) GATT/WTO 협정에서의 개발도상국들에 대한 특혜 내용에 관해서는 최승환, 국제경제법(2006), pp. 364−382; 김성준, WTO법의 형성과 전망(1996), pp. 166−172; 서현제, 국제경제법(1998), pp. 740−762 등 참조.

그 핵심 내용으로 하는 브레튼우즈 시스템의 자유무역주의는 열악한 경제여건에 처한 개발도상국들에 대해 특별한 대우가 부여되어야 한다는 주장을 받아들였고, 이러한 공감대 속에서 개발도상국들에 대한 예외근거로 GATT 제18조가 마련되었다.

GATT 제18조는 개발도상국들에 대해 네 가지 유형의 특혜를 부여했다. ① 유치산업 보호를 위한 관세 재협상 권한, ② 국제수지 악화에 따른 수량제한 조치, ③ 특정산업 진흥에 필요한 조치, ④ 특정산업의 설립을 위한 GATT규정 일탈권한 등이 그것이다. 이 네 가지 유형의 특혜 가운데 두 번째, 즉 국제수지 악화에 따른 수량제한 조치 이외의 유형은 인정을 위한 절차가 쉽지 않아 이후 이용된 사례가 거의 없다.

1947년 채택된 GATT는 1966년 개정을 거쳐 '무역과 개발'이라는 제하의 제4부를 신설했다. 이는, 1960년대 들어서면서 1950년 이후 UN에 새로 가입한 신생 독립국들의 목소리가 커지면서 선진국에 비해 열악한 상황에 놓인 개발도상국들의 경제적 입지를 제도적으로 보완해야 한다는 주장이 GATT에서도 수용된 결과였다.

GATT는 신설된 제4부에서 개발도상국들의 수출 소득의 확대, 경제개발의 필요에 부응하는 무역증진을 위해 적극적인 노력을 요구하는 제36조, 제37조, 제38조 등 세 개의 조항을 추가했다. 제36조는 개발도상국들이 약속한 바(commitment)에 대해 선진국들에게 요구하는 상호주의를 기대하지 않는다는 점을 명확히 함으로써 '실질적 공정'을 담았다. 이어 제37조는 개발도상국들이 특별히 관심을 갖고 있는 제품에 대해 선진국들이 가능한 최대로 무역장벽을 제거 또는 완화할 것과 관세 또는 비관세 수입장벽의 도입 또는 강화를 삼갈 것을 명시했다. 그리고 제38조는 제36조가 규정하고 있는 목적을 달성하기 위해 필요한 구체적인 의무를 규정하였다.

GATT 제4부가 담아낸 '실질적 공정'은 1979년 동경라운드의 프레임워크협정(Framework Agreement)[7]을 통해 보다 공고해졌다.

---

7) 이 협정의 공식명칭은 '국제무역의 수행을 위한 골격에 관한 협정'(Agreements relating to the Framework for the Conduct of International Trade)이다. 동 협정은 ① 개발도상국에 대한 차별적이고 보다 유리한 대우와 상호주의 및 보다 완전한 참여에 관한 결정(Decision on Differential and More Favorable Treatment and Reciprocity and Fuller Participation of Development Countries), ② 국제수지를 위한 무역조치에 관한 선언(Declaration on Trade

'수권조항'(Enabling Clause)은 동경라운드 프레임워크협정 중 '개발도상국에 대한 차별적이고 보다 유리한 대우와 상호주의 및 보다 완전한 참여에 관한 결정'(Decision on Differential and More Favorable Treatment and Reciprocity and Fuller Participation of Development Countries) 제 1 항부터 제 4 항까지를 말한다. ① GSP에 따른 특혜관세율, ② 비관세조치에 관한 차별적 우대조치, ③ 개발도상국 상호 간의 지역적 차별적 우대협정, ④ 최빈개발도상국에 대한 특별우대 등이 그 내용이다.

GATT 제4부에 이어 동경라운드의 프레임워크협정의 채택으로 개발도상국들에 대한 최혜국대우원칙의 예외적용이 실질적으로 구현될 수 있는 근거가 마련되었다.

개발도상국에 대한 선진국들의 차별적이고 보다 유리한 조치를 가능하게 한 이 '수권조항'은 그러나 그 명칭을 '수권'(Enabling)이라고 한 이유가 무엇인지를 곱씹어 보아야 한다. 이는 어디까지나 개발도상국들에 대한 혜택들이 선진국들의 '권한'이지 '의무'가 아니라는 점을 명칭에서부터 분명히 하고자 한 결과였다.

3. 제24조 지역무역협정

GATT 제24조는 자유무역지대(free trade area), 관세동맹(customs union) 등을 담고 있다. GATT 제24조에 근거한 지역협정 당사국간의 '특혜'는 최혜국대우원칙에 반하는 것이 분명하지만 그 예외로 허용된다.

역사적으로 보면 제 2 차 세계대전이 끝날 무렵 몇몇 관세동맹이 존재하고 있었고, 베네룩스 동맹 등이 설립 중에 있었다. ITO 설립을 위한 논의 과정에서 미국 또한 관세동맹을 지지하는 입장에 있어 하바나 헌장 제44조에 관세동맹이 최혜국대우원칙으로부터 예외로 인정되는 것을 담아낸 것이고, 이러한 예외를 미국과 캐나다 사이에 추진되던 자유무역협정에도 적용시키기 위한 노력이 이루어진 결과 GATT 제24조가 규정된 것이다.

Measures for Balance of Payments), ③ 개발목적의 세이프가드조치에 관한 결정(Declaration on Safeguard Action for Development Purposes), ④ 통보와 협의 및 분쟁해결과 감시에 관한 양해각서(Understanding Regarding Notification, Consultation, Dispute Settlement and Surveillance)등 모두 네 개의 내용으로 구성되어 있다.

자유무역지대로 인정받기 위해서는 일정한 기간(대개 10년) 안에 실질적으로 모든 품목에 대한 관세를 철폐해야 하고, 역외 국가들에 대해서는 자유무역지대 창설을 위한 협정이 체결되기 전보다 불리한 대우를 하지 말 것 등의 요건을 충족시켜야 한다. 그리고 관세동맹은 이에 더 나아가 공동의 역외 정책이 있어야 하는바, 구체적으로는 보호의 전반적인 수준을 일정한 수준으로 높이지 말아야 할 것을 요구한다. 만약 관세 동맹에 참여하는 회원국들이 관세동맹 내용을 준수하기 위해 관세를 인상하면 이로 인한 피해를 보상해야 한다.

이처럼 요건을 까다롭게 규정한 것은 무역 블록이나 특혜 집단들이 이 규정을 악용하여 최혜국대우원칙을 토대로 한 자유무역주의를 훼손할 우려를 해소하기 위한 것이다. 즉, 특정 품목에 대한 것이 아니라 '실질적으로 모든'(substantially all) 품목에 대한 관세를 일정 기간 안에 철폐하도록 하고 다른 역외 국가들을 협정 체결 이전보다 불리하게 대우하지 말 것을 의무화함으로써 이러한 우려가 현실화되는 것을 제도적으로 해소했다.

4. 제20조의 일반적 예외

GATT는 제20조에서 일반적인 예외로 다음 내용에 해당하는 경우 통상을 규제할 수 있도록 이를 허용하고 있다.

GATT 제20조가 최혜국대우원칙의 예외 조항인지 여부와 관련하여 논란이 있다. 동 조항이 GATT 의무로부터 벗어날 수 있다는 취지로 문안이 구성되어 있음을 이유로 최혜국대우의무 또한 벗어날 수 있으므로 이를 최혜국대우원칙의 예외로 해석해야 한다는 주장이 있다. 이에 반해 동 조항에 담긴 예외 사유에 해당하여 어떤 조치를 취한다 하더라도 동일한 조건 하에 있는 국가들을 자의적으로 차별하면 안 된다는 내용이 있음을 이유로 동 조항을 최혜국대우원칙의 예외로 해석하는 것은 잘못이라는 주장이 대립한다.

제20조에는 예외 사항에 해당할 경우 조치를 취할 수 있음을 명정하고 있다. 그리고 동 조항에 규정된 예외 사항에 해당하여 어떤 조치를 취할 경우 동일한 조건 하에 있는 다른 나라들에 대해 차별해서 조치를 취하지 말라는 내용을 담고 있기도 하다. 하지만 여기서 말하는 '차별'은 '자의적이거나 정당화할 수 없는' 차별만을 명시하고 있음을 유념할 필요가 있다. 바꿔 말하면 자의적이지 않고 정당

화할 수 있는 차별은 허용되는 것이다.

제20조가 규정하고 있는 일반적 예외 사유 10가지는 아래와 같다

(a) 공중도덕 보호를 위해 필요한 조치

(b) 사람, 동물 또는 식물의 생명 또는 건강보호를 위해 필요한 조치

(c) 금 또는 은의 수입 또는 수출에 관한 조치

(d) 이 협정의 규정에 반하지 않는 법률 또는 규칙의 준수를 확보하기 위한
조치

(e) 교도소 노동으로 생산된 제품과 관련된 조치

(f) 미술적 가치, 역사적 가치 또는 고고학적 가치가 있는 국보의 보호를 위
하여 부과되는 조치

(g) 유한 천연자원의 보호에 관한 조치

(h) 정부 간 상품협정에 의거한 의무에 따라 강구되는 조치

(i) 원료의 불가결한 수량을 확보하기 위하여 국내 원료의 수출에 제한을 과
하는 조치

(j) 일반적으로 또는 지역적으로 공급이 부족한 제품의 획득 또는 분배에 불
가결한 조치

제20조와 관련하여 '위장된 예외(Disguised Exceptions)'는 늘 시비의 대상이었
다. 외형상 '예외'에 해당하는 것처럼 보이지만 그 실체는 보호무역을 위해 씌운
허울일 뿐이라는 게 시비의 요지다.

중국 정부가 죄수에 대한 형벌의 일환으로 생산 현장에서의 강제노역에 처
하고 그 결과로 만든 제품을 미국으로 수출한다고 가정한다. 이 경우 미국 정부
는 GATT 제20조 (e)호를 근거로 수입을 금지시킬 수 있다.

제20조 (e)호는 강제노역에 대한 인권 측면에서의 우려를 반영한 규정이다.
노예제도 폐지를 놓고 내전까지 치렀던 미국은 인류의 인권을 증진하기 위한 노
력을 지속해 왔다. 1947년 GATT를 만들 당시에도 인권에 대한 미국의 관심은
각별했고, 이러한 미국의 관심과 노력이 다른 체약국들로부터 동의를 얻어 반영
된 결과가 제20조 (e)호, 즉 "교도소 노동으로 생산된 제품에 대한 수입규제 조
치"였다.

그런데 의문이 든다. 노동 관련 인권에 대한 우려를 교도소 노동에 국한시킨
이유가 무엇일까. 지금도 극빈국에 가면 화장실에 갈 시간조차 통제받으며 하루

15시간씩 생산현장에 내몰리는 아이들이 있다. 인권에 반하고, 그래서 자유무역주의의 예외로 수입규제 등 조치를 취해야 한다면 그렇게 대책을 강구하고 보호해야 할 대상에 아동 노동을 포함시키지 않은 이유는 무엇일까.

무고한 사람을 교도소에 감금하고 본인 의사에 반해 강제노역에 처하는 건 인권을 논할 것도 없이 그 자체로 문제가 있다 하겠다. 그러나 죄를 지은 범법자에 대해 그 나라 법이 정하는 바에 따라 형벌의 일환으로 노역에 처하는 것이 과연 반인권적 처사라 단언할 수 있을까. 또 죄수들에 대한 교화 내지 사회화 과정의 일환으로 죄수들에게 직업교육을 시키고 그 결과 만들어진 물품을 시장에서 파는 행위를 인권에 반하는 정책으로 단정해서 수입금지 등 규제를 취하는 것이 과연 타당할까. 그리고 미국은 왜 중국의 죄수 노역과 그들이 만든 제품들만 문제 삼는 것일까. 지구상에 중국보다 열악한 교도소를 운영하는 나라는 과연 없을까.

5. 의무면제(Waiver)에 의거한 수입제한

앞서 설명한 바와 같이 GATT는 태생적으로 ITO가 제대로 운영될 때까지를 그 시한으로 만들어진 일종의 '한시법적' 성격을 갖고 있는 탓에 다른 국제 규범과 달리 '유(柔)'한 측면이 적지 않다. 의무면제(Waiver)에 의한 예외가 가능하도록 관련 규정을 두고 있는 것도 그러하다.

GATT/WTO는 각료회의에서 회원국의 일정 수 이상의 동의를 얻는 경우 GATT/WTO협정상의 특정 의무를 면제받을 수 있다. 최혜국대우원칙도 그 대상이 될 수 있음은 물론이다. 서독이 GATT에 가입할 당시 동독과의 교역에 관세특혜를 부여하는 것에 의무면제를 신청하여 동의를 받음으로써 최혜국대우원칙 위반 소지를 원천적으로 차단한 것을 그 예로 들 수 있다. 미국도 캐리비언 제국에 대해 관세면제 조치를 취할 때 의무면제 요청을 하여 회원국들로부터 동의를 받은 바 있다.

회원국들로부터 예외에 대한 동의를 별도로 받아내는 것은 쉬운 일이 아니다. 또 이렇게 의무면제를 받아냈다 하더라도 조치를 취할 수 있는 기한 및 조건 등에 간단치 않은 제한이 있다. 추후에도 의무면제를 지속해야 할 필요성에 대해 각료회의에서 매년 심사를 받아야 한다.

이처럼 까다로운 실체적, 절차적 요건을 충족 유지시켜야 함에도 불구하고 의무면제 제도를 둔 까닭은 GATT/WTO가 두고 있는 여러 가지 형태의 예외조항에도 불구하고 다수 회원국들로부터 동의를 받는다는 전제에서 '예기치 못한 상황'에 대한 융통성을 확보하려는 것이 그 목적이다. 회원국 탈퇴와 같은 극단적 선택을 방지하려는 노력의 일환이라고도 할 수 있다. GATT가 잠정 협정으로서의 성격을 갖고 있지 않았다면, 그래서 '유(柔)'한 측면이 없었다면 반영되지 않았을 지도 모를 조항이다.

우리나라는 북한산 제품에 대해 '관세'를 부과하지 않는다. '관세'는 국경을 넘어 들어오는 외국산 제품에 대해 부과하는 것이니 북한을 '외국'으로 보지 않는 한, 마치 경상남도 통영시에서 잡은 굴을 서울 노량진 시장에서 팔 때 관세를 부과하지 않는 것처럼 북한산 물품에 대해 관세를 부과하지 않는 건 너무나 당연한 일로 시비대상이 될 수 없다. 하지만 우리나라 헌법이 대한민국의 영토를 한반도와 부속도서로 규정하고 있다고 해서 과연 북한이 통영시와 같은 법적 위치에 있고 따라서 북한과 우리나라의 경계를 '국경선'이 아니라고 단언할 수 있을까.

1991년 우리나라와 북한은 UN에 동시 가입해 오늘에 이르고 있다. 우리나라는 세계 188개국과 외교관계를 수립하였고 북한과 외교관계를 수립한 국가 수는 161개국이다. 그리고 이중 동시수교국은 158개국이다. 우리나라 헌법이 규정하는 바와 무관하게 국제사회에서의 북한은 수교대상인 정부로 공인받고 있다.

이러한 현실에서 우리나라 정부가 북한산 물품에 대해 무관세 혜택을 주는 것은 다른 WTO 회원국들보다 유리한 교역조건을 부여하는 것이라 하지 않을 수 없다. 실제 미국은 우리나라 정부와의 양자 협상에서 북한산 물품에 대해 관세를 부과하지 않는 것을 최혜국대우원칙 위반이라 시비해 왔다. 그것이 몰고 올 수 있는 또 다른 외교적 파장 때문에 WTO 제소 등 시비를 공식화하지 않았을 뿐 북한산 물품에 대해 관세를 부과하지 않는 우리나라의 정책은 미국과의 협상 테이블에서 시비대상으로 우리의 협상력을 약화시키는 요소로 작용해 왔다.

우리나라가 GATT에 가입할 당시가 아니었다면 WTO 출범시 서독의 예에 따라 waiver를 취득할 수는 없었을까. 농산물시장 개방문제로 EU와 미국이 첨예한 대립을 계속하는 상황에서 현명한 협상력을 발휘해서 북한산 물품에 대한 무관세 정책을 waiver 취득을 통해 시비의 소지를 완전히 잘라낼 수는 없었을까.[8]

6. 국가안보를 위한 예외

GATT의 특별승인이나 절차를 거치지 않고 최혜국대우원칙으로부터의 이탈이 인정되는 또 하나의 예외조항은 국가안전보장상의 이유에서 필요하다고 판단되는 경우이다.

GATT는 제21조에서 체약국이 국제평화 및 안전보장을 위해 국제연합헌장에 근거한 조치를 취하는 경우 GATT/WTO의 적용에 예외를 인정받을 수 있음을 선언하고 있다. 즉, GATT/WTO 체제는 자국의 안전보장을 위해, 또는 국제 평화를 위해 국제연합헌장에 따른 조치를 취할 수 있음을 예정하고 있는데, 이 같은 경우 GATT/WTO 규정상의 의무를 면제해 주고 있다. 그러나 국가안보를 위한 예외는 GATT/WTO가 정치적 목적을 위해 통상규제를 인정한 유일한 예외로, 바꿔 말하면 이러한 경우를 제외하고는 그 어떠한 정치적 목적을 위해서라도 이를 이유로 한 통상규제가 허용되지 않는다.

따라서 국가안보를 위한 통상규제는 자유무역원칙의 고전적 예외로서 인정되어 왔다. 이는 자원의 효율적 분배와 같은 자유무역체제상의 이점도 국가생존을 확보해야 하는 긴박한 필요보다 우선할 수 없음을 의미한다. 본 조항이 없더라도 국가안보를 위한 규제는 너무나 당연한 것이고 따라서 본 조항을 선언적 의미로 해석하는 시각도 있다.

이른바 안보예외조항은 양국 간 우호, 통상, 항해조약이나 투자조약 및 OECD에서도 보편적으로 인정되고 있다. 다만, GATT 제19조에 따른 긴급조치의 경우에서와 마찬가지로 국가안보를 위한 예외를 규정하고 있는 GATT 제21조도 '국가안보'의 개념이 모호하고 따라서 이를 자의적으로 해석할 여지가 다분하기 때문에 많은 문제점을 안고 있다.

---

8) 남북교역 관련 최혜국대우 위반 문제는 제 4 절 최혜국대우원칙 관련 분쟁사례에서 상술한다.

제 4 절   최혜국대우원칙 관련 분쟁사례

1. 스페인 커피 사건[9]

(1) 사건의 개요

스페인 정부는 볶지 않고 카페인이 제거되지 않은 커피(unroasted coffee)에 대한 관세령을 개정하여 1980년 3월 1일부터 시행하였다.

동 관세령이 개정되기 이전에는 스페인이 수입하는 볶지 않은 커피는 5가지 항목으로 나누어 각각 다른 관세율을 적용했었는데 관세령의 개정으로 마일드 등의 커피에 대해서는 무관세 혜택이 부여된 반면, unwashed Arabica와 Robusta 커피에 대해서는 기존의 관세율에 따른 관세를 계속 부담해야 했다. 마일드 커피는 콜럼비아산이 대부분이고 브라질산 볶지 않은 커피는 거의 전부가 unwashed Arabica였다. 이에 브라질 정부가 1981년 6월 11일 스페인 정부를 상대로 최혜국 대우 위반을 이유로 제소한 사건이다.

(2) 양측 주장 및 패널의 판단

브라질은 스페인의 볶지 않고 카페인이 제거되지 않은 커피인 unwashed Arabica에 대해 기존의 관세를 계속 부과한 개정 관세령은 주로 unwashed Arabica를 수출하는 브라질에 대해 차별적이므로 최혜국대우원칙을 위반한 것이라고 주장했다. 마일드 커피와 unwashed Arabica 커피는 모두 같은 종류의 커피나무에서 수확되고, 이 구분은 커피 원두에 대해 가해지는 처리방식에 의해 이루어질 뿐이므로 이들 커피는 당연이 '동종상품'(like product)에 해당한다는 주장이었다. 소비자들 또한 그것이 볶은 커피인지, 분말 커피인지 구별하지 않고 커피라는 하나의 제품으로 이해하고 구매하므로 종류나 질이라는 말은 특정 등급이나 마케팅 차원에서 언급되는 것일 뿐 품목 자체를 달리하는 것은 아니라는 것이 주장의 요지였다.

이에 대해 스페인은 관세를 위한 제품의 분류는 기본적으로 각국의 재량 사

---

9) GATT Panel Report adopted June 11, 1981. 28th Supp. BISD 102(1982).

항이고, 브뤼셀 관세번호표에 의하면 각국은 정해진 관세항목 범위 안에서 세부
항목을 정할 수 있으므로 스페인이 자국 시장의 특성에 따라 세부항목을 정한 것
은 정당하다는 주장을 폈다. 또한 GATT 제 1 조 1항이 적용되기 위해서는 '동종
상품'이어야 하는데 설혹 동일한 과세번호가 부여된 물품이라 하더라도 동종상품
이 아닐 수 있다고 주장했다. 커피의 종류별로 기술적, 경제적, 상업적 기준에 의
한 질적 차이가 존재하는데 마일드 커피와 unwashed Arabica 커피는 모두
Arabica 그룹에 속하지만 기후나 재배방법 및 재배환경, 그리고 무엇보다 커피의
거래나 소비에 있어서 가장 중요한 향이나 맛에서 차이가 있기 때문에 설사 이들
커피가 관세번호가 동일하다 하더라도 지역적 요소, 경작방법, 원두의 가공 및
유전자적 요소 등에 의해 전혀 다른 물품으로 간주할 수 있다는 주장이었다. 따
라서 이들에 대해 차별적으로 관세를 부과하는 것은 최혜국대우 위반이 아니라
는 것이 스페인의 입장이었다.

　　패널은 설혹 최종 제품의 맛과 향기가 스페인이 주장한 지역적 요소, 경작방
법, 원두의 가공 및 유전자적 요소 등에 의해 달라질 수 있다 하더라도 볶지 않
은 커피는 다양한 형태의 커피와 섞여 주로 혼합된 형태(blend)로 판매되며, 다른
어떤 체약국도 볶지 않은 커피에 대해 다른 관세율을 적용하고 있지 않다는 점을
주목했다.

　　패널은 GATT 체약국들은 기존 관세양허에 대한 기본적인 약속을 침해하지
않는 한 관세를 적용함에 있어 새로운 항목을 자유롭게 설정할 수 있지만, 동종
상품에 대해서는 동일한 관세율을 적용해야 한다는 원칙 위에 섰다. 스페인은 커
피 종류별로 지리학적인 이유, 재배방법, 원두가공방식 등에 따라 차이가 있다고
주장했지만, 이러한 차이만으로는 다른 관세율을 적용해야 할 충분한 이유가 될
수 없다고 보았다. 최종 생산품의 향과 맛이 이러한 요소에 따라 차이가 나는 것
은 농산품으로서 특별한 것이 못된다고 판단한 것이다. 나아가 볶지 않은 커피가
주로 다양한 종류의 커피를 혼합하여 blends 형태로 소비되기 때문에 커피란 일
반적으로 마시기 위한 용도로 생산되는 단일한 물품이라고 본 것이다. 패널은 또
다른 어떤 체약국들도 볶지 않은 커피에 대해 스페인처럼 다른 관세율을 부과하
고 있지 않다는 사실도 지적했다.

　　결론적으로 콜럼비아산 마일드 커피와 브라질산 아라비카 등 커피는 동종상
품임에도 불구하고 콜럼비아산 커피에 대해서는 관세를 부과하지 않은 데 반해

브라질산 커피에 대해서만 관세를 부과하는 것은 최혜국대우 위반이라는 것이 패널의 결정이었다.

2. EEC 쇠고기 수입 사건

(1) 사건의 개요

ECC는 쇠고기 수입을 규율하기 위한 위원회규칙(Commission Regulation No. 2972/79)을 제정하였다. 동 규칙 제 1 조 1항 (d)호는 미국 농림부(USDA)의 초이스 또는 프라임 등급을 획득한 쇠고기는 동 규칙이 규정하고 있는 쇠고기의 질에 관한 요건을 자동적으로 충족한 것으로 규정하면서 이에 해당하는 쇠고기인지 여부는 부속서 Ⅱ에 기재된 기관에 의하여 사실증명서를 발급받도록 하였다.

문제는 미국 농림부의 식품안전 및 품질검사소(Food Safety and Quality Services)가 미국 원산지의 쇠고기에 대해 동 규칙 제 1 조 1항 (d)호의 요건을 갖추고 있는지 여부를 인증할 수 있는 기관으로 부속서에 등재된 유일한 기관이라는 점이고, 캐나다가 이러한 EEC의 규칙은 최혜국대우 위반이라 주장하며 제소하였다.

(2) 패널의 판단

패널은 EEC의 이러한 규칙을 최혜국대우 위반으로 판단했다. 패널은 미국 외에 다른 국가에서 생산되는 쇠고기가 미국산 쇠고기와 동종상품임을 분명히 하면서 그럼에도 불구하고 미국 외의 다른 나라에서 생산되는 쇠고기의 EEC 수출은 부속서Ⅱ가 쇠고기 질을 평가하는 유일한 인증기관으로 미국 기관을 유일한 인증기관으로 명시함으로써 사실상 불가능하게 만들었음을 지적했다.

뿐만 아니라 패널은 미국 농림부로부터 초이스 또는 프라임 등급을 획득한 쇠고기에 대해서만 EEC가 제정한 규칙상의 쇠고기 질에 관한 요건을 자동적으로 충족시키는 것으로 간주하고 있음에 비해 다른 국가의 쇠고기에 대해서는 이런 내용의 규정을 두고 있지 않음을 미국산 쇠고기에 대한 특혜로 보았다.

이에 패널은 EEC 규칙과 그 부속서Ⅱ는 미국 이외의 다른 국가가 생산하고 수출하는 동종상품에 대한 차별을 규정한 것으로 이는 최혜국대우원칙을 위반한 것이라고 결론지었다.

3. 남북교역 관련

(1) 쟁점 개괄10)

남북교역 규모는 MB 정부 출범 이후 다소 주춤한 모습을 보이고 있지만 김대중 대통령의 국민 정부 이후 급증세를 탄 바 있다.

여러 가지 이유가 있지만 우리나라 정부가 북한산 제품에 대해 관세를 부과하지 않고 있음도 그 하나로 꼽지 않을 수 없다. 남북교역의 활성화를 통해 분단민족의 동질성을 회복하고 이를 통해 한반도의 평화를 도모하려는 우리 정부의 정책이 국제 사회에서 공식적으로 문제가 된 적은 없다.

하지만 이러한 우리 정부의 정책이 과연 최혜국대우 위반 문제로부터 완전히 자유로울 수 있을까. 미국은 1991년 이후 비록 '비공식적'이긴 했지만 무관세로 이루어지는 남북한 간의 교역이 GATT협정 위반이라는 시비를 수차례 제기한 사실이 있다. 실제 미국 정부의 고위 공무원은 "한국이 북한과 대량의 쌀을 비롯한 물자교역을 추진할 경우 무관세 등 특혜조치를 취한다면 GATT에 입각하여 한국을 제소할 수도 있다"는 발언을 하기도 했다.11)

미국의 이와 같은 문제 제기가 한미 통상협상장에 공식 의제로 채택되어 협의되거나 GATT/WTO 분쟁해결절차에 따른 제소로 이어진 사실은 없다. 그럼에도 불구하고 남북한 간의 교역에 있어 무관세 등 각종 혜택을 부여하는 것에 대한 논란이 종결된 것으로 볼 수는 없다. 미국뿐만 아니라 우리나라와 거래하는 GATT/WTO 체약국 모두 이에 대해 문제를 제기할 개연성은 존재한다.

(2) 검   토

우리나라는 1988년 7월 7일 '민족자존과 통일번영을 위한 7.7 특별선언'을 통

---

10) 남북경제교류에 있어 무관세 등 혜택 부여 관련한 통상법적 문제에 관한 논문으로는 이용일, "남북한간교역에의 GATT규칙 적용에 관한 고찰," 법제 통권 372호(1992.4.), pp. 16-19; 박노형, "남북간 직교역의 GATT체제에서의 문제점," 국제경제법연구 창간호(1992), pp. 126-137; 제성호, "통상법에 비추어본 남북경제교류," 국제거래법연구 제3집(1994), pp. 1-31 등 참조.
11) 무관세로 이루어지는 남북한 교역에 대해 미국의 통상법적 차원에서 문제를 제기한 사례에 대해서는 한국일보 1991년 4월 30일자; 경향신문 1991년 4월 30일자; 매일경제신문 1991년 4월 30일자; 동아일보 1992년 1월 28일자; 조선일보 1992년 10월 10일자 등 참조.

해 "남북 간 교역의 문호를 개방하고 남북 간 교역을 민족내부 교역으로 간주한다"는 입장을 밝혔다. 그리고 그 후속조치로 1988년 10월 '남북물자교류지침'을 제정하고 남북 간 교역을 시작했다.

본 지침 외에 별도의 법제가 마련되어 있지 않았던 탓에 당시의 남북교역은 홍콩, 싱가폴, 일본 등 제3국을 통한 간접교역 형태로 이루어졌다. 남과 북이 직교역을 '공식' 시작한 것은 1991년 3월의 일로, 남한의 천지무역상사와 북한의 금강산국제무역개발회사가 남한의 쌀과 북한의 무연탄 및 시멘트를 물물교환 하는 방식의 직교역 계약을 체결함으로써 남한과 북한 사이의 직접 교역이 시작되었다. 그리고 1992년 2월 제6차 남북고위급회담에서 채택한 '남북 사이의 화해와 불가침 및 교류협력에 관한 합의서' 및 이후 채택된 그 부속합의서에서 분단국의 특유한 현상으로서 남북 간 특수 관계를 명시하면서 남북 간 물자교류를 민족내부교류로 추진할 것을 규정하였으므로 북한 또한 남북 교역을 민족내부교역으로 보는 입장임은 분명하다.

위와 같은 남과 북의 입장에 의해 우리나라는 북한산 물품에 대해 무관세 등 각종 혜택을 부여하고 있다. '민족내부교역'이라는 입장에 근거한 우리나라 정부의 정책들이 동종상품을 우리나라에 수출하고 있는 다른 나라의 입장에서 볼 때, 최혜국대우원칙을 위반한 것이 아니라는 우리의 주장을 그대로 수용할 수 있을까.

이 경우 쟁점은 우리나라 국내법이 아니라 국제법적으로 북한을 어떻게 볼 것인가에 있다. 북한이 우리에게 어떤 존재인지가 중요한 것이 아니라 국제사회에서의 북한이 어떤 존재인지가 핵심 쟁점이다.

GATT/WTO의 최혜국대우원칙을 적용함에 있어 '민족내부' 거래인지 여부는 고려대상이 아님을 유념해야 한다. 설혹 같은 민족끼리의 거래라 하더라도 서로 다른 정부가 존재하는 상황에서의 거래라면 최혜국대우원칙에 의해 다른 교역국에 부여하지 않는 혜택을 부여할 수 없다. 당사자 적격이 국가에 한정되는 다른 일반 국제기구와 달리 GATT/WTO의 체약국이 될 자격은 GATT/WTO 협정이 적용되는 '정부'(government)면 된다.[12] 뿐만 아니라 별도의 관세 기타 통상 규정

---

12) GATT 제32조 제1항. "The contracting parties to this Agreement shall be understood to mean those governments which are applying the provisions of this Agreement under Articles XXVI or XXXIII or pursuant to the Protocol of Provisional Application."

이 유지되는 '관세영역'(customs territory)도 GATT/WTO 협정상 체약국으로 취급된다.[13]

국제법상 북한은 과연 어떤 존재일까. 국제사회가 우리나라 영토에 대해 우리 헌법 제 3 조가 규정하고 있는 것처럼 한반도와 그 부속도서임을 인정하고 따라서 북한을 우리나라 영토를 불법 검거하고 있는 괴뢰 정권으로 간주한다면, 남한과 북한 사이의 교역은 '내국거래'라 주장할 수 있다. 그러나 만약 GATT 체약국들이 북한을 '정부' 또는 '관세영역'으로 인정하면 북한산 물품에 대한 우리나라 정부의 무관세 등 혜택은 최혜국대우원칙을 위반한 것이 된다.

우리에게 북한이 GATT 제 1 조 최혜국대우원칙에 규정된 '타국'(other country)에 해당하는지 등의 쟁점은 우리나라가 결정할 사안이 아니다. 이 문제에 대한 결정권은 전적으로 GATT 체약국들에게 있다. 우리나라가 북한을 아무리 '타국'에 해당하지 않는다고 주장해도 GATT/WTO를 구속할 수 있는 유권해석이 될 수는 없다.

독일의 경우 동독과 서독으로 분리되어 있던 당시 1951년 체결된 베를린협정에서 동서독간의 교역에 관해 규정을 담았고, 동서독간의 단일 경제권을 형성하고자 했던 서독은 1951년 4월 GATT에 가입할 당시 동서독간의 교역에 특혜를 주는 것에 대해 다른 체약국들로부터 Waiver를 취득함으로써 최혜국대우 위반 시비를 원천적으로 차단했다. 우리나라가 참고로 해야 할 내용이 아닐 수 없다.

남북교역의 특별한 상황을 인정받을 수 있는 또 다른 방안으로 GATT 제24조를 생각해 볼 수 있다. 남한과 북한이 자유무역지대, 관세동맹, 공동시장 또는 경제동맹 등의 방식으로 경제통합을 달성하고 이에 대해 GATT 체약국들로부터 제24조에 해당하는 것으로 승인을 받으면 북한산 물품에 대해 우리나라 정부가 부여하는 각종 혜택에 관한 문제를 제기할 소지는 더 이상 존재할 수 없다.

---

13) GATT 제24조 제 2 항. "For the purposes of this Agreement a customs territory shall be understood to mean any territory with respect to which separate tariffs or other regulations of commerce are maintained for a substantial part of the trade of such territory with other territories."

제 5 장
관세양허 및 인하

제1절 관세의 개념과 양허의무

1. 관세의 개념

관세(tariff, customs)[1]란 수입품에 대해 수입시점에 부과되는 재정적 부과금이다. 관세의 개념에는 원래 수출품에 대하여 부과하는 수출관세(export duties)와 통과세(transit duties)도 포함되었으나, 오늘날 이러한 관세를 부과하고 있는 국가는 거의 없고 모든 나라가 수입관세(import duties)제도를 채택하고 있다.

따라서, 관세는 관세선(customs line)을 통과하는 물품에 대해 부과하는데, 관세선은 국가의 국경선과 반드시 일치하는 것은 아니다. 자국의 영역이라도 관세제도의 목적상 타국의 영역과 동일하게 간주되는 자유무역지역, 그와 반대로 타국의 영역일지라도 관세제도상으로는 자국의 영역으로 간주되는 보세구역이나 관세동맹 등의 제도가 있기 때문이다.

관세를 부과하게 되면 세수의 증대로 인하여 국가재정이 확충될 뿐만 아니라 수입이 억제됨에 따라 국내산업이 보호되는 효과가 있다. 그러므로 모든 물품에 일률적인 관세를 부과하는 것이 아니라 개별 수입품목 분야에서의 필요와 상황에 따라 상이한 세율의 관세를 부과함으로써 교역되는 수입품의 가격과 수량에 상대적 변화를 줄 수 있다. 즉, 관세율 인상을 통해 수입품의 가격 인상을 유도하여 수입량을 감소시킬 수 있으며, 반대로 관세율을 인하함으로써 수입품의

---

[1] 관세가 'customs'라고도 불리는 것은 아담 스미스의 말처럼, 옛날부터 행하여진 '관습'적인 지불을 뜻하기 때문인 것으로 보인다.

가격을 낮추어 교역량을 증가시킬 수 있다. 또한, 부(負)의 관세를 부과(과도한 관세환급)함으로써 교역량을 크게 확대시킬 수도 있는 것이다. 아울러 이에 따른 정부 세수의 증감이 발생하게 된다.

　전통적으로 관세는 각국의 주권사항으로 각국의 재량사항에 맡겨진 문제로 간주되었다. 따라서 각국은 정부 재정수입과 국내산업 보호의 목적에 알맞은 수준의 관세를 수입상품에 대해 부과해 왔다. 일반적으로 유럽의 초기 절대왕정시대에는 국고수입을 주목적으로 관세가 부과되었으며 수출품 및 수입품에 모두 관세가 부과되었다. 이는 '재정관세'로서의 성격을 지니고 있는 것이었다.

　그러다가 18세기의 중상주의 시대에는 수출을 장려하고 수입을 제한하는 정책이 일반적으로 사용되었기 때문에 수입제한의 도구로 관세정책이 적극적으로 활용되었다. 이때의 정책은 국내 유치산업의 보호육성이나 기존산업의 유지 등을 위하여 국내생산품과 같은 종류의 외국상품에 대하여 고율의 관세를 부과하는 형태로 취해졌으므로 이때의 관세는 '보호관세'의 성격을 강하게 지니는 것이었다.

　그러나 산업혁명 이후 공업 선진국이 된 영국은 해외시장 확대를 위해 자유무역주의를 제창하고 관세의 철폐를 주장하였다. 한편, 후발 산업국이었던 독일, 미국, 프랑스 등은 공업화 촉진을 위해 유치산업 보호를 목적으로 하는 고관세정책을 취하게 되었다.

　고관세에 의한 보호무역정책은 제 1 차 세계대전 후의 불황 속에서 더욱 확대되어 갔으며 1932년에는 영국도 자유무역정책을 포기하고 영연방 특혜관세제도를 확립하였다. 이를 계기로 세계경제는 블록경제 체제로 진전되고, 마침내 제제 2 차 세계대전이 발발하게 된 것이다. 대전 말기에 이르러 각국은 관세인하를 위한 국제 다자협조체제를 구상하게 되었고, 이러한 노력의 결실로 GATT가 탄생하게 되었다.

　관세를 부과하는 방식은 관세율의 결정기준에 따라 '종가세'(ad valorem) 방식과 '종량세'(specific) 방식으로 나눈다. 또한 이 두 가지 방식을 혼합하여 부과(mixed)할 수도 있다. 종가세는 수입물품의 가격을 과세표준으로 하는 방식(예를 들어, 수입품 가격의 8%)으로 인플레이션 억제 등 각종 국내정책을 시행하기 위해 유리하므로 국제적으로 많이 쓰이고 있다. 이 방식에 따르면 수입품 가격에 관세율을 곱하여 세액을 산출하게 되므로 수입품 가격을 평가하는 것이 중요한바, 이를 관세평가(customs valuation)라고 한다.

종량세는 수입품의 개수·용적·면적·중량 등의 일정한 단위수량을 과세표준으로 하는 관세이다. 예를 들어 개수를 표준으로 할 때(수입품 1개당 $10), 수입품의 개수에 단위수량당 세액을 곱하여 관세액을 산출하게 된다(수입품이 10개이면 관세 $100 부과). 종량세는 가격이 낮은 것일수록 상대적으로 세부담이 무거워지며, 가격변동과 세부담이 반비례하는 경향이 있으나, 관세사무가 간단하며 수출국에 따라 세액의 차이가 생기지 않는다는 이점이 있다. 오늘날 한국을 비롯한 세계의 대부분의 국가에서는 종가세와 종량세를 품목별로 나누어 적용하고 있다. 대체로 종가세가 적용되는 과세품목수가 압도적으로 많지만, 원유·석탄·설탕·원목 등은 종량세를 적용하는 경우가 많다.

한편, 수입품의 일정량까지는 저율의 관세를 부과하고 그 이상의 수입량에 대해서는 고율의 관세를 부과하는 방식의 제도가 농산물의 수입과 관련하여 사용되어 왔는데, 이를 관세할당 또는 관세쿼터제도(tariff quota)라 한다. 관세할당은 이중적인 관세구조를 설정함으로써 일정량만큼의 수입만 장려하여 과도한 수입을 방지하고 국내산업을 보호하기 위해 사용된다. 이러한 관세할당제도는 관세로서의 성격과 쿼터로서의 성격을 함께 지니므로 후술하는 수량제한금지원칙과 관련하여 문제시되는 경우가 많다.

이러한 관세에 대해 WTO협정이 취하고 있는 규율내용을 살펴보기 위해서는 우선 전통적인 GATT상의 관세양허의무를 이해해야 한다. 그리고 이렇게 양허된 관세의 인하를 통한 시장접근 개선 노력을 살펴보기 위해 GATT체제하에서 진행된 다자협상라운드(Round)의 추진과정을 살펴보아야 한다.

아울러 살펴볼 것은 관세제도를 운영하기 위해서 필수적으로 요구되는 다음 세 가지 절차에 대해 WTO협정이 취하고 있는 태도이다. 첫째, 특정 수입품이 관세표상 어느 범주로 분류되고 있는지를 결정하는 것(관세분류의 문제), 둘째, 종가세로 관세를 부과할 경우 관세율을 적용할 과세표준인 해당 수입물품의 가액에 대한 평가(관세평가의 문제), 셋째, 해당 수입품의 수출국이 어느 나라인지에 대한 평가(원산지판정의 문제). 이들 중 원산지 문제 및 관세평가는 각각 제13장 및 제14장에서 논하기로 한다.

2. 관세의 양허

(1) 관세양허의무란 무엇인가

GATT/WTO 회원국은 GATT/WTO 가입시에 무역상대국간의 협상을 통해 교역 제품별로 관세율의 상한선을 정하여 이를 각각 자국의 관세 양허표에 기재한후, 이 양허표를 GATT 제Ⅱ조에 첨부해야 한다.[2] 이러한 과정을 관세양허(tariff concession, tariff bindings)라 하며, 그 결과 자국의 양허표에 기재된 관세율 상한선을 '양허세율'(bound rate)이라 한다.

GATT의 체약국이 수입품에 대해 자국의 양허세율보다 높은 관세를 부과하게 되면 "수입품에 대해 관세양허표에 기재된 대우보다 불리하지 않은 대우(no less favourable)를 부여해야 한다"는 GATT 제Ⅱ조상의 의무를 위반하게 된다(GATT 제Ⅱ조 1항 (a)). 반면, 양허세율보다 같거나 낮은 세율을 부과하는 것은 '관세양허표에 기재된 대우보다 불리한 대우'가 아니므로 무방하다. 실제로 많은 국가들이 많은 품목에 대해 양허세율보다 낮은 관세율(실행관세율: applied rate)을 부과하고 있다. 이처럼 실행관세율이 양허관세율을 넘지 않는 한, 양자가 일치하지 않아도 되는 것이다. 따라서 각국의 국내법상의 (실행)관세율표는 GATT에 부속된 관세양허표와 다른 경우가 많다. 물론 특정 품목에 대해 양허 자체를 하지 않았으면, 그 품목에 대해서는 양허세율이 존재하지 않는 것이므로 실행관세율을 마음대로 부과해도 된다. 따라서 가급적이면 양허를 많이 하지 않는 것이 유리하나, 관세양허는 협상을 통해 이루어지므로 자국이 양허를 많이 하지 않게 되면 교역 상대국도 그렇게 하므로 결과적으로 두 나라 모두 시장접근 보장을 통한 이익을 얻지 못하게 된다.

관세양허표는 네 개의 파트로 나뉜다. 제Ⅰ부에는 일반적으로 적용되는 최혜국대우상의 양허관세율(MFN rate)을 기재하며 이는 또다시, 농산물 분야의 관세(Section 1A), 농산물 분야의 비관세(Section 1B) 그리고 농산물 이외 상품에 대한 관세(Section 2) 부분으로 나뉜다. 제Ⅱ부는 최혜국대우 의무의 예외로 인정된 여러 특혜제도에 적용되는 특혜관세율(preferential rates)을 기재한다. 제Ⅲ부는 비관세 조치에 적용되는 양허를 기재하며, 제Ⅳ부는 농산물에 적용되는 국내 보조금

---

2) GATT 제Ⅱ조에서 말하는 'Schedule'이 바로 관세양허표이다.

및 수출 보조금에 대한 특별 약속을 나타낸다.

이러한 양허관세율을 기재할 때는 '명목상의 관세'(ordinary customs duties)는 물론 사실상 관세의 성격을 지닌 '모든 종류의 관세 및 부과금'(other duties or charges of any kind)의 성격 및 비율을 함께 기재하고 이들을 총 합산한 비율을 양허율로 정해 기재해야 한다.[3] 이렇게 기재된 양허율을 초과하여 관세를 부과할 수 없으며, 어떠한 명목으로도 추가적인 관세와 부과금을 신설할 수 없다.

이를 바탕으로 관세양허에 부여되는 GATT상의 의무에 대하여, 해당 조문을 중심으로 살펴보자. GATT 제 II 조 1항(a)조는 다른 회원국의 상품에 양허표에 제시된 대우보다 불리하지 아니한 대우를 부여하여야 함을 의무화하고 있으며, 제 II 조 1항(b)(MFN rate)와 제 II 조 1항(c)(preferential rate)는 다른 회원국의 상품은 이를 수입하는 국가의 양허표에 명시되고 제시된 관세를 초과하는 명목(통상)적인 관세로부터 면제(be exempt from ordinary custom duties in excess of)됨을 명시하고 있다. 즉 양허표에 기재된 양허율을 초과한 관세 부과는 금지된다. 이때의 '초과하는 관세 부과로부터의 면제'라는 의미에는 양허표와 다른 형태(type)의 관세를 부과하는 것 자체를 문제삼는 것이 아니라, 다른 형태로 부과된 과세가 양허세율을 초과하는 범위에 한해 GATT 제 II 조 1항(b)에 위반된다.[4]

그리고 실행관세율이 양허관세율을 넘지 않더라도 차별적으로 관세를 부과하게 되면 최혜국대우 의무 위반이 성립하게 된다. 즉, MFN의무는 실행관세율과 관련되므로 WTO 회원국이 여러 나라로부터 수입되는 '같은(like) 상품' 간에 상이한 세율의 실행관세를 부과하게 되면 GATT 제 II 조는 위반하지 않더라도 GATT 제 I 조 위반이 성립하는 것이다.

---

3) Understanding on the Interpretation of Article II:1(b) of GATT 1994, 1항 및 2항.

4) Appellate Body Report, *Argentina Measures Affecting Imports of Footwear, Textiles, Apparel and other Items,* WT/DS56/AB/R, 1998, paras. 46 & 55 (이하, *Argentina−Textiles and Apparel*), 아르헨티나는 섬의류, 신발류 등에 대해서 35%의 종가세를 부과한다고 양허하였으나, 실제로는 35% 양허 세율과 함께 최소특정수입세(minimum specific import duties)를 병행하여, 이 중 높은 관세를 부과하였다. 이에 미국이 아르헨티나의 양허표와는 다른 형태의 관세 부과는 GATT 제II조 위반이라고 제소하였는데, 상소기구는 GATT 제II조 1항(b)는 양허표에 나타난 관세 유형과는 다른 유형을 실제로 부과하는 것 자체를 금지하는 것은 아니고, 이 부분은 양허표에 나타난 양허 세율을 초과하는 범위에 대해서만 위반이 된다(to the extent that it results in ordinary customs duties being levied in excess of those provided for in that Member's Schedule)고 판시하였다. 이에 대해서는 사례연습(Case Study)에서 자세히 후술하기로 한다.

(2) 양허의무의 적용범위

GATT 제Ⅱ조 2항은 재정적 부담의 형태를 지니나 GATT 제Ⅱ조상의 관세양허의무의 범위에 속하지 않는 것으로 조세, 반덤핑관세 및 상계관세, 그리고 수입관련 서비스 수수료를 들고 있는바, 이를 설명하면 다음과 같다. 첫째, '조세'(tax)는 원래 수입품이 수입된 후에 국산품과 동등하게 부과하는 것이나, 편의상 수입품에 대해서는 조세를 통관시에 부과하는 경우도 많다. 이럴 경우 '내국민대우 규정에 합치되게 부과된 만큼의 조세'는 관세가 아니고 진정한 의미의 조세인 것이므로 GATT 제Ⅱ조의 관할사항이 아닌 것이다(GATT 제Ⅱ조 2항 (a)). 아울러 조세 성격을 지닌 '내국부담금'(other internal charges of any kind)[5]의 경우도 똑같은 논리가 적용된다. 둘째, '반덤핑 및 상계관세'는 수입관세로서가 아니라 각각 덤핑 및 보조금에 대한 상계조치로 부과되는 것이다. 따라서, 반덤핑 및 상계관세율은 해당 수입품에 대해 부과된 관세가 양허관세율을 초과하였는지를 판단하기 위한 합산에서 제외된다(GATT 제Ⅱ조 2항 (b)). 셋째, 해당 제품이 수입되는 과정에서 제공된 통관수수료 등의 정당한 '용역사용료'는 수입관세라 볼 수 없으므로 양허관세율과 관계없이 부과될 수 있다. 다만, 실제로 제공된 용역의 가치에 상응하는(commensurate) 사용료만큼만 부과할 수 있는 것이고(GATT 제Ⅱ조 2항 (c)), 그 이상의 과도한 사용료를 부과하게 되면 그 차액은 '기타 부과금'(other charges of any kind)에 해당하게 되어 양허관세율을 초과하였는지를 판단하는데 합산되게 된다.

(3) 양허의무의 예외

WTO협정상의 예외규정들인 의무면제(waiver), GATT 제XX조의 일반적 예외 및 GATT 제XXI조 국가안보 예외가 적용되는 경우에 양허관세율을 초과하여 관세를 부과하는 것이 정당화되게 된다.[6] 이러한 예외의 경우를 제외하고, WTO 회원국이 양허관세율을 초과하는 수입관세를 부과하고자 한다면, 관세재협상 과정을 거쳐 새로이 관세양허를 하는 수밖에는 없다.

---

5) 즉, 수입부담금(import charge)이 아닌 내국부담금(internal charge)의 경우를 말한다.
6) 제 2 부 일반적 예외, 안보상 예외 등 참조.

(4) 관세양허의 재협상

GATT상의 관세양허의무의 수정을 가하려면 GATT 제XXVIII조에 따라 관세 재협상을 거쳐야 한다. 이 조항에 의하면, 3가지 방식의 관세 재협상이 가능하다 (GATT 제XXVIII조 1항).

1) 정기적 재협상

첫 번째 방식은 1958년 1월 1일을 기점으로 매 3년마다 관세양허율을 변경할 수 있는 정기적 재협상 방식이다. 이 정기협상은 다음과 같이 진행된다. 우선 재협상을 요청한 국가와 당초 협상을 통해 관세를 양허한(initially negotiated) 국가인 '원협상국'(GATT 제XXVIII조 1항)과의 협상을 통한 합의(negotiations and agreement)가 필요하다. 또한 '최대공급국'과의 협상을 통한 합의도 필요한바, GATT는 '최대 공급국'을 'GATT체약국단이 원협상국보다 큰 시장점유율을 양허국 시장에서 합리적인 기간 동안 유지해 온 국가라고 승인한 한 개(또는 특별한 경우, 두 개)의 체약국'이라 정의하고 있다.7) 이러한 최대공급국 개념은 다소 모호하고 별도의 승인절차를 요하므로, UR협상의 결과 체결된 'GATT 제XXVIII조의 해석에 관한 양해'에 따르면 "당해 양허 제품을 양허국에 가장 많이 수출(principal supplying interest)하고 있는 국가"를 자동적으로 최대공급국으로 간주하도록 하고 있다.8)

그 다음으로 최대공급국까지는 아닐지라도 해당 품목과 관련하여 양허국의 시장에서 상당한 시장점유율을 보유(significant interest)하고 있는 국가인 '실질적 이해관계국'9)과의 협의(consultation)를 거쳐야 한다. 이때, GATT는 재협상요청국, 원협상국 및 최대공급국을 합쳐 '주요이해관계국'(contracting parties primarily concerned)이라 부름으로써 '실질적 이해관계국'과 구별하고 있다. 주의할 점은 '주요이해관계국'과는 달리 '실질적 이해관계국'은 양허 재협상요청국과 협의(consultation)할 권리는 있으나, 합의(agreement)할 권한은 없다는 점이다.

물론 이러한 재협상에서 합의에 이르려면 재협상요청국은 주요이해관계국들에 상응하는 보상을 제공해야 할 것이다. 즉, Q부문에 대한 양허세율을 높이는

---

7) GATT 제XXVIII조 1항에 대한 주해(Ad Article) 4항.
8) Understanding on the Interpretation of Article XXVIII of the GATT 1994, 1항.
9) GATT 제XXVIII조 1항에 대한 주해(Ad Article) 7항.

대가로 이들 재협상 국가들의 또 다른 관심품목인 R이나 P부문에 대한 양허관세를 인하해 줌으로써 전체적인 합의를 이끌어 낼 수 있다. Q의 세율을 많이 높이기를 희망한다면 그만큼 R이나 P의 세율을 많이 낮추는 수밖에는 없을 것이다. 이러한 보상과정에서는 재협상 이후의 전체적인 양허의 수준이 재협상 이전과 동등하도록 균형을 이루도록 노력할 의무가 부과된다(GATT 제XXVIII조 2항).

만일 이러한 재협상에서 주요 이해관계국간 합의에 실패하는 경우, 합의 결렬에도 불구하고 요청국은 Q제품에 대한 양허관세율을 일방적으로 변경하는 조치를 취할 수 있다. 그러나 이러한 일방적 조치를 취하게 되면, 원협상국, 최대공급국 및 실질적 이해관계국으로 하여금 보복(상응하는 만큼의 관세양허 인상)을 취하는 것을 수용해야 할 의무가 재협상요청국에 대해 발생하게 된다(GATT 제XXVIII조 3항 (a)). 결국 양측간의 양허의 재균형(rebalancing)을 어떻게든 추구하는 것이 GATT의 입장이라고 말할 수 있을 것이다.

2) 특별 재협상 및 유보 재협상

위와 같은 정기적 재협상 이외에, GATT는 특별한 사정이 있는 경우 체약국단의 승인을 얻어 수시로 행할 수 있는 '특별 재협상' 제도를 두고 있다.[10] 이에 더해, 정기적 재협상 사이에 양허 변경을 행할 수 있는 권한을 미리 통보를 통해 유보(reserve)한 경우 다음 정기 재협상 기간에 이 권한을 행사함으로써 재협상을 할 수 있도록 하고 있다(GATT 제XXVIII조 5항).

이러한 정기·특별·유보 재협상은 GATT 시절에 꾸준히 사용되어 온 것으로 보인다. 1953년부터 1983년까지의 통계를 보면, 34개국이 250차례에 걸쳐 매년 약 100개 품목에 걸쳐 재협상을 진행했다.[11]

제 2 절   관세인하

GATT 제XXVIII조의 2는 관세장벽의 실질적인 감축(substantial reduction)의 필요

---

10) GATT 제XXVIII조 4항 및 동 항에 대한 주해 참조.
11) Bernard M. Hoekman, *Trade Laws and Institutions: Good Practices and the World Trade Organization*(The World Bank, 1995), p. 11.

성을 강조하고 GATT 체약국단이 관세인하협상을 후원(sponsor)할 수 있음을 규정하고 있다(GATT 제XXVIII조의2, 1항). 이러한 협상은 '선택적인 품목별 방식'(selective product−by−product basis)으로 이루어질 수도 있고 체약국들이 동의하는 '다자적인 절차(multilateral procedures)를 적용하는 방식'으로 진행될 수도 있다(GATT 제XXVIII조의 2항).

　　이러한 근거에 입각해 체약국들은 GATT 1947 하에서 8차례의 다자무역협상을 개최하여 공산품의 평균관세율을 획기적으로 인하하는 데 성공하였다. 위 GATT 규정내용을 이해하고 그 동안 채택되어 온 관세인하 방식을 이해하기 위해서는 이러한 관세인하를 이룬 역사적 과정을 좀더 자세하게 살펴볼 필요가 있다.

1. 품목별 협상방식(Item-by-Item Approach)

　　1947년 개최된 제 1 차 제네바라운드에서 1961년의 제 5 차 딜런라운드까지는 전통적 방식인 '품목별 협상방식'을 통해 관세양허 및 인하가 이루어졌다.[12] 즉, 개별 체약국은 수출국으로서 기존 수입국 및 잠재적 수입국들을 상대로 양허품목과 양허관세율에 대한 요청서(request list)를 송부한 후, 이번에는 수입국으로서 자국이 양허할 수 있는 품목과 양허세율을 기록한 제안서(offer list)를 상호교환하였다. 이러한 두 종류의 서류를 기초로 양국이 협상을 통해 균형점을 찾아갔으며, 이러한 과정은 GATT 협상위원회와 사무국에 의해 감독되었다.[13]

　　즉, A국과 B국간의 협상을 통해 관세양허에 대한 잠정합의가 성립하면 양국은 각각 이로 인해 영향을 받게 되는[14] 제 3 국가와 협상을 진행하였다. 이러한 여러 양자협상들의 결과는 잠정적인 합의로 간주되었으며, 협상과 재협상을 반복하여 양자협상들의 조합간의 전체적인 합의가 성립될 때까지 협상은 진행되었다.[15] 이 과정에서 각 협상의 품목과 통보내용은 GATT 사무국에 보관되므로 협

---

12) Hans Van Houtte, *The Law of International Trade*(Sweet & Maxwell, 1995), p. 63.
13) John H. Jackson, *The World Trading System: Law and Policy of International Economic Relations*, 2nd ed.(The MIT Press, 1997, *hereinafter* "Jackson(1997)"), pp. 143−144.
14) 관세양허의 효과는 최혜국대우 의무에 의해 전 GATT 체약국에 확산되게 되므로, A국과 B국간의 양허는 결국 기타 국가들의 A국 또는 B국에 대한 수출에 영향을 미치게 된다.
15) Jackson(1997), pp. 143−144.

상국가들이 이를 열람하고 조사할 수 있었다.16)

GATT 사무국은 이렇게 전체적으로 조정된 여러 양자협상들의 결과를 하나로 통합하여 '관세의정서'(tariff protocol)를 도출해 내는데, 이에 대해 각 체약국들은 전체적인 양허의 균형을 검토한 후 의정서 서명 여부를 결정하였다.17)

이러한 품목별 방식은 절차가 매우 번거롭고 시간이 많이 소요되었다. 또한 주요 교역국의 관심품목을 중심으로 협상이 진행되어 중소국의 이익이 무시되는 경향이 있었으며, 양허 협상국들간의 양허의 균형이 최우선으로 고려되었으므로 소극적인 양허를 하는 경향을 낳아 관세 인하폭이 낮을 수밖에 없었다. 더구나 1957년 로마조약에 의해 EC가 결성됨에 따라 EC가 대외적인 협상주체가 되었으나, EC 회원국간의 내부적인 조정을 별도로 진행하였으므로 전체적인 협상과정을 매우 어렵게 만들었다.18)

2. 일괄적 감축방식(Linear Procedure)

이러한 품목별 방식의 단점을 극복하기 위해 제6차 케네디라운드에서는 일괄적 감축방식이 채택되었다.19) 이 방식에 따르면, 개도국 및 몇몇 1차 산품 생산국을 제외한 모든 산업국가들이 1차 생산품(primary product)을 제외한 모든 제품에 대해 50%의 일괄적인 관세감축을 의무적으로 제의(offer)해야 했다.20) 그런 다음에 각국은 이러한 50% 감축의 예외품목 명단(exception lists)을 제출하고 이 예외품목에 대해서만 협상을 진행하였다.21) 그 결과 협상은 효과적으로 진척되었으며, 전체적으로 평균 35% 가량의 관세가 감축되었다.

---

16) *Ibid.*
17) *Ibid.*
18) *Ibid.*
19) John Rehm, "The Kennedy Round of Trade Negotiations," *American Journal of International Law*, 62(1968), p. 403.
20) Jackson(1997), pp. 144-145.
21) 그러나 개도국의 수출품 및 농산물에 대해서는 품목별 협상방식이 적용되었다. *Ibid.*

3. 공식에 의한 감축방식(Formula Approach)

1973년 시작된 도쿄라운드에서는 일괄적 감축방식에 대한 변형을 기초로 한 '공식에 의한 감축방식'이 적용되었다. 이 방식의 기본적인 아이디어는 관세가 높아질수록 무역제한 효과가 가중적으로 나타나 어느 단계에서는 교역자체가 불가능하게 되므로 교역을 원활화하기 위해서는 고관세는 저관세에 비해 감축률이 높아야 한다는 것이었다. 이러한 주장은 주로 EC에 의해 제기되었는데, 그 배경에는 EC 자신은 관세동맹의 성격상 전체적인 품목별 관세구조가 비교적 형평하게 되어 있는 데 반해, 미국의 경우는 품목간 관세격차(peaks and valleys)가 심하게 차이가 나는 구조로 되어 있기 때문이었다.[22] 따라서 EC로서는 미국의 고관세 품목에 대한 가중적인 감축을 유도하기 위해 위와 같은 논리를 내세운 것이었다. 이러한 제안에 대한 논란 끝에 결국은 고관세 품목에 대한 가중감축과 상이한 국가별 가중치를 적용한 수학공식(Swiss formula)을 창안하여 각국은 이 공식에 따라 관세를 감축하게 되었다.[23] 그 결과 공산품에 대한 관세가 약 35% 감축되어, 감축 후의 평균관세율이 6.3%에 이르렀다.[24]

4. 분야별·품목별 협상방식(Sectoral/Item-by-Item Approach)

우루과이라운드(UR)에서는 기본적으로 '분야별 협상'(sectoral approach)을 통해 '품목별(item-by-item) 감축방식'이 사용되었다. 즉, 전통적인 품목별 감축방식에서는 모든 상품 분야를 통틀어(cross-sector swaps) 횡적 양허의 균형을 추구하는 식으로 관세감축 협상을 진행하였으나, UR에서는 협상대상품목을 여러 품목분야별로 나누어 각각의 분야 내에서 별도로 국가간 균형을 추구하는 형식(sector-by-sector)의 협상방식이 도입된 것이다.

---

[22] 관세동맹의 경우는 여러 구성국간의 관세를 평균 내어 공통대외관세를 창설하게 되므로 특별히 고관세인 품목이 줄어들게 된다. Jackson(1997), p. 145.
[23] 이 공식은 $Z=AX/(A+X)$이다. 이때, Z=감축 후의 관세율, X=현재 관세율, A=국가별 가중치(예를 들어, 미국의 A는 14, EC의 A는 16)이다. The Tokyo Round of Multilateral Trade Negotiations, vol 1, Report of the Director-General of GATT(Geneva: GATT, 1979), pp. 46-48.
[24] The Tokyo Round of Multilateral Trade Negotiations, vol II, Supplementary Report of the Director-General(Geneva: GATT, 1980), pp. 3-7.

UR 관세협상은 원래 관세, 비관세, 열대산품, 천연자원산품 등 4개 협상그룹
으로 나뉘어져 진행되어 오다가 1991년 4월 시장접근 협상그룹으로 통합되었다.
이후부터는 관세와 비관세부문으로 대별되어 협상이 진행되었다. 우선 관세부문
과 관련하여서는 1988년 12월 몬트리올 각료회의에서 GATT 체약국들은 공산품
및 수산물에 대해 1986년 9월을 기준으로 양허세율을 1/3(33%) 이상 인하하고 관
세양허의 범위를 확대한다는 기본목표를 설정하였다. 그 후 1993년 7월 QUAD국
가들(미국, EC, 일본, 캐나다)은 철강, 건설장비, 농업기계, 의료기기, 가구, 의약품,
증류주, 맥주 등 8개 부문 품목에 대한 관세철폐와 화학제품 부문에 대한 관세의
감축·평준화에 합의하였다. 그리고 1993년 11월 APEC국가들은 전자, 종이, 과학
장비, 완구, 목재제품, 유지종자 등 6개 부문에 대한 관세철폐와 비철금속 및 수
산물 부문에 대한 관세감축·평준화에 합의하였다. 1993년 12월 미국과 EU는
APEC합의 내용 중 비철금속, 종이, 목재, 완구 등 4개 부문의 관세철폐와 전자,
과학장비 부문의 대폭적인 관세감축에 합의하였다. 이어서 GATT 체약국 중 상당
수의 국가들이 이상의 관세철폐 및 감축에 참여함에 따라 1993년 12월 15일 UR
관세부문 협상이 유종의 미를 거두게 된 것이다.

UR의 관세협상의 결과는 'GATT 1994에 대한 마라케쉬의정서'(Marrakesh Protocol
to GATT 1994)에 집약되었다. 그 주요내용 및 이에 대한 평가는 아래와 같다.

첫째, 회원국간에 합의된 1986년 9월 기준 1/3 관세인하는 원칙적으로 WTO
협정 발효일로부터 5년간 매년 동일한 비율로 인하(five equal rate reduction)된다.
다만, 예외적으로 관세양허표에 별도의 이행기간에 관한 규정이 있는 경우 그에
따르며, 농산물에 대해서는 관세양허표에 규정된 내용에 따른다.[25]

이렇게 UR은 비교적 단기간의 관세인하 기간을 설정함으로써 무역자유화의
효과를 조기에 실현하려 하였으며, 최빈개도국에 대한 고려와 농산물 등 민감한
품목을 위해 각국의 관세양허표상의 이행기간에 대한 예외를 허용한 것이다.

둘째, 양허내용의 이행은 WTO 회원국들의 다자적인 심사(multilateral exa-
mination)의 대상이 된다.[26] 이는 양허의무 이행을 보장하기 위한 것이다.

셋째, 자국의 관세양허표를 GATT 1994에 첨부하는 것을 완료한 국가는 그렇
지 않은 국가에 대해 일정한 서면통보와 협의절차를 거친 후 후자의 국가가 최대

---

25) 마라케쉬의정서 1항, 2항.
26) *Ibid.*, 3항.

공급국(principal supplier)인 품목의 관세양허를 보류하거나 철회할 수 있다.[27]

이 규정은 UR 참여국이 관세양허표를 GATT 1994로 이전하는 것을 지연시키는 경우, 그 기간 동안 양허의 정지 조치를 취함으로써 이익의 균형을 꾀하고 GATT 1994로의 이전을 유도하기 위한 것이다.

한편, 비관세부문의 양허협상은 각 체약국들이 교역상대국에게 비관세장벽 목록을 제출(request)하고, 자국의 비관세장벽 철폐 계획을 제시(offer)하는 전통적인 방식으로 진행되었다.

이상과 같은 UR협상의 결과, 관세적용 범위의 확대(선진국은 78%에서 99%로, 개도국은 21%에서 73%로 확대), 고관세의 가중적인 감축, 특정 품목 부문의 무관세화(철강, 의약품, 의료장비, 농업장비, 건설장비 등), 여타 부문에서의 관세감축 및 평준화 등의 괄목할 만한 성과를 달성하였다. 1차 산품을 제외한 공산품에 대한 평균관세율은 6.3%에서 평균 38%가 감축되어 3.9% 수준으로 인하되었다. 더구나 종래 관세대상에서 제외되었던 농산품 분야를 관세화한 것은 농산물 시장에 대한 시장접근을 확보한 획기적인 성과로 볼 수 있다.

우리나라는 UR협상의 결과 전체품목의 90%를 양허하였으며 평균관세율은 1986년 기준 17.9%에서 8.1%로 인하되었다(54.6% 감축). 또한 맥주와 증류주를 제외한 무관세화 대상품목의 관세를 대부분 철폐하였고, 비철금속과 의약품 등의 민감분야에 대해서는 8-10년간의 이행기간을 확보하였다.[28] 또한 농산물과 관련하여, 쌀에 대해서는 10년 동안 관세화를 유예할 수 있도록 인정받았으며, 쇠고기, 돼지고기, 닭고기, 감귤, 유제품, 고추, 마늘, 참깨 등은 고관세를 부과하거나 장기간의 이행기간을 허용받았다.

5. 혼합방식(Blended Formula Approach)

이상에서 살펴본 바와 같이 도쿄라운드에서 채택된 공식에 의한 감축방식은 농산물 수출국들이 선호하는 방식이고 UR방식은 수입국들이 지지하는 방식이다. 따라서 2001년 카타르 도하(Doha)에서 출범하여 2011년 현재까지 진행중인 DDA(Doha Development Agenda) 라운드에서는 기본적으로 이들 방식을 혼합 절충한 방식이

---

27) *Ibid.*, 4항.
28) 상공자원부, 「UR협상의 경위 및 결과」(1993. 12), pp. 35-40.

제안되고 있는바,[29] 이를 '혼합방식'(blended formula)이라 부를 수 있다. 이 방안에 따르면 전체품목 중 일부 품목에 대해서는 UR방식을 적용하고 나머지 품목에 대해서는 스위스방식을 적용하거나 관세철폐 방식을 적용토록 하고 있다. 이러한 혼합방식 제안에 대해 주요 농산물 수입국들은 반대의 견해를 표명한 바 있으며, 미국과 EU간에도 UR방식을 적용할 수 있는 품목의 비율문제를 놓고 견해가 대립되어 왔다. 즉, 미국은 동 비율을 가급적 제한하려는 데 반해, EU는 UR방식 적용구간을 어느 정도 확보해 민감한 품목의 보호를 위한 여지를 확보하고자 하는 것이다. 한편 인도, 브라질 등의 개도국은 경제개발에 도움을 줄 수 있도록 선진국의 관세정점, 경사관세를 대폭 낮출 것을 주장하면서 모든 품목에 대해 일정한 비율로 감축하는 선형감축방식을 제시하기도 했다. 또한 협상의 모든 고려요소에서 선진국보다 개도국이 우대조치를 받아야 한다고 강조하였다.

이러한 혼합방식은 2004년 7월에 일반이사회에서 채택된 '7월 패키지'(July Package)에 비농산물 부문 관세감축 기본 골격으로 채택되었다.[30] 즉, 이 골격에 의하면 비농산물 관세감축은 '비선형공식'(non-linear formula)을 적용하여 품목별로(line-by-line basis) 이루어져야 하며 일정한 비율의 품목에 대해서는 이러한 공식적용을 면제하는 대신 전체 평균관세율을 정하여 감축하도록 하고 있다.

한편, 관세율 구간을 구분하여 각 구간별로 다른 감축방식을 적용하자는 견해(구간별 방식: tiered formula)도 제기되었다.[31] 이 방식에 따르면 각 관세율 구간별로 UR방식이나 스위스방식 등 다양한 방식을 적용할 수 있고, 고율 또는 저율 관세 품목을 구분하여 각기 다른 방식 또는 감축률을 적용할 수 있는 것이다. 이러한 구간별 방식은 농산물 분야에서 혼합방식에 대한 대안으로 대두되어 결국 '7월 패키지'는 농산물 분야 관세와 국내보조 감축방식을 채택하였다.[32]

---

29) 2003년 8월 미국과 EU가 공동제안한 방식이다.

30) Decision Adopted by General Council on 1 August 2004, WT/L/579(2 August, 2004). Annex B of this Decision(Framework for Establishing Modalities in Market Access for Non-Agricultural Products) 참고.

31) 2003년 농업협상그룹 의장인 하빈슨(Harbinson)에 의해 제안된 것으로 각 구간별로 UR방식을 적용하되, 높은 관세율 구간일수록 보다 높은 평균·최소 감축률을 적용함으로써 스위스 방식적인 요소를 가미하였다.

32) Annex A(Framework for Establishing Modalities in Agriculture), WT/L/579(2 August, 2004). 다만, 몇 개의 구간으로 분류할 것인가와 각 관세율 구간별로 적용할 구체적 관세감축방식에 대해서는 언급이 없으므로 이 문제는 향후 협상의 'modality'로 정해져야 할 것이다. Ibid., para. 30.

이와 함께 '관세상한'(tariff cap)을 정하자는 제안이 있었다. 이는 품목을 불문하고 관세율 적용의 최대한도를 설정하는 것을 말한다. 이 개념은 농산물 수입국 중 특히 높은 관세를 부과하고 있는 국가들의 격심한 반발에 직면하여 결국 7월 패키지에서는 구체적으로 반영되지 못하고, "그 역할을 계속 평가한다"는 내용으로만 언급되었다.[33]

TRQ(tariff rate quota) 물량을 증량하는 문제도 DDA에서 농산물 수출국과 수입국간 이견이 첨예하게 대립되고 있는 문제이다. 수출국들은 모든 품목에 대해 TRQ를 의무적으로 증량할 것을 원하고 있으나, 수입국들은 반대하고 있다. 7월 패키지에는 이 문제에 대한 원칙이 언급되지 못하고 WTO 회원국(특히, 개도국)의 시장접근을 개선하기 위해 추후 TRQ 증량문제를 유연성 있게 논의할 것을 언급하고 있다.[34]

표 5-1   GATT/ WTO 다자간무역협상 개최 성과[35]

라 운 드	연 도	참가국수	협상내용	평균관세 인하비율	협상 후의 평균관세율
1. Geneva	1947	23	관세	35%	(40%)
2. Annecy	1949	33	관세	35%	
3. Torguay	1950	34	관세	35%	
4. Geneva	1956	22	관세	35%	
5. Dillon	1960-61	45	관세	35%	
6. Kennedy	1962-67	48	관세, 반덤핑	35%	8.7%
7. Tokyo	1973-79	99	관세, 비관세조치, Code	34%	6.3%
8. Uruguay	1986-94	120+	관세, 비관세조치, 서비스, 지재권, 분쟁해결, 섬유 및 의류, 농업, WTO 설립	38%	3.9%
9. Doha Development Agenda	2001-	148+	농산물, 공산품, 서비스, 규범, 지재권, 환경 등		

※ 평균관세율: 1차 상품을 제외한 공산품에 대한 평균관세율.

---

33) Annex A, para. 30.
34) *Ibid.*, para. 35.
35) Edmond McGovern, *International Trade Regulation*, 2nd ed.(Exeter: Globefield Press, 1986), chapter 1.14; Jackson(1969), chapters 6 and 7.

관세상한과 TRQ 증량이 농산물 수출국들의 이해에 부합하는 제안이라면, 수입국들의 이해에 합치하는 것으로는 '민감품목'(sensitive products) 및 '특별품목'(special products)에 대한 고려를 들 수 있다. 이는 각국이 민감하다고 판단하는 품목들에 대해 더 낮은 관세감축률을 적용토록 허용하는 것이다. 특히 특별품목은 개도국에만 해당되는 개념이며, 개도국들은 특별품목에 대해서는 관세감축과 TRQ 증량의 완전면제를 주장하고 있다. 7월 패키지는 이러한 민감품목 개념을 인정하고 있으며, 각국이 실질적 시장접근 개선 및 MFN원칙에 입각한 TRQ 제도에 민감품목을 지정할 수 있도록 하고 있다. 또한 7월 패키지는 개도국은 식량안보(food security), 생활안보(livelihood security) 및 농촌지역 개발 필요를 고려하여 적절한 수의 특별품목을 지정할 수 있다고 규정하고 있다. 이들 품목의 구체적 선정범위 및 방식과 관세감축률은 향후 협상을 통해 정해져야 할 것이며, 그것이 DDA협상 전체의 성패를 좌우할 것이다.

제 3 절 관세분류의 공정성과 투명성 보장

관세분류(customs classification)란 관세부과의 목적으로 수입품이 품목분류표상에서 어떠한 품목에 해당하는지를 정하는 절차를 말한다. 각 WTO 회원국의 양허관세율표상의 관세율은 품목별로 상이하고, 이를 기초로 각국이 실제로 부과하는 국내법상의 실행관세율도 품목에 따라 차이가 있다. 따라서 특정 수입품을 어떠한 품목으로 분류하느냐에 따라 해당제품의 수입업자가 부담해야 하는 관세액은 상이하게 마련이다. 이에 수입업자는 가급적 관세율이 낮은 품목으로 분류되기를 바라는 반면, 세관당국은 공정한 분류를 하거나 또는 가급적 높은 세율의 품목으로 분류하여 국내산업을 보호하고 재정수입을 증가시키려는 유인을 지니는 경우도 있다. 더구나 때로는 특정 제품이 여러 가지 품목으로 분류될 여지도 있다. 그러므로 관세분류를 둘러싼 분쟁이 종종 발생하게 되며, 어떻게 하면 관세분류제도가 무역장벽으로 작용하지 않도록 합리적이고 신속하게 분류하느냐는 문제가 관심의 초점이 된다.

이에 GATT 제X조는 관세분류 절차 및 기준에 대한 투명성을 제고하고 양측간의 공평성을 기하기 위한 규정을 두고 있다. 이에 의하면, 체약국들은 관세

분류(classification)에 관한 각종 법규 및 판정을 다른 체약국 정부와 무역업자들이 인지할 수 있는 방식으로 공표해야 한다(GATT 제 X 조 1항). 또한, 이러한 법규는 공통적이고 공평하며 합리적으로 운영되어야 하며, 관세분류 판정에 대한 재심 (review)절차를 마련하고 이를 독립적 기관이 담당하도록 하여야 한다(GATT 제 X 조 3항).

이와 더불어 GATT 제 II 조는 관세분류에 대한 GATT 체약국간 이견이 있는 경우 양국이 협의할 것과, 만일 수입국이 관세분류에 오류가 있음을 인정하나 자국의 사법적 기관에 의해 판정이 이미 내려졌기에 오류를 수정할 수 없다고 선언하는 경우에는 실질적 이해관계 있는 제 3 국의 참여하에 보상(compensatory adjustment)을 위한 협상을 즉시 개시할 것을 규정하고 있다(GATT 제 II 조 5항). 이러한 규정은 체약국 내의 관세분류관련 사법적 판정의 효력을 존중하는 한편, 국제적 관세양허의 효과를 보호하기 위한 보상절차를 마련한 것이라 평가할 수 있다.

이러한 협상을 통해 적절한 보상이 이루어지지 않는 경우, 수출국은 GATT 제 XXII 조에 따른 협의를 요청할 수 있다. 또한, 만일 수입국의 관세분류의 오류로 인해, 해당 수입품의 양허관세율을 넘어서 관세가 부과되었거나 여러 나라로부터수입되고 있는 '같은(like) 상품'간의 차별이 초래되는 경우에는 각각 GATT 제 II 조(관세양허준수 의무) 및 제 I 조(최혜국대우 의무)를 위반하게 되므로 WTO 분쟁해결절차에 제소하여 문제를 해결할 수도 있을 것이다. 실제로 1882년 스페인커피 사건은 스페인 당국이 수입커피에 대한 관세분류를 자의적으로 행한 결과, 브라질이 주로 생산하고 있는 커피품목에 대해 차별적인 관세가 부과된 데 대해, GATT 제 I 조 위반 판정이 내려진 예이다.[36]

한편, 그 동안 국제적 물품분류의 통일화를 통해 무역장벽을 줄이고 국제교역을 증진시키려는 노력이 꾸준히 전개되었다. 그 결과 1983년 '관세협력이사회'(Customs Cooperation Council: CCC)[37]는 각국의 통일적인 물품분류를 위한 기준으로 '통일물품품목기호제도'(Harmonized Commodity Description and Coding System: "HS Code")[38]를 개발하였다. 1987년 GATT 체약국단은 'HS Code 도입에 관한

---

36) *Spain−Tariff Treatment of Unroasted Coffee*(BISD 28S/102, adopted on 11 June, 1981). 이와 반대되는 취지의 판례로는 *Japan−Tariff on Import of Spruce Pine−Fir(SPF) Dimension Lumber*(adopted on July 1989, 36th Supp. BISD 167, 1990) 참조.

37) 현재의 '세계관세기구'(World Customs Organization: WCO)의 전신이다.

38) HS Code는 1988년 1월 1일자로 발효되었다. HS Code는 UN에서 무역통계의 목적을 위해

GATT 의정서'(Protocols to the Introduction of the Harmonized Commodity Description and Coding System)를 체결하고, HS Code를 GATT 관세양허표 작성을 위한 기준으로 사용하였다.[39] 현재 HS Code는 전 세계 많은 나라들에 의해 채택되어 관세분류의 일반적인 기준으로 사용되고 있다.

《사례연습》 EC-Computer Equipment

○ 사실관계

이는 유럽(EC)의 LAN(Local Area Network) 어답터 부품과 멀티미디어 기능이 있는 PC의 관세 재분류(reclassification)에 대한 분쟁이다. EC는 UR협상 동안 두 제품을 자동정보처리(Automatic Data Processing, ADP) 기기 또는 그 부품으로 분류하였는데(양허 관세율 2.5-0%), 이후 이를 전기통신기기(양허 관세율 3.6-0%)로 재분류하였다(1995년). 그리고 일년 뒤, 영국 법원은 일부 PC를 TV 수신기(양허율 14-8%)로 재분류하여, 결국 PC가 ADP로 분류될 때보다 월등히 높은 관세를 부과해야 했다. 이에 미국은 이러한 EC의 관세양허표(LXXX)는 LAN 장비가 ADP로 분류될 것이라는 수출국의 정당한 기대(legitimate expectation)를 저해하여 GATT 제II조를 위반하였다고 주장하였다.

○ 주요쟁점

관세양허표의 해석에 적용되는 기준 및 고려사항

○ 패널 및 상소기구의 결정 요약

패널은 LAN 장비가 상황에 따라 ADP나 전기통신기기로 볼 수 있다고 판단하면서, 회원국들은 현재의 관세 분류 관행이 계속되리라는 가정하에, 미국(수출국)이 EC가 LAN 장비를 ADP로 계속 분류할 것이라는 정당한 기대를 갖는 것은 합리적이라고 판시하였다. 더불어, GATT 제II조에는 EC가 반박한 대로 수출국인 미국에게 관세 분류에 대해 정확한 석명을 요구할 의무가 부여된 것은 아니며,

---

사용되는 'Standard International Trade Classification'(SITC)에 부분적으로 입각한 것이다.
39) GATT, BISD 34 Supp. 5(1988).

나아가 이는 WTO 협정 전문 등에 기재된 실질적 관세 인하를 위한 호혜적 협정
이란 관세 양허의 대상과 목적을 침해한다고 판시하며 관세 양허의 범위를 분명
하게 설명할 의무는 수입국인 EC에 있다고 하였다.

상소기구는 이러한 패널의 결정을 번복하여, EC가 GATT 제II조를 위반하지
아니하였다고 판시하였다. 상소기구는 관세 양허 및 양허표 역시 조약법에 관한
비엔나협약에 의해 해석이 되며, 동협약 31조상의 조약해석은 조약 당사자간의 공
통적인 인식(common intentions of the parties)을 확인하는 것이며, 이는 일방 당사자
의 주관적인 견해인 정당한 기대(subjective and unilaterally determined 'expectations' of
one of the parties)에 근거하여 조약을 해석하는 것은 아님을 분명히 하였다.40) 나
아가 양허표 해석에 있어 HS 표준 분류표(Harmonized System)와 주해서(Explanatory
Notes)가 함께 고려되어져야 하며,41) 회원국들의 후속 관행(subsequent practice) 역
시 중요하다고 하였다.42) 관세 분류의 범위를 분명하게 할 책임은 수입국뿐만 아
니라 수출국 모두에게 있다.

《사례연습》 Argentina-Textiles and Apparel

○ 사실관계

아르헨티나는 섬의류 및 신발류에 대하여 35%의 종가세(ad varolem duty)를
부과하기로 양허 하였다. 그러나 이들 제품에 관세를 부과함에 있어서는, 35%의
종가세 또는 최소특정수입세(minimum specific import duties)라는 제도를 병행하여,
이 중 높은 관세를 실제로 부과하였다(subject to the higher of either a 35% ad valorem
duty or a minimum specific import duty). 따라서 35%의 종가세가 더 높은 금액인 경
우는 기존 양허 내용과 별반 다르지 않게 되나, 최소특정수입세 적용으로 더 높
은 금액을 징수할 수 있는 경우에는, 애초 약속한 양허 내용과 다르게 되어 문제
가 발생한다. 이에 미국은 아르헨티나의 실행 관세가 양허 내용과 다르다며 GATT
제II조의 위반임을 주장하였다.

---

40) Appellate Body Report, *European Communities-Customs Classification of Certain Computer
     Equipment*, WT/DS62/AB/R, WT/DS67/AB/R, WT/DS68/AB/R, 1998, para. 84.
41) *Id.*, at para. 89.
42) *Id.*, at para. 90.

○ 주요쟁점

관세양허표의 양허 내용과 다른 형태의 관세를 부과할 수 있는가?(가령 종가세 부과를 약속하고 나서는, 종량세 또는 다른 형태의 관세를 부과할 수 있는지의 여부)

○ 패널 및 상소기구의 결정 요약

패널은 관세양허표의 내용과는 다른 유형의 관세(different type of import duty)를 부과한 것과, 최소특정수입세 적용으로 인하여 징수되는 세금이 35%의 종가세보다 더 많은 경우가 발생할 수 있어, 제Ⅱ조 1항(b)의 위반이라고 판시하였다. 이에 상소기구는 GATT 제Ⅱ조 1항(b) 자체는 관세양허표에서 약속한 것을 초과하여 통상적인 관세부과를 하지 않도록 의무화하고 있는 것이지, 그 자체가 관세양허표의 내용과 다른 형태의 관세를 부과하는 것을 금지하는 조항은 아니라고 명시하였다. 하지만, 다른 형태의 관세 부과가 양허한 내용을 초과하는 경우에는, 그 초과 범위에 한하여 제Ⅱ조 1항(b)의 위반이라고 판시하였다.43)

---

43) Appellate Body Report, *Argentina—Textiles and Apparel*, The principal obligation in the first sentence of Article II:1(b) requires a Member to refrain from imposing ordinary customs duties *in excess of* those provided for in that Member's Schedule. However, the text of Article II:1(b), first sentence, does not address whether applying a *type* of duty different from the *type* provided for in a Member's Schedule is inconsistent (para. 46), We conclude that the application of a type of duty different from the type provided for in a Member's Schedule is inconsistent with Article II:1(b), first sentence, of the GATT 1994 *to the extent* that it results in ordinary customs duties being levied *in excess of* those provided for in that Member's Schedule. in itself, with that provision (*emphasis added*, para. 55).

제6장
내국민대우원칙

제1절 내국민대우원칙의 이해

1. 내국민대우의무의 필요성

제4장에서 살펴본 바와 같이 최혜국대우는 여러 수입품들에 대한 대우에 있어서의 비차별성, 즉 '횡적 균형'(horizontal balance)을 추구하기 위한 원칙이다. 그렇다면 이러한 원칙이 확보되어 있음에도 불구하고 WTO협정이 내국민대우라는 '종적 균형'(vertical balance), 즉 수입품에 대한 대우와 국산품에 대한 대우간의 비차별성을 추가로 요구하는 이유는 무엇인가?

그 가장 큰 이유로서는 최혜국대우의무가 종종 미약한 의무에 불과하기 때문임을 들 수 있다. 예를 들어 설명하자면, A국이 자국으로 수입되는 모든 제품들에 대해 동일한 조세율인 500%를 부과하는 반면 자국산 '같은'(like) 상품에는 10%의 조세를 부과한다고 가정하자. 이 조치는 횡적 균형은 유지하고 있으므로 최혜국대우에 위반되지 않으나, 외국제품은 A국 시장에서 거의 팔리지 않게 될 것이다. 이러한 조치가 자국 상품을 부당하게 보호하기 위해 취해진 조치임에도 불구하고 최혜국대우의무는 이를 규제할 수 없다는 이야기가 된다. 따라서, 단순한 횡적 균형 이외에 또 다른 균형인 종적 균형을 WTO 회원국들에게 요구할 필요가 있으며, 이는 수입품과 국내제품간의 비차별을 의무화하는 내국민대우원칙에 의해 달성될 수 있는 것이다.

사실 과거의 GATT체제하에서는 국제통상규범의 관심의 초점은 관세(tariff)에 있었다고 볼 수 있다. 어떻게 하면 더욱 많은 상품분야에 대해 국제적으로 관세를 양허하고 그 양허 효과를 저해하는 관세의 차별적 운영을 규율할 것인가? 따라서 최혜국대우의무가 시대의 각광을 받는 제도적 장치가 되어왔던 것이다. 그러나 8차에 걸친 다자통상협상(Round)을 통해 전 세계적으로 많은 상품분야가 양허대상으로 포함되었고 이들의 전반적인 관세수준도 상당히 저하되어 왔다. 선진국의 경우 평균관세율이 10% 미만을 유지하기에 이른 것이다.

이에 따라 국제통상규범의 초점도 서서히 관세(tariff) 등의 '국경조치'(border measure)로부터 조세(tax)제도를 비롯한 '국내조치'(internal measure)로 옮겨가게 되었다. 이제 어떻게 하면 각종 국내조치 부과에 있어서의 종적 균형을 유지하는가가 주요 문제로 부각된 것이다. 즉, 국제경제체제 입장에서는 가급적이면 광범위한 내국민대우의무를 각국에 부여함으로써 국내조치에 있어서의 형평성을 제고하고 자유무역을 증진시키는 것이 주요 임무로 등장한 것이다.

한편, 개별 국가의 입장에서는 또 다른 이야기가 성립된다. 전반적 관세수준이 상당히 낮아진 현대에서 국가가 재정수입을 올릴 수 있는 주요 재원은 이제 조세 등의 국내조치가 전부이다. 따라서, 가급적이면 국가의 조세주권을 더욱 광범위하게 인정해 주어야 국가가 필요한 재정수입을 확보할 수 있게 된다.

따라서 내국민대우의무는 이러한 상반된 입장, 즉 체제적 과제인 '자유무역증진'(freer trade)과 '국가의 정당한 국권 행사'(regulatory autonomy)간의 피할 수 없는 대립과 충돌이 벌어지는 분야가 아닐 수 없게 되었다. 결국, 이 양자간 어떠한 입장이 강화되느냐에 따라 내국민대우의무의 범위 및 성질이 좌우된다는 것이다.

2. GATT 제Ⅲ조의 해석

가장 기본적인 상품교역에 있어서의 내국민대우의무는 GATT 제Ⅲ조에 규정되어 있다. 물론 서비스 교역이나 지적재산권 교역에서의 내국민대우는 GATS 제ⅩⅦ조나 TRIPs협정 제3조가 각각 규율하고 있다. 본편에서는 상품무역에서의 최혜국대우의무에 대해 살펴보기로 하고, 서비스 및 지적재산권에 있어서의 그것에 관해서는 제3편과 제4편에서 각각 논의하기로 한다.

(1) 제 1 항

GATT 제Ⅲ조는 10개의 항으로 구성되어 있는 방대한 조항이며, 1항에서
"WTO 회원국이 수입품에 대해 부과하는 국내조치(internal measure)가 자국 상품을
보호하도록(so as to afford protection) 적용되어서는 안 됨(should not)을 인정
(recognize)한다"고 규정함으로써 내국민대우의무의 기본원칙으로 선언하고 있다
(GATT 제Ⅲ조 1항). 이 1항의 규정이 법적 구속력이 있는 조항인지 여부는 상당한
논란의 여지가 있을 수 있으나, 첫째, '법적 의무'(shall)가 아닌 '도덕적 의
무'(should)를 의미하는 단어가 사용된 점, 둘째, "WTO 회원국이 … 인정한
다"(recognize)는 미온적인 어구가 채용된 점, 셋째, 후술하는 바와 같이 제Ⅲ조 2
항 2문이 1항을 '원칙'(principle)이라 지칭하고 있는 점 등을 고려해 볼 때, 1항은
법적 구속력이 있는 조항은 아니고 내국민대우의무의 기본원칙을 선언한 조항에
불과하다고 판단할 수 있을 것이다.

(2) 제 4 항

이러한 기본원칙 선언하에 4항은 내국민대우의무의 구체적 내용을 규정하고
있다. 동 항에 따르면, "WTO 회원국의 상품이 다른 회원국에 수입될 경우 수입국
내의 같은(like) 상품에 부여된 대우보다 덜 유리한 대우(less favourable treatment)를
받아서는 아니 되며,"[1] 이러한 의무는 수입품의 "국내 판매, 판매를 위한 제공,
구매, 운송, 소비를 위한 분배 또는 사용에 영향을 미치는(affecting) 모든 법규 및
요건(all laws, regulations and requirements)"에 관하여 적용된다(GATT 제Ⅲ조 4항).

이 조항으로부터 주목할 것은 우선 내국민대우의무 역시 '차별'(discrimination)
을 금지하는 것이지 '차등'(differentiation)을 금지하는 것은 아니라는 것이다. 상기
4항이 '같은(like) 상품' 관계에만 동 조항이 적용됨을 선언하고 있기 때문이다.

또한, 동 조항은 내국민대우의무의 적용 범위가 실로 방대함을 시사하고 있
다. 즉, 상품이 수입되어 세관을 통과한 직후부터 소비자의 손에 닿을 때까지의
거의 모든 거래단계인 "국내 판매, 판매를 위한 제공, 구매, 운송, 소비를 위한 분

---

1) 주의할 점은 수입품과 국내상품간의 '같은'(the same) 대우가 아니라 '불리하지 않은'(no
   less favourable) 대우가 의무화된다는 것이다. 즉, 수입품에 오히려 유리한 대우를 부여하
   는 것(역차별)은 허용된다.

배 또는 사용" 등의 제반 단계에서 내국민대우의무가 적용되는 것이다. 아울러 내국민대우의무는 이러한 단계에 "영향을 미치는" 모든 "법규 및 요건"이라는 광범위한 대상을 포괄하고 있는 것이다.

(3) 제 2 항

그러나 조세(tax)를 중심으로 한 재정조치(fiscal measure)들은 4항의 대상에서 제외되게 됨을 주의해야 한다. 2항이 특별히 이러한 재정조치들만을 대상으로 하고 있기 때문이다. 즉, 2항에 따르면, "WTO 회원국의 상품이 다른 회원국에 수입될 경우 수입국 내의 같은(like) 상품에 직·간접적으로(directly or indirectly) 부과된 조세(tax) 또는 기타 부과금(charge)을 초과하여 과세되지 않는다"고 규정되어 있다. 2항 2문은 이러한 재정조치에 있어서의 내국민대우의무의 범위를 한층 넓히면서, "또한 수입품은 1항에 규정된 원칙에 반하여 과세되지 않는다"(GATT 제Ⅲ조 2항)라고 선언하고 있다. 이 2문을 해석하면서 제Ⅲ조 2항의 주해는 2문 위반이 성립하는 경우는 "1문에 합치되는 조세부과라도 직접적인 경쟁 또는 대체관계에 있는(directly competitive or substitutable) 상품간 비슷하게 과세되지 않은 경우(not similarly taxed)"임을 규정하고 있다.[2]

이상의 규정으로부터 다음과 같은 요점들을 파악해 낼 수 있다.

1) 요점 1

수입품과 국내제품간의 조세부과 문제에 있어서는 '같은(like) 상품관계'(2항 1문)뿐만 아니고 '직접경쟁 또는 대체(directly competitive or substitutable) 상품관계'(2항 2문)에까지 내국민대우의무가 미치게 되는 것이다. 이는 조세 이외의 국내조치에 있어서 '같은(like) 상품관계'에만 내국민대우의무가 적용(4항)되는 것과는 상당히 의미심장한 차이가 있는 것이다. 이는 WTO 회원국이 재정조치를 취할 때는 재정조치 이외의 국내조치를 취할 때보다 더욱 조심스러울 필요가 있다는 것을 의미한다. 왜냐하면, 조세조치를 취할 때는 단순히 같은 상품에 대한 차별 이외에 직접경쟁 또는 대체관계에 있는 상품에 대한 차별도 내국민대우의무 위반이 성립되기 때문이다.

그렇다면 왜 GATT의 기초자들은 GATT 회원국들에게 조세문제에 있어서는

---

2) GATT 제 3 조 2항 주해(Ad Article).

더욱 엄격한 의무를 부과하고 조세 이외의 국내조치 문제에 있어서는 덜 엄격한 의무를 부과했던 것일까? 참으로 흥미로운 질문이 아닐 수 없다. GATT의 준비회의 기록을 살펴보면, 당초 내국민대우의무의 범위가 '같은(like) 상품관계'에만 한정되어 적용되는 것에 대한 다소 불만의 의견들이 제시되었던 것 같다. 즉, GATT의 기초자들은 내국민대우의 적용범위가 적어도 조세분야에 있어서는 상당히 넓어야 한다는 데 대체로 동의했던 것이다. 따라서 이러한 취지의 노력이 진행되었고 1947년의 제네바 회의(Geneva Conference)에서는 GATT 제Ⅲ조상에 '직접 경쟁 또는 대체관계'라는 어구를 삽입하는 데 성공했다. 즉, 제네바 회의에서 마련된 조세에 관한 내국민대우의무 조항은 "수입품과 같은(like) 상품에 대한 실질적 국내생산이 없는 경우에는 직접적 경쟁 또는 대체관계에 있는 수입품과 국산품간 조세부과에 있어서 차별을 할 수 없다"는 내용으로 기술되어 있다.[3] 이러한 조세부과에 있어서의 내국민대우 강화 노력은 그 후에도 계속되어 1948년 개정시 '제 3 조에 대한 주해'(Ad Article Ⅲ)를 첨부하면서 지금의 조항체계가 마련된 것이다.[4]

　　그 경위야 어쨌든 이러한 노력의 결과 제Ⅲ조 2항의 범위는 '같은(like) 상품' 관계를 넘어서 이제 '직접경쟁 또는 대체(directly competitive or substitutable) 상품' 관계에까지 미치게 된 셈이다. 여기서 한 가지 주목할 점은 제네바 회의 당시에만 해도 제Ⅲ조 2항이 '직접경쟁 또는 대체관계'에 적용되는 경우는 "수입품과 같은(like) 상품에 대한 실질적 국내생산이 없는 경우"에 한정되었으나(즉 '직접경쟁 또는 대체관계'는 '같은 관계'에 보충적으로 적용), 이제 제Ⅲ조에 대한 주해가 추가되면서 제Ⅲ조 2항이 '직접경쟁 또는 대체관계'에 적용되는 경우는 수입품과 '같은 상품'의 국내생산이 있는지 여부와 상관없이 적용되게 되었다는 것이다. 즉, 제Ⅲ조 2항이 '직접 경쟁 또는 대체관계'에 적용되는 경우가 보충적인 경우('같은 상품'이 부재하는 경우)에서 이제는 독립적인 경우로 바뀌었다는 점이다.[5] 이제 제Ⅲ조 2항은 '같은 상품관계'뿐만 아니라 '직접경쟁 또는 대체 상품관계'에도 독립적이고 전면적으로 적용되는 강력한 의무가 된 것이다.

---

3) 55 United Nations Treaty Series(U.N.T.S), at 264.

4) GATT Doc. GATT/CP.2/22/Rev. 1, Report adopted on Sept. 2, 1948; Protocol Modifying Part Ⅱ and Article XXVI of the GATT 참조.

5) "같은 상품이 부재하는 경우"라는 어구가 삭제되었음을 참조.

2) 요점 2

GATT 제Ⅲ조 2항 2문을 적용할 때, 제Ⅲ조 1항이 비로소 법적인 구속력을 갖는 의무조항으로서 작용하게 된다는 점을 유의해야 한다. 원래 1항은 전술한 바와 같이 구속력 있는 조항은 아니라고 보아야 하나, 이는 그 조항 자체로서 독립적인 구속력이 없다는 뜻이고, 2항 2문에서처럼 1항의 법적 효력을 부여하는 규정이 있는 경우는[6] 이 규정에 의해 1항이 비로소 법적 구속력을 갖게 되는 것이다. 따라서, 제Ⅲ조 2항 2문 위반 여부의 판정에 있어서는 1항이 하나의 법적 요건으로 등장하게 되는 것이다.

이러한 점이 2항 1문 위반 여부 판정과 다른 점임을 주의해야 한다. 즉, 1문의 판정시에는 문제가 되는 조세조치가 "국내산업을 보호하도록" 부과(1항의 요건)되었는지의 여부와 관계없이 위반판정이 이루어지게 된다.

이러한 1문과 2문의 차이점은 합리적인 것이라 판단된다. 수입품과 국내제품이 매우 유사한 '같은 상품'일 경우(1문) 양자에 대한 조세의 차이가 존재할 때 내국민대우 위반을 즉시 성립시키는 반면, 양자가 '직접경쟁 또는 대체상품'임에 그치는 경우(2문)에는 추가적인 요건인 '국내제품에 대한 보호' 양태를 보아가며 내국민대우의무 위반을 판정하는 것이 사리에 합당하기 때문이다. 이러한 이유 때문에 GATT 제Ⅲ조 4항도 1항에 법적 구속력을 부여하는 문구를 두고 있지 않은 것이다.[7]

물론 이러한 결론이 2항 1문 및 4항이 적용되는 경우에도 해당 조치가 '국내산업을 보호하도록 적용'되었는지 여부가 전혀 도외시되는 것을 의미하는 것은 아니다. 그러한 경우에도 동 조항들의 여러 문구들을 해석하는 데 있어서 1항은 하나의 묵시적인 해석의 기준(추가적인 법적 요건이 아니라) 역할을 수행할 수는 있는 것이다. 이는 1항이 GATT 내국민대우 전체의 의의를 담고 있기 때문이다.

3) 요점 3

1문은 '초과하여'(in excess of) 과세하지 말 것을 요구하고 있고, 2문은 '비슷하게'(similarly) 과세할 것을 요구하고 있음을 주목할 필요가 있다. 이러한 미묘한

---

[6] 제Ⅲ조 2항 2문의 어구 참조("…수입품은 1항에 규정된 원칙에 반하여 과세되지 않는다 (No … shall)").

[7] 제Ⅲ조 4항의 경우에도 '같은(like) 상품'의 경우를 규율하고 있음을 참조.

문구의 차이를 어떻게 조화롭게 해석할 것인가? 이에 대해, 항소기구는 최소허용 기준(de minimis level)의 적용 여부에 차이점을 두고 있다. 즉, 1문은 어떠한 조세율의 차이도 허용하지 않겠다는 의지의 표현이며, 2문은 최소허용기준을 넘지 않는 조세율의 미소한 차이는 허용된다는 것이다.[8] 결과적으로 '같은 상품'간에는 정확하게 같은 조세가 적용되어야 하는 의무가 부과되는 것이고, '직접경쟁 또는 대체상품'간에는 미소한 과세율의 차이 이상의 차이가 있는 경우에 내국민대우 위반이 성립되는 셈이 된다.

4) 요점 4

국가간 과세제도의 차이를 이용하여 수입상품이 국내상품에 비해 유리한 대우를 누릴 수 없도록 국경 세 조정(border tax adjustment)을 통해 일정한 세금을 수입품에 부과하는 것은 위 GATT 제Ⅲ조의 의무에 반하지 않는 한 허용된다. 즉, 수입품이 최종적으로 소비되는 국가인 수입국은 소비지원칙(destination principle)에 의해 과세권을 행사할 수 있는 것이다. 소비지원칙이란 상품이 소비되는 국가에서 세금이 부과되는 것을 말한다. 소비지원칙에 따라 국경세 조정이 이루어지면 각국의 국내 조세체계는 유지되면서 상품무역에 따라 발생하는 조세와 관련된 경쟁여건은 균등화되게 된다. 즉, 조세 조정은 조세의 무역 중립성(수입품에 대한 이중과세 방지 및 국산품과 수입품에 대한 동등 조세조건 확보)을 목적으로 하고 있다. GATT 제Ⅱ조 2항 (a)에서도 "수입품과 같은 국내제품 또는 해당 수입품의 제조나 생산에 전부 또는 일부 기여한 물품에 대하여 GATT 제Ⅲ조 2항에 합치되게 부과하는 내국세에 상당하는 부과금"을 수입품에 대해 부과할 수 있는 권리를 인정하고 있어 수입국의 국경 세 조정 제도를 명시적으로 허용하고 있다. 그런데 이러한 국경 세 조정 제도가 어느 범위까지 인정되는지에 대해서는 논란의 여지가 있다.

우선, 국경 세 조정이 수입품의 생산과정이나 공정(process and production method: PPM)을 대상으로 한 내국세에도 적용되는지가 문제시된다. 수입국이 국내에서 생산된 제품에 대해서는 그러한 제품의 최종 물리적 상태에는 영향을 미치지 않으면서 그러한 제품이 생산되는 과정에서 행해지는 많은 행위들에 대해

---

[8] *Japan-Taxes on Alcoholic Beverages*, Appellate Body Report, sec. H 2(c), WT/DS8/AB/R, WT/DS10/AB/R, WT/DS11/AB/R(1996) 참조.

세금을 부과해 온 경우, 동종 또는 직접경쟁 또는 대체관계에 있는 수입품에 대해 국경 세 조정의 명목으로 동일한 종류의 세금을 부과할 수 있는지의 문제이다. 예를 들어, 온실가스를 배출시키며 생산한 철강제품 수입에 대해 과세하는 경우이다.

GATT 시절에 직접적인 관련판례를 찾기는 어려우나, 미국-참치(Tuna) 사건 (1991)의 판결내용을 참고해 볼 수 있다. 이 사건에서의 쟁점은 미국의 조치가 돌고래 보호장치 사용의무를 준수하면서 생산한 참치제품인지 여부에 따라 그 규제의 발동여부를 결정하고 있는바, 그것이 정당화될 수 있는가의 문제였다. 피제소국인 미국은 자신의 조치가 단순한 국경조치가 아니고, 돌고래의 보존을 위한 특별한 어로기술을 사용하여 참치조업을 행할 것을 요구하는 국내규제를 국내업자는 물론 수입업자에게도 동등하게 적용하는 차원에서 국경에서 이를 이행하기 위한 조치였으므로, GATT 제Ⅲ조의 주해(Ad Article)에 의해 GATT 제XI조가 아닌 제Ⅲ조(4항)가 적용되어야 함을 주장하였다. 이에 대해 패널은 이러한 조치는 "수입품 자체(products as such)에 대해 적용된(applies to)" 조치가 아니고, 수입품을 생산하는 과정에 대한 규제이므로, GATT 제Ⅲ조가 아닌 제XI조 사항임을 판시하였다. 이 패널판정은 최종적으로 채택되지는 않았으나, 상품(참치)이 아닌 제조방법(돌고래 보호장치 구비여부)을 기준으로 국경조정을 하는 것까지 GATT 제Ⅲ조가 허용하는 것은 아님을 판시한 것으로 해석할 수 있다.

또한, 국경 세 조정이 수입품인 최종생산품 자체를 기준으로 이루어지는 것이 아니고, 이러한 최종생산품의 생산을 위한 원료나 중간재를 대상으로 한 내국세 형태로 이루어지는 경우에는 어떠한가? 예를 들어, 국내에서 생산된 석유화학제품이 생산과정에서 사용한 중간재에 대해 일정한 세금이 부과되고 있는 경우, 이러한 중간재가 수입되고 있지 않은 경우라 할지라도, 이러한 중간재를 사용하여 생산된 제품의 수입에 대해 동 중간재에 부과된 세금을 부과하는 것이 허용되는지의 문제이다. GATT 시절 US-Superfund(1987) 사건에서, 미국은 수퍼펀드법 (Superfund Act)에 따라 수입된 화학제품의 가공과정에서 사용된 특정 화학물질에 대한 세금을 부과하였는데, 패널은 과세대상이 되는 화학물질이 물리적으로 수입되는 것은 아니라도 "이러한 물질이 수입국 내에서 판매될 경우 부과될 세금과 동일한 세금을 이러한 물질을 사용해서 생산된 제품의 수입에 대해 부과하는 것은 국경 세 조정 차원에서 허용될 수 있음"을 판시하였다.[9] 다시 말하면, 최종재에 대한 국경 세 조정은 물론 최종재가 아닌 원료나 중간재에 대한 국경 세 조정도 허용된다는 것이다. GATT 제 Ⅱ 조 2항 (a)에서도 "수입품(imported product)의 제조나 생산에 … 일부(in part) 기여한 물품(article)"에 대한 내국세 조정도 가능함을 언급하고 있어 이러한 판시내용을 뒷받침하고 있다.

그렇다면 상품의 제조과정에서 소비되었으나, 최종상품의 특성으로 남아있지 않은 투입요소에 대한 세금의 경우에도 마찬가지로 국경세 조정이 허용되는가? 예를 들어, 제품의 수송이나 생산과정에서 사용되는 자본설비, 재료 및 서비스 등에 대한 소비세, 에너지 운송 광고 등에 대한 조세 등이 이에 해당한다. 위 *Superfund* 사건은 사용된 화학물질이 최종상품에 물리적으로 포함되어야 하는지 여부까지 주목하여 판시한 것은 아니고, GATT 국경세조정작업반(Working Party on Border Tax Adjustment)의 작업시 이러한 최종상품의 특성으로 남아있지 않은 투입요소에 대한 세금의 국경 세 조정 여부에 대해서는 여러 논란이 있었던 것으로 알려져 있으므로, 향후 해결해야 할 과제라 볼 수 있다.

정리하자면, 아직까지는 국경 세 조정을 이유로 수입품에 대해 과세하는 행위는 해당 제품의 제품으로서의 성격에 직접 또는 간접적으로 연관된 경우에 대해 인정되며, 단순한 제조과정의 차이점을 기준으로 부과되거나, (제품과 상관없이) 생산여건과 관련하여 생산자에게 부과된 조세를 국경 조정하는 권리는 인정되고 있지 않다고 볼 수 있다. 생산여건과 관련하여 생산자를 대상으로 부과하는 세금은 직접세라 부르는바, 이러한 직접세의 국경조정은 허용되지 않고, 간접세에 한해 허용된다. 이것은 간접세(판매세, 물품세, 부가가치세 등)는 제품에 대해 직접 부과되므로 제품가격에 전가되지만, 직접세는 그렇지 않다는 인식에 근거한 것이었다. 만일 수입국이 환경보호를 위해 단순한 제조과정상의 문제를 해결할 목적으로 수입품에 대해 과세하거나 생산자 기준으로 과세하는 경우에는 국경세 조정 이슈가 아니고, GATT 제 ⅩⅩ조 (b)나 (g)호의 일반적 예외사유에 해당할 수 있는지의 문제가 되는 것이다.

그러나 WTO 출범 이후에는 무역과 환경의 관계가 중요한 문제로 대두되고, 생산공정 및 방법에 대한 국경 세 조정이 가능한지 여부가 전 세계적 관심의 대상이 되고 있다. 아울러 간접세는 물론 직접세의 경우에도 시장조건이나 경기 등

9) *United States—Taxes on Petroleum and Certain Imported Substances*, L/6175—34S/136, para. 5.2.8.

각종 경제여건의 변화에 따라 세금의 소비자전가 정도는 달라지는 것이므로 전통적인 직접세-간접세 이분론적 인식에 대한 재검토가 필요하다. 특히 탄소세의 국경 세 조정 문제는 기후변화 방지 정책을 시행하는 국가에서의 기업(특히 철강, 시멘트, 유리, 종이, 화학제품 등 에너지집약산업의 기업)이 기후변화방지 정책을 시행하지 않고 있는 국가의 기업의 경쟁력과 비교하여 불리한 조건에 처하지 않도록 하는 문제와 관련되어 있다. DDA협상에서도 '무역과 환경에 관한 작업반'(Committee on Trade and Environment)에서 이 문제를 주요의제로 채택하여 논의를 진행해 오고 있으며, 환경보호 목적의 조세와 보조금의 범위를 어느 정도까지 허용할 것인지를 다자적으로 협의 중이다.

   이 문제는 결국 GATT 제Ⅲ조 2항의 '상품에 직·간접적으로(directly or indirectly) 부과된 조세나 기타 부과금'의 표현의 해석의 문제인바, *Mexico Soft Drink* 사건에서의 WTO 패널 판시내용은 시사점을 주고 있다. 패널은 "최종 제품에 직접적으로 부과된 세금은 그 제품에 함유된 투입제품의 경쟁조건에 간접적으로 영향을 미칠 수 있으므로 제Ⅲ조의 관할 사항"임을 인정하고 있다.[10] 즉, 멕시코 정부가 음료수에 대한 세금을 부과하면서 음료수에 함유된 '감미료'(sweeteners)에 '간접적' 영향을 미치고자 한 것은 결국 수입설탕과 국내생산 설탕간의 내국민대우 문제가 될 수 있다는 것이다. 이 판례는 해당 상품과 수입국의 규제간의 직접적 규제관계에 있는 경우는 물론 간접적 관계에 있는 경우에도 국경 세 조정이 가능함을 시사하는 것이므로 의미가 크다.

제 2 절   내국민대우원칙의 예외

   GATT는 내국민대우의 예외를 몇 가지 인정하고 있다. 첫째, 제Ⅲ조 3항은 1947년 4월 10일 현재 시행중인 무역협정상에서 승인되어 있는 과세조치에 대해서는 일정한 조건하에 내국민대우의무의 적용을 면제하고 있다.[11]

   둘째, 제Ⅲ조 8항은 두 가지 중요한 내국민대우에 대한 예외를 선언하고 있다. 즉, 정부조달에 있어서는 GATT상의 내국민대우 조항의 적용을 배제시키고

---

10) WT/DS308/R, paras. 8.40-8.45.
11) GATT 제Ⅲ조 3항 참조.

있는바, 정부조달협정의 가입국에 한해 '정부조달협정'상의 내국민대우 조항이 적용되게 된다. 또한 국내산업에 대해 보조금을 지급(payment)하는 조치도 내국민대우의무가 적용되지 않는다. 사실 이러한 면제조항이 없다면 대부분의 보조금 지급이 내국민대우의무 위반으로 판정될 것이다. 보조금은 국내산업에만 지급되고 이와 경쟁관계에 있는 외국의 '같은 상품'의 생산업자에 대해서는 지급되지 않는 것이 보통이므로 보조금 지급으로 인해 국내외 '같은 상품'간의 차별이 발생하기 때문이다. 이렇게 내국민대우의무 때문에 보조금을 지급하지 못하는 것을 방지하기 위해 제Ⅲ조는 보조금 지급을 예외사유로 규정하고 별도의 '보조금 및 상계관세협정'에 의해 보조금 지급이 규율되도록 하고 있는 것이다.

셋째, 제Ⅲ조 10항은 영화필름 상영에 대한 양적 제한조치를 내국민대우 조항의 예외사유로 선언하고 있으며, 제Ⅳ조가 이를 상세히 규정하고 있다. 이에 따라, 수입영화와 국산영화간의 차별조치를 일정한 조건에 따라 스크린쿼터(screen quotas) 형식으로 운영할 경우 내국민대우의무 위반이 성립되지 않게 된다.[12]

넷째, 의무면제를 획득한 조치 및 국가안보 보호 조치가 내국민대우의 예외임은 상기 '최혜국대우의무의 예외' 부분에서 설명한 바와 같다.

다섯째, GATT 제XX조의 일반적 예외가 내국민대우의무의 완전한 예외인지 여부는 '최혜국대우의무의 예외'에서 설명한 것과 동일한 논리가 적용될 수 있다. 따라서, "동일한 조건하에 있는 국가간에 자의적이고 정당화할 수 없는 차별의 수단이 되거나 국제무역에 대한 위장된 제한이 되도록 적용되지 않는" 범위 내에서 일정한 예외사유에 해당하는 조치는 내국민대우의무 위반이 정당화되게 된다.

제 3 절   '같은 상품' 및 '직접경쟁 또는 대체상품' 개념의 이해[13]

이상의 논의를 통해 우리는 내국민대우의무의 범위를 정하는 일은 결국 차별과 차등의 한계를 정하는 데서 출발함을 이해하였다. 그리고 이러한 이해를 기

---

12) 이러한 조건에 관해서는 GATT 제Ⅳ조 참조.
13) 이에 관한 광범위하고 자세한 개념론적이고 방법론적 고찰에 관한 저서로는, Won-Mog Choi, *Like Products in International Trade Law-Towards a Consistent GATT/WTO Jurisprudence*(London: Oxford University Press, 2003) 참조.

반으로 각 조항간의 미묘한 문구의 차이를 합리적으로 해석하였다. 즉, WTO의 비차별원칙은 좁게는 '같은 상품' 관계에서부터(제Ⅲ조 2항 1문, 제Ⅲ조 4항, 제Ⅰ조) 넓게는 '직접경쟁 또는 대체상품' 관계에(제Ⅲ조 2항 2문) 적용되는 것임을 알 수 있었다. 이러한 과정에서 결국 내국민대우의무의 적용범위를 좌우하는 결정적 요소는 실제로 '같은 상품'(like products) 또는 '직접경쟁 또는 대체상품'(directly com-petitive or substitutable products) 판정을 어떠한 기준과 방법론에 따라 내리느냐에 있음을 지적하지 않을 수 없다. 따라서 본 장에서는 이 점에 대한 그 동안의 논의를 종합적으로 고찰해 보기로 한다.

1. 전통적인 두 가지 방법론

'같은 상품' 및 '직접경쟁 또는 대체상품' 개념을 이해하는 데 있어서 그 동안 GATT/WTO패널이 취한 입장은 두 가지 방법론으로 집약될 수 있다. 첫째는, 1970년의 '국경과세조정보고서'(Border Tax Adjustment Report: BTA Report) 이래로 GATT/WTO패널이 주로 의존해 온 'BTA Approach'를 들 수 있다. 두 번째는, 1992년 '미국 주류 분쟁'[14] 및 1994년 '미국 자동차 분쟁'[15]에서 GATT 패널이 취한 방법론이 있으며, 이를 흔히 'Aim-and-Effect Theory'라 부른다. 저자는 전자의 방법론을 '상품성질설'이라 명명하고, 후자의 방법론은 '조치목적설'이라 명명하고자 한다.

(1) 상품성질설(BTA Approach)

전통적으로 GATT/WTO패널이 취해 온 방법은 1970년에 제시된 '국경과세조정에 관한 보고서'(Report of the Working Party on Border Tax Adjustments)에서 기술된 요소들을 심사한 후 '같은 상품' 여부를 판정하는 것이다. 동 보고서는 제품의 물리적 특성이나 성질, 제품의 최종 소비자 용도 및 소비자의 기호나 습관 등을 고려하여 '같은 상품' 여부를 판단할 것을 제시하고 있다.[16] 이 보고서가 있은 후

---

14) *United States—Measures affecting Alcoholic and Malt Beverages*, BISD 39th Supp. 206, 270-271(1992).

15) *United States—Taxes on Automobiles*, DS31/R(1994, unadopted).

16) "With regard to the interpretation of the term like or similar products, … Some criteria were suggested for determining, on a case-by-case basis, whether a product is similar; the product's end-uses in a given market; consumers tastes and habits, which change

GATT/WTO패널은 '같은 상품' 및 '직접경쟁 또는 대체상품' 여부를 판정할 때 항상 동 보고서의 내용을 언급해 오고 있다. 그런데 한 가지 특이한 점은 이 보고서가 제품의 물리적 특성 및 용도 등의 객관적인 요소는 물론 소비자의 기호 및 습관이라는 다소 주관적 요소도 하나의 고려요소로 제시하고 있는 데 반해, GATT/WTO패널은 주로 상기 객관적 요소에 그 심사요소를 한정해 오고 있었다는 점이다. 그 구체적인 예를 들면 아래와 같다.

첫째, 'EEC 동물사료 분쟁'에서 문제가 되었던 것은 식물성 단백질과 사료용 분유가 GATT 제 I 조 및 제III조상의 '같은 상품'인지 여부였는바, 패널은 양 제품의 관세분류, 단백질 함유량, 소비용도 등을 고려하였다.17)

둘째, '스페인 커피에 대한 관세조치 분쟁'에서 패널이 최혜국대우 위반 여부에 대한 판정에서 고려한 점들은 서로 다른 커피재료들의 식물조직학적(organoleptic) 차이점, 재배방식, 가공과정, 유전적 요소, 스페인 관세체제의 특성, 소비용도 등이었다.18)

셋째, '일본 포도주 및 주류제품 분쟁'에서 패널은 주류제품간의 최종용도의 유사성의 정도에 주로 의거하여 GATT 제III조 2항 위반 여부를 심사하였다.19)

넷째, '미국 가솔린 분쟁'에서 WTO패널 및 항소기구는 미국의 재래식 가솔린(conventional gasoline)과 재구성 가솔린(refomulated gasoline)간의 차등조치의 GATT 제III조 4항 위반 여부를 심사하면서 제품의 물리적 특성, 최종용도, 관세분류, 대체가능성 등에 의존하였다.20)

다섯째, '일본 주세 분쟁'에서 WTO패널 및 항소기구는 GATT 제III조 2항 1문의 해석에서 소주와 수입주류간의 물리적 특성의 차이, 소비용도, 관세분류, 시장여건 등을 고려하였다.21)

---

from country to country; the products properties, nature and quality," Report of Working Party on Border Tax Adjustments, BISD 18S/97, para. 18(emphasis added).

17) *EEC—Measures on Animal Feed Proteins*, Panel Report, B.I.S.D.(25th Supp.), paras. 4.1, 4.3(1978) 참조.

18) *Spain—Tariff Treatment Of Unroasted Coffee*, Panel Report, paras. 4.5−4.8, L/5135−28S/102, B.I.S.D.(28th Supp.) 102, 112(1981).

19) *Japan—Customs Duties, Taxes and Labelling Practices on Imported Wines and Alcoholic Beverages*, L/6216−34S/83(1987).

20) *United States—Standards for Reformulated and Conventional Gasoline*, WT/DS2/9, WT/DS2/R(1996).

21) *Japan—Taxes on Alcoholic Beverages* Panel Report, paras. 4.54, 4.58, 4.59, 5.7, 6.23 and

여섯째, '한국 주세 분쟁'에서 WTO패널 및 항소기구는 GATT 제Ⅲ조 2항 2문 해석의 맥락에서 상기 '일본 주세 분쟁'의 고려요소 이외에 소주와 수입주류간의 잠재적 경쟁성에 의존하였으며, 이러한 경향은 '칠레 주세 분쟁'으로 이어졌다.[22]

이상에서 본 바와 같이, 그 동안의 패널의 입장을 종합해 보면 주로 '같은 상품' 및 '직접경쟁 또는 대체상품' 여부를 판정하는 기준은 제품의 물리적 성상, 최종용도 및 관세분류라는 세 가지 요소로 집약될 수 있으며, 이러한 입장은 GATT 및 WTO패널에 의해 상당히 일관성 있게 견지되어 오고 있음을 알 수 있다.

(2) 조치목적설(Aim-and-Effect Approach)[23]

GATT패널은 한때 국경과세조정보고서에서 기술된 요소들 이외의 것에 의존하여 '같은 상품' 여부를 판정한 적이 있었다. 1992년의 '미국 주류 분쟁' 및 1994년 '미국 자동차 분쟁'이 그것이며, 이들 경우에 있어 패널은 해당 조치를 통해 미국정부가 달성하고자 했던 '목적'(aim)을 결정적인 요소로 고려하였다. 즉, 알콜도수가 높은 맥주와 낮은 맥주간의 차별대우를 취한 미국의 제도 및 3만 달러 이상의 고급 승용차와 그 이하의 저가 승용차간 조세차별을 둔 미국의 조치가 국내산업을 보호하기 위한 것이 아니고 각각 청소년의 건강보호 및 환경보호라는 정당한 목적에 입각하고 있음을 '같은(like) 상품' 판정 과정에 반영한 것이었다.[24] 사실 이 조치목적설은 당시 GATT 사무국의 법률국장이었던 '뢰슬러'(Frieder Roessler)에 의

---

the Appellate Report, sec. H.

22) *Korea-Taxes on Alcoholic Beverages*, WT/DS75/AB/R & WT/DS84/AB/R(1999), paras. 10. 56, 11.2; *Chile-Taxes on Alcoholic Beverages*, WT/DS/87/AB/R, WT/DS/110/AB/R(1999), paras. 4.186-4.194. 칠레 주세 분쟁의 개요는 다음과 같다. 칠레는 패널판정 이행 이전의 한국 및 일본과는 상이한 주세제도를 보유하고 있었다. 한국과 일본이 술의 '종류'에 따라 차등과세를 하고 있었던 반면("type discrimination"), 칠레는 술의 '도수'와 가격(ad valorem)에 따른 차등과세("discrimination based on alcoholic strength and value")를 하는 체제였다. 그런데, 이러한 차등과세가 도수에 따라 점진적으로 이루어지지 않고, 자국주인 pisco가 속해 있는 35°와 대부분의 수입주류들이 속해있는 39° 사이에 급격한 세율의 격차를 두어 pisco를 보호하는 효과를 거두고 있었다. WTO패널 및 상소기관은 이러한 세율의 격차가 사실상의 차별에 해당한다고 판단하여 칠레 주세제도를 GATT 제Ⅲ조 2항 위반으로 판정하였다.

23) 조치목적설에 대한 비판 및 극복에 관해서는, Won-Mog Choi, "Overcoming the Aim and Effect Theory in the GATT," *UC Davis Journal of International Law and Policy* (Winter 2002) 참조.

24) Panel Report of *United States-Measures affecting Alcoholic and Malt Beverages*, at paras. 5.25, 5.71; Panel Report of *United States-Taxes on Automobiles*, at paras. 5.8 et seq 참조.

해 주창된 것이다. 그에 의하면, 무엇이 같은 상품인지는 두 대상 상품이 지각되는 관점에 따라 다를 수 있는 것인바, 다음과 같은 명제가 성립 가능하다는 것이다.

"여우와 독수리는 토끼에게는 같은 동물이지만 모피장수에게는 다른 동물이다."(A fox and an eagle are like animals to a hare but not to a furrier.)[25]

즉, 토끼의 목적은 생존이고 이러한 시각에 입각해 본다면 여우와 독수리는 모두 자신의 생존을 위협하는 같은 동물일 수밖에 없는 반면, 모피장수의 목적은 값비싼 모피를 얻는 데 있으므로 모피장수에게는 여우와 독수리는 분명 다른 동물이라는 것이다. 결국, 정확하게 동일한 두 물체가 이를 지각하는 대상의 시각 및 목적 차이에 따라 같은 물체로 인지되기도 하고 다른 물체로 인지되기도 하므로, 결국 이러한 '목적'을 고려하지 않고 '같은 제품'인지 여부를 판정한다는 것은 불합리하다는 것이다.

조치목적설은 이러한 해석의 근거로써 GATT 제Ⅲ조 1항이 "국내제품에 보호를 부여하도록"(so as to afford protection) 조치를 취하는 것을 금지하고 있음을 들고 있다. 즉, 상기 문구가 조치의 '의도' 내지는 '목적'을 내국민대우 조항의 해석에 있어 고려할 것을 의무화하고 있다는 것이다.

이러한 조치목적설을 따르는 경우 전통적인 견해인 상품성질설과 상이한 결론이 도출될 가능성이 많음을 주목할 필요가 있다. 예를 들면, '종이컵'과 '플라스틱컵'에 대해 차등과세를 한 경우, 이것이 내국민대우에 위반되는지가 문제로 제기되었다고 하자. 전통적인 상품성질설에 의하면, 종이컵과 플라스틱컵은 물리적 특성이 유사하고, 관세분류가 동일하며, 최종소비용도도 같으므로 결국 '같은 상품'으로 판정될 것이다. 이에 반해, 조치목적설에 따르면 이러한 차등 조치가 취해진 목적이 고려되어지므로 상기와 같은 결론이 보장되지 않는다. 즉, 만일 그 목적이 플라스틱컵은 종이컵과 달리 환경에 유해하므로 환경을 보호하기 위해 플라스틱컵에 가중된 과세를 한 경우라면 두 제품이 '같은 상품'이 아니라고 판정

---

25) Frieder Roessler, "Diverging Domestic Policies and Multilateral Trade Integration," in Jagdish Bhagwati & Robert Hudec(eds.), *Fair Trade and Harmonization*(vol. 2)(The MIT Press, 1996), p. 29.

될 가능성이 많은 것이다. 환경보호라는 목적에 입각해서 두 제품을 바라보면 분명히 종이컵과 플라스틱컵은 다른 제품이기 때문이다.[26]

2. 두 방법론간의 장단점 비교

그렇다면, 이와 같은 양 방법론은 어떠한 장단점을 지니고 있고 이에 입각해 볼 때 어느 방법이 우월한 것이라 볼 수 있는가?

우선 중요한 점은 조치목적설의 경우 WTO 회원국의 정당한 국권행사의 영역을 증진시킬 수 있다는 점이다. 이미 설명한 바와 같이 GATT 제XX조는 한정된 경우만을 일반적 예외사유로 나열하고 있다. 따라서 이와 같은 사유에 해당되지 않는 기타 정당한 사유의 경우 비차별조항 위반이 정당화되기가 어렵다는 측면이 있다. GATT 제XX조가 제정된 1947년에 비해 현대사회는 많이 변화되었고 환경, 인권, 사회복지 등의 제반 분야에서 새로운 사회문제가 대두되고 있는바, 이에 대처하기 위해 적극적인 정부의 역할이 요구되고 있다는 점을 고려할 때, 제XX조 예외사유의 제한성은 더욱 부각된다.

따라서 제XX조의 협소성을 보완할 수 있는 방안이 필요한바, 조치목적설은 그 하나의 대안이 될 수 있는 것이다. 즉, 조치의 정당한 목적을 그것이 무엇이든 간에 제Ⅲ조의 '같은 상품' 판정 단계에서 고려해 버리므로 제XX조에 규정된 사유 이외의 정당한 사유들도 결과적으로 비차별조항의 적용에 반영될 수가 있게 되는 것이다.

또한, 무역에 관한 기술장벽에 관한 협정(TBT협정) 제2조 2항과 GATT와의 비교도 흥미로운 관심거리를 제공해 주고 있다. 즉, TBT협정의 경우 조치의 정당한 사유로 나열하고 있는 국가안보, 건강 및 생명보호, 환경보호 등이 한정적이 아닌 예시적인 사유로 규정되고 있는 데 반해,[27] GATT 제XX조의 경우는 한정적 사유로 규정되어 있다는 차이점이 있다. 그 결과 GATT하에서는 이러한 사유 이외의 정당한 사유가 고려되지 못하는 반면, TBT협정하에서는 규정된 사유 외에 추가적 고려가 가능한 것이다. 이러한 불균형성을 해결하기 위해서 조치목적설을 적용하여 정당한 사유들의 고려가능성을 넓힐 필요가 있다는 것이다.

---

26) 실제로 뢰슬러 교수는 강의시간에 이러한 예를 들어 조치목적설을 설명하고 있다.
27) TBT협정 제2조 2항 참조.

분명 이상을 고려해 볼 때, 조치목적설은 상당한 매력을 보유하고 있다. 그러나 다음과 같은 치명적 약점을 지니고 있는 점을 간과해서는 안 될 것이다. 우선 가장 큰 문제점은 이론의 협정상의 문언적 근거가 부족하다는 것이다. 상술한 대로 조치목적설은 GATT 제Ⅲ조 1항을 문언적 근거로 하고 있으나, 이는 "… so as to …"를 "… in order to …"와 같이 해석하는 오류를 범하고 있다. 또한 비록 동 조항이 조치의 '목적'에 대한 고려를 규정한 것이라 해석하는 것을 용인하더라도, 동 조항이 독립적으로 법적 구속력을 지닌 조항이라 볼 수는 없음은 이미 설명한 바와 같다. 또한 GATT 제Ⅲ조 2항 1문 및 제Ⅲ조 4항이 제Ⅲ조 2항 2문과는 달리 직접 제Ⅲ조 1항을 원용하고 있지 않으므로 결국 제Ⅲ조 1항이 법적 구속력을 지니는 것은 제Ⅲ조 2항 2문의 경우로 한정될 뿐이다. 따라서 GATT 제Ⅲ조 1항은 조치목적설의 충분한 근거가 되지 못하는 것이다. 이를 고려해 볼 때, 조치목적설은 GATT협정상의 통상적 문구 해석의 범위를 벗어나, 지나치게 목적론적인 해석을 시도하는 이론이라 볼 수 있다.

둘째로, GATT 제XX조와의 관계에서 볼 때, GATT의 기초자들은 제Ⅲ조와 제XX조간의 일종의 분업관계를 의도했음은 분명하다. 즉, 제Ⅲ조는 정부조치가 두 상품간의 경쟁관계에 어떠한 영향을 미치는가에 전적으로 주목하여 비차별원칙을 실현하려는 데 의도가 있는 반면, 제XX조는 정부조치의 의도 내지는 목적이라는 요소에 초점을 맞추어 어떠한 조치로 인해 일정한 차별적 결과가 초래될 경우에도 정당한 목적하에 취해진 조치는 구제하려는 의도하에 제정된 조항인 것이다. 다시 말하면, 조치의 목적론적 해석은 모두 GATT 제XX조의 관할사항으로 넘겨졌던 것이다. 그런데 조치목적설은 이러한 GATT의 기본구조를 무너뜨리게 된다. 조치의 의도나 목적을 제Ⅲ조의 '같은 상품' 또는 '직접경쟁 또는 대체상품' 판정 단계에서 고려함으로써 제XX조가 적용될 가능성을 대폭 축소해 버리게 되는 것이다. 즉, 조치의 목적을 고려하여 '같은 상품'이 아니라고 판정되어 버리면, 이미 동 조치의 제Ⅲ조 위반이 성립되지 않게 되므로 제XX조가 적용될 이유가 없어지고 결과적으로 제XX조는 존재 의의를 잃게 된다.

조치목적설의 지지자들은 이러한 점이 오히려 장점이라고 말할지 모른다. 상술한 대로 제XX조에 나열되어 있는 정당화 사유들이 한정되어 있으므로, 더 많은 정당화 사유들을 고려하기 위해서라도 이러한 해석이 바람직하다는 것이다. 그러나 이러한 주장의 치명적 약점은 제XX조가 적용되지 않게 됨으로써 제XX

조의 각 항에 규정된 '정당화 사유'뿐만 아니고 각 항에 병존하고 있는 조치의 '필요성(necessity) 기준' 및 제XX조 두문(chapeau) 또한 적용될 기회를 잃게 된다는 데 있다. 즉, 각 항에서는 당해 조치와 그 목적간에 '필요성이나 관련성'이 존재할 것을 요구하고 있으며,[28] 제XX조 모두는 각 항하의 정당한 목적을 실현하기 위해 취해진 조치라 할지라도 그것이 "자의적이거나 부당하게 적용"되거나 "무역에 대한 위장된 제한"으로 작용되어서는 아니 된다고 규정하고 있다.[29] 그런데 조치목적설이 채택된다면, 정당한 목적을 지닌 조치들이 제III조하에서 그대로 합법적인 조치로 판정되어 버리게 되므로, 결국 이러한 제XX조 모두에 규정된 '자의성'이나 '위장된 제한 여부'의 심사 및 각 항하의 '필요성'이나 '관련성' 심사를 거치지 않고 조치가 정당화되는 셈이 된다. 이는 이러한 제XX조하의 요건들을 사문화(死文化)시키는 결과를 낳게 된다.

이러한 점을 좀 더 깊이 생각하면 문제는 더욱 심각해진다. 조치목적설이 채택될 경우, 각 정부들이 자신이 정당하다고 믿는 목적에 따라 수많은 차별조치를 취하게 되고 이를 제XX조하의 필요성이나 자의성 심사를 거치지 않고 합법화할수 있으므로 결국 GATT의 비차별원칙을 회피할 수 있는 좋은 빌미를 제공해 주게 되는 것이다.

셋째, 조치목적설이 입증책임(burden of proof)의 귀속문제에 대해 미묘한 영향을 미치는 점을 간과할 수 없다. 원래 어떠한 조치의 목적의 정당성에 대한 '최초 입증책임'(prima facie burden of proof)은 피제소국에 귀속된다. 왜냐하면 GATT 제XX조가 제III조에 대한 예외조항이기 때문에 제소국의 제III조 위반주장에 대해 예외사유를 원용하는 피제소국이 그 정당성에 대한 입증책임이 있기 때문이다. 그러나 조치목적설이 채택될 경우, 조치목적의 정당성 여부에 대한 최초 입증책임은 제소국 측에 이전되는 문제점을 낳게 된다. 즉, 제소국이 어쨌든 제III조 위반의 입증책임이 있으므로 제소국이 제소대상 상품의 동일성 또는 직접경쟁 또는 대체성에 대한 입증을 하여야 하는데, 이때 이를 해당 조치의 목적에 입각하여 전개하여야 하는 부담을 지게 된다. 결국 피제소국이 내세우고 있는 당해 조치의 목적의 부당성 또는 부적절성을 주장하고, 이와는 다른 진정한 목적을 내

---

28) (a), (b), (d)호는 필요성("necessary")을 요구하고 있고, (c), (e), (g)호는 관련성("relating to")을 요구하고 있다. GATT 제XX조 참조.
29) GATT 제XX조 모두.

세워 이에 입각하여 볼 때 당해 상품이 '같은 상품'이라는 것을 입증해야 할 책임
이 제소국에 지워지게 되는 것이다. 이는 제소국 측에 과중한 부담을 지우는 것
이라 볼 수 있다.

　이상과 같은 이론적 측면들 이외에도 현실적으로 조치목적설을 적용하는 것
이 곤란한 점이 많다. 모든 조치가 나름대로 정당한 목적을 지니고 있다고 주장
되므로 어떠한 조치의 진정한 '목적'을 파악해 내기가 어려운 경우가 많다. 따라
서 해당 조치가 채택된 배경에 관한 각종 자료들을 참조하는 경우가 많은데, 이
러한 자료들이 미비한 경우가 많으며, 때로는 왜곡되는 경우도 있다.

3. 시장기반설(Market-based Approach)

　이상에서 살펴본 바와 같이 상품성질설과 조치목적설은 모두 장단점을 동시
에 지니고 있다. 최근에 조치목적설의 문제점을 극복하면서도 그 장점을 발휘할
수 있는 대안으로 '시장기반설'(market-based approach)이라는 새로운 이론이 제시
되어 주목을 받고 있다.[30] 이 이론은 필자인 최원목 교수에 의해 제시된 것으로
아래와 같은 두 가지 질문을 던짐으로써 논리를 전개하고 있다.

　소비자들이 같은 상품으로 대하지 않는 두 상품을 상품의 객관적인 물리적
　특성이 같다고 하여 굳이 같은 상품으로 판정하여 비차별주의 의무를 부과
　할 필요가 있는가?

　소비자들이 같은 상품으로 대하지 않는 두 상품을 해당 정부조치의 목적이
　정당하지 않다고 하여 같은 상품으로 판정하는 것이 무슨 의미가 있는가?[31]

---

30) Won-Mog Choi, *Like Products in International Trade Law-towards a Consistent GATT/WTO Jurisprudence*(Oxford University Press, London, 2003, hereinafter Choi (2003)). 시장기반설에 대한 국제적인 평가로는 "'Book Review by Board of Editors," *American Journal of International Law*, v. 98, no. 3 (July 2004), pp. 610-614'를 참고. 한편, 반덤핑 제도 맥락에서 시장요소를 강조하고 있는 논문으로는 다음을 참조. Marco Bronckers & Natalie McNelis, "Rethinking the Like Product Definition in WTO Antidumping Law," *Journal of World Trade v. 33, no. 3*(Kluwer Law International, 1999).

31) 최원목, "GATT 제Ⅲ조와 시장기반설(Market-based Approach)," 「이화여대 법학논집」 (2004. 2).

이 이론은 문제가 되는 두 대상상품을 소비자들이 '같거나 직접 대체 가능하다'고 생각하지 않는다면, 이 두 상품에 대해 서로 다른 대우가 부여되었을지라도 상호경쟁관계에 미치는 영향은 유의미하지 않은 것에 주목하고 있다. 이러한 경우 정부가 한 상품에 대해 유리한 대우를 부여하는 것이 다른 상품에 대한 유의미한 소비 감소로 연결되지 않기 때문이다. 즉 이러한 조치는 '차별'이 아닌 '차등' 조치인 것이다. 다시 말하면, 이러한 상품에 대해 같거나 직접경쟁 또는 대체상품이라는 판정을 내림으로써 비차별대우 의무를 적용시킬 이유가 없다고 보는 것이다. 그러므로 '같은 상품' 또는 '직접경쟁 또는 대체상품'인지 여부는 결국 당해 상품의 물리적 특성이나 해당 조치의 목적에 의해 결정되는 것이 아니라 그 상품을 소비하는 최종사용자들이 진정으로 그것을 '같은 상품' 또는 '직접경쟁 또는 대체상품'으로 보느냐에 의해 결정되어야 한다는 논리로 연결된다.

또한 이 이론은 일반적으로 '여우와 독수리가 토끼에게는 같은 동물'일지는 몰라도 '만일 토끼가 우연히 나무 위에 올려져 있다면' 분명히 여우와 독수리는 토끼 입장에서 다른 동물임을 설명하고 있다.[32] 더 이상 여우는 토끼에게 위협을 주지 못하기 때문이다. 즉, 이때 같은 동물인지 여부는 토끼가 나무 위에 있는지 아니면 나무 아래에 있는지에 의해 결정될 수 있다. 토끼가 처해 있는 상황, 즉 GATT 비차별주의 의무 맥락에서 표현한다면, 두 상품이 놓여 있는 '시장여건'(market condition)에 의해 같은 상품 여부가 결정되어야 한다는 것이다. 즉, 시장기반설은 상품이 거래되는 여건을 고려하지 않고 해당 상품이 같은 상품인지 여부를 추상적으로 판정하는 것은 무의미한 것으로 본다. 이러한 시장여건을 좌우하는 가장 결정적 요소는 물론 상술한 바와 같이 해당 시장에서의 소비자들의 판단이며, 결국 대상 상품이 거래되는 시장에서 소비자들이 두 상품을 같은 상품이라 보는지 여부에 의해 같은 상품 판정이 내려져야 한다고 보고 있는 것이다.[33]

상기 논의를 고려해 볼 때, 시장기반설은 상품성질설에 비해 우월한 이론이라는 평가가 가능하다. 상품의 물리적 특성, 관세분류 및 용도가 유사한 경우 대개 소비자들이 이를 '직접경쟁 또는 대체상품'이라 볼 가능성이 높아지는 것은 사실이나, 반드시 그런 것은 아니기 때문이다. 즉, 시장기반설이 포착할 수 있는 중요한 요소인 시장의 여건을 상품성질설은 놓치는 경우가 있을 수 있다

---

32) Choi(2003), pp. 82−84.
33) *Ibid.*

는 것이다.

한편, 이러한 시장기반설을 취할 경우 조치목적설에서와 같은 단점이 발생하지 않음도 지적될 수 있다. 시장기반설은 조치의 '목적'을 제Ⅲ조하에서 고려하자는 것이 아니고 객관적 시장여건을 고려하자는 것이기 때문이다. '목적'에 대한 고려는 여전히 제ⅩⅩ조하에서 이루어지게 되므로 조치목적설에서와 같은 제ⅩⅩ조 모두의 사문화 및 입증책임의 전환 등과 같은 문제점이 발생되지 않게 된다. 반면, 시장기반설은 조치목적설이 가져다주는 커다란 장점인 제ⅩⅩ조의 제한성을 극복하는 데 도움을 준다. 소비자의 기호 및 습관과 같은 요소들을 제Ⅲ조하에서 고려하게 되므로 상품성질설을 취할 때보다 좀 더 많은 상품들이 '같은 상품'이 아니라고(비차별원칙의무 위반이 아니라고) 판정될 수가 있기 때문이다. 결국 제ⅩⅩ조의 예외사유에 해당하지 못한 정당한 조치의 경우에도 경우에 따라서는 시장기반설에 의해 합법성을 획득할 수 있는 가능성이 열리는 것이다. 예를 들어, 한국이라는 시장에서 대부분의 소비자들이 소주와 위스키가 직접경쟁 또는 대체상품이 아니라고 보고 있고 이러한 것이 입증된다면, 이에 대한 한국 정부의 차등과세 조치는 정당한 것으로 판정될 것이다. 이러한 결론은 한국 정부가 한국시장의 특성을 고려한 상태에서 정당한 국권행사를 행사할 수 있는 여지를 높여주게 된다.

시장기반설은 이렇게 시장여건을 고려해야 한다는 주장이 단기적이고 가변적인 소비자의 기호나 습관까지 고려해야 한다는 말은 아님을 지적하고 있다. 시장기반설에서 판단기준으로 삼고 있는 소비자 기호나 습관은 여러 종류의 것들 중에서 비교적 장기적이고 안정적으로 유지되어 오고 있는 기호나 습관을 의미한다.[34] 이러한 것들은 하루아침에 형성된 것이 아니며 시장의 구성요소들간의 오랫동안의 상호작용을 통해 자리잡게 된 것이다. 따라서 이러한 요소들은 시장의 여건(market condition)과 필수적으로 결부되어 시장의 판매조건을 오랫동안 좌우하게 마련이다. 이렇게 안정적이고 명백한 고려요소를 기반으로 상품의 동종성 판정을 내리는 것은 당연한 것이며, 이러한 추가적인 고려가 동종성 판정을 불안정하게 하지도 않는다고 보고 있다.[35]

이러한 점에서 'EC 석면 분쟁'은 매우 흥미롭다. 이 분쟁에서 항소기구는

---

34) Choi(2003), pp. 22–28.
35) Ibid.

"chrysotile asbestos"와 "PCG fibres," 그리고 "chrysotile asbestos fibres"가 함유된 시멘트 상품과 "PCG fibres"가 함유된 시멘트 상품이 각각 GATT 제Ⅲ조 4항하의 '같은 상품'(like products)인지 여부를 판정함에 있어 패널이 "소비자의 건강에 대한 위협과 관련한 소비자의 기호나 습관에 있어서의 차이"를 고려하지 않고 두 제품을 같은 상품이라 판단한 것은 잘못임을 판정하였다.[36] 이러한 판정에 대해 최근 몇몇 실무가들은 이것이 조치목적설이 다시 부활하고 있음을 의미한다는 주장을 조심스럽게 언급하는 경향이 있으나, 그것보다는 시장요소에 대한 관심이 증가하고 있다는 평가가 올바를 것이다. 'EC 석면 분쟁'에서 항소기구가 관심을 기울인 요소는 EC집행위의 '목적'보다는 EC '소비자들의 기호와 습관'이었기 때문이다. 이는 분명히 WTO 항소기구가 '같은 상품' 판정에 있어 시장여건을 고려하기 시작한 것이라 볼 수 있으며, 이러한 점에서 시장기반설과 상통하는 측면이 있다. 이제 조치목적설이 채택되었던 짧은 기간을 제외하고 그 동안 철저하게 객관적 요소들에 초점을 맞추어 상품성질설에 입각해 심사해 오던 항소기구의 판정경향이 서서히 바뀌고 있는 것이다. 물론 그 방향은 시장기반설 쪽이며, 이는 좀더 세심하고 융통성 있는 판정을 요구하는 시대의 흐름을 반영한 것이다. 결국 WTO협정은 통상협정이며 다양한 소비자들이 경제행위를 하고 있는 각국의 시장에서 그 기능을 발휘하고 있기 때문이다. 'EC 석면 분쟁'은 이러한 판정기준 변화의 서곡인 셈이다.

그렇다면 이러한 시장기반설이 GATT 제Ⅲ조 이외의 조항 하에서의 '같은 (like) 상품' 판정에도 적용될 수 있는가? 이는 매우 어려운 질문이 아닐 수 없다. 특히 WTO협정에서 '같은(like) 상품' 판정을 요구하는 조항이 무려 50여 개에 이름[37]을 고려해 볼 때 더욱 그러하다. 시장기반설에 따르면, 기본적으로 모든 WTO협정상의 '같은(like) 상품' 판정은 시장기반설에 바탕을 두어야 한다고 본다. 결국 WTO협정은 하나의 상업협정(commercial agreement)이므로 시장(market)에서의 기본적인 시각이 WTO협정상의 의무위반 여부를 판정하는 데 기초가 되어야 하기 때문이다. 다만, 각 조항의 목적이 다소 차이가 있으므로 각 목적에 가장 부합하는 '같은(like) 상품' 판정이 이루어져야 함을 강조하고 있다. 따라서 각 조항

---

36) *EC−Measures Affecting Asbestos and Asbestos−containing Products*, Appellate Body Report, *WT/DS135/AB/R(2001), paras. 104−132* 참조.

37) Choi(2003), 서문 및 목차 참조.

마다 판정요소간의 비중이 달라야 한다는 것이다. 즉, '같은 상품' 판정을 위한 요소들(① 물리적 특성, ② 관세분류, ③ 용도, ④ 소비자의 기호와 습관, ⑤ 시장의 유통구조 등을 비롯한 시장의 조건 등)을 각 조항의 목적에 맞게 다른 비중으로 조합하여 '같은(like) 상품' 판정을 내려야 한다는 말이다.[38]

예를 들어 GATT 제 I 조 최혜국대우 의무위반 판정을 위해 '같은(like) 상품' 판정을 내릴 경우는 위 요소들 중 '관세분류'(tariff classification)에 상당한 비중이 주어져야 할 경우가 많을 것이다. 세계 각국은 국제적으로 공인된 품목분류제도인 HS Code에 따라 수입품을 분류한 후 이에 의거하여 수입관세를 부과하는 경우가 일반적이다. 그런데 최혜국대우가 주로 문제되는 사항이 수입관세 부과에서의 차별이므로, HS Code 등에서 분류된 상품분류를 비중 있게 참조하여 '같은 상품' 판정을 내리지 않을 경우, 서로 다르게 분류되어 다른 관세율을 부과받는 두 상품을 '같은 상품'이라 판정할 가능성이 발생하게 된다. 이러한 판정이 내려지면 해당 수입국은 두 제품에 대해 동일한 관세를 부과해야 할 의무가 발생하게 된다. 이는 관세율 분류체계 자체가 최혜국대우의무에 의해 무너지게 될 위험성이 생긴다는 것을 의미한다. 이러한 결과를 방지하기 위해서라도 관세부과 차별문제와 관련한 '같은 상품' 판정은 '관세분류' 요소에 상당한 비중을 두어 이루어져야 할 것임이 지적되고 있다.[39]

반면, GATT 제Ⅲ조의 경우는 관세분류체계 유지 문제와 관계가 없으므로 소비자의 기호나 시장의 조건 요소에 커다란 비중을 두어 같은 상품 판정을 내릴 수 있다고 본다.[40] 또한 공정무역관련 규정인 반덤핑·상계관세 조항 및 세이프가드 조항 등에서는 시장에서 발생하고 있는 국내산업의 피해를 구제하는 것이 동 조항들의 일차적인 목적이므로, '시장의 조건' 요소에 비중을 두되, 같은 상품에 대한 '소비자의 시각'뿐만 아니라 동 조항들이 보호하려는 대상인 '생산자(즉, 국내산업)의 시각'도 반영할 수 있다고 주장되고 있다.[41]

---

38) Choi(2003), 제Ⅲ장 참조.
39) Choi(2003), pp. 100−102.
40) Choi(2003), pp. 118−119 참조.
41) Choi(2003), pp. 136−140, 149−151 참조.

4. '같은(like) 상품' 판정의 미래[42]

'같은(like) 상품' 판정 문제는 국제경제법에서 가장 기본적인 문제인 비차별주의의 범위를 설정하는 문제이다. 즉, WTO협정하에서 정부의 어떠한 행위가 불법화되고 어떠한 행위는 합법적인 것인가를 가리는 기준을 설정하는 이슈이다. 그 기준은 구체적으로 '차별'(discrimination)과 '차등'(differentiation)의 구별 기준인바, 일반적으로 '차별'이란 서로 같은 두 개의 대상을 다르게 대우하는 것이다. 이에 반해 '차등'은 서로 다른 대상을 다르게 대우하는 것이다. WTO협정 체제하에서 금지되는 것은 차별이지 차등이 아니다. 즉, WTO협정은 서로 '같은(like)' 것을 다르게 취급하는 것을 금지할 뿐이기에, 서로 다른 것을 다르게 취급하는 것은 WTO체제하에서 허용되는 행위인 것이다. 즉, 차등은 주권을 지닌 국가의 고유의 권한에 속하는 문제이며 이를 WTO협정이 관여하지는 않는다. 국가가 단순한 차등을 넘어 차별에 해당하는 조치를 취하게 될 때 비로소 WTO협정은 규제의 손길을 뻗치는 것이다. 따라서 비차별주의 원칙을 이해하기 위해서는 차별과 차등을 구분해야 하며, 이는 '무엇이 같은(like) 것'이고 '무엇이 다른 것'인가라는 다소 철학적인 질문에 대한 답변을 항상 수반하게 된다. 이것이 바로 '같은 상품'(like products)의 정의 문제이기에 가장 논란이 많고 가장 어려운 문제가 아닐 수 없다.

최근에는 조치목적설을 좀 더 발전시킨 방식인 'alternative comparators' approach'가 등장하였다. 필자는 이 방식을 '조치기준 평가방식'이라 명명하고자 한다. 이 방식은 문제시되는 조치를 취한 WTO 회원국 자체가 '차등' 조치를 설정한 '근거기준'(comparator)을 먼저 패널에 제시할 것을 요구하자는 것이다. 그런 다음에 패널이 제시된 기준의 '정당성'(legitimacy)을 심사하고, '해당 조치의 구조가 그 기준에 맞게 적절하게 취해졌는지'(whether the architecture of the measures was properly tailored to the comparator) 여부를 평가하게 된다.[43] 물론 기준의 정당성이

---

42) 이 주제에 대해서는 Won−Mog Choi and Freya Baetens, "Like Products," *Max Planck Encyclopedia of Public International Law*(Oxford University Press, 2011)에 종합·정리되어 있음.

43) P.T. Stoll and F. Schorkopf, *WTO: World Economic Order, World Trade Law*(Nijhoff Leiden 2006). p. 17; H. Horn and J.H.H. Weiler, "European Communities−Measures Affecting Asbestos and Asbestos−Containing Products," 3 *World Trade Review*, pp. 129−51(2006).

인정되는 경우라 할지라도 그러한 기준에 입각해서 볼 때에도 해당 조치가 부당한 차별적 효과(effect)를 발생시키는지 여부는 객관적으로 평가하게 된다.

　이러한 방식은 어차피 제시된 근거기준의 정당성 여부는 패널에 의해 결정되게 되어 있고 그 정당성 여부가 전체적인 판정에 결정적 영향을 미친다는 점에서는 조치목적설과 차이가 없다. 다만, 해당 조치를 취한 국가가 적극적으로 근거기준을 먼저 패널에 제시하도록 한다는 점에서 전통적인 조치목적설의 방식과는 미묘한 차이를 보이고 있다. 수많은 국내외 사회문제에 직면하고 있는 현대의 정부가 자국의 정책이 정당한 목적을 지닌 조치임을 좀 더 적극적으로 항변할 수 있는 여지를 부여하려는 접근방식이라고 평가할 수 있다.

　또한, 최근에는 단순한 제품제조공정(PPMs)의 차이가 '같은'(like) 상품 판정에 영향을 줄 수 있는지가 문제시되고 있다. 즉, 모든 객관적 특성에서 같은 상품일지라도 제조공정이 상이하다면 두 비교대상 상품을 같은 상품이 아니라고 판정할 수 있는지가 논란의 핵심인 것이다. 이 점에 대해 전술한 미국-참치(Tuna) 사건 패널에서는 "제품 자체의 특성에 영향을 남기지 않는 제조공정의 차이는 같은 상품 판정에 고려요소가 아님"을 판시하고 있다.[44] 만일 이러한 제조공정의 차이를 고려하여 같은 상품 판정을 내린다면, 인권, 환경, 노동 등 다양한 분야의 각종 요소들을 모두 고려하여 내국민대우 위반판정을 내려야 하는 사태가 발생(예를 들어, 아동 노동을 통해 생산된 신발과 그렇지 않은 신발이 같은 상품이 아니므로 이에 대해 차별과세를 하는 것이 정당화될 수 있다는 주장)할 수 있음을 우려한 것이다. 즉 전통적인 판례에 의하면, 단순한 제조공정의 차이는 같은 상품 판정의 고려요소가 아니고, GATT 제 XX 조의 일반적 예외사유에서 고려할 수 있다는 것이다.

　이에 대해, 최근 반대의견이 조심스럽게 제시되고 있다. 예를 들어, 국제인권규약상의 기준이나 멸종동식물 보호를 위한 국제협정에 위반한 조치를 통해 생산된 상품관련 조치의 내국민대우 위반여부 판정에 있어 이러한 국제기준을 고려하는 것은 WTO 분쟁해결양해 제3.2조와도 합치하는 것임이 지적되고 있다. 또한, 제조공정의 차이에 따른 같은 상품 판정은 객관적이고 중립적인 기준이 될 수 있음도 지적되고 있다.[45]

---

44) "Distinctions that go to production methods and are not reflected in the product itself are not relevant for the determination of likeness," *US-Tuna*, Panel Report, para. 5.15.

이상에서 살펴본 바와 같이 같은(like) 상품 판정의 문제는 각 시대에 따라 고려요소의 초점이 바뀌어 오고 있으며, 시대적 문제를 해결하기 위해 다양한 관점의 시도가 끊임없이 행해지고 있는 분야임을 주의해야 한다.46) 때로는 카멜레온처럼 그 색깔을 변화시키기도 하고, 아코디언처럼 그 연주음역의 폭을 조절하기도 한다. 따라서 어느 하나의 이론에 전적으로 의존하거나 집착하기보다는 지금까지 주장되어 온 세 가지 이론인 상품성질설, 조치목적설 및 시장기반설의 주장내용과 그 배경을 명확히 이해하고 이를 비판적으로 소화한 후, 변화하고 있는 시대적 상황을 반영하여 균형된 시각으로 '차별'과 '차등'에 대한 이해와 판정을 내려야 할 것이다.

---

45) R. Howse and D. H. Regan, "The Product/Process Distinction—An Illusory Basis for Disciplining 'Unilateralism' in Trade Policy," 11 *EJIL* pp. 249–89(2000); O. K. Fauchald, "Flexibility and Predictability under the World Trade Organization's Non—discrimination Clauses," 37 *Journal of World Trade*, pp. 443–82(2003).

46) 교역에 대한 기술장벽에 관한 협정(TBT)상의 비차별대우 의무 조항의 해석관련, WTO 패널이 조치목적설을 부활시키려는 시도를 한 바가 있으나, 상소기구는 TBT협정 차원에서도 시장기반설과 상품성질설에 입각한 같은(like) 상품 판정 원칙이 지켜져야 함을 판시했다. 다만, TBT협정 차원의 "덜 유리한 대우(less favourable treatment)" 여부를 판정할 때 해당 조치를 취한 정당한 목적 여부를 고려할 수 있도록 하여, 조치의 목적에 대한 고려는 어쨌든 비차별대우 의무 조항 자체 내에서 이루어지도록 판시한 점은 주목을 요한다. US—Clove Cigarettes 패널 및 상소기구 보고서(WT/DS406) 참고.

제7장
수량제한금지원칙

    GATT 제XI조는 수입과 수출에 대한 수량제한조치를 제거하도록 규정하고 있다. 1948년에 GATT가 발효되었을 때, 수량할당(quota)의 사용이 빈번하였다. 이후 50년간에 걸쳐 GATT 제XI조의 규정에도 불구하고 주요한 경제분야에서 수량할당(quota)의 사용이 감소되지 않았다. 어떤 경우에는 수입쿼터와 수출쿼터가 수출국과 수입국간의 협정에 의하여 인정되었는데, 가장 유명한 협정이 1974년부터 1994년까지 지속되었던 다자간 섬유협정(Multifiber Arrangement on Textiles and Clothing: MFA)이다. 다른 경우로는 수출쿼터가 수출자율규제(Voluntary Export Restraints: VERs) 협정을 통하여 설정되었다. 이러한 수출자율규제협정으로는 미국에 대한 일본산 자동차 수출을 제한하는 미국과 일본간의 1981년 협정이 있으며, 1970년대와 1980년대에 철강제품에 대한 수출자율규제협정이 여러 개 체결되었다.

제1절 GATT 제XI조(수량제한의 일반적 폐지)

    GATT 제XI조 1항은 수량제한의 일반적 폐지에 대하여 다음과 같이 규정하였다: "회원국은 다른 회원국영역상품의 수입, 다른 회원국영역에 대한 상품의 수출 또는 수출을 위한 판매와 관련하여 쿼터나 수입허가 또는 기타조치에 의거하거나를 불문하고 관세, 조세 또는 기타 과징금을 제외한 금지 또는 제한을 설정하거나 유지하여서는 아니 된다." 수량제한에 대한 금지는 광범위한데, 첫째, 수입쿼터와 수출쿼터의 설정이 금지된다. 둘째, 쿼터를 부과하게 되는 정부의 조치가 금지된다.

    GATT 제XI조 1항에 위반되는 수량제한조치의 실례로서 GATT의 패널에 의하면 다음의 조치들이 포함된다. 첫째, 1978년 EEC의 가공청과류에 대한 최저수입가에 관한 분쟁사건에서, GATT의 패널은 제XI조 1항에 규정된 수량제한에 대한 금지는 최저수입가제도에 적용된다고 평결하였다.[1] 둘째, 1988년 일본의 농산품수입제한에 관한 사건에서 GATT의 패널은 제XI조 1항의 금지는 수입독점이나 국영무역상 가해지는 수입제한에도 적용된다고 평결하였다.[2] 셋째, 1999년 인도의 수량제한조치에 관한 사건에서 WTO의 패널은 자동적이 아닌 수입면허제도는 제XI조 1항에 의해 금지되는 수입제한이라고 평결하였다.[3]

GATT의 다른 규정과는 달리 GATT 제XI조는 법이나 규칙을 언급하는 것이 아니라 좀더 광범위하게 조치에 대하여 언급하고 있다. 그래서 회원국이 제정하는 수입이나 수출을 제한하는 조치는 그러한 조치의 법적 지위에 관계없이 GATT 제XI조의 적용범위에 해당된다.[4]

일본의 반도체무역에 관한 사건에서 GATT 패널[5]은 낮은 가격으로 반도체

---

1) GATT Panel Report, *EEC—Minimum Import Prices*, para. 4.14.(1978). EEC의 가공청과류에 대한 최저수입가, 허가 및 보증금제도에 대한 사건은 EEC의 토마토 농축물등 청과류에 대한 최저수입가 및 수입증명서의 요구가 최혜국대우에 관한 GATT 제I조, 관세양허에 관한 제II조, 수출입관련 비용과 절차에 관한 제VII조 및 수량제한의 일반적 금지에 관한 제XI조에 위반한다고 미국이 GATT에 제소한 사건이다. 동 사건의 내용에 대하여 박노형, 「GATT의 분쟁해결사례연구」(박영사, 1995), EEC의 가공청과류에 대한 최저수입가, 허가 및 보증금제도 사건, pp. 257−275 참조.

2) GATT Panel Report, *Japan—Restrictions on Imports of Certain Agricultural Products*, para. 5.2.2.2.(1988). 이 사건은 일본의 12개 농산품그룹에 대한 수입제한조치가 수량제한의 일반적 금지에 관한 GATT 제XI조1항에 위반하고 농산품에 관한 수량제한금지의 예외에 관한 제XI조 2항(c)(i)에 위배된다고 미국이 GATT에 제소한 사건이다. 동 사건의 내용에 대하여 박노형, 상게서, pp. 547−577 참조.

3) WTO Panel Report, *India—Quantitative Restrictions*, para. 5.130.(1999). GATT 제XII조 및 제XVIII조 규정에 의하면 각국은 국제수지보호를 위하여 일정한 조건하에 수입제한조치를 취할 수 있다. 이러한 조치를 취한 국가는 이를 국제수지위원회에 통보하고 협의해야 한다. 인도는 이 규정에 따라 2,714개의 품목에 대해 수입제한조치를 취하고 있었으며 1997년 5월 이를 국제수지위원회에 통보하고 동 조치 철폐시한에 대해 관련국가와 협의를 진행하였다. 인도는 동 조치의 기한으로 7년을 제시하였으나 국제수지위원회에서 합의에 이르지는 못하였다. 이에 미국을 비롯한 일부 국가는 인도에게 양자협의를 요청하여 수입제한조치의 폐지시한에 대해 협의하였으며 미국을 제외하고 합의에 이르렀다. 미국은 인도와의 양자협의가 무산되자 인도의 수입제한조치는 GATT 제XI조 1항, 제XVIII조 11항 등에 위반된다며 WTO에 제소한 사건이다. 동 사건의 상세한 내용에 대하여 김승호, 「WTO통상분쟁판례해설(1)」(법영사, 2007), pp. 135−145 참조.

4) Peter Van den Bossche, *The Law and Policy of the World Trade Organization* (Cambridge University Press, 2006), pp. 444−447.

5) GATT Panel Report, *Japan—Trade in Semi—Conductors*, BISD, 35th Supp. 116,153−55,

수출을 제한하는 일본정부의 비강제적(non-mandatory) 조치가 GATT 제XI조 1항의 제한조치에 해당한다고 평결하였다. 즉, 일본의 반도체생산업체에 대한 일본정부의 행정적지도(administrative guidance)가 법적으로 구속력이 없기 때문에 제XI조 1항의 금지사항에 해당되지 않는다는 일본의 주장을 배척하였다. 이 패널에서 제XI조 1항이 단지 법이나 규칙을 언급하지는 않지만 회원국이 수입이나 수출을 금지하거나 제한하는 모든 조치를 광범위하게 언급하고 있다고 지적하였다. 그래서 수출을 효과적으로 제한하는 WTO회원국에 의한 조치는 법적으로 구속력이 있는가와는 관계없이 금지된다.

무역을 실질적으로 방해하지 않는 수량제한조치라 하더라도 GATT 제XI조 1항에 따라 금지되고 있다. 1990년 EEC의 유지종자사건에서 GATT 패널은 이 점에 대하여 다음과 같이 평결하였다. "GATT 총회는 제한적인 무역조치에 관한 GATT의 기본규정을 경쟁조건을 확립하는 규정으로서 일관되게 해석하였다. 그래서 수입쿼터는 외국으로 부터의 수입을 실질적으로 방해하던 방해하지 않던 간에 GATT 제XI조 1항의 의미에 의하면 수입제한(import restriction)에 해당된다고 결정하였다."[6]

반면에 1978년 EEC의 가공청과류의 최저수입가에 대한 분쟁사건에서 GATT 패널에 따르면, 자동적 수입허가는 GATT 제XI조 1항의 범위에 해당하는 제한조치가 아니라고 평결하였다.[7]

또한 GATT 1994의 제XI조 1항에 따르면, 사실상의(de facto) 제한조치도 금지된다. 2001년 아르헨티나의 피혁사건에 관한 WTO 패널에서, 아르헨티나가 수출용 소가죽의 수출통관절차에 국내피혁업계 대표의 입회를 승인함으로서 GATT 제XI조 1항을 위반하였는가의 여부가 논란이 되었다. WTO의 패널에서 EC(European Communities)의 제소에 의하면, 아르헨티나가 GATT 제XI조 1항에 위배되는 방식으로 소가죽 수출에 대한 사실상의 제한을 부과하였다는 것이다. WTO 패널의 입장에서는 제XI조 1항의 규정이 사실상의(de facto) 제한조치에도 적용된다는 점에 의심이 있을 수 없다고 판단하였다.[8] 그러나 패널은 수출통관절차에 국내피혁

---

paras. 104-09 (1988).

6) GATT Panel Report, *EEC-Oilseeds I*, para. 150. 동 사건의 내용에 대하여 박노형, 전게서, EEC의 유지종자/관련 동물사육용 단백질의 가공업자들과 생산업자들에게 지급되는 보조금 사건, pp. 706-730 참조.

7) GATT Panel Report, *EEC-Minimum Import Prices*, para. 4.1 (1978).

업계의 대표를 입회시키라고 규정한 아르헨티나의 법규에 대하여, 이러한 법규가
GATT 제XI조 1항과 일치하지 않는 수출제한으로서 실제로 작용하였다는 충분한
증거가 없다고 평결하였다.[9]

《사례연습》 Argentina-Bovine Hide

○ 사실관계

이 사건은 아르헨티나 소 원피 수출 통관절차와 수입 원피에 부과되는 조세
의 2가지가 쟁점이 된 사건이다. 아르헨티나는 세계적인 소 원피 공급국이며 가
죽 생산국이기도 하다. 1970년대 아르헨티나는 국내 피혁산업에 원피를 안정적으
로 공급하기 위해 원피 수출을 제한한 적도 있었다. 그만큼 아르헨티나의 원피
수출은 국내 피혁산업과 밀접한 관계에 있다. 1993년 아르헨티나는 원피 수출 통
관과정에 아르헨티나 피혁상공회의소(CICA) 직원이 입회하도록 승인하였고 1996
년 6월 Resolution(규정) 2235호에 의거, 피혁 및 유관상품 생산제작업협회(ADICMA)
대표의 수출 통관과정의 입회를 법제화하였다. CICA는 ADICMA의 소속회원이다.
원피 수출통관시 ADICMA 직원은 수출 신고된 내용과 실제 통관되는 상품과의
일치 여부를 확인한다. 검사는 세관직원이 실시하며 신고된 내용과의 상이점이
발견되는 경우 수출절차는 중단된다. ADICMA 직원이 세관직원의 판정에 대해
동의하지 않을 경우 이의를 제기할 수 있다. EC(European Communities)는 아르헨티
나의 국내피혁업계 대표를 수출통관절차에 입회하게 하는 것은 일종의 수출제한
에 해당한다고 주장하고 이는 GATT 제XI조 1항에 위반된다고 주장하며 아르헨
티나를 제소하였다. 아울러 국내법규를 일관되고 합리적으로 운영하라는 GATT
제X조 3항(a)에도 위반된다고 주장하였다.

이 사건에서 EC가 아르헨티나를 제소한 또 다른 이슈는 수입 상품에 대한
세금이다. 아르헨티나는 탈세 방지를 위해 조세 선납제도를 운영하고 있었는데
그 적용 방식이 국내상품과 외국상품에 대해 다소간의 차별이 있었다. 아르헨티
나는 국내상품과 외국상품에 일종의 부가가치세(IVA)를 적용하였고 모든 수입(收

---

8) WTO Panel Report, *Argentina- Hides and Leather*, para. 11.17 (2001). 동 사건의 상세한
  내용에 대하여 김승호, 전게서, pp. 183−191 참조.

9) WTO Panel Report, *Argentina- Hides and Leather*, para. 11.55.

人)에 대해 소득세(IG)를 부과하였다. 피혁 및 관련 제품의 IVA는 10.5%였는데 수입 상품에 대해서는 일정액을 사전에 납부토록 하고 국내 판매가 이루어진 후 정산을 하여 주었다. 그런데 아르헨티나의 규정 3431호에 의거, 운영되는 이 선납률이 거래형태, 거래자 분류(등록 납세자 여부 등) 등에 따라 다소 차이가 있었으며 대체로 수입 상품에 대해 다소 불리하였다. 소득세의 경우 아르헨티나의 규정 3543호는 수입 상품에 대해 일정 비율(3%)을 선납토록 하였는바 국내상품에 적용되는 것(2~4%)과 다소의 차이가 있었다. EC는 아르헨티나의 규정 3431호와 규정 3543호가 조세상의 내국민대우를 정한 GATT 제Ⅲ조 2항에 위반된다고 주장하였다.

EC는 상기의 이유로 WTO의 분쟁해결기구(DSB)에 1999년 5월 패널 설치를 요청하였으며 2001년 2월 패널보고서가 채택되었다.

○ 주요 쟁점 및 판결요지

- 수출제한 해당 여부(GATT 제XI조 1항)

EC는 원피 수출 통관과정에 국내 피혁업계 직원을 입회토록 한 아르헨티나의 Resolution(규정) 2235호는 수출제한으로서 GATT 제XI조 1항에 위반된다고 주장하였다. 아르헨티나 정부가 원피 수출을 명시적으로 제한하지는 않았으나 부당한 수출 제한으로 귀결될 수밖에 없는 제도를 의도적으로 시행하였다는 것이다. EC는 아르헨티나 피혁업계는 통관과정 입회를 통해 파악된 원피 수출업체에게 그 회사 원피는 구매하지 않겠다고 위협하는 방식으로 원피수출을 방해할 수 있으며 세관 직원에게 원피수출을 지연 또는 방해하도록 압력을 행사할 수 있다고 주장하였다.

WTO 패널의 입장에서는 제XI조 1항의 규정이 사실상의(de facto) 제한조치에도 적용된다는 점에 의심이 있을 수 없다고 판단하였다. 그러나 패널은 EC의 주장은 정황 증거(circumstantial evidence)에 불과하며 제소자가 정황 증거를 제시할 때에는 자신의 논리를 분명하고 설득력있게 입증해야 할 것이나 EC가 제시한 증거는 이러한 수준에 미치지 못한다고 보았다. 패널은 세관직원이 피혁업계 직원의 압력에 굴복할 것이라고 간주할 근거는 없으며 실제로 굴복하였다는 증거도 없다고 지적하였고 선적지연이 피혁업계 직원을 입회하게 한 통관절차 때문이라는 증거도 없다고 파악하였다. 패널은 피혁업계 직원의 통관절차 입회가 수출제한에 해당한다는 것을 입증하지 못했다고 결론지었다.

EC는 아르헨티나 피혁업계(tanners)는 카르텔을 구성하고 있고 통관과정에서 입수한 정보를 도축업자에게 원피를 수출하지 말도록 압력을 행사하는 데 사용한다고 주장하였다. 그 증거로 국제 원피가격이 아르헨티나보다 고가(高價)임에도 불구하고 아르헨티나산 원피의 수출이 비정상적으로 낮은 점을 지적하였다. 패널은 역시 EC가 수출제한의 존재를 입증하지 못했다고 보았다. 피혁업계의 카르텔과 수출제한과의 직접적인 관계를 EC가 입증하지 못하였으며 아르헨티나 원피수출이 저조한 점과 통관 절차상의 피혁업계 입회 간에 인과관계가 있음을 EC가 입증하지 못하였다고 지적하였다.

- 법규의 비합리적 운영 여부(GATT 제X조 3항(a))

EC는 원피수출 통관과정에 국내 피혁업계 직원을 입회토록 한 아르헨티나의 규정 2235호는 국내규정을 일관되고 공평하며 합리적인 방식으로 시행하라는 GATT 제X조 3항(a)에 위배된다고 주장하였다. 수많은 수출품 중 유독 피혁에 대해서만 업계 대표를 입회하게 하였으므로 규정을 일률적으로 시행한 것이 아니며 이해관계가 직결되는 업계 대표를 입회하게 하는 것은 통관규정을 공평하게 적용할 수 없게 하는 것이고 피혁업계에서 피혁 수출업체의 각종 수출 관련 정보를 입수할 수 있으므로 이는 합리적이지도 않다는 것이다(관련조문 GATT 제X조 3항(a): 각 체약국은 본 조 제1항에 열거한 종류의 자국의 모든 법률, 규칙, 판결 및 결정을 일률적이고 공평하고 합리적인 방법으로 실시하여야 한다).

패널은 일률성에 대해서는 EC의 주장을 기각하였다. 비록 피혁의 통관 절차가 다른 수출 상품과는 다소 상이하다 하더라도 모든 피혁제품의 수출에는 동일한 통관절차가 일관되게 적용되고 있는 것은 분명하므로 EC의 주장은 근거가 없다고 기각하였다. 패널은 일률적이라는 의미는 시간과 장소에 불문하고 동일한 규정이 동일하게 적용되며 일관성있고 예측가능하게 운영된다는 것이지 모든 상품에 대한 차별대우를 방지하는 것이라고 광범위하게 해석될 수는 없다고 설명하였다. 즉 모든 상품을 동일하게 취급해야 한다는 의미가 아니라는 것이다.

공정성에 대해 패널은 EC의 주장을 수용하였다. 패널은 ADICMA 직원의 입회 사실 자체가 문제가 되는 것이 아니라 입회과정에서 원피 수출업체의 기업 비밀에 접근할 수 있는 점이 문제라고 보았다. 패널은 아르헨티나 피혁업계는 원피 수출액이 많을수록 자신들의 구매 분량과 구매가가 영향을 받으므로 원피 수출자와 이해가 상충되고 수출 원피를 구매하는 해외업자와는 경쟁관계에 있는 점, 원피업자의 수출거래에 피혁업계가 간섭할 아무런 근거도 없는 점, 입회한 ADICMA 직원이 원피업체의 기업비밀에 접근하지 못하게 하는 어떠한 안전장치도 없는 점을 지적하고 이해관계가 상충되는 피혁업계에게 기업비밀을 노출시키는 것은 법률이나 규정을 공정하게 시행하는 것이라고 볼 수 없다고 결론지었다.

합리성에 대해서도 패널은 EC의 주장을 수용하였다. 패널은 규정 2235호는 피혁업계 직원의 통관과정 입회의 목적을 원피의 관세번호 분류상의 실수 방지 및 수출세 납부확인 등을 위해서라고 규정하고 있으나, 피혁업계 직원이 그러한 실수방지 및 수출세 납부확인을 위해 왜 반드시 원피수출자의 기업비밀, 즉 수출자명, 판매가, 수량, 구매자 등을 알아야 하는지 납득할 수 없다고 지적하였다. 패널은 본질적으로 기업 비밀정보를 노출시킬 가능성이 있는 과정은 법률, 규정 등을 합리적으로 운영하는 것이라고 볼 수 없다고 결론짓고 EC의 주장을 수용하였다.

이상을 토대로 패널은 아르헨티나의 규정 2235호는 GATT 제X조 3항(a)에 위배된다고 평결하였다. 또한 아르헨티나의 규정 3431(IVA)과 규정 3543(IG)도 수입상품에 대해 국내상품의 조세부담을 초과하는 부담을 지우므로 GATT 제Ⅲ조 2항에 위배된다고 평결하였다(GATT 제Ⅲ조 2항에 위배되는 사항에 대한 평결내용은 생략하였음).

제 2 절   GATT 제XI조 1항에 대한 예외

GATT 제XI조 1항에서 규정하고 있는 수량제한의 금지원칙에 대하여 중요한 예외가 있다. 첫째, 농산품에 대하여 정부의 시장안정프로그램으로 부과되는 쿼터가 예외가 되며, 둘째, GATT 제XII조에 따라 국제수지악화를 시정하기 위하여 부과되는 쿼터가 있으며, 셋째, GATT 제XIX조의 긴급수입제한조치로써 부과되는 쿼터가 이러한 예외에 해당한다. 넷째, 수출자율규제협정도 이러한 예외에 해당한다.

1. 농산품에 대한 예외

GATT 제XI조 2항은 3가지 예외를 규정하고 있는데, 농산품과 수산품에 대하여 국내시장을 안정시키기 위한 정부의 조치를 집행하는데 필요한 한도 내에서 이러한 상품들에 대한 수량제한을 허용한다. 제XI조 2항(a)는 식료품의 위급한 부족 또는 수출회원국에 불가결한 상품의 위급한 부족을 방지하거나 완화하기 위하여 일시적으로 적용한 수출금지 또는 제한을 허용한다. 제XI조 2항(b)는 국제무역에 있어서 상품의 분류, 등급 또는 판매에 관한 기준 또는 규칙의 적용상 필요한 수입 및 수출의 금지 또는 제한을 허용한다.

GATT 제XI조 2항(c)는 다음의 3가지 경우에 정부조치의 실시에 필요한 농산품 또는 수산품에 대한 수입제한을 허용한다: 즉, (1) 동종의 국내상품 혹은 직접 대체될 수 있는 국내상품의 수량을 제한하기 위한 목적, (2) 무상 또는 당시의 시장가격보다 낮은 가격으로 국내소비자들에 제공함으로써 동종국내상품 또는 직접 대체될 수 있는 국내상품의 일시적인 과잉상태를 제거하기 위한 목적, (3) 수입상품에 직접적으로 의존하는 동물성상품에 있어서 당해상품의 국내생산이 비교적 근소한 경우에 당해상품의 수량을 제한하기 위한 목적으로 수입제한을 허용한다.

2. 국제수지의 보호를 위한 예외

GATT 제XII조는 국제수지의 보호를 위하여 수입쿼터를 부과하는 것을 허용한다. GATT 제XVIII조의 B는 개발도상국에 대하여 적용할 수 있는 유사한 규정이다. 이 2개의 조문은 특정한 조건하에서 회원국의 국제수지를 보호하기 위하여 수량제한을 사용하도록 허용한다. 제XII조는 WTO회원국들에게 일반적으로 적용되는데, 제XII조에 의하면 한 회원국은 자국의 통화수준의 현저한 감소를 저지하거나 급박한 감소 위협을 예방하기 위하여 혹은 통화준비가 극히 낮은 회원국의 경우 그러한 통화준비의 합리적인 증가를 달성하기 위하여 수량 또는 가액을 제한할 수 있다. 제XVIII조 B는 개발도상국인 회원국에 대한 특별규정인데, 경제개발계획의 실시를 위한 충분한 수준의 통화준비를 확보하기 위하여 수입되는 상품의 수량 또는 가격을 제한함으로써 전반적인 수입(import) 수준을 제한하는 것

을 허용한다.[10]

상기의 2개의 조문에서 허용되는 유일한 국경조치는 수량제한이지만, 쿼터대신에 가격에 근거한 조치를 사용하는 관행이 발전되었다. "국제수지를 목적으로 취해진 무역조치에 관한 1979년 선언[11]"(GATT 1994의 국제수지 규정에 대한 양해에 의해 수정됨)은 한 국가의 국제수지를 보호하기 위하여 취해지는 쿼터보다는 수입에 대한 부가세와 수입예치에 관한 규정 같은 가격에 근거한 조치의 사용을 공식적으로 승인하였다. 1994년 양해(1994 Understanding on the Balance−of−Payments Provisions of the GATT 1994)에 의하면 그러한 조치가 수량제한보다 무역흐름에 해를 덜 끼친다면, GATT 제II조의 관세양허의 약속에서 제외된다.[12] 게다가 1994년 양해의 제 4 항에 의하면 국제수지목적으로 취해진 제한적 수입조치는 단지 수입(import)의 일반적 수준을 통제하기 위하여 적용될 수 있으며, 국제수지상황을 다루는데 필요한 한도를 초과할 수 없다.

GATT 제XII조를 적용하는 회원국은 수량제한을 부과한 후 이러한 제한조치를 제거할 계획표를 공표해야 하며, 이러한 제한조치를 검토하는 국제수지제한위원회와 협의해야 한다. 회원국이 국제수지목적으로 취해진 제한적 수입조치를 제거할 계획표의 제출을 거부하게 되면, 이러한 거부에 대한 정당성을 공표하여여한다.

3. 긴급수입제한조치에 의한 예외

GATT 제XI조 1항의 수량제한의 금지에 대한 3번째 예외로는 GATT 제XIX조가 있는데, GATT 제XIX조는 WTO설립협정의 부속협정인 "긴급수입제한조치에 관한 협정"에 의해 개정되었다. 특정상품의 수입에 대한 긴급조치인 GATT 제XIX조는 회원국이 GATT−WTO의 의무에서 면제되는 것을 허용하고 있으며, 수입경쟁에 의하여 중대한 손해를 입거나 중대한 손해를 입을 위험에서 국내산업을 보존하기 위하여 긴급수입제한조치 특히 수량제한조치를 사용하는 것을 허용한다.

---

10) GATT Article XVIII:B, para. 9.
11) BISD, 26thSupp. 205(1979).
12) GATT Article XII:3ⓒ; Article XVIII:10; 1979 Tokyo Round Declaration, para. 1(a); Understanding on the Balance of Payments Provisions of the General Agreement on Tariffs and Trade 1994, para. 2.

긴급수입제한조치를 부과할 조건이 충족되면, 회원국은 GATT상의 의무를 일시적으로 통상 4년을 초과하지 않는 한도 내에서, 전체적으로 혹은 부분적으로 중지할 수 있으며, 또는 관세양허를 철회하거나 수정할 수 있다.[13] 이러한 일시적인 구제조치는 국내산업에게 수입경쟁으로부터 구조조정을 할 수 있는 기간을 주기 위하여 고안된 것이다. 긴급수입제한조치를 적용하는 회원국은 수입된 상품들의 수입원(sources of the imported products)간에 차별하지 않아야 한다.

4. 수출자율규제협정(Voluntary Export Restraints Agreements)

GATT 제XI조 1항의 수량제한 금지에 대한 4번째 예외로는 수출자율규제협정이 있다. 수출자율규제협정에 의하면 상품을 수출하는 국가는 수입국에 대한 자국의 수출물량을 자율적으로 제한하는데 합의한다. 수출자율규제라는 용어가 나타내는 바와 같이 수출자율규제는 수출국가가 자발적으로 자국의 수출물량을 제한하는 것인데, 실제에 있어서는 그러하지 아니하며 수입국가의 압력으로 이루어지는 것이다. 이러한 회색지대조치(grey-area measures)의 확산[14]은 국제무역을 규율하는 법적기구로서의 GATT에 대한 중대한 위협이 되었다. GATT 1947 체제에서는 수출자율규제의 합법성 문제가 많이 제기되었다. 그러나 WTO협정의 발효이후에 이러한 문제는 완전히 해결되었다.

WTO설립협정의 부속협정인 긴급수입제한조치에 관한 협정은 명백하게 수출자율규제협정을 금지하고 있다. 긴급수입제한조치에 관한 협정 제XI조 1항(b)에 의하면, "회원국은 어떠한 수출자율규제, 시장질서유지협정 또는 수출 혹은 수입 측면에서의 그 밖의 유사한 조치도 모색하거나, 취하거나 또는 유지하지 아니한다"고 규정하였다. 이 조문의 각주에서는 유사한 조치의 예시로서 수출조절, 수출가격 또는 수입가격 감시체제, 수출감시 또는 수입감시, 강제적인 수입카르텔 및 임의적인 수출 또는 수입허가제도로서 보호를 제공하는 조치가 포함된다고 규정하였다. 게다가 긴급수입제한조치에 관한 협정 제XI조 1항(b)의 후단에서는 WTO

---

13) Agreement on Safeguards Art. 7.1.
14) 우루과이라운드가 개최될 당시에 96개의 수출자율규제협정이 발효되고 있었는데, 이러한 협정들이 다루는 분야는 철강, 기계, 운송장비, 전자제품, 신발제품, 섬유, 농산품, 자동차에 관한 것이었다.

협정의 발효일에 유효한 이러한 모든 조치는 이 협정에 합치되도록 하거나 제XI
조 2항의 규정에 따라 단계적으로 폐지된다고 규정하였다. 제XI조 2항에 의하면
모든 수출자율규제는 1999년 말 이전에 단계적으로 폐지되거나 긴급수입제한조
치에 관한 협정과 일치되게 규정하고 있다.[15]

---

15) Peter Van den Bossche, *supra* note 4, pp. 449−450.

제8장
일반적 예외

제1절 일반적 예외의 의의

식품안전, 공중보건, 소비자안전, 환경, 고용, 경제발전, 국가안보 등은 주권
국가의 정부당국이 추구하는 핵심 임무이다. 자유무역과 투자자유화에 따른 양질
의 저렴한 제품과 서비스는 이러한 공익적[사회적] 가치와 이익을 보호하고 증진
시키는데 기여한다. 친환경적 제품이나 생명을 살리는 의약품이 무역을 통해서
소비자와 환자들에게 이용가능하게 된다. 일반적으로 무역을 통해 창출된 경제적
활동과 복지는 정부가 상기와 같은 공익적 가치와 이익을 효과적으로 증진하고
보호할 수 있도록 해 준다.

그러나 정부당국은 상기와 같은 공익적 가치와 이익을 증진하고 보호하기 위
해 GATT 및 WTO 협정에 '부합되지 아니하는' 입법 및 조치를, 정치적 또는 경제
적 이유로, 의도적으로 또는 우연히, 채택함으로써 자유무역과 시장접근 및 비차
별규칙에 저촉되는 결과를 초래하기도 한다. GATT 및 WTO 협정은 이러한 상황
을 인정하여 자유무역과 시장접근 및 비차별규칙이 기타 공익적 가치와 이익과
조화할 수 있는 일련의 규칙을 규정함으로써, 결과적으로 GATT 및 WTO 협정 상
의 법원칙에 대한 일정한 예외를 허용하고 있다.[1] GATT 및 WTO 협정상의 기본
법원칙으로부터 이탈을 허용하는 이러한 예외규정들에는 일반예외,[2] 안보예외,[3]
국제수지방어 예외,[4] 지역무역협정 예외,[5] 의무면제(waiver),[6] 개도국에 대한 일

---

1) P.V. den Bossche and W. Zdouc, *The Law and Policy of the World Trade Organization*,
   3rd. ed. (Cambridge University Press, 2013), pp. 543－544 참조.
2) '1994년 GATT' 제XX조; 서비스무역일반협정(GATS) 제XIV조.
3) '1994년 GATT' 제XXI조; GATS 제XIV조 2.

반특혜관세(GSP)의 부여 등이 있다. 이러한 예외규정들은 적용범위와 성질에 있어 차이가 있으나, GATT 및 WTO 협정에 의해 부과된 실체적 규율에 비합치되는 경우라 하더라도 국가적으로 중요한 공익적 가치와 이익을 증진하거나 보호하는 입법 및 조치를 채택하고 유지하는 것을, 특정 요건 하에서, 허용한다는 점에서 공통점을 가지고 있다.

　　GATT 및 WTO 협정상의 이러한 광범위한 예외조항(exception clauses)은 합의된 국제무역규범의 일관된 적용을 어렵게 할 수도 있다. 그러나 현실의 국제사회에서 법원칙만을 너무 엄격하게 요구한다면 국가의 존립을 위하여 부득이 탈퇴하여야만 하는 극단적 상황까지도 예상할 수 있다. 국제경제관계는 내용상 국가이익에 극히 민감한 것이 적지 않으며, 또한 경제상황은 통상 유동적이어서 정확한 예측이 불가능한데도 불구하고 무리하게 엄격한 준수만을 고집한다면 그러한 협정 또는 체제는 존속할 수 없을 것이다. GATT 및 WTO협정상의 적지 않은 예외조항들은 이러한 배경 하에 규정된 것이다. 법원칙의 적용 및 준수의무로부터 면제해 주는 이러한 예외조항은 국제협정에의 참여를 유도하는 이점이 있으나, 다만 예외의 허용기준에 대한 구체적 합의가 없는 경우에는 오히려 국제분쟁을 유발시킬 위험이 있다.[7] 본 장에서는 '1994년 GATT'상의 일반적 예외조항을 중심으로 소개하도록 한다.[8]

제 2 절   1994년 GATT상의 일반적 예외

1. 1994년 GATT 제XX조

(1) 법적 성질과 기능

'1994년 GATT' 제XX조상의 일반적 예외(general exceptions)에 의해 허용되는

---

4) '1994년 GATT' 제XII조, 제XIV조 ; '1994년 GATT 국제수지규정에 관한 양해'.
5) '1994년 GATT' 제XXIV조 제 7 항 ; '1994년 GATT 제XXIV조에 관한 양해'.
6) '1994년 GATT' 제XXV조 제 5 항 ; '1994년 GATT 의무면제에 관한 양해'.
7) 최승환, 「국제경제법」, 제4판(법영사, 2014), p. 188.
8) 이와 유사한 GATS상의 일반적 예외조항(제XIV조)에 대해서는 최승환, 상게서, pp. 445-449 참조.

조치로는 (a) 공중도덕(public morals)을 보호하기 위해 필요한 조치, (b) 인간이나 동·식물의 생명 또는 건강을 보호하기 위해 필요한 조치, (c) 금·은의 수출입에 관한 조치, (d) GATT에 반하지 아니하는 법률 또는 규정(관세의 실시, '1994년 GATT' 제II조 4항 및 제XVII조에 의해 운영되는 독점의 실시, 특허권, 상표권 및 저작권의 보호, 기만적 관행의 방지에 관한 법규포함)의 준수를 확보하기 위해 필요한 조치, (e) 재소자 노동제품(products of prison labour)에 관한 조치, (f) 미술적, 예술적, 고고학적 가치가 있는 국보의 보호를 위하여 적용하는 조치, (g) 유한 천연자원 (exhaustible resources)의 보존에 관한 조치(다만 동 조치가 국내의 생산 또는 소비에 대한 제한과 관련하여 실시되는 경우에 한함), (h) 체약국단(현 WTO 각료회의)에 제출되어 부인되지 아니한 정부간 상품협정(commodity agreement)상의 의무에 따라 취하는 조치, (i) 국내원료가격 안정계획에 의한 국내가공산업에 필수적인 국내원료의 수출제한(다만 동 제한은 국내산업의 관련상품의 수출을 증가시키거나 관련국내산업의 보호를 증대하기 위해 운영되어서는 아니됨), (j) 일반적으로 또는 지역적으로 공급이 부족한 제품의 획득 또는 분배를 위하여 불가결한 조치(다만 동 조치는 모든 회원국이 당해 제품의 국제적 공급에 있어 공평한 배분을 받는 권리를 갖는다는 원칙에 합치하여야 함) 등이 있다. 이중 (e)호는 노동(조건)을 무역과 연계시키고 있는 '1994년 GATT'의 유일한 조항이며, (b)호, (g)호는 '환경보호'를 목적으로 하는 수출입제한 조치를 정당화하는 국제법적 근거가 되는 조항이다.[9]

'1994년 GATT' 제XX조는 GATT의 일반규정에 대한 예외를 정당화하는 근거로 원용되어 왔다. 본 협정의 어떠한 규정도 체약국이 상기 10가지 예외조치를 채택하거나 실시하는 것을 방해하는 것으로 해석되지 않기 때문이다. 다만 상기 10가지 예외조치는 '동일한 조건'(same conditions)하에 있는 국가간에 '자의적이거나 부당한 차별의 수단'(means of arbitrary or unjustifiable discrimination) 또는 '국제무역에 대한 위장된 제한'(disguised restriction on international trade)을 가하는 방법으로 적용되어서는 아니 된다(제XX조 두문). 즉 특정의 무역규제조치가 상기 일반적 예외에 해당하는 경우라도 비차별원칙과 위장된 무역제한금지원칙을 준수하여야

---

[9] 환경보호를 위한 무역규제시 '1994년 GATT' 제XX조 (b), (g)호와 기타 WTO 협정의 적용성에 대한 일반적인 논의는 최승환, 상게서, pp. 636-659 참조. 일반적 예외에 대한 보다 자세한 논의는 이윤정, "GATT 제XX조 분석: 자유무역과 주권행사와의 균형을 찾아서", 「통상법률」, 통권 제67호(2006. 2), pp. 33-55; 이길원, "GATT협정 제XX조상의 '필요성' 요건에 대한 검토", 「법학연구」, 제31권 제3호(2020. 8), pp. 119-145 참조.

한다.

　　일반적으로 '1994년 GATT' 제XX조는 회원국이 취한 특정조치가 다른 GATT 규정에 불합치되는 것으로 평결될 때에만 원용될 수 있다. 즉 회원국의 특정조치가 '1994년 GATT'에 부합되지 않는 경우라 하더라도 제XX조에 규정된 요건을 충족한다면 허용될 수 있다. 그러나 제XX조는 GATT 의무로부터 '제한적이고 조건적인 예외'(limited and conditional exceptions)를 규정하고 있음을 유의하여야 한다. 일반적 예외 규정은 제XX조상의 10가지((a)~(j)호) 예외목록이 열거적(exhaustive)이기 때문에 '제한적'이며, 제XX조에 규정된 요건들이 모두 충족되는 경우에만 정당화된다는 점에서 '조건적'이다.10)

　　일반적 예외 규정은 "원칙에 대한 예외는 엄격히 협의로 해석되어야 한다" (singularia non sunt extendenda)는 것이 일반적인 법해석원칙이라는 점에서 제XX조는 협의로 해석되어야 한다고 주장할 수 있겠다. 그러나 WTO 패널과 상소기구는 이러한 해석방식을 채택하지 않았으며, 일반원칙과 예외간의 균형을 중시하는 방식으로 해석하였다.11) 무역자유화 가치와 기타 비경제적 가치들을 균형있게 조화시켜 해석하는 방식은 일반적 예외규정에 따라 무역제한적 조치를 취할 회원국의 권리와 자유무역을 저해하는 무역장벽의 제거를 요구하는 회원국의 권리간에 적절한 '균형점'12)(line of equilibrium)을 찾는 것이라 하겠다. 즉 제XX조는 본질적으로 '균형을 잡는 규정'(balancing provision)이다. 일반적 예외규정을 너무 광의로 해석할 경우에는 위장된 무역규제를 정당화시키는 법적 근거로 남용될 수 있으며, 이는 GATT 및 WTO 협정상의 의무를 무의미하게 할 위험이 있기 때문이다.

(2) 적용범위

　　'1994년 GATT' 제XX조는, 두문(Chapeau)상의 비차별원칙이 '자의적이거나 부

---

10) *US—Section 337 of the Tariff Act of 1930*, Panel Report, BISD 36S/345 (1990), 7 Nov. 1989, para. 5. 9.

11) 예컨대 *US—Standards for Reformulated and Conventional Gasoline*, Appellate Body Report, WT/DS2/AB/R, 29 Apr. 1996, p. 18 [이하 "*US—Gasoline*"]; *US—Import Prohibition of Certain Shrimp and Shrimp Products*, Appellate Body Report, WT/DS58/ AB/R, 12 Oct. 1998, para. 121 [이하 "*US—Shrimp/Turtle*"] 등.

12) *Ibid.*, para. 159.

당한' 차별만을 금지한다는 점에서 모든 종류의 차별을 원칙적으로 금지하는, 제I
조(최혜국대우원칙) 및 제III조(내국민대우원칙)와 구분된다. 그러나 WTO 협정상 의
무이행의무가 '없는' 비회원국은 WTO 협정상의 의무이행 의무가 '있는' 회원국과
다른 조건하에 있으므로 WTO 비회원국에 대해서는 상기 단서(두문) 규정이 적용
되지 않는다. '1994년 GATT' 제XX조 두문에 언급된 '자의적이거나 부당한' 차별
금지와 '위장된' 통상제한금지는 최혜국대우원칙 및 내국민대우원칙의 "보다 완화
된"(softer) 비차별요건이라 할 수 있는데,13) 수입제품에 대해서만 차별적으로 취
해지는 규제조치는 제XX조의 10가지((a)~(j)호) 예외목록상의 요건을 표면적 이유
로 내세우더라도 실질적으로는 위장된 통상제한조치라 할 수 있다. 또한 형식적
으로는 비차별적일지라도 실질적으로 또는 결과적으로 국내산업을 보호하는 차
별적인 규제조치도 위장된 통상제한조치에 속한다.

제XX조는 특정조건하에서, '1994년 GATT상의 모든 의무'로부터의 이탈을 허
용한다는 점에서 동 조문의 적용범위는 광범위하다. '1994년 GATT'를 제외한 기
타 WTO 협정상의 의무에 불합치되는 조치를 정당화하기 위해서 제XX조를 원용
할 수 있는가? "본 협정의 어떠한 규정도 체약국이 방해하는 것으로 해석되지 않
는다"는 제XX조 두문 규정의 문언에 비추어 볼 때 해당 WTO 협정에 '1994년
GATT' 제XX조 원용을 허용하는 별도의 규정이 없는 한' 해당 WTO 협정상의 의
무에 불합치되는 조치를 정당화하기 위해서는 제XX조를 원용할 수 없는 것으로
해석된다. 예컨대 '무역관련 투자조치협정' 제3조는 "1994년 GATT에 따른 모든
예외는 이 협정의 규정에 적절히 적용된다"고 규정하고 있기 때문에 회원국이 취
한 무역관련 투자조치로 인한 분쟁시 '1994년 GATT' 제XX조가 적용될 수 있다.

제XX조는 자국관할권밖에 있는 인, 물, 행위에 대한 역외적(extra-territorial)
규제조치에 대해서도 적용될 수 있는가? GATT 및 WTO 협정에는 자국관할권 밖
에 있는 인, 물, 행위에 대한 역외적 통상규제조치를 허용하거나 부인하는 명시
적인 규정은 없으나,14) 국가주권평등원칙, 불간섭의무원칙 등과 같은 국제법의

---

13) J.H. Jackson, *The World Trading System: Law and Policy of International Economic Relations* (The MIT Press, 1989), p. 207.
14) 즉 1994년 GATT 제XX조에는 관할권적 한계에 대한 명시적인 규정이 없다. 다만 수출국 가내의 '제소자 노동'(prison labour)으로 생산된 제품에 대한 통상규제와 국제상품협정에 따른 통상규제의 경우에는 역외적 규제조치도 GATT 규정상 허용된다(1994년 GATT 제XX 조 (e)호, (h)호).

일반원칙에 비추어 볼 때 각국은 자국의 경제적·사회적 여건에 따라 관할내 영역에 있는 인, 물, 행위에 대해 법규를 입안하고 시행할 수 있는 배타적 권리를 보유하고 있으므로, 자국관할권밖에 있는 인, 동·식물 및 자원을 대상으로 하는 역외적 통상규제는 원칙적으로 금지된다.15)

  예컨대 1998년 '미국-새우/거북이 사건'에서, 패널은 'WTO 다자간 무역체제'를 손상하는 조치를 정당화하기 위해 제XX조를 원용할 수 없다고 평결하였다. 동 사건에서 문제가 된 조치는 인도, 파키스탄, 태국, 말레이시아가 잡은 새우를 미국시장에 수출하고자 할 경우 미국법상의 요건에 부합하도록 요구한 미국 국내법(Section 609)상의 규정이었다. 패널은 수출 회원국의 특정 정책에 따라 요구되는 해당 제품의 미국시장접근에 조건을 부과한 미국의 조치는 'WTO 다자간 무역체제'를 손상하는 것이라고 판단하였다. 그러나 상소기구는, 상기 패널의 평결을 번복하고, 국내자원은 물론 회유성이 강한 국가관할권밖의 동물자원에 대해서도 구분없이 적용된다는 점에서, 제XX조는 수입국의 특정정책에 부합되도록 수출국에게 요구하는 조치에 대해서도 적용된다고 평결하였다.16)

(3) 적용순서: Two-Tier Test

  '1994년 GATT'에 부합되지 않는 회원국의 조치가 제XX조상 정당화되기 위해서는 첫째, 제XX조 (a)~(j)호에 열거된 예외의 하나 이상의 요건과 둘째, 제XX조 두문의 요건을 모두 충족하여야 한다. 제XX조는 GATT 및 WTO 협정의 기본원칙으로부터 이탈을 허용하는 것이기 때문에, 문제의 조치가 국내산업을 보호하기 위한 목적으로 취해진 것이 아니라 보다 덜 무역제한적인 조치로는 달성할 수 없는 정당한 목적을 달성하기 위해 필요하다는 것을 규제국가가 입증하여야 한다. 다만 제XX조를 원용 또는 적용할 경우 문제의 조치가 제XX조에 열거된 예외목록에 해당하는지 여부를 먼저 잠정적으로 심사한 후, 제XX조상의 예외목록에 해당할 경우 두문 규정(자의적이거나 부당한 차별금지, 국제무역에 대한 위장된 통상제한

---

15) 최승환, 전게서, pp. 646-637 참조.
16) 바다거북이가 수많은 연안국들의 국가관할권에 속하는 수역과 공해를 넘나드는 고도로 회유성이 강한 동물이기 때문에, 본 사건의 특수상황하에서 회유성이 강하고 멸종위기에 있는 포유동물과 미국의 조치간에 '1994년 GATT' 제20조 ⑧호의 목적상 '충분한 연관성'(sufficient nexus)이 있다고 상소기구는 평결하였다. *US-Shrimp/Turtle, supra* note 11, paras. 133, 141.

금지)에 부합되는지 여부를 최종적으로 심사하여야 한다. 제XX조의 두문은 일반적 예외 규정을 남용하는 것을 방지하기 위한 것이다.

1998년 '미국－새우/거북이 사건'에서 패널 및 상소기구는 거북제외장치(Turtle Excluder Devices: TEDs)를 사용하여 어획하더라도 미승인국가로부터의 바다거북이 수입을 금지하는 것은 '부당한 차별'이며,[17] 미국 국내법(Section 609)상의 승인부여에 있어 일방적 질문, 심리 반론기회의 미제공, 개별적 서면통보절차의 미비, 재심 및 상소의 부정 등은 '자의적 차별'에 해당된다고 평결하였다.[18]

'1994년 GATT' 제XX조는 국제무역에 대하여 '위장된'(disguised) 제한을 가하는 수단으로 원용될 수 없다. 여기서 '국제무역에 대한 위장된 제한'(disguised restriction on international trade)이란 회원국이 선택한 '생명 또는 건강기준'이 아니라 정당화를 요구하는 '통상조치'(trade measure)를 의미한다. 1996년 '미국－개질휘발유 사건'에서 패널은 '위장된 제한'이란 위장된 '차별'을 포함하는 것으로 국제무역에 있어서 "숨겨진 또는 비공개된"(concealed or unannounced) 제한이나 차별을 의미하는 것이라 평결하였다.[19] 어떠한 통상조치가 '위장된' 통상제한인지를 구분하는 것은 쉬운 일은 아니나, 환경보호를 위해 필요한 정도와 범위를 초과하여 취해지는 통상규제, 과학적 근거에 입각하지 않은 통상규제, 자의적이고 부당한 차별적 통상규제 등은 위장된 통상제한으로 간주된다.

(4) 제XX조 (a)

'1994년 GATT' 제XX조 (a)호는 공중도덕(public morals)을 보호하기 위해 필요한 조치를 회원국이 취하는 것을 예외적으로 허용한다. 일반적으로 '공중도덕'이란 국가적·지역적 차원에서 뿌리 깊고 지배적인 문화적, 사회적, 윤리적 관념 및 가치의 광의의 영역을 지칭하는 개념이라는 점에서,[20] 제XX조 (a)호는 자기판단

---

17) Section 609에 의하면 바다거북의 의도적 사망률이 미국에 상응하는 국가들에게는 수입을 승인할 수 있고 수입승인을 받지 못한 국가들에게는 수입을 금지할 수 있다(Section 609, 16 U.S.C. § 1537).

18) *US － Shrimp/Turtle, supra* note 11, paras. 176, 180, 184. '미국－새우/거북이 사건'에 대한 자세한 논의는 안완기, "미국－새우수입제한조치," 「통상법률」, 통권 제26호(1996. 4), pp. 168－182 참조.

19) *US － Gasoline, supra* note 11, p. 25.

20) 공중도덕 예외는 포르노잡지와 포르노 비디오 및 영화 등과 같은 외설제품의 수입을 규제하는 법적 근거가 된다. 공중도덕 예외에 대한 일반적인 논의는 C.T. Feddersen, "Focusing

적 조항(self-judging clause)에 미치지 못하는 매우 광범위한 '평가의 범위'(margin of appreciation)를 시사한다.[21] 공중도덕 예외를 최초로 심리한 '미국-도박서비스 사건'에서 패널은, '1994년 GATT' 제XX조 (a)호에 상응하는 GATS 제XIV조 (a)호 상, '공중도덕'의 개념을 "공동체 또는 국가에 의해서나 공동체 또는 국가를 대신해서 유지되는 옳고 그른 행위의 기준"으로 해석하였다.[22] '중국-출판 및 시청각 제품사건' 또한 '1994년 GATT' 제XX조 (a)호상의 '공중도덕'에 대한 상기 해석을 동일한 방식으로 채택하였다.[23]

WTO 패널은 회원국에 의해 원용된 '사회적 기준'(societal standards)을 광범위하게 존중하는 접근방식을 취하고 있다. '중국-출판 및 시청각 제품사건'에서 패널은 "공중도덕 예외를 적용함에 있어 회원국은 스스로 공중도덕 개념을 스스로 정의하고 적용하는 약간의 재량권(some scope)이 부여되어야 한다"고 지적하였다.[24]

(5) 제XX조 (b)

"인간이나 동·식물의 생명 또는 건강을 보호하기 위해 필요한 조치"에 대해 적용되는 '1994년 GATT' 제XX조 (b)호는 제품의 속성으로부터 야기되는 인체 및 생태계의 생명 또는 건강에 대한 위해를 회피하기 위한 수입제한 및 무역장벽을

---

on Substantive Law in International Economic Relations: The Public Morals of GATT's Article XX(a) and 'Conventional' Rules of Interpretation" 7 *Minnesota Journal of Global Trade* 75, pp. 75-122 참조.

21) M. Herdegen, *Principles of International Economic Law* (Oxford University Press, 2013), p. 206.

22) *US—Measures Affecting the Cross-border Supply of Gambling and Betting Services*, Panel Report, WT/DS285/R, 10 Nov. 2004, para. 6.465 [이하 "*US—Gambling Services*"]. '미국-도박서비스 사건'에서 상소기구는 도박서비스의 국경간 공급에 대한 미국 국내법(전신법 (電信法), 여행법, 불법도박영업법)상의 규제는 공중도덕을 보호하거나 공공질서를 유지하기 위해 '필요한' 조치라고 평결하였다(*US—Gambling Services*, Appellate Body Report, WT/DS285/AB/R, 20 Apr. 2005, paras. 323-327). 동 사건에 대한 자세한 검토는 권현호, "WTO 최초의 전자상거래 분쟁 : '미국-도박 및 내기서비스에 영향을 미치는 조치' 사건," 「통상법률」, 통권 제63호(2005. 6), pp. 116-146 참조.

23) *China—Measures Affecting Trading Rights and Distribution Services for Certain Publications and Audiovisual Entertainment Products*, Appellate Body Report, WT/DS363/AB/R, para. 7.759, 21 Dec. 2009 [이하 "*China-Publications and Audiovisual Products*"].

24) *China-Publications and Audiovisual Products*, Panel Report, WT/DS363/R, 12 Aug. 2009, para. 6.465.

허용한다. 본 예외는 청정대기(clean air)를 보호하기 위한 개솔린 기준과 석면과 같은 발암성 위해물질에 대한 무역제한에 대해서도 적용된다. 제품의 원산지국가 내의 인간의 생명 또는 건강을 보호하기 위한 조치에도 적용되는지 여부에 대해서는 논란이 있다. 제XX조 (b)호가 아동노동과 비인간적인 노동조건을 대상으로 하는 제품관련 조치(즉 공정 및 생산방식)에 대해서도 적용되는지 여부에 대해서도 논란이 있다.[25] "보호하기 위해 필요한 조치"(necessary to protect)라는 문구는 보다 제한적인 해석이 가능함을 시사한다.

일반적으로 '필요성'(necessity)이란 요건을 충족하기 위해서는 첫째, GATT 및 WTO협정에 위반되지 않거나 덜 위반되는 다른 '대체수단'(alternative measure)이 없거나 다른 대체수단을 모두 사용해 보았어야 하고, 둘째, 환경보호라는 목적과 '합리적 관련성'이 있어야 하며, 셋째, 취해진 규제조치는 환경보호라는 목적의 중요성과 환경피해라는 사안의 심각성에 '비례'하여야 한다. 예컨대 1990년 '태국—담배 사건'에서 태국은, 미국산 담배는 태국산 담배보다 인체에 더 해롭고 특히 미국산 담배는 태국산 담배보다 명성이 있어서 사람들이 더 많이 찾기 때문에 미국산 담배의 수입금지는 국민건강을 보호하기 위하여 필요한 조치라고 주장하였는데, 이에 대해 GATT 패널은 표지부착의무, 재정적 조치, 광고금지, 금연교육 및 공공장소금연 등과 같은 GATT 규정에 부합되는 다른 '대체수단'이 존재한다는 이유로 태국정부에 의한 차별적인 담배수입제한과 내국세부과는 '1994년 GATT' 제20조 (b)호상의 '필요성'요건을 충족하지 못했다고 평결하였다.[26]

위해성(risks)과 사전주의(precaution)에 대해 상이한 사회적 관념을 표시하는 상이한 규제정책이 충돌하는 경우 제XX조 (b)호의 적용은 특별한 어려움을 제기한다. 이용가능한 과학적 지식이 신뢰가능할 정도로 확립되지 않은 경우나 '제품의 속성'과 생명 및 건강에 대한 '잠재적 피해'간에 인과관계가 미흡한 '위해 시나리오'(risk scenarios)가 수반된 경우에는 제XX조 (b)호를 적용하는데 어려움이 발생한다. WTO '위생검역협정'(SPS 협정)은 위해성 평가에 대한 보다 자세한 기준과 절차규칙을 규정하고 있는데, '위생검역협정'에 부합되는 위생검역조치는 '1994년 GATT' 제XX조 (b)호에 합치되는 것으로 추정된다.[27] 건강 및 생명의 위해성에 대

---

25) M. Herdegen, *supra* note 20, pp. 207–208.
26) *Thailand—Restrictions on Importation of and Internal Taxes on Cigarettes*, BISD/37S/200 (1991), 7 Nov. 1990, para. 75.

한 '과학적 증거'(scientific evidence)가 일단 확립된 경우, 회원국은 제XX조 (b)호를 원용할 수 있으며, 그러한 위해성이 실제로 발생하는 '시간의 기간'에 대해 위해성을 정량화하는 것은 필요하지 아니하다.28) 인과관계가 입증된 경우, 적정 보호 수준은 해당 회원국의 재량 범위내에 속한다.29)

(6) 제XX조 (d)

GATT에 반하지 아니하는 국내법규의 집행에 관한 예외규정인 '1994년 GATT' 제XX조 (d)호는 관세의 실시, '1994년 GATT' 제II조 4항 및 제XVII조에 의해 운영되는 독점의 실시, 특허권, 상표권 및 저작권의 보호, 기만적 관행의 방지에 관한 법률 또는 규정(laws or regulations)의 준수를 확보하기 위해 필요한 조치와 같이 GATT에 부합되는 국내법규의 준수를 확보하기 위해 필요한 조치들을 허용한다. 다만 동 조치가 제XX조 (d)호에 부합되기 위해서는 두 가지 조건을 충족하여야 한다. 즉 GATT에 부합되는 국내법규의 준수를 확보하기 위해 동 조치가 필요해야 하고, 국내법규의 목표 달성에 조치가 비례적이어야 한다. '한국-쇠고기 사건'에서 상소기구는 비례성 테스트는 관련 법규를 집행하기 위한 이행조치의 기여도, 동 법규에 의해 보호되는 공통이익 또는 가치의 중요성, 수출입에 대한 동 법규의 동반된 영향 등을 포함하는 일련의 요인들을 '비교 형량하는 과정'(a process of weighing and balancing)을 수반한다고 판단하였다.30)

비례성의 핵심적인 측면은 동 조치가 '비례적'이어야 한다는 점이다. 동 조치에 비해 덜 무역제한적인 영향을 갖는 조치에 의해 동일한 결과가 달성될 경우 그러한 조치는 비례성 테스트를 통과할 수 없다. '도미니카공화국-담배 사건'에서 상소기구는 과세지불을 확인하는 수입담배에 부착된 과세지불 확인 꼬리표(tag)가 최종포장 이전에 도미나카공화국 내에서 부착되어야 한다는 요건은 불필요하다고 판단한 패널의 평결을 지지하였다. 왜냐하면 이러한 꼬리표를 제품의 생산공정과정에서 부착해도 동일한 목표를 달성할 수 있기 때문이다.31)

---

27) SPS 협정, 제 2 조 4항.

28) *EC—Measures Affecting Asbestos and Asbestos—Containing Products*, *Appellate Body Report*, WT/DS135/AB/R, 12 Mar. 2001, para. 167 [이하 "*EC—Asbestos*"].

29) *Ibid.*, para. 168.

30) *Korea—Measures Affecting Imports of Fresh, Chilled and Frozen Beef*, Appellate Body Report, WT/DS161, 169/AB/R. 11 Dec. 2000, para. 164 [이하 "*Korea—Beef*"].

'1994년 GATT' 및 WTO 협정에 부합되는 국내법규의 준수를 확보하기 위해 필요한 조치인지 여부에 대한 해석은 보호하고자 하는 법규의 공통이익 및 가치의 상대적 중요성을 고려할 수 있다. 보호하고자 하는 공통이익 및 가치가 보다 중요할수록 집행수단으로 고안된 조치를 정당화하거나 조치의 필요성을 수락하기가 더욱 쉽다.[32]

(7) 제XX조 (g)

유한[고갈가능한] 천연자원의 보존에 관한 예외규정인 '1994년 GATT' 제XX조 (g)호는 다수의 상이한 문맥에서 관련되었다. 동 예외는 i) 광물 및 화석자원과 에너지생산을 위해 사용되는 기타 자원의 보존과 산업제품의 생산과 ii) 환경보호라는 두 가지 유형의 조치를 대상으로 한다. '유한 천연자원'(exhaustible natural resources)의 정의에 대해 WTO 상소기구는 광의로 해석해 왔다. 즉 '유한 천연자원'에는 생물 또는 무생물 자원이 모두 포함되며, 희귀할 필요도 없고 멸종위기에 처할 가능성이 있을 필요도 없기 때문에, 청정공기(clean air), 돌고래, 바다거북이, 휘발유 등이 모두 유한 천연자원에 해당된다.[33]

그러나 '기후'(climate) 그 자체는, 유한 천연자원으로 보기 어려우며, 물리적 구성으로부터 초래되는 조건의 상태에 해당한다. '고갈가능한 오존층'(depletable ozone layer)도 천연물질과 같이 개발될 수 없기 때문에 유한 천연자원으로 보기에 의문스럽다. 따라서 '바이오연료'(bio−fuel) 생산을 위해 제XX조 (g)호의 적용범위에 지속가능성 기준을 가져오는 것은 어렵다.[34]

제XX조 (g)호에 의해 허용되는 통상규제는 유한 천연자원의 "보존에 관한"(relating to conservation) 조치여야 한다. 과거 GATT 패널에서는 '관련성'(relating to)을 해당 조치가 '보존을 주된 목적으로 하는'(primarily aimed at conservation) 의미로 해석하였으나, '미국−개질휘발유 사건'에서 WTO 상소기구는 '관련성'은 용어의

---

31) *Dominican Republic—Measures Affecting the Importation and Internal Sale of Cigarettes*, Appellate Body Report, WT/DS302/AB/R, 25 April 2005, para. 72.

32) *Korea—Beef*, supra note 30, para. 162. 제XX조 (d)호상의 적법성 요건에 대한 자세한 논의는 이길원, "GATT협정 제XX조 (d)호의 '법률 또는 규정의 준수 확보' 요건에 대한 고찰", 「국제경제법연구」, 제15권 제3호(2017. 11), pp. 107−125 참조

33) M. Matsushita, T.J. Schoenbaum, and P.C. Mavroidis, *The World Trade Organization: Law, Practice, and Policy*, 2nd ed. (Oxford University Press, 2006), p. 451.

34) M. Herdegen, *supra* note 18, p. 210.

통상적인 의미와 해당 조문의 목적에 따라 해석되어야 하며, 해당 조치는 차별적인 요소가 아닌 그 조치가 근거하는 전반적인 규정이라고 해석하였다. 이로써 제XX조 (g)호는 유한 천연자원의 보존을 목적으로 하는 거의 모든 무역제한조치에 적용될 수 있도록 해석되어 결과적으로 제XX조 (g)호의 예외를 원용할 수 있는 범위를 확장시켰다.35)

그리고 유한 천연자원의 보존에 관한 '조치'는 "국내의 생산이나 소비에 대한 제한과 결부하여"(in conjunction with restrictions on domestic production or consumptions) 유효하여야 한다(제XX조 (g)호, 단서). 따라서 국내의 생산 및 소비에 대한 제한과 관련이 없이 주로 수출을 제한하기 위한 통상규제조치는 제XX조 (g)호에 의해 정당화될 수 없다.

제XX조 (g)호는 부분적으로 국가영역(영해 포함) 및 배타적 경제수역(EEZ) 밖에 살고 있는 멸종위기종의 보호를 위한 조치에 대해서도 역외적으로 적용될 수 있다. '미국-바다거북이/새우 사건'에서, 상소기구는 회유성(이주성: migration)은 멸종위기에 처한 바다거북이를 보호하기 위한 충분한 연계성(nexus)을 확립했다고 판시하였다. WTO 설립협정 '전문'에 명기된 '지속가능한 개발'에 대한 회원국들의 공약은 국가관할권 밖의 유한 천연자원에 대한 역외적 규제조치에도 원용될 수 있도록 제XX조 (g)호의 광범위한 해석을 지지한다.36)

2. 관련 통상분쟁사례: 사례연습

(1) EC-석면 사건

① 사실관계

프랑스정부는 1996년 12월 24일 모든 종류의 석면 및 석면제품의 생산, 가공, 판매, 수입, 유통을 전면 금지하는 법안(Decree No.96-1133)을 채택하여 1997년 1월 1일부로 시행하였다. 암면이나 유리섬유와는 완전히 다른 석면은 사람에게 암을 유발하는 위해물질로 알려져 있다. 1998년 5월 28일 캐나다는 상기 법률이 '1994년 GATT' 제III.4조 '기술무역장벽협정' 제 2 조 등에 위반되며, '1994년 GATT'

---

35) 박노형 외 27인 공저, 「국제경제법」, 보정판(박영사, 2013), pp. 172-173 참조.
36) M. Herdegen, *supra* note 18, pp. 210-211.

제XXIII.1조 (b)호에 의거 자국의 이익이 무효화 또는 침해되었다고 주장하면서 WTO 분쟁해결기구에 회부하였다. 'EC-석면 사건'에서, 캐나다는 석면에 대한 '통제된 이용'(controlled use)은 석면수입 및 판매금지와 동일한 목적에 기여할 수 있는 합리적으로 이용가능한 조치에 해당하므로, 프랑스의 캐나다산 석면수입 금지조치는 '1994년 GATT' 제XX조 (b)호상의 인간의 생명 및 건강을 보호하기 위해 필요한 조치로 볼 수 없다고 주장하였다.

② 법적 쟁점

- 보건상의 이유로 캐나다산 석면제품에 대한 프랑스의 수입 금지조치는 '1994년 GATT' 제XX조 (b)호상의 인간의 생명 및 건강을 보호하기 위해 필요한 조치에 해당하는지 여부.

③ 상소기구 보고서의 주요 내용

'EC-석면 사건'에서 상소기구는 인체위해성에 대한 과학적 증거가 있는 경우 회원국은 위해성의 질 또는 양에 입각하여 적절하다고 간주되는 적정보호수준을 결정할 권리를 갖는다고 평결하였다. 또한 상소기구는 제XX조 (b)호상의 규제조치를 정당화함에 있어 회원국은 '다르지만 자격있고 존중받는'(divergent, but qualified and respected) 견해를 대표하는 과학적 근거에 의존할 수 있으며, 다수의 과학적 견해를 구성하는 과학적 근거를 반드시 따를 의무는 없기 때문에 증거의 압도적인 무게에 기초해서 제XX조 (b)호에 따른 결정을 내릴 필요는 없으며,[37] 따라서 석면제품의 인체에 대한 중대하고도 고도로 심각한 위해성으로 고려해 볼 때, 캐나다산 석면제품에 대한 프랑스의 수입 및 판매금지조치는, 인체건강을 보호하기 위해 필요하고, 합리적으로 이용가능한 대체수단이 존재하지 아니하며 제XX조 두문 규정에도 부합되기 때문에 제XX조 (b)호에 따라 정당화된다고 평결하였다.[38]

〈평결문〉

174. 그러한 조치(역자 주: 통제된 사용)가 법령이 "중단"하고자 하는 바로

---

37) *EC—Asbestos, supra* note 28, para. 178.
38) *Ibid.*, para. 167.

그 위해성의 지속을 수반한다면, 프랑스 정부가 여하한 대체조치를 사용하리라 합리적으로 기대될 수 없다는 것이 우리(역자 주: 상소기구)의 견해이다. 그러한 대체조치는 실제로 프랑스 정부로 하여금 선택된 건강보호 수준을 달성하는 것을 방해할 것이다. 패널에 제출된 과학적 증거에 기초하여, 패널은 일반적으로 "통제된 사용"의 유효성은 앞으로 입증되어야 할 것이라고 확인하였다. 더군다나 비록 "통제된 사용" 관행이 의심의 여지 없이 적용되는 경우라 하더라도, 과학적 증거는 일정한 상황에서 "석면 관련 질병으로 발전할 중대한 잔존 위해성"이 있을 정도로 노출수준이 여전히 충분히 높을 수 있음을 시사한다. 또한 패널은, 석면이 포함된 시멘트기반 제품의 가장 중요한 사용자들인, 건설산업과 직접사용 애호가들(DIY enthusiasts)에 대해 "통제된 사용"의 유효성이 특히 의심스럽다고 확인하였다. 패널에 의한 이러한 사실확인에 비추어 볼 때, "통제된 사용"이 프랑스 정부로 하여금 석면관련 건강 위해성의 확산을 중단시킴으로써 선택된 건강보호 수준을 달성하도록 허용하지 않을 것이라고 우리는 믿는다. 따라서 "통제된 사용"은 프랑스 정부가 추구하는 목적을 달성할 대체조치가 될 수 없을 것이다.[39]

175. 이러한 이유로, 우리는 동 법령에 고유한 금지에 "합리적으로 이용가능한 대체수단"이 없다는 일견위반 사례(*prima facie* case)를 EC가 입증하였다는 패널보고서(para. 8.222)에 있는 패널의 사실확인을 지지한다. 결과

---

39) *Ibid.*, para. 174. 원문은 다음과 같다: In our view, France could not reasonably be expected to employ *any* alternative measure if that measure would involve a continuation of the very risk that the Decree seeks to "halt". Such an alternative measure would, in effect, prevent France from achieving its chosen level of health protection. On the basis of the scientific evidence before it, the Panel found that, in general, the efficacy of "controlled use" remains to be demonstrated. Moreover, even in cases where "controlled use" practices are applied "with greater certainty", the scientific evidence suggests that the level of exposure can, in some circumstances, still be high enough for there to be a "significant residual risk of developing asbestos−related diseases." The Panel found too that the efficacy of "controlled use" is particularly doubtful for the building industry and for DIY enthusiasts, which are the most important users of cement−based products containing chrysotile asbestos. Given these factual findings by the Panel, we believe that "controlled use" would not allow France to achieve its chosen level of health protection by halting the spread of asbestos−related health risks. "Controlled use" would, thus, not be an alternative measure that would achieve the end sought by France. *Ibid.*, para. 174.

적으로, 또한 우리는 동 법령이 1994년 GATT 제XX조 (b)호의 의미 내
에 있는 "인간의 … 생명 또는 건강을 보호하기 위해 필요하다"는 패널
보고서(para. 8.223)에 있는 패널의 결론을 지지한다.[40]

(2) 한국-쇠고기 사건

① 사실관계

수입쇠고기를 전문판매점에서만 판매하도록 하는 한국의 쇠고기 구분판매제
도(이중판매제도)가 '1994년 GATT' 제III조 4항에 위반된다는 이유로 미국이 제소
한 '한국-쇠고기 사건'에서, 한국은 동 제도는 쇠고기의 둔갑판매 방지를 목적으
로 하는 불공정거래법상의 규제로서 제XX조 (d)호에서 허용되는 일반적 예외조
치라고 주장하였다. 특히 한국은 수입산 쇠고기가 한국산 쇠고기보다 저가에 공
급되어 가격경쟁력을 가지는 상황에서 구분판매가 국내산업을 보호하기 위한 차
별적인 제도라는 제소국의 주장은 타당하지 않다고 강조하였다.

② 법적 쟁점:

- 한국의 쇠고기 구분판매제도가, '1994년 GATT' 제XX조 (d)호상, GATT에
반하지 아니하는 국내법령(특히 기만적 관행의 방지에 관한 법령)의 보호를 위해 필
요한 조치에 해당하는지 여부.

③ 패널 및 상소기구 보고서의 주요 내용:

패널은 제XX조 (d)호의 적용을 검토함에 있어서 ① 구분판매제도가 '1994년
GATT'에 부합하는 조치이며, ② 이는 시장질서를 유지하기 위해 반드시 필요한
조치이고, ③ 국제무역을 제한하기 위한 정당화되지 않는 차별적 수단이 아니라
는 것을 한국이 입증하여야 한다고 하였다. 우선 패널은, 구분판매제도가 다소
문제를 내포하고 있는 조치이기는 하나, 불공정거래방지법상 둔갑판매를 방지하
기 위한 목적의 범위내에서 적용되는 한, 이는 '1994년 GATT'의 규정에 부합되는

---

40) *Ibid.*, para. 175. 원문은 다음과 같다 : For these reasons, we uphold the Panel's finding,
in paragraph 8.222 of the Panel Report, that the European Communities has demonstrated
a *prima facie* case that there was no "reasonably available alternative" to the prohibition
inherent in the Decree. As a result, we also uphold the Panel's conclusion, in paragraph
8.223 of the Panel Report, that the Decree is "necessary to protect human … life or
health" within the meaning of Article XX(b) of the GATT 1994. *Ibid.*, para. 175.

조치라고 보았다. 그러나 패널은 동 조치가 반드시 필요한(necessary) 조치라고는 보지 않았다.[41] 상소기구 또한 전체적으로 패널의 평결을 지지하였는데, 다만 동 분쟁에서 쟁점이 되는 필요한(necessary)의 해석과 관련하여 상세한 이유를 설시하였다. 상소기구는 '1994년 GATT' 제XX조 (d)호를 검토함에 있어서 과거 1996년 '미국-개질휘발유사건'에서 적용되었던 분석방법을 원용하였다. 우선 개별조항인 제20조(d)호에 의해 정당화되는 조치인지를 먼저 검토한 후 이에 해당한다면 제20조의 두문(chapeau)에 부합하는지를 검토하는 것이 적합한 접근방법이라고 보았다. 제20조(d)호에 의하여 정당화되기 위한 조건은 ① 해당 조치는 '1994년 GATT'의 규정에 부합하는 법률이나 규정에 의해 고안된 조치여야 하고, ② 이 조치는 반드시 필요한 조치여야 한다는 것이다. 상소기구는 우선 '필요한'의 의미를 먼저 검토하였는데, 본 분쟁에서는 '기여하는'(making a contribution to)이나 '관련되는'(relating to)이라는 의미보다는 '필요불가결한'(indispensable)의 의미로 파악해야 한다고 보았다. 동 해석법의 적용을 통하여 상소기구는 한국의 구분판매제도가 필요불가결한 조치에 해당하는가를 검토하였는데, 구분판매제도가 다른 품목에서는 시행되지 않고 있으며, 다른 품목에서는 둔갑판매를 규제하는 다른 제도가 시행되고 있고, 한국이 다른 제도를 통해서는 둔갑판매 방지를 달성할 수 없다는 점을 증명하지 못하였음을 이유로 패널의 평결을 지지하였다.[42]

〈평결문〉

157. 그렇지 아니하면 '1994년 GATT'에 부합되지 않는 어떤 조치가 '1994년 GATT' 제XX조 (d)호 하에 잠정적으로 정당화되기 위해서는, 두 가지 요소가 충족되어야 한다. 첫째, 해당 조치는 '1994년 GATT'의 규정에 부합하는 법률이나 규정의 "준수를 확보하기 위해" 고안된 것이어야 한다. 둘째, 동 조치는 준수를 확보하기 위해 반드시 "필요"해야 한다. 제XX조 (d)호를 정당화 사유로 원용하는 회원국은 상기 두 가지 요소가 충족되었음을 입증할 책임을 진다.[43] .

---

41) *Korea—Beef*, Panel Report, WT/DS161, 169/R, 31 July 2000, paras. 659-674 참조.
42) *Korea—Beef*, Appellate Body Report, *supra* note 30, paras. 152-166 참조.
43) *Ibid.*, para. 157. 원문은 다음과 같다. For a measure, otherwise inconsistent with GATT 1994, to be justified provisionally under paragraph (d) of Article XX, two elements must

161. 제XX조 (d)호의 문맥에서 사용된 것과 같이, "필요한"이라는 용어의 범위는 "필수불가결한", "절대적으로 필요한", 또는 "불가피한" 것에 한정된 것이 아니다. 준수 확보를 위해 필수불가결한, 절대적으로 필요한, 또는 불가피한 조치는 제XX조 (d)호의 요건을 명백히 충족한다. 제XX조 (d)호에서 사용된 것과 같이, "필요한"이라는 용어에 대한 우리의 견해는 동 용어가 필요성 정도(degree)의 범위를 언급한다는 것이다. "필요한"은 한 극단에서는 "필수불가결한"이라는 개념으로 이해되고, 다른 한 극단에서는 "~에 기여하는"을 의미하는 것으로 사용된다. 제XX조 (d)호의 해석에 있어, 우리는 "필요한" 조치가 반대편 극단에 있는 단순히 "~에 기여하는"보다는 "필수불가결한"이라는 극단에 상당히 근접하게 위치한다고 생각한다.[44]

(3) 미국-개질휘발유 사건

① 사실관계

베네수엘라산 휘발유에 대한 미국당국의 수입금지조치에 대해, 베네수엘라는 '대기정화법'(CAA)에 근거한 미국환경보호국(EPA)의 휘발유규칙(Gasoline Rule) 즉 연료 및 연료첨가물-개질 휘발유 및 전통휘발유 기준(fuels and fuel additives- standards for reformulated and conventional gasoline) 상의 환경기준이 수입산 휘발유에 대해 차별적으로 적용됨으로써 '1994년 GATT' 제III조 4항을 위반하였으며,

---

be shown. First, the measure must be one designed to "secure compliance" with laws or regulations that are not themselves inconsistent with some provision of the GATT 1994. Second, the measure must be "necessary" to secure such compliance. A Member who invokes Article XX(d) as a justification has the burden of demonstrating that these two requirements are met.

44) *Ibid*., para. 161. 원문은 다음과 같다. We believe that, as used in the context of Article XX(d), the reach of the word "necessary" is not limited to that which is "indispensable" or "of absolute necessity" or "inevitable". Measures which are indispensable or of absolute necessity or inevitable to secure compliance certainly fulfil the requirements of Article XX(d). But other measures, too, may fall within the ambit of this exception. As used in Article XX(d), the term "necessary" refers, in our view, to a range of degrees of necessity. At one end of this continuum lies "necessary" understood as "indispensable"; at the other end, is "necessary" taken to mean as "making a contribution to." We consider that a "necessary" measure is, in this continuum, located significantly closer to the pole of "indispensable" than to the opposite pole of simply "making a contribution to".

'1994년 GATT' 제XX조 (g)호에 의해 정당화될 수 없다는 이유로 WTO에 제소하였다. 동 휘발유규칙에 따라 미국의 정유업자·혼합업자·수입업자들은 자사가 생산한 휘발유의 오염물질 배출기준을 각자 마련해야 했으며, 동 기준에 따라 대기오염물질이 더 많이 배출되는 휘발유는 더 이상 생산·판매할 수 없었다.

② 법적 쟁점
  - 베네수엘라산 휘발유에 대한 미국당국의 수입금지조치는 '1994년 GATT' 제XX조 (b)호상의 인간의 생명 또는 건강을 보호하기 위해 필요한 조치에 해당하는지 여부.
  - 베네수엘라산 휘발유에 대한 미국당국의 수입금지조치는 '1994년 GATT' 제XX조 (g)호상의 유한 천연자원의 보존에 관한 조치에 해당하는지 여부.
  - 베네수엘라산 휘발유에 대한 미국당국의 수입금지조치는 '1994년 GATT' 제XX조 두문 규정상의 적법성 요건을 충족하는지 여부.

③ 상소기구 보고서의 주요 내용
  1996년 '미국－개질휘발유 사건'에서, 패널과 달리 상소기구는 휘발유 기준치설정규칙은 청정대기의 보존을 주된 목적으로 하기 때문에, 제XX조 (g)호상의 보존관련성 요건을 충족한다고 평결하였다. 다만 상소기구는 국내의 생산이나 소비에 대한 "제한과 결부하여"(in conjunction with restrictions) 유효하여야 한다는 단서규정의 해석과 관련하여, 이는 천연 자원의 국내생산이나 소비에 대한 제한과 함께 유효한 정보조치를 의미하는 것으로 국내제품과 수입제품간의 '공평한 취급'(even－handedness) 요건을 의미하나 '동일한'(identical) 대우를 의미하지는 않는다고 해석하였다. 따라서 상소기구는 휘발유 기준치설정규칙이 수입제품과 국내제품 모두에게 일반적으로 적용되기 때문에 '공평한 취급요건'(even－handedness requirement), 즉 보존관련성 요건을 충족한다고 평결하였다.[45]

  그러나 상소기구는 수입산 휘발유에 대한 부당한 차별을 구성하는, 휘발유기준치설정규칙에 따른, 베네수엘라산 휘발유에 대한 미국당국의 수입금지조치의 차별적 측면과 국제무역에 대한 위장된 무역제한 때문에 '1994년 GATT' 제XX조 두문 규정에 의해 정당화될 수 없다고 평결하였다.

---

45) *US—Gasoline, supra* note 11, pp. 19－21.

〈평결문〉

20. 조약용어는 조약의 대상과 목적을 이룰 수 있도록 그 문맥에 부여되는 통상적인 의미에 따라 해석된다는 조약해석에 관한 국제법 기본규칙이 여기서도 적용될 수 있음을 상소기구는 고려한다. 이러한 관점에서 비추어 볼 때, 조치(정부의 행위 또는 규제)와 관련되어 사용될 경우 "유효하게 되는"의 통상적인 또는 자연적인 의미는 그러한 조치가 "발효 중"인 것으로 또는 "효력을 가지는" 것으로 "작동되는" 그러한 조치를 언급하는 것으로 보일 수 있다. 이와 유사하게, "~와 결부되어"라는 용어는 "~와 함께" 또는 "~와 공동으로"라는 의미로 매우 명백하게 읽혀질 수 있다. 종합하면, 제XX조 (g)호의 둘째 문구는 유한 천연자원의 국내 생산이나 소비에 관한 제한과 함께 공표되거나 시행되는 기준치설립규칙과 같은 정부조치를 언급하는 것으로 보인다. 약간 다른 방식으로 표현하면, "국내 생산 또는 소비에 대한 제한과 결부되어 유효하게 되는 경우"라는 문구는 관련된 조치가 수입개솔린에 관해서 뿐만 아니라 국내개솔린에 대해 제한을 부과하는 요건으로 적절히 읽혀진다. 동 문구는 유한 천연자원의 생산 또는 소비에 대해, 보존이라는 명목으로, 제한을 부과함에 있어 공평성(even-handedness)을 요구하는 요건이다.[46]

---

46) *Ibid., p. 20.* 원문은 다음과 같다: *The Appellate Body considers that the basic international law rule of treaty interpretation, discussed earlier, that the terms of a treaty are to be given their ordinary meaning, in context, so as to effectuate its object and purpose, is applicable here, too. Viewed in this light, the ordinary or natural meaning of "made effective" when used in connection with a measure — a governmental act or regulation — may be seen to refer to such measure being "operative", as "in force", or as having "come into effect." Similarly, the phrase "in conjunction with" may be read quite plainly as "together with" or "jointly with." Taken together, the second clause of Article XX(g) appears to us to refer to governmental measures like the baseline establishment rules being promulgated or brought into effect together with restrictions on domestic production or consumption of natural resources. Put in a slightly different manner, we believe that the clause "if such measures are made effective in conjunction with restrictions on domestic product or consumption" is appropriately read as a requirement that the measures concerned impose restrictions, not just in respect of imported gasoline but also with respect to domestic gasoline. The clause is a requirement of even-handedness in the imposition of restrictions, in the name of conservation, upon the production or consumption of exhaustible natural resources.*

(4) 중국-원자재 사건

① 사실관계

원자재(raw materials)에 대해 2009년 1월부터 중국정부가 다양한 형태의 수출제한조치를 취한 '중국-원재료 사건'에서, 미국, EU, 멕시코는 2009년 6월 23일 중국이 보크사이트, 마그네슘, 망간, 아연 등 총 9종의 원재료에 대해 부과한 수출세, 수출쿼터, 수출허가, 최저수출가격요건 등 4가지 형태의 32건 '수출제한조치'가 '1994년 GATT'(제XI조)와 중국의 'WTO 가입의정서'에 불일치하며 이로 인해 직접 또는 간접적으로 자국에 발생하는 이익이 무효화되거나 침해되었다고 주장하였다. 동 사건에서, 중국은 중국의 수출제한조치가 '1994년 GATT' 제XI조와 중국의 'WTO 가입의정서'에 위반된다고 하더라도, '1994년 GATT' 제XX조 (b)호, (g)호에 의해 정당화된다고 주장하였다.47)

② 법적 쟁점

중국산 원재료에 대한 중국정부의 수출제한조치가 '1994년 GATT' 제XX조 (b)호, (g)호에 의한 예외 사유에 해당하는지 여부.

③ 패널 및 상소기구 보고서의 주요 내용

'중국-원재료 사건'에서, 패널은 중국산 원재료에 대한 중국정부의 수출제한조치는 '1994년 GATT' 제XI조 1항에 위반되며, '1994년 GATT' 제XX조 (b)호, (g)호에 따라 정당화될 수 없다고 평결하였다. 패널은 동 수출제한조치가 중국인들의 건강을 보호하려는 목적에 실질적으로 기여하고 있음을 중국이 입증하지 못했으며, 수출제한조치보다 덜 무역제한적이고 WTO 협정에 부합되는 대체수단을 중국이 사용하지 못한 이유를 중국이 설명하지 못했다는 이유로 '1994년 GATT' 제XX조 (b)호에 의해 정당화되지 못한다고 평결하였다.

원자재에 대한 수출제한조치가 '1994년 GATT' 제XX조 (g)호에 따라 정당화된다는 중국정부의 주장에 대해, 패널은 중국의 수출제한조치가 천연자원의 보존과 관련되었다고 볼 수 없고, 중국의 국내생산과 소비에 대한 제한과 결부되어 부과

---

47) '중국-원재료 사건'에 대한 자세한 논의는 조영진, "수출제한에 대한 WTO 체제에서의 법적 쟁점 연구", 「국제경제법연구」, 제11권 제 1 호(2013. 3), pp. 236-240 참조.

되지 않았으며, 무엇보다 제XX조 (g)호는 그 목적이나 효과가 유한 천연자원의 보존을 명목으로 해외경쟁으로부터 국내생산업자들을 격리·보호하는 목적 또는 효과를 갖는, GATT에 부합되지 아니하는 조치를 정당화하기 위해 원용될 수 없다고 평결하였다.[48]

중국은 제XX조 (g)호상의 "국내의 생산 또는 소비에 대한 제한과 결부되어 유효한"이라는 문구의 해석에 대해서만 상소하였다. 상소기구는, 패널 해석과 달리, 이 용어는 수출제한과 국내 생산 또는 소비에 대한 제한은 "공동으로 운용되어야"(work together, jointly) 하는 것이지, 국내 생산 또는 소비에 대한 제한을 유효하게 하는데 보존조치의 일차적 목적이 있다는 추가요건을 포함하지 않고 있다고 해석하였으며, 중국의 수출제한조치가 제XX조 (g)호상의 요건을 충족하지 못하므로 동 조항에 의해서도 정당화되지 못한다는 패널의 평결을 지지하였다.[49]

〈평결문〉

355. 제XX조 (g)호의 범위 내에 해당하기 위해서는, 조치가 "유한 천연자원의 보존에 관련되어야" 한다. "~에 관련된"이라는 용어는 "~과 연관성을 가지는", "~과 연관된"으로 정의된다. 상소기구는 제XX조 (g)호의 의미내에 있는 보존에 관련된 조치가 되기 위해서는 "목적과 수단 간에 밀접하고 진정한 관련성이 존재해야 한다"고 확인하였다. "보존"이라는 용어는 결국 "환경 특히 천연자원의 보호"를 의미한다.[50]

356. 그리고 제XX조 (g)호는 보존조치가 "국내 생산 또는 소비에 대한 제한과 결부되어 유효하게 되는" 것을 요구한다. 법적 문서에 관련된 것으

---

48) *China—Measures Related to the Exportation of Various Raw Materials*, Panel Report, WT/DS394/R, 5 July 2011, para. 7.408.

49) I*bid.*, Appellate Body Report, WT/DS394/AB/R, 30 Jan. 2012, para. 355.

50) I*bid.*, para. 355 원문은 다음과 같다 : In order to fall within the ambit of subparagraph (g) of Article XX, a measure must "relat[e] to the conservation of exhaustible natural resources". The term "relat[e] to" is defined as "hav[ing] some connection with, be[ing] connected to". The Appellate Body has found that, for a measure to relate to conservation in the sense of Article XX(g), there must be "a close and genuine relationship of ends and means". The word "conservation", in turn, means "the preservation of the environment, especially of natural resources".

로서 "유효한"이라는 용어는 "주어진 시간에 작동되는" 것으로 정의된다. 법적 문서와 연계해서 사용될 경우 "유효하게 되는"이라는 용어란 작동되고, 채택되거나, 적용되는 … 조치를 기술하는 것이라고 우리는 고려한다. "결부되어"라는 용어는 "(~과) 함께, 공동으로"로서 정의된다. 따라서 무역제한은 국내 생산 또는 소비에 대한 제한과 함께 공동으로 작동되어야 한다. 이처럼 제XX조 (g)호는 그러한 무역조치가 국내 생산 또는 소비에 대한 제한과 함께 운용될 경우 유한 천연자원의 보존에 관련된 무역조치를 허용한다. 제XX조 (g)호는, 용어 사용에 있어, 동 보존조치가 국내 생산 또는 소비에 대한 제한을 유효하게 하는데 보존조치의 일차적 목적이 있다는 추가요건을 포함하지 않고 있다.[51]

(5) 미국-바다거북/새우 사건

① 사실관계

미국은 멸종위기동물보호법(Endangered Species Act)에 따라, 1987년 미국 새우잡이 어선이 새우 어획 과정 중 우연히 포획되어 죽는 바다거북을 안전하게 보호하기 위한 거북제외장치(Turtle Excluder Device: TED)를 의무적으로 사용하도록 하였다. 1989년에 제정된 Public Law 101-102 제609조(Section 609)는 바다거북에 부정적 영향을 미치는 기술로 어획된 새우 및 새우제품은 일정한 예외(새우어획국의 바다거북 우발적 포획률이 미국과 유사하거나 포획국의 어업환경상 바다거북에 대해 특별한 위협을 가하지 않는 경우)를 제외하고는 미국내 수입을 금지시켰다. Section

---

51) *Ibid.*, para. 355. 원문은 다음과 같다: Article XX(g) further requires that conservation measures be "made effective in conjunction with restrictions on domestic production or consumption". The word "effective" as relating to a legal instrument is defined as "in operation at a given time". We consider that the term "made effective", when used in connection with a legal instrument, describes measures brought into operation, adopted, or applied… The term "in conjunction" is defined as "together, jointly, (with)". Accordingly, the trade restriction must operate jointly with the restrictions on domestic production or consumption. Article XX(g) thus permits trade measures relating to the conservation of exhaustible natural resources when such trade measures work together with restrictions on domestic production or consumption, which operate so as to conserve an exhaustible natural resource. By its terms, Article XX(g) does not contain an additional requirement that the conservation measure be primarily aimed at making effective the restrictions on domestic production or consumption.

609를 이행하기 위해 채택된 지침(1991년, 1996년)은 미국내로 새우 및 새우제품을 수출할 경우에는 그 새우가 바다거북에 부정적 영향을 미치지 않는 방식으로 어획되었거나 Section 609에 의해 인가받은 국가관할권내에서 어획되었다는 신고서를 제출하도록 하였다. Section 609에 의한 '인가'란 미국의 TED와 사실상 동등한 조치를 취하고 있는 국가에 한해 발급되는 것이다. 인도, 말레이시아, 파키스탄, 태국은 상기와 같은 Section 609 및 관련 지침은 '1994년 GATT' 제XI조 위반이라고 주장하면서 WTO 분쟁해결기구에 회부하였으며, 미국은 Section 609와 그 이행조치가 '1994년 GATT' 제XX조 (b)호와 (g)호에 따라 정당화된다고 주장하였다.

② 법적 쟁점

미국의 Section 609와 그 이행조치가 '1994년 GATT' 제XX조 (b)호와 (g)호에 의한 예외 사유에 해당하는지 여부.

미국의 Section 609와 그 이행조치가 '1994년 GATT' 제XX조 두문 규정상의 적법성 요건을 충족하는지 여부.

③ 패널 및 상소기구 보고서의 주요 내용

'미국—바다거북/새우 사건'에서, 상소기구는, 'WTO 설립협정' 전문에 구현된 '지속가능한 개발'(sustainable development)이라는 목표에 일치하는 세계자원의 최적이용을 고려해 볼 때, '1994년 GATT' 제XX조 (g)호상의 유한 천연자원이라는 용어는 내용 및 참조의 관점에서 정적인(static) 개념이 아니라 정의상 '진화적인'(evolutionary) 개념이라고 확인하였고, 새우에 대한 수입금지조치에서 사용된 고안과 방법은 바다거북을 보호하는 목적과 합리적으로 관련되어 있다고 평결함으로써 제XX조 (g)호는 국내자원은 물론 회유성이 강한 국가관할권 밖의 생물자원에 대해서도 구분 없이 적용된다고 해석하는 것이 조약해석에 있어 '유효성 원칙'(principle of effectiveness)에도 부합된다고 판결하였다.[52]

상소기구는 미국의 조치가 제XX조 (g)호의 범위 내에 해당하므로 제XX조 (b)호에 해당하는지 여부는 더 이상 검토할 필요가 없다고 보고 제XX조 두문에 해당되는지 여부를 검토하였다. 패널과 달리 상소기구는 제XX조 분석의 적정 순서(proper sequence)에 대한 패널의 법해석을 번복하였는데, 상소기구는 제XX조 분

---

52) *US—Shrimp/Turtle, supra note* 11, paras. 130-131.

석의 적정 순서는 제XX조 개별 호((a)~(j))의 하나에 해당하는 것으로 잠정적으로 정당화될 수 있는 조치인지 여부를 먼저 검토한 이후에 제XX조 두문 상의 요건을 충족하는지 여부를 검토하여야 한다고 해석하였다.

두 번째 단계의 분석 방식에 대해, 상소기구는 어떤 조치가 동등한 조건 하에 있는 국가들간에 자의적이거나 부당한 차별을 구성하려면 세 가지 요소, 즉 ① 조치의 적용이 차별을 야기해야 하고, ② 차별은 그 성질상 자의적이거나 정당화될 수 없어야 하며, ③ 그러한 차별은 동등한 조건 하에 있는 국가들간에 발생하여야 한다는 요소가 모두 존재해야 한다고 판단하였다. 따라서 상소기구는 동종의 새우를 어획방법과 어획국의 보존정책 차이로 수입을 금지하여 차별하는 것은 '1994년 GATT' 제I조(최혜국대우)를 위반한 것이고, TED를 사용하여 어획하더라도 미인가국가로부터의 바다거북 수입을 금지하는 것은 국가간에 정당화될 수 없는 '부당한 차별'이며,53) 미국 국내법(Section 609)상의 인가부여에 있어 일방적 질문, 심리 반론기회의 미제공, 개별적 서면통보절차의 미비, 재심 및 상소의 부정 등은 '자의적 차별'에 해당된다고 평결하였다.54)

〈평결문〉

150. … 어떤 조치가 "동일한 조건하에 있는 국가들 간에 자의적이거나 부당한 차별"을 구성하는 방식으로 적용되기 위해서는, 세 가지 요소가 존재해야 한다. 첫째, 동 조치의 적용이 차별을 야기해야 하고…, 둘째 동 차별이 성격상 자의적이거나 부당해야 하며…, 셋째 동일한 조건하에 있는 국가들 간에 그러한 차별이 발생해야 한다.55)

---

53) Section 609에 의하면 바다거북의 의도적 사망률이 미국에 상응하는 국가들에게는 수입을 승인할 수 있고 수입승인을 받지 못한 국가들에게는 수입을 금지할 수 있다(Section 609, 16 U.S.C. § 1537).

54) *US—Shrimp/Turtle, supra note* 11, paras. 176, 180, 184.

55) *Ibid.*, para. 150. 원문은 다음과 같다. In order for a measure to be applied in a manner which would constitute "arbitrary or unjustifiable discrimination between countries where the same conditions prevail", three elements must exist. First, the application of the measure must result in *discrimination*… Second, the discrimination must be *arbitrary or unjustifiable* in character…. Third, this discrimination must occur *between countries where the same conditions prevail.*

176. 다양한 새우 수출국들에게 제609조를 적용하는 방법들에 있어 상기와
같은 차이가 누적적 효과로 고려될 경우, 대우상의 이러한 차이들이 제
XX조 두문 상의 의미 내에 미국 새우시장에 접근을 획득하기 위해 보
증서 교부를 원하는 수출국들 간에 "부당한 차별"을 구성한다고 우리는
확인하고 그렇게 판시한다.[56]

제 3 절   일반적 예외와 인권보호

인권과 무역간의 관계는 복잡해서 여러 가지 관점에서 논의될 수 있겠으
나,[57] 여기서는 인권보호를 위한 무역제한조치가 '1994년 GATT' 제XX조의 목적
상 일반적 예외로서 정당화될 수 있는 근거로 인정되는지 여부에 대해 검토하기
로 한다.[58] 인권과 무역간의 관계에 관한 문제는 국제공법상의 문제로서, 인권
및 무역을 규율하는 조약과 국제관습법 상호간에는 위계질서가 없는 관계로 국
제강행규범의 경우를 제외하고는 양자는 동등한 효력을 가지기 때문에, 일반적으
로 인권규범은 무역규범에 우선적으로 적용될 수 없다.[59]

일반적으로 GATT 및 WTO 협정과 같은 다자간 무역협정과 자유무역협정
(FTA)과 같은 지역경제통합협정은 자유무역과 투자자유화를 확대하는 것을 주된
'목표'로 한다. 그러나 자유무역 및 투자자유화의 확대와 경제발전과 생활수준의
향상은 인간의 존엄성이나 인간다운 삶을 증진하기 위한 '수단'에 불과한 것이며,

---

56) *Ibid.*, para. 176. 원문은 다음과 같다. When the foregoing differences in the means of
application of Section 609 to various shrimp exporting countries are considered in their
cumulative effect, we find, and so hold, that those differences in treatment constitute
"unjustifiable discrimination" between exporting countries desiring certification in order to
gain access to the United States shrimp market within the meaning of the chapeau of
Article XX.

57) 국제법상 인권과 국제무역간의 관계에 대한 일반적인 논의는 T. Cottier, J. Pauwelyn and
E. Burgi (eds.), *Human Rights and International Trade*(Oxford University Press, 2005) 참조.

58) GATS 제XIV조는 '공중도덕' 뿐만 아니라 '공공질서'(public order)의 보호를 위해 필요한
조치를 취하는 경우에도 일반적 예외사유로 인정하고 있다.

59) GATT 및 WTO 협정은 인권을 명시적으로 기술하고 있지는 않으나 'WTO 설립협정'의 전
문(생활수준의 향상), '1994년 GATT' 제XX조 ((a)호, (g)호), GATS 제XIV조((a)호, (b)호),
TRIPs 협정(제27.2조) 등에 인권적 측면에서 해석될 수 있는 규정들을 가지고 있다.

국제무역협정의 기본 '목적'은 인간의 존엄성(human dignity)을 증진하는 것임을 유의하여야 한다. 노동기본권을 포함한 기본적 인권은 경제적·상업적 이익을 극대화하기 위해 포기되거나 희생될 수 없으며, 인간의 존엄성은 모든 법규와 제도를 정당화하는 근본규범이기 때문에 자유무역과 투자자유화 가치에 우선되어야 하기 때문이다.[60]

따라서 기본적 인권을 핵심요소로 포함하고 있는 '인간의 존엄성원칙'(principle of human dignity)은 GATT 및 WTO 협정을 해석하는 법원칙으로 기능한다.[61] '재소자 노동제품'에 대한 통상규제를 명시적으로 허용하는 '1994년 GATT' 제XX조 (e)호는 인권이라는 용어를 사용하지 않았지만 강제노동을 규제대상으로 한다는 점에서 인권보호를 위한 통상규제조치를 허용하는 예외 규정으로 원용할 수 있다.

그러나 '1994년 GATT' 제XX조 (a)호에 규정된 '공중도덕 예외'에 '인권'이 포함되는지 여부는 문언상 불명확하다. 기본적 인권은 인간의 존엄성 및 평등의 중요성과 자유, 평화, 민주주의 같은 가치의 중요성을 강조한다. 일반적으로 공중도덕이란 국가적·지역적 차원에서 뿌리 깊고 지배적인 문화적, 사회적, 윤리적 관념 및 가치의 광범위한 영역을 지칭하는 개념이다.[62]

'미국-도박서비스 사건'에서 패널은 '공중도덕'의 개념을 "공동체 또는 국가에 의해서 공동체 또는 국가를 대신해서 유지되는 옳고 그른 행위의 기준"으로 해석하였다.[63] '비엔나조약법협약' 제31조(3)(c)는 "당사국간에 적용될 수 있는 국제법의 모든 관련 규칙"을 조약해석 시 고려하도록 규정하고 있는데, WTO 분쟁해결제도의 목표는 "국제공법의 해석에 관한 통상적인 규칙"(customary rules of interpretation of public international law)에 따라 대상협정의 현존 규정을 명확히 하는 것이다.[64] '비엔나조약법협약'(전문)에 의하면, 조약에 관한 분쟁은 다른 국제분쟁과 같이 "인권과 기본적 자유에 대한 보편적 존중과 준수"를 포함하여 "정의

---

60) Seung Hwan Choi, "'Human Dignity' as an Indispensable Requirement for Sustainable Regional Economic Integration," 6 *Journal of East Asia and International Law* 81 (2013), pp. 84-87.

61) '인권존중'(respect for human rights)을 국제경제법의 기본원칙으로 보는 견해에 대해서는 M. Herdegen, *Principles of International Economic Law* (Oxford University Press, 2013), p. 63 참조.

62) *Ibid.*, p. 206.

63) *US—Gambling Services*, Panel Report, *supra* note 22, para. 6.465.

64) 분쟁해결양해(DSU), 제3조 2항.

제8장 일반적 예외 175

와 국제법 원칙"에 따라 해결되어야 한다.[65] 'UN 헌장', '세계인권선언', 'UN 국제
인권규약'(시민적·정치적 권리에 관한 A규약과, 경제적·사회적·문화적 권리에 관한 B규
약) 등을 포함한 다수의 국제인권조약에 규정된 인권의 보편성 및 중요성과 WTO
의 대다수 회원국들(112개국)이 'UN 국제인권규약'을 비준했음을 고려해 볼 때,
인권은 도덕적 가치의 핵심이라고 할 수 있기 때문에 '공중도덕 예외'는 인권보호
를 위한 무역제한조치를 정당화하는 법적 근거로 원용될 수 있다.[66]

　　'1994년 GATT' 제XX조 (a)호의 적용 목적상 공중도덕 예외를 원용할 수 있는
인권의 구체적인 범위는 어디까지 포함되는가? 국제법상 강행규범(jus cogens)의
범주에 속하는 '핵심적 인권'[67](core human rights) 또는 '중대한 인권침해'(조직적인
인종차별, 노예매매, 강제노동, 아동노동 등)의 경우 공중도덕 예외를 원용할 수 있을
것이다. 그밖에도 집회 및 결사의 자유, 노동기본권, 생명권, 건강권, 재산권 등에
대한 인권 침해와 같이 국제공동체 전체의 공통된 도덕적 이익을 위협하는 중대
한 인권위반에 대해서도 공중도덕 예외를 원용할 수 있을 것이다.[68] 다만 '1994년
GATT'의 목적상 공중도덕 예외를 원용하는 회원국은 제XX조의 두문을 준수하여
야 한다.

〈관련 분쟁사례-6〉

　　'미국-도박서비스 사건'에서, 패널은 '공중도덕'을 "공동체 또는 국가에 의해
서나 공동체 또는 국가를 대신해서 유지되는 옳고 그른 행위의 기준"으로,
'공공질서'를 "공공정책과 법에 반영된, 사회의 근본적 이익의 보존"을 의미
하는 것으로 근본적 이익(fundamental interests)에는 "법과 안보(security) 및

---

65) 2008년 8월에 개최된 세계국제법협회(ILA) 제73차 총회에서 국제무역분과위원회는 "WTO
　　회원과 기관은 국제법상 인권의무에 따라 WTO 규칙을 해석하고 적용할 법적 의무를 가진
　　다"는 결의를 채택하였다. Resolution 5/2008, adopted by International Trade Law
　　Committee ; the 8th Report of International Trade Law Committee, adopted at the 73rd
　　Conference of the International Law Association, held in Rio de Janeiro, Brazil, August
　　17-21, 2008, paras. 38-42.
66) S. Zleptnig, *Non-Economic Objectives in WTO Law* (Martinus Nijhoff Publishers, 2010),
　　p. 195. 다만 WTO 통상분쟁에서 인권을 직접 원용하지 아니하는 경향과 패널 및 상소기
　　구의 견해에 대한 지적은 E-U. Petersmann, *International Economic Law in the 21st
　　Century* (Hart Publishing, 2012), pp. 410-413 참조.
67) *Ibid.*, p. 356.
68) *Ibid.*, pp. 195-197.

도덕 등의 기준들"이 관련될 수 있다고 해석하였다.[69] '미국－도박서비스 사건'에서 상소기구는 도박서비스의 국경간 공급에 대한 미국 국내법(전신법(電信法), 여행법, 불법도박영업법)상의 규제는 공중도덕을 보호하거나 공공질서를 유지하기 위해 '필요한' 조치라고 평결하였다.[70]

---

69) *US—Gambling Services*, Panel Report, *supra* note 22, paras. 6.465, 6.467.
70) *US—Gambling Services*, Appellate Body Report, *supra* note 22, paras. 323－327.

제 9 장
안보예외

제1절 국제통상법과 국가안보

국제통상법을 비롯한 국제조약은 당사국이 조약상의 제약으로부터 벗어나기 위한 선택적 이탈의 장치로서 안보예외(security exceptions) 조항을 두고 있다. 이러한 "도피조항(escape clause)"은 국가로 하여금 그들의 안보이익을 국제의무보다 우선함으로써 국제의무에서 벗어나도록 허용한다. 따라서 국가에 의한 안보예외 조항의 원용은 일반적으로 국제규범의 준수를 포기한 것으로 본다.[1] 이와 관련 안보예외 조항이 없는 조약에도 안보예외가 국제관습법으로서 적용될 수 있느냐에 관하여는 국가는 영토보전과 그 정치적 독립을 유지시킬 기본적 권리를 보유하고 있으므로 국가의 안전보장이나 존립을 위태롭게 하는 조약상의 의무를 무시할 권리가 있다고 보아 국가안보에 근거한 무역제한은 안보예외 조항이 없는 조약에도 적용될 수 있는 관습법으로 간주되어야 마땅하다.[2] 한편 어떤 조약은 당사국의 국가안보에 영향을 미치는 특정 사안을 조약의 적용범위에서 완전히 배제하거나 국가안보를 이유로 조약의 효력을 종료 또는 정지시키는가 하면 어떤 조약은 조약상의 의무를 제한하거나 면제시키기 위하여 국가안보상의 이유를 원용하도록 예외적으로 허용한다. 후자의 경우는 WTO협정이 특히 그러하다.[3]

---

[1] Ryan Goodman, "Norms and National Security: The WTO as a Catalyst for Inquiry," *Chicago Journal of International Law*, Vol 2, No. 101 (2001), p. 101.

[2] 최승환, 「미국의 대공산권 수출규제에 관한 국제법적 연구」, 박사학위 논문, 서울대학교 (1991), p. 46.

[3] Dapo Akande and Sope Williams. "International Abjudication on National Security Issues: What Role for the WTO?," *Virginia Journal of International Law*, Vol. 43 (2003), pp. 366–369.

제 2 절   WTO협정과 안보예외

상기와 같이 국가안보와 국제통상법은 상호 밀접하게 관련되어 있다. 이러한 연관성은 1947년 현대 국제통상법이 탄생한 이후부터 존속해 왔다. GATT에 안보예외가 반영된 제21조는 국가안보를 목적으로 무역제재를 부과하는 폭넓은 구조를 형성하고 있다.[4] GATT 외에도 일부 WTO협정은 국가안보를 이유로 한 무역제한조치를 WTO 법원칙의 예외로 인정하고 있다. 그 예로 서비스무역협정(GATS), 무역관련 지적재산권협정(TRIPs), 수입허가절차협정, 정부조달협정을 들 수 있다.[5]

뿐만 아니라 한-미 자유무역협정(FTA)을 비롯한 대부분의 FTA도 안보예외 규정을 두어 중대한 국가안보의 이익보호를 위하여 필요시 무역제한조치를 취할 수 있도록 하였다. 예를 들면 한-싱가포르 FTA, 한-칠레 FTA, 한-EFTA FTA 및 한-중 FTA는 안보예외에 관하여 GATT 제21조를 준용(application *mutatis mutandis*)하였고,[6] 한-미 FTA는 안보예외 조항(제23.2조)에 의거하여 취할 수 있는 조치를 중대한 안보이익에 반하는 정보의 비공개 조치와 국제평화와 안보의 유지 또는 회복 및 자국의 중대한 안보이익 보호에 관한 의무이행을 위한 필요한 조치에 한정하였다.[7] 북미자유무역협정(NAFTA)은 GATT 제21조의 예외조치 중

---

4) Raj Bhala, "Fighting Bad Guys with International Trade Law," *U.C. Davis Law Review*, Vol. 31, No. 1 (Fall 1997), p. 4.

5) TRIPs 제73조는 후술하는 GATT 제21조의 내용과 동일하며, 수입허가절차협정 제 1 조의 10은 GATT 제21조를 준용하고 있고, GATS 제14조 2의1(b)(i)는 GATT 제21조(b)(ii)의 '무기, 탄약, 군수품 및 기타 물품과 원재료' 부분을 '서비스 공급'(supply of services)으로 대체하였으며 회원국이 국가안보상 취한 조치 및 종료에 관한 정보를 서비스무역이사회에 가능한 자세히 통보하는 조항(제14조 2의2)을 추가하였다. 정부조달협정 제23조 1은 무역제한 대상의 조달범위를 무기, 탄약 또는 전쟁물자의 조달 및 국가안보 또는 국가방위 목적 수행에 불가결한 조달로 한정하였다.

6) 한-싱가폴 FTA 제21조 3항, 한-칠레 FTA 제20조 2항, 한-EFTA FTA 제2.13조(c), 한-중 FTA 제21.2조.

7) Korea-US FTA Article 23.2(Essential Security):
   Nothing in this Agreement shall be construed:
   (a) to require a Party to furnish or allow access to any information the disclosure   of which it determines to be contrary to its essential security interests; or
   (b) to preclude a Party from applying measures that it considers necessary for the fulfillment of its obligations with respect to the maintenance or restoration of international peace or security or the protection of its own essential security interests.

무역제한조치 대상에 상품과 원재료 외에 서비스와 기술을 추가하였고, 핵무기 또는 핵폭발장치의 비확산에 관한 자국의 정책 또는 국제협정의 이행을 위한 조치를 추가하였다.[8] WTO협정 외에도 OECD '자본이동에 관한 자유화코드'는 중대한 국가안보의 이익 보호 및 국제평화와 안보에 관한 의무이행을 위하여 필요 시 외국인투자자를 제한할 수 있도록 하였다.[9]

제3절 GATT 제21조(안보예외)

1. 무역제한에 관한 GATT 규정

GATT는 WTO협정 중 가장 핵심적이고 실체적인 협정이며 상품무역에 관한 모든 법적 제한을 관세의 형태로 일원화하여 국가 간의 관세를 거치고 인하하는 것이 주요 목적이다. GATT의 가장 근본적인 원칙은 동종제품(like products)에 대하여 WTO 회원국 간에 적용하는 비차별 원칙(제1조, 제11조, 제13조, 제20조)과 동종제품에 대해 수입품과 국내제품을 동등하게 대우하는 내국민대우 원칙(제3조)이다. GATT 규칙은 관세에 초점을 두고 외국제품의 수입에 가장 흔히 적용된다. 그러나 제1조의 최혜국대우 원칙은 수입뿐 아니라 수출에도 똑같이 적용된다. 더욱이 제11조는 "수출입에 대한 쿼터, 수입허가 또는 수출허가의 시행 여부를 불문하고 관세, 조세 또는 기타 부가금 외의 수입제한 또는 수출제한의 도입 또는 유지를 폭넓게 금지한다. 한편 제11조는 수량제한의 일반적 금지에 대한 많은 예외사항을 포함하고 있고, 이러한 예외에 제20조의 GATT 의무에 대한 일반적 예외가 추가된다. 그러나 GATT 제11조나 제20조는 제21조와는 달리 그 어느 예외조항도 국가안보 또는 외교정책을 목적으로 하는 무역제한을 다루지 않는다.[10]

8) NAFTA Article 2102 (National Security).
9) OECD Code of Liberation on Capital Movements, Art. 3 (Public order and security):
The provisions of this Code shall not prevent a Member from taking action which it considers necessary for:
i) the maintenance of public order or protection of public health, morals and safety;
ii) the protection of its essential security interests;
iii) the fulfillment of its obligations relating to international peace and security.
10) Daniel H. Joyner, *International Law and the Proliferation of Weapons of Mass*

2. GATT 제21조의 해석

GATT 제21조는 독립국인 이상 자국의 안전보장[11]을 위하여 또는 국제평화와 안보의 유지에 협력하기 위한 조치를 취할 수 있도록 여지를 둘 필요성이 있다는 취지에서 마련되었다.[12] GATT 제21조는 WTO 회원국이 자국의 중대한 국가안보의 이익을 보호하기 위하여 취하는 필요한 조치에 대하여 GATT상의 모든 의무가 면제되도록 허용하는 포괄적(all-embracing) 예외조항이다. 이는 이 조항의 첫 단어인 "Nothing"에서 명백히 나타난다. 일단 WTO 회원국이 이 조항을 근거로 무역제한 조치를 취하면 상대국에 대해 GATT상의 모든 의무로부터 면제된다. GATT 제21조 안보예외 조항에 의거 회원국이 중대한 국가안보의 이익을 보호하기 위해 허용되는 일방적 조치는 다음과 같다.

(a) 공개 시 자국의 중대한 안보이익에 반한다고 간주되는 정보의 비공개
(b) 회원국의 중대한 안보이익의 보호를 위하여 필요하다고 간주되는 다음의 조치
   (i) 핵분열성물질 또는 그 원료물질[13]
   (ii) 무기, 탄약, 군수물자의 거래와 군사시설에 대한 보급목적을 위하여 직접 또는 간접적으로 수행되는 기타 상품 및 원재료의 거래와 관련된 조치
   (iii) 전시 또는 국제관계에서의 기타 비상사태에 취해진 조치

Destruction, (Oxford: Oxford University Press, 2009), pp. 128-129.
11) 안전보장이란 외부로부터의 무력공격이나 침략에 대하여 국가가 자신을 방위하고 안전을 유지하기 위한 제도를 말한다. 다시 말해 안전보장이란 전쟁 방지와 진압을 위한 제도이다. 이한기, 「국제법강의」(서울: 박영사, 2006), p. 682; 유럽연합(EU)의 효시인 유럽석탄철강공동체(ECSC)가 탄생한 것은 전쟁 재발을 방지하기 위한 국가안보의 이익에서 출발하였다. Dick Leonard, *Guide to the European Union* (London: Profile Books Ltd, 1998), p. 5.
12) 안보예외는 1947년 GATT 탄생 훨씬 이전인 1927년 독일, 일본 등 29개국이 체결한 수출입제한철폐조약에 국가 비상사태의 경우 무역제한조치를 취할 수 있다는 취지의 규정이 있었다. 津久井 茂充,『ガットの全貌』(東京: 日本關稅協會, 1993), p. 578.
13) 핵분열성물질(fissionable materials)은 플루토늄 239·우라늄 233·동위원소 우라늄 235 또는 233의 농축우라늄 및 이들의 하나 또는 둘 이상을 함유하는 물질로서 원료물질을 제외한 것을 말하고, 핵 원료물질(source material)은 천연우라늄·열화우라늄 및 토륨(thorium)을 말한다. IAEA헌장 제20조(정의) para. 1, para. 3 참조.

(c) 국제평화와 안보의 유지를 위하여 유엔헌장 상의 의무이행을 위한 회원
국의 조치[14]

(1) 중대한 안보이익("it considers … essential security interests")

먼저 제21조(a), (b)에서 "it"는 제21조를 원용하여 무역제한 조치를 취하는
WTO 회원국을 가리킨다. 회원국의 조치가 제21조(b)의 요건에 부합하는지의 결
정은 그 국가의 단독 재량사항이다. 단, WTO의 패널 또는 상소기구는 그 조치가
당해 요건을 충족하는지의 여부를 심사할 권한을 갖는다.[15] 그리고 자국의 "중대
한 안보이익(essential security interests)"이란 국내외를 불문하고 국가의 안전을 위
협하는 침해 또는 내란 등의 위험으로부터 국가를 보호하는 자국의 이익을 의미
한다. 그러나 GATT는 이 안보이익에 대하여 명확하게 규정하기가 곤란하여 제21
조 발동이 남용되지 않도록 하는 한편 그 판단을 각국의 양식에 맡기고 있다.[16]
이처럼 무엇이 자국에 "중대한 안보이익"인가는 WTO 각국이 스스로 결정하는
사항이기 때문에 첫째, 발동국가는 그 조치에 대해 사전에 통보할 필요가 없고,
둘째 그 조치의 정당성을 증명할 필요가 없으며, 셋째 WTO 또는 그 회원국들로
부터 사전승인이나 추인을 받을 필요가 없다.[17]

1982년 포클랜드 전쟁 관련 아르헨티나 제품에 대한 EC·미국·캐나다·호주
의 무기한 수입금지 조치에 대하여 아르헨티나는 이들 조치는 GATT의 기본원칙
과 목적에 저촉됨은 물론 GATT 제 1 조1, 제 2 조, 제11조1, 제13조 및 제 4 부(제

---

14) GATT 제21조(security exceptions)의 원문은 다음과 같다.
   Nothing in this Agreement shall be construed:
   (a) to require any Member to furnish any information the disclosure of which **it**
   considers contrary to its essential security interests; or (b) to prevent a Member from
   taking any action which it considers **necessary** for the **protection** of its **essential security
   interests**; (i) relating to fissionable materials or the material from which they are derived;
   (ii) relating to the traffic in arms, ammunition and implements of war and to such traffic
   in other goods and materials as is carried on directly or indirectly for the purpose of
   supplying a military establishment; (iii) taken in time of war or other emergency in
   international relations; or (c) to prevent a Member from taking any action in pursuance of
   its obligations under the United Nations Charter for the maintenance of international
   peace and security.
15) WT/DS512/7(29 April 2019), para. 7.101.
16) 津久井 茂充, 전게서, p. 580.
17) Raj Bhala, *supra* note 4, p. 9.

36~38조) 위반이라고 주장했다. 이에 EC는 제21조의 권한 행사는 통보, 정당화 및 승인을 요하지 않으며, 이러한 권한 행사는 최종적으로 체약국이 판단한다고 말했다. 미국은 비경제적 이유에 의한 무역제한에 대하여 "GATT가 안보이익의 보호를 위한 필요한 조치의 판단을 각 체약국에 일임하였기 때문에 체약국단은 그 판단에 의문을 제기할 하등의 권한이 없다."고 말했다.[18] 캐나다는 자국의 보이콧 조치는 정치적 사안에 대해 정치적으로 대응한 것이며, GATT는 이러한 정치적 문제를 다룰 권능도 책임도 없다는 입장을 밝혔다. 마찬가지로 체코슬로바키아가 미국의 수출허가제를 GATT 제 1 조 위반이라고 문제를 제기한데 대하여 1949년 GATT 총회는 "자국의 안보에 관한 문제는 각국이 최종적으로 판단해야 한다."고 말했다.[19]

한편 제21조(b)의 어느 세부조항도 WTO 회원국이 무역제한 조치를 취하기 전에 물리적 침입 또는 무력공격과 같은 명백하고 구체적인 위험에 처해 있을 것을 요구하지 않는다. 즉 WTO 회원국은 자국의 중대한 안보이익이 실재적 위험은 물론 잠재적 위험에 의해 위협받을 때에도 제21조(b)를 원용할 수 있다.[20] 1961년 포르투갈의 GATT 가입 시 가나(Ghana) 정부의 포르투갈 제품에 대한 불매 조치에 대하여 가나는 포르투갈이 야기한 앙골라(Angola) 사태의 실재적이고, 잠재적인 위험이 아프리카 대륙의 평화를 지속적으로 위협하고 있고 이러한 위협을 완화시키기 위한 보이콧(boycott)은 제21조(b)(iii)에 따른 정당한 조치라는 견해를 표명하였다.[21]

아울러 니카라과가 1985년 미국의 금수조치에 대해 제21조(b)의 모두(chapeau)는 자위(self-defense) 요건을 구성하며 따라서 제21조(b)는 회원국이 침략을 당한 후에만 발동할 수 있다고 주장한 데 대하여, GATT는 1986년 패널보고서에서 "이는 위임사항(terms of reference)을 벗어난 사안이므로 미국이 행한 제21조(b)(iii) 원용의 타당성 또는 동기를 검토하거나 판단할 수 없다."고 밝혔다.[22] 그러나 제21조(b)의 (i), (ii), (iii)은 각각 제21조(b)의 모두(chapeau)를 따르고 있

---

18) C/M/157, p. 10.

19) GATT/CP. 3/SR, 22, p. 7.

20) Raj Bhala, *supra* note 4, p. 10.

21) SR. 19/12, p. 196.

22) GATT, *Analytical Index: Guide to GATT Law and Practice, 6th Edition* (Geneva, 1994), p. 555.

는데 이는 실제 침략이 전제조건이 아님을 시사하고 있다. 더욱이 제21조(b) (i), (ii), (iii)과 "necessary," "protection," "essential security interests"라는 말에는 확실한 위협(credible threat)의 개념이 함축되어 있다.[23)]

(2) 조치(any "action")

1) 핵물질 및 기타 상품과 원재료

GATT 제21조(b)의 조치에서 (i), (ii) 및 (iii)은 핵물질, 무기거래 또는 국제관계상 비상시에 자국의 중대한 안보이익을 위하여 필요한 조치를 발동할 수 있도록 한 것이다. 먼저 제21조(b)(i)는 핵무기의 원료인 핵분열성 물질 또는 그 원료물질의 위협으로부터 자국을 보호하는데 필요한 국가안보적 제재에 관한 내용이다. 어떠한 주권국가도 타 국가의 핵무기 개발 등에 의해 핵 위협에 처할 경우는 GATT상의 의무를 염려할 필요가 없다. 이는 핵무기의 확산저지가 GATT 의무의 준수보다 더 중요하기 때문이다. 둘째, 제21조(b)(ii)의 기타 상품 및 원재료에서 '기타 상품'이라 함은 무기, 탄약 및 군수품목 이외의 모든 물자를 말한다.

즉 무기, 탄약 및 군수물자, 즉 직접 군사 목적에 사용되는 것에 대하여는 제21조(b)(ii)의 앞 단락에서와 같이 그 거래를 규제할 수 있고, 제21조(b)(ii)의 뒤 단락에서, 그 외의 것, 예를 들면 의류와 식료품에 대하여도 간접적으로 군사 목적에 기여하는 것이면 그 거래를 제한할 수 있다. 또한 군용에 직접 제공하기 위한 거래에 국한하지 않고 어떤 물자거래의 최종목적이 군용인 경우에는 그 거래 단계의 여하를 불문하고 규제가 가능하기 때문에 "간접적으로 행해지는 … 거래"라고 규정한 것이다. 가령 조달기관을 통하여 군에 납품하는 경우 조달기관의 납품행위는 물론이고 조달행위 그 자체도 규제대상이 된다.[24)]

2) 전시 또는 기타 비상사태

GATT 제21조(b)(iii)는 전쟁 기타 국제정세가 긴박해 있을 때 체약국이 자국의 안보를 위하여 필요한 조치를 취할 수 있음을 규정하고 있다. 가령, 전략품목[25)]의 수출통제를 차별적으로 실시한다든가 또는 특정국가로 부터의 수입을 금

---

23) Raj Bhala, *supra* note 4, pp. 14–15.
24) 津久井 茂充, 전게서, p. 581.
25) 수출통제의 대상이 되는 무기, 원자력 전용품목 및 민군 겸용의 이중용도 품목 즉 물품(물자)(goods), 기술(technology) 및 소프트웨어(software)를 말한다.

지하는 조치 등을 예로 들 수 있다.[26] 이와 관련, 1975년 스웨덴 정부는 세계 모든 국가를 대상으로 신발 수입쿼터제를 도입한 이유에 대하여 "이 수입제한 조치는 제21조의 정신에 부합되게 취해진 조치이고 수입증가로 인하여 스웨덴 국가 안보 정책의 불가분한 일체로서의 경제적 방위의 비상계획에 심각한 위협이 될 정도로 국내생산이 감소하고 있다."고 설명하였다.

스웨덴은 또 이 정책은 국내 기간산업에 있어서 최소한의 생산능력 유지를 필요로 하며, 이러한 생산능력은 전시 또는 기타 국제관계에서의 비상시에 기본적 수요의 충족에 필요한 필수품의 제공을 위하여 불가결한 것이라고 말했다. 그러나 많은 국가들은 이러한 조치들이 GATT에서 정당화될 수 있는지에 대하여 의문을 표명하였다. 이에 스웨덴은 1977년 7월 1일부터 가죽 및 플라스틱 신발에 대하여 수입쿼터를 폐지한다고 통보하였다.[27]

(3) 유엔헌장상의 의무이행을 위한 조치

GATT 제21조(c)는 유엔헌장상의 의무이행을 통한 국제평화와 안보의 유지가 GATT 규칙을 준수하는 것보다 더 중요하다는 점을 의미한다. 아울러 동 조항은 WTO와 유엔 특히 안전보장이사회(이하 안보리) 간의 적절한 우선순위를 분명히 하고 있다. 즉 유엔 안보리가 북한과 이란 등 핵 확산국가에 대해 부과하는 무역금수 등의 경제제재는 이들 불량국가에 대한 GATT상의 의무를 위반하더라도 무방하다.

특히 제21조(c)는 WTO 회원국들에게 제21조(c)의 조건충족 여부에 관한 결정권을 명백히 부여하지 않는데, 이는 제21조(c)는 제21조(a), (b)와 달리 "회원국이 간주하는"(which it considers)이라는 문구가 없기 때문이다.[28] 유엔헌장 제 2 조 5항은 "모든 회원국은 유엔이 유엔헌장에 따라 취하는 어떠한 조치에 있어서도 모든 원조를 다하며, 유엔이 방지조치 또는 강제조치를 취하는 대상이 되는 어떠한 국가에 대하여도 원조를 삼가야 한다."고 규정하고 있으나 WTO 회원국은 GATT 제21조(c)에 의거 GATT의 여타 규정에 구속받지 않고 국제평화와 안보의 유지를 위하여 유엔헌장상의 의무를 이행하기 위한 조치를 취할 수 있다.[29]

---

26) 津久井 茂充, 전게서, p. 581.

27) L/4254, pp. 17 - 18; GATT, *supra* note 22, p. 557.

28) Raj Bhala, *supra* note 4, p. 17.

(4) 정보의 공개("disclose … any information")

WTO 회원국은 자국의 '중대한 안보이익'에 반하는 정보를 WTO 또는 기타 WTO 회원국 등에게 제공할 의무가 없다. 이때의 정보는 성격상 민감하거나 공개하면 정보원이 노출될 수 있는 경우이다. 앞서 언급된 바와 같이, 체코슬로바키아에 대한 미국의 수출허가제와 관련 체코슬로바키아는 GATT 제13조3(a)[30]에 의거 수출허가제에 관한 정보제공을 요청한데 대하여 미국 대표는 "GATT 제21조에 따라 체약국은 자국의 중대한 안보이익에 반하는 정보를 제공할 의무가 없다. 따라서 가장 전략적인 것으로 간주되는 수출허가제 대상 품목의 명칭을 공개하는 것은 미국의 안보이익 나아가 우방국의 안보이익에 반한다."고 말했다.[31]

그러나 국가안보 위협에 대한 신뢰할 만한 증거를 제시하지 않고 제21조를 원용하는 것은 정치적으로 용납되지 않을 수 있다. 즉 정보의 비공개가 자의적이라는 비난을 면하려면 원용하는 국가는 위협이 실제 존재한다는 최소한의 증거를 제시할 필요가 있다.[32] 1982년 GATT 이사회는 아르헨티나에 대한 비경제적 이유의 무역제한 조치에 관한 논의에서 EC·캐나다·호주 등 제한조치를 취한 국가들은 "제21조는 통보에 관해 언급이 없고, 과거에도 많은 체약국들이 아무런 통보도 하지 않고 제21조를 발동한 사실을 지목했다. 아르헨티나는 제21조의 해석을 요구하였으며,[33] 이에 1982년 11월 30일 체약국단은 "제21조(a)의 안보예외에 따를 것을 조건으로, 체약국은 무역제한 조치를 '가능한 최대한의 정도로(to the fullest extent possible)' 통보받는다."는 내용을 포함한 'GATT 제21조에 관한 결정'을 채택하였다.[34]

---

29) 유엔헌장 제25조에 의거, 유엔회원국은 국제평화에 대한 위협, 평화의 파괴, 침략행위에 대한 유엔 안전보장이사회의 제재조치 등의 결정을 유엔헌장에 따라 수락하고 이행해야 하며, 동 조치는 GATT, GATS, TRIPs 등의 WTO 협정위반으로 해석되지 않는다. 아울러 유엔헌장상의 의무는 유엔헌장 제103조에 의거 다른 조약이나 협정상의 의무에 우선한다.

30) GATT 제13조 3(a)는 "수입제한과 관련하여 수입허가가 발급되는 경우 제한을 적용하는 체약당사자는 당해 상품의 무역에 대하여 이해관계를 갖는 체약당사자의 요청이 있는 때에는 동 제한의 시행, 최근의 기간 중 부여된 수입허가 및 동 허가의 공급국간 배분에 관한 모든 관련정보를 제공해야 한다."고 규정하고 있다.

31) GATT, *supra* note 22, pp. 555−556.

32) Raj Bhala, *supra* note 4, p. 17.

33) GATT, *supra* note 22, p. 559.

34) Decision Concerning Article 21 of the General Agreement, para. 1, 결정의 전문은 GATT

그런데 이 통보는 절차적 권고사항에 불과할 뿐 의무사항은 아니다. 왜냐 하면 체약국들에게 통보를 해야 할지 그리고 통보가 가능한지의 여부는 제21조(a)를 원용하는 국가가 스스로 결정하기 때문이다. 한편 'GATT 제21조에 관한 결정'의 내용에는 통보 시기의 우선에 관해 언급이 없지만 사전 통보는 무역상대국에 대하여 예의와 존중을 나타낼 뿐 아니라 마찰의 소지를 줄이는 수단이라는 점이 반영된 것으로 볼 수 있다.[35]

(5) GATT 제21조와 다른 조항과의 관계

1) GATT 제 1 조 및 제13조와의 관계

1949년 체코슬로바키아가 자국에 대한 미국의 수출허가제가 GATT 제 1 조 및 제13조 위반이라고 제소한 데 대하여 미국은 이 조치는 제21조(b)(ii)에 의거 정당하며 안보 목적상 필요한 조치였고 군사 목적에 사용될 수 있는 일부 수출품목에만 적용하였다고 주장했다. 미국 정부가 수출허가 발급행정 과정에서 GATT상의 의무를 이행했는지의 여부에 관하여 패널 의장은 "제21조가 제 1 조의 최혜국대우 원칙에 대한 예외를 내포"하고 있음을 시사했다. 체약국단은 이를 근거로 1949년 6월 8일 결정에서 체코의 제소를 기각하였다.[36]

2) 일반 국제법과의 관계

니카라과에 대한 미국의 무역조치에 관한 1986년 패널보고서(채택되지 않았음)는 GATT 제21조와 일반 국제법 간의 관계에 관한 분쟁 당사국들의 견해차를 지적하고, 제21조는 국제법의 기본원칙에 따라 그리고 유엔 및 국제사법재판소(ICJ)의 결정과 조화하여 해석해야 한다는 점을 주목했다. 유고슬라비아에 대한 비경제적 목적의 무역제한 조치에 관한 1991년 제47차 회의에서 인도 대표는 "인도는 비경제적인 사항을 이유로 하는 무역제한 조치를 선호하지 않는다. 그러한 조치는 유엔 안보리에 의한 결정의 틀 내에서만 취해져야 하며, 그러한 결정이나 결의가 없으면 그러한 조치가 일방적이거나 자의적일 위험성이 중대하여 다자간 무역체제를 저해할 것이다."라고 말했다.[37]

문서 L/5426(2 December 1982) 참조.

35) Raj Bhala, *supra* note 4, pp. 10−11.

36) GATT/CP. 3/SR. 22, p. 9; Decision of 8 June 1949, p. II/28.

37) GATT, *supra* note 22, p. 562.

3) GATT 제23조와의 관계

GATT 제21조와 제23조(무효화 또는 침해)를 각각의 문언상으로 보면 양자 간
의 관계가 분명하지 않다. 게다가 제21조는 무역제한조치에 대해 통보, 승인 또
는 추인을 요하지 않기 때문에 상대국에게 제소권이 없는 것처럼 보인다. 그러나
1947년 GATT 협정문을 기초하는 과정에서 GATT 준비위원회(Preparatory Committee)
는 "GATT 제21조 또는 여타 어떤 조항도 예외 없이 제23조의 적용대상"이라는
점을 분명히 했다.[38] 'GATT 제21조에 관한 결정'에서도 제21조 조치가 취해질 때
그 조치에 영향을 받는 모든 체약당사국들은 GATT 상의 모든 권리를 보유하고
있음을 확인하고 있다.[39]

니카라과 사탕 수입에 대한 미국의 쿼터축소 조치에 관한 1984년 패널보고
서에서 "미국은 당해 조치를 취함에 있어서 GATT의 어떠한 예외규정도 원용하지
않았고 또한 GATT 규정에 의해 이 조치를 옹호하려는 것도 아니다. 미국의 조치
가 물론 무역에 영향을 미친 것은 사실이나 이는 무역정책을 이유로 취해진 조치
가 아니다."라고 말했다. 패널은 미국이 제13조에 반하는 차별적 수량제한을 허용
하는 GATT의 어떠한 예외규정도 원용하지 않은 사실에 주목하고 설탕 수입 쿼
터축소가 그러한 예외규정에 의거 정당했는지의 여부를 검토하지 않았다.

패널은 미국의 제한조치에 대하여 위임받은 사항에 따라 오로지 관련 GATT
조항을 고려하여 분쟁 중인 무역문제의 부분만을 검토하였다. 패널보고서는 니
카라과에 대한 미국의 쿼터축소는 GATT상의 의무를 이행하지 않은 것으로 결
론 내리고 니카라과에 대한 설탕 수입쿼터를 GATT 제13조(2)에 합치되게 할당
할 것을 권고하였다.[40]

1985년 미국의 무역금수 등의 제재에 대하여 상대국인 니카라과는 미국의
조치는 GATT의 정신 및 기본원칙 등에 어긋난다고 주장하고 금수조치의 즉각
철회를 요청하였다. 이에 미국은 "이번 조치는 GATT 제21조(b)(iii)를 원용한 것
이며 원용의 필요성과 조치내용은 조치를 취한 국가에 일임되어 있으므로 GATT
에 그 이유를 설명할 필요가 없으며, 또한 GATT는 정치적 문제를 다룰 적당한

38) EPCT/A/PV/33, pp. 26－27.
39) Decision Concerning Article 21 of the General Agreement, para. 2; L/5426, 29S/23.
40) L/5607; 31S/67, 72, para. 3.10.

장소도 아니다."라고 주장하였다.

니카라과의 패널 설치 요청에 대하여 미국은 "제21조(b)(iii)의 판단은 해당국에 그 권한이 있고 패널에는 없으므로 패널 설치는 의미가 없다. 다만 미국은 니카라과가 입은 GATT 상의 이익침해는 인정한다."는 입장을 표명하였다. 그 후 미국은 패널이 제21조(b)(iii)를 원용한 동기에 대하여 판단하지 않는다는 조건으로 패널 설치에 동의하였다.[41]

한편 미국제재가 제23조1(b)의 비위반(non-violation) 무효화 또는 침해에 해당한다는 니카라과의 주장에 대하여 패널은 제21조에 근거한 미국의 조치가 이 조치로 악영향을 받는 체약 당사국의 이익이 무효화 또는 침해되었는지의 기본적인 문제에 대한 판정을 체약국단에 제안하지 않기로 하였다.[42]

제 4 절 GATT 제21조의 원용 사례

앞서 논의한 바와 같이 GATT 제21조의 안보예외에 의한 무역제한조치는 무엇이 자국에 중대한 안보이익이냐에 대한 판단을 당해국가에 맡기고 있어 국가안보의 이익 보호를 위하여 필요한 조치가 주관적이고 자의적이기 때문에 그의 원용이 남용될 소지가 있다. 그럼에도 불구하고 1947년 GATT 탄생 및 1995년 WTO 출범 이후 최근에 이르기까지 GATT 제21조가 원용된 사례는 다음의 [표 9-1]에서 보는 바와 같이 총 21건(GATT 15건, WTO 6건)에 불과하다.[43] 그것도 전체 21건 중 16건은 미국, EC 및 스웨덴 등 선진국이 발동한 것이다.[44]

---

41) C/M/191, pp. 41-46.

42) L/6053, paras. 5.4-5.11.

43) 21건 중에서 GATT/WTO 분쟁사례는 7건(GATT 4건, WTO 3건)으로 이는 전체 분쟁사례 708건(GATT 101건(패널보고서가 채택된 건), WTO 607건)과 크게 비교된다. GATT 제21조 원용 사례에 관한 세부내용 및 분석에 관해서는 박언경, 「국가안보를 위한 통상규제에서의 1994년 GATT 제21조의 적용성」, 박사학위 논문, 경희대학교 (2009), pp. 109-133 참조.

44) GATT 제21조가 중대한 안보이익의 보호를 위한 안전장치로 원용되기 보다는 주로 강대국이 약소국의 정치적, 경제적 및 사회적 정책에 영향을 주기 위한 외교정책의 수단으로 활용되었다는 지적도 있다. Wesley A. Cann, Jr, "Creating Standards and Accountability for the Use of the WTO Security Exception: Reducing the Role of Power-Based Relations and Establishing a New Balance Between Sovereignty and Multilateralism," *Yale Journal of International Law*, Vol. 26 (2001), p. 426.

| 표 9-1 | GATT 제21조 원용 시기 및 비확산체제 성립과의 관계 |

No.	연도	GATT 제21조 원용 사례	국제비확산체제
1	1949	미국—체코슬로바키아 수출통제	
2	1951	미국—체코슬로바키아 수출제한	
3	1951	미국—화란·덴마크 낙농제품 수입제한	
4	1954	페루—체코슬로바키아 수입제한	
5	1961	가나—포르투갈 수입제한	
6	1962	미국—쿠바 금수(trade embargo)	
7	1968	미국—석유제품 수입제한(무역확장법)	
8	1970	이집트—이스라엘 보이콧	핵비확산조약(NPT)
9	1970	오스트리아—페니실린 등 수입제한	
10	1975	스웨덴—신발 글로벌 수입쿼터	생물무기금지협약(BWC)
	1978		NSG 원자력전용품목[45]
11	1982	EC·호주·캐나다—아르헨티나 수입금지	
12	1983	미국—니카라과 설탕 수입제한	
13	1985	EC—체코슬로바키아 전자제품 수출금지	호주그룹(AG)
14	1985	미국—니카라과 금수 등 경제제재	
	1987		미사일기술통제체제(MTCR)
15	1991	EC—유고슬라비아 무역제한	
	1992		NSG 이중용도품목
16	1996	미국—쿠바 자유민주연대법(헬름즈버튼법)	바세나르협정(WA)
	1997		화학무기금지협약(CWC)
17	1999	니카라과—온두라스·콜롬비아 수입금지	
18	2003	미국—브라질 리튬 수입허가제	
19	2013	EU—브라질 니트로셀룰로스 수입허가제	
20	2016	러시아—우크라이나 육상운송금지	
21	2019	한국-일본 반도체 소재 수출통제	

주: 1. 연도는 GATT 제21조 원용 시기, 비확산조약의 발효 및 다자간 수출통제체제의 출범 시
기를 뜻한다.
   2. 원용 사례에서 고딕 부분은 GATT/WTO에 제소된 분쟁사례이다.[46]

---

45) 원자력 전용품목(Trigger list)에는 핵물질, 핵물질의 제조 및 추출에 이용되는 원자로, 중수
(heavy water), 농축(enrichment) 및 재처리(reprocessing) 설비 등이 포함된다.

46) Hannes L. Schlomann and Stefan Ohlhoff, "Constitutionalization and Dispute Settlement in
the WTO: National Security as an Issue of Competence," *American Journal of
International Law*, Vol. 93 (1999), pp. 432-438 및 관련 WTO 문서 참조.

이처럼 GATT 제21조의 원용 사례가 적은 이유는 국가안보를 공통의 목적으로 하는 국제비확산체제[47]의 성립 및 통제품목과 관련이 많다. 특히 다자간 수출통제체제의 통제품목은 대부분 공업제품(공산품)을 대상으로 하고 있고, 더욱이 2004년 유엔 안보리 결의 1540호[48]에 의해 모든 국가에게 수출통제의 이행 및 집행이 의무화됨으로써 세계 각국이 비확산조약, 다자간 수출통제체제의 규범 및 유엔 안보리 제재결의(UNSCR)[49]에 의거 무역제한 등 경제제재 조치를 취하고 있기 때문으로 분석된다. 국제비확산체제의 성립이 완료된 1997년 이후 제21조의 원용사례가 단 5건에 불과한 것이 이를 반증한다.

제 5 절 안보예외와 비확산체제 국제규범

[표 9-2]에서 보는 바와 같이 GATT 제21조 등 WTO협정의 안보예외 규범은 국제비확산체제 규범과 제재분야, 제한품목, 제재객체 면에서 다음과 같이 구별된다. 첫째 제재분야에서는 양자 공히 상품 및 서비스의 교역을 제한하나 비확산 규범은 그 외에도 금융규제 및 자산동결도 포함하는 반면, 안보예외 규범은 수출입과 서비스 외에 투자와 정부조달도 제한한다. 둘째 제한품목은 양자 공통으로 무기·탄약 및 군수물자의 교역을 제한한다. 그 밖에도 안보예외 규범은 1차 상품과 공산품 등 모든 상품을 망라하지만 기술은 제외되어 있다. 비확산 규범은 주로 공산품인 상품과 기술 및 소프트웨어를 포함한 이중용도 품목을 통제한다. 셋째는 제재의 객체 면에서 안보예외 국제규범은 오직 하나 또는 소수의 국가만

---

47) 국제비확산체제란 대량살상무기(핵무기·생물무기·화학무기) 및 그 운반수단인 미사일의 확산을 방지하기 위한 무기별 조약, 이행검증체제 및 국제검증기구와 무기의 개발, 생산, 사용에도 이용 가능한 이중용도 물자와 기술에 관한 다자간 수출통제 규범(신사협정)으로 구성된 체제를 통칭한다. 조약으로는 핵비확산조약(NPT), 생물무기금지협약(BWC), 화학무기금지협약(CWC), 국제검증기구로는 국제원자력기구(IAEA), 화학무기금지기구(OPCW), 다자간 수출통제체제는 핵공급국그룹(NSG), 호주그룹(AG), 미사일기술통제체제(MRCR)과 바세나르협정(WA)이 있다. 국제 비확산체제의 전모에 관한 자세한 논의는 강호, 「국제비확산체제」(서울: 박영사, 2021) 참조.

48) UN S/RES/1540, 28 April 2000.

49) 대표적인 예로는 이란과 북한의 핵 개발 또는 미사일 발사에 대한 제재결의(이란: UNSCR 1737호, 1747호, 1803호, 1929호, 북한: UNSCR 1718호, 1874호, 2087호, 2094호, 2270호, 2321호, 2356호, 2371호, 2375호)를 들 수 있다.

을 대상으로 하는 반면, 국제 비확산 규범은 세계 모든 국가 또는 일부 국가 등 국가 외에도 개인·단체 등 비국가행위자(non-state actors)도 그 제재대상으로 한다. 넷째, 원용과 그 효과 면에서는 비확산 규범은 분쟁의 소지가 매우 적고 효과가 간접적이고 제한적인 데 반해, 안보예외 규범은 분쟁의 소지가 크고 그 효과가 직접적이고 가시적이다. 결국 무역제한을 함에 있어서 비확산체제 규정에 의할 것인가 안보예외 조항을 원용할 것인가는 전적으로 국가의 선택사항이겠지만 실제 GATT 제21조를 원용할 가능성은 작아 보인다.

표 9-2　국가안보 예외규범과 국제 비확산 규범과의 비교

구 분	WTO협정 등 국가안보 예외 규범	국제비확산체제 규범
제한근거	○ WTO: GATT, GATS, GPA 등 ○ FTA: 한-미 FTA, NAFTA 등 ○ 기타: OECD 자본자유화코드 등	○ NPT, BWC, CWC, ATT ○ NSG, AG, MTCR, WA ○ 유엔 안보리 결의(UNSCR)
제한분야	○ 수출·수입·투자·서비스·정부조달	○ 수출·수입·서비스·금융·자산동결
제한품목	○ 무기, 탄약 및 군수물자 ○ 핵분열성물질 및 그 원료물질 ○ 기타 직·간접으로 군대에 공하는 물품 　- 1차 상품 및 원재료 　* 기술은 제외	○ 무기, 탄약 및 군수물자 ○ 이중용도품목(주로 공산품) 　- 물자(goods) 　- 기술(technology) 　- 소프트웨어(software)
제재객체	○ 특정국	○ 세계 모든 국가 또는 특정국 ○ 비국가행위자(개인·기업·단체)
분쟁해결 메커니즘	○WTO협정: WTO 분쟁해결기구(DSB) ○ 기타 조약: 국제사법재판소(ICJ) 등	○ NPT·BWC·CWC: 있음 ○ NSG·AG·MTCR·WA: 없음

주: 1. 무기는 대량살상무기(WMD), 미사일 및 재래식 무기 등 모든 무기를 포함한다.
　　2. 국제비확산규범의 ATT는 재래식무기의 국제무역을 규율하는 무기거래조약(Arms Trade Treaty, 2014. 12. 24 발효)를 말한다.
　　3. UNSCR은 UN Security Council Resolution의 약어로 유엔 안보리 결의를 뜻한다.

제 6 절   안보예외와 비확산규범의 조화

앞서 살펴본 바와 같이 GATT 제21조 등에 의한 무역제한 조치는 무엇이 자국에 중대한 안보이익이냐에 대한 판단을 각국에 맡기고 있어 국가안보의 이익 보호를 위하여 필요한 조치가 자의적이고 주관적이며, 제21조의 명백한 또는 암묵적인 원용사례는 적지만 발동이 남용될 소지가 있다.[50] 따라서 안보예외 조항이 원용 국가의 비교열위 산업이나 전략산업을 보호하기 위한 수단으로 악용될 경우 무역장벽 철폐를 통해 자유무역의 발전을 도모하려는 WTO협정의 본래의 취지가 훼손되고 그 목적에 반한다고 할 것이다.

이에 반해 다자간 수출통제체제하의 수출통제는 가이드라인과 통제품목은 정해져 있지만 구체적인 이행의 정도와 범위를 참가국의 재량에 맡기고 있고, 국제적으로 수출통제가 강화되고 있음에도 불구하고, 대다수의 국가들이 통상진흥을 위하여 필요한 최소한의 범위에서 수출통제를 이행하려는 경향이 있고 그에 따라 수출허가 신청의 대부분을 승인하고 있기 때문에 그 결과 국제무역과 투자에 미치는 부정적인 영향도 작을 것으로 추정된다.[51]

그런데 GATT 제21조에 의거 무역제한이 가능한 품목은 무기와 탄약 등 군수물자는 물론 의류, 식품 등 모든 상품을 망라하고 국가만을 규제대상으로 하고 있는데 반하여 비확산 수출통제체제는 무기류 그리고 농산물 등 1차 산품을 제외한 민군 겸용의 이중용도 물품, 기술과 소프트웨어 등 대부분의 공산품, 서비스 및 자금지원 등을 통제하며, 국가는 물론 테러단체 등 비국가행위자도 통제하고 있다. 그에 따라 GATT 제21조와 GATS 제14조의2는 모든 상품과 서비스를 규제할 수 있어 대부분 공산품에 한정된 비확산체제의 수출통제에 비해 선택의 범위와 제한 효과가 훨씬 크다고 볼 수 있다. 그러나 규제대상을 국가에 한정하고 있

---

50) Raj Bhala, *supra* note 4, p. 599.
51) 가령 미국의 2019년 수출허가 신청 32,993건(1,588억 달러) 중에서 허가 승인 28,223건 (85.5%), 거부 370건(1.1%), 반려가 4,400건(13.3%)이었다. 신청 건수에서 반려 건수를 제외하면 신청대비 승인 비율은 무려 86.7%에 달한다. 미국의 수출통제가 산업계에 미치는 경제적 영향도 미미하다. 즉 2019년의 경우 허가받고 수출한 금액은 1,230억 달러로 미국 총 수출의 7.4%, 허가 거부된 금액은 2.46억 달러로 총수출에서 차지하는 비중이 거의 무시할 수준에 그쳤다. "2019 Statistical Analysis of BIS Licensing," available at <bis.doc.gov>.

어 비국가행위자에 대해 WMD 확산방지를 위한 수출통제를 적용할 수 없는 단점
이 있다.

결국 각국이 국가안보의 중대한 이익 보호를 위해 필요한 비확산 수출통제
는 WMD 비확산조약, 다자간 수출통제체제 가이드라인, 유엔 안보리 결의와 같
은 비확산 규범에 따라 시행하되, GATT 제21조는 비확산 규범의 집행만으로는
효과가 미약하거나 긴급을 요하거나 또는 불가피한 경우에 한하여 원용하는 것
이 바람직할 것으로 판단된다.[52]

한편 수출허가제를 통하여 WMD 관련 물자와 기술의 수출을 통제하는 개별
국가의 규제체제에 관하여 GATT 제21조는 분명하게 그러한 수출통제를 정당화
한다. 또한 제21조(b)(i)에 의거 단일용도의 핵물질과 (b)(ii)에 의해 단일용도의
생물작용제 및 화학물질을 규제하는 회원국의 수출통제 허가규정을 합법화하고
아울러 제21조는 역시 동 조항 (b)(ii)에 의거 적어도 일부 국가의 WMD 이중용
도 물자와 기술에 관한 수출허가 요건을 거의 확실하게 합법화한다. 그러나 동
조항의 정확한 범위, 성격 및 의미에 관하여는 해결되지 않은 상당한 의문이 있
다. 대부분의 불확실성은 WMD 이중용도 물자와 기술에 관한 회원국의 수출제한
인데, 이는 WMD 이중용도 물자가 민간용도뿐 아니라 군사 용도를 아울러 갖고
있기 때문이다. 그리하여 이중용도 물자의 거래는 정상적이고 합법적인 국제상품
무역에서 적지 않은 비중을 차지하고 있다.[53]

제 7 절 일본-한국 비확산 수출통제 WTO 분쟁

1. 사건의 개요

일본은 2019년 8월 28일부터 한국을 백색국가(white country) 그룹 A에서 B그
룹으로 분류하고, 한국에 수출하는 반도체 핵심소재 3개 품목(폴리이미드, 포토레
지스트, 불화수소)에 대하여 일반포괄허가[54]를 제외한 모든 품목에 대해 건별로 개

---

52) 강호, "FTA와 전략물자 수출관리의 조화," 안보통상학회–국제경제법학회 공동학술세미나
   (2007. 9. 14), p. 12.
53) Daniel H. Joyner, *supra* note 10, pp. 129–130.
54) 일반포괄허가는 통제대상 물품 또는 기술을 일괄하여 허가하는 것으로 A그룹 국가에만

별허가를 시행하는 한편, 군사용으로의 전용이 의심될 경우는 통제품목의 기술사양과 일치하지 않는 품목에 대해서도 캐치올(catch – all)[55] 통제를 적용하는 등 비확산 수출통제를 강화하였다.

　　한국은 일본의 이러한 조치에 대하여, 한국 대법원의 일제 강제징용 피해배상 판결에 대한 명백한 보복 조치라고 주장하고, 일본이 다자간 수출통제체제의 기본원칙에 어긋나게 제도를 운용한다는 등의 이유로 일본 조치와 유사하게 일본을 백색국가 그룹인 '가의 1지역'에서 제외하고 '가의 2지역'으로 분류[56]하여 일본으로 수출되는 전략품목에 대한 사용자포괄허가[57]를 불허하는 등 수출관리를 강화하였다. 급기야 한국은 일본과의 지소미아(GSOMIA), 즉 한일군사정보보호협정의 종료를 결정하였다.[58] 이에 일본은 이번 수출통제 강화조치는 한국의 수출통제제도와 운용이 불충분하고, 구체적으로는 한국으로 수출된 품목 중에서 군사용으로 사용될 우려가 있는 품목에 대한 관리체제가 충분히 갖춰져 있지 않아 취한 것이며 이는 국가안보를 목적으로 한 수출관리제도의 적정한 운영을 위해 필요한 조치라고 주장하였다.

2. 한국의 WTO 제소

　　한국은 일본이 한국으로 수출되는 반도체 소재 3개 품목에 대해 기업의 수출관리가 불충분하다는 주장에 대해 이번 일본의 조치를 수출통제와 무관하게 정치적 고려에서 취해진 조치로 간주하고, 일본의 허가정책 변경 조치가 투자, 허가 기타 지적 재산권 이전, 기술이전에 관한 서비스 제공 등 다른 형태의 국제무역을 제한하는 조치라고 주장하고, 일본의 조치에 대해 GATT 제1조(최혜국대우),

---

　　적용하며 간단한 자율준수(CP) 업체도 이용할 수 있다. 허가서의 유효기간은 3년이다.
55) 캐치올은 통제목록의 사양과 일치하지 않은 품목이라도 무기의 개발 및 제조 등에 사용될 우려가 있거나 최종사용자가 의심스러운 경우는 비해당 품목도 통제하는 것을 말한다.
56) 전략물자수출입고시 제10조 별표 6 참조.
57) 사용자포괄허가 정의 등에 대해서는 전략물자수출입고시 제28조 ①항 참조.
58) 지소미아(GSOMIA)는 협정을 맺은 국가 간 군사 기밀을 공유할 수 있도록 맺는 조약이다. 한일 간 GSOMIA는 2016년 11월 23일 양국 정부의 서명과 동시에 발효됐다. 이를 통해 양국은 1급 비밀을 제외한 모든 정보를 공유했고 실제 2018년까지 22건의 북한 핵·미사일 관련 정보를 공유했다. 이 협정은 기한 만료 90일 전 양국이 파기 의사를 밝히지 않으면 별도 협의 없이 자동으로 1년씩 연장하게 되어 있었다.

제11조(수량제한의 일반적 철폐), 제13조(수량제한의 무차별 시행), 제8조(수출입 관련 수수료 및 절차), 제10조(무역규정의 공표 및 시행) 및 무역관련 투자조치(TRIMs), 서비스무역에 관한 일반협정(GATS) 및 무역관련 지적재산권협정(TRIPs) 규정을 위반한 것이라며 2019년 9월 11일 WTO 분쟁해결기구(DSB)에 제소하였다.[59]

　그 후 2019년 10월 11일과 11월 19일에 개최된 한일 양국 간 협의(consultations)에서 타결이 되지 않자 한국은 2020년 6월 18일, 일본의 조치가 WTO 대상협정하에서 한국의 직간접적인 이익을 무효화 또는 침해하고 대상협정의 목적달성을 방해한다며 패널 설치를 요청하여 2020년 7월 29일 패널이 설치되었으나 아직 패널위원이 선임되지 않은 상태이다.[60]

3. 본안의 검토

　본안에서 WTO협정만을 고려하면 한국의 주장이 일견 타당해 보이나 다자간 수출통제체제 규범과 안보리 제재 결의를 함께 고려하면 문제는 달라진다. 즉 비확산 수출통제 규범에 근거하여 취한 일본의 조치를 WTO협정에 적용하면 국가안보 예외조항, 즉 GATT 제21조의 원용(발동)에 해당한다. 관건은 일본의 조치가 GATT 제21조의 요건을 충족하는지와 그 조치가 정당한가이다. 이를 검토해 보면, 결론적으로 이번 일본의 수출통제 강화조치는 GATT 제21조의 요건을 충족한 것으로 보인다.

　먼저 수출제한 대상의 반도체 핵심소재 3개 품목은 GATT 제21조(b)(ii)의 '기타 상품 및 원재료'에 해당하고, 유엔 안보리 결의[61]에 의거 모든 국가는 통제품목의 규격을 벗어난 물자와 기술도 무기의 개발 또는 생산 등에 사용되거나 최종사용자가 의심될 경우는 캐치올(catch-all) 통제를 이행해야 하므로 GATT 제21조(c)의 유엔헌장 제7장(강제조치)의 의무를 이행하는 조치에 해당한다. 둘째, 다자간 수출통제체제의 수출통제 규범인 지침(guideline)과 통제목록 등 세부적인 이행은 다자체제 참가국의 재량에 맡겨져 있다.[62] 그에 따라 구체적인 통제품목

59) WT/DS590/4, para. 16.
60) *Ibid.* para. 3-4. <https://www.wto.org/english/tratop_e/dispu_e/cases_e/ds590_e.htm>.
61) S/RRES/1540, para. 3(d).
62) 예를 들면, 바세나르협정(WA)은 "The decision to transfer or deny transfer of any item will be the sole responsibility of each Participating State. All measures undertaken with respect

의 선택, 수출통제 대상국의 분류와 대우[63] 및 수출허가 승인 여부 등에 관한 사항은 참가국이 임의로 정하여 재량껏 시행하는 것이므로 일본과 한국이 각각 상대방을 백색 국가에서 제외하여 대우를 차별화하는 것은 정당하다고 볼 수 있다. 따라서 일본의 관련 조치와 한국이 일본을 백색국가에서 제외한 조치는 비차별 원칙을 근간으로 하는 GATT 제1조, 제11조 및 제13조의 위반은 아닌 것으로 보인다.

4. 소결

국가안보 목적의 무역제한 조치에 관해서는 WTO협정뿐만 아니라 국제 비확산 규범도 아울러 검토해야 한다. 앞서 논의한 바와 같이 비확산 수출통제 규범에 의한 모든 조치는 국내법과 정책에 의해 참가국의 재량으로 이행되며, WTO 회원국은 상품무역에 관한 경우 GATT 제21조에 의거 자국의 중대한 안보이익의 보호를 위하여 핵물질을 포함한 모든 상품과 군수품목에 대하여 무역을 제한할 수 있을 뿐만 아니라 공개 시 자국의 중대한 안보이익에 반한다고 간주하는 정보를 제공하지 않아도 된다. 그리고 자국의 중대한 안보이익은 각국이 스스로 판단하는 사항이기 때문에 발동국가는 그 조치의 정당성을 증명할 필요가 없다.

이처럼 국가안보에 관한 한 발동(원용)국가에 상당한 재량이 부여된 것은 국제무역상의 이익보다 국가안보의 중대한 이익을 우선하기 때문이다. 더구나 GATT는 자국의 중대한 안보이익 및 그 이익의 보호를 위한 조치의 필요성(necessity)에 대하여 일관되게 제21조를 원용(발동)하는 국가의 결정에 맡기고[64] 이를 존중하고 있어 국가안보 예외에 관한 한 WTO 판단의 폭은 상당히 제한적이라고 말할 수 있다. 따라서 향후 WTO가 과연 어떠한 결론을 내릴지 귀추가 주목된다.

---

to the Arrangement will be in accordance with national legislation and policies and will be implemented on the basis of national discretion." The Wassenaar Arrangement Guidelines & Procedures, including the Initial Elements (December 2019), Ⅱ. Scope, para. 3.

63) 미국의 경우는 세계의 모든 개별국가에 대하여 핵무기와 생화학무기의 확산 정도, 국가안보, 지역안정 및 테러방지 등의 다양한 이유별 행렬(matrix)의 형태로 수출허가 또는 허가 면제를 부여하는 등 매우 촘촘하게 수출통제 제도를 운용하고 있다.

64) 예를 들면, Russia—Measures Concerning Traffic in Transit 패널보고서 WT/DS512/7 (29 April 2019), paras. 7.146—7.147.

제 3 부
주요 상품무역협정

제 3 부   주요 상품무역협정

제10장
위생검역협정

제1절 서 론

1. 의 의

식품안전 및 공중보건과 관련된 위생 및 검역조치는 WTO 회원국의 국내규제 중 가장 중요한 영역의 하나이고 국가간 무역의 증진으로 인해 갈수록 그 중요성이 더해지고 있다. 따라서 자유무역 증진과 보건에 관한 국내규제의 관계 설정은 WTO의 정당성과도 직결되는 중요한 문제이다.[1] 특히 회원국들은 GATT협정 제XX조(b)항을 구체화 하여 특정 위험으로부터 자국민, 또는 자국의 영역 내 동·식물의 생명과 건강을 보호하기 위한 필요한 위생 및 검역 조치를 취하게 되었고, WTO가 출범하면서 이러한 조치들은 위생 및 식물위생검역 조치의 적용에 관한 협정(Agreement on the Application of Sanitary and Phytosanitary Measures: 이하 "SPS(협정)")에서 구체적으로 다루게 되었다.

2. 적용범위

SPS 제1조 1항은 어떤 정부의 조치가 ① SPS조치이고 ② 그 조치가 국제무역에 직·간접적으로 영향을 미칠 때 SPS협정이 적용된다고 규정하고 있다. 먼저 SPS 부속서 A에 의하면 SPS조치는 식품에서 기인하는(food-borne) 인간과 동물의 건강상의 위험과 질병(diseases) 또는 병충해(pests)로 인한 인간, 동물 및 식물에

---

1) 관련된 WTO에 대한 비판의 핵심은 WTO가 식품 등의 공중보건에 관한 국내규제를 무역장벽 제거라는 논리로 철폐를 시도한다는 것이다.

대한 위험을 보호하기 위한 조치로 정의되어 있다.[2]

　　SPS조치인지 여부에 관해 다음 다섯 가지 점에 주의할 필요가 있다. ① SPS 조치는 중앙정부뿐만 아니라 중앙정부 이외의 국가기관에 의해서도 실시될 수 있다(SPS 제13조). ② 정의로부터도 알 수 있듯이 조치의 목적(purpose)이 중요한 기준이 된다. 예를 들어 유기농법 인증서 부착조치와 같이 건강보호와 직접 관계되지 않고 단지 소비자에게 정보를 제공할 목적의 조치나, 석면이 포함된 물품의 수입금지조치와 같이 음식이나 질병, 병충해 이외의 건강상 위험발생 요인이 관계되는 경우는 SPS조치라고 볼 수 없다. 따라서 공중보건 보호를 목적으로 하는 모든 조치가 SPS협정의 적용대상인 것은 아니다. 또한 조치의 목적은 주관적 판단이 아닌 조치의 구조나 그 효과 등의 객관적 요소에 의해 판단되어야 할 것이고 부속서 A에 기술된 조치의 유형은 예시적(illustrative)인 것으로, 목적과의 관련성이 있다면 조치의 구체적 형식은 다양할 수 있다. 2003년 EC-Biotech Products 사건 패널은 'SPS조치'인지의 심사기준을 조치의 '목적', '법적 형식' 및 '성격'의 3가지로 제시하였고[3] 2010년 Australia-Apples 사건 패널은 '목적' 요건을 강조하면서 부속서 관련 조치의 전체적인 성격을 통해 SPS조치 여부를 판단하여야 한다고 결정하였다.[4] ③ SPS 부속서 A상의 조치는 회원국 역내조치만을 규정하고 있으므로 어떤 회원국의 국내보건기준의 역외적용은 SPS조치로 볼 수 없다. ④ 내외국 상품에 대한 차별적인 조치뿐만 아니라 비차별적인 조치도 SPS조치에 포함된

---

2) SPS 부속서 A, 1항
"아래의 목적으로 적용되는 모든 조치:
가. 병해충, 질병매개체 또는 질병 원인체의 유입, 정착 또는 전파로 인하여 발생하는 위험으로부터 회원국 영토 내의 동물 또는 식물의 생명 또는 건강의 보호,
나. 식품, 음료 또는 사료 내의 첨가제, 오염물질, 독소 또는 질병 원인체로 인하여 발생하는 위험으로부터 회원국 영토 내의 인간 또는 동물의 생명 또는 건강의 보호
다. 동물, 식물 또는 동물 또는 식물로 만든 생산품에 의하여 전달되는 질병이나 해충의 유입, 정착 또는 전파로 인하여 발생하는 위험으로부터 회원국 영토 내의 인간의 생명 또는 건강의 보호 또는
라. 해충의 유입, 정착 또는 전파로 인한 회원국 영토 내의 다른 피해의 방지 또는 제한"
3) Panel Report, *EC-Biotech Products*, WT/DS291, 292, 293/R, 29 Sep., 2006, paras. 7.148-149. 참고로 EC는 리스본조약에 의해 2010년 12월 1일부로 EU로 흡수되었지만 SPS 관련 사례는 모두 2010년 이전에 제소된 것이어서 본 장에서는 EC로 표기한다; 2010년 *US-Poultry from China* 사건 패널은 전체적으로 앞의 3가지 기준을 인정하면서 SPS 부속서 A, 1항의 '요건 및 절차'와 관련된 조치의 '성격'은 조치의 '법적 형식'에 포함된다고 판단하였다. WT/DS392/R, para. 7.101.
4) Panel Report, *Australia-Apples*, WT/DS367/R, 9 August 2010. paras. 7.170-172.

다. GATT하의 대부분의 통상분쟁이 법률상(de jure) 또는 사실상(de facto)의 차별
적인 회원국의 조치에 대한 것이라는 점을 감안하면 비차별조치까지 포함하는
점은 SPS협정의 특징이라고 볼 수 있는데, 이는 비차별적 SPS조치도 국제무역에
부정적 영향을 줄 수 있다는 점이 고려된 것이라 볼 수 있다. 따라서 GATT협정에
는 적법하나 SPS협정에는 위반되는 조치도 가능하다. ⑤ SPS협정이 발효되기 전에
이미 존재하였고 이후 계속되고 있는 SPS조치도 SPS협정의 적용대상이 된다.[5]

제 2 절 관련 협정들간의 상호관계

1. TBT협정과의 관계

TBT협정은 건강보호를 목적으로 하는 조치를 포함한 기술규정(technical
regulation)과 표준(standard)에 광범위하게 적용되기 때문에 건강보호를 목적으로
하는 조치를 규율하는 SPS협정과 겹쳐질 수 있어 그 관계가 문제된다. 또한 TBT
협정에서는 SPS협정에서 요구하고 있는 과학적 정당화 요건이 없어 상대적으로
그 적용상 요건이 완화되어 있기 때문에 어떤 협정이 적용되는가는 더욱 중요한
문제이다. 이 문제는 TBT협정 제 1 조 5항에서 상호간의 관계는 배타적(exclusive)
적용관계임을 명시함으로써 해결하고 있는데,[6] 즉 어떤 조치가 TBT협정상 기술규
정 또는 표준에 해당되더라도 SPS협정상의 SPS조치에 해당된다면 SPS협정만이 배
타적으로 적용된다는 것이다. 달리 말하면 어떤 조치가 SPS조치가 아닌 기술규정
또는 표준에 해당하는 경우 TBT협정이 적용된다는 것이다. 따라서 어떤 협정이
적용되는지 살펴볼 필요가 있는 경우 일차적 단계는 항상 해당 조치가 SPS조치인
지 살펴보는 것이다. 분쟁사례에서 보면, 예를 들어 단순한 물고기의 명칭에 관한
기준은 TBT협정이, 과일, 쇠고기, 비열처리 연어, 유전자변형식품, 가금육의 위험
성에 관해서는 SPS협정이 적용되었다. 만약 어떤 조치가 SPS조치와 TBT조치의 성
격을 부분적으로 모두 가지고 있는 경우는 그 조치의 전체성(in its entirety)을 판단

---

5) Appellate *Body Report, EC-Hormones*, WT/DS26/AB/R, 16 Jan., 1998, para. 128 및 WTO
설립협정 제16조 4항 참조.

6) 또한 SPS협정 제 1 조 4항 참조: "(SPS) 협정은 본 협정의 대상이 아닌 조치와 관련하여 무
역에 대한 기술장벽에 관한 협정에 따른 회원국의 권리에 아무런 영향을 미치지 아니한다."

하여 결정하여야 한다는 것이 2006년 EC-Biotech Products 패널의 결정이었다.[7]

2. GATT협정과의 관계

GATT협정에서 보건에 관한 조치는 제20조(b)의 '인간, 동물 또는 식물의 생명 또는 건강을 보호하기 위하여 필요한 조치'로서 다루어진다. 이 경우의 '필요한 조치'가 ① SPS조치에 해당하지 않는 조치(예: 노동자의 생명보호를 위해 석면이 함유된 건축자재의 수입을 금지하는 조치)인 경우는 GATT협정과 관련 협정(예: TBT)의 적용만이 문제된다. ② 만약 SPS조치에도 해당하는 경우(예: 광우병을 이유로 한 쇠고기 수입금지 조치)에는 세 가지로 나누어 볼 수 있다.

(i) 먼저, 동 조치에 대한 GATT규정과 SPS규정이 충돌(conflict)하는 경우는[8] (상품무역에 관한 다자협정) '부속서 1A에 대한 해석상 주석'(Interpretative Note to Annex 1A)에 의해 SPS협정이 우선한다. 하지만 SPS협정은 보건에 관한 GATT의 법리를 상세화한 것이기 때문에 그러한 충돌 가능성은 거의 없다고 할 것이고 SPS협정 제2조 4항[9]이 이 점을 확인하고 있다. (ii) 둘째, 양 협정간의 충돌은 없지만 어떤 협정을 우선적으로 다루어야 하는 문제가 있을 수 있다. 역사적으로 보면 WTO 성립 이전에는 차별적인 보건관련 조치는 GATT 제20조(b)의 '인간, 동물 또는 식물의 생명 또는 건강을 보호하기 위하여 필요한 조치'를 통해 허용 및 규율되었다. 하지만 SPS조치의 복잡성 때문에 GATT 제20조(b)로 규율하는 데는 한계가 있음을 인식하고 UR협상자들에 의해 SPS조치의 명확한 기준을 설정한다는 의미에서 SPS협정이 성립하였다. 하지만 SPS협정은 단순히 GATT 제20조(b)의 구체화라는 측면을 넘어 SPS조치의 적용과 유지를 위한 광범위한 규범을 새로이 정립시켰다는 평가를 받고 있다. 이러한 맥락에서 SPS협정의 적용 이전에 GATT 제20조(b) 위반을 입증해야 하는가의 문제가 제기될 수 있는데, 이는 1998

---

7) 이에 따라 동 패널은 문제된 EU의 조치는 전체적으로 판단할 때 SPS조치이고 따라서 TBT 제1조 5항에 따라 TBT하의 심사를 배제하였다. Panel Report, *EC-Biotech, supra* note 4., para. 7.3412.

8) '충돌'하는 경우란 한 규정의 준수가 다른 규정의 위반을 초래하는 경우를 말한다. Appellate Body Report, *Guatemala-Cement I*, WT/DS60/AB/R, 2 Nov., 1998, para. 65.

9) "4. 이 협정의 관련규정에 따르는 위생 또는 식물위생 조치는 동 조치의 이용과 관련된 1994년도 GATT 규정, 특히 제20조 (b)의 규정에 따른 회원국의 의무에 합치하는 것으로 간주된다."

년 EC-Hormones 사건에서 문제가 되었다. 동 패널은 SPS 적용은 SPS협정 제1조 1항의 두 요건, 즉 SPS조치이고 국제무역에 직·간접적 영향을 미치는가에 따라 결정되고 추가적으로 GATT 위반 요건은 문제가 되지 않는다는 견해를 밝혔다.[10] 더 나아가 양 협정 중 어떤 것에 근거한 청구를 먼저 심사할 것인가에 대해서도 GATT를 먼저 심사하는 경우 그 위반 여부에 관계없이 특별법으로서의 SPS협정 합치성을 심사해야 하므로 SPS협정에 근거한 청구를 먼저 심사해야 한다고 판단하였다.[11] 또한 대부분의 경우 SPS협정 위반이 확정되는 경우 패널과 같이 소송 경제(judicial economy)를 적용하여 GATT협정 위반에 대해서는 심리를 진행하지 않을 것이다. (iii) SPS협정 제2조 4항에 따라 SPS협정에 합치하는 조치는 GATT 협정 합치성이 추정되므로, 예를 들어 SPS협정에 합치되는 검역조치가 수량제한 금지에 관한 GATT 제11조 위반에 해당되더라도 제20조(b)에 따른 조치로 GATT 협정 합치성이 추정된다. 이 경우 반증가능성이 있는가는 분명하지 않지만 상대적으로 높은 입증책임이 적용되어 사실상 반증불가능하게 될 가능성이 높다. 한편 SPS협정 위반조치에 대해 GATT 제20조(b)의 정당화사유를 원용할 수 있는가의 문제는 논리적으로는 GATT 제20조 일반예외조항이 SPS협정보다 적용범위가 넓기 때문에 원용가능하다고도 주장될 수 있지만, 2010년 US-Poultry from China 사건 패널은 GATT 제20조(b)를 구체화한 SPS 제2조와 제5조에 위반되는 미국의 조치를 GATT 제20조(b)로 정당화시킬 수는 없다는 논리로 원용가능성을 차단하였다.[12]

GATT 제20조(b)와 SPS협정간에는 유사한 점과 다른 점이 존재한다. 먼저 양자 모두 '상품'에 관련된 협정으로 회원국의 건강관련 조치의 '필요성' 요건이 구비되어야 한다.[13] 그러나 SPS협정은 추가적인 요건을 두고 있는데, 그것은 SPS조치가 과학적 원리에 기초해야 하고(제2조 2항) 또한 일관성(consistency) 요건을 갖춰야 하는 것(제5조 5항)이다.

---

10) Panel Report, *EC-Hormones*, WT/DS26/29, 17 April 2014, para. 8.36.

11) *Ibid.*, para. 8.42.

12) Panel Report, *US-Polutary from China*, WT/DS392/R, 9 Sep., 2010, paras. 7.480-483; 동 사건에서 미국은 중국으로부터의 가금류 수입금지조치(SPS조치)는 GATT 제20조 (b)에 따라 GATT 제1조와 제11조 위반의 예외가 된다고 주장하였다.

13) GATT 제20조 (b)와 SPS협정 제2조 1항 비교 참조.

제 3 절   SPS협정의 기본원칙

1. SPS조치를 취할 회원국들의 권리와 의무

GATT 제20조(b)에 의해 예외적으로 정당화되지 않는 한 차별적인 건강상 조치가 금지되는 GATT협정과는 달리, SPS조치는 회원국의 권리라는 점이 SPS협정을 이해하는 중요한 출발점이다.14) 따라서 GATT체제에서는 건강상의 조치를 실시한 피제소국이 예외적 조치(exceptions)에 대한 입증책임(burden of proof)을 지는데 반해, 제한적 권리(conditional rights)로서의 SPS조치의 경우에는 반대로 제소국이 해당조치가 SPS협정에 합치되지 않는다는 점에 대한 입증책임을 진다. 이러한 예외와 제한적 권리의 구분에 따른 입증책임의 분배는 WTO 항소기구의 최근까지의 경향이다. 하지만 이러한 SPS조치가 무제한적으로 채택·유지될 수 있는 것은 물론 아니며 SPS 제 2 조 2항과 3항의 '필요성'과 '과학적 근거' 및 '자의성 금지 등'의 제한을 받는다.15)

(1) 필요성(Necessity)의 원칙

SPS 제 2 조 2항의 필요성은 일반적 예외를 규정한 GATT 제20조 (b)의 필요성 기준과 관련이 있지만 원칙―예외의 구조가 없는 SPS협정에서는 그 필요성에 대한 입증책임을 제소국이 부담하게 된다. WTO 판례에서 SPS협정의 필요성 요건에 대한 직접적이고 구체적인 사법심사는 없었는데, 이것은 제소국이 SPS조치가 동 요건을 충족하는 것으로 간주하거나 필요성 요건을 구체화시킨 다른 규정(가령, 정당한 목적을 달성하는 것 필요 이상으로 무역을 더 제한해서는 아니 된다는 제 5 조 6항과 같은 규정)을 통해 피제소국의 SPS조치의 사법심사를 진행시키려는 것과

---

14) SPS협정 제 2 조 1항 참조.
15) "2. 회원국은 위생 및 식물위생 조치가 인간, 동물 또는 식물의 생명 또는 건강을 보호하는 데 필요한 범위 내에서만 적용되고, 과학적 원리에 근거하며 또한 충분한 과학적 증거 없이 유지되지 않도록 보장한다. 단, 제 5 조 7항에 규정된 사항은 제외된다.
 3. 회원국은 자기나라 영토와 다른 회원국 영토간에 차별 적용하지 않는 것을 포함하여 자기나라의 위생 및 식물위생 조치가 동일하거나 유사한 조건하에 있는 회원국들을 <u>자의적이고 부당하게 차별하지 아니하도록 보장한다. 위생 및 식물위생 조치는 국제무역에 대한 위장된 제한을 구성하는 방법으로 적용되지 아니한다</u>"(강조첨가).

관련이 있을 것이다.[16]

(2) 과학적 정당화 요건(Scientific Justification)

또한 SPS 제 2 조 2항은 SPS조치의 합법성 판단 기준으로 '과학적 정당화' 요건을 제시하고 있다. 본 조항에 따르면, SPS조치는 SPS 제 5 조 7항의 경우를 제외하고는 과학적 원칙에 근거하고 충분한 과학적 증거(sufficient scientific evidence)[17] 없이는 유지되지 못한다. 다시 말해, 회원국들은 원칙적으로 관련된 위험의 존재나 그 위험 정도에 대한 과학적 증거에 기해 필요한 SPS조치를 취하여야 한다. 이러한 과학적 정당화 요건에도 불구하고, 제 5 조 7항의 요건을 갖춘 경우에는 잠정적이고 사전적인 조치를 취할 수 있다. 이는 예외적인 경우로 제 6 절에서 자세히 후술하기로 한다. 그리고 제 2 조 2항에서의 과학적 요건은 제 5 조 1항에에서 요구하고 있는 '위험평가'(risk assessment)에 근거하라는 형태로 구체화되어 있으며, 문제되는 조치가 충분한 과학적 증거에 기초하고 있는지에 대한 입증책임은 제소국이 부담한다.[18]

(3) 자의적이거나 정당화되지 않는 차별 또는 무역에 대한 위장된 제한 금지

SPS협정 제 2 조 3항에서는 개별 회원국들이 채택한 SPS조치가 자의적이거나 정당화하지 아니한 차별 또는 국제무역에 대한 위장된 제한을 가지고 와서는 아니 됨을 규정하고 있다.[19] 동 조항은 2000년 **Australia-Salmon** 사건의 이행패널 (Compliance Panel)에서 문제가 되었는데, 패널은 다음 세 가지 위반의 누적적 요건을 제 2 조 3항 위반의 요건으로 파악했다.

---

16) UNCTAD, *SPS Measures in The Course on Dispute Settlement in International Trade, Investment and Intellectual Property*(UNCTAD, 2003), p. 12.
17) '충분한 과학적 증거'의 의미에 관해서는 *EC−Hormones*에서 쟁점으로 제기되었지만 소송경제가 적용되어 결정되지 못했고 1999년 Japan−Agricultural Products 사건에서 항소기구는 '충분성'(sufficiency)이란 SPS조치와 과학적 증거의 적절한 관계의 존재를 요구하는 '관계적 개념'(relational concept)이라고 밝혔다. Appellate Body Report, *Japan−Agricultural Products*, WT/DS76/AB/R, 2 Feb., 1999, para. 73.
18) *Japan−Agricultural Products* 사건에서 항소기구는 일본의 조치가 과학적 증거가 없다는 점에 대한 부담을 제소국 미국측에 부담시킨 패널의 입장을 지지했다. *Ibid.*, para. 137.
19) 동 문구는 GATT 제 1 조 1항, 제 3 조 4항과 제20조의 두문에서 공통적으로 볼 수 있는 비차별의무와 관련된다.

즉 ① 조치 실행국 이외의 타 회원국 영토간 또는 조치 실행국과 타 회원국의 영토간에 차별적인 조치가 있고, ② 그 차별이 자의적 또는 정당화될 수 없고, ③ 비교되는 회원국 영토가 동일한 또는 유사한 조건에 있는 경우 등이 그것이다.[20] 첫 번째 요건과 관련하여 동 패널은 제2조 3항은 동종상품(like products) 뿐만 아니라 이종상품(different products)에도 적용된다고 판결하였다.[21] 이것은 동종상품에 대한 비차별의무만을 인정하는 GATT규정과는 차이가 있는데, 이종상품도 동일한 또는 유사한 건강상의 위험을 내포하고 있으므로 양자를 동일하게 규제해야 한다는 점이 고려되었다고 보인다. 한편 이러한 적용상의 범위 확대에 따른 남용가능성을 경계하여 '동일하거나 유사한 조건하에 있는 회원국'에 대해 '자의적이지 않고 정당화될 수 있는 차별'만이 가능하도록 규정하였다. SPS 제2조의 기본 의무들이 계속되는 조항들에서 구체화되고 있듯이 동 제2조 3항도 "상이한 상황에서 적절한 것으로 판단하는 수준에서의 구별이 국제무역에 대한 차별적 또는 위장된 제한을 초래하는 경우에는 자의적 또는 부당한 구별을 회피한다"는 내용으로 제5조 5항에 반영되어 있다.[22]

2. SPS조치의 조화(Harmonization)

SPS조치는 관련 국내산업의 이해관계나 기후적 또는 지리적 조건의 상이 등에 의해 그 조치가 국가별로 상이할 수 있고 이러한 수입국의 다양한 조치 가능성은 수출업자에게 부담으로 작용해 국제무역이 저해될 가능성이 크다. 또한 기술수준이 낮고 전문인력이 불충분한 개발도상국의 경우, 그 어려움이 가중될 것이라는 점도 고려되어야 한다. SPS협정은 이러한 어려움에 대처하는 방법으로 SPS 국내조치와 관련 SPS 국제표준 등과의 '조화'라는 방법을 제시하고 있고 다음과 같은 세 가지 경우를 제시하고 있다.

첫째, SPS협정 제3조 1항에 따라 개별 SPS조치는 관련된 국제기준, 지침 또

---

20) Panel Report, *Australia−Salmon*, WT/DS18/RW, 12 June 1998, para. 7.111.

21) *Ibid.*, para. 7.112.

22) 이런 맥락에서 1998년 *EC−Hormones* 사건에서 항소기구는 제5조 5항은 반드시 제2조 3항의 맥락에서 파악되어야 함을 밝히고 있다. *supra* note 5, para. 212; 이것은 2010년 *Australia−Apples* 사건 패널보고서에도 확인된다. WT/DS367/R, 29 Nov., 2010, paras. 7.1091−1095.

는 권고(이하 "국제기준")가[23] 있는 경우, 이에 '기초(based on)' 해야 한다. '기초함'의 의미에 관해 1998년 EC-Hormones 사건에서 항소기구는 반드시 국제기준에 합치할(conforming) 필요 없이 국제기준을 구성하는 일부의 요소들이 SPS조치에 포함되어 있는 경우라고 설명한다.[24] 그리고 만약 관련된 국제기준 등이 없다면 조화의 의무도 발생하지 아니한다.

둘째, SPS협정 제 3 조 2항에 따라 WTO 회원국은 국제기준에 '합치하는'(conforming to) 조치를 선택할 수 있다. 여기서 '합치하는'의 의미를 WTO 항소기구는 다음과 같이 설명하였다. 즉 이는 "국제기준을 완전히 실현시키면서 국내적 기준으로 전환시키는 것"으로서, 사실상 국제기준과 일치하는 것이다.[25] 이러한 조치는 SPS 제 3 조 2항에 의해 SPS협정뿐만 아니라 GATT협정에도 합치되는 것으로 추정되는 사실상의 이익을 받게 된다.[26] 국제기준에 합치하거나 그에 기초한 국내 SPS조치가 WTO에서 문제가 된 경우는 없다. 동시에 국제기준의 수용이 의무적이지 않다는 점도 중요하다. 즉 아무리 국제기준의 조화가 무역효율성을 높인다 하더라도 SPS조치의 실행이 회원국의 주권적 권리이고 국제기준의 채택이 관련국 전원일치로 채택되는 것은 아니라는 점에서 국제기준의 수용이 강제될 수는 없다는 것이다.[27]

셋째, 회원국들은 국제기준보다 높은 수준의 보호 정도를 갖는 SPS조치를 취할 수 있는 권리가 제 3 조 3항에 규정되어 있다. 하지만 이러한 권리는 무제한의 것이 아니라 '과학적 정당성'이 있거나 '위험평가'에 관한 제 5 조 1항에서 8항까지의 경우를 충족한 경우에만 원용될 수 있다. 여기서 과학적 정당성과 위험평가의

---

23) 국제기준에 관해서는 SPS협정 부속서 A, 3항에 "① 식품안전의 경우, 식품첨가제, 수의약품과 농약의 잔류물, 오염물질, 분석 및 표본추출방법, 위생 관행의 규약 및 지침에 관한 국제식품규격위원회에 의해 수립된 표준 지침 및 권고, ② 동물위생 및 동물성전염병의 경우, 국제수역사무국의 후원하에 개발된 표준, 지침 및 권고, ③ 식물위생의 경우, 국제식물보호협약의 틀 내에서 운영되는 지역기구와의 협조와 국제식물보호협약 사무국의 후원하에 개발된 국제표준, 지침 및 권고, 그리고, ④ 위의 기구의 대상이 아닌 사항의 경우, 모든 회원국에게 가입이 개방된 다른 관련 국제기구에 의해 공표된 적절한 표준, 지침 및 권고로서 위원회에 의해 확인된 것"으로 규정되어 있다.

24) Appellate Body Report, *EC-Hormones*, *supra* note 5, para. 163.

25) *Ibid.*, para. 170.

26) *Ibid.*, para. 102.

27) 광우병 관련 쇠고기 수입금지와 관련한 각국의 상이한 기준과 그에 대한 외교적·사법적 분쟁에 대해서는 고무로 노리오(박재형 역), 「국제경제법」(일조각, 2007), pp. 241-245 참조.

관계는 국제기준에서 벗어난 SPS조치는 위험평가에 근거한 과학적 정당성을 가져야 한다는 맥락에서 이해된다.[28] 이러한 세 번째 범주의 SPS 기준만이 WTO에서 분쟁의 대상이 되었고 따라서 SPS조치와 관련되는 건강과 안전에 관한 기준을 둘러싼 무역분쟁에서 가장 중요한 쟁점은 위험분석의 한 유형으로서의 위험평가에 관한 문제이다.

통상 위험분석(risk analysis)은 두 가지로 구분할 수 있는데, 위험의 존재와 그것의 발생 가능성에 대한 과학적 분석으로서의 위험평가(risk assessment)와 회원국이 영역 내에서 유지하고 싶은 건강보호의 정도에 대한 정책적 분석과 관련된 위험관리(risk management)이다. 후자의 경우는 기타 사회적 가치에 의한 판단도 포함된다는 점에서 좀더 복합적이다. SPS협정은 이처럼 위험에 관해 구분된 두 가지 규율 과정을 제5조에서 함축적으로 전제하고 있다고 볼 수 있는데, 항소기구는 SPS협정에서 '위험관리'에 관한 명백한 언급이 없으므로 이러한 개념 구분은 SPS협정의 문언에 의해 구체화되어 있지 않는 한 받아들일 수 없다는 입장이다.[29] 본 장에서는 개념적 명확성을 기하기 위해 양자를 구분하여 설명한다.

제4절   위험평가(Risk Assessment)

1. 개   념

'위험평가'라는 개념은 SPS협정 부속서 A, 4항에서 다음과 같이 정의되어 있다.

"적용될 수 있는 위생 또는 식물위생 조치에 따라 수입회원국의 영토 내에서 해충 또는 질병의 유입, 정착 또는 전파의 가능성과 이와 연관된 잠재적인 생물학적 및 경제적 결과의 평가, 또는 식품, 음료 및 사료 내의 첨가제, 오염물질, 독소 또는 질병원인체의 존재로 인하여 발생하는 인간 또는 동물의 건강에 미치는 악영향의 잠재적 가능성에 대한 평가"

---

28) Appellate Body Report, *EC—Hormones, supra* note 5, para. 175와 177.
29) *Ibid.*, para. 180; 2008년 *Canada/US—Hormones Suspension* 항소기구도 동 판지를 유지하고 있다. WT/DS320/AB/R, WT/DS321/AB/R, 16 Oct., 2008, paras. 485—619.

위의 정의는 부속서 A, 1항에 정의된 SPS조치에 관한 정의에 부합되게 두 가지 유형의 위험평가를 규정하고 있는데, '음식에 근거한 위험에 대한 평가'와 '해충 또는 질병으로부터의 위험에 대한 평가'가 그것이다.

(1) 음식에 근거한 위험에 대한 평가

대표적으로 1998년 EC-Hormones 사건에서 문제된 위험평가에 대한 문제인데, 패널은 두 가지 요건을 이러한 종류의 위험평가의 요건으로 제시하고 있다.

① 고기나 육가공품에 사용된 성장촉진제로부터 발생하는 인간 건강에 대한 악영향(adverse effect)의 확인과, ② 그러한 악영향이 있다면 그 효과가 발생할 잠재성(potential) 또는 개연성(probability)의 평가가 그것이다.[30] 이러한 2단계 심사에 대해 항소기구는 단순한 이론적 불확실성(theoretical uncertainty)이 아닌 '확인할 수 있는 위험'(identifiable risk)이 존재해야 한다는 패널의 견해에는 동의했지만 확인할 수 있다는 것이 반드시 정량적(quantative)일 필요는 없고 정성적(qualitative)으로도 파악될 수 있다는 점을 분명히 했다.[31]

(2) 해충 또는 질병으로부터의 위험에 대한 평가

2000년 Australia-Salmon 사건에서 제기된 위험평가의 문제로 패널은 ① 해충 또는 질병의 유입, 정착 또는 전파에 관한 위험의 평가와 ② 이와 연관된 잠재적인 생물학적 및 경제적 위험평가가 각각 이루어져야 한다고 판단했는데, 이것은 앞의 '음식에 근거한 위험평가'와 비교하면 생물학적 및 경제적 결과에 대한 평가가 포함된다는 점에서 구별된다. 또한 이러한 종류의 위험평가는 Australia-Salmon 항소기구에 따르면 3단계 과정을 거칠 수 있는데, ① 해충 또는 질병의 존재를 확인하고, ② 해충 또는 질병의 유입, 정착 또는 전파 가능성(likelihood)을 평가하고, ③ 적용될 수 있는 SPS조치에 따라 그 유입, 정착 또는 전파 가능성(likelihood)을 평가하는 것이다.[32] 특히 ②와 ③의 가능성(likelihood)은 단순한 가능성(possibility)이 아닌 개연성(probability)이라는 점을 밝혀 항소기구는 보다 구체적인 입증을 요구하고 있다.[33]

---

30) Panel Report, *EC-Hormones, supra* note 10, para. 8.98.
31) Appellate Body Report, *EC-Hormones, supra* note 5, para. 186.
32) Appellate Body Report, *Australia-Salmon*, WT/DS18/AB/R, 20 Oct., 1998, para. 121.

기타 위험평가와 관련된 쟁점으로는, ① 일반적인 위험이 아닌 분쟁과 관련된 위험의 구체성(specificity)을 보여야 한다는 점과,[34] ② 위험평가는 분쟁에 관련된 모든 실체를 포함하는 포괄적(comprehensive) 평가여야 한다는 점,[35] ③ 어떤 상품에 대한 위험평가가 관련된 상품군에 대한 위험평가로 간주될 수 없다는 점[36] 등이다. 특히 SPS 제5조 1항은 '여건에 따라 적절하게'(as appropriate to the circumstances) 위험평가를 하도록 규정하고 있는데, 이 문구는 위험평가 의무자체를 대체할 수 있다는 것이 아니라 신축적인 평가 수행의 방법과 관련된다는 점도[37] 주의할 필요가 있다.

2. 위험평가시 고려해야 할 요인들

SPS협정 제5조 2항은 "위험평가에 있어서 회원국은 이용가능한 과학적 증거, 관련 가공 및 생산방법, 관련검사, 표본추출 및 시험방법, 특정 병해충의 발생률, 병해충 안전지역의 존재, 관련 생태학적 및 환경조건, 그리고 검역 또는 다른 처리를 고려한다"고 규정하고 있으므로 제5조 1항의 위험평가를 수행하는 데에 있어서 WTO 회원국들은 제5조 2항에 나열된 요인들을 고려해야 하다. 특히 EC-Hormones 항소기구는 이 목록의 객관적인 기능을 다음과 같이 설명했다.

"제5조 2항에서 '관련 가공 및 생산방법' 그리고 '관련 검사, 표본추출 및 시험방법' 등과 같이 나열된 몇 가지 종류의 요인들은 조사에 있어 반드시 필요하거나 생화학 또는 약리학 실험방식상 완전히 허용되는 것은 아니다. 더 나아가 제5조 2항에 나열된 위험평가에 있어서 고려해야 할 요인들이 예시가 아닌 열거라고 규정할 수 있는 근거는 어디에도 없다. 제5조 1항에 따른 위험평가의 과정에서 조사되어야 할 위험은 실험실에서 엄격히 통제된 조건 하에 확인되는 위험에 국한되는 것이 아니고 인간사회에서 실제로 존재하는 위험, 다시 말하자면 사람들이 살아가고, 일하고, 죽는 실제 세계에서 인간의

---

33) *Ibid.*, para. 123.
34) Appellate Body Report, *EC-Hormones*, *supra* note 5, para. 200.
35) Panel Report, *Australia-Salmon*, *supra* note 20, para. 8.74.
36) *Ibid.*, para. 8.58.
37) *Ibid.*, para. 8.57.

건강에 대하여 잠재적으로 발생할 가능성이 있는 악영향(adverse effects)을 말하는 것이다."38)

이러한 항소기구의 입장은 제5조 2항의 목록이 예시적이며 WTO 회원국들이 위험평가시 별도의 요인을 고려할 수 있다는 입장을 취할 수 있는 것으로 해석될 수 있어, 기술적 또는 과학적 분석을 의미하는 위험평가 이외의 경제적·사회적 가치판단을 추가시킨 위험관리 개념간의 구별을 모호하게 한다는 점에서 비판의 여지가 있다.39)

SPS 제5조 3항은 동물 또는 식물의 생명 또는 건강에 관한 위험평가시 또는 선택된 보호정도를 달성하기 위해 SPS조치를 선택할 때 고려해야 할 경제적 요소에 대해 규정하고 있다.40) 하지만 인간의 생명 또는 건강과 관련된 위험평가의 경우 이러한 경제적 요소에 대한 고려는 필요하지 않다는 점을 주의해야 한다.41)

3. SPS조치가 위험평가에 근거하여야 한다는 요건

SPS조치가 SPS협정과 양립하기 위해서는 SPS 제5조 1항에 규정되어 있듯이 위험평가에 기초해야 하는데, 1998년 **EC-Hormones** 사건에서 항소기구는 '기초하는'(based on)의 의미는 SPS조치와 위험평가간에 '객관적 관계'(objective relationship)가 존재해야 한다는 맥락으로 설명하고 있다.42) 위험평가를 통해 충돌적인 결론들에 이르는 경우도 있는데, 항소기구는 이러한 상황을 예상하면서 위험평가의 결론이 반드시 단선적일 필요는 없고 주류적이고 다양한 과학적 견해

---

38) Appellate Body Report, *EC-Hormones, supra* note 5, para. 187.
39) 예를 들면 M. Matsushita, et al., *The World Trade Organization*(Oxford University Press, 2003), p. 499.
40) "동물 또는 식물의 생명 또는 건강에 대한 위험평가와 이러한 위험으로부터 위생 또는 식물위생 보호의 적정수준을 달성하기 위해 적용되는 조치를 결정함에 있어서 회원국은 병해충이 유입, 정착 또는 전파될 경우 생산 또는 판매에 미치는 손실을 기준으로 한 잠재적 피해, 수입국의 영토 내에서의 방제 및 박멸비용, 위험을 제한하기 위해 대안으로서 접근 방법의 상대적 비용 효율성을 관련된 경제적인 요소로서 고려한다."
41) M. Matsushita, et al., *supra* note 39, p. 501에서는 경제적 요인의 고려가 가능할 수 있다는 표현을 하고 있는데, 문언적 해석 원칙상으로도 인간의 생명, 건강에 관한 위험평가시는 경제적 요인 고려가 필요하지 않은 것으로 파악하는 것이 타당할 것이다.
42) Appellate Body Report, *EC-Hormones, supra* note 5, para. 193.

를 동시에 확립할 수도 있음을 밝히고 있다.[43] 더 나아가 항소기구는 SPS 제5
조 1항의 위험평가는 회원국 자신이 실행할 것을 요구하는 것은 아니라고 하고
'여건에 따라 적절하게' 다른 회원국이나 국제기구의 위험평가에 근거할 수도 있
음을 아울러 제시하고 있다.[44] 또한 시간적 범위의 문제로 SPS조치의 위험평가
가 언제 이루어져야 하는가와 관련하여 EC-Hormones 사건에서 패널은 SPS협정
발효 이전의 SPS조치라도 해당 위험평가는 발효일 이후에 수행될 수도 있다고
하였다.[45]

제5절 위험관리(Risk Management)

SPS협정은 회원국 정부가 추구하는 적절한 보호수준이나 이러한 수준의 보
호를 달성할 수 있는 조치의 선택 등과 같은 위험관리(risk management)에 관한 결
정을 취할 수 있는 경우를 예상하고 있다.[46]

1. 적절한 보호수준에 관한 권리

먼저 '적절한 보호수준'(appropriate level of protection)과 관련해서는 SPS협정
부속서 A, 5항에서 "조치를 수립하는 회원국에 의해 적절하다고 판단되는 보호수
준"으로 정의하고 있다. 따라서 이러한 보호수준의 결정은 회원국의 전속적인 권
리라는 점과 위험평가에 있어 평가된 위험과 추구하는 보호의 적절한 수준은 구

---

43) *Ibid.*, para. 194("제5조 1항은 위험평가가 반드시 관련 과학계의 다수 의견만을 반영해야
  한다고 강제하는 것은 아니다. 어떠한 경우에는 특정한 문제를 직접 조사한 자격 있는 과
  학자들이 서로 다른 의견을 내세우기도 하는데, 이러한 경우에는 과학적으로 불확실한 상
  태를 의미한다. 어떠한 때에는 이러한 분분한 과학적 의견이 대략적으로 동등한 균형을 이
  룬다. 이 경우 상황 자체가 불확실성을 형성할 수 있고 대부분의 경우 책임 있고 대표적인
  정부들은 자신의 법적·행정적 조치들을 과학계의 주류 의견에 기초한다. 다른 경우에는
  동일하게 책임 있는 전형적인 정부들이 당시의 인정받고 높이 평가되는 출처에서 제공된
  다양한 의견들에 충실하게 기초할 수도 있다").

44) *Ibid.*, para. 190.

45) Panel Report, *EC-Hormones*, *supra* note 10, para. 8.99.

46) 물론 *EC-Hormones* 항소기구는 다소 모호하지만 위험관리라는 용어 사용에 반대하였다.
  Appellate Body Report, *EC-Hormones*, *supra* note 5, para. 180 참조.

별되어야 한다는 점은 분명하다. 2000년 Australia-Salmon 사건에서 항소기구는 위험도 0(zero risk)를 회원국이 목표할 수 없다는 패널의 견해를 반박하면서 확인할 수 있고 단순한 이론적 불확실성이 아닌 '위험'과 위험도 0이 될 수 있는 '적절한 보호수준'은 구분되어야 한다는 점을 분명히 했다.[47] 즉 일단 위험에 관한 과학적 증거가 확정되었다면 회원국 나름의 보호수준(예: 위험도 0 수준)을 선택할 수 있다는 것이다.

2. 부정적 무역효과의 최소화

SPS 제 5 조 4항은 회원국들이 "위생 또는 식물위생 보호 조치의 적정한 수준을 결정하는 데 있어서 부정적 무역효과를 최소화시키는 목적을 고려해야 한다 (should)"고 규정하고 있다. EC-Hormones 사건의 패널은 제 5 조 4항에서 shall이 아닌 should가 사용됨으로써 회원국에 법적 의무를 부과하려는 것은 아니지만 그럼에도 불구하고 부정적 무역효과를 최소화하려는 목적은 기타 SPS 조항들을 해석하는 데 있어서 고려되어야 한다고 밝히고 있다.[48]

3. 위험에 대한 보호의 일관성 유지

SPS 제 5 조 4항과 달리 제 5 조 5항은 적절한 보호수준의 선택에 있어 의무적인 원칙을 규정하고(shall) 있는데, SPS 위험에 관하여 일관성 있는 조치들을 채택할 의무를 규정하고 있다. EC-Hormones 사건에서 항소기구는 제 5 조 5항의 목적은 "위생 또는 식물위생 보호의 적정한 수준을 적용하는 데에 있어서의 일관성을 달성하기 위한 것"이라 설명한다.[49] 하지만 이 경우 장기간의 완벽한 일관성이 요구된다기보다 단지 자의적이고 정당화할 수 없는 비일관적인 보호수준을 회피해야 한다는 의미라는 점도 분명히 하고 있다.[50]

SPS 제 5 조 5항의 위반을 구성하기 위해서는 다음 세 가지 요건들이 누적적

---

47) Appellate Body Report, *Australia—Salmon*, *supra* note 32, para. 125.
48) Panel Report, *EC—Hormones*, *supra* note 10, para. 8.166.
49) Appellate Body Report, *EC—Hormones*, *supra* note 5, para. 213.
50) *Ibid.*

(cumulatively)으로 존재해야 한다고 EC-Hormones 사건 항소기구는 밝히고 있다.

① 조치를 취하는 WTO 회원국은 인간생명 또는 건강에 있어서 여러 가지 상황의 위험에 대한 자국의 적정수준의 보호를 결정하고, ② 그러한 보호수준은 반드시 다른 상황에서 자의적이거나 또는 정당화될 수 없게 차별적이고, ③ 자의적이고 정당화할 수 없는 차별은 반드시 국제무역에 대한 차별 또는 위장된 제한의 결과를 초래해야 한다는 것이 그 세 요건이고 결론적으로 "특정한 보호수준을 구체화하거나 이행하는 조치"는 적용시 국제무역에 대한 차별 또는 위장된 제한의 결과를 가져와야 한다는 것이다.[51] EC-Hormones 사건 항소기구는 비록 조치의 차이가 자의적이거나 정당화될 수 없다 하더라도, 돼지고기 생산시 허용했던 일부 호르몬 사용을 쇠고기를 생산하는 데에 있어서 금지한 것은 SPS협정 제5조 5항과 합치한다고 결론지었다.[52] '임의적이거나 정당화할 수 없는 차이'가 '무역에 대한 차별 또는 위장된 제한의 결과'를 초래하지 않아 세 번째 요소가 충족되지 않았기 때문이다.

4. 필요 이상으로 무역제한적이지 않을 것

SPS 제5조 6항은 본질적으로 GATT 제20조 (b)하의 필요성 법리에 관한 것으로 SPS 제5조 4항과 긴밀한 관계에 있는데, 제5조 4항은 WTO 회원국들이 추구하는 목적에 관한 것이고 제5조 6항은 언급한 목적을 달성하기 위한 수단에 관한 것이다. 위에서 언급한 것과 같이 WTO 사법기구는 SPS조치가 추구하는 목적의 수준을 문제 삼지는 않고 사용된 수단들이 회원국들이 목적을 달성하는 데 있어서 가장 덜 제한적인지의 여부만을 조사할 것이며 사용된 수단으로서의 SPS조치가 그 목적에 부합되게 조정되었는지에 대해 중점적으로 심사한다. 심사과정에서는 다음과 같은 쟁점들이 문제될 수 있다.

(1) 회원국은 적정보호수준을 자유로이 결정할 수 있는가

Australia-Salmon 사건에서 항소기구는 "보호의 적정수준을 결정하는 것은 회원국의 특권"이라고 판시하면서 '적정수준의 보호'와 'SPS조치'는 구별되는 것이

---

51) *Ibid.*, paras. 214–215.
52) *Ibid.*, para. 246.

라는 점도 분명히 밝혔다.[53] 관련된 문제로 회원국이 SPS조치를 제정하였으나 그 보호수준을 결정하지 않았다거나 적정보호수준을 분명하게 밝히지 않은 경우는 실제로 취해진 SPS조치가 반영하는 보호수준을 근거로 패널이 결정할 수 있는 것으로 항소기구는 파악하고 있다.[54]

(2) '필요 이상으로 무역제한적이지 않을 것'의 기준

SPS 제 5 조 6항은 SPS조치 선택의 원칙을 설정한 조항인데, 그 각주에 "필요 이상으로 무역제한적이지 않을 것"의 개념이 규정되어 있다. Australia-Salmon 사건 항소기구는 목적달성을 위해 사용된 수단이 가장 덜 제한적인지의 여부를 판단하기 위한 3단계 기준을 제시하였다.

만약 해당조치 외의 또 다른 SPS조치가 ① 기술적·경제적인 실현가능성(feasibility)을 고려할 때 합리적으로 활용가능하고(reasonably available), ② 회원국이 위생 또는 식물위생 보호의 적정수준을 달성하며, ③ 문제된(contested) SPS조치보다 상당히(significantly) 덜 무역제한적이라면, 그 해당조치는 '필요 이상으로 무역제한적'인 것으로 간주된다.[55]

제 6 절   사전주의 원칙과 잠정조치

1. 사전주의 원칙(Precautionary Principle)[56]

과학적인 증거가 불충분한 경우에도 건강상의 위험을 차단하기 위해 회원국

---

53) Appellate Body Report, *Australia−Salmon*, *supra* note 32, paras. 199−200("적정수준의 보호를 결정하는 것은 … 관련된 회원국의 특권이지 패널이나 상소기구의 권리는 아니다 … 회원국에 의해 취해진 적정수준의 보호와 SPS조치는 분명하게 구별되어야 한다. 그 둘은 하나가 아니며 동일한 것이 아니다. 전자는 목적을 의미하며, 후자는 그 목적을 이루거나 충족시키기 위하여 선택된 수단이다.").
54) *ibid*., para. 207.
55) *Ibid*., para. 194; Appellate Body Report, *Japan−Agricultural Products*, *supra* note 17, para. 95.
56) Precautionary Principle을 '사전예방,' 또는 '사전배려'의 원칙이라고 불리기도 하나, Prevention Principle(사전예방)과의 구별을 위해 본서에서는 이를 '사전주의' 원칙으로 통일하여 서술하기로 한다.

이 SPS조치를 취해야 할 경우가 있음은 충분히 예상할 수 있고 SPS협정 제 5 조 7
항은 그에 대해 규정하고 있다. 동 조항은 일정한 조건하에서 과학적 증거가 불
충분한 경우 잠정조치를 취할 수 있음을 밝히고 있는데, 그런 맥락에서 사전주의
원칙을 반영하고 있다고 평가된다. 즉 관련된 위험의 존재에 대한 과학적 증거가
충분하지 않은 경우에도, 회원국들은 잠재 위험으로부터 자국민들의 건강 보호를
위하여 즉각적인 대응 조치를 취해야 할 경우도 발생하게 되는데, 이때 회원국들
은 위험 여부에 대한 최종적인 과학적 결론이 나오기 이전에 사전적인 조치를 취
하게 되는 것이다.

　　이러한 사전주의 원칙은 1998년 EC-Hormones 사건에서 중요쟁점이었다. 동
사건에서 EC는 취해진 SPS조치를 임시적이 아닌 최종적 조치로 구분하였기 때문
에 임시조치와 관련된 SPS 제 5 조 7항에 근거할 수 없었고 SPS협정 밖의 일반 국
제법상의 관습법으로서의 사전주의 원칙을 주장하였다. 이에 대해 항소기구는 국
제환경법 이외의 영역에서의 사전주의 원칙의 관습법 효력에 의문을 표시하면서
현재 사건과 관련해서는 판단할 필요가 없다고 밝혔다. 또한 과학적 불확실성이
있는 경우 사전주의 원칙이 SPS 제 5 조 1항과 2항에 명백히 규정된 요건보다 우
선할 수 없다는 점을 밝히는 것으로 우회적인 판단을 하였다.57) 그럼에도 불구하
고 사전주의 원칙은 SPS협정, 특히 잠정조치를 허용하는 제 5 조 7항과 관련하여
인용될 수 있으므로 사전주의 원칙의 명확한 경계는 아직 정해지지 않았다고 볼
수 있다. 물론 이러한 불명확성과는 무관하게 SPS협정상의 구체적 의무는 그대로
유지된다. 즉 사전주의 원칙을 통해 과학적 증거 입증을 위한 시간적인 여유를
가질 수는 있지만 SPS조치에 필수적으로 요구되는 위험평가와 과학적 증거의 대
안이 될 수는 없다는 것이다.58) 더욱이 사전주의 원칙은 과학적 증거가 불확실한
경우(scientific uncertainty)에 원용될 수 있지만 후술하는 잠정조치는 과학적 증거의
불확실성이 아닌 불충분성(scientific insufficiency)을 논하고 있기에 이 둘의 구분은
필요하다.

---

57) Appellate Body Report, *EC-Hormones*, *supra* note 5, para. 125.
58) 예를 들면 M. Matsushita, et al., *supra* note 39, p. 500.

2. 잠정조치(Provisional Measures)

위에서 살펴본 대로 과학적 증거가 불충분한 경우 회원국은 SPS협정이 요구하는 과학적 원칙을 완화시킬 수 있는 사전주의 원칙을 그대로 원용할 수는 없다. 단지 제5조 7항의 요건들을 충족시키는 전제하에서 잠정조치를 취할 수 있을 따름이다. 관련하여 다음 세 가지 사항이 현재까지 쟁점이 되었다.

(1) 제5조 7항 원용 요건

먼저 1999년 Japan-Agricultural Products 사건 항소기구는 잠정조치를 발동할 수 있는 네 가지 요건을 확인하고 있다. 즉, ① 해당 조치가 관련 과학적 증거가 불충분한 경우에 취하여졌고, ② 입수가능한 적절한 정보에 기초하여 채택되었으며, ③ 회원국이 더욱 객관적인 위험평가를 위해 필요한 추가적인 정보를 찾기 위해 노력하고, ④ 합리적인 기간 내에 조치를 검토해야 한다는 것이다.[59] 이러한 네 가지 요건들은 누적적이며 잠정조치의 일관성을 판단하는 데 중요한 요건들이다. 따라서, 이 네 가지 요건들 중에 하나라도 충족되지 않는다면 문제된 조치는 제5조 7항에 기반하여 잠정조치를 취할 수 없다.[60]

과학적 불충분성 요건을 자세히 살펴보자. Japan-Agricultural Products 사건 항소기구는 제5조 1항의 위험평가와 7항의 과학적 불충분성은 맥락상 연계되어 있음을 확인하며, 과학적 불충분성의 요건은 '질적으로나 양적으로(qualitative or quantitative) 제5조 1항에 따른 적절한 위험평가를 수행할 수 없는 상황'을 의미한다고 하였다.[61] 나아가 제5조 7항은 과학적 불충분성(insufficiency)을 의미하지, 과학적 불확실성(uncertainty)인 경우에 원용되는 것이 아님을 분명히 하였다.[62]

기존의 과학적 결론과 다른 새로운 내용의 과학적 증거가 제시되는 경우에는 어떠한가? 2008년 Canada/US-Hormones Suspension 사건 항소기구는 관련 국제기준이 근거하고 있는 과학적 증거 채택 이후에 제시된 새로운 증거나 정보가

---

59) Appellate Body Report, *Japan—Agricultural Products, supra* note 17, para. 89. 이 사건에서 문제된 일본의 품종별 검사조치는 ③과 ④의 요건을 충족시키지 못하여 SPS 제5조 7항 위반으로 판정되었다.

60) *ibid.*

61) *Ibid.*, para. 179.

62) *Ibid.*, para. 184.

이전 증거의 증명력을 '심각하게'(critical mass) 반박하는 정도가 아닌 소수의 반대 의견이라고 하더라도, 그것이 만약 양질의 과학적 증거(qualified and respected)에 의하여 기존에 충분한 위험평가가 이루어졌는지에 대한 의문을 불러올 수 있다면 그 자체만으로 과학적 불충분성의 요건을 충족시킬 수 있음을 명백히 하였다.[63] 이때 새로운 정보가 믿을만하고 존중할만한 자료임을 요구하는 것은 적법한 과학(legitimate science)과 연관되는 것으로 새로운 과학적 증거가 기존의 증거를 불충분 시킬 정도의 양적인(quantitative) 변화를 의미하는 것이 아니라 기존의 증거를 토대로 내린 위해성 평가에 의문을 가할 수 있는 질적인(qualitative) 과학적 증거의 등장을 의미한다고 할 수 있을 것이다.[64]

(2) 입증책임

2008년 Canada/US-Hormones Suspension 사건에서 항소기구는 제5조 7항과 위험평가에 관한 제5조 1항의 관계에 관하여 7항은 1항의 예외가 아니라 한정적인 권리(qualified right)로 분류되기에 7항에 근거한 것으로 주장된 잠정조치의 위법성에 관한 입증책임은 제소국에게 있다고 판단하였다.[65] 즉 제소국은 위 네 가지 요건이 모두 충족되지 아니하였음에도 불구하고 피제소국이 잠정조치를 취한 것은 본 조의 위반임을 입증하여야 한다.

반면, 제5조 7항이 1항과 함께 다투어지는 경우가 아닌 경우에는, 입증책임 문제가 다르다. 2018년 Korea-Radionuclides 사건에서 피제소국인 한국은 제소국인 일본이 한국의 조치가 제5조 7항의 조건을 충족하지 아니하였음을 먼저 입증하여야 한다고 주장하였지만, 일본은 본 사건에서 제5조 1항의 위반을 주장한 것이 아니기 때문에, 제5조 7항을 원용하고 있는 한국이 입증하여야 한다고 하

---

63) *Canada/US-Hormones Suspension*, WT/DS320/AB/R, WT/DS321/AB/R, para. 677. 이 사건은 1998년 *EC-Hormones* 사건의 후속 분쟁으로서 EC의 이행조치가 불완전하다고 판단한 EC가 캐나다와 미국의 보복조치의 적법성을 제기한 것이다. 본 사건에서 패널은 이러한 요건을 충족시키기 위해서 패널은 현재의 과학적 지식에 의문을 제시할 수 있는 비판적이고 중대한(critical mass) 그리고 새로운 과학적 증거나 정보가 제시되어야만 한다고 판단하였고(para. 7.648), 상소기구가 이를 번복한 것이다.

64) 오선영, "WTO 분쟁해결에서 과학의 역할과 한계 재조명 — *US-Hormones Suspension* 사건을 중심으로," 「법학연구」 제20권 4호(2010), p. 174.

65) Appellate Body Report, *Canada/US-Hormones Suspension*, *supra* note 63, paras. 716-18.

였다.[66] 이에 패널은, 일본이 아닌 한국이 제5조 7항의 요건이 모두 충족되었음을 입증하여야 한다고 판정하였다. 일본이 패널 설치를 요구하면서 제5조 1항 위반을 주장하거나, 제5조 7항 자체를 언급하지 아니한 반면, 한국은 객관적 위험평가를 실시하기에는 불충분한 과학적 근거가 있음을 근거로 제5조 7항을 원용하였기에, 입증책임은 이를 주장하는 측인 한국에 있다는 것이다.[67] 이때의 제5조 7항은 충분한 과학적 근거에 기초해야 한다는 제2조 2항에 대한 한정적 예외(qualified exemption)로 여겨진다.[68]

제7절 기타 주요쟁점

1. 입증책임

주권국가간의 분쟁을 다루는 WTO 분쟁해결절차에서 분쟁 당사국들은 자신의 주장에 대해 입증책임을 진다. SPS조치와 관련된 입증책임에 관하여 EC-Hormones 항소기구는 다음과 같이 밝히고 있다.

SPS조치 혹은 문제된 조치가 일견 SPS협정의 특정한 규정과 일치하지 않는다는 사실 증명의 우선적인 책임은 제소국이 진다. 만약 이것이 명백히 증명이 된다면, 자신의 조치가 SPS협정과 일치하지 않는다는 주장에 대해 반박 또는 이의를 제기해야 하는 입증책임은 피제소국 측으로 넘어간다.[69]

SPS 제3조상의 조화에 관한 입증책임에 대해서 EC-Hormones 사건에서 패널은 제3조 3항은 일반조항인 제3조 1항의 예외조항이므로 입증책임이 전환되어 피제소국이 SPS조치가 제3조 3항에 합치한다는 입증을 해야 한다고 판단하

---

66) Panel Report, *Korea−Import Bans, and Testing and Certification Requirements for Radionuclides*, WT/DS495/R, 22 Feb., 2018. 본 사건에서 일본은 한국의 조치가 SPS협정 제2조 3항, 제5조 6항, 제7조, 제C부속서를 위반하였음을 주장하며 이를 WTO에 제소한 사건이다. 제5조 7항 위반 여부를 다투지 않았다.

67) *Ibid.*, para. 7.70−7.75.

68) *Ibid.*

69) Appellate Body Report, *EC−Hormones, supra* note 5, para. 98.

였다. 그러나 항소기구는 제 3 조 1항과 3항은 원칙 - 예외 관계가 아닌 1항은 단순히 3항 이외의 상황에 적용되므로 일반적 입증책임원칙과 같이 제 3 조 3항에 규정된 요건을 충족시키지 못한다는 입증책임을 제소국이 부담한다고 판정했다 (제 5 조 7항의 잠정조치에 대해서는 제 6 절 참조).[70]

2. 동등성(Equivalence)

앞에서 본 바와 같이 국제적 기준에 의한 조화의 방법을 통해 국제무역에서 보다 효율적인 SPS조치 설정이 가능하지만 보다 구체적인 지역적인 기후나 성향 등의 요인까지 고려할 수는 없는 경우가 많다. 이 경우 활용될 수 있는 방법이 관련 국가간에 서로 다른 SPS조치를 동등하게 효과적인 조치로 인정하는 방법이며 이것이 제 4 조에서 규정한 동등성의 문제이다.

제 4 조 1항에 따르면, 만약 수출국이 자신이 택한 SPS조치로 수입국이 정한 보호 수준을 달성할 수 있음을 객관적으로 입증한다면 해당 회원국은 자국의 조치와 다른 회원국의 조치를 자국의 것과 동등하게 인정해줘야 한다. 이에 2항은 동등성 인정 협정체결을 위하여 회원국들끼리 협의하도록 하고 있다.

3. 투명성과 절차적 권리

WTO법의 일반 원칙인 투명성 원칙과 관련하여 SPS협정은, SPS조치 변경의 고지의무(SPS협정 제 7 조 및 부속서 B, 1항), 관련 문의처 설치(부속서 B, 3항·4항), 이유 설명(제 5 조 8항), 방제, 검사 및 승인 절차(제 8 조 및 부속서 C) 등을 규정하고 있다.

4. 개발도상국에 대한 우대

개도국과 관련된 특별대우로는 기술지원(SPS협정 제 9 조), SPS조치의 준비와 적용(제10조 제 1 항), 조치의 순차적 도입(제10조 제 2 항), 합리적 적응기간(부속서 B, 2항), 시간제한 면제(제10조 제 3 항), 개도국의 국제기구 참가 독려(제10조 제 4 항), 고지의무에 관한 특칙(제 9 조 및 부속서 B, 8항), 이행기간(제14조) 등이 있다.

---

70) *ibid.*, para. 104.

제11장
무역기술장벽협정

제1절 무역기술장벽협정 개요

상품의 소비와 생산으로부터 안전을 보호할 목적으로, 혹은 환경을 보호하거나 소비자 정보를 제공할 목적으로, 정부는 상품 및 생산공정에 관한 많은 기술요건을 도입하고 시행한다. 한편, 상품의 품질 향상, 산업 고도화, 기술혁신을 꾀하기 위하여 국가 또는 산업단체가 표준을 제정하고 기술과 정보를 확산하기도 한다. 이처럼 정부 또는 민간기관이 채택하는 기술요건은 시장실패를 보완하는 중요한 공공정책 수단이 되고, 표준 역시 산업경쟁력의 기초가 된다.

그러나 국제무역의 관점에서 볼 때, 정부 또는 민간기관이 준비, 제정, 시행하는 기술규정, 표준 또는 적합성평가절차는 때로는 무역을 제한하고 때로는 불필요한 수출 비용을 초래하는 무역장벽이 된다. 이를 기술장벽(Technical Barriers to Trade: TBT)이라 하며 국제무역체제의 TBT 협정을 바탕으로 규율한다.

WTO TBT 협정은, 기본적으로 회원국이 정당한 공공정책을 목적으로 기술규정, 표준, 적합성평가절차(기술조치, technical measures)를 준비, 채택, 시행할 수 있는 권한을 보장한다.[1] 그러나, 이러한 기술조치가 보호무역을 추구하는 수단으로 남용되는 것을 금지한다. TBT 협정은 차별적이거나 불필요하게 무역을 제한하는 기술조치를 규율함으로써, 궁극적으로 국가의 정당한 공공정책 권한과 국제무역 체제의 무역자유화 목표 사이의 균형을 추구한다.

또한, TBT 협정은 국제무역의 흐름을 원활하게 보장하기 위해서 국제표준 사용을 촉진하고 적합성평가 제도 활용을 장려한다.[2] 기술조치의 국제적 조화

---

1) 무역기술장벽협정 전문 2항, 6항.

(international harmonization) 원칙은 국가마다 서로 다른 기술조치가 궁극적으로 공통의 기준을 향해서 수렴하도록 도모하고, 이질적이고 다양한 기술조치에 기인하는 무역 제한 효과를 최소화하기 위한 핵심 원칙에 해당한다.

GATT 체제의 체약국이 지속적으로 무역자유화 협상을 추진하는 과정에서 대부분의 관세장벽이 제거되었으나 비관세 장벽 문제가 점차 새로운 무역 현안으로 대두했고, 1970년대 도쿄라운드에서 비관세장벽 협상이 본격적으로 추진되었다. 당시 표준장벽 문제가 주요 현안으로 논의되면서, 도쿄라운드에서 복수국협정(Code) 형식의 GATT TBT 협정이 채택되었다. 기술규제·표준과 국제무역 사이의 문제를 규율하는 이 최초의 무역협정은, 우루과이라운드의 개선 논의를 거쳐 지금의 WTO TBT 협정으로 발전하였다.[3]

본 장에서는 WTO TBT 협정의 기본 규범과 쟁점을 설명한다. 본문은 제 2 절 적용 범위, 제 3 절 주요 규정, 그리고 제 4 절 이행 및 분쟁해결으로 구성된다.

제 2 절   무역기술장벽협정의 적용 범위

1. 협정의 구성

TBT 협정은 전문과 15개 조항 그리고 3개의 부속서로 이루어진다. 동 협정의 적용 범위는 협정의 일반규정(제 1 조)과 용어 및 정의에 관한 부속서(부속서1)를 바탕으로 한다. 협정의 주요 규범을 대상 조치에 따라 구분하는 경우, 기술규정 및 표준에 관한 조항(제 2 조에서 제 4 조, 부속서3), 적합성평가절차에 관한 조항(제 5 조에서 제 8 조), 국제·지역체제, 정보 및 개도국에 관한 조항(제 9 조에서 제12조) 그리고 무역기술장벽위원회 및 분쟁해결에 관한 조항(제13조에서 제15조, 부속

---

2) 무역기술장벽협정 전문 4항, 5항.

3) GATT/WTO 무역기술장벽협정 발전에 관한 자세한 논의는 다음을 참조한다. Winham, Gilbert R., International Trade and the Tokyo Round Negotiation (Princeton University Press, 1986), pp. 194−197, 233−135. Stewart, Terence, The GATT Uruguay Round: A Negotiating History(1986−1992) (Kluwer Law & Taxation Publisher, 1993). Sykes, Alan O., Product Standards for Internationally Integrated Goods Markets (Brookings Institution, 1995), pp. 63−86. 김민정, "무역기술장벽 관련 국제통상규범의 발전", 안덕근·김민정 편저, 「국제통상체제와 무역기술장벽」(박영사, 2018), pp. 23−52.

서2)으로 나눌 수 있다. 또는, 주요 규범을 대상 기관에 따라 구분하는 경우, 중앙
정부 기관에 관한 조항(제2조, 제4조, 제5조, 제6조 등), 지방정부 기관에 관한
조항(제3조, 제4조, 제7조) 그리고 비정부 기관에 관한 조항(제3조, 제4조, 제8
조)으로 나눌 수 있다.

협정 구조에서 알 수 있듯이, 적용규범은 해당 조치와 해당 기관에 의해서
결정된다. 다시 말해서, 회원국 조치가 기술규정, 표준, 적합성평가절차 중에서
어느 조치에 해당하는지, 그리고 조치를 시행하는 기관이 중앙정부, 지방정부 또
는 비정부 기관인지에 따라 적용되는 조항과 규범을 알 수 있다.

2. 협정의 적용 범위

(1) 대상 조치

TBT 협정은 공산품과 농산물을 포함하여 모든 상품에 적용된다.[4] 동 협정의
대상 조치는 기술규정, 표준, 적합성평가절차며, 신규 제정과 개정이 모두 포함된
다.[5] 협정은 협정 목적에 따라 도입된 부속서의 8개 용어에 대한 정의를 두고 있
는데, 이외의 용어와 정의는 국제표준화기구/국제전기기술표준위원회 지침(ISO/IEC
Guide 2:1991)의 "표준화 및 관련활동에 관한 일반용어와 그 정의"에 기초한다. 기
술규정, 표준, 적합성평가절차 개념은 협정이 별도의 정의를 도입한 전자에 해당
한다.[6]

협정 정의에 따르면, 기술규정(technical regulations)은 상품의 특성 또는 관련
제조공정방법(process and production method: PPM)을 규정하는 문서로서, 적용가능
한 행정규정을 포함하며, 그 준수가 강제적이다. 기술규정은 상품 및 PPM에 적용
되는 용어, 기호, 포장, 표시 또는 상표부착요건을 포함하거나 전적으로 이들만을
취급할 수 있다.[7]

표준(standard)은 공통적이고 반복적인 사용을 위하여 규격(rules), 지침

---

4) 무역기술장벽협정 제1.3조.
5) 무역기술장벽협정 제1.6조.
6) 무역기술장벽협정 부속서1은 기술규정, 표준, 적합성평가절차, 국제기관 또는 체제, 지역
   기관 또는 체제, 중앙정부기관, 지방정부기관, 비정부기관의 정의를 포함한다.
7) 무역기술장벽협정 부속서1.1.

(guidelines), 또는 상품 특성 또는 관련 PPM을 규정하는 문서이며, 공인 기관(a recognized body)이 승인하고 그 준수가 강제적이지 않다. 기술규정과 마찬가지로 표준도 상품 및 PPM에 적용되는 용어, 기호, 포장, 표시 또는 상표부착요건을 포함하거나 전적으로 이들만을 취급할 수 있다.[8]

적합성평가절차(conformity assessment procedure)는 기술규정 또는 표준상 기술요건이 충족되었는지를 결정하는 직접적 또는 간접적 모든 절차를 의미하고, 표본추출, 시험 및 검사, 평가, 검증 및 적합 보증, 등록, 인증과 승인 등을 포함한다.

종합하면, 기술규정과 표준은 상품의 특성 혹은 PPM을 규정하는 기술요건이라는 점에서 공통점이 있고, 기술규정이 강제적으로 시행되는 반면, 표준은 자발적으로 시행된다는 점에서 두 조치 사이에 근본적인 차이가 있다. 적합성평가절차는 상품이 기술규정 혹은 표준의 요건에 부합하는지를 확인하는 절차다.

상술한 바와 같이, 각 대상 조치마다 적용되는 조항이 다르므로 대상 조치를 명확하게 구분하는 문제는 협정 운용에 있어 중요한 법률 사안이다. 특히 기술규정과 표준을 구분하기 위해서 "준수가 강제적"인지를 판단해야 하는데, 협정상 이에 대한 기준이 명확하지 않아 문제가 된다. 이와 관련하여 미국-참치(II)분쟁에서, 참치통조림에 돌고래안전 표시를 사용하지 않고도 시장에 판매하는 것이 법적으로 허용되는 상황이라면, 해당 조치가 '자발적'인 표준인지, 아니면 '강제적'인 기술규정인지가 쟁점 사안이었다. 상소기구는 참치제품의 생산과정에서 돌고래가 안전했다는 표시를 하려면 미국 연방정부가 제정한 돌고래안전 표시 기준만이 유일하게 사용할 수 있는 기준이라는 점을 중요하게 고려하여, 해당 조치가 이행이 강제적인 기술규정이라고 판단하였다.[9] 상소기구의 평결에도 불구하고 이 사안을 검토할 일반적인 기준이 아직 확립되지 않은 것으로 분석된다.[10]

다음으로 주목할 주요 쟁점 사항은, WTO TBT 협정이 상품과 PPM을 다룬다

---

8) 무역기술장벽협정 부속서1.2.
9) WT/DS381/R, WT/DS381/AB/R. 기술규정의 이행강제성에 관한 자세한 논의는 다음을 참조한다. 김민정, "US-Tuna II: 미국 돌고래안전 라벨제도에 관한 WTO분쟁과 이행", 박덕영 외, 「WTO무역과 환경사례 연구」(박영사, 2018), pp. 88-93.
10) GATT/WTO 무역기술장벽협정상 표준개념의 발전에 관한 자세한 논의는 다음을 참조한다. Kim, Minjung, "The Standard in the GATT/WTO TBT Agreement: Origin, Evolution and Application", *Journal of World Trade* 52:5, 2018 (forthcoming).

는 점과 관련 있다. GATT TBT 협정이 PPM을 직접 규율하지 않았던 것에 반해,[11] WTO TBT 협정상 기술규정과 표준은 최종재의 특성뿐 아니라 상품의 생산공정, 포장, 표시, 사용, 재사용, 폐기와 재활용 등에 이르는 전 단계를 포괄한다.[12] 문제는 협정상 PPM의 범위를 어느 수준까지 인정할 것인지가 명확하지 않다는 데에 있다. 즉, 상품과 관련이 있는 PPM(product−related PPM)만을 인정할 것인지, 상품과 직접 관련이 없는 제조공정 기준(non−product−related PPM: NPR−PPM)도 포괄한다고 봐야 하는지가 오랫동안 논쟁 사안이었다. 후자에 해당하는 대표적인 예로써, 특정 상품을 생산하는 공장의 노동기준이나 생산단계에 적용되는 환경 기준 등을 생각해 볼 수 있다. 참치 제품에 생산단계에서 돌고래 안전을 요구하는 경우와 같은 사례가 점차 증가하고 있다. 일반적인 기술규정이 PPM 요건을 도입하는 경우와 표시(라벨) 요건으로 PPM 요건을 도입하는 경우, NPR−PPM을 다르게 고려해야 하는지 등의 논쟁이 있다.

상기 문제를 분석한 기존 연구에 따르면, 협정 규정에서 그 차이를 찾을 수 있는 것으로 나타난다. 구체적으로 살펴보면, 기술규정과 표준 정의 조항의 첫 번째 문장이 "상품 특성 및 관련 제조공정방법"을 언급하고 있는 것과 대조적으로 조항의 두 번째 문장이 "상품 및 제조공정방법"을 언급하고 있는데, 이처럼 후자에서 '관련'이라는 용어가 포함되지 않는다는 점을 주목할 필요가 있다. 다시 말해서, 적어도 표시(라벨)요건에 있어서는 NPR−PPM이 협정의 대상 범위에 포함된다고 볼 수 있기 때문이다. 분쟁해결기구는 이 문제를 명시적으로 검토하지는 않았으나, 돌고래안전 라벨과 같이 참치제품과 관련이 없는 라벨 문제를 TBT 사안으로 인정했다는 점에서 NPR−PPM이 완전히 배제되지 않는다는 것을 알 수 있다.[13]

---

11) PPM은 GATT 협정의 적용 범위에 포함되지 않았고 다만 협정 적용을 우회할 목적으로 PPM 기준을 사용하는 경우 이에 대해 분쟁해결절차를 개시할 수 있었다. GATT 무역기술장벽협정 제14.25조.

12) Wolfrum, Rüdiger et al., WTO−Technical Barriers and SPS Measures (Koninklijke Brill NV, 2007), pp. 186−202.

13) Van Den Bossche, Peter, The Law and Policy of the World trade Organization: Text, Cases and Materials, 4th ed.(Cambridge University Press, 2017) pp. 885−894.

(2) 대상 기관

TBT 협정은 중앙정부 기관의 행위를 주로 규율하지만, 지방정부 기관과 비정부 기관도 규율한다. 협정 목적상 중앙정부 기관은 중앙정부 부처 또는 중앙정부의 통제를 받는 모든 기관(any body subject to the control of the central government)을 의미한다.14) 지방정부 기관은 중앙정부 이외의 정부, 예를 들어 주(states), 도(provinces), 시(Länder, cantons, municiples, etc), 그 부처 또는 이러한 정부의 통제를 받는 모든 기관을 의미한다.15) 비정부 기관은 기본적으로 기술규정을 시행할 법적 권한이 있는 비정부 기관을 의미한다.16)

해당 기관에 따라 협정 의무가 차등적으로 적용되는데, 중앙정부 기관에 대해서는 협정 의무와 절차를 준수해야 하는 강한 의무(shall ensure)가 적용되고, 지방정부와 비정부 기관에 대해서는 협정 준수를 위해 합리적인 조치를 취해야 하는(shall take such reasonable measures as may be available) 상대적으로 낮은 의무가 적용된다.17) 지방정부 및 비정부 기관의 이행에 대해서 최선의 노력(best endeavor)을 요구하는 규정이 얼마나 실효적으로 협정 이행을 보장할 수 있는지가 근본적인 제도 문제로 논의되고 있다.

(3) 시간적 범위

1995년 WTO TBT 협정이 발효하기 이전에 회원국이 도입한 국내 기술규정, 표준 및 적합성평가절차에 대해서 동 협정과의 합치를 보장해야 하는가? 이 질문은 TBT 협정의 시간적 적용범위와 관련이 있다.

EC－정어리 분쟁에서 동 협정의 주요 규범인 "관련 국제표준과의 조화" 의무가 1995년 이전에 도입되어 시행되고 있는 국내 조치에 대해서도 적용되는지가 분쟁 사안이었다. 분쟁해결기구는 협정상 시한적 범위에 대해서 달리 명시하지

---

14) 무역기술장벽협정 부속서1.6. 유럽연합(EC)의 경우 중앙정부를 규율하는 규정이 적용된다. 단, EC가 지역기관 또는 적합성평가절차를 설립하는 경우, 지역기관 또는 적합성평가제도를 규율하는 규정이 적용된다.
15) 무역기술장벽협정 부속서1.7.
16) 무역기술장벽협정 부속서1.8.
17) 중앙정부기관에 관한 제 2 조와 제 5 조, 그리고 지방 및 비정부기관에 관한 제 3 조, 제 4 조, 제 7 조, 제 8 조, 제 9 조를 비교하면 협정이 규정하는 기관에 따른 차등적인 의무수준을 분명하게 알 수 있다.

않는 한, 협정 발효 이전에 도입되어 시행되고 있는 (진행형) 조치도 TBT 협정과 합치할 의무가 있고 국제표준 사용 의무에 구속된다고 판단하였다.[18] 일반적으로 TBT 협정 의무는 현재 시행되고 있는 기술조치와 향후 시행될 모든 기술조치에 적용되는 것으로 이해할 수 있다.

(4) 여타 WTO협정과의 관계

정부 기관의 소비 및 구매 물품 관련 기술규격과 표준은 WTO 정부조달협정에 의해 규율된다.[19] 그리고 위생·식물위생 조치(SPS)에 대해서는 SPS 협정이 적용되며, TBT 조치와 SPS 조치를 구분하는 문제가 매우 중요하다.[20] 서비스 기술 표준에 대해서는 서비스무역 일반협정(GATS)이 적용된다.

TBT 협정과 GATT 협정의 관계는 상호 배타적이지 않다.[21] 다시 말해서 분쟁해서 두 협정이 동시에 원용될 수 있고, 일반적으로 TBT 협정 사안이 먼저 검토되고 합치한다는 결론이 내려지는 경우, 1994년 GATT 사안이 검토된다.

제 3 절 무역기술장벽협정의 주요 규정

1. 비차별 의무

TBT 협정은 기술장벽을 완화하고 방지하기 위하여 GATT/WTO 체제의 기본 원칙인 최혜국대우와 내국민대우 의무를 적용한다. 동 협정은 WTO 회원국이 기술규정, 표준 및 적합성평가절차를 준비, 채택할 때 그리고 이러한 기술조치를 적용할 때 자국산 동종상품 또는 그 밖의 국가를 원산지로 하는 동종상품보다 불리하지 아니한 대우를 해당 수입상품에 부여할 의무를 규정한다.[22]

---

18) 상소기구보고서, WT/DS321/AB/R, 216. 분쟁해결기구는 협정 제2.6조에서 "회원국은 자신이 기술규정을 이미 채택하였거나 또는 채택할 것이 예상되는 상품에 대하여" 적절한 국제표준기관이 국제표준을 준비하는 데 최대한의 역할을 다할 것을 규정하고 있음을 주목하며, 국제표준과의 조화 의무를 적용하는 데 있어 시간적 제한이 없음을 확인하였다.
19) 무역기술장벽협정 제1.4조.
20) 무역기술장벽협정 제1.5조.
21) 부속서1A 상품무역에 대한 다자협정, 부속서 1A에 대한 일반 주해(General Interpretative Note to Annex 1A of the WTO Agreement).

기술규정에 대하여 내국민대우 의무를 적용할 때 고려해야 하는 기본 요소는, 해당 조치가 기술규정인가, 문제의 사안이 국내상품과 동종 수입상품에 대한 대우에 관한 것인가, 그리고 수입상품에 대하여 '덜 유리한 대우(less favourable treatment)', 즉 불리한 대우가 있었는가에 관한 것이다.

(1) 기술규정 및 동종상품

해당 조치가 기술규정인가를 검토하는 이유는 기본적으로 TBT 협정 사안인지를 판단하기 위함이다. 일반적으로, 앞서 살펴본 협정상 '기술규정' 정의를 바탕으로, 상품의 특성 또는 관련 생산공정방법을 기술하는 문서인지, 그리고 그 이행이 강제적인지를 고려하여 결정한다. 또한 상품이나 생산공정방법에 적용되는 용어, 기호, 포장, 표시 또는 상표부착요건을 포함하거나 전적으로 다루는지도 판단기준이 된다. 요컨대, 식별가능한 상품을 다루는지, 상품의 특성을 다루는지, 그리고 이행이 강제적인지가 핵심요소라 할 수 있다.[23]

다음으로 기술규정의 대상이 되는 국내 상품과 수입 상품이 '동종상품'인지가 중요하게 고려된다. 통상적으로 GATT 제III조 적용과 유사한 방식으로 TBT 협정상 '동종 상품' 검토가 진행되는데, 전자와 마찬가지로 상품의 물리적 특성, 최종 용도, 소비자 선호 그리고 관세 분류기준이 가장 기본적인 기준이 된다.

(2) 불리한 대우

기술규정이 내국민 대우를 보장하는 데 있어 핵심적인 요소는, 동종 국내상품보다 수입 상품을 불리하게 취급하지 않아야 한다는 요건에 있다. 동 의무는 기술규정에 의한 법률상 그리고 사실상의 불리한 대우를 모두 금지한다.

TBT 협정상 불리한 대우에 관한 검토는, 동종 상품 간의 경쟁 관계에 변화가 있었는가(modification of competitive relations), 그리고 그 경쟁 관계의 변화로 수입 상품이 피해를 보았는가(detrimental impact on the imports)를 기본 사항으로 한다.[24] 상소기구는 패널이 중점을 두었던 시장경쟁과 수입 피해에 대한 검토만으로는

---

22) 무역기술장벽협정에서 기술규정에 대한 비차별의무는 제2.1조, 적합성평가절차에 대한 비차별의무는 제5.1조, 그리고 표준에 대한 비차별의무는 부속서3의 D항에 있다.

23) Epps, Tracey and Trebilcock, Michael J., Research Handbook on the WTO and Technical Barriers to Trade (Edward Elgar, 2013), pp. 27-40.

24) 상동.

충분하지 않고, 해당 기술규정의 목적과 방식이 차별적인 요소를 갖는지를 함께 고려해야 한다고 평결하였다. 이에 따라, 불리한 대우를 판단할 때 수입에 대한 부정적인 결과가 정당한 규제 구분에 기인하는지(whether the detrimental impact stems exclusively from a legitimate regulatory distinction)가 중요한 법률 요건으로 검토되고 있다. 즉, 비차별적인 기술규정은 기본적으로 TBT 협정상 명시된 혹은 WTO 협정상 일반적으로 인정되는 '정당한 목적'을 추구해야 하고, 그 규제 방식, 구조, 설계, 운용 및 적용 등 종합적인 측면에서 공평(evenhandedness)해야 한다.[25] 다만 이와 관련하여 유의해야 할 사항은, 기술규정이 규제를 위해 분류하고 구분하는(regulatory distinction) 그 자체가 차별(discrimination)을 의미하지는 않는다는 점이다.[26] 요컨대, 기술규정의 목적과 방식의 정당성이 차별 대우를 판단하는 핵심 요건이다.

이 문제는 TBT 협정상 내국민대우 의무가 GATT 제III:4조의 국내 규정에 대한 내국민대우 의무와 같이 해석, 적용되는지가 분명하지 않다는 점이다. 일반적으로 TBT 협정의 내국민대우 의무는 GATT 협정의 내국민대우 의무와 일관되게 적용된다고 볼 수 있다. 그러나 TBT 협정에는 GATT 제XX조 예외 조항과 같은 예외 규정이 없다는 점에서, 그리고 TBT 협정의 목적과 대상을 고려해서 내국민대우 의무를 적용하는 것이 바람직하다는 관점에서 볼 때, 이 핵심 기준을 어떻게 구체화하고 발전시켜야 하는지가 중요하게 논의되고 있는 쟁점 사항이다.

(3) 적합성평가절차에 대한 내국민대우

적합성평가절차 관련 내국민대우 의무는 두 가지 측면에서 설명할 수 있다. 우선, 생산자(人)의 적합성평가절차 접근(access)에 있어 비차별 대우가 보장되어야 한다. 즉, 수입국 적합성평가 기관은 국내 생산자 혹은 제3국 생산자와 비교했을 때 수출국 생산자에게 불리한 조건으로 적합성평가 절차를 도입하거나 운영하지 않아야 한다.[27] TBT 협정은 기본적으로 공급자가 적합성 판정을 받을 수 있는 권리를 인정하고 있다.[28]

---

25) 상동.
26) 분쟁 사례에서 검토된 무역기술장벽 관련 내국민대우 조항 논의는 다음을 참조한다. 박덕영 외, 「WTO무역과 환경사례 연구」(박영사, 2018), pp. 94–101.
27) 무역기술장벽협정 제5.1.1조.
28) 상동.

다른 측면은, 적합성평가를 시행함에 있어 상품 간 차별대우가 금지된다는 점이다. 수입국은 적합성평가 절차를 가능한 신속하게 그리고 수입상품에 대해서 국내상품보다 불리하지 아니한 순서로 시행하고 완료해야 한다.[29]

2. 불필요한 무역제한 금지

TBT 협정은 불필요한 무역제한을 목적으로 혹은 그러한 효과를 갖는 기술규정, 표준, 적합성평가절차의 준비, 채택, 적용을 금지한다. 이는 바꾸어 말하면, 회원국이 자국의 소비자 보호, 환경 보호, 품질 보장 등 정당한 목적을 달성하는 데 적절하다고 판단하는 **필요한** 기술조치를 시행할 수 있는 권한이 있음을 인정하는 것으로도 볼 수 있다.

(1) 정당한 목적

기술규정에 의한 불필요한 무역제한을 금지하는 조항에 따르면, 회원국은 기술규정을 준수하지 않을 때 발생할 위험을 고려하여, 해당 기술규정이 정당한 목적 달성에 필요한 이상으로 무역을 제한하지 않도록 보장해야 한다. 이 규정을 적용하기 위해서, 우선 해당 기술조치의 목적이 무엇인가 그리고 해당 기술조치가 추구하는 목적이 정당한가를 고려해야 한다. TBT 협정에 명시된 정당한 목적에는 "국가안보상 요건, 기만적 관행의 방지, 인간의 건강 또는 안전, 동물 또는 식물의 생명 또는 건강, 또는 환경의 보호"가 포함된다.[30] 관련 분쟁에서 상소기구는 TBT 협정이 명시한 이러한 정당한 목적 외에도 WTO 협정이 전반적으로 인정하는 정당한 목적이 모두 해당된다고 보았다.[31]

다음으로 고려할 사항은, 기술조치에 의해 초래된 무역 제한이 불필요했는가를 판단하는 것이다. 이를 위해서 해당 조치가 추구하는 목적을 어느 정도 달성

29) 무역기술장벽협정 제5.2.1조.
30) 표준에 대한 불필요한 무역제한금지 조항(부속서3의 E항)은 정당한 목적 및 위험평가에 관한 언급 없이 일반적인 의무, 즉 "국제무역에 불필요한 장애를 초래하거나, 그러한 효과를 가질 목적으로" 준비, 채택, 적용하지 않을 것을 규정하고 있다. 이처럼 표준 관련 규정은 '정당한 목적'을 언급하지 않는데, 이는 기술규정과 표준이 개념과 기능 측면에서 근본적으로 차이가 있기 때문으로 해석할 수 있다.
31) 상소기구보고서, WT/DS321/AB/R, 313.

하고 있는지와 목적을 달성한다면 필요 이상으로 무역을 제한하는지를 검토하는 것이 필요하다. 후자의 질문을 검토할 때는 해당 기술규정을 시행하지 않으면 어떤 위험이 발생하는지도 중요한 요소로 고려된다. 즉, 기술규정이 어떤 위험을 다루느냐에 따라, 기술규정이 채택한 접근 방법과 수준이 적절한지, 불필요한 제한인지를 판단할 수 있기 때문이다. 이와 관련해서, 협정 제2.2조는 위험평가시 "특히 이용가능한 과학적 및 기술적 정보, 관련처리기술 또는 상품의 의도된 최종 용도"를 고려할 것을 명시적으로 규정하고 있다.[32]

(2) 불필요한 무역 제한

일반적으로 조치의 필요성을 검토할 때 '대안 조치'(alternative measure)를 고려한다. 즉, 현행 조치가 추구하는 목적을 동일수준으로 달성하는 동시에 무역을 덜 제한하는 대안 조치가 존재한다면, 현행 조치의 무역제한이 불필요함을 판단할 수 있기 때문이다. 이 일반적인 검토 기준이 TBT 협정에도 적용된다.

문제는 TBT 협정의 필요성 검토가 불합치 조치를 예외로 인정할 수 있는지를 판단하는 차원에서 이루어지는 것이 아니라는 점에서, GATT 제XX조의 필요성 검토와 근본적으로 구분된다.[33] 특히, 입증책임 문제가 제기된다. 실제 분쟁에서 상소기구는 이러한 입증 책임 문제를 언급하며, 규제국(수입국)이 자국 조치의 정당성과 필요성을 변호하도록 하는 것은 근본적으로 '신의성실 원칙'을 위반하는 모순된 검토방식이라고 보았다.[34] 상소기구는 분쟁해결양해(DSU) 제11조에 입각하여 '객관적이고 독립적인' 검토를 진행하기 위하여 제소국은 소(所)를 제기 및 입증하고, 규제국은 자국 조치를 설명할 특권(the prerogative)이 있음을 확인한 후, 이를 바탕으로 양국 주장을 모두 검토하였다.

---

32) WTO 무역기술장벽협정상 기술규정 및 적합성평가 방법과 기준을 제정하고 시행함에 있어 규제하려는 또는 측정하려는 '위험'을 명확하게 규정하고 과학적이고 객관적인 근거를 검토하는 것은 매우 중요한 요소이다. 적합성평가절차에 대한 불필요한 조치 판단기준에도 '위험' 평가가 제시되고 있는데, 협정 제5.1.2조는 법률상 그리고 사실상의 불필요한 무역제한을 금지하며, "이는, 특히 부적합이 야기할 위험을 고려하여, … [수입] 상품이 적용가능한 기술규정 또는 표준에 일치하고 있다는 적절한 확신을 주는데 필요한 이상으로 … 엄격하거나 엄격하게 적용되지 아니할 것"을 규정한다.

33) 이 장의 제3절 1. (2)에서 다룬 협정 제2.1조 내국민대우 조항의 '불리한 대우'에 관한 설명을 참조한다.

34) 상소기구보고서, WT/DS321/AB/R, 323.

3. 국제표준과의 조화 의무

TBT 협정은 기술장벽을 해소하고 사전에 방지하기 위해서 국제표준과의 조화(harmonization) 원칙을 도입하고 있다. 회원국마다 서로 다르거나 중복되는 기술규정, 표준, 적합성평가절차를 시행하는 것이 기술장벽을 만드는 근본 원인이 되므로, 이 원칙을 통해서 각국 기술조치가 국제표준과 일치하도록, 궁극적으로는 가능한 범위 내에서 공통 기준으로 수렴할 것을 권고한다.35) TBT 협정 전문은 "국제표준과 적합성평가 제도가 생산능률을 향상하고 국제무역을 원활하게 함으로써" 기술장벽 완화에 중요한 기여를 한다는 점을 인정하는 바, 국제표준과 적합성평가 활용을 기본적으로 지지하고 있다.

(1) 국제표준 조화에 관한 기본 규정

TBT 협정은 기술규정, 표준, 적합성평가절차에 대하여, 관련 국제표준이 존재하거나 그 완성이 임박한 경우 그러한 국제표준의 전부 혹은 관련 부분을 회원국의 기술규정, 표준 또는 적합성평가절차의 기초로 사용할 것을 요구한다.36) 그리고 국제표준을 기초로 사용한 기술규정에 대해서는 불필요한 무역제한을 초래하지 않은 것으로 추정하는데, 이러한 추정은 반박이 가능하다.37) 회원국은 가능한 광범위하게 국제표준과 조화시키기 위해 최대한의 역할을 수행해야 한다.38) 동 조항을 운용함에 있어 두 가지 쟁점이 제기되고 있다. 첫째는 어떤 표준을 "관련 국제표준"으로 인정할 것인가에 관한 문제고, 둘째는 기술규정의 기초로 특정 국제표준을 사용하는 것이 효과적이지도, 적절하지도 않다면 이 의무로부터 일탈할 수 있다는 요건에 관한 쟁점이다. 이하에서 자세하게 논의한다.

(2) 관련 국제표준을 기초로

우선, TBT 협정은 '국제표준'에 관한 명확한 정의와 기준을 제시하지 않는다.39) 일반적으로 분쟁해결기구는 제소국이 주장하는 국제표준이 협정상의 '국제

---

35) Sykes, 전게서, pp. 10－26.
36) 무역기술장벽협정 제2.4조, 제5.4조, 부속서3 F항.
37) 무역기술장벽협정 제2.5조.
38) 무역기술장벽협정 제2.6조, 제5.5조, 부속서3 G항.
39) 국제표준의 "표준"을 협정 부속서상의 정의를 고려하는 것인지 ISO/IEC지침의 "국제표준"

표준'인지를 검토하기 위해 '표준'인지, '국제'표준인지, '관련' 국제표준인지를 순차적으로 검토하고, 기술규정이 관련 국제표준을 '기초로 사용'하였는지를 검토한다. 실제로 상소기구는 (1) 문제의 조치가 '표준'인가, (2) 국제표준화/표준기구에 의해서 채택되었는가, 그리고 (3) 이 표준이 공공에게 이용가능하도록 제공되고 있는가를 검토한다.[40] 즉, 국제표준화기관 혹은 국제표준활동기관인지를 판단하고 그 기관이 승인(또는 인정)한 표준인가를 결정하는 것이 핵심 기준이 된다.

여기서 '국제'표준을 판단하는 문제에 많은 논쟁이 있다. 가령, WTO 회원국 일부만이 국제표준기구의 표준개발 활동에 참여했다면, 그 표준을 협정상 '국제표준'으로 인정하고 조화 의무를 적용할 수 있는가의 문제가 제기될 수 있다. 또한 일부 회원국이 표준개발 활동에 참여했다면, 참여만으로 협정에서 의미하는 '승인'이 이루어졌다고 볼 수 있는지도 분명하지 않다.

우선, 해당 표준이 '국제표준'인지를 명확하게 판단하기는 쉽지 않다. '국제'라는 의미가 얼마나 광범위한 참여를 필요로 하는지, 몇 개 국가가 참여해야 하는지, 국가기관으로만 구성되어야 하는지, 민간기관이나 기업의 참여도 인정되는지 등 많은 문제가 제기되고 있는데, WTO 무역기술장벽위원회는 이 문제를 해결하기 위해 국제표준에 관한 기본 원칙을 채택하였다. 2000년 회의에서 채택된 "국제표준, 지침, 권고 개발을 위한 원칙에 관한 위원회 결정(위원회 결정)"은, 국제표준에 관한 개념을 강화하고 궁극적으로 국제표준의 질 향상을 도모한다. 동 결정은, 국제표준, 지침 및 권고를 개발할 때 6대 원칙 즉, 투명성(transparency), 개방성(openness), 공정성과 합의(impartiality and consensus), 효과성과 연관성(effectiveness and relevance), 통일성(coherence), 그리고 개발도상국에 대한 고려(to address concerns of developing countries) 원칙을 준수할 것을 요구한다.[41]

실제 분쟁에서, 상소기구는 '국제'의 해석에 대해 많은 가능성을 열어 두고 포괄적인 기준을 제시하고 있는 것으로 분석된다. 상소기구의 기본 입장은, 널리 사용되는 표준을 개발, 채택하는 기관만이 '국제' 표준화기관인 것은 아니고, 하

의 정의를 고려하는 것인지에 관하여 분명한 기준은 없으나 TBT 분쟁에서 상소기구는 지침의 "국제표준" 정의를 고려하며 지침 정의상의 "표준"은 협정 정의를 고려하였다.

40) ISO/IEC 지침은 국제표준을 국제표준화/표준기구로부터 채택되고 공공에게 이용가능하도록 제공된 표준으로 정의한다. 원문은 다음과 같다. "[S]tandard that is adopted by an international standardizing/standards organization and made available to the public."

41) G/TBT/1/Rev. 12.

나의 표준을 개발했더라도 해당 국제기구의 표준화 행위'들'에 대해 WTO 회원국들이 승인(인정)했거나, 다수의 WTO 회원국'들'이 표준개발에 참여해서 해당 표준의 유효성과 합법성을 인정하는 경우, 혹은 동 기구가 무역기술장벽위원회 결정에 있는 원칙을 이행하는 경우 등이 '국제' 표준에 필요한 '승인'에 해당한다고 평결하였다.

반면, 상소기구는 표준개발에 참여한 주체의 승인 여부만으로 동 사안에 대한 입증이 충분하지 않을 수 있다고 보았다.[42] 근본적인 이유는 TBT 협정상 국제표준에 관한 의무와 권리는 표준개발에 참여한 주체에게만 적용되는 것이 아니고, 모든 WTO 회원국에게 적용되는 사안이기 때문이다. 상소기구는 표준개발에 참여하는 국가의 수가 많을수록, 그 기관의 표준화 활동을 통해 채택된 표준이 '승인'을 받은 것으로 간주될 가능성이 높아진다고 보았다. 즉, 일부 WTO 회원국이 표준개발 과정에 참여했다는 사실만으로 '승인' 입증이 충분하지 않을 수 있지만, 그렇다고 모든 WTO 회원국이 참여한 표준개발 과정의 표준만을 '국제표준'으로 인정하는 것은 아니다.

한편, '관련' 국제표준인지의 문제는 일반적이고 사전적인 의미에서의 '관련성'을 바탕으로 판단한다. 또한 "기초로 사용"한다는 의미는 기술규정을 관련 국제표준과 완전하게 일치시켜야 하는 요건이 아니면서, 최소한 서로 상반되지도 않아야 한다.[43] 회원국이 기술규정을 도입할 때 관련 국제표준을 사용하는 다양한 방법이 있을 수 있으며, 기술규정과 관련 국제표준 사이에 높은 유사성이 있어야 한다.

(3) 일탈 요건: 국제표준의 비효과성 또는 부적절성

다음으로, "관련 국제표준"이 존재하더라도 그 표준이 기술규정의 목적을 달성하는 수단으로서 효과적이지도 적절하지도 않다면 그러한 표준을 사용하지 않는 것이 허용된다. 이러한 일탈 요건에 대한 쟁점을 살펴본다.

먼저, 일탈 요건이 국제표준 사용 의무에 대한 예외 기준인지에 관한 쟁점이 있으며, 입증 책임과도 관련이 있다. 상소기구는 제2.4조에 대한 일반적인 입증 책임이 동 조항을 원용하여 불합치를 주장하는 제소국에게 있으므로 일탈 요건

---

42) WT/DS381/R, paras. 7.659−7.707.
43) 상동.

에 관한 입증책임도 일차적으로 제소국에게 있음을 설명하였다.[44] 이는, 일탈 요건이 국제표준과의 조화 의무에 대한 예외 사항이 아니라, 신의성실 원칙에 따라 회원국이 재량적으로 이행할 수 있도록 규정한 것이기 때문이다.

그리고 피제소국은, 관련 국제표준이 있어도 이를 기초로 사용하지 않는다면, 해당 국제표준이 기술규정의 목적을 달성하기에 '비효과적이거나 부적절'함을 설명할 수 있어야 한다.[45] 여기서, 효과성은 어떤 방법을 사용한 결과에 관한 질문(accomplishing, having a result, or brought to bear)이고, 적절성은 어떤 목적에 도달하는 방법에 관한 질문(suitable, proper or fitting)으로 이해할 수 있다. 실제 분쟁에서 상소기구는 국제표준이 효과적이고(and) 적절한 수단인지를 검토하여 동 의무와의 합치성을 판단한다.

4. 동등성 인정과 상호인정

국제표준과의 조화 외에도 기술장벽을 완화하는 또 다른 기본 제도로, 상대 회원국 기술규정이 자국 기술규정과 동등한 것으로 인정하거나 상대 회원국에서 수행된 적합성평가 결과를 수용하는 제도가 있다. 회원국이 자신의 기술규정과 다르지만 자국 기술규정의 목적을 충분히 달성한다고 납득하는 경우 다른 회원국의 기술규정을 동등한 것으로 수용할 것을 권고하는 조항들이 대표적인 예다.[46] 또한, 다른 회원국의 적합성평가절차가 자국의 절차와 다르더라도 가능한 경우 동등한 것으로 수용하는 한편, 양국이 상호인정협정(mutual recognition agreement: MRA)을 체결하기 위해 협상을 개시할 수 있다.[47]

기술 규정의 동등성 인정과 적합성평가 수용 등의 다양한 방법은, 한 국가가 일방적으로 또는 여러 국가가 상호 채택할 수 있고, 회원국 정부 간 또는 정부 대 민간기관 간 협정 또는 약정 형태로 채택될 수 있다. 무역기술장벽 위원회는 동등성 인정 관련 다양한 메커니즘을 논의하고 회원국들의 자발적인 이행을 장

---

44) Epps, 전게서, pp. 265-270.
45) 회원국이 동 규정에 따라 국제표준과의 조화의무에서 일탈하는 경우 무역기술장벽협정 제2.9조(기술규정인 경우), 제5.6조(적합성평가절차인 경우)에 의거하여 WTO 사무국에 통보하여야 한다.
46) 무역기술장벽협정 제2.7조.
47) 무역기술장벽협정 제6조.

려하고 있다. 이 규범은 FTA 등 지역무역 협정을 통해 강화되고 있다.

5. 투명성 원칙

기술장벽 문제의 상당 부분은 수출업자가 수입국 조치에 관하여 정확한 정보 입수가 어렵거나 수입국 조치의 제·개정에 미리 대비하지 못해서 발생한다. 이러한 유형의 문제를 해소하는 제도로 TBT 협정은 통보 절차를 도입하고 있다.

회원국은 질의처(enquiry point)를 두고 모든 합리적인 문의에 응답하고 관련 정보와 문서를 제공할 수 있어야 한다.[48] 회원국은 질의처를 통해 자국의 기술규정, 표준, 적합성평가절차에 관한 다른 회원국 문의에 답변하고 필요한 정보를 제공하는 등 가능한 합리적인 조치를 취해야 한다.[49]

또한, 기술규정과 적합성평가절차를 도입(제·개정 포함)하는 적절한 초기 단계에 다른 회원국 이해당사자가 이를 인지할 수 있도록 공표해야 하고, 도입(제·개정)의 목적과 합리적 이유를 설명하고 WTO 사무국에 통보해야 한다.[50] 통보한 후에는 다른 회원국이 서면으로 의견을 제시할 수 있는 차별 없는 합리적인 시간을 허용해야 한다. 이 과정을 통해 다른 회원국이 제시하는 의견을 수렴하고 이 논의 사항을 기술규정 및 적합성평가절차을 제·개정할 때 고려해야 한다.[51]

회원국의 통보와 질의응답 절차는 투명성을 제고하고 기술조치의 무역제한 효과를 최소화하는 실질적인 메커니즘을 제공한다. WTO 사무국은 통보 문서를 홈페이지에 공개하고 기술규제 정보 제공을 도모하고 있다.[52]

6. 기술지원 및 개도국 대우

TBT 협정에 따라 회원국은 개발도상국의 특별한 어려움을 고려하고 지원하

---

48) 무역기술장벽협정 제10조. WTO 회원국의 질의처 현황: http://tbtims.wto.org/en/National EnquiryPoints/Search (최종 방문일자: 2018.7.10.)
49) 상동.
50) 무역기술장벽협정 제2.9조, 제5.6조.
51) 상동.
52) 무역기술장벽 정보관리시스템(Technical barriers to trade information management system): http://tbtims.wto.org (2018년 7월 10일 검색)

기 위해 노력해야 한다. 기술지원과 협정상의 특별하고 차등적인 대우를 보장받기 위해서 개도국은 자신의 필요를 먼저 알리고 요청해야 한다. 가령, 기술규정을 준비하거나 국가표준기관을 설립하거나 국제표준기관에 참여하는 과정에서 도움을 요청할 수 있으며, 요청을 받은 다른 회원국은 해당 개도국에게 자문과 기술지원을 제공하는 등 합리적인 조치를 취하는 것이 장려된다.[53] 또한 회원국은 자국의 기술규정, 표준 및 적합성평가절차를 준비하고 적용함에 있어 개도국 무역에 불필요한 제한을 초래하지 않도록 하고, 개도국의 개발, 재정 및 무역 관련 수요를 특별히 고려하기 위해 노력해야 한다.[54]

제 4 절   무역기술장벽협정의 이행과 분쟁해결

1. WTO 무역기술장벽 위원회

TBT 협정 이행을 도모하기 위하여 WTO 무역기술장벽위원회(위원회)가 설치되어, 연 3회 정례회의를 개최하고 있다.[55] 정례회의에서는 회원국 서로에 대한 기술장벽 문제가 논의되는데, 이와 같이 논의되는 기술장벽 문제를 특정무역현안(specific trade concern: STC)이라 한다.[56]

위원회는 매년 연차보고 회의를 개최하고 무역기술장벽 현황을 파악하고 협정 이행을 도모하기 위한 방안을 논의한다.[57] 그리고 매 3년마다 3년차 검토회의를 개최하여, 협정 전반에 걸친 문제와 개선책을 논의한다.[58] 이 과정에서, 앞서 설명한 국제표준에 관한 2000년 위원회 결정과 같이, 기존 규정을 구체화하고 명료하게 보완하는 작업이 추진된다.

---

53) 무역기술장벽협정 제11조.
54) 무역기술장벽협정 제12조.
55) 무역기술장벽협정 제13조.
56) WTO TBT 연차보고서, Twenty−Third Annual Review of the Implementation and Operation of the TBT Agreement, G/TBT/40, 2018.
57) 무역기술장벽협정 제15.3조.
58) 무역기술장벽협정 제15.4조.

2. 분쟁해결

TBT 협정 운영에 영향을 미치는 모든 문제에 대해 WTO 분쟁해결절차가 개시될 수 있다.[59] 그리고 분쟁 사안이 기술적이고 과학적인 검토를 필요로 하는 경우 패널은 기술전문가단을 설치할 수 있다.[60] 기술전문가단 설치는 분쟁당사국의 요청에 따르거나 패널이 독자적으로 추진할 수 있으며, 전문가 패널이 정한 위임사항과 세부 절차 범위 내에서 사안을 상세하게 검토하고 기술적인 문제에 대해 지원한다.[61]

TBT 협정을 원용한 WTO 분쟁은 2021년 현재 57건이고 대부분이 상호합의에 의해 종료되거나 패널설립 이전 단계에서 종료되었다. TBT 사안을 사법적인 검토로 해결하기보다는, 분쟁당사국 간 협의를 통해 더 신속하게 그리고 시장접근을 확보하는 방향에 주안을 두는 경향이 반영된 것으로 이해할 수 있다.

WTO TBT 협정과 불합치한 조치의 경우, 피제소국(수입국)은 해당 기술조치의 WTO 합치성 보장하기 위해 이행해야 하는데, 이는 현실적으로 매우 어려운 일이다. 근본적인 이유는, 기술규정 등 기술조치가 국내 입법 절차를 통해 도입되고, 이를 수정 및 개정하려면 국내적인 합의와 개정이 필요하기 때문이다. 분쟁해결기구 권고에 따라 이행하는 경우, 기술조치가 추구하는 공공정책 목표와 지지 기반과의 충돌이 불가피하며, 이에 대한 재조율이 필요하다. 이처럼 국내정책과 TBT 이행 사이를 균형을 찾는 문제는, 기술장벽 분쟁해결에 있어 중대한 당면과제라 할 수 있다.

제 5 절   결   론

최근 EU, 미국 등 선진국 시장은 물론이고 중국, 인도, 중남미 등 개도국 시

---

59) 무역기술장벽협정 제14.1조.
60) 무역기술장벽협정 제14.2조.
61) 무역기술장벽협정 제14.3조 및 부속서 2. 협정상 기술전문가단 절차는 그룹 내 의견 조율이 또 다른 과제로 제기될 수 있으며, DSU 제13조상 개별전문가 활용과 차이가 있다. 안덕근, "국제통상체제와 무역기술장벽", 안덕근·김민정 편저, 「국제통상체제와 무역기술장벽」, 박영사, 2018, pp. 16-17.

장에서의 기술장벽이 증가하고 있어 많은 문제가 된다. 소득 수준이 올라가면서 제품 품질과 소비자 권익, 환경 보호에 대한 인식이 높아지고, 기술규정과 표준 도입에 대한 요구로 이어지고 있으며, 이를 반영한 각국의 기술조치가 빠르게 증가하고 있다. TBT 통보가 매년 가파르게 상승하는 추세가 이러한 변화를 잘 보여준다.

문제는 이러한 기술조치가 보호주의 수단으로 남용되는 것을 막고, 불필요하게 무역의 흐름을 저해하지 않도록 방지하는 것이다. 실무적으로는 해외 시장의 기술규제를 모니터링 하면서 신속하게, 효과적으로 대응하는 것이, 실질적인 무역이익을 확보하는 대응 정책의 핵심이 된다.

기술규제와 표준은 다양한 非무역 의제를 다룬다. 갈수록 다양해지고 신기술과 접목된 제품이 늘어나면서, 안전과 품질 기준, 생산 관련 환경 규제도 강화되고 있다. 더욱 광범위한 분야에서 복잡한 사안을 다루는 기술조치가 계속 증가할 것이라 예상되는 만큼, TBT 쟁점이 복잡해지고 TBT 제도개선에 대한 논의가 활발해질 것으로 기대된다. TBT 규범을 깊이 이해하고 연구를 강화할 필요가 있다.

최근 빠르게 진전되고 있는 디지털 전환은, 제품과 서비스를 융합하고, 하드웨어와 소프트웨어의 경계를 허물며, 제품의 디지털기술 기반 성능을 강화하고 있다. 미래의 무역 환경에서 TBT 규범의 역할은 더욱 중요해질 것이다. 최근 심화하는 기술경쟁과 국제표준화 전략에서도 기술장벽 대응의 중요성을 고려할 필요가 있다. 지금까지의 TBT 제도 발전과 운영 경험을 바탕으로, 디지털시대 기술조치에 대응하고 국제무역 체제를 발전시키기 위해 더 많은 노력을 기울여야 할 것이다.

제12장
농업협정

제1절 UR농업협상의 배경과 의의

1. 협상의 배경

자유무역에 입각한 기존 GATT체제에서는 농산물교역에 대해서 농업 및 농산물의 특수성[1] 때문에 여러 가지 예외를 두어 각국의 농업정책을 사실상 인정해 왔고 GATT의 기본원칙이 적용되지 못하였다. 즉 GATT 제XI조는 수량제한 금지원칙을 규정하고 있으나, 일정한 조건하에서 농산물에 대한 수입제한조치가 허용되고 GATT 제XVI조에서는 농산물에 대한 보조금 지급이 광범위하게 허용되는 등 GATT 규범 자체의 예외가 인정되어 농업과 농산물에 대한 통상관계는 크게 왜곡되게 되었다.[2] 한편 세계 각국은 국내 산업을 보호하고 농업생산 장려정책을 추진하여 1980년대 초 이후부터는 개도국을 포함한 대부분의 국가에서 식량자급이 달성되었을 뿐만 아니라 EU도 식량수입국에서 수출국으로 위상이 전환됨으로써 결과적으로 농산물의 생산 및 공급 과잉현상이 초래되었다. 이러한 과잉재고를 처리하기 위해 미국과 EU는 경쟁적으로 수출보조금을 지급하였고 과도한 농업보호정책을 추진함으로써 농산물의 교역질서가 왜곡되었고 무역 분쟁이 심화

---

[1] 1947년 GATT체제가 출범한 이래 농산물은 각국의 식량안보와 밀접한 관련이 있는 정치적, 경제적 이해가 관련된 민감한 부분으로서 GATT의 실질적인 규율대상에서 제외되어 왔다. GATT체제하에서의 농업 및 농산물에 대한 일반적인 논의에 대해서는 佐伯尙美(박진도 譯), 「GATT와 농업」(비봉출판사, 1991. 6); 이재옥, 「WTO 농업협상의 전개과정과 평가」(한국농촌경제연구원, 2005. 12), pp. 15-36; 법무부, 「농업통상법」(1999. 12), pp. 37-86.
[2] 농림축산식품부, 「WTO 농업협정문 해설서」(농림수산식품교육문화정보원 편, 2016. 12), pp. 1-2.

되었다. 결국 농산물 교역질서의 왜곡과 농산물의 과잉생산 그로 인한 재정적자의 누적문제 및 농산물의 통상 분쟁의 심화는 일시적인 현상이 아니라 장기적이고 구조적인 문제라는 인식이 확산됨에 따라 이에 대한 근본적인 해결 요구가 제기되면서 UR 협상에서 농산물무역이 협상의 주요한 의제로 등장하게 되었다. 케네디라운드 및 동경라운드에서도 이미 별도의 농산물협상그룹을 구성하여 농산물 교역 자유화를 위한 협상을 진행하였으나 관세인하에서만 부분적인 성과를 거두었다. 그렇지만 우루과이라운드협상에서 농산물 분야의 다자간 무역협상은 UR 협상 전체의 성공여부를 결정할 정도로 중요한 핵심 현안으로 등장하게 되었다.

2. 협상의 추진경과 및 의의

UR 협상이 공식 출범하기 전 1984년 3월 GATT 농산물 위원회가 1982년 11월 GATT 각료회의 결정에 기초하여 GATT 체제에서 벗어나 있는 농산물의 비교역적 사례를 조사 분석하여 종합보고서를 마련한 바 있다. 동 보고서에서 농산물의 자유로운 교역을 제한하는 GATT 규정이 시장개방분야에서는 제XI조 제2C항 등이므로 이 조항들의 개선이 반드시 필요하다고 지적하였으며, 이에 따라 농산물 교역문제에 대한 논의가 시작되었다. 이에 따라 1986년 9월 GATT 각료회의는 농산물 분야에서 상기 농산물위원회의 보고서를 토대로 농산물 교역 자유화를 더 촉진하도록 한다는 것을 UR의 핵심 협상분야 중의 하나로 포함시키게 되었다.3) 1986년 9월에 발표된 '푼타 델 에스테 각료선언'에서는 "세계농산물시장의 불확실성, 불균형 및 불안전성을 감축하기 위하여 농산물의 구조적 공급과잉과 관련된 것을 포함하여 농산물무역에 대한 제한 또는 왜곡조치를 교정하고 방지함으로써 세계 농산물 교역질서와 예측가능성을 보다 제고 시키는 것"을 UR 협상의 주요 목표로 제시하였다. 이러한 목표를 달성하기 위해 농산물무역의 자유화를 확대하고 농산물 수출입에 영향을 미치는 모든 조치들은 한층 강화된 GATT 규정 및 원칙에 따라 취해지도록 해야 한다고 하였다.

이후 1988년 12월에 개최된 캐나다의 몬트리올 중간평가회의(mid-term review)를 거쳐 1990년 7월 드 체외브(De Zeeuw) 농업협상그룹 의장이 '비관세장벽의 관

---

3) 김용일, 「WTO 세계무역기구협정문해설」(한국무역경제, 1995. 1), p. 47.

세화 원칙'과 '수출보조금의 대폭 감축 원칙' 등을 주요 내용으로 하는 농산물 합의 초안을 성안하였으나 EC, 일본 등 농산물 수입국과 개도국의 반대로 합의안 마련에는 실패하였다. 이러한 과정을 거쳐 1993년 7월 동경에서 개최된 G7정상 회담에서 우루과이라운드 협상의 연내타결이 합의되고 동년 11월부터 12월 중순에 걸쳐 농산물 보조금 감축을 둘러싼 미국과 EC간의 협상과 쌀시장 개방을 둘러싼 한·미·일간의 협상이 타결됨으로써 결국 1993년 12월 15일 농업협상이 타결되었다.[4]

　　최종 타결된 농업협정은 농산품을 교역의 객체로 인정하여 공정하고 시장지향적인 다자간 농업무역체제를 확립하기 위해 시장접근, 국내보조, 수출보조, 개발도상국의 우대 등에 대하여 엄격히 규정을 하고 있다. 또한 UR 협상의 결과에 따른 농업개혁의 기본방향, 양허와 약속의 이행원칙을 규정한 것으로서 GATT 역사상 최초로 농업에 관한 전반적이고도 구체적인 통상규범을 확립하였다는 점에 중요한 의의가 있다.

제 2 절　WTO 농업협정문의 법체계와 구성

1. WTO 농업협정문의 법체계와 의의

　　UR 농업협상의 결과 중 농업 및 농산품에 대한 통상규칙의 기본정신과 원칙에 관한 사항은 WTO 설립협정 부속서 1A의 농업협정문(Agreement on Agriculture)에 규정되어 있으며, 구체적인 보조감축과 시장개방의 방식과 폭에 관한 사항은 던켈초안의 Part B에 해당하는 '개혁안에 따른 구체적이고 유효한 양허설정을 위한 세부 원칙합의'(Agreement on Modalities for the Establishment of Specific Binding Commitments under the Reform Programme)라는 문서와 GATT 1994의 불가분의 일부로 간주되는 각국의 국내보조 및 수출보조 감축과 관련된 이행계획서에 포함되어 있다.[5]

---

4) 농림부, 「농업통상법」(1999. 12), p. 93.
5) 이재옥, 「WTO 농업협상의 전개과정과 평가」(한국농촌경제연구원, 2005. 12), p. 157.

2. 농업협정의 구성과 내용

농업협정은 전문과 본문 13개 부와 총 21개 조로 구성되어 있다. 또한 5개의 부속서를 첨부하여 구체적이고 기술적인 사항에 대해서 규정하고 있다. 농업협정의 내용은 크게 시장접근, 국내보조, 수출보조, 수출금지 및 제한, 개도국과 최빈개도국에 대한 특별 및 차등대우, 농업위원회의 약속이행 검토 및 분쟁해결 등으로 구분할 수 있다.6) 우리나라에서 농산물에 대한 수출보조금은 과일, 화훼 등 극소수 농산물에만 지급되어 왔기 때문에 농업협정 중에서도 특히 시장접근과 국내보조가 중요성을 갖는다고 볼 수 있다.7)

농업협정문의 구성과 내용은 다음과 같다.

전문: 공정하고 시장 지향적인 무역체제 수립을 위한 농업개혁의 목표와 방법, 농업개혁 과정에서의 개도국 우대, NTC 고려

제1부 제1조: 용어의 정의(AMS, 수출보조, 기초농산물, 수출보조금, 이행 기간 등)

제2조: 대상 품목범위(부속서 1에서 다시 구체적으로 규정)

제2부 제3조: 양허와 약속의 포함

제3부 제4조: 시장접근(포괄적 관세화)

제5조: 특별긴급수입제한규정

제4부 제6조: 국내보조 감축 약속(감축대상 정책, 개도국 우대 허용보조, 국내보조 감축의 이행방식, 최소허용보조(De-minimis), 생산 통제 조건하의 허용정책 등)

---

6) '농업협정'(Agreement on Agriculture)은 제2조(대상 품목범위)에 따라 농업이 아니라 농산물(agricultural products)에 대해 적용된다. 따라서 이하에서는 협정을 지칭하는 경우에는 '농업협정'으로 협상을 지칭하는 경우에는 '농산물협상'으로 각각 사용하기로 한다. '농업협정'에 관한 기본적인 설명에 대하여는 마재신, "WTO농업협정에 대한 이해", 「통상법률」(통권 제30호, 1999. 12), pp. 6-29; 농림부, 「농업통상법」(1999. 12), pp. 87-192; Paarlberg, Robert, "Agricultural Policy Reform and the Uruguay Round: Synergistic Linkage in a Two-Level Game ?", International Organization, Summer 1997, Vol.51, No.3; GATT, The Result of the Uruguay Round of Multilateral Trade Negotiations, Geneva, 1994 참조.

7) 마재신, "WTO농업협정에 대한 이해", 「통상법률」(통권 제30호, 1999. 12), p. 7.

제3절 농업협정의 주요 내용

1. 시장접근(market access)

농업협정은 전문에서 'GATT 규칙과 규율의 확립'을 통하여 '공정하고 시장 지향적인 농업무역체계의 확립'을 추진할 것을 선언함으로써 정부의 인위적인 시장개입은 물론 무역장벽의 설치, 덤핑수출 등을 방지하여 각국 농업의 고유한 비교우위에 따라 국제분업이 이루어지고 자유무역이 달성될 수 있는 세계 농산물 무역질서를 수립하는 것을 동 협정의 목적으로 규정하고 있다.[8]

농업협정상 농산물에 대한 시장접근의 주요 내용은 다음과 같다.

첫째, '예외 없는 관세화'(tariffication)[9]에 의한 시장개방을 기본원칙으로 하고, '관세상당치'(Tariff Equivalent: TE)를 이행기간 동안 인하하여야 한다. 즉 기존의 관세가 부과되던 농산물에 대하여는 보다 낮은 관세율을 부과하고, 비관세장벽으로 보호하던 농산물에 대하여는 비관세장벽을 철폐하고 국내외 가격차를 '관세상당치'(TE)로 부과하여야 한다.[10] 농업협정에 의하면 이미 수입이 자유화되어 있는 품목에 대해서는 현행관세를 인하하고 수입제한품목에 대해서는 관세화 방식을 취하는 등 원칙적으로 '예외 없는 관세화'를 추구하여야 한다. 구체적으로 기존에 관세가 부과되던 농산품 중 양허품목은 양허세율을 기준으로, 비양허품목은 1986년 9월 1일 현재 실행관세율을 기준으로 선진국의 경우 6년(1995-2000)동안 평균

---

8) 한국농촌경제연구원, 「우루과이 라운드 농업협정문 해설」(1994. 1), p. 7.

9) '관세화'(Tariffication)란 용어는 UR 농업협상에서 새로 만들어진 용어로서 비관세장벽을 철폐하고 모든 무역 제한의 조치를 관세제도로서만 운영한다는 의미이다. 이재옥, 「WTO 농업협상의 전개과정과 평가」(한국농촌경제연구원, 2005. 12), p. 123.

10) 농산품의 경우 공산품과는 달리 GATT 창설 이후 대부분의 국가가 다양한 방식의 국내보조정책과 비관세장벽의 관행적인 실행으로 GATT의 자유무역의 일반원칙에서 벗어나 있었다. 특히 미국, EC, 일본과 한국은 웨이버 조항에 따른 수입제한, 변동부과금제도의 운영, 잔존수입제한조치와 자의적인 동식물검역제도의 운영, 국제수지조항 등에 의한 수입제한 등을 이용하여 자국농업을 보호하였으며 농업부문은 비관세장벽이 매우 높은 분야로서 GATT체제에 전적으로 흡수되지 못하였다. 따라서 진정한 무역자유화를 위해서는 농산물 무역에 만연하고 있는 비관세장벽의 철폐가 가장 시급한 문제라는 인식 하에 미국에 의해 관세화 전환조치가 제안되었다. 또한 수출국들은 무역제도의 투명성을 제고 시키고 향후 무역자유화 협상을 쉽게 만들기 위해서도 관세화의 필요성을 주장하였다. 이재옥, 「WTO 농업협상의 전개과정과 평가」(한국농촌경제연구원, 2005. 12), pp. 122-123.

관세율을 36% 감축하되 품목별 최저 감축률은 15%로 해야 한다(관세품목). 비관세장벽에 의해 수입이 제한되던 농산품은 1986-1988년을 기준으로 국내외 가격차에 의해 관세상당치(관세상당액)를 산출하여, 이를 기준으로 1995년부터 2000년까지 6년 동안 36%를 연차적으로 균등 감축해야 한다(비관세품목). 다만 이 경우 개도국의 시장개방에 대한 특례가 인정되는데 관세 및 관세상당치 인하의 경우 이행기간이 선진국의 6년보다 연장된 10년(1995-2004)이며, 감축률도 품목별 최저 감축률은 10%, 평균관세율은 24%로 선진국보다 낮게 책정되어 있다.

　둘째, 특정 주요 농산물에 대해서는 관세화를 유예하여 시장접근에 대한 예외를 인정한다. 농업협정은 당장 관세화하기 어려운 특정농산물에 대하여는 일정기간 그 관세화의 유예를 인정하되 국내소비량의 일정부분을 반드시 개방하고, 일반관세로 전환된 조치에 대하여는 비관세조치(수입수량제한, 변동수입부과금, 최소수입가격, 자의적 수입허가증 발급, 국영무역을 통한 비관세조치, 수출자율규제, GATT 1947상 인정된 국별 의무면제 등)를 철폐할 것을 규정하고 있다. 다만 농업협정 제4조 제2항[11]에 따라 특별 세이프가드를 규정한 농업협정 제5조와 농업협정 부속서 5에서는 예외적으로 비관세조치를 취할 수 있는 특별대우(special treatment)를 인정하고 있다. 농업협정 부속서 5는 예외 없는 관세화를 원칙으로 인정하면서 이를 도저히 수용할 수 없는 한국과 일본의 특별한 사정을 고려한 타협의 결과라고 할 수 있는데,[12] 부속서 5의 특별대우는 일반조항(Section A)과 개발도상국 조항(Section B)으로 나누어볼 수 있다. 먼저 관세화를 유예할 수 있는 공통적인 조건은 다음과 같다. ① 식량안보 및 환경보호와 관련된 비교역적 관심사항(NTC)을 반영할 수 있는 품목이어야 할 것, ② 수입량이 기준연도(1986~1988년)를 기준으로 동 상품 국내소비의 3% 미만이어야 할 것, ③ 기준연도(1986년) 이후 수출보조금이 지급이 이루어지지 않았을 것, ④ 해당 관세화 유예 품목에 대해 효과적인

---

11) "회원국은 제5조와 부속서 5에 달리 규정된 경우를 제외하고는 일반관세로 전환하도록 요구된 어떠한 종류의 조치도 유지 또는 이용하거나 동 조치로 복귀하지 아니한다." 농업협정 제4조 제2항.

12) 한국과 일본의 특수한 사정을 고려하여 만들어진 농업협정문 부속서 5는 농업협정문의 일부가 되는 과정에서 다자적 성격을 가지게 되었고, 어느 회원국이나 조건이 맞을 경우 원용할 수 있게 되었다. 그러나 농업협정문 부속서 5는 예외 없는 관세화에 대한 특별조치이기 때문에 이를 원용하기 위한 엄격한 조건을 부여하였고 실제 이를 원용한 국가는 필리핀, 이스라엘을 포함하여 4개국에 그쳤으며 부속서 5의 원용은 저조했다.
이재옥, 「WTO 농업협상의 전개과정과 평가」(한국농촌경제연구원, 2005. 12), p. 221.

국내 생산제한조치가 적용되어왔거나 현재에도 적용될 것이다.[13] 생산제한조치가 효과적으로 적용되는 품목에 대해서는 관세화를 1995년부터 6년간 유예함을 골 자로 한다. 즉, 최소시장접근 물량은 1995년 기준 동 상품 국내소비의 4%에서 잔 여기간 동안 매년 동 상품의 기준연도 국내소비의 0.8%씩 증량한다. 그러나 위의 적용을 받는 회원국은 이행 기간 중 동 상품에 대한 특별대우의 적용을 중단할 수 있는데, 이 경우에는 그 당시까지 이미 발생한 최소시장접근 물량을 그대로 유지하고 향후 잔여 이행 기간 동안 매년 동 상품의 기준연도 국내소비의 0.4%씩 최소시장접근 물량을 증가시켜야 한다.[14] 개발도상국 회원국에 대해서는 위 ①~ ④의 조건을 충족시키는 전통적 기초식량품목의 관세화를 10년간 유예한다. 즉, 최소시장접근 물량은 1995년에는 관련 상품의 기준연도 국내소비의 1%에서 1999 년에는 기준연도 국내소비의 2%가 되도록 매년 동일률(equal annual installment)로 증량하고, 2000년에는 기준연도 국내소비의 2%에서 2004년까지는 기준연도 국내 소비의 4%까지 매년 동일률로 증량한다.[15]

한국은 WTO 농업협정에 따라 1995년부터 10년간 쌀 수입에 대한 관세화를 유예하였으며, 2004년에 재협상을 통해 2014년까지 관세화 유예를 한 차례 연장 하였다. 그러나 농업협정에 따른 20년간의 쌀 관세화 유예기간이 2014년 12월 31 일로 만료됨에 따라 한국은 2015년 1월 1일부터 쌀 수입에 대한 관세화가 이행되 고 있다.[16]

셋째, 관세화 품목 중 기준연도(1986-88)의 수입량이 국내소비량의 3% 미만 인 농산물에 대해서는 최소시장접근(Minimum Market Access: MMA)을 인정한다. 즉

---

13) 농업협정 부속서 5 Section A.
14) 농업협정 부속서 5 Section A.
15) 농업협정 부속서 5 Section B. 한편 우리나라가 가장 관심이 많았던 쌀의 경우는 관세화에 대한 특별대우로서 협정문의 부속서에 반영되었는바, 그 내용을 보면 10년간 관세화를 유 예하고 10년차에 관세화 유예기간의 연장여부를 재협상하고 유예기간 중에도 최소시장접근 은 허용하되 그 물량은 이행연도 초(1995년)부터 최종연도(2004년)까지는 2%에서 4%로 매 년 0.5%씩 증량한다는 것이다. 김용일, 「WTO세계무역기구협정해설」(한국무역경제, 1995. 1), p. 49.
16) 쌀 관세화 결정에 따라 향후 우리나라의 연간 쌀 의무수입량 즉 '최소시장접근(Minimum Market Access: MMA)물량은 2014년의 MMA물량이었던 40만 8,700톤으로 국내 수급에 관 계없이 수입해야 하는 의무를 가지게 되었다. 김태곤, "관세화 전환과 쌀 농업의 과제", 농 정연구, 2016년, 59호, p. 58; 이재형, 이천기, "우리나라 쌀 관세화의 국제통상법적 쟁점 연구", 「법학연구」(연세대학교 법학연구원), 제25권 제2호, pp. 63-64.

수입이 없거나 미미한 품목에 대해서는 이행연도 초기에는 1986-1988년의 국내소비량의 3%를 최소시장접근으로 보장하되 이행최종연도에는 5%까지 확대해야 한다.

넷째, 관세화 품목 중 기준연도(1986-88)의 수입량이 국내소비량의 3% 이상인 품목에 대해서는 현행시장접근(Current Market Access: CMA)을 취한다. 즉 관세화 품목 가운데 기준연도(1986-88)의 수입물량이 국내소비량의 3% 이상인 품목에 대하여는 기준연도의 수입량을 적어도 그대로 보장하고 현행의 낮은 관세를 부과해야 한다.

다섯째, 이행기간 동안 관세화한 농산물 중 수입량이 급증하거나 수입가격이 크게 하락한 경우 수입국의 생산자를 보호하기 위하여 특별 세이프가드(special safeguard)조치를 발동할 수 있다.[17] 특별 세이프가드제도란 관세 및 관세상당치 인하 등 시장개방을 이행함에 있어 특정 품목의 수입물량이 기준 이상으로 급증하거나 수입가격이 기준 이하로 급격히 떨어져 국내 농업에 부정적인 영향을 끼치는 경우, 추가적인 관세를 부과할 수 있는 특별관세제도를 말한다.[18] 특별 세이프가드제도는 수량에 기초한 특별 세이프가드조치와 가격기준에 기초한 특별 세이프가드조치를 발동할 수 있는데 구체적 내용은 다음과 같다. 우선 수량에 기초한 특별 세이프가드조치의 경우, 특별 세이프가드를 발동하는 수준은 다음의 기준에 의한다: a) 해당 상품의 지난 3년간 시장접근기회(market access opportunities)가 10% 이하일 경우, 기준발동수준(base trigger level)은 125%이다. 즉 수입량이

---

17) Special Safeguard, 즉 SSG를 기존의 긴급수입제한조치(SG)와 대비시키기 위해 특별긴급수입제한조치라고 일반적으로 번역되고 있으나, SSG에서는 수입이 급증하거나 또는 시장가격이 정도 이상 하락하는 경우 수입을 제한할 수 있는 수단으로서 추가적인 관세 부과만을 허용하고 있으므로 수입물량까지 제한할 수 있는 의미가 내포되는 특별 긴급수입제한조치보다 특별 긴급관세제도가 용어상 더 바람직하다는 견해도 있다. 이재옥, 「WTO 농업협상의 전개과정과 평가」(한국농촌경제연구원, 2005. 12), p. 159.

18) 이상윤, 「국제경제법」(중앙경제사, 1995. 3), p. 187. 특별 세이프가드제도는 UR협상 당시 새로 도입된 제도로서 농산물 중 관세화한 품목의 수입이 급증하거나 수입가격이 급락하여 국내시장과 생산에 타격을 줄 경우에 긴급 관세를 부과할 수 있도록 한 제도이다. GATT 제XIX조의 긴급수입제한제도(Safeguard)가 발동되기 위해서는 국내산업에 구체적인 피해가 있어야 하는 반면 이 제도는 국내피해 여부와 상관없이 요건만 충족되면 자동으로 발동되는 점이 특징이라 할 수 있다. 이 제도는 수입제한을 관세로 대체하면서 수입급증에 따른 국내농업기반의 붕괴를 우려하는 수입국들의 입장을 고려하여 도입된 제도이다. 송유철·박지현, 「WTO 농업협상 대비 주요 쟁점분석 및 정책시사점」(대외경제정책연구원, 2001), p. 41.

25% 이상 증가하면 특별 세이프가드를 발동할 수 있다; b) 그러한 시장접근기회
가 10%를 초과하되 30% 이하인 경우라면 기준발동수준은 110%이다; 그리고 c)
시장접근기회가 30%를 초과하는 경우라면 기준발동수준은 105%이다. 수량에 기
초한 특별 세이프가드에 의하여 관세가 초과 부과되는 경우 그것은 통상적인 관
세수준의 1/3을 초과할 수 없으며, 수량에 기초한 특별 세이프가드조항에 의하여
부과되는 관세는 해당연도의 말까지 부과될 수 있다. 단, 위의 조건이 충족되는
경우 특별 세이프가드조치를 매년 발동할 수 있다.[19] 가격에 기초한 특별 세이프
가드조치의 경우, 초과로 부과되는 관세는 다음의 규칙에 따른다: 수입가격과 해
당상품의 1986−1988년 평균가격과 동일한 기준가격(trigger price)간의 차이가 기
준가격의 10% 이하인 경우에는 추가관세가 부과될 수 없다. 즉, 위의 가격 차이
가 10% 이내인 경우에는 가격기준특별세이프가드가 발동될 수 없다. 위의 가격
차이가 기준가격의 10%를 초과하되 40% 이하인 경우라면 위의 가격차이가 10%
를 넘는 액수의 30%에 해당하는 관세를 추가로 부과한다. 이와 유사하게 가격차
이가 커짐에 따라 추가로 부과되는 관세율이 커지게 되고, 위의 가격차이가 75%
을 초과하는 경우에는 그 전단계의 추가관세에 더하여 가격차이가 75%를 초과하
는 액수의 90%에 해당하는 관세를 추가로 부과한다.[20] 이러한 규정에 따르면 매
우 무시할 정도로 적은 수입량에 대하여도 가격기준 특별 세이프가드조치가 발
동될 수 있게 된다. 특별 세이프가드조치를 취하는 회원국은 그러한 행동을 취한
후 늦어도 10일 이내에 WTO 농업위원회에 그러한 사실을 고지하여야 한다.[21]
농업협정상의 특별 세이프가드는 세이프가드협정상의 세이프가드조치와 동시에
취해질 수 없다.[22] 동 제도에 대해서 일부 수출국들은 여러 가지 제도의 불합리
한 점[23]을 이유로 이의 폐지를 주장하고 있다.[24]

---

19) 농업협정 제5조 제4항.
20) 농업협정 제5조 제5항.
21) 농업협정 제5조 제7항.
22) 농업협정 제5조 제8항.
23) 관세화를 위한 임시적 조치로 1995−96년도에 4개국, 1997−98년도에는 3개국만이 발동한
　　극히 예외적인 조치이며, 피해가 없는데도 발동될 수 있다는 점과, 경우에 따라서 극소물
　　량이 수입되어도 발동된다는 점이나 시장접근물량이 다 수입되지 않은 상태에서도 발동될
　　수 있다는 점 등이다.
24) 특히, 호주, 뉴질랜드, 아르헨티나 등은 특별 세이프가드조치는 국내산업에 대한 피해사실
　　이 인정되는 경우에만 발동할 수 있는 일반세이프가드조치로 대체되어야 한다고 주장하며
　　차기협상에서 동 제도의 폐지를 강력히 주장하고 있다. 송유철·박지현, 「WTO 농업협상

2. 국내보조(Internal Support)

UR농산물협상에서는 관세인하 및 비관세장벽의 예외 없는 관세화와 더불어 회원국의 농업보조에 관한 감축방안이 논의 되어 WTO농업협정에 국내보조에 관한 규정이 마련되었다. 국내보조금은 그 지급되는 보조금이 생산 및 무역에 미치는 영향에 따라 허용대상보조금과 감축대상보조금으로 분류하되, 허용대상보조금의 기준을 충족시키지 못하는 모든 국내보조금을 감축대상보조금으로 간주하고 있다.[25] 허용대상으로 분류된 농업보조금은 지속적인 지원이 가능하며, 감축대상보조금의 경우도 지원이 불가능한 것이 아니라 감축약속 범위 내에서 신축성 있는 지원이 가능하다. 또한 보조금감축은 감축대상보조에 한하여 일정기간 동안 점진적으로 균등 감축하되, 감축수단으로 '보조총액측정치'(Aggregate Measurement of Support: AMS)[26]를 이용하여 감축한다. 수출보조금은 모두 감축대상보조금에 해당되나, 국내보조금 중 감축대상보조금에 비하여 감축의 폭이 훨씬 크다.[27]

대비 주요 쟁점분석 및 정책시사점」(대외경제정책연구원, 2001), p. 41. 특별세이프가드의 문제점과 점진적인 폐지에 대한 주장은 Andersen, Kym, "Agriculture and the WTO into the 21st Century", *Policy Discussion Paper* No.98/3, Center for International Economic Studies(CIES), University of Australia, March 1998; Mah, Jai S., "Reflection the Special Safeguard Provision in the Agreement on Agriculture of the WTO", *Journal of World Trade*(October 1999).

25) 이러한 분류방법은 미국 등 농산물 수출국의 주장을 수용하여 허용대상을 먼저 설정하고 허용보조금의 기준을 충족시키지 못하는 나머지는 모두 감축대상으로 하는 포지티브 목록 방식이다. 농업협정상 'Green Box'란 농업협정상의 농업보조금 분류방식으로 농업보조금 중 감축약속 대상에서 제외되는 농산품에 대한 국내보조정책을 의미하고, 'Amber Box'란 허용보조금(Green Box)을 제외한 모든 '감축대상 농업보조금'을 지칭한다. 최승환, 「국제경제법」(법영사, 2013), p. 268, 각주 56.

26) AMS(Aggregate Measurement of Support: 보조총액측정치)란 WTO 농업협정상 농업보조정책 수준을 계량화하는 방법의 하나로 기초 농산물의 생산자를 위하여 특정농산물에 제공된 보조 또는 농산물 생산자 일반을 위하여 제공된 품목불특정적인 보조로서, 화폐단위로 표시된 연간 보조수준을 의미한다. 단, 이 협정 부속서 2의 감축으로부터 면제되는 계획에 따라 제공되는 보조는 제외된다. AMS는 감축대상이 되는 품목별, 지원정책별 보조금 계산방법과 산출된 보조금을 포괄하여 지칭하는 개념이며 감축기준 AMS의 산출내역은 양허표의 보조자료로, 앞으로 이행과정에서 매년 계산되는 AMS는 매년 WTO 농업위원회에 통보하도록 되어 있다. 농림부/국제농업국, 「농업통상용어해설」, pp. 14-15.

27) 국내보조금 및 수출보조금 모두 회원국이 감축약속을 이행하는 한 상계관세의 부과의 대상이 되지 아니하며, 감축약속을 이행하지 아니하여 상계관세를 부과하는 경우에도 일반 상계관세부과의 요건을 갖추어야 한다. 이상윤, 「국제경제법」(중앙경제사, 1995. 3), p. 188.

(1) 허용대상 국내보조

특정 보조금이 허용대상보조금에 해당하기 위해서는 유형 및 기준의 두 가지 요건을 동시에 충족시켜야 한다. 먼저 허용대상으로 분류된 보조금은 다음과 같은 기준을 충족해야 한다. 첫째, 보조금 지급의 감축이 면제되는 국내보조정책이 소비자로부터의 이전이 아닌 공공재정에 의한 보조이어야 하고, 둘째, 생산자에 대한 가격지지효과가 없어야 한다(농업협정 부속서 2 제1항). 그리고 허용대상 보조금의 유형은 다음과 같이 크게 정부서비스 정책(government service programmes)과 생산자에 대한 직접지급(direct payment to producers)으로 분류되며, 개별 정책별로 세부조건을 충족하여야 한다(농업협정 부속서 2).

1) 정부서비스 정책(green box)

(ⅰ) 일반서비스(general service)

이 범주에 속하는 정책은 농업 또는 농촌사회에 대한 서비스나 혜택을 제공하는 정책과 관련된 지출(또는 징수감면)을 수반한다. 이러한 정책은 생산자 또는 가공업자에 대한 직접지급은 수반하지 않는다. 부속서에서는 병충해방제, 자문서비스, 검사서비스 등 일반서비스의 예시규정을[28] 두고 있는데 반드시 이에 국한되지 않는다.

(ⅱ) 식량안보 목적의 공공비축(public stockholding for food security purpose)

식량안보 목적의 공공비축은 한 국가의 식량안보에 있어 중요한 품목의 재고비축 및 유지와 관련된 지출로서 이 목적을 위한 민간의 재고비축에 대한 정부

---

28) 이러한 예로서
　① 일반연구, 환경계획관련연구, 특정품목관련 연구계획을 포함하는 연구
　② 조기경보체제, 검역, 박멸 등 일반적 병해충 방제조치 및 품목 병해충 방제조치를 포함하는 병해충 방제
　③ 일반 및 전문가 훈련시설 양자를 포함하는 훈련서비스
　④ 생산자와 소비자에게 정보 및 연구결과의 전달을 촉진하기 위한 수단의 제공을 포함하는 지도 및 자문서비스
　⑤ 일반적인 검사서비스 및 특정품목에 대한 위생, 안전, 등급화, 표준화 목적을 위한 검사를 포함하는 검사서비스
　⑥ 특정품목에 관한 시장정보, 조언 및 판매촉진을 포함하는 시장확대 및 판매촉진 서비스
　⑦ 전력공급망 설치, 도로 등 기타 운송수단, 시장 및 항만시설, 용수 공급시설, 댐 및 배수계획, 환경계획과 관련된 하부구조사업을 포함하는 하부구조서비스 등을 예시하고 있다. 농업협정 부속서 2 제2항 a-g호.

의 지원도 포함된다. 재고의 물량과 비축은 전적으로 식량안보와 관련하여 사전 결정된 목표량에 한정되어야 한다. 또한 정부에 의한 식량구매는 현행 시장가격에 의하며, 동 구호에 대한 자금조달 및 관리는 투명해야 한다. 식량 안보용 재고 식량의 판매는 동일한 품질 상품의 시장가격으로 판매해야 한다.[29]

(iii) 국내식량 구호(domestic food aid)

식량구호의 수혜자격은 영양학적 목적과 관련하여 명백하게 정의된 기준에 따라야 한다. 이러한 구호는 관련 대상자에 대한 직접적인 식량 공급 형식 또는 수혜 대상자가 식량을 시장가격 또는 보조가격으로 구매할 수 있도록 허용하는 형태로 제동된다. 정부의 식량구매는 현행 시장가격에 의하며, 동 구호에 대한 자금조달 및 관리는 투명해야 한다.[30]

2) 생산자에 대한 보조금 직접지급(blue box)[31]

(i) 생산으로부터 분리된 소득보조(decoupled income support)

생산으로부터 분리된 소득보조는 생산에 미치는 효과가 전혀 없는 정부의 지원을 말하며 생산과 소득보조가 전혀 '분리된'(decoupled) 것이라면 이 보조는 허용된다는 것이다. 수혜대상은 기준기간 동안의 소득, 생산자 또는 농지소유자의 지위, 생산요소의 사용 또는 생산수준 같은 명백히 정의된 기준에 따라 결정해야 하고 어떤 경우든 기준 기간 이후의 여러 요소를 기준으로 삼을 수 없으며 궁극적으로는 지원조건으로 농산물의 생산을 요구해선 안 된다.[32]

(ii) 소득보험·소득안정계획에 대한 정부의 재정지원(government financial participation in income insurance and income safety-net programmes)

소득보험·소득안정계획에 대한 정부의 재정지원은 이전 3년간의 평균총소득(average gross income) 또는 순소득개념에서 동일소득의 30%의 한정된 기준을 초과하는 농업손실에 대하여는 지급되는 보상으로서 그 지급액은 생산형태나 생산량 또는 생산요소가 아닌 오직 소득에만 관련되어야 하며 생산자 소득손실의 70% 이하로 보상해야 한다. 또한 생산자가 동일연도에 이 지원이나 자연재해 구호지원을 받는 경우 수혜총액은 생산자 총 소득손실의 100%를 초과해서는 안

---

29) 농업협정 부속서 2 제3항.
30) 농업협정 부속서 2 제4항.
31) 이하 법무부, 「농업통상법」, 앞의 책, pp. 204-207 내용을 요약 정리한 것임.
32) 농업협정 부속서 2 제6항.

된다.[33]

(iii) 자연재해 구호지원(payments for relief from natural disasters)

자연재해 구호지원과 관련하여 자연재해 또는 전염병, 병충해나 전쟁 등이 발생하였거나 발생중임을 정부가 공식적으로 인정한 경우 이전 3년간 평균생산량의 30%를 초과한 생산량 손실에 대하여 그 구호지원을 할 수 있으나 재해복구에 필요한 총비용을 초과하거나 장래의 생산량 또는 생산유형을 요구 또는 명시해서는 안 된다. 이 지원은 단지 당해 자연대해에 기인한 소득, 가축(동물의 수의적 치료와 관련된 지급 포함), 토지 또는 여타 생산요소의 손실에 대해서만 적용된다. 한편 소득보험·소득안정계획에 대한 정부의 재정지원과 마찬가지고, 생산자가 아닌 이 지원이나 소득보험·소득안정계획에 대한 정부 재정지원을 동일연도에 받는 경우 수혜총액은 생산자 총 소득손실의 100%를 초과할 수 없다.[34]

(iv) 탈농계획을 통한 구조조정지원(structural adjustment assistance provided through producer retirement programmes)

탈농계획을 통한 구조조정지원은 상업적 농업생산(marketable agricultural production)에 종사한 사람의 은퇴(retirement)와 비농업활동으로의 이동을 용이하게 하기 위한 것으로서 이 지원의 수혜자격(eligibility)은 완전하고 영구적인 탈농을 조건으로 해야 한다.[35]

(ⅴ) 휴경보상을 통한 구조조정지원(structural adjustment assistance provided through resource retirement programmes)

휴경보상을 통한 구조조정지원은 시장판매 목적의 농업생산토지나 가축 등을 최소 3년간 휴경, 도상, 처분하여 상업적 생산을 배제하고 그 농업생산토지 등을 대체용도로 사용하지 않을 것을 조건으로 지급되는 지원조치이다. 이 지원은 잔여농지나 자원을 사용하여 이루어진 생산에 적용되는 농산물의 생산형태, 생산량, 국내외가격과 연계되지 않아야 한다.[36]

(ⅵ) 투자원조를 통한 구조조정지원(structural adjustment assistance provided through investment aids)

이러한 지불에 대한 수혜자격은 객관적으로 입증된 구조적으로 불리한 여건

---

33) 농업협정 부속서 2 제 7 항.
34) 농업협정 부속서 2 제 8 항.
35) 농업협정 부속서 2 제 9 항.
36) 농업협정 부속서 2 제10항.

에 대응하여 생산자의 활동의 재정적 또는 물리적인 구조조정을 지원하기 위하여 입안된 정부의 계획에 명백하게 정의된 기준에 따라 결정된다. 또한 이러한 계획에 대한 수혜자격은 농업토지의 재사유화를 위하여 명백하게 정의된 정부계획을 기초로 할 수 있다. 이러한 보조지급은 지원목적의 투자가 필요한 기간에 한하며 보조지급의 대가로 특정품목의 생산금지를 요구하는 것 이외에 수혜자에게 특정품목의 생산을 명령하거나 어떠한 방법으로든 지정(designate)할 수 없다.[37]

(vii) 환경계획에 의한 지급(payments under environmental programmes)

환경계획에 의한 지급은 명백하게 정의된 정부의 환경정책 또는 토양보존정책 및 기타 정부계획하의 특정조건에 따라 이를 준수함으로써 발생하는 추가비용 또는 소득손실에 한정하여 지원이 가능하다.[38]

(viii) 지역원조계획에 의한 지급(payments under regional assistance programmes)

지역원조계획에 의한 지급은 법령상 설정된 기준에 의하여 타 지역보다 불리한 생산 여건 하에 있는 특정의 낙후된 지역(disadvantaged regions)으로 판단되는 경우 그 대상지역에서의 농업생산에 종사함으로써 발생하는 추가비용 또는 소득손실에 대하여 행해질 수 있다. 이러한 보조지급은 대상지역의 생산자에게만 제공 되어야 하나 대상지역 내 모든 생산자에게 일반적으로 제공되는 것이어야 한다. 지불은 생산요소와 관련되는 경우, 관련요소의 한계수준 이상에서는 체감비율로 이루어진다.[39]

(2) 감축대상 국내보조

농업협정에 따르면 허용대상보조금으로 분류된 보조금 이외에 모든 국내보조금은 감축대상으로 분류되어 시장가격지지, 부족분지불 및 투입재보조 등의 보조금은 감축대상보조금이 된다.[40] 감축대상이 되는 국내보조는 첫째, 무역왜곡효과(trade distorting effects)를 갖거나 둘째, 생산에 미치는 효과(effects on production)를 갖는 것이어야 하는바, 다만 그 효과가 미미한 경우에 그러한 국내보조는 허

---

37) 농업협정 부속서 2 제11항.
38) 농업협정 부속서 2 제12항.
39) 농업협정 부속서 2 제13항.
40) 농업협정 제 6 조 제 1 항.

용된다.[41]

감축방법은 전체농업보조총액(Total AMS) 수준을 일정비율 감축시키는 방식을 따른다. 전체농업보조총액은 ① 농업보조총액(AMS)[42]과 ② 농업보조상당액(Equivalent Measurement of Support: EMS)[43]을 합산한 액이다.[44] 농업협정에서 정한 감축방법은 1986~1988년 평균 총 감축대상지원 실적(Base Total AMS)을 기준으로 1995년부터 2000년까지 기준연도 감축 대상보조금의 20%를 매년 균등하게 감축해야 한다. 다만 개도국의 경우에는 감축률(선진국의 2/3 수준 13.3%) 및 이행기간(1995－2004)이 선진국보다 유리하게 설정되어 있다. 한편 농업협정은 전체농업보조총액의 계산 및 감축약속에서 제외할 수 있는 최소(de minimis) 허용보조를 인정하고 있다. 즉, 해당연도의 기초농산물 총생산액의 5%를 초과하지 않는 품목특정적 국내보조는 전체농업보조총액의 계산 및 감축약속에서 제외된다. 개도국의 경우는 감축의무 면제상한을 10%로 완화시켜 줌과 동시에 농업에 대한 일반적 투자보조, 저소득층에 대한 투입재 보조, 마약작물 작목전환지원은 Total AMS 계산시 제외된다.[45] 또한 농업협정은 생산제한정책을 시행하기 위한 농업보조금의 직접지급(direct payments)을 인정하고 있는바, 생산과 관련된 직접지급일지라도 이러한 지급이 ① 고정면적과 수확량 기준으로 한 경우, 또는 ② 기준생산수준의 85% 이하에 대하여 이루어지는 경우, 또는 ③ 축산에 대한 지불이 고정된 사육두수에 대하여 이루어지는 경우에는 전체농업보조총액(Total AMS)계산 및 감축약속에서 제외된다.[46]

---

41) 농업협정 부속서 2 제1항.
42) 농업보조총액은 품목특정적 농업보조총액(product－specific support: 예컨대 시장가격 지지를 위하여 특정농산물을 수매하는 정부지원)과 품목불특정적 농업보조총액(non－product－specific support: 예컨대 비료보조 등 정부의 보조금이 명시적으로 나타나는 부분)을 합산하여 화폐액으로 환산한 것이다. 농업협정 제1조 a호.
43) 농업보조상당액은 시장가격지지가 존재하나 농업보조총액을 명시적으로 계산하기 어려운 모든 품목에 대한 정부지원을 화폐액으로 환산한 것이다. 농업협정 제1조 d호.
44) 농업협정 제1조 h호.
45) 농업협정 제6조 제2항 및 4항.
46) 농업협정 제6조 제5항.

3. 수출보조(Export Subsidy)

UR 협상시 수출보조금에 대해서는 미국, 케언즈 그룹은 신속감축을 주장하였고 EC는 이에 반대하는 입장을 보였다. 수출보조금은 수출 농산물에 지급되는 정부의 보조로서 재정지출금액과 수출물량을 동시에 감축하여야 한다. 본 협정에 따른 감축 대상은 ① 정부 또는 정부대행기관(agencies)이 수출실적(export performance)을 조건으로 기업, 산업, 원료 농산물 생산자, 생산자단체나 조합, 마케팅위원회(marketing boards)에 대하여 제공하는 현물보상(payments−in−kind)을 포함한 직접보조, ② 비상업용 공공재고(non−commercial stocks)를 수출할 목적으로 국내시장에서 구매자가 동종상품(like product)에 대하여 부담하는 비교 가능한 가격보다 낮은 가격으로 정부 또는 정부대행기관이 행하는 판매 또는 처분, ③ 당해 농산물 또는 수출품의 원료 생산량에 대하여 부과한 부과금을 재원으로 한 수출보조를 포함하여 공공회계의 부담 여부를 불문하고 정부의 활동을 토하여 조성된 재원에 의한 농산물 수출보조, ④ 출하, 등급 및 기타 부대비용, 국내운송비용 등을 포함한 수출농산물에 대한 유통비용 절감을 목적으로 한 보조, ⑤ 수출물량에 대한 국내운송비를 국내수송 물량보다 유리한 조건으로 정부가 제공하거나 제공토록 하는 경우, ⑥ 수출상품의 원료 농산물에 대한 보조 등이다.47) 수출보조의 감축은 1986−1990년을 기준으로 6년간(1993−1999) 재정지출기준 36% 수출물량기준 21% 감축해야 하며, 개도국은 10년 동안 선진국의 2/3 수준으로 감축해야 한다. 한편 농산물 분야에서의 수출신용, 수출신용보증 또는 수출보험에 대하여는 이를 규율하는 국제적으로 합의된 규칙에 따라 제공하여야 하고, 우회적으로 수출보조금을 지급하는 결과를 초래하지 않도록 해야 한다. 그리고 국제식량원조(international food aid)시에는 수혜국가에 대한 농산물의 상업적 수출과 직간접으로 연계되지 않아야 하고, 국제식량기구(FAO)의 '잉여농산물 처분원칙과 협의의 의무'(Principles of Surplus Disposal and Consultative Obligation)를 준수해야 한다.48)

---

47) 농업협정 제9조 제1항.
48) 농업협정 제10조.

4. 수출금지 및 제한

수출금지, 제한조치를 시행하고자 하는 국가는 그 조치가 수입국의 식량안보에 미치는 영향에 대해 적절한 고려를 해야 하며 동 조치의 시행시 GATT 1994 제XI조 제2항 a호의 조건을 충족해야 한다.[49] 동 규정에 의하면 수출제한 등은 일반적으로 금지되지만 식료품 또는 수출체약국에 필수적인 산품의 위급한 부족을 방지하거나 완화하기 위하여 일시적으로 적용한 수출금지 또는 수출제한은 금지되지 않는다. 수출금지, 제한조치를 시행하는 국가는 이러한 조치의 시행에 앞서 그 조치의 정보를 농업위원회에 서면으로 통고(notice)해야 하고 수입국으로서 실질적인 이해관계(substantial interest)를 갖는 수입회원국의 요청이 있을 때 '협의'(consult)해야 한다. 또한 수출금지 및 제한조치를 시행하는 회원국은 요청 회원국에게 필요한 정보를 제공한다.[50]

5. 개도국과 최빈개도국에 대한 특별 및 차등대우 및 분쟁해결

농업협정은 '개도국에 대한 차등적이고 보다 유리한 대우'(differential and more favourable treatment)가 협상의 불가분의 일부(an integral part of the negotiation)라는 인식에 따라, 약속과 관련한 특별 및 차등대우는 본 협정의 관련조항에 규정되고 양허 및 약속표에 구현되어 있는 바와 같이 부여된다고 규정하고 있다.[51] 개도국에 대한 우대조치는 국내보조 및 관세의 감축폭과 감축기간, 허용보조 등에서 선진국보다 유리한 대우를 인정하는 것이다. 구체적으로 감축률은 선진국의 3/2 수준까지 낮은 수준이 허용되고 감축약속에 대한 이행기간은 10년으로 하며(농업협정 제15조 제2항 1문), 최소허용보조수준(de minimis)을 농산물 총생산액의 10%까지 인정하였다(농업협정 제6조 제4항 b호). 또한 농업 및 농촌개발을 장려하기 위한 정부의 직·간접 지원조치는 개도국의 개발계획의 불가분의 일부라는 사실을 고려하여 개도국에서 ① 농업에 대해 일반적으로 제공되는 투자보조금 ② 저소득 또는 자원빈약 생산자에게 일반적으로 제공되는 농업투입재 보조금 ③ 불법

---

49) 농업협정 제12조 제1항 a호.
50) 농업협정 제12조 제1항 b호.
51) 농업협정 제15조 제1항.

적인 마약작물의 재배로부터의 작목 전환 장려를 위하여 개도국회원국의 생산자에게 지급되는 국내보조는 감축의무 대상에서 면제된다(농업협정 제 6 조 제 2 항). 그 밖에도 개도국은 수출농산물에 대한 유통비용 지원과 국내수송비 지원에 대한 감축의무에서 면제된다(농업협정 제 9 조 제 4 항). 한편 최빈개도국에게는 감축약속의 이행이 요구되지 않는다(농업협정 제15조 제 2 항 2문). WTO 농업협정의 이행 및 이에 관한 분쟁해결에 관한 규칙과 절차는 'GATT 1994' 제XXII조와 제XXIII조의 규정 및 'WTO 분쟁해결절차'에 따라 협의 및 분쟁을 해결한다.

6. 농업위원회의 약속이행 검토(Review)

농업위원회(Committee on Agriculture)는 회원국이 제출한 국가별 이행계획서(Schedule of commitments: C/S)를 토대로 하여 국내보조금과 수출보조금 등 농업협정의 전반에 대한 의무이해 여부에 대해 검토한다. 이러한 검토과정은 회원국이 제시한 통보사항(notification)과 감축이 면제된 새로운 국내보조 또는 현행조치의 수정내용 통보사항을 기초로 진행되며 이 경우 회원국은 국내보조 감축이행에 있어서 과도한 물가상승률이 회원국의 국내보조 약속을 준수하는 능력에 미치는 영향을 적절히 고려해야 한다.[52] 또한 회원국은 이 협정의 수출보조금 약속의 이행체계 내에서 세계농산물 무역의 정상적인 증가에 참여하는 것과 관련하여 농업위원회에서 매년 협의해야 한다.[53] 검토과정에서 회원국은 이 협정에 규정된 개혁계획에 따른 약속의 이행과 관련된 어떠한 문제도 제기할 수 있는 기회가 부여된다.[54]

제 4 절   농업협정에 대한 평가

UR 농업협상은 다자간 무역협상은 농업개혁과 시장개방 확대를 위한 틀과 원칙을 마련했다는 점에서 큰 의미가 있다. UR 농업협상이 타결되기 전에 주요

---

52) 농업협정 제18조 제 2 항, 제 3 항, 제 4 항.
53) 농업협정 제18조 제 5 항.
54) 농업협정 제18조 제 6 항.

선진국들은 웨이버, 변동부과금제도, 잔존수입제한조치 등을 이용하여 농산물무역을 관행적으로 제한했을 뿐만 아니라 농업에 대한 보조정책 역시 GATT 규정에 별 저촉을 받지 않으면서 시행해 왔다. UR 농업협상에서는 비관세장벽의 철폐와 관세화를 통해 농산물의 수입을 개방시켰으며, 국내농업보조를 규제하고 수출보조를 대폭적으로 감축하는 등 획기적인 변화를 가져왔다. 농산물의 경우 비관세장벽이 높은 분야였고 또한 수출보조의 경우 기존 타국의 해외시장 점유율을 침해하지 않는 범위 내에서 얼마든지 용인이 되었으며, 국내 농업보조금 역시 아무런 제약 없이 지급되어 왔다. 이와 같이 WTO 출범 이전 GATT 규범에서 예외적 조치를 받아 왔던 농산물 분야가 UR 농업협상을 계기로 다자간 협정의 규정 하에 최초로 놓이게 되었다. 그러나 농산물 수출국들은 관세상당치의 과다계상, 국영무역 등에 의한 시장개입과 관리무역, 평화조항에 의한 무역 관련 제소의 자제, 미흡한 국내보조 감축과 농업개혁의 부진 등으로 UR 농업협상의 이행 결과는 기대에 못 미치는 것으로 평가하고 있다. 한편, 농산물 수입국들은 국내보조금의 감축에 따라 농산물 수출선진국들의 생산 및 재고가 감소하고 세계 시장의 농산물 가격이 UR 협상 타결 이후 상승했다고 주장하며 UR협상의 결과를 긍정적으로 평가하고 있다. 또한 수입국들은 농업협정문이 시장개방의 확대, 엄격한 국내보조의 지급기준, 농업의 비교역적 기능의 반영 미흡 등으로 지나치게 농산물 수출국들의 이익을 중심으로 불균형적으로 작성되었다는 평가이다.[55]

제 5 절 DDA농업협상의 현황 및 전망

UR 협상 결과의 토대 위에서 시장개방을 더욱 가속화한다는 목표 하에 2001년 11월 도하개발어젠다(DDA)협상이 개시되어, 농업협상의 목표를 시장접근의 실질적 개선, 수출보조의 단계적 폐지를 목표로 한 감축, 국내보조의 실질적 감축으로 설정하였다. DDA협상이 공식 출범하기 이전에 이미 UR 협상의 후속 협상으로 농업협상에 대한 준비는 1996년 WTO 싱가포르 각료회의에서부터 시작되어 차기 농업협상의 쟁점 사항들에 관한 검토 작업을 시작하기로 합의하였다.

---

55) 이재옥, 「WTO 농업협상의 전개과정과 평가」(한국농촌경제연구원, 2005. 12), p. 155.

1998년 제네바 WTO 제 2 차 각료회의와 1999년 11월 시애틀 각료회의에서 농산물, 시장접근, 뉴이슈(경쟁, 투자, 무역원활화 등), 이행 및 규범, WTO 체제 개선, 무역과 노동 등 6개 분야로 나누어 진행되었다. 그러나 집중적인 논의에도 불구하고 광범위한 의제 채택과 협상의 기본 골격에 대한 의견 대립, 반덤핑, 노동, 농업 등에 대한 각국의 의견차, 회의진행 방식에 대한 개도국들의 반발, 개도국과 비정부단체의 영향력 증대 등 다양한 요인에 의해 각료선언문 채택에 실패하고 각료회의는 결렬되었다. 그 후 2000년~2002년 뉴라운드 출범과는 상관없이 새로운 농업협상이 WTO 농업위원회 특별회의를 통해 진행되었으나 각국이 기존의 입장을 되풀이 하면서 별 진전을 이루지 못하였다. 2003년 3월 농업협상 그룹 의장(Harbinson)은 완전한 형태의 협상 세부원칙(Modality)을 확정하려 했으나 합의에 실패하였고, 2003년 9월 칸쿤 각료회의에서는 완전한 형태의 세부원칙 합의가 불가능하다고 보고 그 중간단계로 기본골격(Framework)만이라도 합의하려고 했으나 실패했다. 2004년 초 새로운 의장단을 구성하여 2004년 7월 말까지 우선 기본골격만의 타결을 목표로 집중적인 협상을 진행하였고, 회원국과 주요 협상 그룹 간에 논의를 거쳐 2004년 8월 1일 WTO일반이사회에서 기본골격이 채택되었다. 이후 2006년 6월 WTO 농업위원회 특별회의 의장(Crawford Falconer)이 마련한 'DDA농업협상 세부원칙 초안'(draft Modalities)[56]을 토대로 협상 타결을 시도하였으나 핵심쟁점에 대한 주요국간의 합의도출에 실패하였고, 2006년 7월 23−24일 간 개최된 G6(미국, EC, 인도, 브라질, 일본, 호주)각료회의에서 농업 국내보조 감축 등 주요 쟁점에 대해 의견대립이 지속됨에 따라 라미(Lamy) WTO 사무총장은 7월 24일 비공식 무역협상위원회(TNC)를 소집하여 DDA 협상의 일시 중단을 선언하였다.[57]

---

56) 원문 제목은 "Draft Possible Modalities on Agriculture" 이다. 이 초안의 본문은 정의, 시장접근, 국내보조, 수출경쟁, 여타 쟁점으로 구성되어 있고, 13개 부속서가 첨부되어 있다. 13개 부속서 목록은 다음과 같다. 부속서 A(종가상당치), 부속서 B(관세경사), 부속서 C(수입쿼타관리), 부속서 D(개도국 특별품목 지표), 부속서 E(개도국 특별긴급관세), 부속서 F(열대농산물), 부속서 G(특혜잠식), 부속서 Ⅱ(허용보조), 부속서 Ⅰ(수출신용), 부속서 J(수출국영무역기업), 부속서 K(식량원조), 부속서 L(수출금지와제한), 부속서 M(일차농산물약정)으로 구성되어 있다. 동 초안은 시장접근, 국내보조, 수출보조 등 DDA 농업협상 쟁점 전반을 포괄하고 있으며, 해당 쟁점별 농산물 수출입간, 선진개도국간 입장차를 비교적 객관적으로 정리하고 있는 것으로 평가된다.

57) 외교통상부 세계무역기구과 발행 'DDA 협상동향'(2006년 제5호, 2006. 7. 27). DDA협상동향은 DDA 홈페이지(http://www.wtodda.net)의 "최근 논의동향"에서 참고.

이후 2007년 초부터 WTO는 다시 협상그룹회의를 재개하여, 별다른 진전을 보이지 못하다가 2013년 12월 발리패키지타결[58]과 2015년 12월 제10차 각료회의에서 수출경쟁에 합의하여 나이로비패키지 타결[59]에 성공을 거두었다. 현재 DDA 농업협상은 2017년 12월 제11차 WTO 각료회의의 성과도출을 위해 국내 보조, 개도국 공공비축 등을 중심으로 논의가 진행 중에 있으나 WTO의 구조적 문제, 리더십 부재, 협상 역학의 복잡성 등의 문제로 협상타결이 쉽지 않을 것으로 예상된다.[60]

58) 2013년 12월에 인도네시아 발리에서 개최된 제9차 WTO 각료회의 결과 농업분야 허용보조(일반서비스, 식량안보 목적 공공비축), TRQ 관리방안, 수출경쟁 등 4개의 각료결정이 채택되었다.
59) 2015년 12월에 케냐 나이로비에서 개최된 제10차 WTO 각료회의 결과 농업분야 수출보조금 폐지 등 수출경쟁 분야가 합의되었다.
60) 농림축산식품부, WTO DDA 농업부분 협상현황, 2016. 12, pp. 3-4.

제13장
원산지규정[*]

제1절 원산지규정의 개념과 의미

1. 원산지규정의 개념

원산지란 물품을 생산한 곳을 말한다. 통상적으로 원산지는 물품이 생산된 국가로 이해되지만, 경우에 따라서는 국가 이외에 독립적인 관세영역(customs territory)도 원산지로 인정될 수 있다. 원산지규정(rules of origin)이란 물품이 어디에서 생산되었는지를 판단하는 기준을 정하는 규정을 말한다.

원산지는 가공되지 않은 농수산물과 같은 1차상품의 경우에는 그 판별이 어렵지 않으나, 제조물품과 같은 2차상품의 경우에는 원산지 판별이 용이하지 않다. 농수산물의 경우에는 주로 한 국가에서 생산과정이 수행되는 경우가 많기 때문에 원산지판정이 비교적 용이하다. 그러나 농수산물 중 가공 농수산물의 경우에는 한 국가 이상에서 생산과정이 이루어지기 때문에 둘 이상의 국가에서 생산된 물품의 원산지를 어디로 할 것인지에 대하여 이론이 있을 수 있다. 가공 농수산물 이외에 제조물품의 경우에는 문제가 더욱 복잡하다. 최근 다국적기업이 등장하고, 다국적기업이 '세계경영' 등을 내세워, 국경을 넘어 기업활동을 전개하면서, 제조물품의 경우 어느 한 국가에서 생산공정이 모두 이루어지기보다는 여러 나라를 걸쳐 순차적으로 생산이 이루어지는 경우가 많아졌다. 예를 들면, 자동차를 생산하는 데 있어서, 자동차의 디자인은 A국에서 하고, 엔진 등 주요 부품은

<small>* 이 글은 「국제경제법연구」 제9권 제2호(2011. 11)에 실린 저자의 논문("WTO 통일 원산지 규정에 관한 고찰")을 수정·보완한 것이다.</small>

인건비가 싼 B국에서, 타이어 등 기타 부품은 해당 산업에 경쟁력을 갖춘 C국에서, 그리고 이렇게 생산된 모든 부품을 모아서 마지막 조립공정은 D국에서 수행하는 형태의 생산구조를 채택하는 기업이 늘어나고 있다. 이렇게 생산구조가 복잡해지고, 여러 나라를 거쳐 생산공정이 진행되다 보니, 위 국가 중 어느 나라를 자동차의 생산국, 즉 원산지로 볼 것인가 하는 문제에 부딪치게 된다.

원산지규정은 종래 각국이 재량을 가지고 정하여 왔으나, 원산지와 관련한 분쟁이 많아지고, 원산지규정이 교역의 장애를 초래하거나 보호주의를 위한 수단으로 활용되는 경우가 늘어나면서, 이에 대한 통일된 국제규범의 필요성이 증대되었다. 다만 이러한 통일된 국제규범의 탄생은 주로 아래에서 설명하는 비특혜 원산지규정과 관련된다.

2. 특혜 원산지규정과 비특혜 원산지규정

원산지규정은 크게 특혜 원산지규정(preferential rules of origin)과 비특혜 원산지규정(non-preferential rules of origin)으로 구분된다. 특혜 원산지규정은 FTA(free trade agreement) 또는 GSP(generalized system of preference) 등 특혜관세를 부여할 목적으로 사용되며, 비특혜 원산지규정은 특혜관세 부여 이외의 목적인 최혜국대우, 반덤핑, 상계관세, 세이프가드 적용, 원산지표시, 통계자료 작성 등의 목적을 위하여 사용된다.

특혜 원산지규정은 각국이 일방적으로 정하거나(GSP의 경우 등), 무역 상대국과의 협상을 통하여 정하게 된다(FTA 원산지규정 등). 특혜 원산지규정의 경우 자국의 사정 및 상대국과의 협상의 결과물로서 결정되기 때문에, 국제적으로 통일된 기준이 존재하기 어려우며, 같은 국가가 체결한 FTA의 경우에도 협상 상대국에 따라 그 기준이 상이한 경우가 많다.

이에 비해 비특혜 원산지규정은 상대적으로 국제적으로 통일된 기준을 만들 수 있는 여지가 있으며, 이에 따라 WTO 차원에서 통일된 원산지기준을 만들기 위한 협상을 진행하고 있다. 다시 말해서, 통일원산지규정(Harmonized Rules of Origin) 협상은 각국별로 상이한 원산지 규정이 무역의 장애요인으로 작용하지 않도록, 국제적으로 통일된 비특혜 원산지규정을 마련하기 위한 협상이다.

3. 원산지규정의 기능

(1) 소비자 보호 및 정보 제공

원산지규정은 생산된 물품의 원산지를 명확하게 판정함으로써 물품의 소비자에게 필요한 정보를 제공하고, 이를 통하여 소비자를 보호할 수 있도록 한다. 원산지를 통하여 소비자는 해당 물품이 어느 국가 또는 지역에서 생산되었는지를 확인할 수 있다. 만약 특정 국가 또는 지역에서 해당 물품이 많이 생산되고, 해당 물품이 고유의 특성과 좋은 질을 보유하고 있다면, 소비자는 그 지역에서 생산되는 물품을 구매하려고 할 것이기 때문에 원산지는 소비자가 구매에 관한 의사결정을 하는 데 중요한 정보를 제공하게 된다.

(2) 생산자 보호

원산지는 한편으로 생산자 보호의 기능도 가진다. 특정 물품이 특정 국가나 지역에서 생산되는 특산물이며, 그 지역에서 생산되는 물품이 특유의 성질을 가진 경우에는 정확한 원산지 판정을 통하여 해당 지역에서 생산된 물품만이 원산지인정을 받을 수 있도록 하여, 시장에서 경쟁력을 확보할 수 있도록 하고, 이러한 원산지판정은 생산자를 보호하는 기능을 수행하게 된다.

(3) 특혜관세의 부여

FTA를 통하여 협정당사국들은 관세장벽을 없애고 자국의 시장을 개방하게 된다. 이러한 FTA의 혜택, 다시 말하면 특혜관세의 부여는 FTA 상대국에게만 적용된다. 수입물품이 FTA 상대국에서 생산되었는지는 FTA 원산지규정에 의하여 판정되어, FTA 원산지규정을 충족한 경우에만 해당 물품에 대하여 특혜관세가 부여된다. FTA 원산지규정을 통하여 상대국이 원산지로 판정되지 않으면 FTA로 관세를 철폐하더라도 그 혜택을 누릴 수 없게 되는 것이다. FTA 원산지규정은 이와 같이 특혜관세를 부여하는 중요한 기준을 제시하며, 이러한 FTA 원산지규정 등을 특혜 원산지규정이라 한다.

(4) 무역조치에의 활용

국가의 입장에서는 원산지판정을 통하여 물품의 생산지를 가리고, 이를 통하여 특정 국가에서 생산된 물품에 반덤핑관세 부과, 세이프가드 적용, 쿼터제도 적용 등 무역조치를 함에 있어서 그 준거로 삼게 된다. 한편으로 해당 국가와의 수출입 통계자료 작성 등을 위하여도 원산지규정이 필요하게 된다. 이러한 목적으로 사용되는 원산지규정은 비특혜 원산지규정이다.

4. 원산지 결정 기준

원산지를 결정하는 기준은 일반적으로 완전생산기준(wholly obtained or pro-duced rule)과 실질적 변형기준(substantial transformation rule)으로 나누어진다.

(1) 완전생산기준

완전생산기준이란 물품의 재료 및 생산공정이 전부 한 국가에서 생산되거나 이루어진 경우에 해당 국가를 원산지로 인정하는 기준이다.[1] 예를 들면, 한 나라에서 나고 자란 동물(live animals born and raised)이나 그 나라에서 수확된 곡물(plants harvested)이 이에 해당한다. 완전생산기준은 그 제약성으로 인하여, 광물 등 자연자원이나 곡물·어류 등 농수산물의 경우에 적용되는 경우가 많으며, 공산품의 경우에는 충족하기 대단히 어려운 기준이다.

(2) 실질적 변형기준

실질적 변형기준이란 해당 국가에서 제조·가공공정 등을 거쳐 물품이 생산되는 경우에 그 국가를 원산지로 인정하는 기준이다. 실질적 변형이 발생했는지를 판단하는 지표는 여러 가지가 있는데, ① 세번변경기준(change of tariff classi-fication), ② 부가가치기준(ad valorem percentages), ③ 특정공정기준(manufacturing or processing operations) 등이 있다.

---

[1] 이러한 순수한 의미의 완전생산기준은 충족하기가 매우 어렵기 때문에, 실제로는 그 기준을 완화하여 적용하는 경우가 있다(예: FTA 등에서는 한 국가에서 완전생산되지 않더라도, FTA 당사국 역내에서 완전생산되는 경우 이를 인정).

1) 세번변경기준

세번변경기준은 원재료의 세번과 최종물품의 세번을 비교하여, 세번이 변경된 경우에 실질적 변형이 일어났다고 보는 기준이다.[2] 세번변경기준은 품목에 따라 다시 HS 2단위가 바뀌는 2단위 변경기준(change of chapter), 4단위가 바뀌는 4단위 변경기준(change of tariff heading), 6단위가 바뀌는 6단위 변경기준(change of tariff sub-heading)으로 나뉜다. 세번변경기준은 재료와 최종물품의 세번만을 비교하면 되기 때문에 그 이해와 적용이 용이하여 많이 사용되는 편이나, 단순조립 등 부가가치가 크지 않은 공정만으로도 세번변경이 일어나기 때문에 세번변경만으로는 실질변형을 인정하기 어렵다는 견해도 있다.

2) 부가가치기준

부가가치기준은 물품의 생산·가공공정에서 발생한 부가가치가 일정 수준 이상인 경우 원산지를 인정하는 기준이다. 어느 정도의 부가가치가 발생하여야 하는지는 협정마다 다르다. 또한 부가가치를 계산하는 데 기준이 되는 가격도 본선인도가격(FOB), 운임 및 보험료 포함가격(CIF), 공장도 가격(ex-work) 등 다양하다. 부가가치기준은 재료 및 물품가격의 등락, 환율변동 등에 따라 부가가치 계산이 달라질 수 있어 예측가능성이 떨어지는 단점이 있으나, 원산지기준으로 널리 사용되는 기준 중 하나이다.

3) 특정공정기준

특정공정기준은 물품의 생산·가공과정에서 특정한 공정이 수행된 경우 실질변형을 인정하는 기준이다. 예를 들면, 섬유·의류제품을 생산하는 경우에 염색·날염 공정을 거치거나, 재단·봉제공정을 거치는 경우 실질변형을 인정하는 식이다.

5. 원산지 관련 국제규범의 발전

과거의 경제활동이 주변국을 중심으로 전개되었던 데 반하여, 최근 각국의

---

[2] 세번이란 물품에 부여되는 고유의 번호를 말하며, 통일상품명 및 부호체계(Harmonized Commodity Description and Coding System: 약칭 HS 코드)에 따른다.

경제활동은 주변국 및 지역을 넘어 세계를 상대로 진행되는 경우가 많다. 이러한 변화는 교통의 발달과 통신수단의 발달에 힘입은 바 크다. 각국의 경제활동이 세계화되고 그 규모가 커지면서 국제교역에 대한 통일적인 규범에 대한 필요성도 함께 증대되어 왔다.

하지만 물품의 원산지를 정하는 원산지규정의 경우 국제적인 통일규범을 채택하지 못한 채, 각국에 위임되어 왔다. 원산지규정이 무역에 대한 장벽으로 작용되지 아니하고, 국제무역의 흐름을 원활히 하기 위하여는 원산지규정이 중립적이고 예측가능하며 명확하게 규정되어야 하며 공정하고 투명하게 적용되어야 한다. 그러나 원산지규정이 각국에 따라 다르게 규정·적용됨에 따라 관련 분쟁의 횟수도 늘어나게 되었다. 이러한 현실적 어려움을 타개하고 국제적으로 통용될 수 있는 통일원산지규정이 마련되어야 한다는 공감대를 바탕으로 관련 국제규범을 만들기 위한 노력이 전개되어 왔다.

원산지규정과 관련된 국제규범의 흐름을 살펴보면, 먼저 원산지 또는 생산자에 관하여 허위표시를 한 수입품에 대한 제재조치를 하도록 규정한 1883년 파리협정(산업재산권 보호를 위한 파리협정: Paris Convention for Protection of Industrial Property of 1883)이 국제교역과 관련한 최초의 원산지규범이었다고 할 수 있다. 그 후 1947년 GATT 제IX조가 원산지표시에 대한 내용을 규정하였다. 그러나 제9조의 내용은 원산지표시가 국제무역에 미치는 어려움과 불편을 최소화하여야 한다는 내용만을 담고 있으며, 원산지규정에 대한 구체적인 내용은 포함하고 있지 않았다. GATT 이외에 세관절차 및 행정에 관하여 규율하고 있는 쿄토협약(Kyoto Convention)이 원산지규정에 관한 내용을 담고 있었으나, 쿄토협약은 일반원칙을 나열하는 데 그치고, 강제성이 없어서 원산지규정에 관한 실효적인 규범으로 기능하지 못하였다.[3] 이에 WTO체제에서는 보다 구체적인 목표의식을 가지고 통일된 원산지규정 제정을 위한 협상을 진행하게 되었다.

---

3) Kyoto Convention의 내용에 관하여는 다음을 참조: http://www.wcoomd.org/Kyoto_New/Content/content.html

제2절   WTO 원산지규정 협정

1. 배   경

WTO는 국제무역의 증진을 위한 원산지규정과 관련된 회원국들의 요구를 반영하기 위하여 WTO 원산지규정 협정(WTO Agreement on Rules of Origin)을 채택하였다. WTO 원산지규정 협정은 향후 통일원산지규정(Harmonized Rules of Origin) 채택을 위한 작업계획과 작업계획을 추진할 기구 및 관련 사항을 명시하고 있다.

2. WTO 원산지규정 협정의 구성

WTO 원산지규정 협정문은 전문, 4부 9개조 및 2개의 부속서로 구성되어 있다. 제I부에서는 정의 및 적용범위에 대하여, 제II부에서는 원산지규정의 적용에 대한 규율, 제III부에서는 통보·검토·협의 및 분쟁해결에 관한 절차 규정, 제IV부에서는 통일원산지규정에 관한 사항을 규정하고 있으며, 2개의 부속서는 원산지규정기술위원회(부속서 1)와 특혜 원산지규정에 관한 공동선언(부속서 2)으로 구성되어 있다.

3. 정의 및 적용범위

WTO 원산지규정 협정에 의하면, 원산지규정이란 물품의 생산 국가를 결정하기 위하여 회원국이 일반적으로 적용하는 법령 및 행정결정 등을 말한다.4) 위에서 설명한 바와 같이 원산지규정이라고 하면 특혜 원산지규정과 비특혜 원산지규정으로 구분할 수 있으나, WTO 원산지규정 협정상 원산지규정은 ① GATT 제I조, 제II조, 제III조, 제XI조 및 제XIII조의 적용, ② GATT 제VI조에 의한 반덤핑 및 상계관세, ③ GATT 제XIV조에 의한 세이프가드 조치, ④ GATT 제IX조에 의한 원산지표시 요건, ⑤ 기타 차별적인 수량제한 또는 관세할당 등 비특혜 통상정책수단, ⑥ 정부조달, ⑦ 각종 통계에 사용되는 비특혜 원산지규정을 의미

---

4) WTO 원산지규정 협정 제1조 1항.

한다.[5)]

특혜 원산지규정은 WTO 원산지규정 협정의 적용대상에서 제외되었는데, 다
만 WTO 원산지규정 협정은 부속서로 특혜 원산지규정에 관한 선언을 포함하고
있으며, 동 부속서에서 특혜 원산지규정의 적용에 있어서도 WTO 원산지규정 협
정상의 원칙에 입각해야 한다고 선언하고 있다.

4. 작업계획 및 원칙

통일원산지규정을 만들어 교역활동에 예측가능성과 확실성을 제고하기 위하
여 WTO 각료회의는 관세협력이사회(Customs Cooperation Council, 이후 세계관세기
구(WCO))[6)]와 함께 통일원산지규정 작업을 진행하였다.[7)] 통일원산지규정 작업은
WTO협정 발효 직후 개시되었는데, 작업이 완료되면 각료회의는 그 작업의 결과
를 WTO협정의 일부로 흡수하도록 하고 있다.[8)]

WTO 원산지규정 협정은 작업계획과 관련하여 원칙을 제시하고 있는데, 특
히 원산지판정과 관련하여 완전생산기준과 실질적 변형기준을 기초로 하도록 하
고 있다. 다시 말하면 특정 물품이 한 국가에서 완전하게 획득되어지는 경우, 그
국가가 원산지가 되며, 둘 이상의 국가가 물품생산에 관련되어 있는 경우에는 최
종적인 실질적 변형(last substantial transformation)이 이루어진 국가가 원산지가 되
도록 규정되어야 한다.[9)] 또한 원산지규정은 그 자체로 국제교역을 제한하거나 왜
곡 또는 교란시키는 효과를 초래하지 않아야 하며, 지나치게 엄격한 요건을 부과
하거나 제조 또는 가공과 관련 없는 특정 조건을 충족하도록 요구하여서는 안 된
다. 다만 부가가치 기준이 사용되는 경우에는 부가가치 산정시에 제조 또는 가공
과 직접적으로 관련이 없는 비용이 포함될 수 있다.[10)]

이외에도 원산지규정은 ① 제 1 조에 규정된 모든 목적에 대하여 동등하게

5) WTO 원산지규정 협정 제 1 조 2항.
6) 관세협력이사회는 1994년 세계관세기구(World Customs Organization)로 명칭을 변경하였
   다. 세계관세기구에 관하여는 다음 WCO 홈페이지를 참조: http://www.wcoomd.org/
7) WTO 원산지규정 협정 제 4 조 2항.
8) WTO 원산지규정 협정 제 9 조 4항.
9) WTO 원산지규정 협정 제 9 조 1항 나호.
10) WTO 원산지규정 협정 제 9 조 1항 라호.

적용되어야 하며, ② 객관적이고 이해가능하며 예측가능하여야 하고, ③ 일관적이고 통일적이며 공정하고 합리적인 방식으로 운영되어야 하며, ④ 적극적인 기준을 기초로 하고, 소극적인 기준은 적극적인 기준을 명확하게 하기 위하여 사용되어야 한다.[11)

5. 통일원산지 작업관련 기구

통일원산지규정 작업은 원산지규정위원회(Committee on Rules of Origin)와 기술위원회(Technical Committee on Rules of Origin)가 그 작업을 수행한다. 세계관세기구(WCO) 산하의 기술위원회는 특히 기술적인 작업을 수행하는데, 예를 들면 ① 완전생산에 대한 정의, ② 최소 공정 또는 가공에 대한 정의, ③ 세번변경기준, ④ 부가가치기준, ⑤ 특정공정기준 등에 대한 기초작업을 수행하고 이를 원산지위원회에 보고하며, 원산지위원회가 이를 검토한다. 원산지규정위원회와 기술위원회의 구성 및 회의 진행과 관련된 사항은 아래와 같다.

(1) 원산지규정위원회

원산지규정위원회는 WTO 회원국의 대표로 구성되며, WTO 원산지규정 협정 제 I 부 내지 제 IV 부의 운영과 관련되거나 이들 각부에 명시된 목적의 증진과 관련된 사항에 관하여 협의하기 위하여 설치된다. 원산지규정위원회는 WTO 원산지규정 협정 및 상품무역위원회가 부여한 사안을 논의하기 위하여 1년에 최소 1회 이상 회합한다.[12)

원산지규정위원회는 기술위원회 및 WTO 사무국과 긴밀한 공조체제를 유지하도록 되어 있는데, 예를 들면 원산지규정위원회는 기술위원회에 정보와 조언을 요청할 수 있으며, WTO 원산지규정 협정의 목적 증진을 위하여 필요한 작업을 기술위원회에 요청할 수 있다.[13) WTO 사무국은 원산지규정위원회의 사무국 역할을 수행하며, 각종 행정 지원업무를 한다.[14)

---

11) WTO 원산지규정 협정 제 9 조 1항.
12) WTO 원산지규정 협정 제 4 조 1항.
13) *Ibid.*
14) *Ibid.*

(2) 기술위원회

기술위원회는 WTO 원산지규정 협정 제Ⅳ부에서 요구되며 부속서 1에 기술된 기술적 작업을 수행하기 위하여 WCO 산하에 설치된다. 기술위원회는 WTO 원산지규정 협정과 관련된 사항에 관하여 적절한 경우 원산지규정위원회에 정보와 조언을 요청한다.[15] 기술위원회는 WTO 원산지규정 협정의 목적 증진을 위하여 필요한 작업을 원산지규정위원회에 요청할 수 있으며, 기술위원회의 사무국 역할은 WCO 사무국이 수행한다.[16]

1) 책 임

기술위원회는 ① 회원국의 원산지규정의 일상적인 운영에서 발생하는 특정한 기술적 문제의 검토 및 제시된 사실에 기초한 적절한 해결책에 관한 자문 의견 제시, ② 회원국 또는 원산지규정위원회가 요청하는 바에 따라 상품의 원산지 판정에 관련된 문제에 대한 정보 및 조언, ③ WTO 원산지규정 협정의 운영과 지위의 기술적 측면에 관한 주기적인 보고서의 준비 및 배포, ④ WTO 원산지규정 협정 제Ⅱ부(원산지규정의 적용에 관한 규율) 및 제Ⅲ부(통보, 검토, 협의 및 분쟁해결에 관한 절차 규정)에 규정된 내용에 관한 이행 및 운영과 관련된 기술적인 측면의 연례 검토, ⑤ 원산지규정위원회가 요청하는 그 밖의 임무 등과 같은 책임을 부담하는데, 회원국이나 원산지규정위원회가 회부한 사안에 대한 작업을 합리적인 기간 내에 완료하도록 노력하여야 한다.[17]

2) 회의 진행 및 참가 대표

기술위원회는 필요에 따라 회합하나, 1년에 적어도 1회 이상 회의를 개최하도록 되어 있다.[18] 각 회원국은 기술위원회에 자국을 대표하는 1명의 대표와 1명 이상의 교체대표를 지명하며, 기술위원회 회원국의 대표는 기술위원회 회의시 자문관의 도움을 받을 수 있다.[19]

---

15) WTO 원산지규정 협정 제4조 2항.
16) *Ibid.*
17) 기술위원회의 책임에 관하여는 WTO 원산지규정 협정 부속서 1 제1조 내지 3조에서 구체적으로 규정하고 있다.
18) WTO 원산지규정 협정 부속서 1 제8조.
19) WTO 원산지규정 협정 부속서 1 제4조.

WTO 회원국이 아닌 WCO의 회원국도 기술위원회 회의에 참가할 수 있는데, 참관국의 형식으로 참석하게 되며, 기술위원회 회의에 1명의 대표와 1명 이상의 교체대표를 둘 수 있다.[20] 한편 WTO 사무국도 참관자의 지위로 동 회의에 참석할 수 있도록 허용된다.[21]

WTO 회원국이 아니며, WCO의 회원국도 아닌 정부의 대표와 정부간 기구 및 무역기구의 대표도 WCO 사무총장의 승인을 조건으로 참관국으로서 기술위원회에 참석할 수 있다.[22]

기술위원회 회의에 파견할 대표, 교체대표 및 자문관의 임명은 WCO 사무총장에게 통보된다.[23] 기술위원회는 자체 의장을 선출하며 자체 절차를 제정한다.[24]

6. 원산지규정 적용에 대한 규율원칙

위 배경에서 설명한 바와 같이 WTO 원산지규정 협정은 향후 통일원산지규정(Harmonized Rules of Origin) 채택을 위한 작업계획과 작업계획을 추진할 기구 및 관련 사항을 WTO 원산지규정 협정에 명시하고 있다. 제Ⅳ부에서 통일원산지규정과 관련된 내용을 규정하면서, WTO협정 발효 이후 조속한 시일 내에 통일원산지규정을 위한 작업 프로그램을 개시하도록 하고 있다. 그러나 통일원산지규정이 마련되기까지는 시일이 걸리는 만큼, 통일원산지규정이 마련되기 전까지 각국이 원산지규정을 운용하는 데 적용할 수 있는 규율원칙이 필요하다. 다른 한편, WTO 원산지규정 협정은 통일원산지규정이 마련되면 각국이 어떤 원칙에 따라 이를 이행하여야 하는지에 대하여도 미리 규정을 두고 있다. 즉 WTO 원산지규정 협정은 통일원산지규정을 위한 작업 프로그램이 완료되기까지의 규율원칙과 작업 프로그램이 완료되어 그 결과물이 이행되는 경우의 규율원칙을 나누어 규정하고 있다.

---

20) WTO 원산지규정 협정 부속서 1 제5조.
21) WTO 원산지규정 협정 부속서 1 제4조.
22) WTO 원산지규정 협정 부속서 1 제6조.
23) WTO 원산지규정 협정 부속서 1 제7조.
24) WTO 원산지규정 협정 부속서 1 제9조.

(1) 과도기 중 원칙

통일원산지규정을 위한 작업프로그램이 끝날 때까지의 과도기 동안 회원국들은 다음과 같은 사항들을 보장하여야 한다.

1) 무역장벽으로 기능하지 않을 것

원산지규정이 통상정책 관련 조치 또는 도구임에도 불구하고, 원산지규정은 통상목적을 직·간접적으로 추구하기 위한 수단으로 기능하여서는 아니 된다.[25] 즉 원산지규정은 최종 물품의 원산지를 판정하기 위한 중립적 목적을 가지고 있으며, 원산지규정을 통하여 국가간 교역을 제한하거나 왜곡·교란시키는 효과를 초래하여서는 곤란하다. 따라서 원산지규정은 지나치게 까다롭고 충족하기 어려운 요건을 요구하거나, 제조·가공공정과 관련이 없는 특정 조건의 충족을 요구하여서는 아니 된다. 다만 부가가치기준의 경우, 제조·가공공정과 직접적으로 관련이 없는 비용은 부가가치 산정시 포함될 수 있다.[26]

2) 명확성·일관성·통일성

원산지규정은 그 원산지기준에 대하여 명확하게 규정하여, 수출입자 등 관계인이 그 기준에 대하여 정확하게 이해할 수 있도록 하여야 한다. 다시 말해서, 세번변경기준을 적용하는 경우에는 그 기준 및 예외에서 관세분류체계상의 소호와 호를 분명하게 명시하여야 하고, 부가가치기준이 적용되는 경우에는 그 비율의 산정방법이 원산지규정에 명시되어야 한다. 특정공정기준을 적용하는 경우에는 관련 물품에 원산지지위를 부여하는 공정이 명확하게 규정되어야 한다.[27] 또한 원산지규정은 적극적인 기준(positive standard)을 기초로 하여야 한다. 원산지가 부여되지 않도록 하는 소극적인 기준(negative standard)은 적극적인 기준을 명확하게 하기 위한 일환으로 또는 원산지의 적극적인 판정이 필요하지 아니한 개별적인 경우에 허용된다.[28]

한편 원산지규정은 일관적이고 통일적이며, 공정하고 합리적인 방식으로 이

---

25) WTO 원산지규정 협정 제 2 조 나호.
26) WTO 원산지규정 협정 제 2 조 다호.
27) WTO 원산지규정 협정 제 2 조 가호.
28) WTO 원산지규정 협정 제 2 조 바호.

행되어야 한다.[29] 원산지규정의 적용에 있어 일관성이나 통일성을 결여할 경우, 수출입자 등에게 혼란과 예측불가능성을 주게 되어 원산지규정 전반에 대한 신뢰 상실로 이어질 수 있다. 원산지규정이 불공정하고 비합리적인 방식으로 적용될 때에도 그러하다. 따라서 각국은 원산지규정이 일관성과 공정성을 담보할 수 있도록 노력하여야 할 것이다.

3) 차별금지

수출입물품에 적용되는 원산지규정은 국내 물품 여부의 판정에 적용되는 원산지규정보다 엄격하여서는 아니 되며, 물품의 제조자간의 관련성 여부와 상관없이 회원국들간에 차별적으로 적용되어서는 안 된다.[30]

4) 투 명 성

원산지규정은 투명하게 적용·운용되어야 한다. 따라서 원산지규정은 수출입자 등 이해관계인 및 회원국이 쉽게 알 수 있고 정보에 접근할 수 있도록 보장되어야 한다. 이에 따라 원산지규정과 관련하여 일반적으로 적용되는 회원국의 법령, 사법판결 및 행정적 결정은 1994년 GATT 제X조 1항에서 규정한 바와 같이 공표되어야 하며, 원산지규정을 변경하거나 새로운 원산지규정을 도입하는 경우에는, 회원국은 원칙적으로 이러한 변경을 소급적용하지 아니한다.[31]

5) 원산지심사 및 판정절차

수출자, 수입자 또는 정당한 사유를 가진 사람의 요청이 있는 경우, 특정 물품에 대한 원산지심사는 모든 필요한 요소가 제출된 경우 가능한 한 조속히, 늦어도 그러한 심사요청이 있은 후 150일 이내에 내려져야 하며, 원산지규정을 포함하여 심사의 기초가 된 사실과 조건이 비교가능한 상태로 남아 있는 경우, 이러한 심사는 3년 동안 유효하여야 한다.[32] 만약 재심 과정에서 심사와 상반되는 판정이 내려질 때 이러한 심사는 그 효력을 상실하며, 이러한 심사는 비밀보장을 조건으로 입수가능하도록 공개된다.[33]

---

29) WTO 원산지규정 협정 제2조 마호.
30) WTO 원산지규정 협정 제2조 라호.
31) WTO 원산지규정 협정 제2조 사호 및 자호.
32) WTO 원산지규정 협정 제2조 아호.
33) *Ibid.*

또한 원산지판정과 관련하여 취하여지는 모든 행정조치는 판정을 내린 당국으로부터 독립적이며 이러한 판정을 수정 또는 번복할 수 있는 사법, 중재 또는 행정절차를 통하여 신속히 재검토될 수 있어야 한다.[34]

6) 비밀보장

원산지판정을 위하여 제시되는 정보는 물품의 생산과 관련된 주요 정보를 담고 있어서 일종의 기업기밀에 해당할 수 있다. 이러한 정보가 경쟁업체 등에 노출될 경우 물품 생산자는 상당한 피해를 볼 우려가 있으므로, 이를 방지하기 위하여 물품의 원산지판정과 관련된 정보는 엄격하게 보호되어야 한다. 따라서 본래 비밀이거나 원산지규정의 적용을 위하여 비밀을 기초로 제시된 모든 정보는 관계 당국에 의하여 엄격하게 비밀로 취급되며, 사법적 절차의 맥락에서 공개하도록 요구될 수 있는 범위를 제외하고는, 이러한 정보를 제공한 개인이나 정부의 명시적인 허락 없이 관계당국은 이를 공개하지 아니한다.[35]

(2) 과도기 이후 원칙

WTO 원산지규정 협정은 통일원산지규정이 제정되면 회원국이 그 이행과 관련하여 보장하여야 할 사항을 규정하고 있다. 일부 내용의 경우에는 과도기 중 원칙과 그 내용이 동일한데, 예를 들면 ① 원산지규정의 일관성·통일성,[36] ② 차별금지,[37] ③ 투명성[38] 및 소급적용 금지,[39] ④ 원산지 심사 및 판정절차,[40] ⑤ 비밀보장[41] 등의 내용이다. 다만 원산지규정이 제 1 조의 모든 목적을 위하여 동등하게 적용된다는 내용[42]과 원산지 판정기준이 완전생산기준 및 실질변형기준에 기반하여야 한다는 내용[43]이 과도기 이후 원칙으로 추가적으로 규정되어 있는 내용이다.

---

34) WTO 원산지규정 협정 제 2 조 차호.
35) WTO 원산지규정 협정 제 2 조 카호.
36) WTO 원산지규정 협정 제 3 조 라호.
37) WTO 원산지규정 협정 제 3 조 다호.
38) WTO 원산지규정 협정 제 3 조 마호.
39) WTO 원산지규정 협정 제 3 조 사호.
40) WTO 원산지규정 협정 제 3 조 바호 및 차호.
41) WTO 원산지규정 협정 제 3 조 카호.
42) WTO 원산지규정 협정 제 3 조 가호.
43) WTO 원산지규정 협정 제 3 조 나호.

7. 절차적 규율

(1) 수정절차 및 새로운 원산지규정의 도입

각 회원국은 WTO협정이 자국에 대하여 발효하는 날로부터 90일 이내에, 동일 현재 유효한 일반적으로 적용되는 자국의 원산지규정 및 이와 관련된 사법판결 및 행정결정을 사무국에 제출하여야 한다.[44] 부주의로 원산지규정을 제출하지 못하였을 경우, 관련 회원국은 이 사실을 발견한 즉시 이를 제출하여야 하며, 사무국에 접수되고 이용가능한 정보의 목록은 사무국에 의하여 회원국에 배포된다.[45]

자국의 원산지규정이 수정되거나 새로운 원산지규정을 도입하는 회원국은, 회원국에 대하여 예외적인 상황이 발생하거나 발생할 우려가 있는 경우를 제외하고는 원산지규정의 수정이나 새로운 원산지규정의 도입 의도를 이해당사자가 알 수 있도록 새로운 규정이 발효되기 적어도 60일 이전에 공표하여야 하며, 예외적인 경우에도 회원국은 수정되거나 새롭게 도입된 원산지규정을 가능한 한 조속히 공표하여야 한다.[46]

(2) 검 토

원산지규정위원회는 WTO 원산지규정 협정 제Ⅱ부 및 제Ⅲ부의 이행 및 운영을 매년 검토하고, 검토대상 기간 중에 있었던 진전 사항을 매년 상품무역이사회에 통보한다.[47]

원산지규정위원회는 제Ⅰ부, 제Ⅱ부 및 제Ⅲ부의 규정을 검토하고 통일원산지 작업 진전에 따른 결과를 반영하기 위하여 필요한 규정의 개정을 제안한다.[48] 또한 원산지규정위원회는 기술위원회와 협력하여 통일원산지규정 작업의 목적과 원칙을 고려하여 통일원산지 작업 결과를 검토하고, 이에 대한 개정안을 제안하는 제도를 수립한다.[49] 이러한 검토와 제안은 기술개발 및 진보 등에 따른 생산

44) WTO 원산지규정 협정 제5조 1항.
45) Ibid.
46) WTO 원산지규정 협정 제5조 2항.
47) WTO 원산지규정 협정 제6조 1항.
48) WTO 원산지규정 협정 제6조 2항.
49) WTO 원산지규정 협정 제6조 3항.

공정의 변화를 수용할 필요가 있거나 규정이 보다 효율적으로 운영될 필요가 있는 경우 등을 포함한다.[50]

(3) 협의 및 분쟁해결

WTO 원산지규정 협정과 관련된 분쟁발생시 1994년 GATT 제XXII조(협의) 및 제XXIII조(분쟁해결) 규정이 적용된다.[51]

제 3 절 통일원산지규정 협상[52]

1. 통일원산지규정 협상 진행상황

통일원산지규정 협상은 1995년 7월, WCO 산하 기술위원회에서의 작업을 시작으로, 현재까지 진행되고 있다. 통일원산지규정 협상은 원래 3년을 협상시한으로 삼아 협상을 시작하였으나, 많은 품목수와 생산과정과 관련된 기술적 복잡성, 그리고 각국의 국내산업 보호라는 요소가 복합적으로 작용하여 매우 더디게 진행되어 왔다.

그 전개과정을 살펴보면 다음과 같다.[53] 먼저 1999년 5월까지 기술위원회에서의 작업을 통하여 총 1,241 품목(HS 4단위 기준) 중 511 품목에 대한 합의가 우선적으로 이루어졌다. 나머지 730 품목에 대하여는 이후 협의가 계속하여 진행되었는데, 기술위원회는 1999년 6월 730 품목(486개 쟁점)을 WTO로 송부하였다. WTO 원산지규정위원회는 486개 쟁점에 대하여 논의하여 2002년 6월까지 총 348개 쟁점에 대한 합의를 도출하였으며, 나머지 미해결 쟁점은 94개 핵심정책쟁점(core policy issues)과 44개 기술적 쟁점(technical issues)으로 나누어, 전자는 WTO 일반이사회에서, 후자는 원산지규정위원회에서 계속 논의하였다. 94개 핵심쟁점은

---

50) *Ibid.*

51) WTO 원산지규정 협정 제7조 및 제8조.

52) 통일원산지규정 협상 진행상황 및 주요 쟁점에 대하여는 「WTO 통일원산지규정 협상」(외교통상부, 2007); Stefano Inama, *Rules of Origin in International Trade*(Cambridge University Press, 2009); WTO doc. JOB(03)/132/Rev.11을 참조하여, 저자가 정리하였음.

53) 협상전개과정에 대하여는 Stefano Inama, pp. 26-27, 71-72 참조.

2002년 7월 WTO 일반이사회에 상정되었었는데, 94개 쟁점 중 93개 쟁점은 품목별 원산지 기준과 관련된 내용이며, 나머지 하나는 통일원산지규정의 이행과 관련된 내용이다.

2. 통일원산지규정 구조

통일원산지규정은 크게 총칙(General Rules)과 2개의 부록(Appendix)으로 구성되어 있다.[54] 먼저 총칙에서는 HS시스템(Harmonized System), 원산지판정(Deter-mination of Origin), 중립요소(Neutral Elements), 포장재료와 용기(Packing and Packaging Materials and Containers), 부속품·예비부품 및 공구(Accessories and Spare Parts and Tools) 등의 내용이 규정되며, 부록 1(Appendix 1)에서는 완전생산물품(Wholly Obtained Goods), 부록 2(Appendix 2)에서는 품목별 원산지기준(Product Specific Rules of Origin)에 대하여 규정하고 있다.

(1) 총 칙

총칙은 아래 표에서 보는 바와 같이 총 6개 항으로 구성되어 있으며, 그 구체적인 내용은 다음과 같다.

표 13-1 총칙 구조

Rule Number	내 용
General Rule 1	Harmonized System
General Rule 2	Determination of Origin
General Rule 3	Neutral Elements
General Rule 4	Packing and Packaging Materials and Containers
General Rule 5	Accessories and Spare Parts and Tools
General Rule 6	Minimal Operations and Processes

---

54) 이하의 설명은 2010년 통일원산지규정 텍스트를 바탕으로 한 것으로, 향후 협상과정에서 내용이 수정될 수 있으므로, 원칙적인 내용을 서술하기로 한다. 2010년 통일원산지규정 텍스트는 다음을 참조: WTO Doc. G/RO/W/111/Rev.6(11 November, 2010).

먼저 1항은 통일 원산지규정에서 사용하는 호(Heading)와 소호(Sub-heading) 등의 세번은 통일상품명 및 부호체계(Harmonized Commodity Description and Coding System: 약칭 HS코드)에 따르며, 품목분류와 관련하여서는 HS체계의 일반 주해 등 (General Interpretative Rules and any Relative Section, Chapter and Subheading Notes to the HS)을 따른다고 규정하고 있다. 2항은 원산지판정은 총칙과 부록 1, 부록 2의 규정에 따라 이루어진다고 규정하고 있다. 3항은 중립요소에 관한 내용으로 물품의 원산지판정에 있어 물품의 생산과정에서 사용되고 최종물품에 남아 있지 않은 연료·도구·기계 및 공구 등은 고려되지 않는다고 규정하고 있다. 4항은 포장재료 및 용기에 관한 내용인데, 부록 1과 부록 2에서 달리 규정하지 아니하는 한, 포장재료 및 용기가 HS체계상 최종물품과 같이 분류되고 최종물품과 함께 제공되는 경우 동 포장재료 및 용기는 최종물품의 원산지판정시 고려되지 않는다고 규정하고 있다. 그러나 포장재료 및 용기가 HS체계상 최종물품과 별도로 분류되는 경우에는 부록 1과 부록 2의 관련 규정에 따라 원산지판정시 고려된다. 5항은 통상적으로 최종물품과 함께 제공되는 부속품·예비부품 및 공구에 관한 내용으로 동 부속품 등은 최종물품의 원산지판정시 고려되지 않는다고 규정하고 있다. 6항은 최소공정에 관한 내용으로 포장 등 단순한 작업만으로는 원산지기준을 충족할 수 없다고 규정하고 있다.

(2) 부 록

부록 1은 완전생산물품의 정의 및 그 대상에 관하여 규정하고 있으며, 부록 2는 완전생산기준을 충족하지 못한 경우에 적용되는 원산지기준 및 소위 품목별 원산지기준에 대하여 규정하고 있다. 품목별 원산지기준과 관련하여서는 아직까지 합의에 이르지 못한 품목이 다수 존재하며, 특히 제84류에서 제90류까지에 대하여는 각국의 이해관계가 첨예하게 대립되어 난항을 겪고 있는 상황이다. 품목별 원산지기준과 관련된 주요 쟁점은 다음 항에서 상술한다.

3. 통일원산지규정 협상의 주요쟁점

통일원산지규정 협상은 협상 시한을 여러 차례 넘겨 가며, 지루하게 계속되고 있다. 현재까지 쟁점들이 많이 정리되고 있으나, 여전히 많은 쟁점들에 대한 합의가 이루어져야 한다. 미해결 쟁점들, 특히 품목별 원산지규정에 관한 쟁점들을 살펴보면 한 가지 공통점을 발견할 수 있는데, 그것은 원료를 생산하는 국가와 원료를 수입하여 가공하는 국가간의 입장차이다. 원료를 생산하는 국가들은 원료생산국이 원산지로 인정되어야 한다는 입장인 반면, 가공국가들은 가공과정을 통하여 최종물품에 중요한 부가가치가 더해진다고 주장하며 가공을 한 국가에 원산지를 부여하여야 한다는 입장을 견지하고 있다. 즉 품목에 따라 다소 차이는 있으나, 가공공정이 실질변형에 해당하는지의 여부를 결정하는 것이 논의의 핵심이다. 아래에서는 그 중 논란이 되는 쟁점들에 대하여 각국이 어떤 입장을 견지하고 있는지 살펴본다.

(1) 통일원산지규정의 적용범위 문제(Application Issue)

통일원산지규정이 제정되어 이행될 경우, 동 규정이 다른 무역조치에 미치는 영향에 대하여 회원국들은 합의를 이루지 못하고 있는 상황이다. 다시 말해서 통일원산지규정을 최혜국대우, 수량제한, 반덤핑 및 상계관세, 세이프가드 등 WTO 원산지규정 협정 제1조 2항에 규정된 모든 비특혜 무역정책수단(non-preferential commercial policy instruments)에 적용할 것인지, 회원국들이 통일원산지규정의 적용여부를 선택할 수 있는 재량을 가지는지 여부에 대한 논란이다.[55] 일부에서는 회원국들에게 통일원산지규정의 적용에 대하여 융통성(flexibility)을 부여하여야 한다는 입장이나, 일부에서는 이러한 입장에 반대하고 있다.[56]

---

[55] 이러한 논란은 특히 통일원산지규정 총칙(General Rules) 중 첫 번째인 적용범위(Scope of Application)의 해석과 관련되는데, 그 내용은 다음과 같다. WTO doc. G/RO/45/Rev.2 (25 June 2002) 참조.
"Rules of Origin provided in this Annex shall be applied equally for the purposes set out in Article 1, paragraph 2 of the Agreement on Rules of Origin, whenever a Member is required, or in the absence of such a requirement voluntarily decides, to determine the country of origin of a good I the application of an agreement set out in Annex IA of the WTO Agreement. However, the Rules of Origin in this Annex shall be without prejudice to Member's rights and obligations in respect of the application of non-preferential commercial policy instruments." 이러한 적용범위의 내용은 2008년 초안부터는 삭제되어 있는 상황이나, 일반이사회에 의해 지침이 정해지면 초안에 반영되게 될 것으로 보인다. WTO doc. G/RO/M/50(29 May 2008) 참조.
[56] Implications issue에 대한 자세한 논의는 다음을 참조: Stefano Inama, pp. 50-51, 102-136.

(2) EEZ 채취 수산물

수산물의 원산지와 관련하여서는 수산물을 어디에서 잡았는지에 따라 그 처리가 달라지게 된다. 다시 말해서 영해에서 잡은 수산물에 대하여는 연안국, 공해에서 잡은 수산물에 대하여는 기국주의에 따라 선적국의 원산지를 인정한다. 문제는 배타적 경제수역(exclusive economic zone)에서 잡은 수산물의 원산지를 어디로 할 것인가이다. 현재 연안국을 원산지로 인정하자는 주장과 기국주의에 따라 선적국을 원산지로 인정하자는 주장이 맞서고 있다.[57]

(3) 육류의 도축 또는 사육

육류의 교역과 관련하여, 살아있는 동물(live animals)을 도축(slaughtering)한 나라와 사육(Fattening)한 나라, 어느 쪽을 원산지로 볼 것인가 하는 문제는 치열하게 논쟁중인 쟁점의 하나이다. 이 논쟁의 이면에는 위생검역에 대한 우려가 놓여 있다. EU, 일본 등은 위생검역상의 우려를 피하기 위하여 4개월 이상 사육 후 도축한 경우에 원산지를 부여하는 사육 기준을 주장하고 있다. 이에 대하여 미국, 호주, 아르헨티나, 브라질 등 육류 생산국들은 주로 도축국에 원산지를 부여하자는 도축 기준을 주장하고 있으며, 위생검역에 관한 우려는 원산지기준이 아닌 별도의 검역조치를 통하여 다루어야 한다고 주장한다.[58]

(4) 유제품 생산공정

50% 이상의 우유고형분(milk solid)에서 혼합우유, 연유, 우유 파우더 등 유제품(milk product)을 생산하는 것이 실질변형에 해당하는지가 쟁점이다. 호주, 뉴질랜드 등은 이러한 공정을 원산지 부여 공정이라고 주장하는 반면, EU 등은 이러한 공정을 실질변형으로 인정할 수 없다는 입장이다.[59]

(5) 커피 볶음·디카페인 공정

커피 제품(coffee product)의 원산지판정과 관련하여, 커피원두 생산국을 원산

---

57) WTO Doc. JOB(03)/132/Rev.11, p. 8 참조.
58) *Ibid.*, p. 17 참조.
59) *Ibid.*, p. 25 참조.

지로 볼 것인지, 아니면 볶음공정(roasting)이나 디카페인 공정(decaffeinating)을 수
행한 국가를 원산지로 볼 것인지의 문제는 통일원산지규정 협상 초기부터 첨예
하게 대립하고 있는 쟁점 중 하나이다. 콜롬비아, 브라질 등 원두를 생산하는 국
가는 원두 생산국이 원산지로 인정받아야 한다는 입장인 반면, 미국, 캐나다 등
국가들은 볶음공정이나 디카페인 공정 등으로 커피를 변형시킨 국가를 원산지로
인정하자는 입장이다.60)

(6) 유지 정제공정

쟁점은 동식물성 원료에서 짜낸 기름(crude oil)을 정제하여 정제유(refined oil)
를 만드는 경우 정제공정(refining process)이 원산지 부여 공정으로 인정받을 수
있는지 여부이며, 이에 관하여 각국의 입장이 나뉘고 있다. EU, 일본 등은 정제
공정을 원산지 부여 공정으로 인정할 수 있다는 입장인 반면, 미국, 브라질, 아르
헨티나 등은 정제를 통하여 본질적인 특성을 변화시키는 것은 아니므로 정제공
정을 원산지 부여 공정으로 볼 수 없다는 입장이다.61)

(7) 설탕 정제공정

국제무역에서 설탕(sugar)은 민감한 품목 중 하나로 각국의 이해관계가 얽혀
있어 합의를 도출하기 쉽지 않은 상황이다. 미국, 브라질 등은 정제공정(refining
process)은 원산지를 부여할 수 없는 공정이라는 입장인 반면, 호주, 뉴질랜드 등
은 정제공정을 통하여 원산지를 부여받을 수 있다는 입장이다.62)

(8) 섬유의류 염색 및 날염공정

섬유의류 분야는 많은 국가에서 국내적으로 민감한 산업이다. 다행히 협상초
기에 섬유소(fiber)로부터 사(yarn) 생산, 사로부터 직물(fabric) 생산, 의류편물
(knitting or crocheting) 작업 등이 원산지 부여 공정이라는 데에는 합의를 이루었으
나, 여전히 여타 쟁점에서 합의를 이루지 못하고 있다. 특히 직물에 염색(dyeing)
작업을 하거나 날염(printing) 작업을 하는 경우에 원산지를 인정할 것인지에 대하

---

60) *Ibid.*, p. 27 참조.
61) *Ibid.*, p. 32 참조.
62) *Ibid.*, p. 34 참조.

여 이론이 있다. 일부 라틴 아메리카 국가들은 염색과 날염 공정이 함께 이루어진 경우에도 실질적 변형 공정으로 인정할 수 없다는 입장을 고수하고 있다. 미국은 염색과 날염이 다른 두 가지 이상의 특정 마무리 공정(two or more defined finishing operations)과 함께 이루어지는 경우에, 직물의 염색과 날염공정 수행국을 원산지로 인정할 수 있다는 입장이다. EU, 인도, 파키스탄 등은 적어도 두 가지 준비 또는 마무리 공정(at least two preparatory or finishing operations)이 염색 또는 날염공정과 함께 이루어진 경우에 원산지를 인정하자는 입장이다.[63]

(9) 신발 생산공정

신발(footwear)은 갑피(upper)와 밑창 등 여러 부품을 조립하여 생산한다. 신발 생산공정과 관련된 쟁점은 가공된 갑피를 가지고 단순 조립한 경우에 원산지를 인정할 것인지의 여부이다. 인도 등은 단순한 조립공정의 경우에도 실질변형을 인정해야 한다는 입장인 반면 미국, EU 등은 단순 조립만으로는 실질변형을 인정하기 어렵다는 입장이다.[64]

(10) 철강 코팅 또는 도금공정

쟁점 사항은 열연·냉연강판에 주석이나 아연으로 코팅(coating)하거나 도금(plating)하는 공정이 실질적 변형 공정인지 여부이다. 미국 등은 코팅이나 도금공정은 실질적 변형을 일으키지 않는 공정이라는 입장인 반면, EU 등은 철강의 코팅 공정국에 원산지 지위를 부여하자는 입장이다.[65]

(11) 일반 기계류 조립공정

기계제품(machinery)은 많은 부품으로 이루어져 있는 경우가 많고, 최종 제품을 생산하기까지 다양하고 복잡한 생산공정을 거치는 경우가 대부분이다. 최종 제품은 단순히 부품들의 합으로 구성되는 것이 아니라 부품들이 조립되어 상위부품이 만들어 지고, 그 상위 부품들이 다시 조립되어 최종 제품이 생산되는 단

---

63) *Ibid.*, p. 62 참조.
64) *Ibid.*, p. 75 참조.
65) *Ibid.*, p. 80 참조.

계적이고 점진적인 생산과정을 거치게 되어 있다. 따라서 개별 기계제품에 대한
여타의 쟁점들이 있지만 기본적으로 기계제품에 대한 쟁점은 부품을 가지고 조
립(assembly)하여 최종 제품을 만드는 경우에 원산지기준으로 세번변경기준을 적
용할 것인지 아니면 부가가치기준을 적용하는 것이 합리적인지와 관련된 것이다.
미국 등은 복잡한 생산공정을 객관적이고 쉽게 반영할 수 있는 세번변경기준을
주장하고, EU 등은 단순한 조립으로는 곤란하고 일정한 부가가치가 창출되어야
한다고 주장하며 이를 반영하는 부가가치기준을 주장하고 있다.66)

(12) 자동차 조립공정

자동차 조립공정(assembly of vehicles)에 대한 쟁점도 일반 기계류에 대한 논
의와 맥을 같이 한다. 자동차는 2만여 개의 부품으로 이루어진 제품으로, 매우 복
잡하고 정교한 작업공정을 통하여 최종품이 만들어진다. 많은 부품 중에서도 특
히 엔진은 자동차에 있어 핵심적인 부품이다. 쟁점은 엔진이 장착된 새시에 차체
를 추가로 조립하여 완성차를 생산하는 경우 조립공정을 실질변형으로 인정할
수 있는지 여부이다. 미국 등은 세번변경기준을 적용하여 이를 인정하자는 입장
인 반면, EU 등은 일정수준 이상의 부가가치가 창출된 경우에만 원산지를 인정
할 수 있다는 입장이다.67)

제 4 절　특혜 원산지규정

특혜관세를 부여할 목적으로 물품의 원산지를 결정하는 특혜 원산지규정은
FTA 원산지규정과 GSP 원산지규정 등이 대표적이다. FTA 원산지규정은 협정 상
대국과의 협상을 통하여 정하여지는 반면, GSP 원산지규정은 GSP제도를 시행하
는 국가가 일방적으로 정하게 된다.

---

66) *Ibid.*, pp. 83-93 참조.
67) *Ibid.*, p. 98 참조.

1. FTA

FTA는 상대국에게 특혜관세 혜택을 부여하는 협정이다. 특혜관세 혜택은 FTA 상대국에게만 부여되기 때문에 수입물품이 상대국에서 생산된 것인지를 확인하는 원산지규정은 FTA협상에서 매우 중요한 의미를 지닌다. FTA에서 채택하는 원산지규정은 협상 상대국, 교역 형태, 국내 산업구조 등에 따라 그 내용이 달라지는데, 협상국은 기존 FTA와의 일관성을 유지하되 협상 상대국에 따라 일부 품목에서 수정을 가하는 방식으로 원산지규정 협상을 진행한다. FTA에서 사용되는 원산지규정은 NAFTA 방식과 Pan–Euro 방식이 있으며, ASEAN 제국들은 특유의 ASEAN 방식을 채택하고 있다.

우리나라가 체결한 최초의 FTA인 한·칠레 FTA에서는 NAFTA 방식을 채택하고 있다.[68] FTA 원산지규정은 크게 협정문 본문의 내용과 품목별 원산지규정으로 나뉘며, 개별 품목별로 원산지기준을 규정해 놓은 품목별 원산지규정(pro–duct specific rules of origin)은 그 내용이 기술적이고 분량이 많아 협정문 본문에서 규정하지 않고 부속서(Annex)의 형태로 규정하는 경우가 많다.

협정문 본문에는 원산지 결정기준에 대한 원칙과 원산지 결정기준 산정방식(부가가치 계산방식 등), 원산지 결정기준을 적용함에 있어서 고려되어야 할 요소들(간접재료, 부속품, 포장용기 등), 원산지기준 미충족시 예외적 인정규정인 최소허용 수준(de minimis), 단순·경미한 공정으로 원산지요건 충족시에도 원산지지위를 인정하지 않는 불인정공정(non–qualifying operation), 상대국 생산재료를 자국의 재료로 간주하여 원산지판정시 고려하는 누적(accumulation)조항 등이 규정된다. 또한 원산지를 인정받기 위하여는 원칙적으로 물품 수출국으로부터 수입국으로 직접 운송되어야 함을 규정하는 직접운송조항도 중요조항이다.[69]

한·칠레 FTA의 품목별 원산지기준을 살펴보면, 품목에 따라 세번변경기준, 부가가치기준, 특정공정기준 등을 채택하고 있으며, 경우에 따라서는 두 가지 이상의 기준을 모두 충족할 것을 요구하는 조합기준(세번변경기준＋부가가치기준)[70]

---

68) 우리나라가 체결한 여타의 FTA 원산지규정에 대하여는 다음을 참조: 강준하, "한국－미국 FTA 원산지규정에 관한 연구," 「통상법률」(통권 제80호, 2008. 4) 및 "한·EU FTA 주요쟁점: 원산지규정과 무역에 대한 기술장벽을 중심으로," 「국제거래법연구」(제17집 제1호, 2008. 7).

69) 한·칠레 FTA에서는 환적(transhipment)조항이 이에 해당하는 내용을 규정하고 있다.

이나 두 가지 기준 중 어느 하나를 충족할 경우에는 원산지지위를 인정하는 선택
기준(세번변경기준 또는 부가가치기준)71) 등을 채택한 품목도 있다.

2. GSP

GSP(generalized system of preferences)란 선진국이 개발도상국에서 생산된 물품
에 대하여 일방적으로 특혜관세를 부과하는 제도를 말한다. GSP제도는 개발도상
국에 특혜관세 혜택을 부여함으로써 개발도상국의 경제성장을 지원하여 개발도
상국이 처한 빈곤 및 불안정 문제를 해결하고 세계경제질서의 일원으로 성장할
수 있도록 도와주는 제도로서, 현재 EU, 미국, 캐나다, 일본 등의 국가들이 시행
하고 있다.72)

우리나라는 개발도상국에 대한 전면적 GSP제도는 시행하고 있지 않지만 '최
빈개발도상국에 대한 특혜관세 공여 규정(대통령령 제19810호)'을 통하여 최빈개발
도상국에 대한 특혜관세제도를 운영하고 있다. 동 규정에서는 특혜대상물품 및
세율, 원산지기준, 원산지 증명서, 특혜관세의 적용 정지 등에 대하여 규정하고
있다.

'최빈개발도상국에 대한 특혜관세 공여 규정'에서 규정하고 있는 원산지기준
은 기본적으로 완전생산기준과 부가가치기준이다. 동 규정에 의하여 완전생산기
준이란, ① 수출국의 토양·수면·해저에서 추출한 원료 또는 광산물, ② 수출국
에서 수확한 농산물 및 임산물, ③ 수출국에서 생육된 동물 및 그 동물로부터 획
득한 물품, ④ 수출국에서의 수렵·어로를 통하여 획득한 물품, ⑤ 수출국 선박
이 공해상에서 채포한 수산물 및 이를 제조·가공한 생산품, ⑥ 원료를 회수할
목적으로 수출국에서 수집된 중고품, ⑦ 수출국에서의 제조공정으로부터 파생된
폐기물 및 스크랩, ⑧ 위 ①에서 ⑦까지의 물품을 원재료로 하여 수출국에서 배
타적으로 생산된 물품을 말한다.73) 동 규정에 따른 부가가치기준은 FOB가격 대

---

70) 예를 들면, 소주의 경우 4단위 세번변경기준(CTH)과 부가가치기준(45%)을 모두 충족하여
    야 원산지를 인정받을 수 있다.
71) 예를 들면, 페니실린의 경우 4단위 세번변경기준(CTH)과 부가가치기준(45%) 중 어느 하
    나를 충족하면 원산지를 인정받을 수 있다.
72) GSP에 대하여는 다음의 UNCTAD 홈페이지를 참조: http://www.unctad.org/Templates/
    Page.asp?intItemID=1418&lang=1.

비 50% 이상을 요구하고 있다.[74] 이와 같은 수준은 다른 나라가 최빈개발도상국에 대하여 요구하는 수준보다 다소 높은 편이다.[75]

---

73) 최빈개발도상국에 대한 특혜관세 공여 규정 제 5 조 1항.
74) 최빈개발도상국에 대한 특혜관세 공여 규정 제 5 조 2항.
75) 최빈개도국에 대한 특혜관세에 대하여는 다음을 참조: 조미진·김민성, 「최빈개도국에 대한 특혜관세제도 활용 현황 및 과제」(대외경제정책연구원, 2010. 9).

제14장
관세평가협정

제1절 관세평가의 의의 및 관세평가협정

관세평가(customs valuation)란 수입품에 대해 종가세의 관세를 부과하는 경우에 과세표준으로 되는 수입품의 관세가격(customs value)을 결정하는 것을 말한다.[1] 관세를 종가세에 의해 결정할 경우[2] 수입품에 대한 관세평가방법은 관세액(관세액=관세가격×관세율)에 결정적인 영향을 미치게 된다.[3] 즉, 관세율이 동일하더라도 관세평가방법에 따라서는 관세 인상효과를 초래하는 비관세장벽의 역할을 하기도 하므로 관세평가방법 자체가 중요한 의미를 갖게 되는 것이다. 예를 들어 어떤 상품의 관세율이 10%로 고정되어 있고 회원국들이 모두 10%의 관세율을 적용하고 있다고 하더라도 평가방법에 따라서는 어떤 국가의 관세평가방법이 실제로는 다른 국가의 방법과 비교하여 몇 배나 높은 수준의 관세율을 적용하게 되는 효과를 가질 수도 있는 것이다.[4] 다른 예로, 어떤 상품에 대해 무역당사국

---

1) 최승환, 「국제경제법」(제3판, 법영사, 2006), p. 260.
2) 관세는 과세표준을 기준으로 하여 종가세(종가세=거래가격×과세환율×관세율)·종량세(종량세=수입수량×단위당 관세액)·선택세(예컨대, '120% 또는 kg당 60,000원 이상'과 같다) 및 복합세(예컨대, '50%+kg당 100원'과 같다)로 분류할 수 있다. 종가세는 수입물품의 가격을 과세표준으로 하는 관세를 말하고, 종량세는 물품의 수량·중량·용적·길이·면적 등을 과세표준으로 하는 관세를 말한다. 선택세란 한 품목에 대하여 종가세율과 종량세액을 정하여 고세액산출세액을 적용하는 제도로서 종가·종량선택세라 할 수 있으며, 또한 복합세란 한 품목에 대하여 종가세와 종량세를 함께 부과하는 관세로서 종량·종가병과세라고 할 수 있다. 그러므로 종량세 대상물품은 관세평가의 대상이 될 수 없으며, 평가의 대상은 주로 종가세물품, 그리고 선택세물품과 복합세물품 가운데 종가세 해당 부분만이 이에 포함된다고 볼 수 있다. 따라서 관세의 과세가격평가의 대상은 종가세 물품이다. 오늘날 거의 대부분의 국가에서는 관세부과에 있어서 종가세 방식을 채택하고 있다. 김만길, 「WTO통상법」(대왕사, 2006), pp. 244-245.
3) John H. Jackson(한국무역협회 譯), 「GATT 해설」(한국무역협회, 1988), p. 207.

간 관세율을 20%에서 10%로 하향조정하기로 합의하였다고 하더라도 일국이 관세평가방법을 변경하여 해당 상품의 관세가격을 100원에서 200원으로 바꾸어 버리면 관세액은 동일하게 되므로 양국간 관세율 인하협상은 실효를 거둘 수 없게 된다.[5]

일반적으로 관세액을 산출할 때 필요한 요소는 관세율과 관세가격인데, 관세율은 법률에 의해 결정되는 데 반해, 관세가격은 다양한 방법에 의해 결정될 수 있다. 특히 수입품의 가격은 거래단계나 거래조건에 따라 상이할 뿐만 아니라 다양한 가격이 존재하기 때문에, 적정한 관세평가가 요구되는 국제교역에 있어서 관세가격을 결정하는 것은 매우 중요한 사항이라고 할 수 있다.

이러한 관세평가에 관한 국제규범으로는 1947년 GATT 제 7 조와 도쿄라운드에서 채택된 관세평가협정이 있었는데, GATT 제 7 조는 관세평가가 무역제한효과를 초래하지 않도록 하기 위한 일반원칙을 정하고 있는 데 비해 도쿄라운드 관세평가협정은 공정하고 중립적인 관세평가제도의 구체적 기준과 절차 등을 명시하고 있었다.[6] 그러나 도쿄라운드 관세평가협정은 복수국간무역협정(plurilateral trade agreement: PTA)으로 협정에 가입한 GATT의 일부 체약국에만 적용되는 한계가 있었다.[7]

자의적인 관세평가로 인한 무역제한효과를 방지하기 위해 개시된 UR 관세평가협상은 기존 협정을 개선·명료화·확대하여 공정하고 중립적인 관세평가제도를 마련하는 것을 기본목표로 하였다.[8]

UR협상 결과, 일반서설, 전문, 4부의 본문, 3개의 부속서 등으로 구성된 「1994년 GATT 제 7 조의 이행에 관한 협정」(Agreement on Implementation of Article Ⅶ of the GATT 1994: 이하 "WTO 관세평가협정")이 채택되었다. 그러나 WTO 관세평가협정은 도쿄라운드 관세평가협정과 본질적으로 동일하다고 할 수 있다. 즉, 협정의 체계에 있어서 실체적 내용을 이루는 부분은 거의 동일하게 규정되어 있고, 비실체적

---

4) *Ibid.*

5) 김만길, *supra* note 2, pp. 243−244.

6) 최승환, *supra* note 1, p. 260.

7) 또한, 관세평가협정 서명국의 90% 이상이 동일한 방법, 즉 거래가격에 의하여 상품을 평가하여 왔음에도 각국별로 상이한 평가기준이 시행됨에 따라 국제무역에 부정적인 영향이 미치게 되었고 그 결과 관세평가협정은 서명국의 평가관행에 있어서의 방법을 일치시키는 데 실패하고 말았다. 김성준, 「WTO법의 형성과 전망」(제 2 권, 삼성출판사, 1996), p. 426.

8) 최승환, *supra* note 1, p. 260.

문제에 대해서는 「분쟁해결규칙 및 절차에 관한 양해」(Understandings on Rules and Procedures Governing the Settlement of Disputes: 이하 "DSU")를 별도로 체결하여 도쿄라운드 관세평가협정 중에서 규율되었던 내용을 DSU에 수용하였다. 한편 과거 'GATT 제 7 조의 이행에 관한 협정의 의정서'는 WTO 관세평가협정 제 3 부속서에 의하여 조문구성방식만 바뀐 채 사실상 내용의 변경 없이 수용되었다.9) 또한 UR 협상 중 인도 등 일부 개도국의 주장10)이 논의되기도 하였으나 관세평가협정이나 동 부속서에는 수용되지 않았고 다만 각료회의의 '결정'(decision)으로 관세당국의 권한을 강화하는 내용을 수용하는 수준에서 종결되었다.11)

제 2 절   관세평가협정의 구성 및 GATT 제 7 조와의 관계

1. 관세평가협정의 구성

WTO 관세평가협정은 GATT 제 7 조의 이행에 있어 통일성(uniformity)과 확실성(certainty)을 제고하기 위하여 동 규정의 적용을 위한 규칙을 발전시키는 것을 목적으로 한다.12) 동 협정은 일반서설, 전문, 4부의 본문, 3개의 부속서 등으로

---

9) 김성준, *supra* note 7, pp. 449-450.
10) 관세당국은 신고된 가격의 정확성이나 진실성 등에 대하여 확인할 권리를 가지고 있으나 개도국의 경우 한정된 인력이나 기술의 부족으로 그 정확성을 확인하기 어렵다는 입장이었다. 따라서 개도국들은 관세당국이 신고된 가격의 진실성을 의심할 만한 사유가 있는 경우에는 상대방, 즉 수입업자에게 그 산정된 가격의 타당성에 대한 입증책임을 부담시켜야 한다는 주장을 하였다. *Ibid.*, p. 480.
11) 각료회의는 입증책임과 관련된 개도국의 주장을 일부 수용하여 '관세당국이 신고가격의 정확성이나 진실성을 의심할 만한 사유가 있는 경우에 관한 결정'에 의하여 제17조를 보완하고 있으나, 이 결정문의 내용이 협정이나 그 부속서에 수용되지 않음으로써 이것이 협정의 본질적 부분이 될 것인가, 즉 제17조의 해석에 있어서 구속력이 있는가 하는 의문이 제기된다. 이에 대한 해결방안으로는 부속서 3, 6항에서 신고가격의 정확성을 확인하는 목적의 조사에 있어서 '회원국들은 자국의 법령 및 절차에 따라' 수입업자로부터 충분한 협조를 기대할 권리를 갖는다고 규정하고 있고 '관세당국이 신고가격의 정확성이나 진실성을 의심할 만한 사유가 있는 경우에 관한 결정'에서는 보다 구체적인 절차를 규정하고 있으므로 이 결정에 의거하여 관세평가협정 제17조에 대하여 국내법령을 보다 세밀히 규정하는 방안을 검토할 수 있을 것이다. 결국 관세평가협정 제17조의 내용은 변경이 없으나 결정의 형태로서 관세당국의 권한을 보다 명확히 하여 실질적으로 관세당국의 권한을 강화하는 결과가 되었다고 할 수 있다. *Ibid*, pp. 425, 426, 450, 480 참조.
12) WTO 관세평가협정 전문.

구성되어 있다.

(1) 일반서설

일반서설(general introductory commentary)은 관세평가협정을 해석하고 이해하는 데 도움이 되는 권위 있는 조약문(authoritative text)으로 이루어져 있다.[13] 서설은 관세평가협정 제1부에 포함된 실체규정들이 적용되는 원리를 소개하고 있다. 서설은 1차적으로 거래가격을 수입품에 대한 관세평가방법으로 이용할 것을 강조하면서 상이한 관세평가 규칙간 우선순위에 대해 설명하고 있다.

(2) 전문과 관세평가의 지도원칙

관세평가협정 전문은 협정에 내재된 원칙과 목적에 대해 언급하고 있다. 전문은 자의적 또는 가공적인(arbitrary or fictitious) 관세가격의 사용을 배제하는, 공정하고 통일되고 중립적인 관세목적의 상품평가체제가 필요함을 상기시키고 있다. 따라서 공정성, 통일성, 중립성은 관세평가협정이 확립하고자 하는 세계적인 관세평가제도의 지도원칙(guiding principles)이다.

1) 공 정 성

공정성 개념은 WTO 법체계의 하나의 중심축이라 할 수 있는 비차별(non-discrimination) 원칙을 반영하고 있다. 관세평가는 수입품을 불공정하게 대우함으로써 국내산업을 보호하는 비관세장벽으로 사용되어서는 아니 되며, 평가절차는 최혜국대우원칙을 준수하여 공급원(sources of supply)간 차별 없이 공통되게 적용되어야 한다. 관세평가협정은 자의적이고 가공적인 절차를 피하기 위한 규정들을 포함하고 있으며, 관세당국과 수입자들의 기본적인 권리와 의무를 포함한 세밀한 관세평가 규칙을 확립하고 있다.

2) 통 일 성

통일성 원칙은 모든 WTO 회원국들이 관세평가협정에 자국의 국내법을 합치시키고 부합되게 적용함으로써 보장된다.[14] 통일된 관세평가체제는 상이한 국가

---

13) Saul L. Sherman and Hinrich Glasshoff, *Commentary on the GATT Customs Valuation Code*(Kluwer Law and Taxation Publishers, 1998), p. 59.
14) WTO 관세평가협정 제22조 1항 참조.

들의 관세당국간 협력을 용이하게 한다. 그러나 통일된 관세평가체제를 가지고 있다고 하더라도 상품가격이나 관세가 획일적으로 책정되거나 부과되는 것은 아니다. 관세평가의 기초로 송장가격(invoice price)을 채택한다는 것은 동일한 시간과 장소에서 상품이 선적(shipment)된다고 하더라도 동일한 상품에 대한 가격이 선적에 따라 달라질 수 있다는 것을 의미한다. 마찬가지로, WTO 회원국이 모두 동일한 관세평가체제를 유지하게 되더라도, 이것이 관세평가체제에 대한 통일된 해석과 적용이 있게 될 것이라는 것을 의미하는 것은 아니다.[15]

3) 중 립 성

관세평가협정 전문에서는 자의적 또는 가공적인 관세가격의 사용을 방지하기 위해 중립적인 관세평가체제가 필요하다고 하고 있다. 이를 위해 관세평가협정은 관세가격의 제1차적인 기초로 거래가격을 규정하고 있으며, 관세가격을 수입품의 거래가격으로 결정할 수 없는 경우에 네 가지 선택적 평가방법을 순차적으로 적용하고, 이에 의해서도 관세가격을 결정할 수 없는 경우에는 합리적인 기준에 따라 수입국 내에서 입수가능한 자료(available data)를 기초로 결정된다고 규정하고 있다. 이러한 관세평가방법은 보호주의로 이용되거나 무역제한효과를 가져와서는 안 되는데, 관세평가협정이 관념가격(notional value)(즉, BDV[16]) 대신 실

---

15) Patrick F. J. Macrory, Arthur E. Appleton, Michael G. Plummer, *The World Trade Organization: Legal, Economic and Political Analysis*(Springer, 2005), p. 539.

16) 브뤼셀평가정의(Brussel Definition of Value: BDV)는 1950년 관세목적을 위한 상품 평가에 관한 협약(Convention on the Valuation of Goods for Customs Purpose 1950, 1953년 7월 28일 발효)이 채택하였던 국제적인 관세평가원칙으로, 1973년 도쿄라운드가 시작될 무렵까지 EC를 포함한 백 개 이상의 국가들이 BDV를 채택하고 있었다. BDV는 이상적인 관념가격을 골격으로 하여 '독립된 구매자와 판매자 간에 공개시장에서 거래될 수 있는 정상가격(normal price)'을 관세가격의 기준으로 삼았다. 그러나 이러한 방법은 관세당국이 관념가격을 조정하기 전까지는 가격변화와 회사의 경쟁우위를 반영하지 못하기 때문에 무역업자들의 불만을 자아냈고, 신상품이나 희귀상품들이 종종 목록에 없어서 정상가격 결정을 어렵게 만들기도 하였다. 반면, 호주, 캐나다, 뉴질랜드 및 미국 등은 BDV를 채택하지 않고 실제가격으로 관세평가를 하였다. 즉 송장가격에 기초한 실제가격 개념에 따라 관세평가를 하여 관세평가시 관세당국의 재량을 제한하고자 하는 바램을 반영하였다. 그러나 미국과 캐나다는 무역을 왜곡하는 방법으로 그들 국가 나름의 관세평가제도도 발전시켰다. 특히, 미국은 화학제품과 신발류 등 특정 상품에 대해서 미국판매가격(American Selling Price: ASP)을 통해 관세평가를 하였는데, ASP는 관세평가 기준을 수입품의 실제가격에 의하지 않고 수입품과 경쟁하는 미국상품의 미국 내 도매가격을 기준으로 하는 제도로서 미국 생산업자가 경쟁 수입품에 지불할 관세를 간접적으로 관리할 수 있기 때문에 미국의 무역상대국들은 이러한 방법이 보호무역조치라고 통렬한 비판을 하였다. ASP는 국내원산의 상

제가격(positive value)을 채택한 것은 객관적인 관세평가의 초석을 마련한 것이라고 할 수 있다.[17]

(3) 협정의 적용범위

관세평가협정 규정들은 수입품에 대해 종가세(ad valorem duties)를 부과할 목적으로 수입품에 대한 관세평가를 할 때에만 적용된다. 따라서 관세평가협정은 상품가격을 기초로 수출세(export duties)를 부과하거나 수량할당(quota)을 할 목적으로 가격평가를 하는 것과는 관련이 없고,[18] 또한 국내과세(internal taxation)나 외국환 관리(foreign exchange control)를 위해 상품 가격평가 조건을 정하는 것과도 관련이 없다.[19] 더욱이, 관세평가협정 전문에서는 평가절차가 덤핑방지를 위해 사용되어서는 아니 된다고 하고 있고,[20] 보조금이 공여된 상품의 수입에 대해서 사용되는 것도 아니 된다. 이 경우에 있어서는 반덤핑관세나 상계관세를 부과하는 것이 적절한 구제방법이 된다.[21]

품가격에 따른 관세평가를 금지하고 있는 GATT 제7조에 명백히 위배되나 미국은 GATT 잠정적용의정서에 따라 일종의 조부권(grandfather right)을 부여받았기 때문에 ASP를 유지할 수 있었다. 그러나 GATT 제7조의 개선을 통해 미국의 관행을 중단시킬 필요가 있다는 것에 대해 많은 국가들이 인식을 같이 하였고, 이에 따라 케네디라운드부터 ASP제도의 폐지에 대한 논의가 시작되어 도쿄라운드에서는 관세평가협정을 채택함으로써 ASP 평가제도는 폐지되기에 이르렀다. 도쿄라운드에서는 BDV에 따른 평가원칙이 국제무역의 자유화와 확대에 부합할 수 있을 것인가 하는 문제점이 대두되었는데, 즉 다국적기업의 무역비중이 높아지고 무역형태가 복잡화된 상황하에서 1950년대의 BDV에 따른 평가원칙을 도입할 경우 정상가격을 결정하기 위한 각국 정부의 노력은 오히려 가격결정의 가공성을 부채질할 수 있다는 문제점이 제기됐다. M Rafiqul Islam, *International Trade Law of the WTO*(Oxford, 2006), pp. 230−231; Macrory et al., *Ibid.*, pp. 534−535.

17) Carmen Luz Guarda, *The Pivotal Role of Customs Valuation in Trade Facilitation*, WCO Seminar on Capacity Building and the WTO Valuation Agreement, Brussels, October 17−18, 2002.

18) M. Rafiqul Islam, *supra* note 16, p. 229.

19) Macrory et al., *supra* note 15, p. 540.

20) WTO 관세평가협정 전문.

21) 1962년 캐나다에 대한 감자 수출 사건에서, 미국은 캐나다의 수입 감자에 대한 관세가격(value for duty)은 GATT 제7조 2항 (a)에 위배되는 '자의적 또는 가공적' 가격이라고 주장했다. 실제로 캐나다는 실제 수출가격이 최근 36개월 동안 캐나다로 수입되는 감자의 평균가격, 즉 관념(notional) 관세가격 아래로 떨어질 때 그 차액만큼의 반덤핑관세를 부과하였다. 이러한 캐나다 제도는 가격이 관념 평균가격 아래로 떨어질 때마다 반덤핑관세를 부과하는 것을 보장해 주었다. GATT 패널은 캐나다의 관세가격은 관세평가 목적과는 다른 개념이라고 판정하였고, 캐나다의 반덤핑관세 부과 방법은 GATT 반덤핑 기준에도 부합되지 않는다고 판정하였다. Report of the GATT Panel(adopted), *Exports of Potatoes to*

(4) 실체규정

17개 조문으로 구성된 관세평가협정 제 1 부는 관세평가에 관한 실체적인 규칙을 상설(詳說)하고 있고, 부속서 1은 이들 조문 대부분에 대한 주해(interpretative notes)를 규정하고 있다. 부속서 1의 주해는 동 협정을 구성하는 불가분의 일부를 구성하며 동 협정의 조문은 관련 주해와 연관하여 해석되고 적용되어야 한다.[22] 협정 제 1 조에서 제 8 조는 수입품의 관세가격을 결정하는 방법에 대해 규정하고 있다. 제15조는 주요 용어들에 대한 정의 규정이고, 관세당국과 수입자의 권리와 의무에 대해 언급하고 있는 제16조와 제17조를 포함한 여타 조문들도 관세평가 규칙을 확립하고 있다. 제 3 부에 속하는 협정 제20조와 부속서Ⅲ은 개발도상국에 대해 특별차등대우(special and differential treatment)를 부여하고 있다.

(5) 관리 및 분쟁해결

관세평가협정 제18조는 관세평가위원회(Committee on Customs Valuation)와 관세평가에 관한 기술위원회(Technical Committee on Customs Valuation)의 설치를 규정하고 있다. 관세평가위원회는 각 회원국 대표로 구성되고, 관세평가제도의 시행과 관련된 사항을 협의하기 위해 매년 제네바(Geneva)에서 회합한다. 관세평가에 관한 기술위원회는 WTO와 세계관세기구(World Customs Organization: WCO)[23]의 후원하에 설치된다.[24] 관세평가협정 부속서Ⅱ는 관세평가에 관한 기술위원회의 임무, 조직 및 의사결정절차를 규정하고 있다. 원칙적으로 각 회원국은 기술위원회에서 자기나라를 대표할 권리를 갖는다. 의장은 또한 WTO 회원국을 대표하지 않는 참관국(observers)를 인정할 수 있다. 관세평가에 관한 기술위원회는 정기적으로 브뤼셀(Brussels)에서 회합하며, 기술적 차원(technical level)에서 협정의 해석 및 적용의 통일성을 보장하려고 한다. 기술위원회의 임무는 회원국 또는 패널이 요청하는 특정 기술문제에 대한 조언을 포함한다. 기술위원회는 WTO 회원국들의 관세평가 법률에 대해 자문의견(advisory opinions), 논평(commentaries) 또는 주

Canada, BISD, 11th Supp., at 88 (1963).

22) WTO 관세평가협정 제14조.

23) WTO 관세평가협정에서는 관세협력이사회(Customs Co-operation Council)를 규정하고 있지만, 동 이사회는 후에 세계관세기구(World Customs Organization: WCO)가 되었다.

24) WTO 관세평가협정 제18조 2항.

석(explanatory notes)을 제공하고, 연구를 수행하며, 보고서를 작성한다.[25] 기술위원회가 작성한 문서들은 법적 구속력이 없음에도 불구하고, WTO 회원국들은 보통 이들 문서에 따른다.[26]

분쟁해결에 관해 관세평가협정에서 달리 규정하고 있는 경우를 제외하고는 DSU가 동 협정의 협의(consultations) 및 분쟁해결(dispute settlement)에 적용된다.[27] 관세평가협정은 동 협정의 규정들이 분쟁의 쟁점이 되었을 때 적용되는 특별한 분쟁해결 규칙 및 절차를 포함하고 있다. DSU 규정들과 저촉시 우선적용되는[28] 이들 특별규정들로는 분쟁해결절차에 있어서 기술위원회의 역할과 비밀정보(confidential information)의 보호에 관한 규정 등이 있다.[29] 전문가 집단인 기술위원회는 기술적 고려가 필요한 사안에 대한 검토를 하여야 한다. 패널은 특정 분쟁에 관한 기술위원회의 위임사항(terms of reference)을 정하며, 또한 기술위원회의 보고서를 신중히 고려할 것이 요구된다. 기술위원회가 회부된 사안에 대해 총의(consensus)에 도달하지 못하는 경우, 패널은 분쟁 당사자로 하여금 동 사안에 대해 자신의 견해를 피력할 기회를 부여한다.[30] 더욱이 기술위원회는 여타 WTO협정하의 전문가 집단과는 달리, 요청이 있는 경우 협의에 참여하는 회원국에게 조언과 지원을 제공한다.[31]

2. GATT 제 7 조와 관세평가협정의 관계

계쟁 사건의 부족으로 패널(Panel)이나 항소기구(Appellate Body)가 GATT 제 7 조와 관세평가협정 상호간의 관계에 대해 다룰 기회가 없었다.[32] 그러나 *Korea - Dairy Safeguards* 사건에서 항소기구가 행한 WTO 다자무역협정간의 상호 관계

---

25) WTO 관세평가협정 부속서 II 참조.

26) Macrory et al., *supra* note 15, p. 541.

27) WTO 관세평가협정 제19조 1항.

28) DSU 제 1 조 2항; David Palmeter and Petros C. Mavroidis, *Dispute Settlement in the World Trade Organization*(Cambridge University Press, 2004), p. 99.

29) 제19조 3-5항 이외에도 관세평가협정상 DSU에 우선 적용되는 특칙으로는 부속서 II 의 제 2 조 (f), 제 3 조, 제 9 조, 제21조 등이 있다.

30) WTO 관세평가협정 제19조 4항.

31) WTO 관세평가협정 제19조 3항.

32) Sheri Rosenow and Brian J O'Shea, *A Handbook on the WTO Customs Valuation Agreement*(Cambridge University Press, 2010), p. 25.

에 대한 분석은 GATT 제 7 조와 관세평가협정간의 관계와 관련해서 의미하는 바
가 크다고 할 수 있다. 동 사건 항소기구는 다자무역협정 상호간의 관계에 대해
다음과 같이 언급하고 있다:

74. … WTO 가입을 위해서는 WTO협정을 일괄적으로 수락하여야 하고, 그
    런 까닭에 WTO협정상 모든 의무는 누적적인(cumulative) 것이며, 회원국
    들이 모든 의무를 준수해야 한다는 것은 확립되어 있다. … 이런 맥락에
    서, 우리는 WTO 설립협정 제 2 조 2항이 "부속서 1, 2 및 3에 포함된 협
    정 및 관련 법적 문서는 동 협정의 불가분의 일부를 구성하며, 모든 회
    원국에 대하여 구속력을 가진다"고 규정하고 있다는 점에 주목한다.

75. 더구나, 우리는 GATT 1994가 WTO협정 부속서 1A에 포함된 상품무역에
    관한 다자간무역협정 중 하나로 WTO협정에 체화되어 있다는 점에 주목
    한다. GATT 1994는 다음과 같이 구성되어 있다: (a) WTO협정 발효 이전
    에 발효한 법률문서에 의해 정정, 개정, 수정된 규정, (b) WTO협정 발효
    일 이전에 1947년도 GATT하에서 발효한 법률 문서들[33]의 규정, (c) UR
    협상 결과로 확정된 GATT 조문에 관한 6개 양해[34], (d) 1994년도 GATT
    에 대한 마라케쉬 의정서. 긴급수입제한조치협정은 WTO협정 부속서 1A
    에 포함된 상품무역에 관한 13개의 다자간무역협정 중 하나이다. WTO협
    정이 '하나의 조약'(one treaty)이라는 것을 이해하는 것이 중요하다.
    GATT 1994와 긴급수입제한조치협정은 모두 WTO협정 부속서 1A에 포함
    된 상품무역에 관한 다자간무역협정 중 하나이며, 이들 협정은 WTO협정
    제 2 조 2항에 따라 WTO협정의 불가분의 일부를 구성하며, 모든 회원국
    에 대하여 구속력을 가진다.[35]

---

33) 관세양허와 관련한 의정서와 증명서, 가입의정서, 1947년 GATT 제25조에 따라 부여되었
    으며 WTO협정 발효시 계속 유효한 면제에 관한 결정, 1947년도 GATT 체약 당사자단의
    그 밖의 결정 등이 여기에 속한다.
34) 1994년도 GATT 제 2 조 1항 (b)의 해석에 관한 양해, 1994년도 GATT 제17조의 해석에 관
    한 양해, 1994년도 GATT 국제수지 조항에 관한 양해, 1994년도 GATT 제24조의 해석에 관
    한 양해, 1994년도 GATT 의무면제에 관한 양해, 1994년도 GATT 제28조의 해석에 관한 양
    해 등이 여기에 속한다.
35) Report of the Appellate Body, *Korea—Definitive Safeguard Measure on Imports of Certain*

위에서 설명된 이론적 근거는 WTO협정 부속서 1A에 포함된 다자무역협정인 GATT 1994와 관세평가협정간 관계를 정립하기 위해서도 유추적용될 수 있다. 즉, GATT 1994와 관세평가협정은 모두 WTO협정이라는 '하나의 조약'으로서 모든 회원국들에 대해 구속력을 갖고 있기 때문에, 문제는 GATT 1994 제7조와 관세평가협정의 적용 여부가 아니라 그 적용의 방법에 있다.

항소기구는 조약법에 관한 비엔나협약(Vienna Convention on the Law of the Treaties)에서 정하고 있는 원칙에 따라 WTO협정들을 해석해 왔다. 몇몇 사례에서 항소기구는 이들 협정 상호간의 관계를 결정하기 위해 조약 해석에 있어서 효율성 원칙(principle of effectiveness)[36]을 인정하였다.

80. 효율성원칙은 조약해석자가 조약을 해석함에 있어서 조약의 모든 용어에 의미와 효력을 부여할 것을 요구한다. 또한 조약해석자는 조약의 모든 조항을 비효율적이거나 의미 없는 것이 되게 해석해서는 안 된다.

81. 조약 해석의 효율성원칙에 비추어, 조약의 모든 규정이 유의미한 것이 되도록 조화롭게 해석하는 것이 조약 해석자의 임무이다. 효율성원칙의 중요한 귀결은 하나의 조약은 전체로서(as a whole) 해석되어야 하고, 특히 조약의 모든 부분이 전체로서 해석되어야 한다는 것이다. WTO협정 제2조 2항은 WTO협정의 규정들과 부속서 1, 2 및 3에 포함된 다자무역협정들은 전체로서 해석되어야 한다는 UR협상자들의 의도를 명백히 하고 있다.

따라서, 관세평가협정의 모든 규정과 GATT 제7조는 조화롭게 공존할 필요가 있으며, 양자는 전체로서 해석될 필요가 있다. 조약은 조약문의 문맥 및 조약

Dairy Products, WT/DS98/AB/R, paras. 74-75(1999).

36) 조약은 효율적이고 유용하게, 다시 말하면 조약의 모든 부분이 그 목적과 목표를 달성하는 데 적합하게 해석되어야 한다는 것이다. 조약의 모든 규정은 어떤 의미를 가지도록 의도된 것이므로 조약을 비효율적이거나 의미가 없는 것이 되게 하는 해석은 잘못된 것이며, 조약 전체와 각 조문은 어떤 목적을 달성하기 위한 것이므로 조약의 목적 달성을 어렵게 하는 해석 역시 잘못된 것이라는 것이다. 이석용, 「국제법」(세창출판사, 2011), p. 219; Malcolm D. Evans, *International Law*(Oxford University Press, 2nd ed., 2006), p. 202; Antonio Cassese, *International Law*(Oxford University Press, 2nd ed., 2005), p. 179.

의 대상과 목적으로 보아 그 조약의 용어에 부여되는 통상적인 의미에 따라 해석되어야 한다는 조약 해석의 일반규칙을 고려하면,[37] 관세평가협정은 오로지 관세평가문제만을 다루고 있기 때문에 관세평가문제에 대한 특별법(lex specialis)이라고 할 수 있는 반면, GATT 제 7 조는 관세평가 및 다양한 규범들을 다루고 있는 GATT 1994의 일부분이기 때문에 GATT 제 7 조는 일반법(lex generalis)이라고 할 수 있다.[38] 결론적으로, GATT 제 7 조와 관세평가협정은 일반법과 특별법의 관계에 있으며, GATT 제 7 조와 관세평가협정은 전체로서 해석되어야 한다.

제 3 절 관세평가협정의 주요내용

1. 일반서설 및 전문

(1) 일반서설

관세평가협정은 관세가격(customs value)의 제 1 차적인 기초가 제 1 조에 정의된 '거래가격'(transaction value)임을 분명히 밝히고 있다. 제 1 조는 제 8 조와 함께 해석되어야 하며, 제 8 조는 특히 관세 목적을 위하여 가격의 일부를 구성하는 것으로 간주되는 특정의 요소가 구매자(buyer)가 부담하는 것이지만 실제 지불했거나 지불할 수입품의 가격에는 포함되어 있지 아니한 경우에 실제 지불했거나 지불할 가격을 조정(adjustment)하도록 규정하고 있다. 또한 제 8 조는 화폐 형태가 아닌 특정 상품 또는 서비스의 형태로 구매자로부터 판매자에게 귀속되는 특정 고려 사항을 거래가격에 포함시키도록 규정하고 있다. 제 2 조부터 제 7 조까지는 제 1 조의 규정에 따라 관세가격을 결정할 수 없는 경우에 이를 결정하는 방법을 규정하고 있다.[39]

제 1 조의 규정에 따라 관세가격이 결정될 수 없는 경우 일반적으로 세관당국(customs administration)과 수입자(importer)간에 제 2 조 또는 제 3 조의 규정에 따라 가격의 기초를 결정하기 위한 목적의 협의(consultation) 과정이 있어야 한다.

---

37) 조약법에 관한 비엔나협약 제31조.
38) Macrory et al., *supra* note 15, p. 543.
39) WTO 관세평가협정 일반서설 1.

예를 들면 수입자는 수입항의 세관당국이 즉시 입수할 수 없는 동종동질(identical) 또는 유사(similar) 수입품의 관세가격에 관한 정보를 가지고 있을 수 있다. 반면에 세관 당국은 수입자가 손쉽게 입수할 수 없는 동종동질 또는 유사 수입품의 관세가격에 관한 정보를 가지고 있을 수 있다. 양당사자간의 협의과정은 상업적 비밀보호요건(requirements of commercial confidentiality)을 조건으로 관세가격의 적절한 기초를 결정하기 위한 목적의 정보교환을 가능하게 한다.40)

제5조와 제6조는 당해 수입품, 동종동질 또는 유사 수입품의 거래가격을 기초로 관세가격이 결정될 수 없을 경우에 이를 결정하기 위한 두 개의 기준을 규정하고 있다. 제5조 1항에 따른 관세가격은 수입된 상태로 수입국 내 관련이 없는 구매자에게 판매되는 가격을 기초로 결정된다. 또한 수입자는 자신이 요청하는 경우 수입 후에 추가 가공되는 상품이 제5조의 규정에 따라 평가되도록 요구할 수 있는 권리를 갖는다. 제6조의 규정에 따른 관세가격은 산정가격(com-puted value)을 기초로 결정된다. 이러한 두 가지의 기준은 어느 정도 어려움을 내포하고 있으며, 이 때문에 수입자에게는 제4조의 규정에 따라 두 가지 방식의 적용 순위를 선택할 수 있는 권리가 주어진다.41)

제7조는 선행하는 조문의 어떠한 규정에 따라서도 관세가격을 결정할 수 없는 경우 관세가격을 결정하는 방법을 규정하고 있다.42)

(2) 전 문

관세평가협정 전문은, (ⅰ) GATT의 목적을 증진하고 개발도상국의 국제무역을 위하여 추가적인 이익을 확보할 것을 희망하고, (ⅱ) GATT 제7조 규정의 중요성을 인정하고 동 규정의 시행에 있어 통일성과 확실성을 제고하기 위하여 동 규정의 적용을 위한 규칙을 발전시켜 나가기를 희망하며, (ⅲ) 자의적 또는 가공적인 관세가격의 사용을 배제하는, 공정하고 통일되고 중립적인 관세목적의 상품평가체제가 필요함을 인정하고, (ⅳ) 관세목적의 상품평가의 기초는 가능한 한 평가대상 상품의 거래가격이 되어야 함을 인정하고, (ⅴ) 관세가격은 상업적 관행과 일치하는 단순하고 공평한 기준을 기초로 하여야 하며 평가절차는 공급원간

40) WTO 관세평가협정 일반서설 2.
41) WTO 관세평가협정 일반서설 3.
42) WTO 관세평가협정 일반서설 4.

의 구별 없이 일방적으로 적용되어야 함을 인정하고, (vi) 평가절차가 덤핑방지를 위해 사용되어서는 아니 된다는 점 등을 선언하고 있다.[43]

2. 관세평가방법

관세평가협정은 1차적으로 거래가격을 수입품에 대한 관세평가방법으로 이용하도록 하고 있다.[44] 거래가격은 수입국에 수출 판매되는 상품에 대하여 구매자가 판매자에게 실제로 지불했거나 지불할 가격을 말한다. 판매 협상이 사유롭게 진행되었다면, 구매자가 판매자에게 지불한 가격은 실제 시장가격을 가장 잘 나타낸다고 할 수 있으며 당연히 관세목적으로 사용되어져야 한다. 구매자와 판매자가 협상한 가격을 기초로 한 관세평가는 다음 세 가지 측면에서 무역업자와 관세 당국에 실질적인 이점을 제공한다: 첫째, 투명하고, 적용을 예측할 수 있으며, 재량의 여지가 훨씬 줄어든다. 둘째, 실제 상업적 관행(commercial practice)과 가장 일치한다. 셋째, 수입국에서 정상적으로 입수가능한 자료를 근거로 관세행정이 이루어질 수 있고, 수입업자와 수출업자가 추가 자료를 작성하거나 보존하지 않아도 된다.[45]

수입품의 관세가격[46]을 동 물품의 거래가격으로 결정할 수 없는 경우에 대비하여 협정은 네 가지 선택적 평가방법을 도입하고 있다.

우선, 수입품의 거래가격을 산정할 수 없는 경우에 동일한 수입국[47]에 수출을 위하여 판매되며, 평가대상 상품과 동시 또는 거의 동시에 수출되는 '동종동질상품'(identical goods)[48]의 거래가격이 관세가격이 된다.[49]

동종동질상품의 거래가격을 산정할 수 없는 경우에는 해당 상품과 동일 수

43) WTO 관세평가협정 전문.

44) WTO 관세평가협정 제1조.

45) Rosenow, *supra* note 32, p. 22.

46) '수입품의 관세가격'은 수입품에 종가관세를 부과하기 위한 목적의 물품가격을 의미한다. WTO 관세평가협정 제15조 제1항 (a).

47) '수입국'은 수입국 또는 수입 관세영역을 의미한다. WTO 관세평가협정 제15조 1항 (b).

48) '동종동질상품'은 물리적 특성(physical characteristics), 품질(quality) 및 평판(reputation)을 포함하여 모든 면에서 동일한 상품을 의미한다. 외양상 경미한 차이는 그 밖의 점에서는 정의에 일치하는 상품이 동종동질상품으로 간주되는 것을 방해하지 아니한다. WTO 관세평가협정 제15조 제2항 (a).

49) WTO 관세평가협정 제2조 1항 (a).

입국에 수출을 위하여 판매되며, 평가대상 상품과 동시 또는 거의 동시에 수출되는 '유사상품'(similar goods)[50]의 거래가격이 관세가격이 된다.[51]

상기 방법에 의해서도 거래가격을 산정할 수 없는 경우에 적용되는 관세가격은 '공제가격'(deductive value)이다. 공제가격이란 당해 수입품이나 동종동질 또는 유사상품이 수입국 내에서 판매되는 경우 그 가격을 기준으로 수수료, 이윤, 수입국 내 통상운임, 보험료, 관세, 내국세, 기타 비용 및 부과금 등을 공제한 가격을 말한다.[52]

공제방식(deductive method)에 의해서도 수입품의 관세가격을 결정할 수 없는 경우에 생산비에 생산자의 이윤 및 기타 관련경비 등을 가산한 '산정가격'(computed value)이 과세가격이 된다.[53]

관세평가협정에 의하면 관세평가의 순서는 위와 같지만, 수입자의 요청이 있는 경우에는 산정가격을 공제가격보다 우선 적용할 수 있다.[54]

또한, 상기 관세평가방법에 의해서도 수입품의 관세가격을 결정할 수 없는 경우에, 관세가격은 동 협정 및 1994년도 GATT 제 7 조의 원칙과 일반규정에 부합되는 합리적인 기준에 따라 수입국 내에서 입수가능한 자료를 기초로 결정된다.[55] 그러나 '수입국에서 생산된 상품이 수입국 내에서 판매되는 가격', '두 개의 선택 가능한 가격 중 높은 가격을 관세 목적상 채택하도록 규정하는 제도', '수출국 국내시장에서의 상품가격', '동종동질 또는 유사상품에 대해 결정된 산정가격이 아닌 생산비용', '수입국 이외의 국가에 대한 상품의 수출가격', '최저관세가격'(minimum customs values), '자의적이거나 가공적인 가격'(arbitrary or fictitious values) 등에 근거하여 관세가격을 결정할 수는 없다.[56]

---

50) '유사상품'은 모든 면에서 동일하지는 아니하더라도 동일한 기능을 수행할 수 있게 하고 상업적으로 상호 교환 가능한 만큼 유사한 특성과 유사한 구성요소를 갖는 상품을 의미한다. WTO 제15조 2항 (b).
51) WTO 관세평가협정 제 3 조 1항.
52) WTO 관세평가협정 제 5 조 1항 (a).
53) WTO 관세평가협정 제 6 조 1항.
54) WTO 관세평가협정 제 4 조.
55) WTO 관세평가협정 제 7 조 1항.
56) WTO 관세평가협정 제 7 조 2항.

(1) 거래가격

1) 수입품의 거래가격

① 정 의

수입품의 관세가격은 거래가격, 즉 수입국에 수출 판매되는 상품에 대하여 판매자에게 실제로 지불했거나 지불할 가격을 제 8 조의 규정에 따라 조정한 가격을 의미한다.[57] 여기에서 '실제로 지불했거나 지불할 가격'(price actually paid or payable)이란 수입품에 대한 대가로 구매자가 판매자에게 또는 판매자를 위하여 지불했거나 지불할 총지불금액을 의미한다. 지불이 반드시 화폐의 이전 형태를 취할 필요는 없으며, 신용장(letters of credit) 또는 양도가능한 증서(negotiable in-struments)에 의해서도 이루어질 수 있다. 지불은 직접 또는 간접적으로 이루어질 수 있다. 간접적인 지불의 일례는 구매자가 판매자에게 지고 있는 채무를 전부 또는 부분적으로 청산하는 경우이다.[58]

관세가격을 결정함에 있어서 수입상품에 대하여 실제 지불했거나 지불할 가격에 반드시 가산되는 항목은 다음과 같다.[59] (i) 구매자가 부담하는 구매 수수료[60]를 제외한 수수료 및 중개료, 관세 목적상 당해 상품과 일체로 취급되는 컨테이너 비용, 인건비 또는 자재비 여부에 관계없이 포장에 소요되는 비용, (ii) 수입품의 생산 및 수출 판매와 관련한 사용을 위하여 구매자에 의하여 무료 또는 인하된 가격으로 직접 또는 간접적으로 공급되는 상품 또는 서비스[61]의 가격 중 실제 지불했거나 지불할 가격에 포함되지 아니한 부분으로서 적절히 배분하여 산출한 가격, (iii) 수입상품의 판매조건으로 직접 또는 간접적으로 지불하여야 하는 사용료(royalties) 및 인가비용(license fees),[62] (iv) 수입품의 추후 재판매, 처

---

57) WTO 관세평가협정 제 1 조 1항.
58) WTO 관세평가협정 제 1 부속서 제 1 조에 대한 주해 1.
59) WTO 관세평가협정 제 8 조 1항 (a)-(d).
60) "구매 수수료"(buying commissions)란 평가대상 상품을 구매함에 있어서 수입자가 그의 대리인에게 해외에서 수입자를 대표하는 서비스의 대가로 지불하는 수수료를 의미한다. WTO 관세평가협정 제 1 부속서 제 8 조에 대한 주해 제 1 항 (a) (i).
61) 이러한 '상품 및 서비스'에 포함되는 것으로, (i) 수입품에 포함되는 재료, 구성요소, 부품 및 이와 유사한 상품, (ii) 수입품의 생산에 사용되는 공구, 형판, 주형 및 이와 유사한 상품, (iii) 수입품의 생산에 소요되는 재료, (iv) 수입국 이외의 장소에서 행해지며 수입품의 생산에 필요한 공학, 개발, 도예, 도안, 도면 및 소묘 등이 있다. WTO 관세평가협정 제 8 조 1항 (b) (i)-(iv).

분 또는 사용에 따르는 수익금액 중 판매자에게 직접 또는 간접적으로 귀속될 금액.

또한, 관세평가협정은 관세가격을 결정함에 있어서 (ⅰ) 수입항 또는 수입지점까지의 수입품 운송비용, (ⅱ) 수입항 또는 수입지점까지의 수입품 운송과 관련되는 적하비(loading charges), 양하비(unloading charges) 및 하역비(handling charges), 그리고 (ⅲ) 보험료 등에 해당하는 금액에 대하여 각 회원국은 이들의 일부 또는 전부를 관세가격에 포함시킬 것인지 또는 제외시킬 것인지를 자국법에 규정하도록 하고 있다.63)

제8조에 조정하도록 규정된 사항 이외에 구매자가 자신의 부담으로 행한 활동은, 비록 판매자에게 이익이 되는 것으로 보여진다 할지라도 판매자에 대한 간접적인 지불로 간주될 수 없다. 따라서 이러한 활동의 비용은 관세가격을 결정함에 있어서 실제로 지불했거나 지불할 가격에 추가되지 아니한다.64) 다만, (ⅰ) 산업공장, 기계 또는 장비와 같은 수입품에 대하여 수입 후에 행한 건설, 설치, 조립, 유지 또는 기술적 지원을 위한 비용, (ⅱ) 수입 후의 운송비용, (ⅲ) 수입 후의 관세 및 조세 등 부가금액 및 비용은 수입품에 대하여 실제로 지불했거나 지불할 가격으로부터 구분될 수 있는 경우에는 관세가격에 포함되지 아니한다.65)

실제로 지불했거나 지불할 가격은 수입품에 대한 가격을 가리킨다. 따라서 수입품에 관련되지 아니한 배당의 이동 또는 구매자로부터 판매자에 대한 그 밖의 지급은 관세가격의 일부가 되지 아니한다.66) 한편 실제로 지불했거나 지불할 가격은 수입품의 판매조건으로 구매자가 판매자에게, 또는 구매자가 판매자의 의무를 충족할 수 있도록 제3자에게 실제로 지불하였거나 지불할 모든 금액을 포함한다.67)

---

62) 사용료 및 인가비용은 특히 특허권, 상품권 및 저작권과 관련된 비용을 포함할 수 있다. 그러나 수입품을 수입국에서 재생산하기 위한 권리의 비용은 관세가격을 결정함에 있어서 실제로 지불했거나 지불할 가격에 추가되지 아니한다. WTO 관세평가협정 부속서 1, 제8조에 대한 주해 1항 (c).
63) WTO 관세평가협정 제8조 2항.
64) WTO 관세평가협정 제1부속서 제1조에 대한 주해 2.
65) WTO 관세평가협정 제1부속서 제1조에 대한 주해 3.
66) WTO 관세평가협정 제1부속서 제1조에 대한 주해 4.
67) WTO 관세평가협정 부속서 3, 7항.

② 요 건

수입품의 거래가격은 실제로 판매자에게 지불했거나 지불할 가격에 조정액을 가산한 가격으로 다음 네 가지 조건을 충족하여야 한다.

첫째, 구매자가 상품을 처분 또는 사용함에 있어서 (i) 수입국 내의 법률 또는 행정당국에 의하여 부과되거나 요구되는 제한, (ii) 상품이 재판매될 수 있는 지리적인 지역을 한정하는 제한, 또는 (iii) 상품가격에 실질적으로 영향을 미치지 아니하는 제한 이외의 제한이 없어야 한다.[68]

둘째, 판매 또는 가격이 평가대상 상품에 대하여 가격을 결정할 수 없게 하는 어떠한 조건 또는 고려사항에 의해 좌우되어서는 아니 된다.[69] 다만 수입품의 생산 또는 시장판매에 관련되는 조건 또는 고려사항은 거래가격을 거부하는 이유가 되지 아니한다. 예컨대 구매자가 판매자에게 수입국에서 행해진 공학기술 및 도면을 제공한다는 사실은 제 1 조의 목적상 거래가격을 거부하는 이유가 되지 못한다. 마찬가지로 구매자가 비록 판매자와의 합의에 의하더라도 그 자신의 부담으로 수입품의 시장판매에 관련되는 활동을 수행할 경우, 이러한 활동의 가치는 관세가격의 일부가 되지 않으며 또한 이러한 활동이 거래가격을 거부하는 원인이 되지도 못한다.[70]

셋째, 제 8 조의 규정에 따라 적절한 조정이 이루어질 수 없는 한, 구매자에 의한 상품의 추후 재판매, 처분 또는 사용에 따른 수익금의 일부가 직접 또는 간접적으로 판매자에게 귀속되어서는 아니 된다.[71]

넷째, 구매자와 판매자는 관련이 없어야 하며, 또는 양자가 관련이 있을 경우 거래가격이 제 1 조 2항의 규정에 따른 관세의 목적상 수락할 수 있어야 한다.[72]

---

68) WTO 관세평가협정 제 1 조 1항 (a).
69) WTO 관세평가협정 제 1 조 1항 (b). 판매 또는 가격이 평가대상 상품에 대하여 가격을 결정할 수 없게 하는 어떠한 조건 또는 고려사항에 종속되는 경우, 거래가격은 관세목적상 수락되지 아니한다. 예로서 다음과 같은 것들이 있다. (i) 구매자가 특정 수량의 다른 상품을 또한 구매한다는 조건으로 판매자가 수입품의 가격을 결정하는 경우, (ii) 수입품의 구매자가 수입품의 판매자에게 판매하는 다른 상품의 가격에 따라 수입품의 가격이 좌우되는 경우, (iii) 수입품이 판매자가 완제품의 일정 수량을 받는다는 조건으로 판매자가 공급하는 반제품인 경우와 같이 수입품의 외생적인 지불형태를 기초로 가격이 결정되는 경우. WTO 관세평가협정 부속서 1 제 1 조에 대한 주해 제 1 항 (b) 2.
70) WTO 관세평가협정 부속서 1 제 1 조에 대한 주해 제 1 항 (b) 2.
71) WTO 관세평가협정 제 1 조 1항 (c).
72) WTO 관세평가협정 제 1 조 1항 (d).

2) 동종동질상품의 거래가격

수입품의 거래가격을 산정할 수 없어 관세가격을 결정할 수 없는 경우 관세가격은 동일한 수입국에 수출을 위하여 판매되며 평가대상 상품과 동시 또는 거의 동시에 수출되는 동종동질상품[73]의 거래가격이 된다.

동종동질상품의 거래가격을 적용하는 경우, 평가대상 상품과 동일한 상업적 단계에서 실질적으로 동일한 수량으로 판매되는 동종동질상품의 거래가격이 관세가격을 결정하는 데 사용된다. 동일단계 및 동일수량의 판매가 존재하지 아니한 경우에는, (i) 동일한 상업적 단계이지만 상이한 수량의 판매, (ii) 상이한 상업적 단계이지만 실질적으로 동일한 수량의 판매, 또는 (iii) 상이한 상업적 단계에서 상이한 수량의 판매 중 어느 하나에 부합되는 동종동질상품의 거래를 활용할 수 있다. 위 세 가지 조건 중 어느 하나에 부합되는 판매를 발견한 경우에는 각각의 경우에 맞게 (i) 상업적 단계요소, (ii) 수량요소, (iii) 상업적 단계 및 수량요소 등을 감안, 조정하여야 한다. 단, 이 경우의 조정은 조정으로 인하여 가격이 증가되거나 감소되는지 여부와 관계없이 조정의 합리성과 정확성을 확립하는 입증된 증거를 기초로 하여야 한다.[74]

상이한 상업적 단계 또는 상이한 수량에 기인하는 조정을 위한 조건은 이러한 조정이 가격에 있어서의 증가를 초래하는지 감소를 초래하는지에 관계없이 조정의 합리성과 정확성을 명백하게 확립하는 입증된 증거, 예컨대 상이한 단계 또는 상이한 수량에 대한 가격들을 포함하고 있는 유효한 가격표를 기초로 한다. 예를 들어, 평가대상인 수입상품의 수량이 10단위이며 거래가격이 존재하는 유일한 동종동질수입품의 거래수량이 500단위로 되어 있으며 판매자가 수량에 따른 할인을 허용하고 있음이 인정될 때에는, 판매자의 가격표를 보고 10단위에 적용되는 가격을 이용하여 필요한 조정을 행할 수 있다. 이 경우 그 가격표가 다른 수량의 거래를 통하여 선의인 것으로 입증되는 한 10단위 수량의 거래가 반드시 있었어야 함을 요구하지는 아니한다. 그러나 이러한 객관적인 척도가 없을 경우에는 동종동질상품의 거래가격으로 관세가격을 결정하는 것이 적절하지 못

---

73) 우리나라 관세법 시행령 제25조에서 '동종동질물품'이라 함은 당해 수입물품의 생산국에서 생산된 것으로서 물리적 특성, 품질 및 소비자 등의 평판을 포함한 모든 면에서 동일한 물품(외양에 경미한 차이만 있을 뿐 그 밖의 모든 면에서 동일한 물품을 포함한다)을 말한다고 규정하고 있다.

74) WTO 관세평가협정 제 2 조 1항 (b)와 부속서 1, 제 2 조에 대한 주해 1항·2항 참조.

하다.[75]

제8조 2항에 언급된 비용 및 부과금이 거래가격에 포함된 경우, 운송거리 및 운송형태의 차이로 인하여 발생하는 수입품과 당해 동종동질상품간의 비용 및 부과금상의 상당한 차이를 고려한 조정이 이루어진다.[76]

동종동질상품의 거래가격이 둘 이상 있을 경우 그 중 가장 낮은 가격이 동 수입품의 관세가격을 결정하는 데 사용된다.[77]

3) 유사상품의 거래가격

수입품의 거래가격 또는 수입품과 동종동질상품의 거래가격을 결정할 수 없는 경우 관세가격은 해당상품과 동일수입국에 수출을 위하여 판매되며, 평가대상 상품과 동시 또는 거의 동시에 수출되는 유사상품[78]의 거래가격이 된다. 유사상품의 거래가격을 결정하는 방법은 동종동질상품의 거래가격 결정방법과 동일하다.[79]

(2) 공제가격

당해 수입품, 동종동질 또는 유사 수입품의 거래가격을 기초로 관세가격이 결정될 수 없을 경우에 관세가격을 결정하기 위한 기준 중 하나로 제시되는 것이 공제가격이다. 즉, 수입될 때와 동일한 상태로 수입품, 동종동질 또는 유사 수입품이 수입국 내에서 판매되는 경우, 관세가격은 당해 수입품, 동종동질 또는 유사 수입품이 평가대상 상품의 수입시에 또는 수입과 동시에 또는 거의 동시에 상품 판매자와 관련이 없는 구매자에게 최대의 총량으로 판매되는 단위가격(unit price)[80]에서 (i) 통상적으로 지불했거나 지불할 것으로 합의한 수수료, 또는 동

---

75) WTO 관세평가협정 부속서 1, 제2조에 대한 주해 5항.

76) WTO 관세평가협정 제2조 2항.

77) WTO 관세평가협정 제2조 3항.

78) 우리나라 관세법 시행령 제26조에서는 '유사물품'이라 함은 당해 수입물품의 생산국에서 생산된 것으로서 모든 면에서 동일하지는 아니하지만 동일한 기능을 수행하고 대체사용이 가능할 수 있을 만큼 비슷한 특성과 비슷한 구성요소를 가지고 있는 물품을 말한다고 규정하고 있다.

79) WTO 관세평가협정 제3조 1항 (b), 2항, 3항 및 부속서 1, 제3조에 대한 주해 1항·2항· 5항 참조.

80) 이하 내용은 WTO 관세평가협정 부속서 1, 제5조에 대한 주해 1-4항 참조.
   "… 물품이 최대의 총량으로 판매되는 단위가격"이라는 용어는 수입 후 거래가 이루어지는 최초의 상업적 단계에서 원래의 상품판매는 관련이 없는 구매자에게 판매하는 가격 중 최대수량을 판매하는 단위가격을 의미한다.

종 또는 동류의 수입품(imported goods of the same class or kind)[81]이 수입국 내에서
판매될 때 통상적으로 추가되는 이윤 및 일반 경비[82]로서 추가되는 금액, (ii) 수

---

① 일례로서 다량의 구매에 대하여는 유리한 단위가격을 허용하는 가격표를 기준으로 상
품을 판매하는 경우가 있다.

판매수량	단위가격	판매횟수	가격별 총판매량
1-10단위	100	5단위 10회 3단위 5회	65
11-25단위	95	11단위 5회	55
25단위 이상	90	30단위 1회 50단위 1회	80

여기서 특정의 가격으로 판매된 최대 단위수량은 80이다. 따라서 최대의 총량으로 판매되
는 단위가격은 90이다.
② 또 하나의 예로서 두 가지의 거래가 이루어지고 있는 경우가 있다. 먼저 500단위가 단
위당 95통화단위로 판매되며, 그 뒤에 400단위가 단위당 90통화단위로서 판매된다. 이 예
에서는 특정가격에 판매된 최대 단위수량은 500이며, 따라서 최대의 총량으로 판매되는 단
위가격은 95이다.
③ 세 번째의 예로서 다음과 같이 여러 가지의 상이한 수량이 각각 상이한 가격으로 판매
되는 경우가 있다.

(a) 판매내역			(b) 합 계	
판매량	단위가격		총판매량	단위가격
40단위	100		65	90
30단위	90		50	95
15단위	100		60	100
50단위	95		25	105
25단위	105			
35단위	90			
5단위	100			

이 예에서는, 특정가격으로 판매된 최대 단위수량은 65이며, 따라서 최대의 총량으로 판매
되는 단위가격은 90이다.
81) '동종 또는 동류 상품'은 어느 특정 산업 또는 산업 부문에서 생산된 품목군 또는 범위에
속한 상품을 의미하며 동종동질 또는 유사 상품을 포함한다. WTO 관세평가협정 제15조
3항.
82) '이윤 및 일반경비'(profit and general expenses)는 전체로서 취급되어야 함을 유의해야 한
다. 공제를 위한 수치는, 수입자가 직접 제출하거나 수입자를 대신하여 제출되는 수치가
동종 또는 동류의 수입품을 수입국에 판매할 때 획득할 수 있는 금액과 불합치하지 않는
한, 동 정보를 기초로 결정되어야 한다. 수입자의 수치가 이러한 금액과 합치하지 아니한
경우, 이윤 및 일반경비에 해당하는 금액은 수입자가 직접 제출하거나 또는 수입자를 대신

입국 내에서 발생하는 통상적인 운임, 보험료 및 관련 비용, (iii) 적절한 경우 제8조 2항에 언급된 비용 및 부과금, (iv) 상품의 수입 또는 판매로 인하여 수입국 내에서 지불할 관세 및 다른 내국세 등을 공제한 가격을 기초로 한다.[83]

수입품, 동종동질 또는 유사 수입품의 어느 것도 평가대상 상품의 수입과 동시 또는 거의 동시에 판매되지 아니한 경우, 관세가격은 당해 상품의 수입 후 가장 빠른 날에, 그러나 수입 후 90일 이내에 수입될 때와 동일한 상태로 수입국 내에서 판매되는 수입품, 동종동질 또는 유사 수입품의 단위가격을 기초로 한다.[84] 여기에서 '가장 빠른 날'(the earliest day)이라 함은 그 날까지 단위가격을 결정할 수 있을 정도로 수입품, 동종동질 또는 유사 수입품이 충분한 물량으로 판매된 날을 의미한다.[85]

만일 수입품, 동종동질 또는 유사 수입품의 어느 것도 수입될 때와 동일한 상태로 판매되지 아니한 때에는 수입자의 요청이 있는 경우, 관세가격은 수입품이 추가 가공된 후에 상품 판매자와 관련이 없는 구매자에게 최대의 총량으로 판매되는 단위가격을 기초로 하되 가공에 따라 부가된 가치 및 수수료 · 이윤 · 일반경비 등을 적절히 감안한다.[86] 이러한 평가방법은 수입품이 추가적인 가공을 행한 결과 동질성(identity)을 상실한 경우에는 일반적으로 적용할 수 없음이 인정된다. 그러나 수입품의 동질성이 상실된다 할지라도 가공에 의하여 부가된 가치를 특별한 어려움이 없이 정확히 결정할 수 있는 경우가 있을 수 있다. 한편, 수입품의 동질성은 유지되지만 수입국에서 판매된 상품의 사소한 요소로 인하여 이러한 평가방법이 정당화되지 아니하는 경우도 있을 수 있다. 위에 비추어 이러한 형태의 각 상황은 사안별로 검토되어야 한다.[87]

(3) 산정가격

수입품의 관세가격이 수입품, 동종동질 또는 유사 수입품의 거래가격을 기초

하여 제출되는 정보 이외의 관련 정보를 기초로 계산될 수 있다. 그리고 "일반경비"는 해당 상품을 판매하기 위한 직접비 및 간접비를 포함한다. WTO 관세평가협정 제1부속서 제5조에 대한 주해 6, 7 참조.

83) WTO 관세평가협정 제5조 1항 (a).
84) WTO 관세평가협정 제5조 1항 (b).
85) WTO 관세평가협정 부속서 1, 제5조에 대한 주해 10항.
86) WTO 관세평가협정 제5조 2항.
87) WTO 관세평가협정 부속서 1, 제5조에 대한 주해 12항.

로 결정될 수 없을 경우에는 공제가격을 관세가격으로 하며, 공제가격으로 관세가격을 결정할 수 없는 경우에는 산정가격을 관세가격으로 한다. 단, 수입자의 요청이 있는 경우, 산정가격을 공제가격보다 우선하여 관세가격으로 할 수 있다.[88]

산정가격은 기본적으로 생산비에 근거한 평가방법이다. 산정가격은 (i) 수입품의 생산에 사용된 자재 및 생산 또는 다른 가공에 소요되는 비용 또는 가격,[89] (ii) 수입국에 수출하기 위하여 수출국 내 생산자가 제조한 평가대상 상품과 동종 또는 동류의 상품 판매시에 통상적으로 반영되는 것과 동등한 이윤과 일반 경비의 금액,[90] (iii) 제 8 조 2항에 따라 회원국이 선택한 평가방법을 반영하

---

88) WTO 관세평가협정 제 4 조.
89) '비용 또는 가격'(cost or value)은 생산자가 직접 제출하거나 또는 생산자를 대신하여 제출되는 평가대상 상품의 생산에 관한 정보를 기초로 결정된다. 이 경우 생산자의 회계장부가 상품의 생산국에서 적용되는 일반적으로 수락된 회계원칙에 부합하는 한 이를 기초로 한다. 또한 '비용 또는 가격'은 제 8 조 1항 (a) (ii) 및 (iii)에 명시된 요소의 비용을 포함하여야 한다. 이는 또한 수입품의 생산과 관련하여 생산하기 위해 구매자가 직접 또는 간접적으로 공급한 제 8 조 1항 (b)에 명시된 요소의 가격으로서 제 8 조의 관련 주석의 규정에 의하여 적절히 배분된 가격을 포함한다. 수입국에서 수행되는 제 8 조 1항 (b) (iv)에 명시된 요소의 가격은 이러한 요소가 생산자의 부담이 되는 범위 내에서 포함시킨다. 이 항에 언급된 요소의 비용 또는 가격은 산정가격결정시 이중계산되어서는 안 되는 것으로 양해되어야 한다. WTO 관세평가협정 부속서 1, 제 6 조에 대한 주해 2항·3항 참조.
90) '이윤 및 일반경비의 금액'은 생산자가 직접 제출하거나 또는 생산자를 대신하여 제출되는 수치가 동종 또는 동류의 상품을 생산자가 수입국에 수출 판매할 때 통상적으로 반영되는 금액과 불합치하지 아니하는 한, 동 자료에 기초하여 결정되어야 한다. 이와 관련하여 '이윤 및 일반경비의 금액'은 전체로서 취급되어야 함에 유의해야 한다. 이것은 어느 특정의 경우에 생산자의 이윤이 낮고 일반경비가 높다 할지라도 이윤과 일반경비를 합한 금액은 동종 또는 동류의 상품판매에 통상 반영되는 것과 합치될 수도 있음을 의미한다. 이러한 상황은 예컨대, 특정 제품이 수입국에서 판로 개척 중에 있으며 생산자는 판로개척에 따르는 높은 일반경비를 상쇄할 수 있도록 무이윤 또는 아주 낮은 이윤을 취하고 있는 경우 발생할 수 있다. 생산자가 특별한 상업적 상황 때문에 수입품의 판매로 낮은 수준의 이윤을 실현하고 있음을 증명할 수 있는 경우, 생산자가 실제이윤 수치를 정당화할 수 있는 근거 있는 상업적 합리성을 가지고 있으며 그의 가격책정 방법이 관련 산업계에 있어서의 통상적인 가격책정 방법을 반영하고 있는 한 생산자의 실제이윤 수치가 고려되어야 한다. 이러한 상황은 예컨대 예측할 수 없는 수요의 격감 때문에 생산자가 일시적으로 가격을 인하해야 할 경우, 또는 수입국에서 생산되고 있는 범주의 상품을 보완하고 경쟁력을 유지하기 위해 낮은 이윤을 감수하는 경우에 발생할 수 있다. 이윤 및 일반경비로서 생산자 자신의 생산자가 수입국에의 수출을 위하여 수출국 내에서 생산한 평가대상 상품과 동종 또는 동류의 상품 수치가 통상적으로 반영되는 수치와 합치하지 않을 경우에는 이윤 및 일반경비의 금액은 상품의 생산자가 직접 제출하거나 또는 생산자를 대신하여 제출하는 정보 외의 관련정보를 기초로 할 수 있다. 그리고 제 6 조 1항 (b)에 언급된 '일반경비'에는 제 6 조 1항 (a)에서 포함되지 아니하는 상품생산 및 수출판매를 위한 직접 및 간접비가 포함된다. WTO 관세평가협정 부속서 1, 제 6 조에 대한 주해 4항·5항·7항 참조.

기 위해 필요한 제반 다른 경비의 비용 또는 가격 등의 금액의 합으로 구성된다.[91]

일반적으로 관세가격은 수입국에서 손쉽게 입수할 수 있는 정보를 기초로 결정된다. 그러나 산정가격을 결정하기 위해서는 평가대상 상품의 생산비용과 수입국 외부에서 얻어져야 하는 다른 정보를 조사하는 것이 필요할 수 있다. 더구나 대부분의 경우에 상품의 생산자는 수입국 당국의 관할권 밖에 있게 된다. 산정가격 방법의 사용은 일반적으로 구매자와 판매자가 상호 관련이 있는 경우와 생산자가 필요한 원가계산서를 수입국의 행정당국에 제출하고 필요한 경우 이를 확인할 수 있도록 편의를 제공할 준비가 되어 있을 경우에 한정된다.[92] 따라서, 회원국은 자기 나라 영토 내에서 거주하지 아니하는 자에게 산정가격을 결정할 목적으로 회계장부 또는 다른 기록을 검사를 위해 제출하게 하거나 이에 대한 접근을 허용하도록 요구하거나 강제할 수 없다.[93]

그러나 산정가격을 결정할 목적으로 생산자가 제공한 정보는 수입국 당국이 당해 국가의 정부에 충분히 사전에 통보를 하고 이러한 당해 국가의 정부가 조사에 반대하지 아니하는 경우 수입국 당국은 생산자의 동의를 받아 이를 당해 국내에서 검증할 수 있다.[94] 또한, 생산자가 직접 제출하거나 또는 생산자를 대신하여 제출된 정보 외의 정보가 산정가격의 결정을 위하여 사용되는 경우, 수입국의 당국은 수입자의 요청시 이러한 정보의 공급원, 사용한 자료 및 이러한 자료를 기초로 한 계산내역을 수입자에게 통보한다.[95]

(4) 기타 관세가격

상기 어느 방법에 의하여도 수입품의 관세가격을 결정할 수 없는 경우에 관세가격은 관세평가협정 및 GATT 제7조의 원칙과 일반규정에 부합되는 합리적인 방법(reasonable means)[96]에 따라 수입국 내에서 입수가능한 자료를 기초로 결

---

91) WTO 관세평가협정 제6조 1항.
92) WTO 관세평가협정 부속서 1, 제6조에 대한 주해 1항.
93) WTO 관세평가협정 제6조 2항 1문.
94) WTO 관세평가협정 제6조 2항 2문.
95) WTO 관세평가협정 부속서 1, 제6조에 대한 주해 6항.
96) '합리적인 방법'과 관련하여 WTO 관세평가협정 부속서 1, 제7조에 대한 주해 2항에서 합리적인 융통성(reasonable flexibility)의 예로 제시하고 있는 것은 다음과 같다. (ⅰ) 동종동질상품－동종동질상품이 평가대상 상품과 동시에 또는 거의 동시에 수출되어야 한다는 요건은 융통성 있게 해석될 수 있다. 평가대상 상품의 수출국 이외의 국가에서 생산된 동종

정된다.[97]

그러나 이러한 경우에도 다음을 기초로 수입품의 관세가격을 결정하여서는 아니 된다. 첫째, 수입국에서 생산된 상품이 수입국 내에서 판매되는 가격, 둘째, 두 개의 선택 가능한 가격 중 높은 가격을 관세목적상 채택하도록 규정하는 제도, 셋째, 수출국 국내시장에서의 상품가격, 넷째, 제6조의 규정에 따라 동종동질 또는 유사상품에 대해 결정된 산정가격이 아닌 생산비용, 다섯째, 수입국 이외의 국가에 대한 상품의 수출가격, 여섯째, 최저관세가격, 일곱째, 자의적 또는 가공적 가격.[98]

한편 수입자가 요청하는 경우 동 수입자는 동 조의 규정에 따라 결정된 관세가격 및 이러한 가격을 결정하기 위해 사용된 방법을 서면으로 통보받는다.[99]

3. 기타 규정

(1) 사용환율

관세가격의 결정을 위해 화폐환산이 필요한 경우, 사용될 환율은 관련 수입국의 권한 있는 당국에 의하여 정식으로 공표된 것이며 각 공표문서가 대상으로 하고 있는 기간 동안 수입국 화폐 기준으로 상거래에서 그 화폐의 현행 가치를 가능한 한 효과적으로 반영한 것이어야 한다.[100] 그리고 사용할 환율은 각국에서 규정하는 바에 따라 수출시 또는 수입시의 유효한 환율이 된다.[101]

동질 수입품이 관세평가의 기초가 될 수 있다. 제5조 및 제6조의 규정에 따라 이미 확정된 동종동질 수입품의 관세가격이 사용될 수 있다. (ii) 유사 상품－유사상품이 평가대상 상품과 동시에 또는 거의 동시에 수출되어야 한다는 요건은 융통성 있게 해석될 수 있다. 평가대상 상품의 수출국 이외의 국가에서 생산된 유사 수입품이 관세평가의 기초가 될 수 있다. 제5조 및 제6조의 규정에 따라 이미 확정된 유사 수입품의 관세가격이 사용될 수 있다. (iii) 공제방법－상품이 제5조 1항 (a)에서 규정한 바와 같이 '수입시와 동일한 형태'로 판매되었어야 한다는 요건은 융통성 있게 해석될 수 있다. '90일' 요건은 융통성 있게 운용될 수 있다.

97) WTO 관세평가협정 제7조 1항.
98) WTO 관세평가협정 제7조 2항.
99) WTO 관세평가협정 제7조 3항.
100) WTO 관세평가협정 제9조 1항.
101) WTO 관세평가협정 제9조 2항.

(2) 비밀정보의 미공개

성격상 비밀이거나 또는 관세평가 목적을 위해 비밀로 제공되는 모든 정보는 관계당국에 의하여 엄격히 비밀로 취급되며 관계 당국은 사법절차에서 공개가 요구되는 범위 내에서의 공개를 예외로 하고 당해 정보를 제공한 당사자 또는 정부의 명시적인 허락 없이 이를 공개하지 아니한다.[102]

(3) 이의제기

협정 제11조는 세관당국이 내린 관세평가 결정에 대해 수입자가 이의제기할 권리를 가지고 있다고 규정하고 있다. 수입자는 우선 상급의 세관당국에 이의제기할 수 있으며, 최종적으로는 사법기관에 이의제기할 수 있는 권리를 갖는다.[103] 이에 따라 각 회원국은 국내법에 수입자 또는 그 밖의 관세 지불 의무자에게 벌칙 부과 없이(without penalty) 관세가격 결정에 관하여 이의제기를 할 수 있는 권리를 규정해야 한다.[104] 벌칙 부과 없는 이의제기 권리는 특정 세관당국 내의 기관 또는 독립된 기관을 대상으로 할 수 있다.[105] 여기서 '벌칙 부과 없이'라는 용어는 수입자가 이의제기 권리를 행사하기로 하였다는 이유만으로 벌금의 대상이 되거나 또는 벌금의 위협의 대상이 될 수 없음을 의미한다.[106] 이의제기에 대한 결정은 이의제기인에게 통지되며 이러한 결정의 사유는 서면으로 제공된다. 또한 이의제기인에게 그 결정에 대한 추가적인 이의제기의 권리가 통보된다.[107]

(4) 상품의 회수

수입품의 관세가격을 결정하는 과정에서 관세가격 최종판정의 지연이 필요한 경우, 당해 상품 수입자는 보증이 요구되면 당해 상품에 대해 부과될 수 있는 궁극적인 관세지불을 충족할 수 있는 충분한 보증을 담보(surety), 예치(deposit), 그 밖의 적절한 증서(instrument)의 형태로 제공하는 때에는 세관으로부터 상품을

---

102) WTO 관세평가협정 제10조.
103) WTO 관세평가협정 부속서 1, 제11조에 대한 주해 1항.
104) WTO 관세평가협정 제11조 1항.
105) WTO 관세평가협정 제11조 2항.
106) WTO 관세평가협정 부속서 1, 제11조에 대한 주해 2항.
107) WTO 관세평가협정 제11조 3항.

회수할 수 있다. 따라서 각 회원국은 국내법에 이러한 상황에 대한 규정을 마련해야 한다.[108]

(5) 서면설명

수입자는 서면요청으로 자신의 상품에 대한 관세가격이 어떠한 방법으로 결정되었는지에 관하여 수입국의 세관당국으로부터 서면으로 설명받을 권리를 가진다.[109]

(6) 세관당국의 권리보장

제17조는 협정을 적용함에 있어서 세관당국이 관세평가를 위하여 자신에게 제출된 진술(statement), 문서(document), 또는 신고(declaration)의 진실성 또는 정확성에 관하여 조사할 필요가 있을 수 있음을 인정하고 있다. 따라서 동 조항은 예컨대, 관세가격결정과 관련하여 세관에 신고 또는 제출된 가격요소가 완전하고 정확한지 여부를 확인할 목적으로 조사가 행해질 수 있음을 인정하고 있는 것이다. 동 조사에 있어서 회원국은 자국의 법령 절차에 따라 수입자로부터 충분한 협조를 기대할 권리를 갖는다.[110]

제 4 절 관세평가협정의 평가

관세평가협정은 GATT 제7조 관세평가 규정을 좀더 명확히 하고 절차적 투명성을 제고하기 위해 관세평가 규칙과 절차를 마련하고 있다. 관세평가협정은 전문에서 공정하고 통일되고 중립적인 관세평가체제를 확립해 나갈 것을 상기시키고 있으며, 관세가격 평가시 상업적 현실에 유의하고 자의적 또는 가공적 관세가격의 사용을 금지하고 있다. 협정에 대한 주해인 부속서 1은 협정 제1조에서 제7조에 걸쳐 규정된 상이한 관세평가 방법들의 순차적인 적용에 관한 일반 및 특별 규칙에 대해 설명하고 있다. 수입품의 송장가격에 기초한 거래가격은 관세

---

108) WTO 관세평가협정 제13조.
109) WTO 관세평가협정 제16조.
110) WTO 관세평가협정 부속서 3, 6항.

평가의 제1차적인 방법이다. 협정이 관세가격으로 거래가격을 제1차적인 기초로 하는 이유는 송장가격이 수입품에 대해 지불했거나 지불할 실제가격을 반영하고 있고 쉽게 입수할 수 있는 증거가 되기 때문이다. 이 점에서 거래가격 방법은 상품이 실제로 판매된 가격으로부터 시작해서 몇 가지 필수적인 조정을 거치는 실제적인 방법이라고 할 수 있다. 나머지 네 가지 선택적 관세평가 방법은 거래가격 방법으로 관세가격을 결정할 수 없을 때에만 사용된다. 이들 평가방법 중 몇 가지는 사실상 관념가격을 채택하고 있다고 할 수 있는데,[111] 그 이유는 평가방법이 어떤 조건하에서의 수입품 판매를 가정하고 결정된 가격에 의존하기 때문이다. 관세평가협정이 실제가격 평가체제와 관념가격 평가체제를 혼합하여 놓은 것이라는 것은 바로 이 점 때문이다.[112]

선택적인 관세평가 방법은 엄격한 순서로 하나씩 차례로 적용된다. 유일한 예외는 제5조와 제6조에 규정된 공제가격 방법과 산정가격 방법을 적용할 때, 이들 방법을 적용하면서 발생하는 문제점을 피하거나 최소화시키기 위해 수입자의 요청으로 적용순서를 바꿀 수 있다는 것이다. 부속서 1은 일반적으로 수락된 회계원칙(generally accepted accounting principles)의 사용과 협정 제8조에서 제15조까지의 절차적인 문제에 대한 밑그림을 그렸다. 이처럼 공정성, 통일성, 중립성을 제고한 관세평가제도는 관세가격 결정과정에 통일성과 일관성을 가져옴으로써 관세평가를 악용하는 것을 뿌리 뽑고 관세평가시 자의가 개입하는 것을 근절할 목적으로 도입된 것이다. 그러나 회원국 각각의 관할권 내에서 WTO 관세평가규정을 구체화시키고 집행하는 국내법들이 상이하다는 점은 논란의 원인이 되고 있다.[113]

관세평가협정은 관세평가의 모든 측면을 규율하는 통일된 규칙을 정하지는 못했다. 관세평가협정에는 관세평가의 차이를 가져오게 하는 선적료, 보험료, 하역비 등에 관한 규정이 없다. 일국이 채택할 수 있는 가격산정 방법에는 CIF(cost, insurance, and freight)가격,[114] CF(cost and freight)가격,[115] FOB(free on board)가격[116]

---

111) 공제가격이나 산정가격이 여기에 해당한다.
112) M. Rafiqul Islam, *supra* note 16, p. 237.
113) *Ibid.*
114) CIF가격이란 수출입 상품의 운임·보험료를 포함한 가격, 즉 도착항까지의 인도가격을 말한다.
115) CF가격이란 수출입 상품의 운임만 포함한 가격을 말한다.

등 여러 가지가 있다. WTO 회원국들이 대부분 CIF가격을 사용하고 있는 반면에, 미국 등은 FOB가격을 사용하고 있다. 거리나 지리적 위치에 따라 수출자간 차별을 하지 않는 FOB가격에 비해 CIF가격은 수입국과 수출국이 서로 멀리 떨어져 있으면 있을수록 가격에 높은 운송비가 포함되기 때문에 CIF가격으로 관세평가를 하게 되면 FOB가격으로 관세평가를 하는 것보다 고액의 관세가 부과된다. 이러한 차이를 이용해 멕시코는 NAFTA 비회원국으로부터의 수입에 대해서는 CIF가격으로 관세평가를 하였고, NAFTA 회원국으로부터의 수입에 대해서는 FOB가격으로 관세평가를 하였다.[117] 이와 같은 변칙적인 관세평가 관행들로 인해 회원국들은 DSB에 분쟁해결을 부탁하기도 했으나, 지금까지 한 건을 제외하고는 대부분 패널절차까지 진행되지는 않았다.[118]

'관련이 있는 자간 판매'(a sale between related persons)에 있어서 송장가격은 그러한 특수 관계가 가격에 영향을 미치지 않는 경우에만 유효하다. 따라서 중요한 것은 '관계'(relationship) 그 자체가 아니라 '가격에 대한 관계의 영향'(the effect of relationship on the price)이라고 할 수 있다. 또한 관세평가협정에 의하면 관세당국이 송장가격의 유효성에 의문을 갖는다면, 송장가격의 정확성에 대한 입증책임을 수입자가 부담한다. 이처럼 관세평가협정이 '관련이 있는 자간 판매'에 대하여 이를 별도로 취급하는 이유는 가격의 합리성에 영향을 줄 수 있는 비시장적 요인이 게재될 개연성이 크다고 보기 때문이다. 그럼에도 불구하고, 여전히 다국적기업(multinational corporations: MNCs)과 같이 관련이 있는 당사자간 판매에 있어서 관세를 최소화하고 전체적인 이윤을 극대화하기 위한 기만적인 송장작성(fraudulent invoicing)과 송장가격을 실제 거래가격보다 낮게 표시하는 것(under-invoicing) 등은 계속해서 문제로 제기된다.[119]

개발도상국에 대한 기술적 조언과 지원 규정에도 불구하고, 다수의 개발도상국들(특히, 최빈개도국들)은 여전히 협정을 이행하는 데 어려움에 직면해 있거나

---

116) FOB가격이란 본선인도가격 또는 수출항 본선인도가격이라고도 하며 무역상품을 적출항에서 매수자에게 인도할 때의 가격을 말한다.
117) B Hoekman and M Kostecki, *The Political Economy of the World Trading System: The WTO and Beyond*, 2nd ed,(Oxford University Press, 2001), pp. 161-162.
118) 관세평가 관련 사건으로는 DS53, DS197, DS198, DS298, DS348, DS370, DS371 등이 있으나, DS371을 제외하고는 패널절차까지 진행되지 않았다.
119) M. Rafiqul Islam, *supra* note 16, p. 238.

협정을 이행하는 것을 꺼리고 있다. 그 주된 이유는 다음과 같다. 첫째, 개발도상국들은 관세평가협정 협상에 적극적으로 참여하지 않았다. 도쿄라운드에서 미국과 EU 등 선진국들간 협상의 결과 관세평가협정이 채택되었지만, 협상시 개발도상국들의 관세수입에 대한 국가재정의 의존도가 높다는 점과 개발도상국들은 선진국과는 무역환경이 다르고 사회기반시설이 제약된다는 점 등은 고려되지 않았다. 게다가 우루과이라운드에서 관세평가협정이 재협상을 위해 개방된 것도 아니었다. 개발도상국들이 협상에 적극적으로 참여하지도 않았고 개발도상국들의 상황이 고려되지도 않았기 때문에 관세평가협정은 개발도상국들의 관심대상이 되지 못했으며, 개발도상국에게 관세평가체제를 바꾸는 것이 시급하다는 인식을 심어주지도 못했다.[120] 둘째, 개발도상국에 있어서 관세수입이 전체 세수에서 차지하는 비중은 OECD 국가들에 비해 상대적으로 높다. 그 이유는 개발도상국에서는 탈세가 많이 이루어지고 비공식경제(informal economy)[121]가 우위를 점하고 있어서 내국세 징수는 제대로 이루어지지 않는 반면, 수입관세 징수는 원활하게 이루어지기 때문이다. 따라서 많은 개발도상국들은 관세평가협정의 이행에 따른 만일의 관세수입 손실에 민감할 수밖에 없다. 그렇기 때문에 개발도상국들은 송장가격이 실제 거래가격보다 낮게 표시되어 수입되었다고 의심하고 관세평가협정이 이런 경우에 대처할 충분한 방법을 제공하지 않는다고 믿고 있다.[122] 셋째, 관세평가의 제1차적인 방법인 거래가격은 관세당국에 신고된 수입품의 송장가격에 기초하는데, 다수의 개발도상국 관세당국은 송장가격의 정확성을 확인할 자원, 실행계획, 메커니즘이 부족한 것이 현실이다.[123] 이러한 문제점들로 인해 개발도상국들이 관세평가협정을 이행하는 것을 주저하거나 이행상 어려움을 호소하게 된다.

---

120) Macrory et al., *supra* note 15, p. 571.

121) 미국 국세청(IRS)의 개념 정의에 따르면, 비공식경제는 지하경제(underground economy)의 한 유형에 해당된다. 미국 국세청은 지하경제를 불법경제(illegal economy)와 비공식경제로 구분하였다. 불법경제는 매춘, 마약밀매, 도박, 금품강탈, 횡령 등과 같은 법에 반하는 활동이고, 비공식경제의 활동은 법적인 측면에서 합법적이나 세금징수와 관련하여 제대로 보고되지 않거나 전혀 보고되지 않는 활동을 지칭한다.

122) Vinod Rege, "Customs Valuation and Customs Reform," in Bernard Hoekman, Aaditya Mattoo, and Philip English(eds.), *Development, Trade and WTO: A Handbook*(World Bank, 2002), p. 131.

123) M. Rafiqul Islam, *supra* note 16, p. 239.

정리하면, 관세평가협정이 관념가격 대신 실제가격인 수입품의 송장가격에 기초한 거래가격을 관세평가의 제1차적인 방법으로 채택한 것은 객관적인 관세평가의 초석을 마련한 것이라고 할 수 있다. 그리고 공정성, 통일성, 중립성을 제고한 관세평가제도는 관세가격 결정과정에 통일성과 일관성을 가져왔다는 점에서 WTO 관세평가협정은 긍정적인 평가를 받는다.

그러나 관세평가협정에는 관세평가의 차이를 가져오게 하는 선적료, 보험료, 하역비 등에 관한 규정이 없고, 일국이 채택할 수 있는 가격산정 방법을 국내법에 의해 규정하도록 함으로써 문제의 여지를 남겨두고 있으며, 또한 다국적기업과 같은 관련이 있는 당사자간 행해질 수 있는 부정을 방지할 장치가 미흡하다는 점 역시 문제점으로 제기된다. 그리고 개발도상국들의 시스템 및 구조상 문제점은 관세평가협정 이행의 걸림돌이 되고 있다.

제15장
통상관련투자협정

제1절 WTO 투자 협정

1. 무역관련투자조치 협정(TRIMs: Agreement on Trade-Related Investment Measures)

(1) 배 경

1980년대 중·후반 외국인 직접투자(Foreign Direct Investment: FDI)가 국제적으로 급격하게 증가하면서 각국 정부는 자국의 산업을 보호하고 외화유출(outflow of foreign exchange)을 막기 위해 외국인 직접투자에 대한 다양한 형태의 제한을 가하였다. 이러한 제한 조치는 종종 GATT 1994의 제III조(내국민대우원칙) 및 제XI조(수량제한 금지원칙)를 위배함에 따라 국제투자문제가 본격적으로 GATT차원에서 거론되기 시작했다. 이에 따라 무역의 흐름을 제한하거나 왜곡할 수 있는 무역관련투자조치(Trade Related Investment Measures)의 규제를 논의하기 위한 협상을 개시한다는 내용이 우루과이라운드(UR)협상과 함께 시작된 1986년 푼타델에스테 선언에 포함되었다. 그러나 이러한 논의는 국제투자문제 자체를 협상대상으로 한 것이 아니라 주로 무역의 자유로운 흐름을 왜곡하는 투자조치만을 비관세 장벽 차원에서 다루기 위한 것이었다. 이후 동 선언에 따라 1993년 UR협상에서 무역관련투자조치(TRIMs)협정이 타결되었고, 상품무역을 제한하거나 왜곡하는 투자조치에 대하여 규제가 시행되기에 이르렀다. 이와 같은 배경 하에서 기본적으로 자국 산업에 유리한 법률이나 정책 혹은 행정규제를 조건으로 한 투자승인을 금지하는 WTO의 TRIMs협정은 투자조치의 무역왜곡 및 무역제한효과를 방지함에 있어서 법적 구속력을 지닌 최초의 다자간 규범이 되었다.

(2) TRIMs의 정의 및 주요내용

TRIMs 협정문은 총 9개의 조항과 1개의 부속서로 구성되어 있으며, 협정문에서는 무역관련투자조치(TRIMs)에 대한 명확한 정의를 제공하지 않고 있다. 그러나 협정문의 부속서에서는 예시(illustrative list)를 통해 GATT 1994 제III조 제4항에 규정된 내국민대우의무와 제XI조 제1항에 규정된 수량제한의 일반적인 철폐의무에 합치하지 않는 무역관련투자조치의 일반적인 사례를 아래와 같이 제시하고 있다.

표 15-1   TRIMs협정에서 금지하는 무역관련투자조치 일반사례

GATT 1994 제III조 제4항(내국민대우: National Treatment)에 위배되는 사례
현지부품조달의무(Local Content Requirements) 특정품목, 특정물량 혹은 금액 또는 국내 생산량이나 금액의 일정비율을 정하여 국산품 또는 국내 조달 물품을 구매토록 하거나 혹은 사용을 강제하는 조치
수출입균형의무(수입연계제도)(Trade Balancing Measures) 해당기업의 수출물량이나 금액만큼 수입품을 구매하거나 사용하도록 하는 조치
GATT 1994 제XI조 제1항(수량제한의 일반적 폐지)에 위배되는 사례
외환구입제한(Foreign Exchange Restrictions) 기업의 수입대금 지급을 위한 외환구입을 당해 기업의 외화획득액(the amount related to the foreign exchange inflows attributable to the enterprise)과 연계시킴으로써 국내생산에 필요한 물품의 수입을 제한하는 조치
수출제한(Export Restriction) 수출시 특정품목, 특정물량 혹은 금액을 정하거나 또는 국내생산량이나 국내생산금액의 일정비율을 정함으로써 기업의 수출이나 수출을 위한 판매를 제한하는 조치
수출입균형의무(수출입연계제도)(Trade Balancing Measures) 해당기업의 국내생산에 사용되는 물품의 수입을 그 기업의 수출물량이나 금액만큼 제한하는 조치

(3) 통지 및 경과조치

회원국은 WTO 협정 발효 후 90일 이내에 이에 위배되는 자국의 모든 무역관련 투자조치를 상품교역에 관한 이사회(The Council for Trade in Goods)에 통보하여야 한다. 모든 회원국은 위와 같이 통보된 조치를 선진국은 2년, 개도국은 5년, 그리고 최빈 개도국의 경우 7년의 유예기간(transitional period) 이내에 폐지하여야 한다(제V조 제1항, 2항) 한편, 중국은 개도국으로서 5년 이내인 2006년까지 TRIMs협정에 위반되는 무역관련투자조치를 폐지하도록 규정하였다.

(4) 개도국에 대한 예외규정

GATT 1994 하에서 개도국들에게 허용되는 예외사항들은 TRIMs협정에도 적용된다. 따라서, 개도국들의 경우 무역관련투자조치(TRIMs)가 GATT 1994 제XVIII조의 조건에 해당되는 경우 해당 조치들을 계속해서 시행할 수 있다. 또한 동 협정 제V조 제3항에 따르면 개도국과 최빈 개도국에는 유예기간연장이 허용된다. 신규투자기업과 기존기업간의 공정한 경쟁을 위하여 신규투자기업에 대해서도 일정한 조건하에 유예기간 중에 동일한 내용을 적용할 수 있다.

(5) TRIMs협정의 한계와 평가

TRIMs 협정은 단지 상품무역과 관련된 투자조치만을 다룸으로써 최근 증가하고 있는 서비스무역과 관련된 투자에 대한 규제는 다루고 있지 않다. 또한, 선진국과 개도국들의 입장 차이로 인해 협의과정에서 그 내용이 대폭 축소되어 실질적인 다자간의 투자규범으로서의 충분한 역할을 다하지 못하고 있다. 선진국이 주장하던 기술이전의무나 외국인지분 참여제한 조건 등의 금지 및 개도국 측에서 주장한 경쟁제한행위 규제도 그 대상에서 제외되고 외국인투자에 대한 유인문제도 보조금 및 상계관세 부문에서 일반적으로 다루기로 하였다. 결국 이러한 논의를 거쳐 동 협정은 금지대상 무역관련 조치의 범위를 직접적인 무역왜곡효과를 갖는 한정된 조치로 제한하는데 그치고 말았다. 이러한 한계에도 불구하고, TRIMs 협정은 명백한 무역왜곡효과를 갖는 투자조치를 규제하는 최초의 다자간 규범 이라는데 그 중요한 의미를 가진다.[1]

참고로 한국의 TRIMs 협정에 관한 이행사항으로서는 한국의 경우에는 국산부품의 사용 의무화 조건(Local Contents Requirement)과 관련하여 일본으로부터의 특정 품목에 대한 수입을 금지하기 위한 "수입선 다변화제도"(Import Source

---

1) 이신규, 「국제통상의 이해」(도서출판 두남, 2001), pp. 308-309.

Diversification Program)가 시행되고 있었지만 1999년을 기하여 대부분 관련 조치들이 철폐되었다. 한편, 그동안 선진국에서 주장하던 기술이전의무의 금지는 한-미 FTA에는 기 반영되어 현재 시행되고 있으며, 일본 등 11개국을 중심으로 발효 중인 CPTPP 협정문(제9.10조)이나 미국-멕시코-캐나다 간의 자유무역협정인 USMCA(제14.10조)에도 이 조항이 포함되어 있다.

(6) TRIMs 협정과 WTO분쟁사건

한편, 1996년 WTO가 출범한 이후 2020년까지 총 45건에 이르는 당사국간의 분쟁이 WTO TRIMs 협정의 위반을 이유로 분쟁해결양해(DSU: Dispute Settlement Understanding)에 따라 제기되었으며, 이들 대부분의 분쟁은 자동차 부품이나 에너지 분야에 관한 해당 국가의 차별적 조치나 과세와 관련한 사항들이다. TRIMs 협정과 관련한 가장 최근의 분쟁은 한국과 일본 간의 '일본의 한국에 대한 반도체 주요 소재인 포토레지스터, 불화수소, 폴리아미드의 수출제한 조치'와 관련한 사건이다. 2019. 7. 4. 일본 정부는 한국에 대한 수출 통제를 강화하면서 반도체 소재 3가지 품목에 대한 수출을 제한하는 조치를 발표하였다. 이에 한국 정부는 일본 정부의 수출제한조치에 대해 2019. 9. 11. WTO DSU에 따라 협의를 요청하였으며 협의가 결렬됨에 따라 관련 패널의 구성이 논의 중에 있다.[2]

한편 2015년 7월에 일본이 브라질에 대하여 협의(consultation)을 요청하여 패널에서 최종 판정을 내린 브라질의 조세제도에 관한 사건을 살펴보면, (i) 자동차 산업과 관련하여 브라질 국내에서 생산된 자동차 및 부품에 대해서는 수입품보다 낮은 세율을 적용하고 있으며, (ii) 브라질 국내에서 생산하거나 브라질 정부가 규정하는 일정한 제조과정을 거친 정보통신산업(ICT) 관련 제품에 대해서는 조세상의 특혜를 제공하고 있으며, (iii) 매출액 중 수출비중이 50% 이상인 기업에 대해서는 해당 기업의 원재료, 중간재 및 포장재의 구매에 대해서는 일정한 조세감면을 부여함으로써 이들 수출 기업에게 사실상의 수출보조금을 제공하고 있다고 일본이 주장하였다.[3] 패널은 이 사건에 대하여 심의한 결과 2017. 8월, 브라질의 조치는 GATT 제III조 제2항과 제4항 및 TRIMs 협정 제III조 제1항을 위반

2) WTO, WT/DS590, Japan-Measures Related to the Exportation of Products and Technology to Korea (Japan v. Korea) June 19, 2020.
3) WTO, WT/DS497/1, G/TRIMS/D/41, Brazil v. Japan. 9, July 2015.

하였다고 결정하였다.[4] 이러한 패널의 결정에 대하여 브라질이 상소하였으나 상소기구도 2018. 12월 패널의 결정이 타당하다고 최종 판시하였다.[5]

한편, TRIMs 협정과 관련하여 WTO의 분쟁해결기구(Dispute Settlement Body: DSB)에 따라 패널이 설치되어 패널보고서까지 채택된 또 하나의 사건으로서 미국이 인도를 상대로 제기한 태양광 솔라셀 관련 사건이 있다. 본 사건에서 문제가 된 조항은 인도의 태양광 발전과 관련한 솔라셀과 모듈에 대한 국내 부품 사용의무(domestic content requirements)와 관련한 사항이다. 미국은 2013년 인도의 국립솔라미션(National Solar Mission)프로젝트에서 인도 정부가 부과한 국내 부품 사용의무는 TRIMs 협정 제II조 제1항의 위반이라고 주장하고 패널의 설치를 요구하였다. 패널은 위 국내 부품 사용을 의무화한 조항이 GATT 1994 제III조 제4항과 TRIMs 협정 제II조 제1항을 위반하였다고 결정하고, 국내 공급 부족의 경우에 대한 예외를 인정한 GATT 1994 XX(j)의 규정에 의거하여 동 부품에 대해서는 예외를 적용해야 한다는 인도의 주장을 기각하면서, 국내 공급이 부족하다는 점을 충분히 입증하지 못하였다고 판시하였다. 인도는 패널의 결정에 대해 2016년 4월 상소기구(Appellate Body)에 상소하였다.[6] 상소기구는 2016년 9월 인도가 내국민대우와 TRIMs 협정을 위반했다고 최종 결정했다.[7]

2. GATS(General Agreement on Trade in Services)에서의 투자규정

TRIMs 협정은 상품무역(GATT)과 관련된 투자이기 때문에 WTO는 서비스관련 투자문제를 GATS(서비스무역에 관한 일반협정)에서 따로 다루고 있다. GATS에서 규정된 4가지의 서비스공급유형[8] 가운데 하나인 "외국서비스공급자의 상업

---

4) WTO, WT/DS472/R: WT/DS497/R, Brazil-Certain Measures Concerning Taxation and Charges (Brazil v. Japan), August 17, 2017.
5) WTO, WT/DS472/AB/R, WT/DS497/AB/R, Brazil-Certain Measures Concerning Taxation and Charges (Brazil v. Japan), December 13, 2018.
6) WTO, WT/DS456, The United States v. India, April, 2016.
7) WTO, WT/DS456/AB/R, India-Certain Measures Relating to Solar Cells and Solar Modules, Sep. 16, 2016.
8) GATS 제I조에서 규정하는 4가지 형태의 서비스공급을 살펴보면, Mode 1 국경간 공급: 한 회원국의 영토에서 타 회원국의 영토로 공급, Mode 2 해외에서의 소비: 한 회원국 영토 내에서 타 회원국의 소비자나 기업에 대한 서비스공급(예: 관광), Mode 3 상업적 주재: 한 회원국의 기업체가 타 회원국의 영토 내에 지사나 사무실을 설립하여 서비스공급(예: 해외

적 주재"(commercial presence)는 서비스분야에 대한 외국인직접투자를 다루고 있다.[9] 동 협정 제28조에 따르면 '서비스공급'이란 서비스의 생산, 유통, 시장확대 (marketing), 판매 및 배달을 포함하며, '상업적 주재'란 서비스공급을 목적으로 회원국의 영토 내에서 주재하는 모든 유형의 영업적 또는 전문직업적 설립체를 의미하며 법인의 구성, 인수 또는 유지, 혹은 지사나 대표사무소의 창설 또는 유지를 포함한다. 그러므로 서비스 공급을 위한 상업적 주재는 서비스 공급을 위한 기업의 외국 주재를 말하는 것으로 실질적으로 서비스 부문에서의 외국인 투자를 나타낸다. GATS에는 외국인직접투자에 의한 서비스가 포함되어 있기 때문에 WTO의 주요 원칙인 최혜국대우(GATS 제II조)와 투명성(GATS 제III조), 내국민대우 (GATS 제XVII조), 분쟁해결조항(GATS 제XXII조, 제XXIII조) 등 주요 규정이 외국인투자에 직접적으로 적용된다. 한편, GATS의 투자관련 규정 중 시장접근(market access)과 내국민대우는 회원국의 일반적인 의무가 아니라, 국가별 양허표에 명기된 분야에 대해서만 자유화 의무가 있다. GATS에는 외국인투자의 수용 및 보상

표 15-2 | WTO TRIMs와 WTO GATS 투자규정 비교

		TRIMs	GATS
법적 구속력		○	○
투자관련 제도·법의 투명성		○	○
투자의 대우 (자유화)	Performance요구의 금지(최소화)	○	×
	우대조치의 금지 또는 최소화	○	×
	최혜국대우	○	○
	내국민대우	○	○
투자의 대우 (보호)	송금자유	×	×
	수용시 보장	×	×
	분쟁처리	×	○

자료: WTO Investment Report 1996, 「일본무역진흥회 해외투자백서 1997」[10]

지사 은행의 해당지역에서의 서비스공급), Mode 4 자연인의 주재: 자연인의 일시적인 주재를 통해 한 회원국에서 타 회원국으로 서비스 공급(예: 컨설턴트나 패션모델의 활동).
9) GATS 제XXVIII조 참조.
10) 오승구, 유진석, 「다자간투자협정(MAI)의 영향과 대응방안」(삼성경제연구원, 1997), p. 3.

규정이나 송금문제, 개인투자자의 소송참여문제 등에 대한 규정이 미미하게 다루어지고 있다. 이는 GATS가 외국인투자를 직접적으로 염두에 두고 채택된 것이 아니기 때문인 것으로 여겨진다.[11]

한편, GATS에서의 최혜국대우 원칙과 내국민대우 원칙 등에 근거하여 분쟁이 일어난 사건 중 가장 최근의 사건은 러시아가 EU, 크로아티아, 헝가리, 리투아니아를 상대로 제소한 에너지 관련 분쟁이다.[12] 2014년 4월 러시아는 천연가스에 관한 역내 시장 질서를 규정한 EU의 지침(2009/73/EC)과 이에 따른 크로아티아, 헝가리, 리투아니아의 국내 집행관련 법률 등 총 7가지의 조치가 GATS 제II:1, 제XIV(a), 제XVI:2(a), (e) 및 (f), 제XVII조 등에 위배된다고 주장하고 EU와 관련 국가에 협의를 요청하였다. 이에 따라 패널이 구성되어 심의한 결과 2017. 10월에 마침내 패널 보고서가 채택되었다. 본 사건의 주요 쟁점사항은 총 7가지로서, (1) 천연가스의 생산/공급과 유통 채널을 분리할 것을 의무화한 조치(unbundling), (2) 공급과 유통을 담당하는 각각의 공공기관(public body)을 별도의 기관으로 취급하며, (3) LNG 관련 조치, (4) 인프라의 분리 의무 면제, (5) upstream 파이프라인 네트워크의 의무 면제, (6) 제3국 확인서(certification) 의무화 조치, (7) 역내 공동관심 사업(projects of common interest: PCIs)에 대한 우선적 조치(Trans-European Networks for Energy: TEN-E) 등이다.[13] 러시아는 자국 가즈프롬(Gazprom)의 리투아니아를 통한 천연가스 파이프라인의 수송 서비스가 비EU 국가의 공급 서비스에 비해 차별적 취급을 받고 있다고 주장하였다.

이에 대하여 패널은 GATS 제II조 제1항의 비차별 조항은 일부(some) 상황만을 판단할 것이 아니라 사실관계와 상황 전체(totality of facts and circumstances) 및 해당 조치의 디자인(design), 구조(structure), 기대되는 운영(expected operation)을 고려하여 결정하여야 한다고 판시하였다.[14] 또한 패널은 공공기관(public body)과 관련해서는 두 가지 요건 즉, (1) 공공기관은 채널의 분리 의무에서 면제되며, (2) 이러한 조치가 국내 서비스 공급자에게만 적용되면서 타 회원국의 이익을 침해

---

11) 이성봉 외, 「WTO 투자협정 논의의 평가 및 향후 과제」(대외정책연구원, 2003), pp. 20-21.
12) WTO, WT/DS476/R, European Union and Its Member States -Certain Measures Relating to the Energy Sector (EU v. Russia), October 10, 2018
13) WTO, WT/DS476/R, para. 2.1.-2.2. pp. 28-46.
14) *Ibid*,. para. 7.489, pp. 169-170.

하여 경쟁조건(conditions of competition)을 변경(modify)시키는 것을 입증해야 하지만 러시아는 이를 입증하지 못하였다고 판시하였다.[15] 또한 LNG 관련 조치와 upstream 파이프라인 네트워크 의무 면제 조치는 GATS 혹은 GATT 관련 규정에 위배되지 않았다고 판시하였다.[16] 그러나, 인프라의 분리 의무 면제 중 50%의 제한과 연간 3 bcm 방출 프로그램은 GATT 제XI:1조 위반이며, 공동 관심 사업에 대한 우선 조치(TEN−E)는 GATT 1994 제I:1조 및 제III.4조에 위배된다고 판시하였다.[17] 아울러 제3국 확인서(certification)와 관련한 크로아티아, 헝가리 및 리투아니아의 관련 법률 조항은 GATS 제XVII조의 위반으로서 EU가 반론으로 제시한 제XIV(a)조에 의하여 정당화 되지 않는다고 결정하였다.[18] 이러한 패널의 결정에 대해 러시아와 EU는 각각 2018년 9월 상소를 결정하였으나 상소기구의 정상적 활동이 중단되면서 현재 더 이상 진행은 되지 않고 있다.

또 하나의 중요한 WTO 사건으로서 GATS 제II조 제1항 및 제XVII조 등에 위반된다고 제소한 사건으로서는 2012년의 파나마와 아르헨티나 간의 분쟁이 있다.[19] 2012년 12월 파나마는 아르헨티나 정부의 8가지 조치가 GATS 제II조 제1항 및 제XVII조 등에 위반된다고 주장하면서 협의를 요청하였다. 이에 따라 패널이 구성되어 2015. 9월에 패널 보고서가 채택되었다. 이후 파나마와 아르헨티나는 모두 상소기구(Appellate Body)에 상소하여 마침내 상소기구는 그 결과를 2016년 4월에 배포하였다. 쟁점사항은 총 8가지로서, (1) 이자와 보수의 지급에 대한 원천징수(Withholding tax on payments of interest and remuneration), (2) 부정당한 재산증식의 추정(Presumption of unjustified increase in wealth), (3) 이전가격에 근거한 거래의 평가(Transaction valuation based on transfer prices), (4) 비용의 분배에 관한 입금액 기준 원칙(Payment received rule for the allocation of expenditure), (5) 재보험 서비스에 관한 요구사항(Requirements relating to reinsurance services), (6) 아르헨티나 자본시장에 대한 접근요건(Requirements for access to the Argentine capital market),

---

15) *Ibid,.* para. 7.6.2.3, pp. 240−241.
16) *Ibid.,* para. 7.7.2.3, p. 248, para. 7.8.2.3, p. 259, para. 7.9.2.3, p. 295.
17) *Ibid.,* para. 7.8.4.3. p. 285, para. 7.1301, p. 346.
18) *Ibid.,* para 7.1254, p. 337.
19) WTO Panel Report, Argentina−Measures Concerning Financial Services, WT/DS453/R/ Panama(30 September 2015); WTO Appellate Body Report, Argentina− Measures Concerning Financial Services, WT/DS453/AB/R (14 April 2016).

(7) 지점의 등록 요건(Requirements for the registration of branches), (8) 외환의 승인 요건(Foreign exchange authorization requirement) 등이다. 당초 패널은 아르헨티나의 위 8가지 규정 모두가 GATS 제 2 조의 제 1 항에 비추어 비우호적인 국가에 대해서는 우호적인 국가에 대해서보다 덜 호혜적인 취급을 하였으므로 GATS 규정을 위반하였고, 위의 (2), (3), (4) 규정은 GATS 제17조의 내국민대우원칙에 따라 특별히 아르헨티나의 서비스와 서비스 공급자를 우호적으로 취급하지는 않았으므로 GATS 제17조를 위반하지 않았다고 결정하였다. 이에 대하여 아르헨티나와 파나마는 각각 위 패널의 결정에 대하여 불복하고 상소하였다. 상소기구는 이와 같은 패널의 결정에 대해, 어떤 조치가 경쟁 조건을 제한함으로써 당해 조치를 시행한 회원국의 동종의 서비스나 서비스 공급자에 비하여 일부 회원국의 서비스나 서비스 공급자에게 장애(detriment)가 될 수 있는 경우에는 '불리하지 않은 대우'(no less favorable treatment)를 부여할 의무가 지켜지지 않은 것이라고 판시하면서, 이 사건에서 '불리하지 않은 대우'를 판단함에 있어서는 적합한 예외규정에 해당할 수 있는지를 규제적 측면이나 관심사항 면에서 더 적절하게 검토하여야 함에도 불구하고 본 사건의 패널은 그렇지 못한 잘못이 있다고 판시하였다. 따라서, 본 사건에서 아르헨티나가 해외 공급자들의 조세 자료에 접근할 수 있었다는 규제적 측면을 근거로 아르헨티나의 조치는 GATS 규정에 위반되지 않는다고 최종 판시하였다.

3. 싱가포르 이슈 중 투자부문

(1) 논의의 배경

1996년 WTO출범 이후 최초로 열린 제 1 차 각료회의 선언문에서 무역과 투자의 관계를 검토하는 무역투자작업반(Working Group on Trade and Investment)의 설치로 WTO에서 투자에 관한 본격적인 논의가 이루어졌다. 1999년 제 3 차 WTO 각료회의에서 무역투자작업반에서의 논의를 바탕으로 차기 뉴라운드의 협상의제로 투자를 포함할 것인지를 놓고 다자간의 협상이 있었다. 그러나 회원국들간의 입장차이로 인해 가시적인 성과를 이루지는 못했다. 당시 EU, 일본, 한국은 투자를 협상의제에 포함하는 방안에 대해 찬성하였고 개도국은 이에 반대하였으며,

미국은 소극적인 태도를 취하였다.

그러나 2001년 11월에 카타르 도하에서 열린 제4차 WTO 각료회의는 투자 문제를 보다 포괄적으로 인식하고 무역확대를 위해 다자간투자규범을 본격적으로 논의할 수 있는 토대를 마련하는 계기가 되었다. 여기에서는 제5차 각료회의 때까지 무역투자작업반이 투자의 범위 및 정의, 투명성, 비차별 원칙, 서비스협정의 포지티브 리스트 접근방식에 기초한 설립 전 약속에 대한 방식, 개발조항, 예외 및 국제수지 세이프가드, 회원국간 분쟁해결절차 등 7가지 사항을 검토하도록 하였다. 그러나 제4차 각료회의에서 검토된 7가지 사항들은 투자 자유화에 중점을 두고 있어 투자보호와 분쟁해결절차가 논의에서 배제되었다.[20] 결국 도하 각료회의 이후 멕시코 칸쿤에서의 차기 각료회의까지 무역투자 작업반에서의 논의는 개도국의 여건을 고려한 유연하고 개발 친화적인 투자협정을 추구하기 위한 방안 마련에 초점이 맞추어져 있었다고 볼 수 있다.[21]

(2) 주요국의 입장 및 향후 전망

2003년 9월 멕시코 칸쿤에서 개최된 WTO 제5차 각료회의에서 회원국들은 두 가지 대안을 놓고 대립하였다. WTO투자협정을 조속히 마무리 짓기를 주장하는 국가들은 투자에 대한 협상을 조속히 개시해야 한다고 주장하였지만 반대 국가들은 투자협정의 세부 이슈들에 대한 명료화 작업을 먼저 진행할 것을 주장했다. EU, 한국, 일본 등의 투자협정에 대한 지지 국가들은 WTO차원에서 다자간투자규범의 제정을 위한 협상의 개시가 세계경제의 번영과 발전을 위해서 필요하다는 입장이었다. 투자는 무역과 직접적으로 관련이 있고, 다자간 투자협정은 WTO체제의 안정성, 예측가능성 및 투명성을 제고할 것이라는 점을 강조했다. 또한 서비스업의 경우 이미 WTO서비스협정을 통해서 직접투자의 자유화가 규율되고 있는 반면, 제조업 등 여타 분야의 경우 업종별로 외국인투자가 다르게 규율되고 있다는 점 등을 지적했다. 특히 다자간투자협정은 현재 존재하는 양자간 투자협정 및 지역협정 등을 보완할 수 있으며 국제투자의 안정성을 제고시키는 역할을 함으로써 전 세계 투자환경개선에 크게 기여할 것이라고 주장했다.[22]

---

20) 기본적으로 투자협정은 투자보호와 투자자유화를 포함한다.
21) 김준동, 최낙균, 「DDA 중간점검」(대외정책연구원, 2003), pp. 219-221.
22) *Ibid.*, pp. 221-223.

그러나 대부분의 개도국들은 WTO차원에서의 다자간투자규범 제정을 위한 협상개시 자체를 강력하게 반대하는 입장을 취하였다. 이들 개도국들은 기본적으로 무역문제를 다루는 WTO에서 투자문제는 논의될 수가 없으며, WTO의 다자간 투자협정의 체결이 전 세계 국제투자를 확대하기는커녕 오히려 개발도상국의 개발 목적에 역행할 수 있다는 점을 지적하였다. 또한 많은 개도국들은 전문 인력의 부족으로 투자협정까지 포괄하는 방대한 협상에 참여할 능력이 없다는 점을 강조했다. 개도국들과 선진국들의 입장차이로 결국 멕시코 칸쿤 각료회의에서 투자분야에 대한 논의는 결렬되었고, 따라서 앞으로도 여러 가지 상황에 비추어 볼 때 WTO에서는 투자협정의 제정을 위한 논의는 더 이상 진행되지 못할 것으로 예상된다.[23)]

4. WTO 투자협정의 평가 및 향후 전망

(1) 개도국에 대한 탄력적인 접근방식의 부족

그 동안 WTO내의 무역투자 작업반의 논의에 있어서 WTO 투자협정이 추구하고자 하는 기본적인 특징은 개도국들을 다자간 투자협정 제정에 참가하도록 유인하기 위해 유연성과 개발의 친화성 위주로 이루어졌다고 할 수 있을 것이다. EU, 일본, 한국 등 투자협정 제정에 적극적인 입장의 국가들이 회의적 혹은 반대 입장을 지닌 개도국에 대한 접근전략은 크게 아래와 같은 두 가지 측면에서 이루어졌으나, 이러한 접근전략은 결과적으로 개도국들의 투자협정에 대한 시각을 간과함으로써 별다른 성과를 거두지 못했다.

첫째, 다자간 투자협정은 세계 직접투자 활성화를 위한 유리한 환경을 조성함으로써 개도국 경제발전에 도움이 된다는 점을 개도국들에게 인식시키는 것이었다. 하지만 대부분의 개도국들은 투자협정을 외국인투자유치수단으로 여기고 있어 다자간 투자협정보다 양자간 투자협정이 오히려 유효한 투자유치수단이 된다고 보고 있다. 경쟁국과의 차별화를 통해 직접투자를 유치하려는 개도국들에게 양자간 투자협정에서의 투자유치경쟁을 위한 원동력이 다자간 투자협정에서는 원동력이 될 수 없다는 것이다. 또한 다자간 투자협정의 제정으로 세계직접투자

---

23) *Ibid.*, pp. 221－223.

가 활성화되어 개도국들의 경제가 발전한다 하더라도 그 혜택이 일부 개도국들에게만 집중될 가능성이 크다는 점도 개도국들이 다자간 투자협정 제정을 꺼리는 이유 중의 하나이다.

둘째는 WTO에서 추진하는 다자간 투자협정은 모든 회원국이 수용할 수 있는 수준으로서 각 회원국의 상황을 충분히 고려하는 유연한 내용의 협정이라는 점을 부각시키는 것이었다. 하지만 다자간 투자협정 제정을 추진하던 국가들은 개도국이 투자협정에 참여할 충분한 유인만 있다면 투자협정의 수준자체는 큰 문제가 되지 않는다는 사실도 간과하고 있었다. 2003년 상반기까지 미국과 양자간 투자협정을 체결한 총 46개국 중 43개국이 비 OECD회원국들이었다. 이는 미국형 투자협정 모델이 지금까지의 여러 유형 중 가장 높은 수준이라는 점을 고려해 볼 때 낮은 투자협정수준이 개도국들의 협정 참여 여부에 결정적인 요인이 되지 못한다고 볼 수 있다.[24]

(2) 목표설정 노력 부족

WTO에서 추진하고자 하는 투자협정은 아래와 같은 점에서 구체적으로 어떤 성격의 투자협정인지 다소 불분명하다고 할 수 있다. 첫째, 투자보호와 투자자유화에 관한 문제이다. 다자간 투자협정의 논리는 내용상 상당한 공통점이 있으나 조금씩 차이가 있는 양자간 투자협정들을 다자화하여 하나의 공통된 규범을 제시하고 좀 더 투명한 투자환경을 제시한다는 논리이다. 대부분의 양자간 투자협정들이 미국의 양자협정을 제외하고는 사실상 투자보호 내용만을 담고 있다는 사실을 고려할 때 다자간 투자협정은 투자보호의 내용을 담고 있어야 논리에 부합한다고 볼 수 있다. 그러나 WTO의 다자간 투자협정은 투자보호만을 다루는지 투자자유화까지 포괄하는지 명확하지가 않다. 둘째, 서비스분야의 투자를 포함하는 협정인지 제조업분야에만 한정된 투자협정인지에 관한 문제이다. 만약 제조업분야에 한정된 투자협정을 추진하는 경우, 이미 직접투자의 자유화가 국제 규범화 되어있는 서비스분야의 규범이 제조업분야와 동등하게 취급될 경우 문제점이 있는지, 그렇다면 제조업분야의 투자규범은 어떤 접근형식이 필요한지 구체화해야 한다. 서비스분야를 포괄하는 투자협정일 경우 기존의 서비스협정과의 관계를

---

24) 이성봉 외, *supra* note 6, pp. 42-47.

어떻게 설정할 것인지에 관한 문제도 우선적으로 논의되어야 한다.[25]

(3) 일괄타결방식의 문제

WTO 투자협정의 논의가 결렬된 가장 중요한 이유는 개도국들의 강력한 반발 때문이라고 할 수 있다. 다자간 투자협정이 개도국에 크게 부담되는 민감한 이슈가 아님에도 불구하고 개도국들이 이렇게 크게 반발하는 것은 협정 자체에 대한 반발도 있었지만 협상 전략으로서 DDA협상에서 다른 분야에서 실익을 얻기 위해 투자분야를 활용하려는 의도가 충분히 있었다고 할 수 있다. 결국 일괄타결의 협상 원칙 하에서 투자 이슈를 민감한 이슈로 만들어 이를 협상의 카드로 활용하고자 하는 개도국들의 협상 전략이 상당 부분 유효했다고 보아야 할 것이다.[26]

(4) 향후전망

위에서 살펴본 바와 같이 WTO 차원에서 투자에 관한 국제적 논의는 더 이상 진행이 되기 어려울 것으로 전망된다. 그럼에도 불구하고, 다자간 협력 차원에서는 CPTPP, USMCA 등 최근의 다자간 국제규범에 투자 관련 분야가 포함되어 있어 향후 이러한 다자 규범을 중심으로 투자에 관한 논의가 확대될 가능성은 있을 것으로 전망된다. 그러나 한편으로는 최근 미중 갈등이 격화됨에 따라 미국은 미국 내 핵심기술이나 핵심 인프라에 대한 외국인투자의 심사를 대폭 강화하였다. 즉, 미국은 2018년 8월 외국인 투자 위험 심사 선진화 법(Foreign Investment Risk Review Modernization Act)을 제정하여 외국인 투자심사위원회(CFIUS)의 권한을 확대하였다. 또한 EU와 중국도 외국인 투자 심사제도를 국가 안보와 산업정책 차원에서 과거보다 엄격하게 운용하고 있어 향후 당분간 글로벌 투자는 상당히 위축될 것으로 전망된다.

---

25) *Ibid.*, pp. 50−52.
26) *Ibid.*, p. 54.

제 2 절 다자간 OECD 투자협정(Multilateral Agreement on Investment: MAI)

1. 논의의 배경

그동안 외국인직접투자(FDI)가 급격히 증가함에 따라 직접적인 투자장벽, 외국인투자에 대한 차별대우 등과 같이 외국인 투자자들이 직접 투자 과정에서 겪는 제반 문제를 해결하기 위해 29개의 OECD 회원국들과 EU 회원국들이 다자간 투자규범의 제정을 제기하였다. 더구나, 각국별로 양자간 투자협정 및 지역간 투자 협정이 활발하게 논의됨에 따라 이러한 투자 협정 등에 공통적으로 적용되는 다자간 투자협정을 체결할 필요성이 점차 제기되었다. 이에 따라 OECD회원국들을 중심으로 1995년 9월부터 본격적으로 다자간 투자협정(MAI) 제정을 위한 논의에 돌입하게 되었다. 그러나 MAI는 이러한 의욕적인 출발에도 불구하고, 결국 각국의 첨예한 입장 차이와 시민 단체들의 반발로 인해 1997년 5월로 정해진 협상 타결시한을 지키지 못하게 되고, 1998년 12월 공식적으로 사실상의 협상 실패를 선언하게 되었다.

2. 정의 및 주요내용 요약

MAI는 우선 투자자유화와 투자자 및 투자 보호를 포괄적으로 다루며 동시에 강도 높은 협정(comprehensive and high-standards agreement)으로 구속력이 있는 다자간 투자협정이라고 할 수 있다. MAI는 OECD와 EU 회원국들에 의해서 시작되었지만 회원국들을 포함한 모든 국가에 해당되는 국제 협정으로서 투자자유화, 투자보호, 국가간 혹은 국가와 투자기업간의 분쟁해결 등을 포함하는 광범위한 형태의 투자 협정이다. OECD회원국들은 당초 MAI를 투자자유화와 관련된 기존의 지역투자협정이나 양자투자협정 중 가장 강도 높은 수준의 협정으로 채택하여 내국민대우, 최혜국대우, 투명성 등 모든 분야에 있어서 각 협정 참여 국가들에게 어느 정도의 구속력을 부여하려고 하였으며, 외국인투자자에 대한 수출, 국내부품 조달, 기술이전, 합작법인 설립, 국내고용 등과 같은 이행의무의 부과를 금지하는 것을 주요 골자로 하였다.

(1) 투자자유화

MAI는 기존 WTO의 bottom-up방식이 아닌 top-down 접근방식[27]을 채택하여 모든 경제 분야를 포함시키고자 하였다. 자유화에 포함되는 투자의 형태와 관련해서는 외국인직접투자의 자유화뿐만 아니라 채권, 공채(loan), 사채(debentures) 등과 같은 금융투자(financial investment), 포트폴리오 투자 및 그 외의 무형자산까지 자유화 의무사항으로 규정하였다. MAI는 설립에서부터 인수, 확장, 경영, 유지, 사용, 판매, 투자공탁까지 모든 투자단계에 포함되며, 협정체결국이 투자자유를 제한하기 위해 취한 규제법, 사법결정, 국제조약 등 모든 조치가 동 협정의 적용을 받는다.

(2) 투자보호

동 협정은 모든 투자와 투자자에게 공평한 대우(fair and equitable treatment) 및 완전한 투자보호와 안정(full protection and security)을 보장하려 하였다. 투자자유화와 마찬가지로 자유 송금, 수용 및 보상 등과 같은 투자보호와 관련된 규정의 경우에도 기존의 양자간 투자 협정들에서 규정하고 있는 다양한 내용 중 가장 수준 높은 내용을 채택하였다.

(3) 분쟁해결절차

분쟁해결절차와 관련해서는 다른 어떠한 투자협정보다 훨씬 투명하고 구속력 있는 규정을 두었다. 특히 투자자 대 정부간 분쟁해결절차에 있어서 투자자는 투자를 위한 법인의 설립 이후 발생하는 분쟁뿐만이 아니라 설립 전의 단계에서도 체약국 정부의 협정 위배조치에 대해서 바로 소송을 제기할 수 있는 내용을 포함하기도 하여 매우 파격적이고 적극적인 투자자 보호조치를 포함하고자 시도하였다.[28]

---

27) Top-down방식은 기본적으로 협정에 모든 분야를 포함시키고 협정체결국이 보호하고자 하는 몇몇 한정된 분야에 대해서는 협정적용을 유예시키는 형태이다.

28) 이성봉 외, *supra* note 6, p. 23.

3. MAI의 실패 요인

OECD는 1997년 5월까지 MAI협상에 대한 타결을 목표로 하였으나 목표 달성에 실패하였고, 이에 따라 협상기한은 1년간 연장되었다. 그러나 새로운 목표시한으로 삼았던 1998년 4월까지도 협상타결을 이루지 못했다. 이후 6개월간 협상은 다시 유예되었고 1998년 10월부터 협상을 재개할 예정이었으나 프랑스의 협상 불참선언 등에 따라 공식적인 협상은 재개되지 못하였으며, 1998년 12월 비공식회의를 마지막으로 MAI협상은 결실을 맺지 못한 채 사실상 종결되었다. MAI협상이 실패하게 된 데에는 여러 가지 이유가 있다. 먼저 3년여에 걸친 협상에도 불구하고 상당 부분의 규정에 대해서 각국의 견해차이가 좁혀지지 못했다. 각국의 이해가 첨예하게 대립된 쟁점들 중에는 지역경제통합체로서의 EU에 대한 최혜국대우 및 예외인정문제, 지방정부 차원에서의 협정의무 적용문제, 문화보호를 이유로 한 일반적 예외의 인정문제, 투자유치를 위해서 환경 및 노동기준을 약화시켜서는 안 된다는 내용을 구속력 있게 규정하는 문제, 분쟁해결절차의 세부적인 내용 등과 같은 사항이 포함된다. 개도국들과 선진국의 입장차이도 사실상 협상실패의 큰 원인이 되었다. 외국인투자의 많은 부분이 개도국으로 향할 것으로 예상되므로 많은 개도국들이 MAI의 주요 대상국들이 될 수 있음에도 불구하고 협상 진행과정에서 개도국은 제외되었다. 이에 따라 개도국들은 MAI 분쟁해결절차의 강력한 구속력으로 인해 개도국들의 주권이 간섭 받게 될 것이라고 주장했다. 또한 외국인직접투자가 유입되는 경우 다수의 토착기업이 경쟁에서 살아남지 못할 것이며, 다양한 간접투자의 경우 자본 유출입(inflow and outflow)의 불안정성으로 인해 개도국 경제에 많은 피해를 줄 것이라고 주장했다. 뿐만 아니라 WTO에서도 투자와 관련된 문제를 다루고 있기 때문에 한 가지의 문제에 대해 이중으로 처벌 받는 기업이 있을 수 있다고 주장하였다.[29]

---

[29] 윤창인 외, 「신통상의제 관련 주요국 정책현황과 WTO 뉴라운드 협상에의 시사점」(대외정책연구원, 2001), pp. 85-87.

제 3 절 향후 통상관련 투자협정의 전개방향

1. 양자간 FTA 혹은 Mega FTA를 통한 새로운 투자질서의 모색

제 1 절 및 제 2 절에서 살펴본 바와 같이 여러 가지 사정으로 인해 WTO를 중심으로 한 다자간 투자규범에 관한 논의는 향후 당분간은 더 이상 진행되기 어려운 것으로 생각된다. 미국은 이미 총체적으로 더 이상 진전이 없는 WTO 구조 하의 DDA협상보다는 새로운 구도(architecture)하에서, 현재의 경제현실을 반영한 새로운 형태의 양자 협정을 선호하고 있는 것으로 생각된다. 그러므로 미국을 비롯한 EU, 일본 등의 선진국들은 향후 국제적인 투자 관련 조치와 관련하여 주로 양자간 투자협정(Bilateral Investment Treaty: BIT)이나 양자간 FTA 혹은 CPTPP, TTIP, RCEP과 같은 메가 FTA에 근거하여 투자규범을 만들어 나갈 가능성이 크다. 따라서, 향후에는 각국이 각자의 필요에 따라, BIT나 FTA를 통하여 필요한 양자 간의 투자규정을 선호하거나 혹은 메가 FTA를 통한 다자간 혹은 일부 지역 간의 투자규범을 선호하는 방향으로 진전될 것으로 전망된다. 즉, 이제 더 이상 WTO를 비롯한 다자간 규범이 아니라, 각국이 자국에 유리한 방향으로 개별적인 선호 하에 복수국간의 투자협정을 체결할 것으로 생각된다. 이와 관련하여 한국은 이미 일본을 중심으로 11개 국가 간에 타결된 CPTPP협상에 참여할 것을 검토하고 있어 투자협정과 관련하여서도 기 타결된 CPTPP에 관한 분석을 통하여 향후 CPTPP 주요 국가들과도 관련 협상을 전개할 필요가 있다.

이러한 추세에 따라 한국은 이미 미국과 2014. 3월 발효된 한미 FTA를 통하여 투자분야를 협의한 바 있다. 한미FTA 협정은 TRIMs와는 비당사국에의 적용여부, 금지 조치의 분류기준, 추가된 금지 유형의 유무 등 3가지 측면에서 차이가 있다.[30] 먼저, TRIMs에는 명시적인 규정이 없는 비당사국에의 적용여부가 한미 FTA에서는 비당사국에도 적용된다고 명시적으로 규정되어 있다. 아울러, 금지조치의 분류와 관련하여 TRIMs에서는 GATT 제Ⅲ조와 제Ⅺ조의 규정에 합치하지 않는 무역관련투자조치라고 규정하고 있으나 한미FTA에서는 '약속 또는 의무 부

---

30) 김종덕 외, 「TPP 주요국 투자·서비스 장벽 분석: 기체결 협정문 및 양허분석을 중심으로」 (대외경제정책연구원, 2014), 연구보고서 14-07, p. 56.

담'을 강요하는 유형과 '이익의 수령 또는 지속적 수령'의 유형으로 나누어 규정하고 있다. 또한, 한미 FTA에서는 구체적인 금지조치의 경우에도 TRIMs에는 없던 '기술이전' 및 '특정지역으로의 독점공급'이라는 두 가지 유형이 추가되었다. 또한, 2015년 12월 발효된 한중 FTA협정 제12.3조에서도 당사국은 다른 쪽 당사국의 투자자와 투자대상에 대하여 투자행위와 관련하여 동종의 상황(in like circumstances)하에서 내국민보다 불리한 대우를 부여해서는 안 된다고 규정하고 있다.

2. 국가투자자 분쟁제도(ISD)의 활성화

최근 각국의 해외 투자가 활성화되면서 투자와 관련한 투자자-국가 간의 분쟁이 다수 발생하고 있다. 국제투자자분쟁해결센터(International Center for the Settlement of Investment Disputes: ICSID)를 설치하기로 합의한 워싱턴 협약이 1965년 채택된 이래 1995년까지 30년 동안 ICSID에 회부된 중재사건은 총 26건이었다. 그러나 지난 1996년 이후 2020년까지 25년 동안 ICSID에 회부된 중재사건은 총 1,831건에 달하여[31] 과거보다 큰 증가폭을 보이고 있다.[32] 한국의 경우에도 2012년 7월 론스타가 한국 정부를 상대로 하여 외환은행 매각 지연으로 인한 손해금과 부동산 수익 등에 대한 부당과세 등을 이유로 배상을 청구한 투자자국가소송(ISD)은 한국 정부를 상대로 한 최초의 투자자 소송이다. 본 소송은 시간이 많이 흘렀음에도 불구하고, 그동안 중재 판정부의 변경 등으로 인하여 2021년 12월 아직 최종 판정이 내려지지 않은 상태에 있다. 한편, 2015년 4월에 아랍에미레이트(UAE) 국영석유투자회사(IPIC)의 자회사인 네덜란드의 하노칼이 한국의 국세청을 상대로 하여 제기한 '주식매각에 따른 양도차익에 대한 과세처분의 불복 및 배상 청구 사건'은 2016년 7월 26일 하노칼이 소송을 취하함으로써 종결되었다. 또한, 2015년 9월에는 이란계 기업인 엔텍합그룹의 대주주가 대우일렉트로닉스를 인수하는 과정에서 손해를 보았다고 주장하면서 한국 정부를 상대로 투자자국가소송을 제기하였으며 2018년 6월 중재판정부는 한국 정부에 패소 판정을 내린 바

---

31) ICSID, 2020 Annual Report, September 21, 2020. p. 19.
32) 강병근, 「투자자-국가 분쟁해결과 혜택부인의 관계: 에너지헌장조약을 중심으로」, 국제경제법연구(2016), 제14권 제 1 호, p. 28.

있다. 이러한 사례에서 보듯이 향후 국가투자자분쟁제도는 전 세계적으로도 더욱 활성화 될 것으로 생각되며, 한국 정부를 상대로 하는 투자자국가소송도 앞으로도 계속해서 늘어날 여지가 있는 것으로 전망된다.

제16장
선적전검사에 관한 협정

제1절 서   언

1. 선적전검사의 의의

선적전검사(Preshipment Inspection: PSI)라 함은 국제매매에 있어서 수입국정부로부터 위임받은 민간전문검사기관이 물품을 선적하기 전에 수출국 현지에서 검사하는 활동을 말한다. 즉, 사용회원국(User Members)의 영역으로 수출되는 물품의 품질, 수량, 환율 및 금융조건을 포함한 가격과 관세분류의 검증과 관련된 모든 활동을 말한다.[1] 이는 주로 수입국정부 세관원의 부패를 방지하고, 다국적기업이나 수출입업자들이 개도국과 국제거래를 함에 있어서 거래가격조작 등을 통하여 외화도피, 관세포탈 등을 방지하기 위하여 주로 수입개도국들에 의해 행하여지고 있다. 지난 30여년에 걸쳐 다수의 개도국들은 전통적인 양륙항 세관검사를 다국적 전문검사기관[2]에 의해 검사업무가 수행되는 선적전검사로 대체함으로써 세관 업무수행의 개선을 추구해 왔다.

---

1) 선적전검사에 관한 협정(Agreement on Preshipment Inspection, LT/UR/A-1A/6 (April 15, 1994)) 제1조 제2항.
2) 주요 선적전검사기관으로 스위스의 Societe Generale de Surveillance S.A㈜, 프랑스의 Bureau Veritas㈜, 영국의 Danikel C. Griffiths㈜, 독일의 Caleb Brett㈜ 등이 있다. 이들 전문업체는 전 세계의 주요지역에 현지법인, 합작법인 또는 지사를 설치·운영하고 있으며 1982년 영국 런던에서 국제검사기관연합(International Federation of Inspection Agency: IFIA)을 설립한 바 있다.

2. 선적전검사제도와 무역왜곡현상

이러한 선적전검사는 전 세계적으로 약 30여 개국에서 시행되고 있는데 이
들 국가는 주로 아시아, 아프리카, 중남미에 분포되어 있다. 그러나 이러한 수입
개도국들의 선적전검사활동은 (i) 선적의 지연 및 수출자에게 추가적 비용발생,
(ii) 수출자의 비밀영업정보의 누출, (iii) 검사기준 및 절차상 투명성의 결여, (iv)
부적합한 가격검증 방법이용, (v) 국가 및 수출자에 대한 차별, (vi) 선적전검사기
관의 결정에 대한 이의절차제도의 결여 등 여러 가지 무역왜곡현상을 야기함으
로써 그 동안 선진국들로부터 많은 불만을 사왔다.

제 2 절   UR협상의 배경

미국을 비롯한 다수의 선진국들은 이와 같은 무역왜곡효과를 야기하는 선적
전검사제도를 GATT의 관세평가협약의 기본원칙에 위배되는 일종의 비관세장벽
으로 간주하고 이 제도에 관한 국제규범의 제정을 강력하게 주장하였다.[3] 반면에
본 제도의 주된 사용국인 개도국들은 본 제도가 관세포탈 및 불법적인 자본유출
등을 방지하기 위하여 필요하다고 주장하면서도 선진국들에 의한 일방적인 압력
을 다자간 협상을 통하여 해결하는 것이 보다 바람직할 것이라는 인식하에서 협
상에 적극 임하게 되었다. 이에 따라 본 이슈가 UR협상의제로 채택되었고 협상
을 진행한 결과 선적전검사협정이 체결되었다.

---

[3] 원래 선적전검사에 대한 다자간 규범제정의 필요성을 처음으로 제기한 국가는 이 제도를
가장 광범위하게 이용하고 있던 인도네시아였다. 인도네시아는 선적전검사에 대한 선진국
들의 일방적인 제재조치에 따른 불이익을 감수하기 보다는 이 문제를 다자간 협상의 장에
서 해결하는 것이 유리하다고 판단했기 때문이다.

제 3 절 선적전검사협정의 주요내용

1. 구성 및 전문

선적전검사협정은 전문과 본문 9개 조항으로 구성되어 있는데, 동 협정은 전문에서 다수의 개발도상회원국이 선적전검사에 의존하고 있다는 사실과 수입물품의 품질, 수량 또는 가격을 검증할 필요가 있는 경우 선적전검사를 인정할 필요성이 있다는 점을 인정하였다. 그러나 이러한 검사가 불필요한 지연이나 불공평한 대우를 야기함이 없이 실행되어야 한다는 점에도 유념하였다. 또한 동 협정은 선적전검사기관의 운영과 선적전검사 관련 법규정의 운영에 있어서 투명성의 제고를 기본목표로 하고 있다. 그밖에 제 1 조는 협정의 정의 및 적용범위, 제 2 조는 사용회원국의 의무, 제 3 조는 수출회원국의 의무, 제 4 조는 독립적 재심절차, 제 5 조와 제 6 조는 통보 및 검토에 관하여, 그리고 제 7 조에서 제 9 조 까지는 협의 및 분쟁해결 등에 관하여 규정하고 있다.

2. 정의 및 적용범위

(1) 정의(Definitions)

선적전검사협정은 선적전검사활동(Preshipment Inspection Activities)을 "사용회원국의 영역으로 수출되는 물품의 품질, 수량, 환율 및 금융조건을 포함한 가격 및/또는 관세분류의 검증과 관련된 모든 활동"이라고 정의하고 있다.[4] 선적전검사기관(Preshipment Inspection Entity)은 "선적전검사활동을 수행하도록 회원국과 계약되거나 위임된 모든 기관"으로 정의한다.[5] 또한 사용회원국은 선적전검사제도를 이용하는 수입국을 지칭하고 있다.

(2) 적용범위(Coverage)

선적전검사협정은 "선적전검사활동이 사용회원국에 의하여 계약된 것이나

---

4) 선적전검사에 관한 협정 제 1 조 제 2 항.
5) 동 협정 제 1 조 제 3 항.

위임된 것이거나를 불문하고 회원국내에서 이루어지는 모든 선적전검사활동에
적용된다"고 규정하고 있다.

3. 사용회원국의 의무

(1) 무차별(Non-discrimination)

사용회원국은 선적전검사활동이 무차별적인 방식, 즉 실행절차와 기준이 객
관적이며 이러한 활동에 영향을 받는 모든 수출자에게 동등하게 적용되는 방식
으로 실시되는 것을 보장하여야 한다. 또한 사용회원국은 그들에 의하여 계약 또
는 위임된 선적전검사기관의 모든 검사자가 일관된 방식으로 검사를 수행하도록
보장하여야 한다.[6]

(2) 정부의 이행요건(Governmental Requirements)

사용회원국은 자국의 법률, 규정 및 이행요건과 관련된 선적전검사과정에서
GATT 1994 제 3 조 제 4 항(내국세 및 규제에 관한 내국민대우)이 준수되도록 보장하
여야 한다.[7]

(3) 검사장소(Site of Inspection)

사용회원국은 검사결과보고서(Clean Report of Finding)의 발급 또는 비발급 노
트(Note of Non-issuance)를 포함한 모든 선적전검사활동이 물품이 수출되는 관세영
역에서 수행되도록 보장하고 만일 물품의 복잡한 특성이나 양 당사국의 합의에
의하여 수출국의 관세영역에서 검사가 이루어질 수 없는 경우에는 물품이 제조
된 관세영역에서 수행되도록 보장하여야 한다.[8]

(4) 표준(Standards)

사용회원국은 수량 및 품질검사가 구매계약에서 규정된 표준에 따라 수행되
고, 만일 그러한 표준이 없는 경우에는 관련 국제표준(가입이 전회원국에 개방되어

---

6) 동 협정 제 2 조 제 1 항.
7) 동 협정 제 2 조 제 2 항.
8) 동 협정 제 2 조 제 3 항.

있고 표준화작업이 자신의 공인된 활동 중의 하나인 정부 또는 비정부기관에 의하여 채택
된 표준)에 따라 수행되도록 보장하여야 한다.[9]

(5) 투명성(Transparency)

사용회원국은 선적전검사활동이 투명한 방법으로 수행되도록 보장하여야 한
다. 이를 위하여 (i) 사용회원국은 검사기관이 수출자와의 최초 접촉시 수출자에
게 검사요건의 충족에 필요한 모든 정보의 목록을 제공하도록 보장하여야 하고,
(ii) 수출자의 요청이 있는 경우 검사기관은 사용회원국의 법규나 운용기준 등에
관한 실질적인 정보를 제공하여야 하며, (iii) 추가적인 절차요건 또는 기존절차의
변경은 수출자에게 통보되지 않은 선적에 대하여 원칙적으로 적용되지 않아야
한다. 그리고 (iv) 사용회원국은 타국 정부 또는 무역업자들이 선적전검사활동에
관련한 모든 법률 및 규정을 인지할 수 있도록 즉시 공표하여야 한다.[10]

(6) 영업비밀정보의 보호(Protection of Confidential Business Information)

사용회원국은 선적전검사기관이 검사과정에서 입수한 모든 정보 중에, 이미
공표되었거나 제3자가 일반적으로 입수 가능하거나 공공의 영역에 있지 않는
한, 영업비밀로 다루도록 보장하여야 한다. 한편 사용회원국은 회원국의 요청이
있을 경우 선적전검사기관이 영업비밀정보를 보호하기 위하여 취한 조치에 관한
정보를 제공하여야 한다. 또한 사용회원국은 선적전검사기관이 그들과 계약을 체
결하거나 그들에게 동 활동을 위임한 정부기관에 정보를 제공하는 경우를 제외
하고는 어떠한 제3자에게도 영업비밀정보를 누설하지 않도록 보장하여야 한다.
선적전검사기관은 신용장 또는 기타 지불형식이나, 관세, 수입허가 또는 외환통
제 등의 목적상 상례적으로 요구되는 경우에 한하여 영업비밀정보를 그들에게
검사를 의뢰한 정부에게 제공하여야 한다. 사용회원국은 선적전검사기관이 수출
자에게 (i) 특허, 라이센스 또는 비공개 공정이나 특허가 계류중인 공정과 관련된
생산자료, (ii) 미공개된 기술자료(기술규정이나 표준의 충족여부를 입증하는데 필요한
자료는 제외), (iii) 제조원가를 포함한 내부가격, (iv) 이윤수준, (v) 수출자와 공급
자와의 계약조건에 관한 정보들을 요구하지 않도록 보장하여야 한다. 그러나 수

9) 동 협정 제2조 제4항.
10) 동 협정 제2조 제5항, 제2조 제8항.

출자는 특정 사안의 설명을 위하여 위 정보를 자발적으로 공개할 수 있다.[11]

(7) 이해의 상충(Conflicts of Interest)

사용회원국은 선적전검사기관이 다음과 같은 이해상충을 회피하기 위한 절차를 유지하는 것을 보장하여야 한다: (i) 선적전검사기관과 당해 선적전검사기관과 관련된 기관[12]간의 이해상충, (ii) 선적전검사기관과 선적전검사를 받는 기관을 포함한 기관간의 이해상충(단 검사를 계약 또는 위임한 정부기관은 제외), (iii) 검사과정의 수행에 요구되는 것 이외의 활동에 관련된 선적전검사기관의 부서와의 이해상충.[13]

(8) 지연(Delays)

사용회원국은 선적전검사기관이 선적검사를 부당하게 지연시키지 않도록 보장하여야 한다. 이를 위하여 사용회원국은 (i) 선적전검사기관과 수출자가 합의하여 정한 검사일자에 검사가 수행되도록 보장하여야 하고(단 검사일을 상호합의 또는 불가항력에 의하여 검사를 수행하지 못하는 경우는 예외), (ii) 선적전검사기관이 최종문서의 수령 및 검사종결 이후 5일(정상 영업일 기준)이내에 검사결과보고서를 발급하거나 비발급사유를 상술한 서면해명서를 제공하도록 보장하여야 하며, (iii) 수출자의 요청이 있는 경우 실제 검사일 이전에 예비적인 가격검증 및 환율검증을 수행 할 수 있도록 보장하여야 한다. 그리고 (iv) 지불의 지연을 회피하기 위하여 선적전검사기관이 수출자 또는 수출자의 지명대리인에게 검사결과보고서 및 보고서상에 오기가 있는 경우 교정된 정보를 신속히 송부하도록 보장하여야 한다.[14]

(9) 가격검증(Price Verification)

사용회원국은 송장의 과도 또는 과소기재와 사기를 방지하기 위하여 선적전

---

11) 동 협정 제 2 조 제 9 항, 제 2 조 제13항.
12) 당해 선적전검사기관이 상업적, 재정적 이해관계를 가지고 있는 기관, 당해 선적전검사기관에 대하여 재정적 이해관계를 가진 검사기관, 자신의 선적을 선적전검사기관이 검사하는 기관 등이 이에 포함된다.
13) 동 협정 제 2 조 제14항.
14) 동 협정 제 2 조 제15항, 제 2 조 제19항.

검사기관이 다음과 같은 지침에 따라 가격검증을 실시하도록 보장하여야 한다: (i) 선적전검사기관은 그들의 '가격 부적합 판정'이 하기 (ii) - (iv)에 명시된 기준에 적합한 '검증절차에 의한 것임을 입증할 수 있는 경우에만' 수출입자간에 합의된 계약가격을 거부할 수 있다; (ii) 선적전검사기관의 수출가격 검증을 위한 가격비교는 경쟁적이며 비교 가능한 판매조건 하에서, 동일 또는 유사한 시기에, 동일국가에서 수출되는 동일 또는 유사한 수출품목의 가격을 기초로 하되, 상관행에 따르고, 적용가능한 표준할인을 제외하여야 한다. 이러한 가격검증의 구체적 기초로서 ① 선적전검사기관은 비교의 타당한 기초가 있는 가격만을 이용하고 ② 선적에 가장 낮은 가격을 자의적으로 부과하기 위하여 다른 수입국으로 수출되는 물품의 가격을 이용해서는 안되고 ③ 판매계약 조건과 거래에 포함되는 일반적인 조정요소15)에 대하여 적절히 조정하여야 하며 ④ 수출자에게 가격에 대한 설명의 기회를 부여하여야 한다; (iii) 운임의 검증은 판매계약에 명시된 대로 수출국내 해당 운송형태의 협정가격에만 관련되어야 한다; (iv) 수입국내에서 생산된 물품의 수입국내 판매가격 및 해당수출국 이외의 국가로부터의 수출물품의 가격, 생산비용 그리고 임의적이거나 허구적인 가격 등은 가격검증의 목적으로 이용할 수 없다.16)

(10) 이의절차(Appeals Procedures)

사용회원국은 선적전검사기관이 수출자가 제기한 불만을 접수하고 고려하며 결정할 수 있는 절차를 만들고 이러한 이의절차에 관한 정보를 수출자가 입수할 수 있도록 보장하여야 한다. 이 절차는 다음과 같은 지침에 따라 유지되어야 한다: (i) 선적전검사기관은 수출자의 불만 또는 이의를 접수하고 고려하며 결정할 수 있도록 선적전검사 행정사무소가 설치된 각 시 또는 항구에서 정상 근무시간에 이용할 수 있는 1명 또는 그 이상의 사무원을 지정하여야 한다; (ii) 수출자는 문제가 되는 특정거래, 불만의 종류 및 해결방안에 관한 사실을 지정사무원(들)에

---

15) 이들 요소에는 판매의 상업적 수준, 판매량, 인도기간과 조건, 가격조정조항, 품질명세, 특정디자인, 특정선적 및 포장명세, 주문의 크기, 현물판매, 계절적 영향, 라이센스 또는 기타 지적재산권 사용료 및 관행상 별도의 송장 없이 계약의 일부분으로서 제공된 서비스 등이 포함될 뿐만 아니라 수출입자간의 계약관계와 같은 수출자의 가격에 관련되는 요소들도 포함되어야 한다.

16) 동 협정 제 2 조 제20항.

게 서면으로 제출하여야 한다; (iii) 지정된 사무원(들)은 수출자의 불만을 긍정적으로 고려하여야 하고 상기 (ii)에서 언급된 서류가 접수된 후 가능한 한 신속하게 결정을 내려야 한다.[17] 본 절차는 아래에서 설명하고 있는 독립적 재심절차와는 다소 상이하다. 즉 독립적 재심절차는 선적전검사기관과 수출자간의 분쟁을 해결하는 메커니즘임에 반하여, 본 절차는 선적전검사기관이 수출자의 불만을 듣고 가능한 한 동정적인 고려하에 수출자가 제출한 추가적인 서류를 참고하여 결정을 내리는 것이다. 따라서 기본적으로 본 절차는 선적전검사기관에 의하여 이루어지는 사안에 대한 내부적인 재심에 불과하기 때문에 본 절차에 의한 공평한 분쟁해결을 기대하기는 어렵다.

(11) 예외(Derogation)

사용회원국은 분할선적(Part Shipment)를 제외하고 사용회원국이 규정한 최소금액 이하의 선적은 예외적인 상황이 아닌 한 검사받지 않도록 보장하여야 한다. 한편 이 최소금액은 본조 제 6 항의 규정에 의하여 수출자에게 제공되는 정보의 일부가 되어야 한다.[18]

4. 수출회원국의 의무

(1) 무차별(Non-discrimination)

수출회원국은 선적전검사활동과 관련되는 자국의 법률 및 규칙이 무차별적으로 적용되도록 보장하여야 한다.[19]

(2) 투명성(Transparency)

수출회원국은 타국 정부 및 무역업자들이 인지 할 수 있도록 선적전검사와 관련되는 모든 적용가능한 법률과 규칙을 즉시 공표하여야 한다.[20]

---

17) 동 협정 제 2 조 제21항.
18) 동 협정 제 2 조 제22항.
19) 동 협정 제 3 조 제 1 항.
20) 동 협정 제 3 조 제 2 항.

(3) 기술적 지원(Technical Assistance)

수출회원국은 사용회원국의 요청이 있을 경우 본 협정의 목적달성을 위하여 상호 합의된 조건에 따라 기술적 지원을 제공하여야 한다.[21]

5. 독립적 재심절차

본 협정 제4조는 독립적 재심절차(Independent Review Procedures)를 운영하는 독립기관(Independent Entity)의 구성 및 절차운영 등에 관하여 규정하고 있다. 이 독립기관의 목적은 상호 협의나 상기한 이의절차에 의해 해결되지 못한 선적전검사기관과 수출자간의 분쟁을 심리하고 판정을 내리는데 있다.

(1) 독립적 재심절차로의 회부

WTO회원국들은 선적전검사기관과 수출자간의 분쟁을 상호간 해결하도록 장려하여야 하지만, 상술한 이의절차에 따른 이의제기 후 2일(영업일 기준)이 경과하면 각 당사자는 그 분쟁을 독립적 재심절차에 회부할 수 있다.[22] 독립적 재심절차는 선적전검사기관을 대표하는 단체와 수출자를 대표하는 단체가 공동으로 구성한 독립기관에 의하여 운영되어야 한다.

(2) 독립기관의 구성 등

독립기관은 선적전검사기관을 대표하는 단체(국제검사기관연합: IFIA)와 수출자를 대표하는 단체(국제상업회의소: ICC)가 공동으로 구성한다. 독립기관은 WTO설립협정 발효 후 2개월 이내에 전문가목록(List of Experts)을 작성하여야 하며 이것은 매년 보완되어야 한다. 전문가목록은 (i) 선적전검사기관들을 대표하는 단체가 지명한 자, (ii) 수출자를 대표하는 단체가 지명한 자, (iii) 독립기관에서 지명한 독립적인 무역전문가들로부터 작성하여야 한다. 전문가목록은 공개적인 이용이 가능해야 하며 WTO사무국에 통보되고 모든 가입국에게 배포되어야 한다.[23]

---

21) 동 협정 제3조 제3항.
22) 동 협정 제4조.
23) *Id.*

(3) 패널의 구성 및 절차

분쟁을 제기하고자 하는 수출자 또는 선적전검사기관은 독립기관과 접촉하여 패널의 구성을 요청하여야 하며 이 경우 독립기관은 패널설치의 책임을 진다. 패널은 3인으로 구성되며 첫 번째 구성원은 상기 전문가목록 (i)에서 해당 선적전검사기관이 선정하되 동 구성원은 해당 선적전검사기관에 관련된 자가 아니어야 한다. 두 번째 구성원은 상기 전문가목록 (ii)에서 해당 수출자가 선정하되 동 구성원은 해당 수출자와 관련된 자가 아니어야 한다. 세 번째 구성원은 상기 전문가목록 (iii)에서 독립기관이 선정하되 선정된 독립적 무역전문가에 대해서는 어떠한 이의도 제기되어서는 안 되며 그가 패널의 의장이 된다. 그러나 분쟁당사자들이 합의할 경우, 독립기관은 당해 분쟁을 검토하기 위하여 상기 전문가목록 (iii)에서 1명의 독립적인 무역전문가를 선정할 수 있다. 독립적 재심절차는 신속하여야 하며 분쟁당사자들이 자신의 견해를 개인적으로 또는 서면으로 개진할 수 있는 기회를 부여하여야 한다.[24]

(4) 판 정

3인으로 구성된 패널의 판정은 다수결원칙에 따라 투표로 채택되어야 한다. 또한 패널판정은 독립적 재심에 대한 요청이 있은 후 8일(영업일 기준)이내에 내려져야 하며 분쟁당사자들에게 통보되어야 한다. 이러한 시한은 분쟁당사자간의 합의에 의해 연장될 수 있다. 패널의 판정은 분쟁당사자인 선적전검사기관과 수출자에 대하여 구속력을 가진다.[25]

6. 통보 및 검토

회원국은 본 협정이 관련 회원국에게 발효될 당시에 유효한 선적전검사와 관련한 법률 및 규칙과 본 협정을 발효시키는 자국의 법률과 규칙의 사본을 WTO사무국에 제출하여야 한다. 상기 법률 및 규칙의 개정은 시행되기 전에 공표되어야 하고 공표 후 즉시 WTO사무국에 통보되어야 한다.[26] 각료회의는 WTO

---

24) Id.
25) Id.

설립협정 발효 후 그 이듬해 말에 그리고 그 후 매 3년마다 본 협정의 목적 및 운용과정에서 얻어진 경험을 고려하여 본 협정의 규정, 시행 및 운용에 관한 검토를 실시하여야 한다. 각료회의는 이러한 검토의 결과에 따라 협정의 규정을 수정할 수 있다.

7. 협의 및 분쟁해결

회원국은 본 협정의 운용에 영향을 미칠 수 있는 모든 사안에 대하여 타 회원국의 요청이 있을 경우 협의에 응해야 하며 이 경우 GATT 1994 제22조의 규정이 적용된다.[27] 또한 본 협정의 운용과 관련한 회원국들 간의 분쟁에는 GATT 1994 제23조의 규정이 적용된다.[28]

8. 최종규정

회원국들은 현행 협정을 실시하기 위하여 필요한 조치를 취하여야 하며 자국의 법률 및 규칙이 본 협정의 규정에 위배되지 아니하도록 보장하여야 한다.[29] 이에 따라 우리나라는 대외무역법 제42조에서 "수입국 정부와의 계약체결 또는 수입국 정부의 위임에 의하여 기업이 수출하는 물품에 대하여 국내에서 선적전에 검사를 실시하는 기관은 WTO 선적전검사에 관한 협정을 준수하여야 하고 이 경우 선적전검사기관은 선적전검사가 기업의 수출에 대한 무역장벽으로 작용하도록 하여서는 안 된다"고 규정하고 있다.

---

26) 동 협정 제5조.
27) 동 협정 제7조. 2013년 8월부터 2014년 10월 동안 타회원국에 대한 협의요청이 5건 있었다. 그 중에서 "인도네시아-닭고기 및 닭제품 수입에 관한 조치" 사안을 소개하면 다음과 같다. 2014년 5월 8일 미국은 인도네시아가 미국산 원예작물, 동물 및 동물제품의 수입에 대하여 취한 조치에 대하여 인도네시아에게 협의요청을 하였다. 미국은 인도네시아의 조치가 선적전검사에 관한 협정 제2조 1항 및 2조 15항을 비롯한 수입허가절차협정, GATT 1994 및 농업협정을 위반했다고 주장하였다. 이어서 뉴질랜드, 태국, 캐나다, 유럽연합, 대만 그리고 호주가 미국의 협의요청에 동참하였고 인도네시아는 이들 국가의 협의요청을 수락하였다. 그러나 협의를 통한 분쟁해결에 실패하자 미국은 2015년 3월 18일 패널의 설치를 요청하였고 2015년 10월 8일 패널이 구성되었다. WTO, Dispute Settlement: DS478, Indonesia-Importation of Horticultural Products, Animals and Animal Products.
28) 동 협정 제8조.
29) 동 협정 제9조.

제 17 장
수입허가절차협정

제1절 서 언

다자간 통상규범으로서의 GATT와 WTO는 그 동안 자유롭고 공정한 국제무역질서의 확립을 위하여 각종 무역장벽의 완화 내지 철폐를 위한 노력을 해 왔다. 특히 GATT체제 출범 이후 진행되었던 여러 차례의 대규모 다자간 무역협상을 통하여 관세장벽의 완화에 상당한 성과를 거두었다. 그러나 제 2 차 세계대전 이후 세계경제를 주도하던 미국경제가 1960년대 말부터 상대적으로 쇠퇴하고 세계경제의 원활한 구조조정이 이루어지지 못함에 따라 대부분의 국가들은 GATT 규정의 제약을 받는 관세 이외에 여러 가지 교묘한 수단의 비관세장벽(Non-tariff Barriers)[1]을 이용하여 수입을 인위적으로 억제함으로써 국제무역질서를 크게 왜곡시켜 왔다. 현재 각국은 자국산업의 보호나 국제수지의 개선 등을 위하여 일정한 물품의 수입에 있어서 관계당국으로부터 수입허가를 받도록 요구하거나 상품수입에 대한 수량제한조치(Quantitative Restrictions)를 실시하고 있는 경우에는 쿼터의 준수 여부를 효과적으로 감독하고 통제할 수 있는 수단으로 수입허가절차를 이용하기도 한다. 그러나 수입허가절차가 복잡하고 투명성이 결여가 되는 경우에는 이것이 수입억제수단으로 남용될 가능성이 매우 크다. 실제로 많은 국가들은 수입허가절차를 자국의 국내산업을 보호하기 위한 수단으로 이용하고 있다. 이에 따라 많은 국가들은 수입허가절차가 물품의 자유로운 거래에 불필요한 행정적 장애가 되지 않도록 하기 위해 다자간 통상규범의 제정의 필요성을

---

1) 비관세장벽이란 "세계의 모든 재화와 용역이 가장 효율적으로 이용될 수 있는 것을 제한하거나 막는 관세가 아닌 다른 여러가지 수단을 총칭"한다. 박대위, 국제거래와 국제법규 (2002), p. 208.

느끼게 되었다.

제 2 절   UR협상의 배경

수입허가절차에 관한 문제점을 해결하기 위한 본격적인 다자간 협상이 동경 라운드(1973-1979)에서 이루어지고, 그 결과 "수입허가절차에 관한 협정(Agreement on Import Licensing Procedures)"이 채택되었다. 본 협정의 목적은 국제무역에서 적용되는 각국의 수입관련 행정절차와 관행을 간소화하고 투명성을 보장하며 이러한 절차와 관행의 공정하고 공평한 적용 및 운용을 보장하는 데에 있다. 그러나 본 협정은 협정의 적용대상국을 가입국가에게만 한정하는 복수국가간 무역협정으로 일부 선진국들만이 가입함으로써 협정의 실효성이 문제시 되었으며 또한 본 협정의 제정 이후에도 각국의 수입허가 관련 절차가 여전히 복잡하고 과도한 비용의 발생으로 말미암아 많은 국가들은 본 협정의 내용이 좀더 명료화되고 절차의 투명성이 제고 될 수 있는 방향으로 개정할 필요성이 있다는 점에 대하여 동감하였다. 이에 따라 미국의 주도적인 역할 하에 논의가 진행되다가 1989년 9월 미국과 홍콩이 공동으로 수입허가절차협정에 관한 수정안을 제출한 것을 계기로 협상이 급진전되어 마침내 1991년 그 당시 GATT사무총장이었던 둔켈이 최종안을 작성하였고 이 안은 결국 실질적인 수정 없이 1993년 12월 15일 최종적으로 채택되었다.

동 협정은 수입허가절차가 비관세 장벽화되는 것을 방지하기 위하여 수입허가에 관한 행정절차와 관행을 기존협정보다는 좀 더 간소화하고 투명성을 제고시켰다는 점에서 진일보한 것이라고 평가할 수 있다.

제 3 절   WTO 수입허가협정의 주요내용

1. 구성 및 전문

수입허가절차협정은 전문과 제 1 조 일반규정, 제 2 조 자동수입허가, 제 3 조비자동수입허가, 제4조 제도: 수입허가위원회 설치, 제5조 통보, 제6조 협의 및 분쟁해결, 제7조 주기적 검토, 그리고 제8조 최종규정의 8개 조항 구성되어 있다. 동 협정은 전문에서 수입허가에 대한 행정절차와 관행을 간소화하고 그 투명성을 촉진하며 이러한 절차와 관행의 공정하고 공평한 적용 및 운용을 보장하는데 그 목적을 둔다고 선언하고 있다. 또한 동 협정은 수입허가를 자동수입허가와 비자동수입허가로 구분하면서 일정한 목적을 위한 자동수입허가절차의 유용성을 인정하되 이러한 허가가 무역을 규제하기 위하여 사용되어서는 안 되며, 특히 비자동수입허가절차는 투명하고 예측가능한 방법으로 시행되어야 하며 절대적으로 필요한 것 이상으로 행정적인 부담이 되어서는 안 된다고 규정하고 있다.

2. 일반규정(General Provisions)

(1) 수입허가의 정의

수입허가(Import Licensing)란 "수입국 관세영역으로의 수입을 위한 선행조건으로서 관련 행정기관에게 신청서나 기타 서류(단, 관세목적으로 요구되는 것은 제외) 제출을 요구하는 수입허가제도의 운영에 사용되는 행정절차"를 말한다.[2] 여기서 수입허가라는 개념은 '허가'라고 명시적으로 규정된 절차뿐만 아니라 다른 유사한 행정절차도 포함하는 개념이다.

(2) 회원국의 의무

회원국들은 수입허가절차의 운영과정에서 발생할 수 있는 무역왜곡을 방지하고 개도국의 경제적 필요성을 고려하면서 수입허가제도를 시행하기 위하여 사용되는 행정절차가 GATT 1994의 관련규정[3]에 일치하도록 보장하여야 한다. 또한 각 회원국의 수입허가절차에 관한 규칙은 그 적용에 있어서 중립성이 유지되어야 하고 공정하고 공평한 방법으로 운용되어야 한다.[4]

---

2) 수입허가절차에 관한 협정(Agreement on Import Licensing Procedures, LT/UR/A-1A/5 (April 15, 1994)) 제1조 제1항.
3) GATT1994 제8조(수출·입에 관한 수수료 및 절차)와 제10조(무역규칙의 공표 및 시행) 등이 있다.
4) 수입허가절차에 관한 협정 제1조 제2항, 제1조 제3항.

(3) 정보의 사전공표 및 회원국간 논의기회 제공

각 회원국은 수입허가를 신청하는 개인 또는 회사의 요건, 신청기관, 접촉해야 할 행정기관, 허가요건에 따라야 할 물품의 목록 등 신청서 제출절차에 관한 규칙과 정보를 정부와 무역업자가 인지할 수 있도록 수입허가위원회[5]에 통보하고, 동 위원회에 통보된 매체에 의하여 공표하여야 한다. 이러한 공표는 가능한 한 발효일 21일 이전에 하는 것을 원칙으로 하며 어떠한 경우에도 발효일보다 늦지 않아야 한다.[6] 또한 회원국의 공표내용에 대하여 의견이 있는 다른 회원국은 서면으로 의견을 제출할 수 있으며 요청시 제출된 의견에 관하여 논의할 수 있는 기회가 제공되어야 한다. 이 경우 관련 회원국은 제출된 의견과 논의 결과를 적절히 고려하여야 한다.[7] 이 규정은 이해당사국에게 의견을 제시할 수 있는 기회를 부여함으로써 절차상의 공평성을 기하려는 목적하에 신설된 규정이다.

(4) 신청양식 및 절차의 간소화

수입허가 신청양식과 갱신양식은 가능한 한 간소하여야 하며, 수입허가제도의 적절한 기능을 위하여 반드시 필요한 서류와 정보는 신청시에 요구되어야 한다.[8] 이는 관련서류를 간소화하고 신청인이 필요한 서류를 미리 준비할 수 있게 함으로써 서류미비를 이유로 수입허가절차가 지연되는 것을 방지하기 위한 규정이다. 또한 신청 및 갱신절차는 가능한 한 간소하여야 하며, 신청인에게는 신청서 제출을 위한 합리적인 기간이 허용되어야 하며 마감일이 있는 경우에는 그 기간이 최소한 21일 이상이어야 한다. 만일 이 기간내에 접수된 신청서가 불충분한 경우에는 제출기간이 연장되어야 한다. 수입허가신청기관은 1개로 한정하였으며 불가피한 경우라도 3개 기관을 초과하지 못하도록 하였다.[9] 이와 관련하여 기존의 협정에서는 '가능한 최소한의 기관'이라고 막연하게 규정하였으나 이번 협정에서는 '최대 3개 기관'을 초과하지 못하도록 명확한 규정을 두고 있다.

---

5) 동 협정 제 4 조.
6) 동 협정 제 1 조 제 4 항.
7) *Id.*
8) 동 협정 제 1 조 제 5 항.
9) 동 협정 제 1 조 제 6 항.

(5) 신청거부 및 허가된 수입의 거절 제한

회원국들은 어떠한 신청서도 신청서에 포함된 기본적인 내용을 변경시키지 않는 사소한 서류상의 오류를 이유로 신청을 거부해서는 안 된다.[10] 만일 사소한 서류상의 오류를 이유로 신청을 거부한다면 이는 수입허가제도를 남용하는 것으로 볼 수 있기 때문에 이를 방지하기 위하여 본 규정을 두게 되었다. 그리고 회원국들은 분명한 사기의 의도나 중대한 부주의에 의한 것이 아닌 서류 또는 절차상의 누락이나 오류에 대하여는 단순한 경고용 이상의 벌칙이 부과되어서는 안 된다. 또한 허가된 수입은 선적하는 동안에 발생한 가격, 수량, 중량의 차이, 대량적하에 따른 우발적 차이, 기타 정상적인 상관행에 따른 사소한 차이로 인하여 허가에 명시된 것과 약간 차이가 나는 것을 이유로 거부되어서는 안 된다.[11]

(6) 대금결제에 필요한 외환사용의 보장

회원국들은 허가된 수입품에 대한 대금결제에 필요한 외환은 허가가 필요하지 않은 물품의 수입자와 동일한 기준으로 수입허가를 받은 자도 사용할 수 있도록 보장하여야 한다.[12]

(7) 국가안보를 위한 예외

GATT 1994 제21조의 일반적인 예외규정이 본 협정에도 적용되어 국가안보를 위한 예외가 인정되고 있다.[13]

(8) 비밀정보의 미공개

본 협정은 회원국의 법 집행을 침해하거나, 공익에 반하거나, 공공 또는 민간의 특정기업의 합리적인 상업적 이익을 침해하게 될 비밀정보의 공개요구를 금지하였다.

---

10) 동 협정 제1조 제7항.
11) 동 협정 제1조 제8항.
12) 동 협정 제1조 제9항.
13) 동 협정 제1조 제10항.

3. 자동수입허가(Automatic Import Licensing)

(1) 정 의

자동수입허가란 모든 신청에 대하여 승인이 부여되는 것을 말하는데, 이를 인정받기 위해서는 다음 요건을 충족시켜야 한다.[14]

(2) 요 건

자동수입허가는 본 협정 제 1 조(일반규정)와 제 2 조 1항(정의)에서 언급된 요건 외에 추가적으로 다음 요건을 충족시켜야 한다.[15]

가. 자동수입허가절차는 해당 수입품에 대한 수입제한적 효과를 유발하지 않도록 운용되어야 하며, 만약 다음의 사항을 준수하지 않는 경우에는 수입제한적 효과를 가지는 것으로 간주된다.
(a) 수입국의 법적 요건을 충족하는 개인, 기업, 기관에게 수입허가를 신청하고 획득하는데 동등한 자격을 부여하여야 하고,
(b) 물품의 통관 이전이라면 공휴일을 제외하고는 언제라도 수입허가를 신청할 수 있도록 허용하여야 하며,
(c) 허가 신청서가 적정하고 완전한 형태로 제출되었을 경우 지체없이 승인되어야 하며 늦어도 10일 이내에 승인되어야 한다.

나. 회원국은 다른 적정한 절차가 구비되어 있지 않은 경우에는 항상 자동수입허가가 필요하다는 것을 인정하며, 자동수입허가는 도입시 주어진 여건이 지속되는 한 그리고 더 나은 적절한 방법이 없는 한 계속 유지된다.

---

14) 동 협정 제 2 조 제 1 항.
15) 동 협정 제 2 조 제 2 항.

4. 비자동수입허가(Non-automatic Import Licensing)

(1) 정 의

비자동수입허가란 상기의 자동수입허가에 해당되지 않은 것을 모두 지칭하는 것으로서 이 경우에도 제1조 제1항 내지 제11항의 요건을 충족하여야 한다.[16]

(2) 추가적인 무역규제효과 초래 금지

비자동수입허가는 규제조치의 부과로 야기되는 효과에 추가하여 수입에 대한 무역규제 또는 왜곡효과를 초래해서는 안 된다. 또한 비자동수입허가절차는 달성하고자 하는 행정목적의 범위와 존속기간에 상응하는 것이어야 하고 절대적으로 필요 이상의 행정적 부담이 되어서는 안 된다.[17]

(3) 정보의 공표

수량규제 시행 이외의 목적으로 허가의 요건을 규정하는 경우, 회원국은 다른 회원국과 무역업자가 허가를 인정 또는 배분하는 근거를 알 수 있도록 충분한 정보를 공표하여야 한다.[18] 이 조항은 기존의 협정에는 없던 것으로 협정의 투명성과 공평성을 제고하려는 취지로 신설되었다. 또한 회원국이 개인, 기업 또는 기관에게 허가요건에 대한 예외나 일탈을 요청할 수 있는 가능성을 제공하는 경우(예컨대, 학술적 목적이나 사회구제 등의 비영리를 목적으로 하는 예외 인정)에는 제1조 제4항에 따라 공표되는 정보에 이러한 사실과 요청할 수 있는 방법에 관한 정보 그리고 이러한 요청이 고려될 수 있는 상황에 관한 정보도 포함시켜야 한다.[19] 회원국은 이해관계국의 요청이 있는 경우에는 (i) 규제조치의 운용, (ii) 최근에 인정된 수입허가, (iii) 허가의 공급국간 배분, (iv) 수입허가 대상 품목에 관한 수입통계(즉, 금액 또는 수량 등)에 관련된 정보를 제공하여야 한다. 다만 개도회원국에 대하여는 이와 관련하여 추가적으로 행정적 또는 재정적인 부담이 되지 않

---

16) 동 협정 제3조 제1항.
17) 동 협정 제3조 제2항.
18) 동 협정 제3조 제3항.
19) 동 협정 제3조 제4항.

도록 배려하여야 한다.[20]

수입허가를 통해 쿼터(quotas)를 관리하는 회원국은 쿼터총량, 쿼터의 개시일 및 마감일, 그리고 이에 관한 모든 변경사항을 제1조 제4항에 명시된 기간내에 정부와 무역업자가 인지할 수 있는 방법으로 공표하여야 하며, 공급국간에 배정되는 쿼터의 경우 관련 품목의 공급에 관심을 갖고 있는 모든 회원국에게 신속하게 통보해야 하는데 그 기간과 방법은 상기와 같다.[21] 또한 쿼터기간의 조기개시가 필요한 상황이 발생하는 경우 제1조 제4항에 언급된 정보는 동 항에 명시된 기간내에 정부와 무역업자가 인지할 수 있는 방법으로 공표되어야 한다.[22]

(4) 처리절차 등

1) 처리기준 및 기간

각 회원국은 허가신청 및 허가를 고려함에 있어서 수입회원국의 법적, 행정적 요건을 충족하는 모든 개인, 기업 또는 기관에 대하여 동등한 자격을 부여하여야 한다. 또한 허가신청이 승인되지 아니한 경우 허가신청자의 요청시 수입회원국은 그 거부사유를 제시하여야 하며 수입회원국의 국내법 또는 절차에 따라 이의제기 또는 재심을 받을 수 있는 권리를 부여 하여야 한다.[23]

비자동수입허가는 자동수입허가에 비하여 보다 장기의 처리기간을 부여하고 있다. 즉 신청서의 처리기간은 불가피한 경우를 제외하고는 선착순 검토시에는 접수 후 30일, 모든 신청서가 동시에 검토되는 경우에는 60일을 초과해서는 안 된다.[24] 예측할 수 없는 단기적인 필요를 충족시키기 위하여 수입이 필요한 특별한 경우를 제외하고는, 허가의 유효기간으로 인하여 원거리 공급원으로부터의 수입이 배제되어서는 안 된다.[25]

2) 허가발급 및 배분시 고려사항

쿼터의 운용에 있어서 회원국은 발급된 허가에 따라 수입이 영향을 받지 않

---

20) 동 협정 제3조 제5항 a호.
21) 동 협정 제3조 제5항 b호, c호.
22) 동 협정 제3조 제5항 d호.
23) 동 협정 제3조 제5항 e호.
24) 동 협정 제3조 제5항 f호.
25) 동 협정 제3조 제5항 g호.

도록 하여야 하고, 쿼터의 충분한 활용을 위축시켜서는 안 된다. 따라서 수입허가를 발급함에 있어서 회원국은 경제적인 물량으로 허가를 발급하는 것이 바람직하다는 점을 고려하여야 한다.26)

한편 허가를 배분함에 있어서 회원국은 신청자가 종전에 발급된 허가를 최근의 대표적인 기간 동안에 충분히 활용되었는지의 여부를 포함한 신청자의 수입실적을 고려하여야 한다. 만약 수입허가가 충분히 활용되지 아니한 경우에는 그 이유를 검토하고 새로운 허가배분시 이를 고려하여야 하며 신규 수입자에게도 합리적인 허가배분이 이루어지도록 고려되어야 한다. 특히 개도회원국의 물품과, 특히 최저개발회원국의 물품을 수입하는 수입자에 대한 특별한 고려가 있어야 한다.27)

공급국간에 배분되지 않은 허가를 통하여 쿼터를 운용하는 경우(예: 총량쿼터) 허가취득자는 수입선을 자유롭게 선택할 수 있어야 하며, 공급국간에 배분되는 쿼터의 경우 허가에는 공급국(들)이 분명하게 명기되어야 한다.28)

상기 제1조 제8항(선적상의 과오)을 적용함에 있어서, 수입이 이전의 허가수준을 초과한 경우 장래의 허가배분시 이에 대한 보상적 조정이 이루어질 수 있다.29)

5. 제도(Institutions): 수입허가위원회의 설치

본 협정 제4조에 의하여 각 회원국의 대표로 수입허가위원회(Committee on Import Licensing)가 설치된다. 동 위원회는 자체적으로 의장과 부의장을 선출하고 본 협정의 운용이나 목적의 구현에 관한 문제에 대하여 회원국에게 자문할 기회를 갖기 위하여 회의를 개최하여야 한다.30) 또한 동 위원회는 회원국들로부터 수입허가절차의 제정 또는 개정사항31) 그리고 본 협정과 관련된 자국 법규의 모든 변경사항을 통보받으며,32) 협정의 운용과 관련하여 각 회원국들의 발전상황을 상

---

26) 동 협정 제3조 제5항 h호, i호.
27) 동 협정 제3조 제5항 j호.
28) 동 협정 제3조 제5항 k호.
29) 동 협정 제3조 제5항 l호.
30) 동 협정 제4조 제1항.
31) 동 협정 제5조 제1항.
32) 동 협정 제8조 제2항 b호.

품교역이사회에 통보하여야 한다.[33]

6. 통보(Notification)

수입허가절차를 제도화하거나 변경시키고자 하는 회원국들은 공표일로부터 60일 이내에 그에 관한 사실을 수입허가위원회에 통보하여야 한다.[34] 수입허가절차의 제도화에 관한 통보에는 (i) 허가절차 대상품목의 목록, (ii) 신청자격부여에 관한 정보를 얻을 수 있는 접촉창구, (iii) 신청서를 제출하여야 할 행정기관, (iv) 허가절차가 공표된 경우 공표된 날짜와 공표물의 이름, (v) 허가절차가 자동 또는 비자동인지의 여부 명시, (vi) 자동수입허가절차인 경우 그 행정적 목적, (vii) 비자동수입허가절차인 경우 동 허가절차를 통하여 시행되고 있는 조치의 명시, (viii) 예측가능한 경우에는 수입허가절차의 예상존속기간, 그렇지 못할 경우 이러한 정보가 제공될 수 없는 이유 등에 관한 정보가 포함되어야 한다.[35] 수입허가절차의 변경에 관한 통보에 있어서 만일 상기 내용이 변경되었을 경우 이를 위원회에 통보하여야 하며, 상기 정보가 공표될 간행물도 위원회에 통보하여야 한다.[36] 그리고 본 협정에 따른 통보를 받지 못한 이해관계가 있는 회원국의 경우 동 사안에 대하여 당해 회원국의 주의를 환기시킬 수 있다.[37]

7. 협의 및 분쟁해결(Consultation and Dispute Settlement)

본 협정의 운용에 영향을 미치는 모든 문제에 관한 협의 및 분쟁해결은 "분쟁해결규정 및 절차에 관한 양해각서"에 의해 구체적으로 적용되는 GATT 1994 제22조와 제23조의 규정이 적용된다.[38]

---

33) 동 협정 제7조 제4항.
34) 동 협정 제5조 제1항.
35) 동 협정 제5조 제2항.
36) 동 협정 제5조 제3조-제4조.
37) 동 협정 제5조 제5항.
38) 동 협정 제6조 제1항. WTO체제가 출범한 이후 타회원국에 대한 협의요청이 45건이 있었다(2016년 4월 기준). 그중에서 "특정 농산물에 대한 베네수엘라의 수입허가조치"를 살펴본다. 본 사안의 사실관계와 경과를 요약하면 다음과 같다. 2002년 11월 7일 미국은 미국산 농산물 수입을 제한하는 베네수엘라의 수입허가제도 및 관행에 대하여 베네수엘라에

8. 검토(Review)

수입허가위원회는 필요에 따라, 그러나 최소한 2년에 한 번씩은 본 협정의 목적과 협정상의 권리 및 의무를 고려하여 본 협정의 시행과 운영에 관하여 검토하여야 한다.39) 동 위원회가 검토를 함에 있어서 기초자료로서 사용하기 위하여 WTO사무국은 본 협정 제5조(통보)에 의하여 제공된 정보와 수입허가절차에 관한 연례질의서(Questionnaire) 외에 기타 스스로 입수 가능한 신뢰할 수 있는 관련 정보에 기초하여 사실보고서를 준비하여야 하는데 동 보고서에는 특히 검토대상기간 중의 모든 변화나 발전된 상황이 명시되어야 한다.40) 그리고 회원국들은 수입허가절차에 관한 연례질의서를 신속하고 성실하게 작성하여야 하며 수입허가위원회는 검토대상기간 동안의 발전상황을 상품무역이사회에 통보하여야 한다.41)

9. 최종규정(Final Provisions)

(1) 유 보

다른 모든 회원국의 동의 없이는 본 협정의 어떠한 규정에 대하여도 유보가 허용되지 않는다고 하여 사실상 유보를 인정하지 않고 있다.42)

협의를 요청하였다. 미국에 의하면, 베네수엘라는 옥수수, 당밀, 낙농제품, 포도, 가금류, 쇠고기, 돼지고기 등 다수의 농산물에 대하여 임의적인 수입허가제도를 시행했다고 주장하였다. 더 나아가 미국은 베네수엘라가 관행을 통하여 수입허가증을 발급함에 있어서 투명하고 예측 가능한 제도확립에 실패하였으며 상기 제품의 거래를 심각하게 제한하고 있다고 주장하였다. 따라서 미국은 이러한 베네수엘라의 수입허가제도와 관행이 WTO농업협정 제4조 제2항, GATT 1994 제3조, 제10조, 제11조 그리고 제13조, 무역관련지적재산권협정 제2조 제1항, 수입허가절차협정 제1조 제4항, 제3조 제2항, 제3조 제5항, 제5조 제1항, 제5조 제2항, 제5조 제3항을 위반하여 상기 협정상 미국의 이익을 직, 간접적으로 무효화시키거나 손상시키고 있다고 주장하였다. 2002년 11월 20일 EC와 캐나다가 협의에 참가를 요청하였고 그 후에 뉴질랜드, 칠레, 아르헨티나 그리고 콜롬비아도 협의에 참가를 요청하였다. 동년 11월 25일 베네수엘라는 WTO분쟁해결기구(DSB)에 이들의 요청을 수락한다고 통지하였다. 그러나 이 사건에서 패널은 설치되지 않았다. WTO, Dispute Settlement: DS275, Venezuela, Bolivarian Republic of – Import Licensing Measures on Certain Agricultural Products.-
39) 동 협정 제7조 제1항.
40) 동 협정 제7조 제2항.
41) 동 협정 제7조 제3항–제4항.
42) 동 협정 제8조 제1항.

(2) 국내입법

각 회원국들은 WTO설립협정 발효일 이전까지 법률, 규정 행정절차를 본 협정의 규정과 일치시켜야 하며 본 협정과 관련된 자국의 법률, 규칙 및 이러한 법률, 규칙의 운용에 관한 모든 변경사항을 수입허가위원회에 통보하여야 한다.[43]

---

43) 동 협정 제 8 조 제 2 항.

제 **4** 부

무역구제

제 4 부   무역구제

제18장
반덤핑협정

제1절 반덤핑협정 개요

일반적으로 덤핑은 수출국의 생산자 또는 판매자가 상품을 자국 시장에서 판매하는 동종 상품의 가격보다 낮은 가격으로 해외에 수출하는 것으로 정의된다. 그리고 수입국 경제에 피해를 야기하고 국제 교역 질서를 교란하는 덤핑행위를 규제하기 위하여 부과하는 무역구제 조치를 반덤핑조치라고 한다. 덤핑행위를 불공정 무역행위(unfair trade practice)로 보고 이를 규제해야 된다고 주장하는 견해와, 낮은 가격으로 상품을 수출하여 수입국 소비자들에게 이익을 주고 후생복지를 증진시키는 덤핑행위를 용인하여야 할 뿐 아니라 실제로는 수입품과의 경쟁에서 국내 산업을 보호하기 위한 수단으로 빈번하게 이용되는 반덤핑 조치가 오히려 불공정 무역행위에 해당한다는 견해가 대립하는데 대부분의 국가들이 전자의 입장에서 덤핑 행위를 규제하고 있다.

1947년 제정된 GATT 제VI조는 체약국들이 덤핑행위를 규제할 수 있는 법적 근거를 제공하는 한편, 반덤핑조치를 남용하지 않도록 제한하도록 규정하였으나, 내용이 명확하지 않아 해석하고 적용하는데 어려움이 있다는 불만이 있었다. 이에 1963년부터 1967년까지 진행된 케네디라운드에서 GATT 제VI조상의 주요 개념을 명확하게 하기 위한 논의를 하고 1967년 반덤핑규약을 채택했고, 이후 1973년부터 1979년까지 진행된 도쿄라운드에서 1979년 반덤핑규약을 채택하여 1967년 반덤핑규약을 대체하였다. GATT체제에서 이루어진 수차례의 다자무역협상라운드 결과 주요무역장벽이 낮아지고 특히 관세가 현저히 감축되자 1970년 중반 무렵부터 국내산업의 보호를 위해 덤핑행위를 적극적으로 규제할 것을 요구하는 압력이 커졌고, 동시에 반덤핑조치의 남용에 대한 우려도 커졌다. 1980년대 이후 반덤핑조치가 증가하자 반덤핑규약의 내용이 구체적이지 않고 모든 체약국을 대상으로 하지 않는 한계로 인하여 반덤핑조치의 남용을 제대로 억제하지 못하다는 비판이 제기되었다. 1986년 출범한 우루과이라운드에서 참여국들이 반덤핑협정을 채택하기 위해 본격적인 교섭을 진행하였고, 마침내 '1994년 GATT 제VI조의 이행에 관한 협정'(이하 반덤핑협정)이 WTO부속협정의 하나로 채택되었다. 반덤핑협정은 반덤핑규약에 비하여 객관성과 투명성을 높이고, 특히 모든 WTO 회원국에게 적용되어 보편성을 확보하였다고 평가된다.

WTO법 체제에서 1994년 GATT 제VI조는 반덤핑 규율에 대한 기본 원칙을 제시하고, 총 제3부 18개 조항과 2개 부속서로 이루어진 반덤핑협정은 일반규정인 GATT 제VI조를 이행하기 위해, 반덤핑조치를 부과하기 위한 실체적인 요건과 반덤핑조사 시 준수되어야할 절차적인 요건을 규정한다. 반덤핑협정은 회원국 간의 권리와 의무에 대한 국제협정이므로 사인의 행위인 덤핑을 직접 규제하지 않으며 회원국들이 국내법을 통해 덤핑을 규제하는 것을 허용하고 반덤핑협정을 위반하는 국내법의 제정과 자의적인 국내법의 적용을 통제한다. 1994년 GATT 제VI조는 반덤핑 관세를 부과하기 세 가지 요건을 규정한다.

첫째, 한 나라의 상품이 국내 시장에서의 가격보다 낮은 가격으로 다른 나라에 수출되고, 둘째, 이로 인하여 수입국의 국내산업에 실질적인 피해가 야기되거나 야기될 우려가 있거나, 또는 국내산업의 설립을 실질적으로 지연하고, 셋째, 덤핑과 수입국의 피해 또는 산업 설립의 지연 간에 인과관계가 존재하여야 한다. 국내산업의 신청이나 직권에 의해 덤핑조사를 개시한 수입국의 조사당국은 반덤핑조치를 부과하기 위한 실체적 요건이 충족되는지 여부를 조사하여 반덤핑관세를 부과할 수 있다. 본 장에서는 덤핑조사의 개시에서 반덤핑조치의 부과 및 종료에 이르는 과정에 필요한 실체적인 요건과 절차적인 요건을 검토하고자 한다.

반덤핑조치 외에도 다음 두 장에서 논의될 보조금에 대한 상계조치와 특정상품의 수입에 대한 세이프가드가 무역구제 조치에 해당하는데 세 가지 무역구제 조치 중 반덤핑조치가 가장 널리 사용된다. WTO 출범 이전 GATT체제에서는 반덤핑법을 제일 먼저 제정하며 반덤핑제도를 구비한 캐나다를 비롯하여 미국, EU, 호주 등 네 국가가 대부분의 반덤핑 조치를 취하였고, 개발도상국은 주로 부과대상이 되었다. 그러나 WTO의 출범을 즈음한 1990년대 중반 이후로는 인도, 브라질, 남아프리카공화국, 아르헨티나를 비롯한 개발도상국 역시 반덤핑조치를 적극적으로 활용하고 있으며 반덤핑조치의 증가와 더불어 남용에 대한 우려도 계속 커지는 것이 현실이다. 2001년 11월 카타르 도하에서 개최된 제4차 WTO 각료회의에서 회원국들은 보다 광범위한 무역 자유화 협상을 개시하기로 합의하고 도하개발어젠다(Doha Development Agenda: 이하 "DDA") 협상을 출범시켜 반덤핑에 대한 논의가 이루어지는 규범을 비롯한 총 9개 분야에서 협상을 진행하였으나, 주요 쟁점에 대한 이견을 좁히지 못하여 현재는 실질적으로 협상이 중단된 상태이다.

제2절 반덤핑 조치의 요건

1. 덤핑의 존재

(1) 덤핑의 의의

1994년 GATT 제VI조와 반덤핑협정은 한 나라의 상품이 정상가격보다 낮은 가격으로 수출된 경우를 덤핑으로 정의한다. 따라서 덤핑이 존재하는지 여부를 판단하기 위해서 수입국의 조사당국은 문제가 되는 상품의 정상가격과 수출가격을 비교하여야 되며 정상가격에서에서 수출가격을 뺀 값이 양(+)의 값인 경우 덤핑이 존재하고 그 초과분이 덤핑마진이 되며, 덤핑마진을 수출가격 대비 백분율로 표시한 값이 덤핑마진율이 된다.

(2) 동종상품

동종상품은 덤핑조사에서 매우 중요한 개념이다. 우선, 국내산업의 신청이 있는 경우 덤핑조사가 개시되는데 이 경우 조사당국은 덤핑상품과 동종상품을 생산하는 자의 지지 또는 반대의 정도를 검토하여 일부 생산자가 아닌 국내산업의 신청이 있는지 여부를 결정한다.[1] 또한, 덤핑조사 과정에서 덤핑이 존재하는지 여부를 판단할 때 상품의 정상가격과 수출가격을 비교하여야 하는데, 정상가격을 산정하기 위하여 수출국의 국내시장에서 고려해야 하는 상품의 범위는 조

[1) 반덤핑협정 제5.1조, 제5.4조.

사대상인 상품의 동종상품이고,[2] 피해가 존재하는지 여부를 판단할 때에는 덤핑수입이 수입국 국내시장의 동종상품에 미치는 영향 등을 객관적으로 검토한다.[3] 이외에도 반덤핑협정에서 동종상품은 수시로 언급되는데, 반덤핑협정은 동종상품이 조사대상이 되는 상품과 모든 면에서 같은 상품을 지칭하고, 그런 상품이 없는 경우에는 이와 매우 유사한 특성을 가지고 있는 다른 상품을 의미한다고 규정할[4] 뿐, 상품간의 동종성이나 유사성을 판단하는 구체적인 기준을 제시하지는 않는다. 이에 조사당국은 상품의 물리적 특성, 상업적 대체성, 제조원료, 제조방법이나 기술, 기능이나 최종용도, 가격, 품질, 관세분류 등의 기준을 사안별로 설정하여 적용한다.[5]

(3) 정상가격

수출가격과 정상가격을 비교하여 덤핑이 존재하는지 여부를 판단할 때, 보통 동종상품의 수출국에서의 시장가격이 정상가격이 되고 이 가격과 수출가격을 비교하여 수출가격이 낮은 경우 덤핑이 존재한다고 본다.[6] 그러나 정상적인 거래에 의한 동종상품의 판매가 수출국에 존재하지 않는 경우, 또는 수출국의 특별한 시장 상황이나 소규모 판매로[7] 인하여 적절한 비교가 곤란한 경우에는 제3국으로의 수출가격이나 조사당국이 계산한 구성가격이 정상가격이 된다.[8] 제3국 수출가격은 동종상품을 적절한 제3국으로 수출할 때의 비교가능한 가격으로 대표성이 있어야 하며, 구성가격은 생산비용에 합리적인 관리비, 판매비, 일반비와 이윤을 합산한 가격을 말한다.[9] 예컨대, A국의 한 기업이 어떤 상품을 생산하여 국내시장에 공급하지 않고 모두 수출한다면 A국에서는 이 상품의 시장가격이 존재하

---

2) 반덤핑협정 제2.1조.
3) 반덤핑협정 제3.1조.
4) 반덤핑협정 제2.6조.
5) Judith Czako, Johann Human & Jorge Miranda, A Handbook on Anti-Dumping Investigation (Cambridge, 2001), pp. 11-12.
6) 반덤핑협정 제2.1조.
7) 수출국에서 소비를 위하여 판매되는 동종상품의 양이 수입국에서 판매되는 양의 5% 미만인 경우 소규모 판매에 해당하여 국내가격이 원칙적으로 정상가격으로 인정되지 않으나, 5% 미만의 소규모 판매지만 적절한 비교를 하기에 충분하다는 증거가 있는 경우 이를 정상가격으로 인정할 수 있다. 반덤핑협정 제2.2조 각주.
8) 반덤핑협정 제2.2조.
9) 반덤핑협정 제2.2조.

지 않기 때문에, 수입국인 B국에서 이 상품에 대해 덤핑조사를 하는 경우, 제3 국으로의 수출가격을 정상가격으로 보고 덤핑마진을 결정할 것이다. 만약 A국 기업이 생산하는 모든 상품을 B국으로 수출한다면 A국에서의 시장가격 뿐 아니라 제3국 수출가격 역시 존재하지 않기 때문에 B국의 조사당국은 구성가격을 정상가격으로 보고 덤핑마진을 결정할 것이다. 다만, 반덤핑협정은 제3국 수출가격과 구성가격 중 어느 것이 우선하여 적용되어야하는지 규정하지 않으므로, 수입국은 재량을 가지고 국내법규에 정상가격 산정을 위한 구체적인 방법을 정할 수 있다.

한편, 덤핑조사당국은 수출국에서의 시장가격이나 제3국 수출가격을 계산할 때 원가 미만의 판매를 제외할 수 있다. 즉, 동종상품이 고정비용과 가변비용을 더한 단위생산비용에 관리비, 판매비, 일반비를 합산한 금액 미만의 가격으로 판매되는 경우, 조사당국은 이런 판매가 정상적인 거래에 해당하지 않는다는 이유로 정상가격 산정에서 제외할 수 있다. 이러한 원가 미만의 판매를 포함하여 정상가격을 계산하면 정상가격이 낮아져서 덤핑이 존재하는 것으로 판정될 가능성이 낮아지고, 덤핑이 존재하는 경우에도 덤핑마진이 불합리하게 낮아질 수 있기 때문이다. 이에 반덤핑협정은 단위가격 미만의 판매가 상당기간 동안 상당량으로 이루어지고 합리적인 기간 내에 총비용을 회수할 수 없는 가격으로 이루어지는 경우 정상가격 산정에서 제외할 수 있다고 규정한다.[10]

덤핑조사 대상인 수출자 또는 생산자가 작성한 기록이 수출국에서 일반적으로 인정하는 회계원칙을 따르고 조사대상 상품의 생산과 판매에 관련된 비용을 합리적으로 반영하는 경우, 조사당국은 일반적으로 이러한 기록을 바탕으로 비용을 산정하여야 한다.[11] 또한, 조사당국은 수출자 또는 생산자가 조사기간 중 제출한 증거를 포함하여 비용의 적절한 할당에 관한 모든 입수가능한 자료를 고려한다.[12] 아울러, 관리비, 판매비, 일반비 및 이윤의 금액 산정시 조사당국은 수출

---

10) 반덤핑협정 제2.2.1조. 상당기간이란 일반적으로 1년이며 어떠한 경우에도 6개월 미만이어 서는 안 되며, 정상가격 결정의 대상이 되는 거래의 가중평균 판매가격이 가중 단위비용 미만인 경우, 또는 단위비용 미만의 판매량이 정상가격 결정의 대상이 되는 거래의 20% 이상인 경우 상당량의 단위비용 미만의 판매에 해당한다. 반덤핑협정 제2.2.1조 각주 4, 각 주 5 참조.
11) 반덤핑협정 제2.2.1.1조.
12) 반덤핑협정 제2.2.1.1조.

자 또는 생산자의 동종상품의 정상적인 거래에서의 생산과 판매에 관한 실제 자료에 기초하여야 한다.[13]

(4) 수출가격

정상가격과 비교하는 수출가격은 수입자가 지불한 또는 지불해야하는 가격으로 일반적으로 수출자가 보고한 실제 수출가격에 기초하여 결정한다. 그러나 실제 수출가격이 존재하지 않거나, 존재하는 경우에도 수출자와 수입자 또는 제3자 사이에 제휴나 보상 약정이 있어 수출가격을 신뢰할 수 없는 경우가 있다. 이러한 경우 조사당국은 수입품이 독립구매자에게 처음으로 재판매되는 가격을 기초로 수출가격을 구성할 수 있고[14] 이때 수입과 재판매 사이에 발생하는 관세와 조세를 포함한 비용과 이윤을 공제할 수 있다.[15] 비용과 이윤을 공제하지 않으면 구성수출가격이 높아져서 덤핑마진이 낮아질 수 있으므로 조사당국이 이를 공제할 수 있도록 허용하는 것이다. 한편, 수입품이 독립구매자에게 재판매되지 않거나 수입된 상태로 재판매되지 않은 경우에는 조사당국이 스스로 결정하는 합리적인 기초에 따라 수출가격을 구성할 수 있다.[16]

(5) 공정한 비교

조사당국은 정상가격과 수출가격을 공정하게 비교하여 덤핑의 존재 여부를 판단하고 덤핑마진을 산정하여야 한다. 공정한 비교를 위해서는 동일한 거래단계, 일반적으로는 공장도 단계에서 가능한 한 같은 시기에 이루어진 판매를 비교하여야 하며, 판매조건, 과세, 거래단계, 수량, 물리적 특성의 차이를 비롯하여 가격비교에 영향을 미치는 차이점을 적절히 고려하여야 한다.[17] 예컨대, 조사당국이 매수자의 주소지까지의 배달 운임이 포함된 정상가격과 본선인도(FOB) 수출

---

13) 반덤핑협정 제2.2.2조. 실제 자료에 의해 금액을 산정할 수 없는 경우에는 (i) 당해 수출자 또는 생산자가 원산지국의 국내시장에서 동일한 일반적인 부류의 상품을 생산하고 판매하기 위하여 발생하고 실현한 실제 금액, (ii) 조사대상인 다른 수출자 또는 생산자가 원산지국의 국내시장에서 동종상품을 생산하고 판매하기 위하여 발생하고 실현한 실제 금액의 가중평균, (iii) 그 밖의 합리적인 방법에 따라 금액을 산정한다.
14) 반덤핑협정 제2.3조.
15) 반덤핑협정 제2.4조.
16) 반덤핑협정 제2.3조.
17) 반덤핑협정 제2.4조.

가격을 비교한다면 이는 동일한 거래단계에서의 비교라고 볼 수 없으므로 이러한 경우 운임에 대한 조정이 이루어져야 한다. 상품에 부과하는 간접세를 수출품에 대하여는 환급해주는 간접세 환급의 경우에도 이를 적절히 고려하여 가격 조정이 이루어져야 한다. 또한, 내수용과 수출용 상품 사이에 크기, 색상, 공정 정도, 품질 등 물리적 특성의 차이에서 비롯된 가격 차이가 있다면 이에 근거한 가격 조정이 이루어져야 한다. 예컨대, 내수용과 수출용 돈육에 포함된 지방 비율이 달라 단위 무게당 가격이 다르거나, 수출용 타일에 내수용 타일보다 고급 염료를 사용하여 가격이 더 높거나, 내수용 가금류는 통째로 판매하는 반면 수출용 가금류는 깨끗하게 손질하고 부위별로 절단하여 판매하여 가격이 더 높다면 정상가격과 수출가격을 비교할 때 이러한 차이로 인해 발생하는 가격 차이를 조정하여야 한다.

정상가격은 수출국 화폐단위로 표시되고 수출가격은 수입국 화폐단위로 표시된 경우, 정상가격과 수출가격을 비교하기 위하여는 이를 동일한 화폐단위로 표시하여야 한다. 이러한 화폐환산과 관련하여 환율변동이 문제가 될 수 있다. 예컨대, 우리나라 기업이 환율이 $1=1,000원인 시점에 국내시장에 한 대당 2천만원에 판매하는 승용차를 미국에 $20,000에 수출한다면 정상가격이 $20,000로 환산되어 수출가격과 동일하므로 덤핑이 존재하지 않는다. 하지만 우리나라에서 수출한 자동차를 미국 자동차 영업소에서 실제로 인수받아 소비자들에게 판매를 개시하는 시점에 환율이 $1 = 800원으로 인하된다면 정상가격이 $25,000로 환산되어 되어 덤핑이 존재하게 된다. 이렇게 환율변동이 있는 경우, 어떤 환율을 사용하는지에 따라 덤핑의 존부가 달라지고 덤핑마진도 변하기 때문에 어느 시점의 환율을 기준으로 정상가격과 수출가격을 비교하여야 하는지가 문제가 된다. 반덤핑협정은 정상가격과 수출가격을 비교하기 위해 화폐 환산이 필요한 경우 판매일자의[18] 환율이 사용되어야 하며 원칙적으로 환율변동은 무시한다고 규정한다.[19]

반덤핑협정은 정상가격과 수출가격을 비교하는 일반적인 방법으로 (i) 가중

[18] 통상적으로 판매일은 계약일, 구매 주문일, 주문 확인일, 또는 송장 작성일 중 실제적인 판매조건이 성립된 날을 의미한다. 제2.4.1조 각주 8 참조.
[19] 반덤핑협정 제2.4.1조. 아울러, 조사당국은 조사대상기간 중에 발생한 환율의 지속적인 변동을 반영하기 위해 수출자에게 최소 60일의 수출가격 조정기간을 부여한다.

평균 정상가격과 모든 비교가능한 수출거래의 가중평균가격을 비교하는 방법과
(ii) 개별 거래마다 정상가격과 수출가격을 비교하는 방법을 규정한다.[20] 만약 수
출거래와 국내 판매의 횟수가 동일하고, 거래 시기가 비슷하며 비교가능하며, 개
별 수출거래의 비중이 개별 국내판매의 비중과 동일하다면 (i)과 (ii)의 방법에 따
른 계산 결과가 동일하겠지만 실제 그러한 경우는 거의 발생하지 않으므로 계산
방법에 따라 결과가 달라질 것이다. 반덤핑협정이 두 방법 사이의 적용상 우선순
위를 규정하지 않으므로 각국의 덤핑조사당국이 재량을 가지고 계산방법을 선택
하는데, 수출거래 횟수와 수출량이 많은 경우 (ii)의 방법을 사용하기 곤란하기
때문에 실제로는 (i)의 방법이 더 많이 이용된다. 반덤핑협정은 특정 구매자, 특
정 지역 또는 특정 기간에 대한 표적덤핑에 대처하기 위해, 조사당국이 구매자,
지역, 기간간 현저한 차이를 보이는 수출가격의 양태를 발견하고, (i) 또는 (ii)의
비교방법을 통해 이러한 차이를 적절하게 고려할 수 없는 이유를 설명하는 경우
에 한하여 제한적으로 (iii) 가중평균 정상가격과 개별 수출거래가격을 비교할 수
있도록 규정한다.[21]

조사당국이 (i), (ii) 또는 예외적인 경우 (iii)의 방법에 따라 정상가격과 수출
가격을 비교할 때, 상품의 모델이나 유형 또는 판매시기별로 분류하여 비교하고
각각의 비교 결과를 합산하여 조사대상 상품 전체에 대한 덤핑마진을 계산할 때
제로잉(zeroing)의 문제가 발생할 수 있다. 제로잉이란 조사대상 상품의 덤핑마진
을 계산하는 과정에서 음(−)의 덤핑마진을 "0"으로 처리하는 방식이다. 제로잉을
하는 경우, 계산 과정에서 음(−)의 덤핑마진을 제외하고 양(+)의 마진만 합산하
므로 조사대상 상품의 덤핑마진이 커지게 된다. 예컨대, 조사당국이 조사대상 상
품인 텔레비전을 25", 30", 35" 텔레비전으로 각각 분류하여 각각의 덤핑마진을
구한 다음 이를 합산하여 텔레비전에 대한 덤핑마진을 산정할 수 있다. 이때,
25" 텔레비전의 정상가격이 $260, 수출가격이 $200이면 25" 텔레비전의 덤핑마진
은 $60이 된다. 30" 텔레비전의 정상가격이 $350, 수출가격이 $350이면 30" 텔레
비전의 덤핑마진은 0이 된다. 그리고 35" 텔레비전의 정상가격이 $400, 수출가격
이 $460이면 35" 텔레비전의 덤핑마진은 (−)60이 된다. 모델별 텔레비전의 수출
량이 동일하다는 가정하에 25", 30", 35" 텔레비전의 덤핑마진을 모두 합산하여

---

20) 반덤핑협정 제2.4.2조.
21) 반덤핑협정 제2.4.2조.

텔레비전의 덤핑마진을 산정하면 0이 된다. 하지만 제로잉 방식을 사용하면, 음 (−)의 마진인 35" 텔레비전의 덤핑마진 (−)60을 "0"으로 처리하여 계산하게 되므로 최종 덤핑마진이 20이 된다. 제로잉 관행을 비판하는 국가들은 제로잉을 통해 조사대상 상품의 덤핑마진을 인위적으로 확대하는 것은 부당하다고 주장하는 반면, 이에 찬성하는 국가들은 음(−)의 덤핑마진으로 양(+)의 덤핑마진을 상쇄하여 최종 덤핑마진을 줄이는 것은 불공정 무역행위인 덤핑을 규제하기 위해 반덤핑 관세를 부과하는 목적에 부합하지 않는다는 입장이다. WTO 출범 이후 제로잉을 대상으로 한 일련의 분쟁이 있었으나, WTO 패널과 항소기구가 덤핑마진을 계산하는 방식에 상관없이, 표적덤핑을 포함한 모든 경우에 있어, 제로잉을 사용하는 것은 모든 비교가능한 수출거래가격을 고려해야 한다고 규정하는 반덤핑협정 위반이라고 일관되게 판정하여 이에 대한 논란은 해소된 상태이다.

2. 피해의 존재

(1) 피해의 의의

1994년 GATT 제IV조와 반덤핑협정은 '피해'를 구체적으로 정의하는 대신 '피해'가 국내산업에 대한 실질적(material) 피해와 실질적 피해의 우려, 또는 국내산업 확립의 실질적 지연을 의미한다고 규정한다.[22] 또한 반덤핑협정은 피해를 분석할 때 평가해야 하는 요소들을 규정하고는 있으나 '실질적' 피해나 '실질적' 지연에 대한 구체적인 기준을 제시하지는 않는데, 이와 관련하여 WTO 항소기구는 '실질적 피해'가 특정 상품의 수입에 대한 긴급조치를 부과하는데 요구되는 '심각한(serious) 피해'와 비교하여 완화된 조건이라고 해석한다.[23]

(2) 실질적 피해

피해의 판정은 적극적 증거에 기초하여 이루어져야 하며, 덤핑수입물량, 덤

---

22) 반덤핑협정 제3조 각주 9.
23) Appellate Body Report, United States — Safeguard Measures on Imports of Fresh, Chilled or Frozen Lamb Mean from New Zealand and Australia, WT/DS177, 178/AB/R (2001), para. 124; Appellate Body Report, Argentina — Safeguard Measures on Imports of Footwear, WT/DS121/AB/R (1999), para. 94 등 참조.

핑수입이 국내시장에서의 동종상품의 가격에 미치는 영향, 그리고 덤핑수입품이 결과적으로 국내 동종상품 생산자에게 미치는 영향에 대한 객관적인 평가가 있어야 한다.24) 조사당국은 덤핑수입물량이 절대적 또는 상대적으로 현저히 증가하였는지 여부와 덤핑수입이 현저한 가격인하, 현저한 가격하락, 또는 가격인상의 현저한 억제를 초래하였는지 여부를 고려한다.25) 반덤핑협정은 덤핑수입품이 국내 동종상품 생산자에게 미치는 영향을 조사하기 위해서 조사당국은 판매, 이윤, 생산량, 시장점유율, 생산성, 투자수익률, 또는 설비가동률의 실제적이고 잠재적인 감소; 국내가격에 영향을 미치는 요소; 덤핑마진의 크기; 자금 순환, 재고, 고용, 임금, 성장, 자본 또는 투자 조달능력에 대한 실제적이고 잠재적인 부정적 영향을 포함하여 산업의 상태에 영향을 미치는 모든 경제적인 요소와 지표를 평가하여야 한다고 규정한다.26) 이는 예시적 요소이며 어느 하나 또는 몇몇 요소가 결정적인 지침이 되지는 않는다.27) 다만, WTO 항소기구가 조사당국이 피해의 발생 여부를 조사할 때 열거된 모든 요소를 평가하여야 된다고 판정하여서,28) 조사당국이 열거된 요소를 모두 검토하고 각각의 요소에 대하여 판단을 내려야 하는 것으로 이해된다.

2개국 이상으로부터 수입된 상품이 동시에 덤핑조사의 대상이 된 경우 조사당국은 수입상품으로 인해 발생하는 피해의 효과를 누적적으로 평가할 수 있다.29) 예컨대, A국이 B국, C국, D국 등으로부터 승용차를 수입하는데 이중 B국, C국, D국 승용차가 덤핑조사의 대상이 된 경우, 만약 총 덤핑물량 중 B국, C국 승용차의 비율이 각각 50%, 45%인 반면 D국 승용차의 비율은 5%에 불과하다면, D국 승용차의 덤핑만으로는 A국 승용차 산업에 실질적인 피해를 초래하였다고 보기 어려울 수 있을 것이다. 이때 조사당국은 B국, C국, D국으로부터 수입된 자

---

24) 반덤핑협정 제3.1조.
25) 반덤핑협정 제3.2조.
26) 반덤핑협정 제3.4조.
27) 반덤핑협정 제3.4조.
28) Appellate Body Report, Thailand—Anti—Dumping Duties on Angles, Sharps and Sections of Iron or Non—Alloy Steel and H—Beams from Poland, WT/DS122/AB/R (2000), para. 128; Appellate Body Report, EC—Anti—Dumping Duties on Imports of Cotton—Type Bed Linen from India, WT/DS141/AB/R (2001), para. 168; Appellate Body Report, United States—Anti—Dumping Measures on Certain Hot—Rolled Steel Products from Japan, WT/DS184/AB/R (2001), para. 194 등 참조.
29) 반덤핑협정 제3.3조.

동차가 초래한 피해를 누적적으로 평가할 수 있고, 이러한 누적적 평가 하에서는 D국 승용차의 덤핑으로 인해 자국 승용차 산업에 실질적인 피해가 발생했다고 판단하는 것이 훨씬 용이할 것이다. 단, 누적적 평가는 (i) 각국으로부터 수입된 상품의 덤핑마진이 최소허용수준을 넘고, 각국으로부터의 수입물량이 무시할 만한 수준이 아니며,[30] (ii) 수입상품간의 경쟁조건 및 수입상품과 국내 동종상품간의 경쟁조건을 감안할 때 수입품의 효과에 대한 누적적 평가가 적절하다고 조사당국이 결정하는 경우에 한하여 이루어질 수 있다.[31]

(3) 실질적 피해 우려

실질적 피해의 우려에 대한 판정은 사실에 기초하여야 하고 단순한 주장이나 추측 또는 막연한 가능성에 기초하여서는 안 되며, 덤핑이 피해를 초래하는 상황의 변화는 명백히 예측되어야 하며 급박하여야 한다.[32] 실질적 피해의 우려를 판정하기 위하여 조사당국은 (i) 실질적인 수입증가의 가능성을 나타내는, 국내시장으로의 덤핑수입품의 현저한 증가율, (ii) 수입국 시장으로 덤핑수출을 실질적으로 증가시킬 수 있는 가능성을 나타내는, 충분하고 자유롭게 처분가능한 수출자의 생산능력 또는 수출자의 생산능력의 임박하고 실질적인 증가, (iii) 수입이 국내가격을 현저히 하락 또는 억제시킬 수 있는 가격으로 이루어지고 있는지 여부 및 추가수입에 대한 수요를 증가시킬 것인지 여부, 그리고 (iv) 조사대상상품의 재고현황과 같은 요소를 고려해야 한다.[33] WTO 패널은 실질적 피해의 위협을 판정하기 위해 조사당국은 이를 위해 고려하여야 하는 것으로 규정된 요소뿐 아니라 덤핑수입품이 국내 동종상품 생산자에게 미치는 영향, 즉 덤핑수입품이 초래하는 실질적 피해를 판단하기 위한 요소도 함께 검토하여야 한다고 판정하였다.[34]

---

30) 덤핑마진율이 2% 미만인 경우 최소허용수준에 해당하고, 한 국가로부터의 덤핑 수입물량이 수입국의 동종상품 수입량의 3% 미만이고, 개별적으로 덤핑 수입물량이 3% 미만인 국가들의 덤핑 수입물량이 총체적으로도 7%를 초과하지 않는 경우 그 수입량은 일반적으로 무시할만한 수준으로 본다. 반덤핑협정 제5.8조 참조.

31) 반덤핑협정 제3.3조.

32) 반덤핑협정 제3.7조.

33) 반덤핑협정 제3.7조.

34) Panel Report, Mexico-Anti-Dumping Investigation of HFCS from US, WT/DS132/R (2000), para. 7.131.

(4) 실질적 지연

반덤핑협정은 국내산업 확립의 실질적 지연을 초래하는 것 역시 덤핑으로 인한 피해에 포함된다고 규정하면서도 이에 대한 구체적인 조항을 두고 있지 않다. 국내산업 확립의 실질적 지연은 동종상품을 생산하는 국내산업이 존재하지 않는 상황에서 이를 확립하려는 노력이 덤핑에 의하여 실질적으로 지연될 때 또는 국내산업이 존재하지만 동종상품의 생산이 개시되지 않은 경우 등에 적용될 수 있다.

3. 인과관계

조사당국이 반덤핑조치를 취하기 위해서는 덤핑의 효과로 인하여 피해가 발생하였다는 인과관계를 입증하여야 한다. 이를 위해 조사당국은 제시된 모든 관련 증거를 검토하고, 아울러, 같은 시점에 국내산업에 피해를 초래하는 덤핑수입품 이외의 모든 알려진 요소를 검토하여야 하며, 특히, 이러한 다른 요소로 인하여 발생하는 피해를 덤핑수입품에 의한 것으로 귀속시켜서는 안 된다.[35] 즉, 조사당국은 덤핑가격으로 판매되지 않는 수입품의 수량 및 가격, 수요감소나 소비형태의 변화, 외국 생산자와 국내생산자의 무역제한적 관행 및 이들간의 경쟁, 기술개발, 국내산업의 수출실적 및 상품 생산성 등의 요소를 검토하고, 이로 인해 발생하는 피해를 덤핑수입품으로 인한 피해로 귀속하여서는 안 된다.[36]

제 3 절 덤핑조사 및 반덤핑 조치

1. 조사 개시

조사당국은 국내산업의 서면신청이 있는 경우 덤핑조사를 개시할 수 있고 특별한 상황에서는 직권에 의하여 덤핑조사를 개시할 수 있다.[37]

---

35) 반덤핑협정 제3.5조.
36) 반덤핑협정 제3.5조.

조사신청은 국내산업에 의하거나 이를 대신하여 이루어진다. 국내산업은 덤핑수입된 상품의 동종상품을 생산하는 국내생산자 전체 또는 이들 중 생산량의 합계가 그 상품 국내총생산량의 상당부분을 차지하는 국내생산자를 의미한다.[38] 조사신청을 지지하는 국내생산자의 총산출량이 조사신청에 대하여 지지 또는 반대의사를 표명한 국내 동종상품 생산자가 생산한 총생산량의 50%를 초과하는 경우 그 조사신청은 국내산업에 의해서 또는 국내산업을 대신하여 이루어진 것으로 간주된다.[39] 그러나 조사신청을 명시적으로 지지하는 국내생산자의 총 생산량이 국내산업에 의하여 생산된 동종상품 총생산량의 25% 미만인 경우에는 조사가 개시되지 않는다.[40]

조사신청이 있다고 하여 조사당국이 무조건 조사를 개시하는 것은 아니다. 조사신청은 덤핑, 피해 및 덤핑과 피해의 인과관계에 대한 증거를 포함하여야 하고,[41] 조사기관은 조사개시를 정당화할 수 있을 만큼 충분한 증거가 있는지 여부를 결정하기 위해 신청서에 제시된 증거의 정확성과 적정성을 검토해야 한다.[42] 조사당국은 신청서에 제시된 증거의 정확성과 적정성을 검토하여 조사를 개시하기에 충분한지를 결정하고 조사를 개시한 다음 추가적인 증거수집 절차를 거쳐 이를 바탕으로 예비판정과 최종판정을 하기 때문에 조사신청서에 제시된 증거에 요구되는 정확성과 적정성의 수준은 예비판정과 최종판정을 내리는데 요구되는 수준보다는 낮은 것으로 이해된다.

조사당국은 덤핑 또는 피해에 대한 증거가 충분하지 않다고 판단하는 즉시 조사신청을 기각하고 절차를 신속히 종결한다.[43] 덤핑마진이 최소허용수준(de minimis)이거나, 실제적 또는 잠재적인 덤핑수입량이나 피해가 무시할만한 수준이라고 결정하는 경우에도 즉시 절차를 종결한다.[44] 덤핑마진을 수출가격 대비 백분율로 표시한 덤핑마진율이 2% 미만인 경우 최소허용수준에 해당하고, 한국가로부터의 덤핑 수입물량이 수입국의 동종상품 수입량의 3% 미만이고, 개별적으

---

37) 반덤핑협정 제5.1조, 제5.6조.
38) 반덤핑협정 제4.1조.
39) 반덤핑협정 제5.4조.
40) 반덤핑협정 제5.4조.
41) 반덤핑협정 제5.2조.
42) 반덤핑협정 제5.3조.
43) 반덤핑협정 제5.8조.
44) 반덤핑협정 제5.8조.

로 덤핑 수입물량이 3% 미만인 국가들의 덤핑 수입물량이 총체적으로도 7%를 초
과하지 않는 경우 그 수입량은 일반적으로 무시할만한 수준으로 본다.[45]

조사당국은 조사대상이 되는 기간을 설정하여 그 기간 동안 덤핑과 피해가
존재하였는지 여부를 조사한다. 반덤핑협정은 조사대상기간의 길이나 조사대상기
간을 정하는 기준에 대해 규정하지 않으나, WTO 반덤핑위원회는 덤핑 조사대상
기간은 가능한 한 조사개시시점과 가장 근접한 12개월로 설정할 것을 권고하며
어떠한 경우에도 6개월 이상이어야 한다고 하고, 피해 조사대상기간은 덤핑조사
대상기간 전체를 포함하여 적어도 3년을 설정하도록 권고한다.[46]

아울러, 일단 덤핑조사를 개시하면 조사당국은 통상적으로 1년 이내에 조사
를 종결하여야 하고, 어떠한 경우에도 조사기간이 조사 개시 후 18개월을 초과하
여서는 안 된다.[47]

2. 증   거

덤핑조사와 관련된 모든 이해당사자는 조사당국이 요구하는 정보에 대하여
통보받으며 조사와 관련 있는 모든 증거를 서면으로 제출할 수 있는 충분한 기회
를 가진다.[48] 조사당국은 수출자 또는 해외생산자가 덤핑조사에 필요한 질의서에
응답하는데 최소한 30일을 허용해야 하며 이 기간을 연장해달라는 요구가 있는
경우 가능한 한 허용하여야 한다.[49] 제출된 증거는 일반적으로 공개되나 성격상
비밀인 정보나 조사 당사자가 비밀로 제공하는 정보는 정당한 사유가 있는 경우
비밀로 취급되며,[50] 이 경우 조사당국은 비밀정보를 제공한 이해당사자에게 비밀
이 아닌 정보의 요약본을 제출하도록 요청한다.

---

45) 반덤핑협정 제5.8조.
46) Committee on Anti-Dumping Practice, Recommendation Concerning the Period of Data
    Collection for Anti-Dumping Investigation, G/ADP/6 (16 May, 2000), adopted on 5 May,
    2000.
47) 반덤핑협정 제5.10조.
48) 반덤핑협정 제6.1조. '이해당사자'는 조사대상상품의 수출자, 해외생산자, 수입자; 생산자,
    수출자 또는 수입자가 대다수를 차지하고 있는 동업자협회 또는 사업자협회; 수출국의 정
    부; 수입국의 동종상품 생산자; 수입국의 동종상품 생산자가 대다수를 차지하고 있는 동업
    자협회 또는 사업자협회 등을 의미한다. 제6.11조 참조.
49) 반덤핑협정 제6.1.1조.
50) 반덤핑협정 제6.5조.

이해당사자가 합리적인 기간내에 조사당국이 필요한 정보에 접근하는 것을 거부하거나 이러한 정보를 제공하지 아니하는 경우 또는 조사를 중대하게 방해하는 경우, 조사당국은 입수가능한 사실(facts available)에 기초하여 판정을 내릴 수 있다.[51] 통상적으로 입수가능한 사실에 기초한 덤핑마진이 이해당사자가 제출한 정보에 기초한 덤핑마진보다 높게 산정되어 수출자에게 불리한 경우가 많으므로 가급적 조사당국의 정보제공 요청에 협조하게 된다. 조사당국은 함부로 입수가능한 사실을 사용하여서는 안 되며 규정된 요건이 충족되는 경우에만 사용할 수 있다.[52] 또한, WTO 항소기구는 이해당사자가 합리적인 기간내에 정보를 제공하지 않는 경우 입수가능한 사실을 사용할 수 있으므로, 수출자나 해외생산자가 30일 내에 질의서에 응답하지 않았다는 이유만으로 조사당국이 입수가능한 사실을 사용하여서는 안 된다고 판정하였다.[53]

조사당국은 원칙적으로 조사대상상품의 수출자 또는 생산자 각각에 대하여 개별적인 덤핑마진을 결정하여야 하지만, 관련된 수출자, 생산자, 수입자 또는 관련 상품의 유형의 수가 너무 많아 개별적인 결정이 불가능할 경우에는 통계적으로 유효한 표본을 사용하여 조사대상을 합리적인 수의 이해당사자나 상품으로 제한할 수 있다.[54] 이러한 표본조사는 가급적이면 관련 수출자, 생산자 또는 수입자의 동의를 받아 이루어져야 하며,[55] 조사대상 표본에서 제외된 수출자나 생산자가 정보를 적시에 제출한 경우에는 조사당국에게 과도한 부담이 되지 않는 한 개별적인 덤핑마진을 산정하여야 한다.[56]

3. 예비판정과 잠정조치

덤핑이 존재하고 덤핑으로 인하여 국내산업에 피해가 초래되었다는 예비판정이 있고, 조사기간 중 초래되는 피해를 방지하기 위하여 필요하다고 판단하는

---

51) 반덤핑협정 제6.8조.
52) 반덤핑협정 제6.8조 및 부속서 2 참조.
53) Appellate Body Report, US—Anti—Dumping Measures on Certain Hot—Rolled Steel Products from Japan, WT/DS184/AB/R (2001).
54) 반덤핑협정 제6.10조.
55) 반덤핑협정 제6.10조.
56) 반덤핑협정 제6.10.2조.

경우, 조사당국은 잠정조치를 부과할 수 있다.[57] 조사당국이 조사를 개시하면 향후 조사 종료 후 조사당국의 판정에 따라 부과될 반덤핑관세에 대한 우려로 조사기간 중 조사대상상품의 수입이 증가하여 국내산업에 피해를 초래할 가능성이 있는데 이러한 경우 조사당국은 잠정조치를 적용하여 피해를 방지할 수 있는 것이다. 잠정조치는 잠정적으로 산정된 덤핑마진을 초과하지 않는 범위에서 잠정관세 또는 가급적이면 현금예치나 유가증권과 같은 보증금 지급의 형태를 취할 수 있으며,[58] 가능한 한 짧은 기간 동안 적용되어야 한다.[59] 잠정조치는 덤핑조사 개시일로부터 60일 이내에는 부과되지 않으며,[60] 4개월을 초과하여 부과되어서는 안 되나, 관련 거래에서 상당한 비중을 차지하는 수출자의 요청이 있는 경우 6개월까지 부과할 수 있다.[61]

4. 가격인상 약속(Price Undertakings)

수출자가 가격을 인상하거나 덤핑가격으로의 수출을 중지하겠다고 약속하고 조사당국이 덤핑으로 인한 피해가 제거되었다고 판단하는 경우 조사당국은 덤핑조사를 정지하거나 종결할 수 있다.[62] 이러한 가격인상 약속에서의 가격인상폭은 덤핑마진을 제거하기 위해 필요한 수준보다 높아서는 안 되며, 국내산업의 피해를 제거하기에 적절하다면 덤핑마진보다 낮은 것이 바람직하다.[63] 실제 덤핑조사는 수출자와 수입자, 그리고 조사당국 모두에게 조사에 소요되는 비용과 시간, 인력 측면에서 부담스러운 절차이므로 수출자의 가격인상 약속이 있는 경우 조사당국이 덤핑조사를 종결하여 모든 당사자가 비용과 시간을 절약할 수 있다. 조사당국은 덤핑과 이로 인해 초래된 피해가 존재한다는 예비판정이 있어야 수출자로부터 가격인상 제안이나 수락을 받을 수 있으며,[64] 수출자의 가격인상 제안

---

57) 반덤핑협정 제7.1조.
58) 반덤핑협정 제7.2조.
59) 반덤핑협정 제7.4조.
60) 반덤핑협정 제7.3조.
61) 조사당국이 덤핑마진보다 낮은 관세가 피해를 제거하는데 충분한지 여부를 검토하는 경우에는 이 시간이 각각 6개월과 9개월이 될 수 있다. 반덤핑협정 제7.4조.
62) 반덤핑협정 제8.1조.
63) 반덤핑협정 제8.1조.
64) 반덤핑협정 제8.2조.

이 현실적이지 않다고 판단하는 경우, 이를 수락하지 않아도 된다.[65] 아울러, 조사당국이 수출자에게 가격인상을 제안할 수도 있으나 수출자에게 이를 수락하도록 강요해서는 안 된다.[66] 가격인상 약속이 있더라도 수출자의 요청이나 조사당국의 판단에 따라 덤핑조사를 계속하여 완결할 수 있다.[67] 이 경우 덤핑이나 피해가 존재하지 아니 한다는 최종판정이 나오면 가격인상 약속은 자동적으로 종료된다.[68] 단, 덤핑이나 피해가 존재하지 않는 것이 주로 가격인상 약속으로 인한 경우에는 조사당국은 합리적인 기간 동안 약속을 유지하도록 요구할 수 있다.[69]

5. 최종판정와 반덤핑관세

(1) 반덤핑관세의 부과

덤핑조사를 통해 반덤핑관세 부과에 필요한 모든 조건이 충족된 경우, 당국은 반덤핑관세를 부과할 것인지 여부와 반덤핑관세액을 어느 정도 부과할 것인지 여부를 결정한다.[70] 예컨대, 덤핑으로 인해 동종상품을 생산하는 국내산업에 피해가 초래된 경우에도 수입국 당국은 이 상품의 소비자 또는 이 상품을 중간재로 사용하여 다른 상품을 생산하는 국내산업의 입장 등 수입국의 공익을 감안하여 반덤핑관세를 부과하지 않거나 덤핑마진보다 낮은 수준의 반덤핑관세를 부과할 수도 있다. 단, 반덤핑관세는 덤핑마진을 초과하여 부과되어서는 안 되며[71] 국내산업의 피해를 제거하기에 적절한 경우에는 덤핑마진 미만으로 책정되는 것이 바람직하다.[72] 예컨대, A국이 국내 시장가격이 $250인 상품을 $200에 B국으로 수출하는 경우 덤핑마진은 $50이 된다. 만약 B국에서 이 상품의 동종상품의 가격이 $225인 경우, 덤핑마진인 $50이 아닌 B국 시장가격인 $225과 수출가격인 $200

65) 반덤핑협정 제8.3조.
66) 반덤핑협정 제8.5조.
67) 반덤핑협정 제8.4조.
68) 반덤핑협정 제8.4조.
69) 반덤핑협정 제8.4조.
70) 반덤핑협정 제9.1조.
71) 반덤핑협정 제9.3조.
72) 반덤핑협정 제9.1조.

의 차액인 $25를 반덤핑관세로 부과하여도 동종상품을 생산하는 B국 국내산업의 피해를 상쇄할 수 있으므로 $25를 부과하는 것이 바람직하다는 것이다. 조사당국 은 가격인상 약속을 수락한 수입원으로부터의 수입을 제외하고, 덤핑을 하여 피 해를 초래한다고 판정한 모든 수입원으로부터 수입된 해당 상품에 대하여 각 사 안별로 적정한 금액의 반덤핑관세를 무차별원칙에 따라 징수한다.

(2) 반덤핑관세의 소급 적용

최종판정에서 조사당국이 피해가 있다고 결정하는 경우와 피해의 우려가 있 고 만약 잠정조치가 없었다면 덤핑으로 인한 피해가 발생하였을 것이라고 결정 하는 경우에 반덤핑관세는 잠정조치가 부과된 기간에 소급하여 적용될 수 있 다.73) 피해의 우려가 있다고 결정되는 그 밖의 경우와 국내산업 확립의 실질적 지연이 있는 것으로 결정되는 경우에는 반덤핑관세는 소급하여 적용되지 않고 결정일 이후에만 부과될 수 있다.74) 반덤핑관세를 소급하여 적용할 때, 확정 반 덤핑관세액이 점정관세액 또는 보증을 목적으로 산정된 금액보다 높으면 그 차 액은 징수되지 않는 반면, 확정 반덤핑관세액이 낮으면 그 차액은 환불되거나 관 세가 재산정된다.75) 덤핑이나 피해가 존재하지 않는다는 최종판정이 나오면 신속 하게 잠정조치의 적용 기간 동안 예치된 모든 현금은 환불되고 모든 담보는 해제 된다.76)

(3) 반덤핑관세의 평가(assessment)

반덤핑관세는 덤핑조사에서 정해진 덤핑마진을 초과해서 부과되어서는 안 된다.77) 그러나 덤핑조사 이후 시장상황이 바뀌고 이에 따라 정상가격이나 수출 가격도 변하여 조사대상기간의 정상가격과 수출가격을 비교하여 산정된 덤핑마 진과 실제 반덤핑관세가 부과되는 기간의 덤핑마진이 다를 수가 있다. 이러한 변 화를 반영하기 위하여 관세평가제도가 있으며 관세 평가는 소급적(retrospective) 방식 또는 전망적(prospective) 방식으로 이루어진다. 각국의 반덤핑제도를 살펴보

---

73) 반덤핑협정 제10.2조.
74) 반덤핑협정 제10.4조.
75) 반덤핑협정 제10.3조.
76) 반덤핑협정 제10.5조.
77) 반덤핑협정 제9.3조.

면 우리나라, EU를 비롯한 대부분의 국가가 전망적 방식으로 관세평가를 하고, 미국을 비롯한 일부 국가가 소급적 방식의 관세평가(duty assessment)를[78] 택하고 있다.

소급적 방식의 관세평가제도에서는 덤핑조사에서 산정한 덤핑마진에 따라 확정된 반덤핑관세율에 따른 반덤핑관세를 현금예치 또는 담보 제공의 형태로 부과하고, 매년 이해당사자의 요청에 따라 재심을 실시하여 검토대상기간 동안 수입된 조사대상상품의 덤핑마진을 산정하여 최종적으로 부과할 반덤핑관세액을 확정한다. 이렇게 재산정한 반덤핑관세액을 예치된 현금이나 담보와 비교하여, 새로 확정된 반덤핑관세액이 예치액보다 높을 경우에는 수입자가 차액을 납부하고, 낮을 경우에는 조사당국이 차액을 환급하여 정산한다. 아울러, 재산정된 덤핑마진율은 향후 현금예치율로 적용된다. 최종적으로 지불되어야하는 반덤핑관세에 대한 평가는 가능한 한 빠른 시일내에 이루어져야하고 일반적으로 최종평가를 요청한 날로부터 12개월 이내에 이루어지며, 어떠한 경우에도 18개월을 초과해서는 안 된다.[79] 환불 역시 가능한 한 빠른 시일내에 이루어져야 하며 일반적으로 최종평가 판정일로부터 90일 이내에 이루어져야 한다.[80]

전망적 방식의 관세평가 제도에서는 덤핑조사를 통해 산정한 덤핑마진에 따라 반덤핑관세율을 확정하여[81] 이후 반덤핑관세 부과기간 동안 수입되는 조사대상상품에 부과하고, 특정 수입에 대하여 수입자의 환급요청이 있는 경우 덤핑마진을 재산정하여 이를 이미 부과된 반덤핑관세과 비교하여 차액을 환급한다. 이때, 소급적 방식의 관세평가제도와는 달리, 재산정된 덤핑마진이 아닌 덤핑조사를 통해 확정된 반덤핑관세가 향후 계속하여 적용된다. 전망적 방식으로 관세를 평가하는 경우, 덤핑마진을 초과하는 반덤핑관세를 요청에 따라 신속히 환급하도록 하는 규정을 마련하여야 하고, 초과하여 납부된 반덤핑관세의 환급은 증거가 뒷받침하는 수입자의 환급요청이 있는 날로부터 12개월 내에 이루어져야 하며 어떠한 경우에도 18개월을 초과해서는 안 된다.[82] 아울러, 환급은 일반적으로 환

---

78) 관세평가 대신 관세평가 재심 또는 정산재심이라는 용어를 사용하기도 한다.
79) 반덤핑협정 제9.3.1조.
80) 반덤핑협정 제9.3.1조.
81) 캐나다, 호주, 뉴질랜드 등 일부 국가에서는 덤핑마진에 기초하여 반덤핑관세율을 정하는 대신 가상의 정상가격을 정하여 반덤핑관세 부과기간 중 이 가상 정상가격과 수출가격을 비교하여 그 차액을 반덤핑관세로 부과하기도 한다.

급결정일로부터 90일 이내에 이루어져야 한다.[83]

덤핑조사기간 중 조사대상상품을 수입국에 수출하지 않은 수출자 또는 생산자가 반덤핑관세 부과 대상인 상품을 수출하는 경우, 조사당국은 이러한 수출자 또는 생산자가 반덤핑관세 부과대상인 수출자 또는 생산자와 관련이 없다는 것을 입증하여 요청하면 그 요청에 따라 신속하게 개별적인 덤핑마진을 산정하기 위한 검토(review)를 하여야 한다.[84] 이러한 검토를 신규수출자 재심이라고 한다. 관세평가와 재심절차에 비하여 신속하게 개시하고 진행하여야 되며, 검토가 이루어지고 있는 기간 동안에는 검토를 요청한 수출자 또는 생산자가 수출하는 상품에 대해서는 반덤핑관세를 부과할 수 없다.[85] 그러나 검토 결과 덤핑판정이 내려지는 경우 검토 개시일까지 소급하여 반덤핑관세를 부과할 수 있도록 하기 위하여 조사당국은 평가(appraisement)를 보류하거나 보증을 요청할 수 있다.[86]

(4) 반덤핑관세 부과의 종료 및 재심(review)

조사당국은 직권으로 또는 이해당사자의 신청에 따라 반덤핑관세를 계속적으로 부과할 필요가 있는지 여부를 검토하는데[87] 이러한 검토를 상황변화재심 또는 중간재심이라고 한다. 단, 조사당국이 직권으로 검토를 하기 위해서는 정당한 사유가 있어야 하고, 이해당사자의 요청에 따라 검토를 하기 위해서는 확정 반덤핑관세의 부과 이후 합리적인 기간이 경과하고 이해당사자가 검토가 필요하다는 명확한 정보를 제시하여야 한다.[88] 이해당사자는 덤핑을 상쇄하기 위하여 관세를 지속적으로 부과할 필요가 있는지 여부와 관세가 철회되거나 변경되면 피해가 계속되거나 재발할 것인지 여부, 또는 이 두 가지 모두에 대하여 조사를 요청할 권리가 있고, 만약 조사당국이 반덤핑관세가 더 이상 필요하지 않다고 결정하는 경우 반덤핑관세 부과는 즉시 종료되어야 한다.[89] 상황변화 재심은 신속하게 진행되어야 하며 일반적으로 개시 후 12개월 이내에 종료되어야 한다.[90]

---

82) 반덤핑협정 제9.3.2조.
83) 반덤핑협정 제9.3.2조.
84) 반덤핑협정 제9.5조.
85) 반덤핑협정 제9.5조.
86) 반덤핑협정 제9.5조.
87) 반덤핑협정 제11.2조.
88) 반덤핑협정 제11.2조.
89) 반덤핑협정 제11.2조.

반덤핑관세는 덤핑으로 인한 피해를 상쇄하는데 필요한 기간 동안 필요한 정도 내에서 부과되어야 하며[91] 부과일로부터 5년 이내에 소멸하는 것이 원칙이다.[92] 그러나 조사당국은 직권으로 또는 국내산업에 의하거나 이를 대신하여 이루어진 요청에 의하여 반덤핑관세 부과의 종료가 덤핑 및 피해의 지속이나 재발을 초래할지 여부를 검토할 수 있고[93] 이를 일몰재심 또는 종료재심이라고 한다.[94] 조사당국이 반덤핑관세의 부과 종료가 덤핑 및 피해의 지속이나 재발을 초래할 가능성이 있다(would be likely to)고 판정하는 경우 반덤핑관세 부과기간을 연장할 수 있다. 일몰재심은 신속하게 진행되어야 하며 일반적으로 개시 이후 12개월 이내에 종료하여야 한다.

(5) 사법적 검토(review)

반덤핑조치 관련 규정을 가지고 있는 WTO 회원국은 반덤핑관세의 최종판정과 관련된 행정적 조치와 상황변화 재심 및 일몰 재심 판정의 신속한 검토를 목적으로 하는 사법, 중재 또는 행정적 재판소나 절차를 유지하여야 하고, 이러한 재판소나 절차는 판정과 재심을 담당하는 당국으로부터 독립적이어야 한다.[95]

6. 분쟁 해결

다른 WTO 회원국에 의하여 반덤핑협정에 따라 직접 또는 간접적으로 자국에 발생할 수 있는 이익이 무효화 또는 침해되었거나 목적의 달성이 저해되고 있다고 판단하는 경우, WTO 회원국은 해당 회원국에게 협의를 요청할 수 있다.[96] 만약 이 협의를 통해 상호 만족할 만한 합의가 이루어지지 못하고, 확정관세의 부과, 가격인상 약속을 수락하기 위한 최종조치가 관할 당국에 의해 취해진 경우나, 중대한 영향을 미치는 잠정조치가 관련 규정에 반하여 취하여진 경우, 회원

---

90) 반덤핑협정 제11.4조.
91) 반덤핑협정 제11.1조.
92) 반덤핑협정 제11.3조.
93) 조사당국의 직권에 의한 검토는 반덤핑관세 부과 종료일 전에 개시되어야 하고, 이해당사자의 요청에 의한 검토는 종료일 전 합리적인 기간 내에 개시되어야 한다.
94) 반덤핑협정 제11.3조.
95) 반덤핑협정 제13조.
96) 반덤핑협정 제17.3조.

국은 이 문제를 WTO 분쟁해결기구에 회부할 수 있다.[97] 이와 관련하여 WTO 항소기구는 항소기구의 관할권이 최종조치, 가격인상 약속 및 잠정조치에 대한 심리에 제한된다고 판정하였다.[98]

패널이 회부된 사안에 대한 판결을 함에 있어 어떠한 심리기준을 가지고 분쟁의 대상이 된 조치를 심사하는지는 대단히 중요한 문제이다. 이와 관련하여 반덤핑협정은 패널이 회원국 당국에 의한 사실의 수립이 적절하였는지 여부 및 이 사실에 대한 당국의 평가가 공평하고 객관적이었는지 여부를 결정하고, 당국의 사실의 수립이 적절하고 이에 대한 평가가 공평하고 객관적이었다면 패널이 다른 결론에 도달하였다 하여도 평가는 번복되지 않는다고 규정하고, 아울러, 패널이 반덤핑협정의 규정에 대하여 하나 이상의 해석이 가능하다고 판정하고 회원국 당국의 조치가 그렇게 허용되는 해석 중 하나에 근거하는 경우 패널은 그 조치가 반덤핑협정에 일치하는 것으로 판정한다고 규정한다.[99] 즉, 사실관계의 수립이 적절하고 이에 대한 평가가 객관적이면 패널은 당국의 사실관계에 대한 평가를 수용하고, 반덤핑협정 규정의 해석과 관련하여 복수의 허용가능한 해석이 가능하다면 그러한 해석에 기초한 조치의 합법성을 인정하여야 한다. 이는 회원국 당국의 판정에 대한 WTO 합치성을 제고하기 위하여 도입된 독특한 심리기준으로 WTO협정 중 반덤핑협정에만 포함되어 있다. 이와 관련하여, 이러한 심리기준이 패널은 자신이 적절하다고 판단하는 모든 개인과 기관으로부터 정보 및 기술적 자문을 구할 권리를 가진다고 규정하여 패널에게 광범위한 권리를 부여하는 "분쟁해결규칙 및 절차에 관한 양해" 제13조에 비추어 사실관계 수립에 대한 패널의 권한을 제한한다는 입장도 있다. 또한, 하나 이상의 해석이 허용된다는 전제하에서 당국의 조치가 이중 하나에 근거하는 경우, 패널은 그 조치의 합법성을 인정한다는 규정이 "조약법에 관한 비엔나 협약" 제32조와 충돌할 가능성이 있다는 비판이 제기되기도 한다.

---

97) 반덤핑협정 제17.4조.
98) Appellate Body Report, Guatemala−Definitive Anti−Dumping Measures on Grey Portland Cement from Mexico, WT/DS60/AB/R (1998).
99) 반덤핑협정 제17.6조.

제19장
보조금 및 상계조치협정

국제 교역 시장에서 덤핑과 함께 불공정 무역행위(unfair trade practice)의 또 다른 축을 이루는 것은 각국 정부에 의한 보조금 교부(subsidization)이다. 보조금 교부는 한마디로 일국 정부가 자국 민간기업을 위하여 국고를 동원하여 재정적 지원을 실시하는 조치를 의미한다. 따라서 민간기업이 다른 민간기업을 위하여 재정적 지원을 제공하는 행위, 정부가 여타 정부기관에 재정적 지원을 제공하는 행위 또는 정부가 민간기업에 대하여 재정적 지원을 실시하더라도 그 민간기업으로부터 정당한 반대급부를 획득하는 정상적인 거래행위는 이에 해당하지 아니한다.

그렇다면 일국 정부는 왜 자국 민간기업에 대하여 재정적 지원을 제공하고자 시도하는가? 바로 자국 주요 기업에 재정적 지원을 실시하여 해당 기업이 해외시장에서 외국 경쟁기업에 견주어 경쟁력을 확보할 수 있도록 희망하기 때문이다. 문제는 이러한 정부 지원정책이 수혜 민간기업의 이윤증가와 이에 따른 보조금 교부국의 국부증가에만 국한되는 것이 아니라, 이와 같이 인위적으로 경쟁력을 확보하게 된 수출상품은 국제교역의 흐름을 왜곡시킨다는 것이다. 이러한 국제교역에 대한 왜곡은 이로 인하여 피해를 입는 국가를 궁극적으로 양산하게 된다. 보조금 교부 상품과 동일하거나 직접 경쟁하는 상품을 생산하는 국가가 대표적인 예이다. 현 WTO 체제는 이와 같이 피해를 입은 국가에 대하여 두 가지의 보호장치를 허용하고 있다. 즉 WTO 보조금 및 상계조치 협정(Agreement on Subsidies and Countervailing Measures, 이하 "보조금 협정")은 이들 피해국에 대하여 상계조치(countervailing measures)를 실시하여 문제가 된 보조금의 효과를 상쇄시키거나 또는 보조금 교부국을 WTO 분쟁해결기구에 직접 제소하여 문제가 된 보조금 지급 조치를 철폐하도록 요구할 수 있는 권한을 부여하고 있다. 전자가 양자적 대처방안이라면 후자는 다자적 대처방안으로 볼 수 있을 것이다. 본 장에서는 이와 관련된 문제를 집중적으로 검토하고자 한다.

제 1 절   보조금 일반

    각국 정부의 보조금 정책은 실로 오랜 역사를 갖고 있다. 여러 국가에서 보조금 정책은 오랜 기간 동안 경제발전을 위한 산업정책의 핵심적 수단으로 자리매김하여 왔다. 이러한 보조금 정책의 가장 기본적인 형태는 정부 국고(國庫)로부터 특정 기업에 대하여 운영자금을 무상으로 직접 지급하거나, 정부 은행으로부터 해당 기업에 대하여 장기저리의 대출을 제공하거나 또는 해당 기업이 납부하여야 할 세금 등 각종 공과금을 감면하여 주는 것이다. 현재 이러한 기본적 형태에서 파생한 다양한 지원조치들이 여러 각도로 강구되고 적용되고 있다.

    현재 선진국 대열에 진입한 국가들도 경제개발 초기 단계에는 이와 같은 다양한 형태의 대규모 정부 보조금에 힘입어 지속적 경제성장을 달성할 수 있었음은 주목을 요한다. 경제개발이 일정 수준 이상 달성된 선진국의 경우 민간부문의 자율적 경제활동이 강조되고 따라서 정부의 보조금 교부조치가 점차로 축소되는 것이 일반적 경향이나, 그렇다고 하여 선진국에서 보조금 교부조치를 더 이상 찾아 볼 수 없는 것은 아니다. 선진국이라 하더라도 자국의 주요 전략산업에 대해서는 지속적으로 다양한 형태의 보조금 교부 조치를 강구하고 있음은 2005년 이래 2021년 1월 현재까지도 계속하여 진행되고 있는 미국과 유럽연합간 대형 민간항공기 보조금 분쟁을 보더라도 쉽게 알 수 있다.[1] 동 분쟁에서 미국과 유럽연합은 서로 상대방 정부가 각각 보잉사와 에어버스사에 대규모의 불법 보조금 교부조치를 취해오고 있음을 주장하고 있다. 선진국의 상황이 이러하다면 현재 정부 주도의 경제개발 달성이 시급한 개발도상국에 있어서는 보조금 정책이 국가 경제정책의 핵심 부분을 차지하고 있음은 어떻게 보면 당연한 측면이 있다. 현재

---

[1] 미국이 유럽연합의 에어버스사 지원을 제소한 *European Communities and Certain Member States—Measures Affecting Trade in Large Civil Aircraft*(WT/DS316/347) 사건과 반대로 유럽연합이 미국의 보잉사 지원을 제소한 *United States—Measures Affecting Trade in Large Civil Aircraft*(WT/DS317/353) 사건은 패널 심리와 항소기구 심리를 거쳐 이행기간 종료 이후, 다시 이행분쟁으로 이어지고, 상호보복조치로 이어져 2021년 1월 현재에도 이 문제가 완전히 정리되지 않고 있다.

대부분의 개발도상국들은 경제개발 전략의 핵심으로서 다양한 보조금 정책을 수출입 또는 무역정책과 연계시켜 적극 활용하고 있다. 따라서 현재 경제개발의 출발선상에 선 개도국 및 선진국에 진입하고자 노력하는 선발개도국의 경우 보조금 협정의 이러한 제한조치가 때로는 경제개발과 수출활동의 중요한 걸림돌로 작용하기도 한다. 국제시장에서의 공정한 경쟁 필요성을 들어 각국의 보조금 교부조치를 적극 제한하고자 하는 선진국 주장의 진정성이 때로는 의심받기도 하는 이유가 여기에 있다.[2] 따라서 현 시점에서 전 세계의 대부분의 국가가 눈에 보이는 또는 보이지 않는 다양한 보조금 교부조치 또는 사실상 보조금 교부 효과를 보유하는 조치를 입안, 실시하고 있다고 보아도 큰 무리가 없을 것이다. 보조금 교부조치의 이러한 현실적 필요성 또는 광범위성은 필연적으로 보조금 관련 국가간 분쟁을 초래하게 된다.

보조금을 둘러싼 국가간 분쟁은 다양한 형태로 전개되나 그 핵심적인 내용은 주로 (i) 문제가 된 보조금 조치의 실제 존재 여부, 또는 (ii) 특정 민간 기업의 경제적 혜택 향유가 정당한 정부 정책의 단순한 결과적 파급효과에서 기인하는 것인지 혹은 부당한 보조금의 효과로부터 기인하는 것인지 여부이다. 전자의 경우에는 주로 사실관계 확인에 관한 것이므로 분쟁해결이 상대적으로 용이할 것이나 후자의 경우에는 피제소국 정책의 내면을 고찰하여야 하므로 일층 복잡한 과정을 거치게 될 것이다. 그런데 사실 전자의 경우도 반드시 간단한 문제만은 아니다. 단기간에 경제개발 달성을 추구하는 국가의 입장에서는 보조금 교부의 정책적 필요성은 상존하지만 보조금 협정 위반에 따른 국제적 비난 가능성을 우려하여 상당수의 국가들이 점차로 직접적인 보조금 교부 정책을 지양하고 대신 간접적, 우회적 보조금 교부를 도모하는 현상이 증가하고 있기 때문이다. 그 결과 문제가 된 보조금 조치의 실제 존재 여부에 대한 확인도 그만큼 어렵게 되었다. 이에 따라 보조금 분쟁도 점차로 사실관계 중심적(fact-specific) 성격을 띠게 되고 여기에 더하여 국가정책적 영역에 대한 고찰과 평가를 수반하게 되어 분쟁 전개양상이 점차 복잡화, 장기화 되어가는 추세이다.[3]

2) 영국 캠브리지 대학의 장하준 교수의 「사다리 걷어차기(Kicking Away the Ladder)」는 이러한 측면을 설명하고 있다. Ha-Joon Jang, *Kicking Away the Ladder: Development Strategy in Historical Perspective* (1st ed., Anthem Press, 2002) 참조.

3) 앞서 언급한 미국과 유럽연합간 항공기 보조금 분쟁은 2004년 발생한 이래 2021년 1월 현재까지도 여전히 진행 중인 사안이다. 또한 한국산 반도체에 대한 한국 정부의 보조금 교

보조금은 기본적으로 그 형태에 따라 몇 가지로 분류할 수 있다. 먼저 직접 보조금(direct subsidy)은 정부의 직접적인 보조금 교부조치에 따라 지급되는 보조금을 의미한다. 대부분의 전통적 보조금은 이러한 직접 보조금의 형태를 띠고 있다. 정부 계좌로부터 수혜기업 계좌로의 자금 이체 현황은 쉽게 확인 가능하므로 이러한 형태의 보조금은 상대적으로 사안의 판단과 해결이 간단하다고 볼 수 있다. 한편 간접 보조금(indirect subsidy)은 정부의 직접적인 보조금 교부조치는 존재하지 않지만 정부가 다양한 경제정책, 금융정책, 환율정책 또는 자원정책 등을 통해 자국 산업 및 기업을 "간접적"으로 지원하는 경우이다. 직접 보조금의 경우와 달리 주권국가 정부의 정당한 정책업무 집행과 부당한 보조금 교부를 구별하기 곤란하여 국가간 분쟁의 소지가 다분한 영역이다. 예를 들어, 오랜 기간에 걸쳐 미국은 중국이 환율조작을 통하여 자국 화폐를 인위적으로 저평가하여 자국 수출기업을 지원하고 있다고 주장하며 이를 중국 정부의 간접 보조금 조치로 주장하고 있다.[4] 자국 화폐의 가치를 인위적으로 낮추면(즉 달러화 대비 자국 환율을 높이면), 중국산 상품의 수출가격은 내려가고 외국 상품의 중국 내 수입가격은 올라가 수출경쟁력과 국내시장 보호 효과가 그만큼 증가하기 때문이다. 중국의 경우 이는 정당한 외환정책의 일환으로 WTO 보조금 협정과 연관되는 내용이 아님을 항변하고 있다.[5] 어느 쪽 주장이 타당한지 실로 애매한 부분이 아닐 수 없다. 한편, 원자재 보조금(input/upstream subsidy)이란 수출상품 자체에 대한 보조금 교부 조치는 존재하지 않으나 그러한 수출상품 생산에 사용되는 원자재에 보조금이 지급되는 경우이다. 원자재에 교부된 보조금으로 인하여 수출상품 생산업자가

부를 이유로 발생한 한미간 상계관세 분쟁도 2000년 최초 발생한 이래 2011년 1월이 되어서야 최종적으로 종결되었다. 근 10년의 세월이 소요된 것이다.

4) 중국은 1990년대 초까지 주로 저임금 위주의 수출정책에 의존하였으나 1993년 이후로는 위안화 환율에 대한 점진적인 평가절하 정책을 통해 수출 제품의 가격경쟁력을 확보하고자 하였다. 미국은 이와 같은 중국 정부의 화폐가치 인하 정책으로 인하여 외환시장에서의 달러 구매력이 상대적으로 상승하였기 때문에 매년 대중무역에서 적자를 기록하고 있다고 주장하고 있으며 이러한 중국의 인위적인 환율 조작은 WTO 보조금 협정에서 금지하는 보조금 조치에 해당한다고 주장하여 오고 있다. 미국은 2020년 2월 환율 보조금에 상계관세를 부과하기 위한 새로운 규정을 발표하기도 하였다.

5) 중국은 대미 수출의 견인차 역할을 하고 있는 중소 수출기업들의 경우 수출로 인한 마진율이 대기업에 비해서 상대적으로 낮기 때문에 위안화 절상으로 인해 대외 수출량이 하락할 경우 중소 수출기업들의 채산성이 떨어져서 도산하는 기업이 급격히 증가할 것이라고 주장하고 있다.

보다 저렴한 가격으로 원자재를 구입하여 해당 상품을 생산할 수 있게 되었으므로 사실상 수출업자에게 보조금이 지급된 것으로 보아야 하는 경우이다. 가령, 일국 정부가 자동차 생산업자에게 직접 보조금을 지급하지 않더라도 자동차 생산에 사용되는 철강제품 생산업자에게 보조금을 지급하는 경우가 바로 그러한 경우이다. 모든 산업영역이 서로 연관되어 있는 상황에서 원자재 보조금 역시 그 범위가 어디까지 이어지는지 논란이 끊이지 않고 있다. 한편, 이보다 더 진화한 형태로 규제 보조금(regulatory subsidy)이 있다. 이 보조금은 일국 정부가 금융, 환경, 노동, 경쟁 관련 국내법 규범을 외국계 기업에 대해서는 철저히 집행하는 반면 자국 기업에 대해서는 느슨하게 적용하여 자국 내 생산업자들이 영업상 혜택을 향유하도록 유도하고 결국 해외시장에서 경쟁력을 확보하도록 지원하는 경우를 의미한다. 경쟁력이 떨어지는 자국 자동차 산업을 지원하고자 외국 수입자동차에 대하여만 집중적으로 안전도 검사를 실시하여 그 결과를 토대로 판매에 제한을 가하는 것이 대표적인 예이다. 그러나 이 역시 그 애매한 성격으로 인하여 보조금 해당 여부에 관해 관련 국가간 이해관계 대립이 첨예한 영역이다.

또한, 보조금 협정에서는 수출 보조금(export subsidy)과 수입대체 보조금(import substitution subsidy)을 소위 "금지 보조금"으로 별도로 규정하여 특별한 제한을 가하고 있다. 수출 보조금이란 특정 상품의 수출을 직/간접적인 조건으로 해당 상품 생산업자에게 정부가 지급하는 보조금이며, 수입대체 보조금이란 수입 부품 대신 국산 부품을 사용하는 국내 생산업자에게 제공하는 정부의 보조금을 의미한다. 수출 보조금과 수입대체 보조금은 국제교역에 직접적으로 부정적 효과를 야기한다는 측면에서 다른 보조금에 비하여 그 비난 가능성이 일층 높아 특별히 규제하고 있는 것이다.

제 2 절 보조금 협정 개요

국제교역 왜곡 효과를 유발하는 보조금의 폐해에 대해서는 이미 국제적 공감대가 형성된 지 오래인바, WTO 체제의 전신인 1947년 관세 및 무역에 관한 일반협정(General Agreement on Tariffs and Trade 1947: "GATT 1947")에도 보조금 문제를 규율하기 위한 일반 조항이 포함되어 있었다. 동 협정 제VI조와 XVI조가 바로 그것이다. 그러나 이들 조항에는 보조금의 정의 등 구체적 내용이 결여되어 있어 특정 정부 조치가 불법 보조금 교부에 해당하는지 혹은 정부의 정당한 경제개발 정책으로 인정되어야 하는지에 관하여 신뢰할 만한 지침을 제공하지 못하였고, 이에 따라 GATT 회원국간 분쟁이 지속적으로 발생하게 되었다. 특히 각국의 보조금 정책이 국가 경제정책 및 산업정책과 밀접하게 연관되어 있는 그 내재적 특성으로 인해 민관관계가 점차 복잡해지고 정부의 시장개입이 다양화되어 감에 따라 이러한 문제는 더욱 증폭되게 되었다. 이를 해결하고자 GATT 체제하에서 1979년 보조금 코드(Subsidies Code)가6) 채택되었으나 보조금의 정의가 여전히 부재하는 등 근본적 한계를 극복하지는 못하였다. 이에 따라 우루과이 라운드 협상에서는 보조금 협정을 채택하기 위한 국가들간 교섭이 본격적으로 진행되었고, 그 결과 WTO 부속협정의 하나로 보조금 협정이 채택되게 된 것이다.

사실 보조금 협정은 우루과이 라운드 협상과정에서 WTO 회원국들간 이해가 가장 첨예하게 대립되었던 영역 중 하나이기도 하였다. 32개 조항과 7개 Annex로 이루어진 보조금 협정은 보조금의 정의 규정을 최초로 도입하고 상계관세 부과시 실질적 산업피해 요건을 규정하는 등 기존의 보조금 규범을 대폭 강화하였다. 다만, 각국의 보조금 교부 조치에 대한 효과적 규제 필요성을 강조하는 국가들과 반대로 보조금 교부 조치에 대항하여 적용되는 상계조치의 남용 가능성을 우려하여 이에 대한 규제 필요성을 강조하는 국가들간 상충하는 입장으로 인하여 반덤핑 협정과 함께 전문(preamble)이 존재하지 않는 부속협정으로 도입되기에 이르렀다. 이는 보조금 협정의 해석과 적용과 관련하여 존재하는 국제사회의 내재적 갈등을 단적으로 보여주는 사례라고 할 것이다.

보조금 협정이 이 부분에 대한 국제규범을 획기적으로 발전시킨 것은 사실이나 날로 변화하는 경제 현실에 비추어 동 협정을 적절히 개정할 필요성도 심각하게 제기되고 있다. 이에 따라 그간 오랜 기간에 걸쳐 진행되어온 도하 개발어젠다(Doha Development Agenda: DDA) 협상에서도 보조금 협정의 개정이 주요 협상 과제 중 하나로 채택되어 있다.7) 현재 보조금 협정 개정과 관련하여 WTO 회

---

6) 보조금 코드의 정식 명칭은 Agreement on Interpretation and Application of Articles VI, XVI and XXIII of the General Agreement on Tariffs and Trade이다.

7) 2007년 11월 WTO DDA 협상의 분과 중 하나인 규범협상을 책임지고 있는 의장은 보조금 협정개정을 위한 그간의 협상 경과를 정리하여 의장 초안을 채택하였다. 여기에서는 협정 제14조(경제적 혜택)와 제 8 부속서(수산보조금)이 원래 보조금 협정에서 크게 수정되었다.

원국간 논의가 진행되는 부분들도 점증하는 간접 보조금 또는 위장 보조금의 효과적 규율방안, 보조금 협정의 운용을 둘러싼 선진국과 개도국간 차등 대우의 범위에 대한 조정 필요성, 그리고 보다 근본적으로는 보조금 교부조치 규율과 상계조치 규율이라는 보조금 협정의 양대 목표간 적절한 균형 달성의 구체적 방안 등 이미 제기된 본질적인 물음들을 직접 다루고 있지는 않다. 아마 이러한 문제들은 단시일의 협상으로 해결될 문제가 아니기 때문일 것이다. 따라서 DDA 협상 결과 보조금 협정이 개정되는 경우에도 지금 목도하고 있는 보조금 분쟁의 근본적인 문제점들은 지속적으로 제기될 것이다. 오히려 이러한 쟁점들은 최근 미중 분쟁의 맥락에서 중국을 견제하기 위한 새로운 제도를 모색하는 과정에서 일부 국가들에 의해 적극 제기되고 있기도 하다.

제 3 절   보조금의 구성요건

현 보조금 협정은 보조금을 크게 금지 보조금(prohibited subsidies), 조치가능 보조금(actionable subsidies) 및 상계조치 대상 보조금(countervailable subsidies)의 세 가지 형태로 구분하여 각각 관련 규정을 두고 있다. 즉, 보조금 협정 제 2 부는 금지 보조금을, 제 3 부는 조치가능 보조금을 그리고 제 5 부는 상계조치 대상 보조금에 관하여 각각 규정하고 있다. 제 1 부는 이들 모두에 적용되는 일반원칙 — 가령 보조금의 정의 및 구성요건 — 을 규정하고 있다. 원래 제 4 부는 허용 보조금(non-actionable subsidies)을 규정하고 있었지만 회원국들간 동 조항의 연장합의에 실패하여 1999년 12월 31일자로 효력을 상실한 상태이다.[8] 다만 여전히 보조금 협정문 자체에는 포함되어 있어 그 문안을 보는 사람들에게 때로는 혼선을 야기하기도 하므로 주의를 요한다. 특히 연구개발 보조금(R&D subsidies)이 허용 보조금의 하나로 규정되어 있다는 측면에 주목하여 연구개발 보조금의 WTO 허용 가능성을 언급하는 경우가 자주 발견되고 있는 것도 이러한 혼선의 결과이다. 사실

WTO Negotiating Group on Rules, *Draft Consolidated Chair Texts of the AD and the SCM Agreements*(TN/RL/W/213)(Nov. 30, 2007). 이 의장초안은 WTO 반덤핑 협정 및 보조금 협정의 개정안을 포괄적으로 정리한 내용이다. 수산보조금 부분은 이 중 보조금 협정의 제 8 부속서로 포함되어 있다.

8) 보조금 협정 제31조 참조.

R&D 보조금은 최근 진행된 대부분의 보조금 분쟁의 핵심 사안으로 자리잡고 있다.[9] 기후변화에 대한 대응 등 여러 국가적 과제를 위하여 연구개발사업을 지원하는 것이 정부의 정당한 정책으로 볼 수 있다는 측면에서 보면 현재 보조금 협정 규정들은 규범과 현실이 서로 괴리를 보이고 있는 것이다.

금지 보조금을 규율하고 있는 제 2 부는 국제무역에 특히 부정적 효과를 야기하는 수출 보조금과 수입대체 보조금을 확인, 철폐하기 위한 규정을 포함하고 있으며, 조치가능 보조금을 규정하고 있는 제 3 부는 금지 보조금은 아니나 타국의 무역이익에 심각한 손상을 초래하는 일반적인 보조금에 대처하기 위한 규정을 포함하고 있다. "조치가능"이라는 용어는 WTO에 "제소가능"하다는 의미이다. 상계조치에 관한 제 5 부는 금지 보조금이나 조치가능 보조금에 직면하여 회원국이 WTO 분쟁해결기구(Dispute Settlement Body: DSB)에 제소하는 대신(또는 제소와 함께) 보조금을 교부 받은 수입품목에 대하여 독자적인 상계조치를 도모하는 경우 이에 관한 절차와 방법을 상세히 규정하고 있다.

이러한 상계조치 중 대표적인 방법은 보조금의 혜택으로 생산되어 자국 내로 수입되는 외국 상품에 대하여 보조금에 상응하는 추가관세를 국경에서 부과하는 것이다. 이러한 추가관세를 "상계관세(countervailing duties)"라고 칭한다. 가령, 특정 회원국의 관세 양허표상 해당 품목의 관세가 5%인 경우, 상계관세 조사의 결과 해당 품목에 대한 보조금 교부가 인정되어 상계관세 10%가 부과된다면 이제 동 품목을 수입하는 회원국 수입업자는 15%의 관세를 통관 시 자국 세관당국에 납부하여야 한다. 10%의 추가관세를 납부할 경우 동 품목의 수입국 시장에서의 가격 경쟁력은 그만큼 훼손될 것이다. 부당한 보조금 지급이 명백한 경우 이에 대한 상계관세 부과는 공정무역(fair trade)의 구현을 위하여 당연한 조치이나, 보조금에 해당하는지 여부가 불분명한 경우 이러한 상계관세의 부과는 자국 기업을 보호하기 위한 수입국 정부의 보호무역주의의 발로라고 수출국 정부가 비난하는 경우가 빈번하다. 물론 이러한 경우 상계관세 부과조치 자체가 별도의

---

9) 가령, 미국과 유럽연합간 대형 민간항공기 보조금 분쟁에서 다양한 R&D 프로그램이 보조금 판정을 받은 바 있다. 마찬가지로 우리나라에 대하여 진행되는 상계관세 조사에서도 다양한 R&D 프로그램이 보조금 판정을 받은 바 있다. 상기 각주 1 참조. 다만 2007년 DDA 규범협상의 의장 초안은 기존의 허용 보조금을 부활하는 내용을 담고 있다. 만약 보조금 협정이 그러한 방향으로 개정된다면 정당한 R&D 보조금은 허용 보조금으로 취급되어 보조금 제소나 상계조치의 대상이 되지 않게 될 것이다. 상기 각주 7 참조.

조치(measure)에 해당하므로 상계관세 부과의 부당성을 주장하는 수출국은 상계관세 부과국인 수입국을 WTO 분쟁해결기구에 제소할 수 있다. 다만, 금지 보조금이나 조치가능 보조금의 경우 이로부터 피해를 입은 회원국이 보조금 조치 시행 회원국을 WTO 분쟁해결기구에 직접 제소하는 형태인 반면, 상계조치의 경우 상계조치의 대상국(즉, 보조금 조치 시행국)이 상계조치 부과국(즉, 보조금 교부조치의 혜택을 입은 상품이 자국시장에 수입되어 피해를 본 국가)을 WTO에 제소하게 된다는 측면에서 양자간 다소 차이가 있다. 전자의 경우 제소국은 보조금 조치 피해국인 반면 후자의 경우 제소국은 보조금 조치 시행국이기 때문이다. 즉, 일방 회원국의 동일한 보조금 교부조치에 대해서도 보조금 조치 피해국이 양자적 해결방안과 다자적 해결방안 중 어떠한 구제경로를 선택하는지에 따라 최종적으로 WTO 패널 회부시 제소국과 피제소국의 위치가 바뀌게 된다. WTO 패널절차에서는 제소국이 보조금 관련 제반 요건에 대한 입증책임을 부담하므로 동일한 조치에 대해서도 제소국이 누구인지는 현실적으로 최종 판정에서 중요한 변수로 작용하는 경우가 있다.

여기에서 유의하여야 할 것은 금지 보조금, 조치가능 보조금 또는 상계조치 대상 보조금의 요건을 각각 충족하는지 여부와 상관없이 WTO 회원국 정부의 특정 조치가 보조금 협정의 적용대상이 되는 "보조금"을 구성하기 위하여는 기본적으로 세 가지 요건이 먼저 확인되어야 한다는 점이다. 이 세 가지 요건은 (i) 정부로부터의 재정적 기여(financial contribution by a government), (ii) 경제적 혜택(benefit), 그리고 (iii) 특정성(specificity)이다. 이 요건들은 보조금 협정 제1조, 2조 및 14조에 상세히 규정되어 있다. 세 요건의 의의를 간단히 살펴보면, 첫 번째 요건은 정부로부터 민간기업 또는 산업으로 금전 등 재정적 자원의 이동이 있었는지를, 두 번째 요건은 그러한 이동으로 인해 민간 기업 또는 산업이 경제적 혜택을 향유하게 되었는지를, 그리고 세 번째 요건은 그러한 혜택 부여가 특정 기업 또는 산업에 한정되어 있었는지 여부를 고찰하는 것이다.

이 세 가지 요건이 모두 존재하는 경우 이는 보조금 협정의 규율대상인 "보조금"에 해당하며, 하나의 요건이라도 부재하는 경우 문제가 된 정부의 조치는 보조금 협정이 의미하는 "보조금"에는 해당되지 않으며 따라서 동 협정의 규율범위를 벗어난다. WTO 패널절차이든 상계관세 조사 절차이든 대부분의 보조금 관련 분쟁에서 관련국간 핵심적인 다툼은 주로 상기 세 가지 요건의 존재 여부에 관한 것이다. 가령, A국의 특정 프로그램이 보조금인지 여부가 분쟁의 대상으로 제기된 경우 A국은 이 프로그램이 정부로부터의 재정적 기여와 경제적 혜택이 존재하지만 특정성이 없다고 주장하는 반면, 상대방인 B국은 특정성도 아울러 존재한다고 주장하게 되는 경우이다.[10] 일단 이러한 세 가지 구성요소의 존재가 공히 확인되어 보조금 협정의 적용 대상이 될 "보조금"으로 인정된 이후, 여타 추가 요건의 확인에 따라 금지 보조금, 조치가능 보조금 및 상계조치대상 보조금을 각각 구성하게 되고, 보조금 협정에 규정된 대로 각각에 해당하는 규제를 받게 된다.[11] 아래에서는 보조금의 세 가지 구성요건을 각각 상세히 살펴보도록 한다.

1. 정부에 의한 재정적 기여

보조금의 첫 번째 구성요건인 "정부에 의한 재정적 기여"(financial contribution by the government)는 정부로부터 민간기업으로 재정적 자원이 ─ 즉, 금전적 가치를 보유하는 매개물이 ─ 전달되었는가 여부에 관한 것이다. 이와 관련하여 보조금 협정 제1조는 다음의 네 가지 경우를 열거하고 있다: (a) 정부로부터 민간기업으로의 자금의 직접적 이전(예컨대 무상지원금 제공, 국책은행으로부터의 대출 제공 및 주식구매를 통한 정부 투자금의 유입 등), (b) 정상적인 상황이라면 징수되어야 할 세금 및 각종 공과금의 감면(예컨대 수출기업에 대해 제공하는 세금감면 등), (c) 일반적인 사회간접자본을 제외한 정부로부터 민간부분에 대한 상품 또는 서비스의 제공, 그리고 마지막으로 (d) 위에서 열거한 세 가지 행위를 정부가 민간주체에 위임 또는 지시하여 동 민간주체가 정부를 대신하여 여타 민간주체를 지원하도록 막후 조정하는 조치가 바로 그것이다.[12] 현재 제1조가 규정된 방식을 표면적으로 이해하면 상기 네 가지 사례는 한정적 열거이며 예시적 사례 제시는 아니다. 그러나 면밀히 검토하여 보면 사실 이 네 가지 사례는 추상적인 개념으로 정의되어 있어 실제에 있어서는 광범위한 상황을 포괄할 수 있음을 알 수 있다. 사실 정부가 특정 기업을 위하여 채택할 수 있는 대부분의 형태의 지원조치는 상기

---

10) 물론 대부분의 분쟁에서는 피제소국인 A국의 경우 정부로부터의 재정적 기여, 경제적 혜택 및 특정성이 모두 존재하지 않는 것으로 일단 주장하게 될 것이다.

11) 금지 보조금의 경우는 보조금 협정 제2부, 조치가능 보조금의 경우는 보조금 협정 제3부, 상계조치부과 대상 보조금에 관하여는 보조금 협정 제5부를 각각 참조.

12) 보조금 협정 제1.1조 참조.

네 가지 중 하나에 어떻게든 해당하게 된다.

결국, 정부에 의한 재정적 기여 요건은 금전적 가치가 있는 무엇인가가 직접 또는 간접적인 방법으로 정부로부터 민간부문으로 이전되었는지 여부를 고찰하는 것이다. 때로는 무상지원금 제공의 경우처럼 입증이 용이한 경우도 있을 것이나—정부 예산 명세서와 송금기록을 확인하면 될 것이므로—때로는 민간부문에 대한 위임 또는 지시의 경우처럼 사실관계의 입증이 곤란한 경우도 있을 수 있다. 동 요건을 입증하고자 하는 WTO 제소국 또는 WTO 회원국의 상계관세 조사당국(investigating authorities)은 결국 제반 직접증거 또는 간접증거를 동원하여 이러한 사실이 존재하였는지 여부를 객관적으로 입증하는 수밖에 없을 것이다. 재정적 기여를 부여할 수 있는 정부기관은 중앙정부는 물론 지방정부와 여타 공적기관도 포함된다.[13] 가령, 최근 우리나라에 대하여 진행되는 보조금 조사에서는 우리 지방자치단체의 보조금 교부 행위도 조사의 주요 항목으로 자리잡고 있다.[14] 마찬가지로 국책은행인 한국산업은행, 수출입은행이 민간기업에 제공하는 대출금은 정부에 의한 재정적 기여를 구성하게 된다. 동 은행들은 특별법에 따라 정부 재정 지원과 감독하에 운영되는 금융기관이기 때문이다.[15]

2. 경제적 혜택

보조금 협정상 보조금을 구성하기 위한 두 번째 요소는 "경제적 혜택"(benefit)의 존재이다.[16] 즉, 정부로부터 재정적 자원의 이동이 발생하여 "정부에 의한 재정적 기여" 요건을 충족하더라도 이와는 별도로 그러한 이동의 결과 민간기업에 대하여 "경제적 혜택"이 부여되었는가 여부에 대한 독립적인 검토가 필요하다. 경우에 따라서는 정부에 의한 재정적 기여가 존재함에도 불구하고 경제적 혜택은 존재하지 않을 수도 있기 때문이다. 가령, A 기업이 자국 정부로부터 중요한 천연자원을 무상으로 지원받았다 하더라도 이 자원이 A기업의 사업과 전혀 무관

---

13) 예를 들어 미국과 유럽연합간 대형 민간항공기 보조금 분쟁에서는 양 당사국의 지방정부의 지원조치가 분쟁의 중요 항목을 차지하였다. 상기 각주 1 참조.
14) 2011년 4월 21일 우리나라 냉장고에 대하여 개시된 미국 상무성의 상계관세 조사는 특히 광주광역시와 창원시의 보조금 교부 행위를 중점적으로 조사하고 있다. 2011년 5월 9일자 미국 상무성의 한국 정부 및 기업에 대한 질문서 참조.
15) 한국 산업은행법 제47조 참조.
16) 보조금 협정 제1.1조, 제14조 참조.

한 것이라면 경제적 혜택이 부재하게 될 것이다. 혜택은 고사하고 오히려 불필요한 관리비용 발생 등으로 손해가 발생하였을 가능성도 없지 않다.

경제적 혜택이 존재하였는지 또한 존재하였다면 그 정도는 어느 정도인지는 실제 시장기준(market benchmark)과 문제가 된 정부와 민간기업과의 거래조건을 상호 비교함으로써 알 수 있다.[17] 예를 들어 특정 민간기업이 정부은행으로부터 운영자금을 대출받고 이에 대해 시장금리로 이자를 지급하는 경우를 생각하여 보자. 이 경우 분명 국고로부터 민간기업으로 자금의 이동이 발생하였으므로 첫 번째 요건인 정부에 의한 재정적 기여는 충족되었다. 그러나 이에 대하여 민간기업이 시장금리를 지불하기로 하였으므로 해당 민간기업 입장에서는 아무런 경제적 혜택이 없다고 하여야 할 것이다. 이 민간기업은 동일한 조건으로 다른 시중 민간은행으로부터 동일한 대출을 받을 수 있었기 때문이다. 그러나 만약 시장금리와 대출금리간 차이가 있다면 사정은 달라진다. 가령 시장금리가 연 8%인데 5%로 대출이 실시되었다면 해당 민간기업은 이자율 차이인 3%만큼의 경제적 혜택을 받은 것이 된다. 따라서 총 대출금액이 1억 원이었다면 1억 원의 3%인 300만원의 경제적 혜택이 부여된 것이 될 것이다. 정부로부터 무상자금(grant) 지원의 경우에는 경제적 혜택의 확인 및 계산은 더욱 간단하다. 애초에 존재하지 않았어야 할 자금이 전달된 것이므로 해당 지원 금액 전체가 경제적 혜택을 구성하게 될 것이다. 따라서 무상지원금 1억 원의 경우 해당 금액 전체가 경제적 혜택을 구성하게 된다.

경제적 혜택의 존재 여부 및 그 정도에 관한 결정에 있어서 중요한 것은 바로 비교대상인 시장기준을 어떻게 구할 것인가 하는 것이다. 각 국가 및 사회마다 거래관행과 방법이 상이하므로 경제적 혜택 평가에 사용될 시장기준은 조사대상이 된 거래가 발생한 사회 및 시장에서 통용되는 시장기준을 활용하여야 한다. 동일한 시점이라고 하더라도 서울에서 적용되는 시장기준과 미국에서 적용되는 시장기준이 반드시 동일하지는 않을 것이기 때문이다. 따라서 한국 정부와 민간기업의 거래를 평가하기 위하여 적용되는 시장기준은 한국 시장에서 구해야 하며, 미국 정부와 민간기업에 적용되는 시장기준은 미국 시장에서 구해야 한다. 물론 그러한 국내 시장 자체가 부재하거나 또는 왜곡된 경우에는 다른 시장을 찾

---

17) 보조금 협정 제14조 참조.

아야 하는 상황도 발생할 것이나 이는 예외적인 경우이다.[18] 이러한 취지를 수용하여 보조금 협정 제14조는 경제적 혜택 평가에 활용되는 시장기준은 상계관세 조사국이 아닌 피조사국의 시장상황을 그 기준으로 삼도록 규정하고 있다.[19] 그러나 현실적으로 완벽한 시장은 존재하지 않으므로 모든 시장은 정도의 차이는 있을지언정 어느 정도의 왜곡의 요소는 내포하고 있다는 점에서 과연 어느 정도의 왜곡이 존재하여야 국내시장을 포기하고 다른 시장을 모색하여야 하는지 여부가 여전히 불명확하다.

3. 특 정 성

보조금 협정상 보조금을 구성하기 위한 세 번째 요건은 "특정성(specificity)"이다. 보조금은 특정적(specific)일 경우에만, 즉 특정 산업 및 기업을 대상으로 하는 경우에만 보조금 협정의 규율대상이 된다. 특정성에 관한 기준은 보조금 협정 제 2 조에 상세히 규정되어 있다.[20] 따라서 정부로부터 민간기업에 대한 재정적 기여가 존재하고 그로부터 민간기업에 대하여 경제적 혜택이 부여되었다고 하더라도, 해당국 내 광범위한 영역에서 다수의 기업이 수혜대상인 경우 결국 특정성의 결여로 보조금을 구성하지 않게 된다. 대부분의 세금감면 조치가 결국 보조금에 해당하지 않는 이유는 바로 이 특정성 요건을 충족하지 못하기 때문이다. 세금감면 조치는 분명 정부에 의한 재정적 기여에 해당하고 감면 대상자에 대하여 감면 세액만큼 경제적 혜택이 존재하지만, 대부분의 WTO 회원국의 세법에 따른 감세 및 면세제도는 일정 기준을 충족하는 자국 기업에 대하여 일괄적으로 적용되므로 특정성을 구비하기 힘들기 때문이다. 중소기업에 대하여 지원하는 다양한 지원조치도 유사하다. 중소기업의 수가 방대하고 영역이 다양하므로 역시 특정성

---

18) 예컨대 도산 위기(solvency crisis) 또는 유동성 위기(liquidity crisis)에 직면한 특정 기업의 회생을 지원하기 위해 정부가 워크아웃(workout) 내지 채무재조정(restructuring) 프로그램을 시행하는 경우에는 시장 비교기준을 확인하는 것이 용이하지 않다. 워크아웃 또는 채무재조정은 개별 정부 정책 내지 프로그램의 일환으로서 시행되는 것이며 이와 관련한 구체적인 '시장'이 별도로 존재하는 것은 아니기 때문이다. 한편, WTO 항소기구는 최근 일련의 보조금 분쟁에서 당사국에 관련 시장이 존재하지 않거나 시장 가격이 왜곡되었다고 판단되는 경우 역외 시장에서 대체 비교기준을 구할 수 있다고 판시한 바 있다.
19) 가령, 보조금 협정 제14조 (a)항 참조.
20) 보조금 협정 제2.1조 참조.

을 인정하기가 쉽지 않다. 철강산업에 관련 되는 중소기업 또는 제조업에 종사하는 중소기업 등으로 한 단계씩 범위를 좁혀가면 특정성 확인 가능성은 그만큼 높아지게 될 것이다.

여기에서 하나 주목할 점은 수출 보조금과 수입대체 보조금과 같은 금지보조금은 그 자체로써 특정성을 지니고 있는 것으로 평가된다는 점이다. 그러한 보조금이 의도하는 수출기업 지원, 국내생산업자 지원과 같은 목표는 그 자체로서 특정성을 보유한다고 볼 수 있기 때문이다. 따라서 수출기업에 대하여 지원하는 프로그램은 그 수혜자의 폭이 아무리 넓어도 특정성이 있는 것으로 간주된다. 이는 금지 보조금이 초래하는 특별한 무역왜곡적 효과에 효율적으로 대응한다는 차원에서도 적절하다고 볼 수 있을 것이다.

한편, 특정성은 "법률상 특정성(de jure specificity)"과 "사실상 특정성(de facto specificity)"으로 다시 나누어 볼 수 있다. 법률상 특정성은 해당 보조금 조치를 도입한 법령 및 행정지침 자체에 특정 산업분야 및 기업만이 수혜대상임이 명시적으로 표현되어 있는 경우이다.[21] 예를 들어 甲이라는 WTO 회원국이 "철강산업지원법"이라는 국내법을 도입하였고 동법이 자국 철강생산기업에 대하여 저리로 장기대출을 제공하도록 하는 내용을 포함하고 있는 경우, 이러한 지원은 법률상 특정성을 띠게 된다. 법령 자체에 철강산업을 지원하기 위한 목적임이 명백하고 수혜대상이 철강기업에 명시적으로 한정되어 있기 때문이다. 이와는 달리 사실상 특정성이란 법령 자체는 공평하거나 중립적으로 기술되어 있음에도 불구하고 실제 운용과정에서 특정 산업 및 기업이 집중적으로 혜택을 보는 경우이다.[22] 가령, 위의 예에서 甲 국가에서 도입된 법안은 "산업지원법"이며 동법에는 특별히 철강산업 지원을 염두에 두고 있다는 내용이 전혀 포함되어 있지 않으며 일정한 기준을 충족하는 모든 기업을 지원대상으로 규정하고 있다고 가정해 보자. 그러나 이러한 형식상 중립성에도 불구하고 동법에 따른 실제 지원실적을 검토하였더니 철강생산기업이 수혜기업 수나 총 수혜액 중 상당 부분을 차지하는 경우 사실상 특정성이 존재하게 된다. 가령 전체 수혜기업 중 70%가 철강기업이거나 전체 수혜액의 60%가 철강기업 몫이라면 특정성을 인정할 수도 있을 것이다. 그러나 전체 수혜 기업의 몇 퍼센트가 또는 총 수혜액의 몇 퍼센트가 특정 기업 및 산업에

---

21) 보조금 협정 제2.1조 (a)항 참조.
22) 보조금 협정 제2.1조 (c)항 참조.

집중되어야 특정성이 존재하는지에 관해서는 명확한 기준이 존재하는 것은 아니며 각 사안별로 각국 조사당국이나 WTO 패널에 의하여 결정될 사안이다. 이 부분 역시 조사당국과 패널에 재량권이 부여된 부분이라 할 것이다.

하나 유의할 점은 사실상 특정성에 대한 평가를 내리기 위해서는 상당한 기간동안의 조치 운용실적이 축적되어야 한다는 점이다. 중립적인 성격을 지닌 법령의 실제 지원실적을 평가하기 위해서는 데이터의 축적이 필요하기 때문이다. 최소한 수년의 데이터가 축적된 연후에야 특정 프로그램이 사실상 특정성을 보유하는지 여부가 평가될 수 있을 것이다. 따라서 지원조치를 실시하는 국가 입장에서는 이 기간 동안은 교역 상대국의 상계관세 조사나 WTO 제소까지 시간을 벌 수 있는 측면이 있기도 하다.

제 4 절 보조금 협정상 규제 대상 보조금의 구별

보조금 협정상 보조금을 구성하기 위한 세 가지 요건을 염두에 두고 보조금 협정에서 규정하고 있는 세 가지 유형의 보조금을 간단히 살펴보면 다음과 같다.

1. 금지 보조금

금지 보조금(prohibited subsidies)은 보조금 협정 제 2 부에서 규정하고 있다. 즉, 동 협정 제 3 조는 (a) 법률상 또는 사실상 수출실적에 따라 지급되는 보조금, 즉 수출 보조금과 (b) 수입품 대신 국내상품의 사용을 조건으로 지급되는 보조금, 즉 수입대체 보조금을 금지 보조금으로 규정하고 있다. 이러한 맥락에서 보조금 협정 부속서 I은 12 가지 유형의 수출 보조금을 예시하고 있다.[23]

한편, 보조금 협정 제 4 조는 금지 보조금에 대한 구제수단을 규정하고 있다. 먼저, 일방 회원국은 금지 보조금을 교부하고 있는 것으로 믿어지는 타방 회원국

---

23) 가령 예시된 수출 보조금의 사례는 다음과 같다:
    (a) 수출실적에 따라 정부가 기업 또는 산업에게 제공한 직접 보조금.
    (b) 수출 상여금을 포함하는 외화보유제도 또는 유사한 행위.
    (c) 국내선적의 경우보다 유리한 조건으로 정부가 제공하거나 명령하는 수출선적에 대한 국내 수송 및 운임 등.

에 대하여 협의를 요청할 수 있다. 협의를 요청 받은 타방 회원국은 동 문제의 조속한 해결을 위하여 협의를 개시하여야 한다. 협의 개시 후 30일 내에 분쟁해 결에 실패할 경우 협의의 일방 당사국은 그 사안을 WTO 분쟁해결기구에 회부할 수 있다. 분쟁해결기구가 총의(consensus)에 의하여 패널설치 거부를 결정하지 않는 한 패널은 설치되어 해당 사건을 심리하게 된다. 심리 진행에 있어 패널은 문제된 조치의 금지 보조금 해당 여부와 관련하여 상설 전문가그룹(Permanent Group of Experts)에 지원을 요청할 수 있으며, 이 경우 상설 전문가그룹은 즉시 그 증거를 검토하고 패널이 결정한 시한 내에 검토 결과를 제출하여야 한다. 이 경우 패널은 상설 전문가그룹의 결정을 수정 없이 수용하여야 한다. 패널의 결정을 담은 패널 보고서는 패널 위임사항(terms of reference)이 결정된 일자로부터 90일 내에 모든 회원국들에게 회람되어야 한다. 만약 문제가 된 조치가 금지 보조금으로 결정된다면 패널은 보조금 교부국에 대하여 지체 없이 해당 조치를 철회할 것을 권고하여야 한다. 패널 보고서의 결정 내용에 동의하지 않는 일방 당사국이 항소할 경우, 이를 담당하는 상설 항소기구(Appellate Body)는 항소가 있은 후 원칙적으로 30일 내에 결정에 도달하여야 한다. 그리고 항소기구는 어떠한 경우라도 항소시점으로부터 60일 내에 심리를 완료하여야 한다. 항소기구의 결정을 담은 항소기구 보고서가 회원국들에게 제출된 후 20일 내에 분쟁해결기구가 총의에 의하여 동 보고서를 채택하지 않기로 결정하지 않는 한, 패널 보고서와 항소기구 보고서는 채택된다. 항소기구 보고서가 금지 보조금을 확인하고 이의 철폐를 요구하는 경우 보조금 교부국은 이를 이행하여야 한다.[24]

　　이상에서 보는 바와 같이 보조금 협정은 금지 보조금 관련 분쟁에 대해서는 상대적으로 단축된 기한 적용을 통해 당사국간 신속한 분쟁해결을 도모하고 있으며 또한 분쟁의 대상이 된 보조금 조치에 대해서도 기본적으로 철폐(withdrawal)를 그 기본으로 하고 있다. 금지 보조금에 적용되는 분쟁해결기간은 조치대상 보조금의 경우에 비하여 절반에 불과하다. 그리고 단지 문제의 조치를 WTO 협정에 합치하는 방향으로 수정하도록 요구하는 것이 일반적인 조치가능 보조금과 달리 금지 보조금에서는 문제된 조치의 철폐가 원칙이다. 아주 예외적이기는 하지만 경우에 따라서는 이미 교부 받은 금지 보조금을 다시 정부에 돌려주도록

24) 보조금 협정 제 4 조 참조.

요구하는 결정이 내려지기도 한다.[25] 이는 금지 보조금의 무역왜곡적 효과를 인식하고 이의 신속한 제거를 도모하는 보조금 협정의 취지를 잘 보여주고 있다고 하겠다.

하나 염두에 둘 점은 실제 대부분의 보조금 분쟁은 금지 보조금과 조치가능 보조금의 혼재로 이루어진다는 것이다. 따라서 이러한 혼합 분쟁의 경우 적용되는 기한은 조치가능 보조금의 기한으로 결정되는 경우가 대부분이다. 따라서 그 맥락에서는 금지 보조금의 신속해결절차가 현실적으로 의미가 퇴색한 부분도 없지 않다.[26] 그리고 금지 보조금 및 조치가능 보조금간 적용 기간의 차이는 오로지 WTO 분쟁해결절차에서의 차이이며 상계관세 조사에서의 차이는 아니다. 미국 및 유럽연합 등 대부분의 국가는 상계관세 조사 절차에서 양자간 차이를 두지 않고 있다.

한편 금지 보조금 중 하나인 수출 보조금의 경우 법적인 수출 연계성과 함께 사실상의 수출 연계성이 동시에 검토될 수 있다. 특정성의 경우와 마찬가지로 사실상의 수출 연계성이 보다 복잡한 문제를 초래한다.[27] "사실상 수출연계성"과 관련하여 Canada-Aircraft 분쟁에서 WTO 항소기구는 세 가지 평가요소를 제시한 바 있다. 즉, 문제의 "보조금의 교부(granting of a subsidy)" 조치가 "실제의 또는 기대되는 수출 및 수출을 통한 수익창출(actual or anticipated exportation or export earnings)"과 "밀접히 연관되어 있는가(is tied to)"에 대한 평가가 바로 그것이다.[28] 특히 "수출과의 밀접한 연관성(tied to)"과 관련하여 항소기구는 보조금의 교부가 실제의 또는 기대되는 수출과 밀접하게 연관되거나 또는 이와 연계하여 이루어졌다는 사실이 입증되어야 하고 단지 보조금 교부국 정부가 향후 수출이

---

25) *Australia-Subsidies Provided to Producers and Exporters of Automotive Leather* Recourse by the United States to Article 21.5 of the DSU(WT/DS126/RW) / DSR 2000:III, 1189(Feb. 11, 2000), at paras. 6.47-6.50 참조.

26) David Palmeter & Petros C. Mavroidis, *Dispute Settlement in the World Trade Organization*, (Cambridge Univ. Press, 2nd ed., 2004), p. 194 참조.

27) 이와 관련하여 보조금 협정 각주 4는 다음과 같이 규정하고 있다:
이 기준은 보조금의 교부가 법적으로는 수출 실적과 연계하여 이루어지는 것은 아니나, 사실상 실제의 또는 기대되는 수출 및 수출을 통한 수익창출과 밀접히 연관된다는 점이 입증되는 경우 충족된다. 수출 기업에 보조금이 지급된다는 단순한 사실만으로는 이러한 보조금이 본 규정에서 의미하는 수출보조금으로 간주되지는 아니한다.

28) Appellate Body Report, *Canada - Measures Affecting the Export of Civilian Aircraft* (WT/DS70/AB/R) (August 2, 1999) ("*Canada-Aircraft*"), at para. 169.

발생할 것이라는 점을 기대하고 있었다는 사실에 대한 입증으로는 충분하지 않다는 점을 확인하였다.[29]

2. 조치가능 보조금

한편, 보조금 협정은 제3부에서 이른바 조치가능 보조금(actionable subsidies)을 규정하고 있다. 이러한 조치가능 보조금은 보조금 분쟁에서 가장 흔하게 대두되는 형태로서 보조금의 분류에서 가장 넓은 영역을 차지한다고 할 수 있겠다. 흔히 일반 보조금 또는 국내 보조금(domestic subsidies) 등의 이름으로 불리기도 한다. 2003년 유럽연합이 한국 정부가 한국 조선산업에 대하여 부당한 보조금을 제공하였음을 주장하며 전개된 양측간 조선 보조금 분쟁은 이와 같은 조치가능 보조금과 관련되는 분쟁이었다. 이 경우 유럽연합 입장에서는 한국 정부를 WTO 분쟁해결기구에 제소하는 것만이 유일한 구제수단이었다고 할 수 있다. 그 이유는 유럽연합의 목표가 유럽연합 시장에서 보조금을 교부 받았다고 그들이 주장하는 우리 상선의 부당한 경쟁력 우위를 제거하고자 하는 것이 아니라, 전 세계 시장에서 진행되는 양국간 경쟁에서 우위를 점하고자 하는 것이었기 때문이다. 만약 전자가 목표였다면 상계관세 부과가 적절한 구제수단이 되었을 것이다. 바로 이러한 이유로 캐나다와 브라질간 그리고 미국과 유럽연합간 항공기 분쟁의 경우도 상계관세 조사가 아니라 WTO 직접 제소를 통하여 진행되어 왔다.[30]

보조금 협정은 조치가능 보조금에 대해서는 명확한 정의를 제시하지는 않고

---

29) *Id.*, at para. 171.

30) 미국과 유럽연합간 대형 민간항공기 보조금 분쟁에 관해서는 *European Communities and Certain Member States—Measures Affecting Trade in Large Civil Aircraft*(WT/DS316/347) 및 *United States—Measures Affecting Trade in Large Civil Aircraft*(WT/DS317/353) 각각 참조. 캐나다와 브라질간 중형 민간항공기 보조금 분쟁에 관해서는 *Canada—Measures Affecting the Export of Civilian Aircraft*(WT/DS70); *Brazil—Export Financing Programme for Aircraft*(WT/DS46); *Canada—Export Credits and Loan Guarantees for Regional Aircraft* (WT/DS222) 참조. 브라질과 캐나다는 동일한 시기에 쌍방의 유사한 항공기 관련 보조금 교부 조치를 WTO에 맞제소한 바 있다. 양국간 보조금 분쟁은 모두 WTO 분쟁해결양해 (Dispute Settlement Understanding) 하의 이행패널이 구성되는 단계까지 진행되는 등 쌍방간 공방이 첨예하게 대립하였는데 특히 캐나다가 브라질을 상대로 제소한 보조금 분쟁의 경우 이행패널이 두 차례나 구성되는 진기록을 세우기도 하였다. 이들 분쟁에 관한 구체적인 내용은 안덕근, 「WTO 보조금협정 연구」 (법무부, 2003), p. 94 이하 참조.

있으나, 동 협정 제 5 조에서는 (a) 타방 회원국의 국내산업에 대한 피해, (b) 특정
성 있는 보조금 지급에 따른 양허 혜택의 무효화 또는 침해, (c) 타방 회원국의
이익에 대한 심각한 손상(serious prejudice)과 같은 부정적 효과(adverse effects)를
발생시키는 일방 회원국의 보조금을 의미하는 것으로 규정하고 있다.

한편 보조금 협정 제 7 조는 조치가능 보조금에 대한 구제수단을 규정하고
있다. 이러한 구제수단의 기본적 골격은 금지 보조금의 경우와 유사하나 적용 시
한이 연장되어 있으며 상설 전문가 그룹은 개입하지 않는다. 먼저 분쟁 당사국간
협의를 거쳐 협의 개시 후 60일 이내에 분쟁 해결에 실패할 경우 일방 당사국의
요청에 의해 동 분쟁은 분쟁해결기구에 회부된다. 심리를 담당하는 패널은 위임
사항이 결정된 일자로부터 120일 내에 보고서를 모든 회원국들에게 회람시켜야
한다. 일방 당사국이 항소하는 경우 항소기구는 항소 후 원칙적으로 60일 이내에,
그리고 어떠한 경우에도 90일 이내에 결정에 도달하여야 한다. 항소기구 보고서
가 회원국들에게 제출된 후 20일 이내에 분쟁해결기구가 총의에 의하여 동 보고
서를 채택하지 않기로 결정하지 않는 한, 패널 보고서와 항소기구 보고서는 채택
된다. 문제가 된 보조금이 보조금 협정 제 5 조상 다른 회원국의 이익에 대한 부
정적 효과를 초래하였다는 취지의 결정을 담고 있는 패널 보고서 또는 항소기구
보고서가 채택되면, 그러한 보조금을 공여하거나 유지한 회원국은 그 부정적 효
과를 제거하기 위한 적절한 조치를 취하거나 해당 보조금을 철회하여야 한다.

3. 허용 보조금

또한 보조금 협정 제 4 부는 원래 허용 보조금(non-actionable subsidies)을 규
정하고 있었다. 이는 문언 그대로 회원국에 대하여 사용이 허용되어 있을 뿐만
아니라 이에 대한 상계조치도 금지되어 있는 보조금을 의미한다. 이러한 허용 보
조금에는 연구개발 보조금, 낙후지역개발 보조금 및 환경 보조금이 있었다. 그러
나 보조금 협정 제31조는 허용 보조금을 규정하고 있는 제 8 조 및 제 9 조가
WTO협정 발효일부터 5년간 적용된다고 규정하면서, 동 기간 종료 180일 전까지
관련 규정의 적용 연장에 대해 WTO 보조금 위원회가 검토할 것을 명시하고 있
다. 동 규정의 연장을 둘러싼 회원국들간 의견 차이로 인하여 명시된 시한인
1999년 12월 31일까지 보조금 위원회가 허용 보조금 규정의 적용 연장에 대한 합

의에 도달하지 못함으로써 2000년 1월 1일자로 동 조항들은 그 적용이 만료되었다. 따라서 현재에는 허용 보조금이라는 항목은 존재하지 않으며, WTO 회원국 조사당국도 기존의 허용 보조금에 해당될 수도 있는 조치에 대해서도 상계관세 조사를 실시하고 있는 상황이다.[31] 2004년 이후 여전히 진행되고 있는 미국과 유럽연합간 대형 민간항공기 보조금 분쟁에서도 연구개발 보조금이 분쟁의 상당 부분을 차지하고 있는 실정이다.[32] 따라서 연구개발 보조금에 대하여 보조금 협정상 특별한 대우가 부여되는 것으로 이해하는 것은 정확하지 않다.

다만 2021년 현재에도 일단 형식적으로는 진행 중인 DDA 협상에서 보조금 협정 개정 방안도 포함되어 있으며, 어쨌든 기존의 허용 보조금을 부활하는 방안에 대해서는 대체적인 공감대가 형성되어 있는 것으로 보인다.[33] 만약 이 개정안이 채택된다면 연구개발 보조금 등 허용 보조금은 보조금 협정의 규정에서 예외로 인정되게 될 것이다. 연구개발 보조금은 주로 과학연구 활동을 지원하는 조치로 각국의 경제발전에 중요한 역할을 수행하는 조치이므로 이를 제한하는 것은 타당하지 않다는 데 의견이 수렴되고 있는 듯하다.

제 5 절   상계관세 조사 및 부과

보조금을 교부 받은 상품이 자국 시장으로 수입되어 국내 산업에 실질적 피해를 초래한 경우, 수입국인 WTO 회원국은 자국 시장 보호를 위하여 이러한 수입 상품에 대하여 적절한 대응조치를 취할 수 있다. 이러한 대응조치를 상계조치(countervailable measures)라고 통칭한다. 위에서 언급한 바와 같이 상계조치의 가

---

31) 가령, 2002~2010년에 걸쳐 미국, 유럽연합 및 일본이 한국산 반도체에 대하여 실시한 상계관세 조사에서 이들 국가의 조사당국은 한국 정부가 제공한 전자산업 및 반도체 산업에 대한 연구개발 보조금에 대해서도 이를 조사항목에 포함시켜 다른 조치와 마찬가지로 조사를 실시한 바 있다.

32) 2004년부터 시작된 미국－유럽연합간 대형민간항공기 보조금 분쟁에서는 유럽연합 회원국들이 에어버스사의 연구 개발사업을 지원하기 위하여 재정적 지원을 실시하거나 정부기관의 연구 개발 관련 물품과 서비스를 정당한 대가 없이 에어버스사에 대하여 지원하였는지 여부와 관련하여 연구개발 보조금이 주요 쟁점으로 검토된 바 있다.

33) WTO Negotiating Group on Rules, *Draft Consolidated Chair Texts of the AD and the SCM Agreements*(TN/RL/W/213)(Nov. 30, 2007).

장 대표적인 형태는 보조금 액수에 상응하는 상계관세(countervailable duty)를 수입품에 대하여 부과하는 방법이다. 이는 보조금 교부 수입품에 대하여 기존의 일반관세에 추가하여 특별 관세를 부과하여 보조금의 효과를 인위적으로 상쇄시키는 것이다. 만약 동일한 상품에 대하여 반덤핑 조사도 실시되는 경우 이로부터 산출되는 반덤핑 관세는 별도로 부과된다. 따라서 이 경우에는 "일반 관세 + 상계관세 + 반덤핑 관세"의 총합이 수입국의 수입업자가 자국 세관에 납부하여야 할 관세 총액이 되는 것이다. 실제 조사에서는 수입국의 청원기업은 해외 경쟁수출 업자에 대한 심적/물적 부담을 가중시키기 위하여 반덤핑 조사와 상계관세 조사를 동시에 제소하는 것을 흔하게 볼 수 있다.[34] 이 경우 청원기업의 주장이 인용될 경우 반덤핑 관세와 상계관세가 각각 부과되므로 수출기업에는 상당한 타격을 가져오게 된다. 일반적으로 반덤핑 조사에 비하여 상계관세 조사의 경우 그 대응과 방어에 비용과 시간이 더 소요되게 된다. 이는 해외 수출기업에 대한 조사만을 내용으로 하는 반덤핑 조사에 비하여 상계관세 조사는 해외 수출기업뿐 아니라 동 수출기업의 국적국 정부에 대한 조사도 동시에 실시되므로 이에 대응하는 데에는 상당한 업무량과 인력이 소요되는데 기인한다.

실제 조사과정에서 상계관세는 다음과 같이 산출된다. 보조금이 초래한 총 경제적 혜택을 분자로 그리고 이러한 경제적 혜택과 연관된 해당 기업의 당해 년도 매출액을 분모로 하여 산출된 값이 상계관세율이 된다. 가령 A 라는 수출기업이 자국 정부로부터 지급 받은 무상지원금의 총액이 1억 원이고 이러한 무상지원금 교부와 직접적인 연관을 갖는 A 기업의 조사기간 내 매출액이 10억 원이라면 상계관세율은 1억 원/10억 원이 되어 10%가 될 것이다. 이 10%의 상계관세가 해당 상품에 추가로 부과되는 특별관세이다. 여기에서 무상지원금을 사례로 든 이유는 무상지원금의 경우 해당 금액 전체가 경제적 혜택에 해당되므로 시장기준(Market Benchmark)을 적용할 필요 없이 그 산출이 용이하기 때문이다. 시장기준의 적용이 필요한 경우에는 시장기준과 보조금 교부 조치간의 상호 비교를 통하여 경제적 혜택의 산출이 필요함은 위에서 지적하였다. 또한, 이러한 계산방법을 이해하게 되면 동일한 금액을 보조금으로 교부 받더라도 대기업의 경우 중소기

---

34) 가령 우리나라에 대하여 진행된 상계관세 조사인 한국산 제지에 대한 상계관세 조사(2006년 12월 개시)와 한국산 냉장고에 대한 상계관세 조사(2011년 4월 개시)는 각각 반덤핑 조사와 동시에 진행되었다.

업에 비하여 적용되는 상계관세율은 줄어들게 됨을 알 수 있다. 대기업의 경우 조사기간 동안 관련 매출액이 더 클 것이므로 분모가 증가하게 되어 전체적인 상계관세율은 줄어들기 때문이다.

여기에서 분모에 들어갈 매출액은 문제가 된 보조금의 혜택과 "관련된" 매출액에만 국한됨을 유의하여야 한다. 따라서 특정 보조금은 수출 활동만 지원하는 수출 보조금일 경우 분모에는 해당 기업의 당해년도 총 수출 매출액만 포함되고, 더 나아가 동 보조금이 오로지 특정 국가로의 수출에만 보조금을 부여하는 경우라면 해당 국가로의 매출액만 분모에 포함되게 된다. 대개의 경우 보조금은 해당 기업 운영의 전반에 걸쳐 혜택을 부여하는 것이 일반적이므로 이 경우에는 해당 기업의 국내시장 매출액과 수출시장 매출액을 모두 포함하는 총 매출액이 분모에 들어가게 된다. 상계관세 조사를 받는 피조사 기업 입장에서는 동일한 조건이라면 가급적 총 매출액이 분모에 포함되는 것이 상계관세율을 줄일 것이므로 설사 보조금으로 확인되더라도 그 성격을 해당 기업의 운영 전반에 걸쳐 적용되는 보조금 — 이러한 보조금을 국내보조금(domestic subsidies)으로 흔히 부른다 — 으로 성격 규명을 하고자 시도할 것이다. 보조금 여부가 확인되는 경우에도 그 보조금의 성격을 어떻게 파악하느냐에 따라 실제 상계관세율에는 상당한 차이가 발생하게 된다.

다음으로 상계관세 조사 절차를 간략히 살펴보면 다음과 같다. 상계관세 조사는 먼저 WTO 회원국 국내 관련 산업이 자국 조사당국에 청원서(petition)를 제출함으로써 시작된다. 경우에 따라서는 조사당국이 자신이 수집한 정보에 기초하여 청원서 없이 독자적으로 조사를 시작하는 소위 "독자개시"(self-initiation)의 경우도 없지 않으나 대부분의 경우는 수입국 국내 관련 산업의 청원으로부터 상계관세 조사가 시작된다. 국내기업으로부터 아무런 요청도 없는데 조사당국 담당자가 독자적으로 외국 정부의 보조금 프로그램에 대하여 조사를 시작한다는 것은 현실적으로 상정하기 힘들기 때문이다. 상계관세 조사를 활발히 진행하는 미국의 경우도 조사당국인 미국 상무성의 독자개시 케이스는 지난 20년간 2건에 불과할 정도로 미미하다.

조사가 개시되면 조사당국은 먼저 피조사국 정부와 기업에 대하여 질문서(questionnaire)를 송부한다. 동 질문서는 보조금 혐의가 있는 각종 정부 프로그램의 실제 존재 여부 및 운용현황, 그리고 피조사 기업의 일반 영업 정보 및 관련 자료 제출을 요구하는 것이 일반적이다. 조사의 성격에 따라 때로는 방대한 자료 제출을 요구하는 경우도 있어 피조사국 정부 및 기업은 답변서 준비와 제출에 상당한 부담을 느끼는 것이 일반적이다. 피조사국 정부 및 기업은 이러한 답변서 준비 작업에 짧게는 1개월, 길게는 수개월을 투입하게 된다. 피조사국 정부와 기업 입장에서는 이러한 실무적 부담에도 불구하고 가급적 최선의 협조를 제공하고자 노력하는바, 그 이유는 보조금 협정 제12.7조가 규정하고 있는 "이용가능한 정보"(facts available) 원칙 때문이다. 동 원칙은 피조사국 정부 및 기업이 요청된 자료 및 정보를 제출하지 않는 경우 조사당국이 자국 기업이 제출하는 자료를 비롯한 여타 자료를 활용하여 필요한 결정을 도출할 수 있다는 내용이다.[35] 동 원칙이 적용되면 대개의 경우 청원기업이 주장하는 내용이 그대로 채택되므로 상계관세율은 획기적으로 높아지게 된다. 이는 사실상 조사당국에 대하여 백지위임장을 교부하는 것과 다름없다고 할 것이므로[36] 이를 피하기 위하여 피조사국 정부 및 기업은 자료제공에 최선을 다하게 되는 것이다. 이러한 자료에는 정부 및 기업이 민감하게 생각하는 비밀자료도 포함되어 있으나 이용가능한 정보 원칙의 적용을 피하기 위하여 어쩔 수 없이 제출하는 경우가 빈번하다. 이용가능한 정보 원칙은 피조사국 정부 및 기업이 조사당국의 상계관세 조사에 협조하도록 하는 중요한 유인을 제공하고 있다.

이용가능한 정보 원칙은 상계관세 조사에서 다양한 문제를 제기하고 있다. 적지 않은 조사당국이 상당한 분량의 자료 제출을 요구하고 기한까지 제출되지 않은 경우 이용가능한 정보 원칙을 곧바로 적용하기 때문이다.[37] 사실 이용가능

35) 보조금 협정 제12.7조 참조.
36) 실제 분쟁에서의 패널 및 항소기구 판정은 각국 조사당국의 "이용가능한 정보" 원칙의 적용에 관한 재량권을 대폭 인정하고 있는 듯하다. 특별히 조사당국이 재량권을 자의적으로 행사하였다는 증거가 없는 한 대부분의 경우 "이용가능한 정보" 원칙은 지지되고 있다. *Japan-Countervailing Duties on Dynamic Random Access Memories from Korea*(WT/DS336/R) at paras. 7.376-7.398; *Japan-Countervailing Duties on Dynamic Random Access Memories from Korea* (WT/DS336/AB/R), at paras. 230-245; *European Communities- Countervailing Measures on Dynamic Random Access Memory Chips from Korea*, (WT/DS296/R), at paras. 7.236-7.267; *Mexico-Definitive Anti-Dumping Measures on Beef and Rice*, (WT/DS/295/R), at paras. 7.226-7.242; *Mexico-Definitive Anti-Dumping Measures on Beef and Rice* (WT/DS295/AB/R), at paras. 284-298 각각 참조. 이재민, "상계관세 조사와 현지실사: 피조사국 정부차원에서의 실무적 이슈를 중심으로", 「국제경제법연구」 제7권, 제2호(2010년 6월 30일)에서 재인용.
37) 보조금 조사 시 조사당국의 질의 내용은 해당 피조사기업들뿐만 아니라 보조금 조치와 직

한 정보 원칙의 적용은 반덤핑 조사에서도 중요한 문제 중 하나이다. 반덤핑 협정은 제6.8조와 Annex II에서 이용 가능한 정보 원칙의 적용에 대하여 규정하고 있다. 반덤핑 협정 제6.8조는 보조금 협정 제12.7조와 대동소이한 내용이며, 다만 Annex II는 보다 상세한 규정을 도입하고 있다. 현재 WTO 항소기구 판례에 따르면 유사한 내용을 규정하고 있는 반덤핑 협정과 보조금 협정의 관련 조항은 서로 여타 협정의 해석에 교차 적용될 수 있는 것으로 이해되고 있다. 따라서 이용가능한 정보 원칙과 관련한 반덤핑 협정 Annex II는 보조금 협정상 상계관세 조사에도 유사하게 적용됨에 유의하여야 한다.

피조사국 정부와 기업의 답변서를 통해 수집된 자료에 기초하여 조사당국은 예비판정(preliminary determination)을 내리게 된다. 예비판정에서 보조금 긍정 판정이 내려지게 되면 이때부터 해당 수출기업이 생산한 동 품목이 상계관세 조사를 실시한 수입국 영역 내로 수입될 경우 이에 해당하는 상계관세를 납부하여야 한다. 설사 예비판정에서 보조금 부정 판정이 내려지더라도 상계관세 조사가 종료되는 것은 아니며 최종판정까지 조사는 계속되게 된다. 예비판정 이후 조사당국은 피조사국을 직접 방문하여 조사하는 "현지실사"(on-the-site verification)를 실시하게 된다. 현장실사는 조사당국의 담당 조사관이 피조사국 정부 및 기업을 직접 방문하여 답변서에 포함된 정보와 자료의 정확성을 검토하는 과정이다.[38] 물론 주권국가로서 피조사국 정부가 희망하지 않을 경우 현지실사를 거부할 수도 있다.[39] 그러나 이 경우 결국 이용 가능한 정보 원칙의 적용 가능성이 높아지므로[40] 현지실사를 거부하는 사례는 거의 찾아보기 힘들다.

상계관세 조사 과정에서 진행되는 현지실사는 피조사 기업 및 정부 입장에서는 해당 조사를 성공적으로 방어할 수 있는 지 여부를 가름할 결정적인 변수이

간접적으로 관련된 모든 관계 당국 및 산하 정부기관 또는 민간 금융기관 등을 대상으로 관련 자료 제시 및 상세한 답변 제공을 요구하는 경우가 일반적이다. 따라서 피조사기업 또는 정부 당국이 방대한 분량의 답변 자료를 준비하는 과정에서 일부 질의 사항에 대한 답변 내용 또는 이와 관련한 근거 자료들을 누락하였다면 이에 대해 조사당국은 이용가능한 정보(facts available) 원칙을 적용함으로써 제소기업에 유리한 방향으로 예비판정을 내리게 될 개연성은 다분히 높다고 할 수 있다.

38) 보조금 협정 제12.6조 참조.
39) Id.
40) 일반적으로 현지실사를 통하여 그 사실관계가 입증되지 않은 자료는 조사당국이 최종 판정 과정에서 이를 무시할 수 있다.

다. 특히 상계관세 조사의 경우 수출국의 기업뿐 아니라 수출국 정부도 조사하게 되는 바, 정부에 대한 현지실사가 상계관세 조사의 최종결과에 적지 않은 영향을 미치게 된다. 현지실사에 상당한 경험과 기술을 축적한 기업과는 달리 정부의 경우 이러한 경험과 기술이 일천하기 때문이다. 최근 전개된 다양한 상계관세 조사를 토대로 살펴볼 경우 정부에 대한 현지실사는 다양한 실무적 문제를 제기함을 알 수 있다. 이러한 실무적 문제에 대하여 어떻게 대비하느냐에 따라 상계관세 최종판정의 내용은 상당히 달라지게 된다. 나아가 설사 최종판정에서 불리한 결과가 도출되더라도 추후 그러한 최종판정에 대한 사법심사 내지 WTO 분쟁해결절차 회부를 위해서는 일단 현지실사에 대한 철저한 대비와 진행이 필요하다고 할 수 있을 것이다.[41)]

현지실사 후 조사당국은 여타 관련 자료를 최종 검토하고 이해 당사자의 의견 진술을 청취한 후 최종판정(final determination)을 내리게 된다. 최종판정에서도 보조금 긍정 판정이 내려지는 경우 상계관세 부과는 최종 확정되게 되며, 원칙적으로 이때부터 5년간 피조사국이 수출하는 동 상품에 대하여 상계관세가 부과된다.[42)] 5년이 경과하면 일몰재심(sunset review)이 시작되어 상계관세 부과조치의 지속 여부를 결정하게 되기 때문이다. 만약 최종판정에서 보조금 부정 판정이 내려지는 경우 예비판정 이후 기납부한 상계관세는 해당 수출기업에 환급되게 되며 모든 조사는 그 시점에서 종료된다.

최종판정으로 상계관세를 부과받게 된 피조사국 정부 및 기업이 조사당국의 이러한 결정이 부당하다고 판단하는 경우 두 가지의 구제수단을 강구할 수 있다. 하나는 상계관세 부과국의 국내법원에 조사당국의 상계관세 최종판정에 대하여 사법심사(judicial review)를 신청하는 것이며, 또 다른 하나는 피조사국 정부가 조사당국의 결정을 WTO 분쟁해결기구에 제소하는 것이다. 피조사국 기업의 경우에는 독자적인 판단으로 상계관세 부과국의 국내법원에서 사법심사를 신청할 수는 있으나 WTO 분쟁해결기구에의 제소를 위해서는 자국 정부에 이를 요청하는 수밖에 없다. WTO 분쟁해결기구에서는 오직 정부만이 제소적격(standing)을 보유하기 때문이다. 가용 자금과 인력이 충분한 대기업의 경우에는 양 경로를 모두

---

41) 이 문단은 이재민, "상계관세 조사와 현지실사: 피조사국 정부차원에서의 실무적 이슈를 중심으로", 「국제경제법연구」 제 7 권 제 2 호(2010년 6월 30일)에서 재인용.

42) 보조금 협정 제21.3조 참조.

활용하는 경우가 많다.43) 두 경로 중 하나의 경로에서 승소하더라도 구제를 도모
할 수 있기 때문이다.

제 6 절   상계관세 조사와 실질적 산업피해

　　현 보조금 협정하에서 상계관세 부과를 위해서는 보조금 교부 사실 뿐 아니
라 이와는 별도로 실질적 산업 피해가 입증되어야 한다. 즉, 보조금을 교부 받은
수출국 상품으로 인하여 동종상품을 생산하는 수입국의 국내산업이 실질적 피해
(material injury)를 입었거나 또는 장차 이러한 피해의 위협(threat)이 존재함이 입증
되어야 한다.44) 특히 실질적 산업피해의 "위협"은 단순한 추측이나 개연성이 아
닌 명백히 예측가능하고 임박한(clearly foreseen and imminent) 사실에 기초하여야
한다.45) 실질적 산업 피해 "위협"의 경우 현재의 피해가 아닌 미래의 피해를 그
대상으로 한다는 차원에서 조사당국이 보다 신중한 입장을 취하도록 독려하는
취지이다.

　　여기에서 말하는 실질적 산업 피해라는 용어의 의미는 별도로 정의되어 있
지 않으나 대체로 "무시할 수 없는" 또는 "상당한"이라는 의미이다. 즉, 보조금
교부 수입품으로 인한 국내시장의 피해가 최소한 무시할 수 없을 정도로 상당한

---

43) 가령, 미국, 유럽연합 및 일본에 각각 상계관세를 부과받은 우리나라의 하이닉스 반도체
　　의 경우 WTO 제소와 함께 미국의 Court of International Trade(2003), 유럽연합의 Court of
　　First Instance(2002), 그리고 일본의 관할 지방법원(2006)에 문제의 상계관세 부과조치에
　　대하여 각국의 조사당국을 각각 제소한 바 있다.
44) GATT 1994 제VI: 6(a)조; 보조금 협정 제15조 및 제16조 각각 참조.
45) 보조금 협정 제15.7조 참조. 특히 실질적 산업 피해의 "위협"을 결정하기 위하여 조사당국
　　은 다음의 사항을 고려하여야 한다: (a) 문제된 보조금의 성격 및 그로 인하여 야기될 수
　　있는 무역효과, (b) 상당히 증가된 수입의 가능성을 나타내는 보조금을 받은 수입의 국내
　　시장으로의 현저한 증가율, (c) 추가적 수출을 흡수하는 다른 수출시장의 이용 가능성을
　　고려하여, 수입회원국 시장으로의 상당히 증대된 보조금을 받은 수출의 가능성을 나타내는
　　수출자의 충분하고 자유롭게 처분 가능한 생산 능력 또는 수출자의 생산 능력의 급박하고
　　상당한 증가, (d) 수입이 국내가격에 대한 현저한 하락 또는 억제효과를 갖는 가격으로 반
　　입되고 또한 추가수입에 대한 수요를 증가시키는지 여부, (e) 조사대상인 상품의 재고 현
　　황이 그것이다. 이러한 다섯 가지 요소 중 어느 것도 결정적 판단기준은 아니나, 조사당국
　　은 이들 요소를 종합적으로 고려하여 장래의 보조금을 받은 수출이 임박하고 또한 보호조
　　치가 없이는 실질적 피해가 발생할 수 있을 것이라고 결정하여야 한다.

수준에 이르러야 한다는 것이다. 실질적 피해는 긴급수입제한조치(safeguards) 부과 시에 요구되는 "심각한 피해"(serious injury)보다는 덜 엄격한 요건이다. 공정무역에 대한 일종의 비상조치로서 실시되는 긴급수입제한조치의 경우에 있어서는 불공정 무역행위인 보조금 교부에 대응하기 위한 상계관세 부과의 경우보다는 높은 수준의 피해요건이 요구되는 것은 일면 당연하다고 할 수 있겠다.

이러한 실질적 산업 피해 요건 역시 수입국 조사당국에 의하여 조사되고 입증된다. 미국이나 캐나다와 같이 보조금을 조사하는 조사당국과 별도로 실질적 산업 피해를 조사하는 조사당국을 설치하는 국가도 있으나 대부분의 국가는 동일한 조사당국이 보조금 조사와 실질적 산업 피해 여부를 동시에 조사한다.46) 설사 조사당국이 동일하더라도 양 요건은 전혀 성격을 달리하는 것으로 별도의 항목을 통하여 독자적으로 입증되어야 함은 물론이다.

실질적 산업 피해의 입증은 명백한 증거(positive evidence)의 객관적 검토(objective examination)를 통하여 이루어져야 한다.47) 여기에서 "명백한 증거" 요건은 실질적 산업 피해의 검토가 진실성을 담보할 수 있는 정확한 자료와 데이터에 기초하여 이루어져야 한다는 것이며, 객관적 검토 요건은 실질적 산업 피해를 심리하는 조사당국이 모든 관련 사실관계를 검토하고 이러한 사실관계 전체가 어떻게 조사당국이 내리게 된 결정을 지지하는지 합리적으로 설명하여야 함을 의미한다. 특히 실질적 산업 피해의 심리는 법리 공방이라기보다는 관련 산업의 현황과 시장 상황에 대한 복잡한 수식과 데이터 분석에 기초하여 이루어지므로 관련 자료의 포괄적인 수집과 이에 대한 정확한 평가가 필수적이라 할 수 있다. 이러한 측면에서 이 요건은 상당히 중요한 의미를 내포하고 있다.

실질적 산업 피해는 크게 가격효과와 수량효과로 나뉘어져 검토된다.48) 먼저 가격효과는 보조금을 교부받은 수입품의 유입으로 인하여 해당국 국내시장에서 가격하락이 발생하였는지 여부에 관한 것이다. 보조금 교부로 인하여 인위적으로 가격이 하락된 상품이 수입국 국내시장에서 판매된다면49) 이와 경쟁하는 수입국

---

46) 실질적 피해요건을 검토하는 미국의 조사당국은 미국 연방 국제무역위원회(United States International Trade Commission)이다. 우리나라의 경우에는 산업자원부 산하 무역위원회가, 일본의 경우에는 재무성이, 유럽연합의 경우에는 집행위원회가, 중국의 경우에는 상무부가 보조금과 실질적 산업피해 양 요건을 동시에 조사하는 조사당국의 역할을 수행한다.
47) 보조금 협정 제15.1조 참조.
48) 보조금 협정 제15.2조 참조.

국내기업도 동종상품에 대한 가격 하락을 실시하여야 경쟁력을 유지할 수 있을 것이다. 마찬가지로 설사 수입국 국내시장에서 가격 하락이 아니라 가격 상승이 발생하였다고 하더라도 보조금을 교부 받은 수입품의 존재로 인하여 가격 상승의 폭이 둔화되었다면 이 역시 가격 효과가 존재하는 것으로 간주된다. 다음으로 수량 효과는 보조금을 교부 받은 상품의 수입량이 증가하였는지 여부를 검토하는 것이다. 수입국 국내시장으로의 보조금 교부 상품의 수입량이 증가하였다면 그만큼 산업 피해의 개연성과 강도는 높아지게 될 것이다. 여기에서 말하는 수입량의 증가는 절대적 증가뿐 아니라 여타 국가로부터의 수입량과 비교한 상대적 증가의 경우도 포함한다. 따라서 조사기간 중 피조사국으로부터의 절대적 수입량은 정체되거나 감소되었다고 하더라도 여타 국가로부터의 동종 상품 수입량에 비하여 상대적인 시장 점유율이 높아지고 있다면 수량 효과의 존재를 인정할 수도 있게 된다.

또한 실질적 산업 피해 검토에 있어서 중요한 것은 보조금 교부 수입품이 아닌 다른 이유로 인하여 야기된 국내산업에 대한 실질적 피해가 전자에 의한 피해로 귀속되어서는 아니 된다는 것이다. 이를 "비귀속 원칙"(non-attribution)이라고 한다.[50] 특정 산업 또는 기업이 산업 피해를 입게 되는 요인에는 다양한 이유가 있을 수 있다. 가령, 설사 실질적 산업 피해가 존재하였다고 하더라도 그 주요 원인은 해당 산업에 관한 전 세계적 불황일 수도 있고, 해당 산업에 원자재를 공급하는 하위 산업의 몰락일 수도 있으며, 또는 국내 소비자 구매력의 감소로 인한 해당 상품에 대한 기본적 수요 감소일 수도 있을 것이다. 따라서, 조사당국 입장에서는 과연 이러한 다양한 원인 중 무엇이 자국 해당 산업의 실질적 산업 피해를 야기한 주요 원인인지를 정확하게 판단하는 것이 중요하다. 물론 다양한 원인의 산업 피해에 대한 개별적인 기여도를 계량화하여 비교할 수 있다면 편리할 것이나 그러한 분석은 용이하지 않을 것이다. 그러나 조사당국은 최소한 보조금 교부 수입품이 이러한 다양한 원인 중 압도적인 지위를 차지하고 있음을 입증하여야 할 것이다. 아무리 산업 피해의 상황이 심각하다고 하더라도 그 원인이 보조금 교부 수입품이 아닌 다른 곳에 있는 경우에는 실질적 산업 피해 요건이 충족되지 않은 것이 되며 따라서 보조금 존재여부와 상관없이 상계관세 부과는 허용

---

49) 이를 "저가 판매"(underselling)라고 한다.
50) 보조금 협정 제15.4조 참조.

되지 않는다.

 따라서 실질적 산업 피해를 심리하는 수입국 조사당국은 사실상 다음과 같은 두 단계의 의사 결정과정을 거친다. 첫 번째는 먼저 해당 산업이 실질적 산업 피해를 겪고 있는가, 다시 말해 해당 산업의 현재 경영 상황이 이전에 비하여 상당히 악화되어 있는가를 검토하는 것이다. 두 번째는 이러한 실질적 산업 피해가 존재한다고 할 경우 그 주요 원인이 보조금을 교부 받은 수입품에 있는가 하는 것이다. 바꾸어 말하면 상계관세 조사에 임하는 피조사국 정부 및 기업은 실질적 산업 피해를 담당하여 검토하는 조사당국의 조사과정에서 두 가지를 기본적으로 주장하게 된다. 첫 번째는 수입국의 관련 산업은 현재 실질적 산업 피해를 입고 있지 않고 있으며, 두 번째는 설사 그러한 산업 피해가 존재한다고 가정하더라도 그 피해는 피조사국으로부터의 수입품 때문이 아니라는 점을 주장하게 될 것이다. 이러한 두 가지 주장 중 하나에서만 피조사국 입장이 지지된다면 실질적 산업 피해는 부정되고 궁극적으로 보조금 존재 여부와 상관없이 상계관세 부과는 불가능하게 된다. 상계관세 부과를 위해서는 보조금의 존재와 실질적 산업피해의 존재라는 양자가 공히 요구되기 때문이다.

 결국 이를 정리하면 상계관세 조사를 받는 정부 및 기업의 입장에서는 특정 프로그램에 관하여 다음을 입증함으로써 성공적인 방어를 도모할 수 있다. 먼저 보조금 협정상 보조금의 구성요건인 3가지 중 하나가 부재함을 보여줌으로써 보조금의 부재를 입증하는 방법이다. 또는 산업피해 요건으로 가서 실질적 산업피해가 부재함을 보여주거나 또는 그러한 피해가 존재함에도 불구하고 그 원인이 다른 곳에 있음을 보여주어 인과관계를 단절시킴으로써 산업피해의 부재를 입증하는 방법이다. 둘 중 하나만 입증이 되더라도 상계관세 부과는 불가능하게 되어 성공적인 방어가 가능하다. 상계관세 조사를 받는 기업의 경우 구체적인 조사 상황에 따라 때로는 전자에, 때로는 후자에, 또 때로는 양자 모두에 인력과 자원을 동원하여 방어에 나서게 된다.

제 7 절　보조금 협정 개정과 수산보조금

 2001년 이래 진행되어 온 DDA 협상은 2018년 18년째로 접어들고 있다. 최근 보호무역주의의 확산과 다자주의 체제에 대한 신뢰 저하로 DDA 동력은 상당부분 상실되었다. 어쨌든 그간 DDA 협상에 포함된 주요 의제 중 하나는 보조금 협정을 개정하는 것이다. 이 협상은 규범협상(Rules Negotiation) 맥락에서 진행되어 오고 있다. 보조금 협정 개정의 중심에 서 있는 이슈 중 하나는 소위 "수산보조금(fisheries subsidies)" 규제 문제이다. 수산보조금 규제 문제가 대두된 배경은 세계 어족자원의 보호를 위해서는 각국 정부가 자국 수산업에 제공하는 다양한 보조금을 감축 또는 철폐하는 것이 시급하다는 국제사회의 인식이다. 즉, 어족자원 보호라는 환경적 목적을 달성하기 위하여 기존의 WTO 보조금 협정에 수산 보조금 관련 Annex를 새로이 추가하여 수산분야 보조금 교부조치를 광범위하게 규제하자는 것이다. 농업정책과 마찬가지로 수산업정책 역시 WTO 각 회원국의 국내 정치 및 사회적 상황과 밀접하게 연관되어 있으므로 이를 둘러싼 각국의 입장 조율은 쉽지 않으며 각 영역에서 회원국간 첨예한 대립을 보이고 있는 상황이다.[51]

2007년 11월 DDA 규범협상 의장은 그간의 수산보조금 협상 내용을 총정리하여 자신의 초안을 회원국에 제시한 바 있다.[52] 이 초안이 각국으로부터 적극적인 지지를 획득하지 못하고 오히려 혼선만 가중되자 의장은 새로운 돌파구를 마련하고자 2008년 12월 협상의 모멘텀을 살리기 위한 로드맵을 다시 회원국에게 제시하기에 이르렀다.[53] 규범협상 의장의 이러한 노력에도 불구하고, 2011년 결국 최종타결에는 실패하였다. 그 이후에도 이 분야에서 지속적인 협상이 이어졌으나 아직 수산보조금 핵심 이슈에 대한 회원국간 컨센서스는 확립되어 있지 않은 것으로 보이며, 안타깝게도 여전히 원점에서만 맴돌고 있는 것으로 판단된다. 다만 2020년 이후 진행 중인 최근 협상을 통하여 현 국면을 타개할 수 있는 새로운 전기가 마련될 가능성은 높은 것으로 보이며, 이 경우 수산보조금 협상은 급물살을 타고 진행될 여지도 무시할 수 없다.[54]

흥미로운 것은 수산보조금 협상과정에서 기존의 보조금 관련 주요 분쟁의 핵

---

51) 이 문단의 내용은 이재민, "DDA 수산보조금 논의 현황에 대한 검토: 법률적 이슈를 중심으로", 「국제법학회논총」 제54권 제 3 호(2009년 12월 30일)에서 재인용.

52) WTO Negotiating Group on Rules, *Draft Consolidated Chair Texts of the AD and the SCM Agreements*(TN/RL/W/213) (Nov. 30, 2007).

53) WTO Negotiating Group on Rules, *New Draft Consolidated Chair Texts of the AD and the SCM Agreements*(TN/RL/W/236) (Dec. 19, 2007) (이하 "의장로드맵").

54) 이 문단의 내용은 이재민, "DDA 수산보조금 논의 현황에 대한 검토: 법률적 이슈를 중심으로", 「국제법학회논총」 제54권 제 3 호(2009년 12월 30일)에서 재인용.

심 쟁점이 다시 한번 WTO 회원국간 심도 있게 논의되고 현 보조금 협정의 의미와 한계가 다시 한번 확인되게 되었다는 것이다. 그리고 동시에 보조금 협정의 광범위한 적용 가능성과 정치적 민감성을 동시에 노정시켜 주기도 하였다. 수산보조금 협상은 어족자원의 보호라는 그 현실적 필요성 이외에도 현 보조금 협정의 다양한 유용성과 문제점을 동시에 보여주는 의미 있는 협상이라고 볼 수 있을 것이다.

제 8 절 보조금 분쟁에 대한 효과적인 대응 필요성

그간 우리나라는 다양한 형태의 보조금 분쟁에 지속적으로 노출되어 왔다. WTO 분쟁해결절차와 각국의 상계관세 조사절차에서 우리나라에 대한 보조금 제소 및 상계관세 조사는 지속적으로 이어져왔다. 이러한 분쟁으로는 WTO 분쟁해결절차에서 우리나라 반도체 산업 및 조선산업과 관련하여 각각 진행된 U.S.-DRAMs, EC-DRAMs, Japan-DRAMs, Korea-Commercial Vessels 사건을 들 수 있으며, 각국의 조사당국이 실시한 상계관세 조사로는 끊이지 않고 이어지고 있는 우리 반도체, 철강, 제지 및 가전업계에 대한 다양한 보조금 다툼과 판정을 들 수 있다. 그 결과, 우리나라의 보조금 내지 관련 정책에 대해서는 적지 않은 국가들이 면밀히 모니터링하고 있는 형편이다.[55] 가령, 미국 정부는 자국의 무역구제 제도 운영과 관련하여 한국을 상습 보조금 교부국으로 지정하여 유무형의 불이익을 부여하고 있는 상황이다.[56] 미국 및 EU 등과 FTA가 체결된 이후에 오히려 이들 주요 교역대상국들의 이러한 보조금 공세는 더욱 고삐를 죄고 있는 듯한 모습을 보이고 있어 우리의 우려를 자아내고 있다. 보호무역주의가 전

---

55) 법무부, 「보조금협정 연구」(2003 국제통상법률지원단 연구총서), p. 4.
56) 이 문단의 내용은 이재민, "DDA 수산보조금 논의 현황에 대한 검토: 법률적 이슈를 중심으로," 「국제법학회논총」 제54권 제 3 호(2009년 12월 30일)에서 재인용. 가령, 미국 상무성은 한국을 태국 및 인도네시아와 함께 상습 보조금 교부국으로 지정하여 한국산 상품을 사용하는 중국 등 비시장경제체제(NME) 국가 상품에 대한 반덤핑 조사 등에서 이들을 차별 대우를 하도록 규정하고 있는 상황이다. 이러한 지정은 특정 산업에 대한 구체적인 보조금 교부를 문제시 하는 것이 아니라 그간의 정부 정책의 기조를 전체적으로 감안할 때 한국 정부는 보조금 교부를 기본 정책의 하나로 채택하고 있으므로 한국의 모든 산업이 특단의 사정이 없는 한 보조금 정책의 영향권 하에 위치하고 있다는 미국 상무성의 공식적인 입장을 반영하고 있는 것으로 볼 수 있다.

세계적으로 확산되며 이러한 움직임이 우리나라에 대하여는 보조금 공세의 모습
으로 나타나는 양상을 보여주고 있다.

우리의 경우 이와 같이 보조금 협정에 따른 조사 또는 제소를 당하는 빈도가
상대적으로 높다고 본다면 보조금 관련 분쟁의 동향과 법리 발전에 지속적인 관
심을 기울일 필요가 있다. 상당수의 보조금 관련 분쟁은 제도 및 법령의 정비를
통하여 사전에 회피할 수도 있기 때문이다. 그간의 보조금 분쟁이 보여주고 있듯
이 보조금 분쟁은 일단 발생하게 되면 5-10년이라는 장기간에 걸쳐 우리에게 부
담을 주게 된다. 특히 수출을 주로 하는 우리 기업들에게는 거의 치명적인 결과
를 초래하기도 한다. 따라서 가급적 사전에 철저히 대비하고 또 분쟁 발생시에도
초창기 주도면밀한 대응으로 조기에 분쟁을 종결시킬 수 있도록 다양한 방법을
강구하는 것이 필요하다.

보조금 협정은 전문(preamble)이 부재하다는 그 독특한 형식이 보여주듯 우루
과이 라운드 협상 당시부터 국가들간 입장차이가 극명히 나타나던 영역이다.[57]
바로 회원국 정부의 경제정책 및 산업발전정책과 규제대상 보조금 정책과의 관
계를 어떻게 설정하고 양자를 어떻게 구별할 것인지에 관하여 회원국간 의견조
율이 용이하지 않았기 때문이다.[58] 한편으로 각국 정부의 자국 산업 지원조치는
2008년 금융위기 이후 더욱 확대, 강화되는 양상을 보이고 있다. 또한 4차 산업혁
명, 지구 온난화에 대한 대응 조치 등 새로운 국가적 과제가 등장함에 따라 정부
의 지원조치는 더욱 다양하게 진행될 수밖에 없는 형국으로 이어지고 있다. 따라
서 앞으로도 국제사회에서 보조금 분쟁은 장기적으로 증가할 것으로 예측된다.
각국의 이해관계가 균형 있게 반영되고, 자유무역의 달성이라는 WTO의 기본목
적이 준수되며, 또 한편으로는 각국의 정당한 경제정책 채택의 가능성이 보장되
는 방향으로 WTO 보조금 협정과 관련 법리가 발전되는 것이 필요할 것이다.

---

57) 법무부, 「보조금협정 연구」(2003 국제통상법률지원단 연구총서), p. 19 참조.
58) Id.; 이병조, 이중범, 「국제법신강」(일조각, 2008), p. 721; 김대순, 김민서, 「WTO法論」(삼
    영사, 2006), p. 141 각각 참조.

제20장
세이프가드협정

제1절 머리말

세이프가드조치는 반덤핑관세 및 상계관세와 더불어 무역구제조치의 하나이다.[1] 세이프가드조치는 국내산업에 미칠 영향에 대한 불확실성으로 인하여 시장개방협상에 소극적인 국가들의 적극적인 참여를 유도하기 위하여 도입한 안전장치이다.[2] 세이프가드에 관한 규정으로 GATT 1994 제19조가 있으며 동 조항은 세이프가드조치의 발동요건 등을 규정하고 있다.[3]

GATT 회원국들은 GATT 제19조를 부과하는 데에 한계를 인식하여 우루과이라운드협상에서 개선방안을 논의하였다. 우루과이라운드협상에서 보다 상세하고 향상된 내용을 담은 별도의 세이프가드협정에 합의하였으며 동 협정은 1995년 1월 1일에 발효되었다.[4] WTO체제가 출범한 이후 WTO 회원국들이 다양한 제품에

---

[1] 세이프가드조치는 발동요건과 규제대상 측면에서 반덤핑관세 및 상계관세와 상이하다. 세이프가드분쟁을 다룬 US-Line Pipe 항소기구는 반덤핑관세와 상계관세는 불공정무역행위(unfair trade)에 대한 조치인 반면에 세이프가드조치는 공정무역행위(fair trade)에 대한 조치라고 밝혔다(US-Line Pipe 항소기구보고서, 제80항).

[2] 무역협정에 세이프가드조항을 포함한 주된 이유는 양허하는 회원국들에게 사후적으로 어느 정도 신축성을 부여하며 또한 협상단계에서 동 국가들의 협력을 유도하기 위한 것이다. Bernard M. Hoekman and Michel M. Kostecki, *The Political Economy of the World Trading System: The WTO and Beyond*, 3rd ed. (Oxford: Oxford University Press, 2009), p. 415.

[3] GATT 제19조는 1942년에 미국과 멕시코간 체결한 협정에 포함된 조항에 기초하여 제정되었다. Gilbert R. Winham, *International Trade and the Tokyo Round Negotiation* (Princeton: Princeton University Press, 1986), p. 39.

[4] 우리나라는 WTO 세이프가드협정을 반영하여 〈불공정무역행위 조사 및 산업피해구제에 관한 법률〉 제15조-제20조의2에 세이프가드조사와 세이프가드조치와 관련된 사항을 규정하고 있으며 동법 시행령에 세부사항을 명시하고 있다. 미국의 세이프가드규정은 1974년 무역법 제201조이며 EU의 세이프가드규정은 Regulation (EC) No 260/2009(WTO 회원

대하여 세이프가드조사를 진행하였으며 일부 제품에 대해서는 긍정판정을 내린
뒤 세이프가드조치를 발동해 오고 있다.[5] 또한 수출국들이 일부 세이프가드조치
와 관련하여 세이프가드협정을 위반하였다고 주장하면서 WTO에 제소하였다.[6]

　　본 장에서는 WTO 세이프가드협정을 실제 부과할 때 제기되는 이슈들을 세
이프가드 관련 WTO분쟁사례와 함께 분석하고자 한다. 먼저 세이프가드조치의
발동을 살펴본 뒤에 조사관련 이슈와 조치의 부과와 관련된 이슈를 분석한다. 그
리고 보상과 개도국우대조항 및 FTA와의 관계에 대해서 분석한 뒤에 향후 이슈
들을 제시하고자 한다.

제 2 절　발동요건

　　WTO 회원국은 특정 수입품이 증가하여 동 수입품과 동종상품이거나 직접적
으로 경쟁하는 상품을 생산하는 국내산업에 심각한 피해를 유발하였거나 유발할
우려가 있는 경우에 세이프가드조치를 취할 수 있다.[7] 따라서 조사당국은 발동요
건인 (i) 수입증가와 (ii) 국내산업에 심각한 피해 유발이나 피해 우려 및 (iii) 수입
증가와 심각한 피해와의 인과관계의 충족여부를 조사하며 충족시 세이프가드조
치를 취할 수 있다. 여기서 각 발동요건에 대한 구체적인 규정과 통상법적 이슈
들을 분석하고자 한다.[8]

국 대상)과 Regulation (EC) No 625/2009(WTO 비회원국 대상)이다. 세이프가드조치를 세
번째로 많이 부과한 터키의 세이프가드규정은 Decree on Safeguard Measures for
Imports(2004년 5월 29일 공표(관보 제25476호) 및 발효)와 Regulation on Safeguard
Measures of Imports(2004년 6월 8일 공표(관보 제25486호) 및 발효)이다.

5) 1995년 1월 1일부터 2017년 12월 31일 기간에 WTO 회원국들은 총 166건의 세이프가드조
치를 발동하였다. 이 중에서 인도가 21건으로 가장 많으며 인도네시아가 17건, 터키가 16
건, 칠레와 요르단이 각각 9건, 필리핀이 8건, 미국이 6건, EU가 3건 그리고 우리나라가 2
건을 발동하였다. 한편 동 기간에 WTO 회원국들은 3,604건의 반덤핑조치와 257건의 상계
관세를 부과하였다.

6) 세이프가드협정관련 WTO 분쟁사례로 Korea−Dairy, Argentina−Footwear, Argentina−
Preserved Peaches, US−Lamb, US−Line Pipe, US−Steel Safeguards, US−Wheat Gluten,
Dominican Republic−Safeguard Measures, Ukraine−Passenger Cars 등이 있으며 뒷부분에
서 이슈별로 논의하고자 한다.

7) SG협정 제2.1조.

8) US−Line Pipe 항소기구는 세이프가드조치를 취할 수 있는 권리와 세이프가드조치의 합법

1. 수입 증가

(1) 절대적 또는 상대적 수입 증가

세이프가드조사시 조사당국이 가장 먼저 하여야 할 일은 조사대상 수입품의 증가여부를 판정하는 것이다.[9] 그런데 협정은 세이프가드조치의 첫 번째 요건인 수입증가여부를 판단하는 기준을 명시하지 않고 있기 때문에 현실적으로는 조사당국이 자의적으로 판단할 수 있다. 또한 그런 자의적인 해석이 가능하기 때문에 수입국과 조사대상 수출국간에 동 요건의 충족여부에 대한 상이한 해석으로 인하여 WTO 분쟁으로 이어질 수 있다.

Argentina-Footwear 항소기구는 수입품의 증가여부를 판단하기 위해서는 대표적인 기간(종종 5년)에 발생한 추세(trend)를 고려해야 한다고 밝혔다. 또한 동 항소기구는 심각한 피해나 피해우려를 유발하기에 충분할 정도로 양적으로나 질적으로 최근의 갑작스럽고[10] 급격하며 상당한 규모(recent enough, sudden enough, sharp enough, and significant enough)의 수입증가이어야 한다고 강조하였다.[11][12]

US-Steel Safeguards 항소기구는 세이프가드협정 제2.1조가 판정시점에서 수입이 증가하고 있어야 할 것을 요구하는 것은 아니라고 밝혔다. 또한 동 항소기구는 조사대상기간이 종료되는 시점에서 수입이 감소하였다고 하여 조사당국이 수입증가요건이 충족되었다는 판정을 내리지 못하는 것은 아니며,[13] 수입증가요

적인 부과를 구분하였다. 동 항소기구는 세이프가드조치를 취할 권리가 존재하기 위해서는 회원국은 SG협정 제2.1조상의 모든 요건과 GATT 1994의 제19조를 충족하여야 하며 조치의 부과가 합법적이기 위해서는 세이프가드조치가 발생한 피해를 상쇄하기에 필요한 범위만큼만 부과되어야 한다고 밝혔다.

9) 수입품의 증가는 절대적인 증가 또는 상대적인 증가 모두 해당된다. 이 때 상대적 증가란 조사대상기간에 조사대상 수입품의 물량은 감소하였지만 국내시장에서 차지하는 비중(시장점유율)이 증가한 경우를 의미한다. SG협정 제2.1조.

10) US-Steel Safeguards 패널은 '갑작스러움(sudden)'을 일종의 비상상황과 동의어로 이해하였다.

11) Ukraine-Passenger Cars 패널은 우크라이나가 수입자동차의 증가여부를 판단할 때에 추세를 적절히 분석하지 않았을 뿐만 아니라 수입증가가 "충분히 갑작스럽고 급격하고 상당한 규모(sudden enough, sharp enough and significant enough)"인지 밝히지 않았기 때문에 협정 제2.1조를 위반하였다고 판정하였다(패널보고서 제7.139항과 제7.148항).

12) US-Steel Safeguards 패널은 상대적인 수입증가여부를 검토하지 않았다 하더라도 절대적 수입증가가 충분히 최근의 갑작스럽고 급격하며 상당한 규모에 달하면 SG협정 제2.1조상 수입증가요건을 충족한다고 밝혔다(패널보고서 제10.234항).

건이 충족되었다는 판정에 대한 합리적이고 적절한 설명이 중요하다고 밝혔다.[14]

(2) 예상하지 못한 상황

조사당국이 조사대상기간에 단순히 수입이 증가한 사실을 밝히는 것으로는 수입증가 요건이 충족되었다고 볼 수 없다. 조사당국은 단순한 수입증가가 아니라 예상하지 못한 상황의 발생과 수입국 의무사항의 발효로 인하여 수입이 증가하였다는 것을 증명하여야 한다. 동 요건은 세이프가드협정에는 명시되지 않은 요건이기 때문에 논란의 여지가 있으나 WTO 분쟁 판례에 기초하여 확립되었다.

GATT 1994 제19조 제1항 제(a)호는 예상하지 못한 상황과 수입증가의 연계성을 규정하고 있다. 동 조항은 예상하지 못한 상황과 회원국의 의무사항이 발효된 "결과로" 수입이 증가하여 해당 수입품과 동종상품이거나 직접적으로 경쟁하는 상품을 생산하는 국내산업에 심각한 피해를 유발하거나 유발할 우려가 있는 경우에 세이프가드조치를 취할 수 있다고 명시하고 있다. 한편 WTO 세이프가드협정에는 세이프가드 발동요건의 하나인 수입증가가 예상하지 못한 상황에 따른 것이어야 한다는 규정을 명시적으로 두지 않고 있기 때문에 논란의 여지를 안고 있다.

Argentina-Footwear 항소기구는 세이프가드조치 발동을 위해서 수입증가와 심각한 피해 및 인과관계의 증명만으로 충분하지 않고 수입증가가 예상하지 않은 상황의 결과라는 점을 제시하여야 한다고 밝혔다. 그리고 동 항소기구는 예상하지 않은 발전이 발동요건이 아니라 사실 문제로서 밝혀야 할 하나의 상황(a circumstance)이라고 밝혔는데 동 입장이 오히려 혼란을 가중시키고 있다는 평가를 받기도 한다.[15)16)] 조건과 상황은 별다른 차이가 없으며 그 이후 분쟁사례에서 예상하지 않은 발전요건을 충족하지 않으면 WTO회원국들은 세이프가드조치를 합법적으로 취할 수 없다는 점이 확인되었다. 이와 관련하여 US-Steel Safeguards 항

---

13) US-Steel Safeguards 항소기구보고서 제367항.

14) US-Steel Safeguards 항소기구보고서 제368항과 제370항.

15) Jasper M. Wauters, "The Safeguards Agreement-An Overview", in *Law and Economics of Contingent Protection in International Trade* (Kyle W. Bagwell, George A. Bermann and Petros C. Mavroidis, eds.(Cambridge: Cambridge University Press, 2010), p. 339.

16) US-Steel Safeguards 항소기구는 예상하지 못한 상황은 조건이 아니라 단순히 상황이므로 다른 심사기준이 부과되어야 한다는 미국측 주장을 기각하였다(항소기구보고서 제274항-제276항).

소기구는 수입국은 예상하지 않은 발전뿐만 아니라 예상하지 않은 발전과 조치 부과대상 상품별 수입증가와의 논리적 연계성(logical link)도 증명하여야 한다고 밝혔다.[17)

WTO 항소기구가 예상하지 못한 상황에 따른 수입증가를 증명할 것을 요구하자 일부 WTO 회원국의 조사당국은 세이프가드 판정시 수입증가가 예상하지 못한 상황에 기인하는 것인지 여부를 검토하기 시작하였다. US-Steel Safeguards 분쟁에서 미국 조사당국인 USITC는 예상하지 못한 상황으로 인하여 수입이 증가하였다고 판정하였고 밝혔다. USITC는 예상하지 못한 상황으로 1990년대 말 아시아 금융위기와 미국 달러화의 강세 및 미국의 호경기를 제시하였지만 패널은 조사당국이 예상하지 않은 발전과 수입증가의 연계성에 대하여 충분하고 적절하고 합리적인 설명(sufficient, adequate and reasoned explanation)을 하지 않았다고 판정하였다. 항소기구도 조사당국은 예상하지 못한 상황이 발생했다는 것을 뒷받침하는 합리적이고 적절한 설명[18)을 하여야 한다고 밝혔다. 또한 동 항소기구는 WTO 회원국이 예상하지 못한 상황에 따른 수입증가인지 여부를 판정에 적절한 자료를 검토하였다는 사실만으로는 예상하지 못한 상황 요건을 충족하였다고 말할 수 없으며 더 나아가서 동 자료가 예상하지 못한 상황 요건을 어떻게 충족시켰는지도 설명하여야 한다고 밝혔다.

예상하지 못한 상황에 따른 수입증가여부를 판단하는 객관적인 기준이 확립되어 있지 않아서 분쟁소지가 있다. 한편 WTO체제가 출범하기 전에 GATT 제19조 제1항 제(a)호에 규정된 예상하지 못한 상황 요건 충족과 관련된 분쟁사례가 있으며 동 사례가 유용한 지침을 제공할 수 있다. 체코슬로바키아산 털모자에 대한 미국의 세이프가드조치에 관한 US-Fur Felt Hats 사건으로 동 사건을 검토한 1951년 GATT 작업반은 모자 스타일이 변했다는 사실이 GATT 제19조상 예상하지 않은 발전이라고 볼 수 없다고 밝혔다. 그러나 동 작업반은 패션 변화가 경쟁 상황에 미친 정도가 1947년에 미국이 예상했으리라고 합리적으로 기대될 수 없었으므로 예상하지 못한 상황과 관세양허의 결과로 수입이 증가하여야 한다는

---

17) Korea-Dairy 사례에서부터 최근의 Ukraine-Passenger Cars 사례까지 제소된 모든 세이프가드조치들이 예상하지 못한 상황 요건을 충족하지 못하였다.

18) US-Steel Safeguards 패널은 예상하지 못한 상황에 대한 조사당국의 설명이 충분하고 적절한지 여부는 사안에 따라 다를 수 있다고 밝혔다.

GATT 제19조의 요건이 충족된 것으로 간주될 수 있다고 밝혔다.[19][20]

수입국이 어느 시점에서 예상하지 못하여야 하는지가 이슈로 제기되었다. Argentina-Preserved Peaches 패널은 예상하지 못한 상황은 양해가 이뤄졌을 때 예상하지 못한 상황이어야 한다고 밝혔다.[21] 이와 관련하여 Pauwelyn 등은 우루과이라운드에서 채택된 GATT 1994가 GATT 1947과 여러 양해(understanding)로 구성되어 있으나 GATT 1994의 핵심이 GATT 1947인 점을 고려할 때 예상하지 못했는지 여부를 판단하는 기준시점이 1947년이어야 하는지 아니면 1994년이어야 하는지 문제를 제기하고 있다.[22] 그리고 일부 학자는 만일 1960년대의 케네디라운드와 1970년대말에 협상이 완료된 도쿄라운드 이후에 양허가 이뤄지지 않은 경우에 양허시점과 세이프가드조사시점과 상당한 시차가 존재하므로 예상하지 못한 상황 요건을 충족시키기에 무리가 있다고 언급하면서 가장 최근에 진행된 다자무역협상의 종료시점을 기준시점으로 삼아야 한다고 주장한다. 예상여부의 판단시점과 관련하여 Trebilcock은 항소기구의 판정에 기초할 때 해당 상품에 대한 양허관세가 가장 최근에 이뤄진 시점으로 보인다고 밝혔다.[23]

또한 예상하지 못했는지 여부를 판단하는 주체에 대해서도 논란의 소지가 있다. 다시 말하면, 수입국이 예상하지 못했어야 하는지 아니면 수출국이 예상하지 못했어야 하는지 아니면 제3국이 보기에 예상하지 못했어야 하는지 등에 대한 논의가 필요하다.

세이프가드 발동요건으로 예상하지 못한 상황으로 인한 수입증가를 요구하는 항소기구 판정에 대한 비판적인 시각들이 있다. 세이프가드협정 제1조는 일반 규정이며 세이프가드 발동요건을 규정하지 않고 있을 뿐만 아니라 동 협정 제

---

19) US-Lamb 패널은 US-Fur Felt Hats 사건의 1951년 작업반 보고서를 기초로 해당 수입증가가 예상하지 못한 상황의 결과인지 여부를 검토하였다.

20) Argentina-Footwear와 Korea-Dairy 패널들은 US-Fur Felt Hats 보고서가 예상하지 못한 상황 요건을 GATT 제19조의 문맥을 벗어나서 해석하였다고 밝힌 반면에 동 두 분쟁의 항소기구들은 US-Fur Felt Hats 보고서가 예상하지 못한 상황 요건은 세이프가드조치가 GATT 제19조와 SG협정과 합치하는지 여부에 대한 법적 검토의 일부라는 점을 실제로 뒷받침하는 것으로 간주하였다.

21) 동 기준을 적용하는 것이 매우 어렵다는 비판이 있다.

22) Joost H.B. Pauwelyn, Andrew T. Guzman and Jennifer A. Hillman, *International Trade Law*, 3rd ed. (Austin: Wolters Kluwer, 2016), p. 556.

23) Michael J. Trebilcock, *Advanced Introduction to International Trade Law* (Cheltenham, UK: Edward Elgar, 2015), p. 97.

2조도 발동요건으로 예상하지 못한 상황을 언급하지 않고 있다. Hoekman 외는 GATT체약국들이 동 요건의 부과를 중지하였거나 부과가 적절하다고 간주하지 않았기에 세이프가드협정에 포함하지 않았는데 항소기구가 동 요건을 재도입함으로써 우루과이라운드에서 세이프가드협정을 협상한 사람들의 의도를 반전시켰으며 세이프가드조치 발동요건들의 일관성이 사라지게 되었다고 주장하였다.[24]

2. 심각한 피해[25]

수입증가요건이 충족된 이후에 조사당국은 수입품과 국내산업이 심각한 피해를 입었거나 입을 우려가 있다는 것을 증명하여야 한다. 심각한 피해란 국내산업의 지위에 상당한 수준의 전반적인 저해가 있는 경우를 의미한다.[26] 심각한 피해 우려란 명백히 임박한 심각한 피해를 의미하며 심각한 피해 우려에 대한 판정은 사실에 기초하여야 하며 단순히 주장이나 추측이나 또는 낮은 가능성에 기초해서는 안 된다.[27]

조사당국이 심각한 피해 판정시 검토하여야 할 요소들은 다음과 같다. 기본적으로 국내산업의 상황과 관련이 있는 객관적이고 수량화할 수 있는 모든 관련요소들을 검토하여야 한다. 구체적으로 조사당국이 반드시 검토하여야 할 요소들은 수입품의 증가율과 증가액, 수입품의 국내시장 점유율, 판매, 생산, 생산성, 시설가동률, 이윤과 손실 및 고용수준이다. 그리고 상기한 요소 이외에 조사당국이 적절하다고 판단되는 요소들을 검토할 수 있다.[28] 만일 조사당국이 협정에 명시된 심각한 피해 판정요소 중 일부를 검토하지 않으면 세이프가드협정을 위반하는 것이다. Argentina-Footwear 항소기구는 조사당국은 세이프가드협정에 명시된 모든 요소 및 기타 관련요소에 대한 기술적인 검토와 더불어 국내산업의 전반

24) Bernard M. Hoekman and Michel M. Kostecki *The Political Economy of the World Trading System: The WTO and Beyond*, 3rd ed.(Oxford: Oxford University Press, 2009), p. 428.
25) 심각한 피해를 판정하는 기준이 반덤핑관세와 상계관세조사시 적용하는 실질적 피해(material injury) 판정 기준과 차이가 있는지에 대한 검토가 필요하다. US-Lamb 항소기구는 심각한 피해의 판정기준이 실질적 피해의 판정기준보다 높다고 밝혔다.
26) SG협정 제4.1(a)조.
27) SG협정 제4.1(b)조.
28) SG협정 제4.2(a)조.

적인 지위를 검토하여야 한다고 밝혔다.[29)]

협정은 판정요소를 열거하고 있으나 요소들에 대한 검토결과를 어떻게 반영하여야 하는지에 대한 방법론을 제시하지 않고 있다. 따라서 판정요소 검토결과의 활용이나 해석은 조사당국의 재량에 달려 있기 때문에 분쟁의 소지를 내포하고 있다. 예를 들면, 심각한 피해로 결론내리기 위해서는 협정에 명시된 판정요소들이 모두 부정적인 추세를 보여야 하는지 또는 일부 판정요소만 부정적인 추세를 보여도 가능한 것인지 명확하게 규정하고 있지 않기 때문에 심각한 피해여부에 대한 판단은 일반적으로 조사당국에 달려 있다. US-Lamb 항소기구는 조사당국은 협정에 명시된 모든 요소들이 감소한다는 것을 보여줄 의무를 요하지 않고 증거를 종합하여 검토하여 판정하여야 한다고 밝혔다.[30)] 한편 반덤핑관세조사와 상계관세조사의 피해판정에서 중요한 역할을 하는 가격효과분석은 세이프가드조사시 요구되지 않지만 심각한 피해판정시 검토될 필요가 있는 적절한 요소이며 또한 인과관계 분석시 경쟁조건의 일부로서 중요한 역할을 할 수 있다.[31)32)]

Dominican Republic-Safeguard Measures 패널은 도미니카공화국의 심각한 피해 판정이 세이프가드협정을 위반하였다고 판정하였다. 조사당국은 세이프가드협정 제4.2(a)조에 명시된 요소들을 적절하게 검토하지 않았을 뿐만 아니라 조사당국이 제시한 설명은 국내산업의 전반적인 지위가 상당한 수준에서 전반적으로 저해되었다는 결론을 뒷받침하지 못했다고 밝혔다. 또한 동 패널은 조사당국이 심각한 피해가 존재한다는 판정에 대하여 합리적이고 적절한 설명(reasoned and adequate explanation)을 제시하지 못했다고 결론 내렸다.[33)]

한편 심각한 피해가 실제로 발생하지 않았으나 심각한 피해가 유발될 우려가 있는 경우에 두 번째 발동요건을 충족한다. 세이프가드협정은 심각한 피해 우려 판정시 고려할 요소들을 명시하지 않고 있으나[34)] 일부 패널과 항소기구들이 지침을 제시하고 있다. US-Lamb 항소기구는 조사당국은 가장 최근의 과거와 관

---

29) Argentina-Footwear 항소기구보고서 제139항.
30) US-Lamb 항소기구보고서 제144항.
31) US-Wheat Gluten 패널보고서 제8.109항.
32) Petros C. Mavroidis, *The Regulation of International Trade, Volume 2: The WTO Agreements on Trade in Goods*(Cambridge, MA: The MIT Press, 2016), p. 341.
33) Dominican Republic-Safeguard Measures 패널보고서 제7.314항.
34) 반덤핑협정 제3.7조와 보조금협정 제15.7조는 실질적 피해의 우려 여부 판정시 고려할 요소들을 명시하고 있다.

련된 자료(data relating to the most recent past)를 검토하여야 한다고 밝혔다. 그리고 동 항소기구는 상기한 최근 자료는 전조사대상기간에 관련된 자료와 분리하여 검토되어서는 안 되며 조사대상기간의 맥락에서 검토되어야 한다고 강조하였다.[35]

US-Line Pipe 분쟁에서 조사당국이 동일한 사실에 기초하여 심각한 피해나 심각한 피해 우려를 증명할 수 있는지 여부가 제기되었다. 항소기구는 동일한 사실이 심각한 피해와 심각한 피해 우려를 동시에 충족할 수 없으므로 별개의 판정이 필요하다는 패널판정을 뒤집었다. 항소기구는 세이프가드협정은 별개의 판정을 요구하지 않고 있으며,[36] 또한 심각한 피해 우려 판정의 기준점(threshold)이 심각한 피해 판정 기준점보다 낮다고 밝혔다.[37]

3. 인과관계

조사당국은 증가한 수입품과 심각한 피해와의 인과관계를 객관적인 증거에 기초하여 판정하여야 한다.[38] 이 때 조사당국은 국내산업과 관련이 있는 객관적이고 수량화 가능한 모든 관련 요소들을 평가하여야 하며 증가한 수입품과 심각한 피해 사이에 진정성 있고 상당한 수준의 관계(genuine and substantial relationship)가 있음을 밝혀야 한다.[39] 조사당국은 인과관계 판정시 세이프가드협정 제4.2(a)조에 제시된 요소들 이외에 기타 적절한 요소들을 검토하여야 하는데 세이프가드조사의 이해당사자들이 제기한 요소들로 한정하지 않으며[40] 조사당국은 적절한 자료를 적극적으로 찾아야 한다.[41]

조사당국은 증가한 수입품이 아닌 다른 요소들(일명, "비기여요소")이 동시에 국내산업에 심각한 피해를 유발하였는지 여부를 검토하여야 한다. 증가한 수입이 아닌 다른 요인, 예를 들면 국내산업의 경영실패와 소비자 기호 변화 등으로 인

---

35) US-Lamb 항소기구보고서 제136항-제138항.
36) US-Line Pipe 항소기구보고서 제172항.
37) US-Line Pipe 항소기구보고서 제169항.
38) SG협정 제4.2(b)조.
39) US-Line Pine 항소기구보고서 제214항.
40) US-Wheat Gluten 항소기구보고서 제56항. 한편 패널은 기타 요소를 이해당사자들이 제기한 요소들로 한정하여야 한다고 판정하였다.
41) US-Wheat Gluten 항소기구보고서 제53항.

하여 국내산업의 판매 등이 어려움에 처한 경우에는 증가한 수입품과 심각한 피해간 인과관계가 성립한다고 결정하기 어렵다. 증가한 수입품과 비기여요소를 분리하여 검토하여야 하며[42] 증가한 수입품이 심각한 피해를 유발하는 데에 기여한 것이 확인되면 기여정도에 관계없이 인과관계요건이 충족된다.[43]

제 3 절 세이프가드조사

1. 국내산업

세이프가드조치의 보호대상이 조사대상 수입품과 동종이거나 직접적으로 경쟁관계에 있는 국내산업이므로 세이프가드 발동요건 중의 하나인 심각한 피해나 심각한 피해 우려 여부를 판정하기 위하여 적절한 국내산업의 범위를 명확히 하는 것이 중요하다. 세이프가드협정은 국내산업을 회원국의 영토 내에서 수입품과 동종이거나 직접으로 경쟁적인 상품을 생산하는 모든 생산자들 또는 동종이거나 직접적으로 경쟁적인 상품을 생산하는 자들이 총생산규모가 국내에서 생산된 해당 상품 총량의 한 주요 부분(a major proportion)을 차지하는 생산자를 의미한다고 정의하고 있다.[44][45]

---

42) US-Lamb 패널은 회원국들이 인과관계를 평가하는 적절한 방법을 자유롭게 선택할 수 있는 반면에 수입증가만을 고려했을 때 수입증가에 의한 피해가 심각한 피해라는 것을 보장할 필요가 있다고 밝혔다. 이에 대하여 항소기구는 세이프가드협정은 증가한 수입이 심각한 피해나 심각한 피해우려를 유발하기에 충분할(sufficient) 것을 요구하지 않을 뿐만 아니라 증가한 수입 단독으로 심각한 피해나 심각한 피해우려를 유발할 능력이 있을 것도 요구하지 않는다고 밝히면서 동 사안에 대한 패널의 해석을 번복하였다(US-Lamb 항소기구보고서, 제163항과 제170-171항).

43) Ukraine-Passenger Cars 패널은 조사당국이 증가한 수입품과 심각한 피해와의 인과관계를 증명하지 못했을 뿐만 아니라 비기여요소 분석을 적절하게 하지 않았기 때문에 SG협정 제4.2(b)조를 위반하였다고 판정하였다(패널보고서 제7.307항과 제7.334항).

44) SG협정 제4.1(c)조.

45) 동 요건의 충족여부를 판정하는 데에 사용될 자료의 범위와 관련하여 US-Lamb 항소기구는 사용되는 자료가 국내산업을 충분히 대표할(sufficiently representative) 수 있어야 한다고 밝혔다. 동 항소기구는 조사당국은 동종이나 직접적으로 경쟁적인 상품을 생산하는 모든 생산자에 관한 자료를 반드시 수집하여야 할 필요는 없고 통계학적으로 유효한 표본으로부터 추출하여 국내산업을 충분히 대표하면 된다. 그리고 충분성 여부는 분쟁대상이 된 국내사업의 특성에 따라 달라질 수 있다.

세이프가드협정은 "동종이거나 직접적으로 경쟁적인 상품"이 무엇인지 정의하지 않고 있다.46) 또한 세이프가드협정관련 분쟁에서 그 의미가 해석된 적이 없으나 GATT 1994와 관련된 분쟁사례를 고려할 때 "직접적으로 경쟁적인 상품"이 동종상품보다는 광범위한 상품군을 의미하는 것으로 볼 수 있다.47) 이 때 동 상품군에 포함되는 상품들이 모두 물리적으로 유사하여야 할 필요는 없지만 동일한 시장에서 경쟁하여야 한다.48)

US-Lamb 분쟁에서 국내산업의 범위가 주요 이슈로 제기되었다. 미국은 세이프가드조사시 국내산업의 범위에 국내 양고기생산자뿐만 아니라 양축산자(growers and feeders of live lamb)를 포함시켰다. 미국 조사당국(USITC)은 양축산자를 국내산업의 범위에 포함시킨 이유로서 원료인 양과 최종재인 양고기 사이에 연속적인 생산라인이 존재한다는 점과 양축산자와 양고기생산자 사이에 경제적 이해가 상당히 일치한다는 점을 들었다. 이에 대하여 패널과 항소기구는 생산요소의 생산자를 동종최종재를 생산하는 산업에 포함하는 것은 세이프가드협정 제4.1(c)조 하에서 허용되지 않으므로 협정 제4.1(c)조를 위반하였다고 판정하였다. 따라서 국내산업은 양고기 생산에 관련된 포장자와 파쇄자(packers and breakers)에 한정하여야 한다고 밝혔다.

2. 조사대상기간

조사당국은 일정한 기간(조사대상기간)에 예상하지 않은 발전의 결과로 수입이 증가하여 조사대상 수입품과 동종상품이나 직접적으로 경쟁하는 상품을 생산하는 국내산업이 심각한 피해를 입었는지 또는 입을 우려가 있는지를 판정하여야 한다. 그러나 세이프가드협정은 조사대상기간에 대하여 명시하지 않고 있다.

46) 한편 반덤핑협정 제2.6조와 보조금협정 제15.1조의 각주 46에 동종상품을 정의하고 있다.
47) Korea-Alcoholic Beverages 항소기구는 동종상품은 직접적으로 경쟁적이거나 대체가능한 상품들의 부분집합이라고 밝혔다.
48) 2014년 12월에 터키 조사당국은 휴대전화수입품에 대하여 세이프가드조사를 개시하였다. "동종상품이나 직접적으로 경쟁적인 상품" 이슈가 주요 이슈 중의 하나였는데 조사대상 수출기업들은 자신들은 스마트폰을 수출하는 반면에 터키 국내산업은 주로 2G폰을 생산하였고 스마트폰을 생산한 기간이 얼마 되지 않기 때문에 "동종상품이나 직접적으로 경쟁적인 상품" 요건이 충족되지 않았다고 주장하였다. 여러 가지 이슈들을 검토한 조사당국은 2016년 3월에 세이프가드조치를 부과하지 않는다는 최종판정을 내렸다.

조사대상기간을 어떻게 설정하느냐에 따라 세이프가드 발동요건의 충족여부에
대한 판정이 달라질 수 있는 점을 감안할 때 적절한 조사대상기간의 선정이 필요
하다.

　　Argentina－Footwear 항소기구는 조사대상기간의 설정에 대한 기준을 밝혔
다. 조사대상기간은 최근 과거(the recent past)에 종료되어야 하며 매우 최근의 과
거(the very recent past)이어야 한다. 그리고 증가한 수입의 존재여부에 대하여 결
론을 도출할 수 있을 만큼 충분히 길어야 한다. 한편, US－Line Pipe 패널은 수입
증가를 판정하기 위한 조사대상기간을 5년이 적절하다고 밝혔다. 또한 동 패널은
심각한 피해 판정을 위한 조사대상기간이 수입증가 판정에도 동일하게 부과된다
고 밝혔다.[49]

제 4 절 세이프가드조치의 부과

　　세 가지 세이프가드 발동요건이 충족된 경우에 수입국은 세이프가드조치를
예상하지 못한 상황일 수 있다. 여기서는 세이프가드조치 부과의 기본 원칙, 조
치 형태, 부과기간 등 세이프가드조치의 부과와 관련된 규정을 논하고자 한다.

1. 기본 원칙

　　세이프가드조치 부과시 적용해야할 원칙으로서 조치의 범위에 관한 것과 비
차별원칙이 있다. 세이프가드조치는 심각한 피해를 방지하거나 구제하고 조정을
촉진하는데 필요한 범위 내에서만 부과되어야 한다.[50] 즉, 필요한 범위를 초과하
는 수준의 세이프가드조치는 세이프가드협정을 위반하게 되며 필요한 수준이란
특정한 수치를 제시하기 어렵고 사안별로 판단할 사항이며 WTO분쟁에서 제기되

49) 반덤핑협정이나 보조금협정에도 조사대상기간이 명시되어 있지 않으나 덤핑여부 또는 보
　　조금존재여부의 조사대상기간이 실질적 피해여부 판정의 조사대상기간보다 짧다. 반덤핑
　　조사의 조사대상기간과 관련하여 WTO 반덤핑위원회가 권고안(G/ADP/6, 2000년 5월 16
　　일)을 채택한 바 있다. 손기윤, 「WTO 반덤핑협정 연구: 효과적인 수입규제대응」(서울: 외
　　교통상부, 2005), p. 63.
50) SG협정 제5.1조.

는 이슈 중의 하나이다.[51)]

　세이프가드조치는 비차별적으로 부과되어야 하며 최혜국대우원칙이 적용된다. 수입국이 세이프가드조치를 부과하는 경우에 모든 국가로부터 수입되는 해당 상품에 대하여 부과하여야 한다.[52)] 예를 들면, 수입 신발제품에 대하여 세이프가드조치로서 100% 추가관세를 부과하기로 결정한 경우에 모든 나라로부터 수입되는 신발제품에 대하여 100% 관세를 부과하여야 한다. 한편 지역무역협정을 체결한 회원국으로부터 수입되는 제품을 세이프가드조치의 부과대상에서 제외하는 것이 세이프가드협정에 합치하는지 여부가 논란이 되고 있으며 구체적인 사항은 뒷부분에서 분석하고자 한다.[53)]

2. 조치 형태

　세이프가드협정이나 GATT 1994 제19조는 세이프가드 부과요건이 모두 충족되었을 때 수입국이 취할 수 있는 모든 세이프가드조치의 형태에 대하여 별도의 예시를 제시하고 않고 있다. 협정은 심각한 피해의 구제와 국내산업의 조정 원활화라는 목적을 실현하기에 가장 적합한 조치를 선택하여야 한다고 규정하고 있으며[54)] 일부 규정에서 세이프가드조치의 형태를 규정하고 있다. GATT 1994 제19조는 세이프가드 부과요건이 충족되었을 때 수입국은 심각한 피해를 예방하거나 구제하기에 필요한 수준에서 관련 의무의 전부 또는 일부를 중단하거나 해당 상품과 관련된 양허를 철회하거나 수정할 수 있다고 규정하고 있다.[55)] 세이프가드협정에 따르면 잠정세이프가드조치의 경우에 관세인상 형태만 가능하며[56)] 확정세이프가드조치의 경우에 수량제한조치를 취할 수 있다고 규정하고 있다.[57)] 확정세이프가드조치의 경우에 수량제한조치 이외에 WTO 회원국이 적절하다고 판단하는 어떠한 형태의 조치를 취할 수 있으며 수량제한조치, 관세인상 이외에 관세

---

51) 반덤핑협정은 반덤핑관세의 상한선을 덤핑마진규모로 제한하고 있으며 보조금협정은 상계관세의 상한선을 보조금마진규모로 제한하고 있다.
52) SG협정 제2.2조.
53) 일명 '병렬주의(parallelism)'에 대하여 논의하고자 한다.
54) SG협정 제5.1조.
55) GATT 제19.1(b)조.
56) 따라서 잠정세이프가드조치는 관세인상만 가능하고 수량제한조치는 취할 수 없다.
57) SG협정 제5.1조.

율할당58) 등을 부과하고 있다.59)

수량제한조치를 취하는 경우에 제한할 수입량의 규모는 다음과 같이 정한다. 원칙적으로 수량제한조치의 규모는 최근 대표적인 3년간의 평균치보다 적을 수 없으나 일정한 조건 하에서 이보다 적은 수량을 적용할 수 있다. 수입국이 심각한 피해를 방지하거나 구제하기 위하여 최근 3년간 평균치보다 낮은 수준이 필요하다고 명확히 정당화할 수 있는 경우에 3년간 평균치보다 적은 수준에서 제한할 수 있다.60)

쿼터 형태로 수입품의 수량을 제한하는 경우에 쿼터를 수출국간에 배정하여야 한다. 이 때 수입국은 해당 상품의 공급에 실질적인 이해를 가진 모든 다른 회원국과 쿼터할당에 관하여 합의를 모색할 수 있다. 원만한 합의를 도출하지 못하는 경우에 수입국은 동 상품의 공급에 실질적인 이해를 가진 회원국들이 과거 대표적인 기간61) 중에 공급한 물량이 그 상품의 총수입량 또는 총수입액에서 차지하는 비율에 근거하여 쿼터를 할당할 수 있다.62) 한편 일정한 조건 하에서 과거 시장점유율에 기초하지 않고 쿼터를 할 수 있다.63)

3. 부과기간과 점진적 자유화

세이프가드조치는 최장 4년간 부과할 수 있다.64) 한편 일정한 조건 하에서

---

58) 누적수입량에 따라 관세율을 차등 적용하는 조치이며 tariff rate quota(TRQ) 또는 tariff quota라 부른다.
59) 세이프가드조치의 형태별 비중으로 종가관세인상(ad valorem tariff increase)이 가장 큰 비중을 차지하고 있으며 그 다음으로 관세율할당(TRQ)이며 종가관세인상과 비슷한 수준이다. 그리고 종량관세인상(specific tariff increase)이 세 번째이며 수량제한(quota)이 가장 적은 비중을 차지하고 있다. Petros C. Mavroidis, *The Regulation of International Trade, Volume 2: The WTO Agreements on Trade in Goods*(Cambridge, MA: The MIT Press, 2016), p. 363.
60) SG협정 제5.1조.
61) SG협정은 "대표적인 기간"을 정의하지 않고 있다.
62) SG협정 제5.2(a)조.
63) 과거 시장점유율의 미적용을 허용하는 조건들은 (i) 일부 회원국으로부터의 수입이 전체 수입의 증가에 비하여 비례 이상으로 증가, (ii) 미적용 사유의 정당화 및 (iii) 미적용 조건들이 해당 상품의 모든 공급자들에게 공평하게 적용되는 것이다. 과거 시장점유율의 미적용 규정은 심각한 피해의 경우에만 적용되며 심각한 피해의 우려의 경우에는 적용되지 않는다. SG협정 제5.2(b)조.
64) SG협정 제7.1조.

부과기간을 연장할 수 있으며 그 조건들은 (i) 세이프가드조치가 심각한 피해를 방지하거나 구제하기 위하여 계속 필요하고 (ii) 국내산업이 조정 중에 있고 또한 (iii) 세이프가드협정 제 8 조와 제12조가 준수되어야 한다는 것이다.65) 잠정조치기 간과 최초 부과기간을 포함하여 최장 8년간 부과할 수 있으며66) 세이프가드조치 를 취하는 수입국이 개발도상국인 경우에는 최초 부과기간을 연장하여 총 10년 간 부과할 수 있다.67) 연장된 세이프가드조치는 최초 부과기간의 종료시 무역제 한수준보다 높을 수 없으며 또한 계속해서 자유화되어야 한다.68)

세이프가드조치 부과를 연장하려는 수입국은 규제대상상품의 수출자로서 실 질적인 이해를 가지고 있는 수출국들에게 사전협의를 위한 적절한 기회를 부여 하여 한다. 사전협의시 당사국들은 연장부과와 관련하여 제출된 수입국 해당 산 업이 조정 중에 있다는 정보를 검토하고 동 조치에 대한 의견을 교환한다.69) 또 한 수입국은 세이프가드조치를 취하거나 연장하는 경우에 WTO 세이프가드위원 회에 모든 관련 정보를 제출하여야 하며 연장하는 경우에는 자국 산업이 조정 중 에 있다는 증거를 제출하여야 한다.70)

수입국은 세이프가드조치의 예상되는 부과기간이 1년을 초과하는 경우에 세 이프가드조치를 일정한 기간별로 점진적으로 자유화하여야 한다.71)72) 점진적 자 유화의무는 관세인상과 수량제한조치 등 모든 형태의 세이프가드조치에 적용된 다. 그러나 세이프가드협정은 점진적 자유화의 수준에 대한 구체적인 기준을 명 시하지 않고 있다.

---

65) SG협정 제7.2조.
66) SG협정 제7.3조.
67) SG협정 제9.2조.
68) SG협정 제7.4조.
69) SG협정 제12.3조.
70) SG협정 제12.2조.
71) SG협정 제7.4조. 따라서 부과기간이 1년을 초과하지 않는 경우에는 점진적자유화 의무가 부과되지 않는다.
72) 예를 들어 3년에 걸쳐서 추가관세를 부과하기로 결정한 경우에 첫 해에 100%, 다음해에는 70% 그리고 마지막 해에는 30%의 추가관세를 부과하는 식으로 수입규제수준을 점차적으 로 낮춰야 한다는 것이며 감축하는 정도는 수입국의 재량에 맡긴다.

4. 잠정조치

수입국은 중대한 상황인 경우에 잠정세이프가드조치를 취할 수 있다. 중대한 상황이란 조치가 지연되는 경우에 치유하기 어려운 피해를 유발하는 상황을 의미하며 증가한 수입품이 심각한 피해를 유발하였거나 유발할 우려가 있다는 명백한 증거가 있다고 예비판정을 내리는 경우에 잠정조치를 취할 수 있다.[73]

잠정세이프가드조치는 최장 200일간 취할 수 있으며 잠정조치의 부과기간은 세이프가드조치 총부과기간에 포함된다. 잠정조치는 관세인상만 가능하며 증가한 수입품이 심각한 피해를 유발하거나 유발할 우려가 없다는 판정이 내려지는 경우에 징수된 관세인상분을 즉시 환급하여야 한다.[74]

한편 세이프가드협정은 반덤핑협정이나 보조금협정과[75] 달리 수입국이 잠정조치를 취할 수 있는 시기를 제한하지 않고 있다. 달리 말하면, 조사당국이 세이프가드조사를 개시한 이후에 중대한 상황이라고 판단하면 언제든지 잠정조치를 취할 수 있다는 것이다.

5. 동일한 상품에 대한 유예기간

이미 세이프가드조치가 부과되었던 상품에 대해서 또다시 세이프가드조치를 부과하려는 경우에 과거 부과기간과 동일한 기간이 경과하여야 가능하며 유예기간은 최소 2년이다.[76] 예를 들면, 신발수입품에 대하여 3년간 세이프가드조치를 부과하였다면 동 조치가 만료된 시점에서 최소 3년이 경과하여야만 동일한 상품에 대하여 세이프가드조치를 부과할 수 있다. 그리고 세이프가드 부과기간이 1년인 경우에 유예기간이 1년이 아니라 최소 2년간 동일한 상품에 대하여 세이프가드조치를 취할 수 없다.

상기 유예기간에 대한 예외가 있다. 첫째, 해당 상품에 대한 세이프가드조치가 부과된 지 최소 1년이 경과하였으며 동 조치가 부과된 이후 5년간 세 번 이상

---

73) SG협정 제6조.
74) SG협정 제6조.
75) 반덤핑협정 제7.3조와 보조금협정 제17.3조는 조사개시 후 최소 60일이 경과한 시점에서 잠정반덤핑관세와 잠정상계관세를 부과할 수 있다고 규정하고 있다.
76) SG협정 제7.5조.

동일한 상품에 대하여 세이프가드조치가 취해지지 않은 경우에 부과기간이 180일 이하인 세이프가드조치를 동일한 상품에 부과할 수 있다.[77] 둘째, 수입국이 개발도상국인 경우에 부과되지 않은 기간이 최소 2년이면 유예기간은 과거 부과기간의 절반으로 줄어든다.[78]

제 5 절 기 타

1. 보 상

세이프가드조치는 수출국의 공정무역에 대하여 제한조치를 취하는 것이므로 조치의 부과를 제안하거나 연장하는 경우에 수입국은 규제대상인 수출국에 대하여 적절한 보상을 하여야 한다. 수입국은 동 조치에 의하여 영향을 받는 수출국들과 자국 사이에 GATT 1994에 따라 존재하는 양허와 다른 의무의 수준이 실질적으로 동일하게 유지되도록 노력하여야 한다. 이를 위해서 당사국들은 자신들의 무역에 대한 세이프가드조치의 부정적인 효과에 대한 적절한 보상방법에 관하여 협의할 수 있다.[79]

보상을 위한 양자협의 개시 후 일정한 기일 내에 합의를 도출하지 못한 경우에 수출국들은 보복조치를 취할 수 있다.[80][81] 그러나 세이프가드조치가 수입품의 절대적 증가의 결과로 취해지고 동 조치가 세이프가드협정에 합치하는 경우에 최초 3년간 보복조치를 취할 수 없다.[82]

---

77) SG협정 제7.6조.
78) SG협정 제9.2조.
79) SG협정 제8.1조.
80) SG협정 제8.2조. SG협정 제12.3조에 따른 사전협의를 개최한 후 30일 이내에 합의에 도달하지 못한 경우에 수출국은 조치 부과 후 90일 이내에, WTO 상품무역이사회가 해당 양허정지의 서면 통고를 접수한 날로부터 30일이 경과한 후, 동 상품무역이사회가 반대하지 않으면 양허정지나 다른 의무사항의 정지 형태로 보복조치를 취할 수 있다. US-Wheat Gluten 항소기구는 SG협정 제8.1조와 제12.3조와의 연계성을 명시적으로 언급한 바 있다.
81) US-Line Pipe 항소기구는 수입국이 SG협정 제12조에 규정된 세이프가드조치안을 통보하는 의무와 대상국에게 협의할 적절한 기회를 주는 의무를 위반하면 SG협정 제8.1조를 위반하는 것이라고 밝혔다.
82) SG협정 제8.3조.

보상과 관련하여 제기되는 문제는 해당 세이프가드조치가 세이프가드협정의 규정에 합치하는지 여부를 누가 판단하느냐이다. 동협정은 이 문제에 대한 답을 명시적으로 제시하지 않고 있다. 관행상 조치부과대상 WTO회원국은 우선 동 조치에 상응하는 수준의 양허를 중지한 뒤 WTO 분쟁해결기구에 해당 조치의 세이프가드협정 불일치를 주장하면서 제소하는 한편 일시적으로 양허중지조치를 철회한다. US-Steel Safeguard의 경우에 EU는 우선 미국의 세이프가드조치가 부과된 지 3년이 되는 날이나 WTO 분쟁해결기구의 세이프가드협정 비합치 결정이 내려진 뒤 5일째가 되는 날 중에서 빠른 날에 추가관세를 부과할 미국 수입품의 목록을 발표하였다. 그런데 미국은 항소기구가 보고서를 발표하자마자 분쟁해결기구가 동 보고서를 채택하기도 전에 해당 세이프가드조치를 취소하였다. 그에 따라 EU는 기발표한 보복조치를 폐기하였다.[83]

2. 개도국 우대조항

세이프가드협정은 개발도상국을 우대하는 조항을 두고 있다. 개도국 우대조항은 개도국이 수출국 경우와 수입국인 경우로 나눌 수 있다. 개도국 수출하여 세이프가드조사 대상이 된 경우에 해당 개도국의 수출액이 해당 수입국의 조사대상상품의 총수입액에서 차지하는 비중이 3% 미만인 경우에 동 국가로부터의 수입품을 세이프가드조치대상에서 제외된다. 단, 총수입에서 차지하는 비중이 3% 미만인 개도국으로부터의 수입품을 합한 것이 9%를 초과하지 않는 경우에만 조치대상에서 제외될 수 있다.[84]

Dominican Republic-Safeguard Measures 사례에서 제9.1조 관련 이슈가 제기되었다. 도미니카 공화국은 세이프가드협정 제9.1조에 근거하여 개별국가 수입품이 전체 수입품에서 차지하는 비중이 3% 미만인 콜롬비아, 인도네시아, 멕시코 및 파나마로부터의 수입품을 세이프가드조치 부과대상에서 배제하였다.[85] 또한

---

83) Petros C. Mavroidis, George A. Bermann and Mark Wu, *The Law of the World Trade Organization (WTO): Documents, Cases & Analysis*(St. Paul, MN: West, 2010), p. 667.
84) SG협정 제9.1조.
85) 총수입품에서 콜롬비아산, 인도네시아산, 멕시코산 및 파나마산 수입품이 차지하는 비중이 각각 0.01%, 0.75%, 0.08% 및 0.37%로 모두 3% 미만이다. 그리고 이 국가들의 점유율을 합산하면 1.21%로 9% 이하이므로 SG협정 제9.1조에 근거하여 세이프가드조치 부과대상에

패널은 태국산 수입품의 비중이 0.32%에 불과함에도 불구하고 도미니카 공화국이 동 수입품을 세이프가드조치 부과대상에서 배제하기 위하여 이용가능한 모든 합리적인 조치를 취하지 않았기 때문에 세이프가드협정 제9.1조를 위반하였다고 판정하였다.[86]

개도국이 수입국인 경우에 선진국에 비하여 세이프가드조치를 더 오랜 기간 동안 부과할 수 있다. 선진국의 경우 세이프가드조치 최장부과기간이 8년인데[87] 개도국은 2년을 추가하여 최장 10년간 부과할 수 있다.[88]

그리고 동일한 상품에 대한 조치부과 유예기간과 관련하여 비부과기간이 2년 이상인 경우에 세이프가드협정 제7.5조에 따라 선진국에 적용되는 유예기간의 절반에 해당하는 기간만 유예할 수 있다.[89]

3. 세이프가드조치와 지역무역협정: 병렬주의[90]

병렬주의는 세이프가드협정 제2.2조와 GATT 1994 제24.8조간의 상충가능성에 기인한다. 세이프가드협정 제2.2조는 세이프가드조치를 수출국을 구분하지 않고 부과한다는 일종의 최혜국대우원칙을 규정하고 있다. 한편 GATT 1994 제24.8조는 관세동맹이나 자유무역지대의 회원국산 제품에 대하여 최혜국대우적용의 예외를 규정하고 있다. 따라서 수입국이 속한 지역무역협정의 회원국산 제품을 세이프가드조치 부과대상에서 배제할 수 있는지 여부가 이슈로 제기되어 왔다.

세이프가드협정 제 2 조의 각주 1은 관세동맹에 관세동맹을 단일단위로서 또는 한 회원국을 대리하여 세이프가드조치를 취할 수 있다고 규정하고 있다. 그리고 한 회원국을 대리하여 세이프가드를 취하는 경우에 각주 1은 심각한 피해나 심각한 피해 우려를 결정하기 위한 요건들은 해당 회원국에 현존하는 상황에 기

서 배제되었다. 동 부과배제를 병렬주의와 연계하여 제소국들이 문제를 제기하였으며 동 이슈를 뒤에서 다룰 병렬주의에서 논의하기로 한다.

86) Dominican Republic—Safeguard Measures 패널보고서 제7.402항.

87) SG협정 제7.3조.

88) SG협정 제9.2조.

89) SG협정 제9.2조.

90) 병렬주의에 대한 논의는 손기윤, "한-인도 CEPA 무역구제규정의 WTO협정과 비교분석", 「법학연구」(인하대학교 법학연구소, 제19집 제 4 호, 2016)에 부분적으로 기초하여 작성되었다.

초하여야 하며 또한 세이프가드조치는 해당 회원국에 한정하여 부과되어야 한다
고 규정하고 있다. 그러나 각주 1은 세이프가드협정의 어떤 부분도 GATT 1994
제19조와 제24.8조와의 관계에 관한 해석을 예단하지 않는다고 밝히고 있다. 세
이프가드협정의 신중한 접근에도 불구하고 일부 WTO 회원국들은 자국이 속한
지역무역협정의 회원국산 제품을 세이프가드조치에서 배제하였으며 경쟁 수출국
들은 동 배제조치가 세이프가드협정 제2.2조를 위반하였다고 주장하면서 WTO
분쟁해결기구에 제소하였다.

　　병렬주의 이슈가 제기된 분쟁사례로 Argentina－Footwear 사례와 US－Wheat
Gluten 사례와 US－Line Pipe 사례 및 US－Steel Safeguards 사례가 있다. 상기 사
례에서 항소기구는 통상적으로 FTA회원국산 제품을 조사대상에 포함시켰지만 세
이프가드조치의 부과대상에서 배제하는 것은 WTO 세이프가드협정 제2.2조를 위
반하였다고 판정하면서 일명 "병렬주의(parallelism)"를 위반하는 것이라고 밝혔다.
Argentina－Footwear 사례에서 제기된 주요 이슈는 MERCOSUR(남미공동시장)회원
국인 아르헨티나가 MERCOSUR 회원국산 제품을 부과대상에서 배제한 사실이며
US－Wheat Gluten 사례, US－Line Pipe 사례 및 US－Steel Safeguards 사례에서
제기된 주요 이슈는 미국이 NAFTA 회원국산 제품을 세이프가드 부과대상에서
배제한 사실인데 구체적인 내용을 살펴보기로 한다.

　　Argentina－Footwear 항소기구는 아르헨티나가 조사과정에서 '모든 나라'로부
터 온 수입품이 심각한 피해나 피해 우려를 유발했는지 여부를 평가하였고 세이
프가드조치 부과요건을 충족하였다고 판정하였으므로 '모든 나라'로부터 온 수입
품에 대하여 세이프가드조치를 부과할 수 있다고 판정하였다고 밝혔다. 따라서
동 항소기구는 MERCOSUR 회원국산 수입품을 세이프가드조치의 부과대상에서
배제시킬 근거가 없다고 결론을 내렸다.[91][92]

　　한편 동 항소기구는 병렬주의와 깊은 연관성을 가진 GATT 1994 제24조와
WTO 세이프가드협정 제2.2조 사이의 관계에 대하여 입장을 명확하게 밝히지 않
았다.[93] 동 항소기구는 판정문에서 세이프가드협정 제2.2조가 자유무역지대 회원

---

91) Argentina－Footwear 항소기구보고서, para. 113.
92) US－Wheat Gluten 항소기구는 모든 국가로부터의 수입품을 조사한 조사당국이 조사한 상
　　품의 일부에 대해서만 세이프가드조치를 취할 수 없다고 밝혔다.
93) Argentina－Footwear 항소기구는 관세동맹 회원국이 다른 회원국으로부터의 수입품을 세
　　이프가드조치 부과대상에서 제외할 수 있는지 여부가 상소되지 않았으므로 동 이슈에 대

국산 수입품을 세이프가드조치 부과대상에서 제외시키는 것을 허용하는지 여부
에 대하여 예단하지 않겠다고 밝혔다. 또한 GATT 1994의 제24조가 자유무역지대
회원국산 수입품을 세이프가드협정 제2.2조 부과의 배제 허용여부에 대해서도 판
정할 필요가 없을 뿐만 아니라 판정하지 않는다고 밝혔다.[94]

　항소기구는 GATT 1994의 제24조가 세이프가드협정 제2.2조의 예외조항으로
활용될 수 있는지에 대한 논의는 두 가지 상황에서만 적절하다고 밝혔다. 첫째,
세이프가드조치 부과대상에서 배제된 수입품들이 심각한 피해여부를 판정할 때
고려되지 않은 경우이다. 둘째, 세이프가드조치 부과대상에서 배제된 수입품들이
심각한 피해 판정시 고려되었으며 또한 조사당국이 합리적이고 적절한 설명
(reasonable and adequate explanation)을 통하여 지역협정 비회원국산 수입품이 세이
프가드 발동요건을 충족시켰다는 것을 명시적으로 밝힌 경우이다.

　US-Wheat Gluten, US-Line Pipe 및 US-Steel Safeguards 항소기구는 상기
두 가지 경우가 동 분쟁사례에 부과되는지 여부를 분석한 결과, NAFTA 회원국인
캐나다와 멕시코산 수입품이 심각한 피해 판정시 고려되지 않은 것이 아니므로
첫 번째 경우에 해당되지 않는다고 밝혔다. 그리고 조사당국인 미국국제무역위원
회(USITC)가 판정문에서 비회원국산 수입품이 세이프가드 발동요건을 충족하였다
는 합리적이고 적절한 설명을 결정문에 제시하지 않았기 때문에 두 번째 경우에
도 해당되지 않는다고 밝혔다.[95] 그러나 항소기구는 병렬주의에 부합하는 조치가
반드시 WTO협정에 합치하는지 여부와 GATT 1994 제24조가 WTO 세이프가드협
정의 각주 1에 근거하여 WTO 세이프가드협정 제2.2조의 위반을 방어할 수 있는
지 여부에 대해서는 입장을 밝히지 않았다.

　US-Steel Safeguards 항소기구는 세이프가드조치를 부과할 목적으로 자유무
역지대 회원국을 포함한 모든 국가로부터의 수입품을 고려한 조사를 진행하는
경우에 해당국은 추가분석없이 자유무역지대 회원국산 수입품을 세이프가드조치
의 부과대상에서 배제할 수 없다고 밝혔다.[96] 동 항소기구는 만일 수입국이 조사
시 고려된 자유무역지대 회원국산 수입품을 세이프가드조치의 부과대상에서 배

해서 판정하지 않는다고 밝혔다.
94) *US-Line Pipe* 항소기구보고서, para. 198.
95) 상기게재서.
96) US-Steel Safeguards 항소기구보고서, paras 441-2.

제한다면 조사대상이 된 수입품과 세이프가드조치 부과대상인 수입품간에 간극
이 발생하며 그런 간극은 일정한 조건 하에서만 정당화될 수 있다고 밝혔다.

　US-Line Pipe 항소기구는 세이프가드조치 부과대상인 수입품이 세이프가드
협정 제2.1조와 제4.2조에 명시된 세이프가드 발동요건을 충족시킨다는 것을 수
입국이 '명시적으로 입증하는(explicitly establish) 경우에만 상기 간극이 정당화될
수 있다. 이 때 '명시적 입증'이란 조사당국이 사실관계가 자신들의 판정을 어떻
게 뒷받침하는지에 대해서 합리적이고 적절하게 설명해야 하는 것을 의미한다.
그리고 '명시적'이기 위해서는 문장은 의미하는 것을 분명하게 밝혀야 하며 단순
히 함축하거나 제안하는(implied or suggested) 것이 있어서는 안 되며 명쾌하고 분
명해야(clear and unambiguous) 한다.97) 동 항소기구는 병렬주의 원칙을 충족하기
위해서는 어떠한 경우라도 궁극적으로 세이프가드조치의 부과대상이 되는 국가
들의 수입품만으로 세이프가드 발동요건을 충족하는지 여부를 판정하는 것이 필
수적이라고 밝혔다.98)

　Dominican Republic-Safeguard Measures 분쟁에서도 병렬주의 이슈가 제기
되었다. 이번 분쟁에서 제기된 병렬주의 이슈는 상기한 분쟁들과 다른 성격을 가
지고 있다. 도미니카 공화국이 세이프가드협정 제9.1조에 명시된 미소수량기준을
충족한 콜롬비아, 인도네시아, 멕시코 및 파나마산 수입품을 세이프가드조치 부
과대상에서 제외하였는데 제소국들은 병렬주의 원칙에 근거하여 동 국가산 수입
품을 제외한 뒤 세이프가드 발동요건의 충족여부를 판단하기 위하여 새로운 분
석을 진행하여야 한다고 주장하였으나 패널은 기각하였다.99) 또한 패널은 세이프
가드협정 제9.1조가 병렬주의의 예외를 허용한다는 입장을 밝혔는데 향후 동 이
슈에 대한 항소기구의 판정을 주목할 필요가 있다.100)

　항소기구가 여러 분쟁사례에서 병렬주의를 어떻게 적용하는지에 대해서는
입장을 밝혔지만 병렬주의와 관련하여 명확하게 해야 할 이슈들이 있다. 크게
두 가지 이슈를 들 수 있는데 하나는 GATT 1994 제24조가 지역무역협정 회원국
산 제품을 세이프가드조치 부과에서 배제할 수 있는 근거가 될 수 있는지 여부

---

97) US-Line Pipe 항소기구보고서, para. 194 인용.

98) US-Steel Safeguards 항소기구보고서, para. 465.

99) Dominican Republic-Safeguard Measures 패널보고서 제7.391항.

100) Fernando Piérola, *The Challenge of Safeguards in the WTO*, (Cambridge: Cambridge
　　 University Press, 2014), p. 250.

이며 다른 하나는 제24조가 부과배제의 근거가 되는 경우에 활용될 수 있는 정도
에 관한 것이다.[101] 한편 우리나라는 미국 등 일부 국가들과 FTA를 체결하면서
동 국가로부터의 수입품을 세이프가드조치의 부과에서 배제한다는 규정을 두고
있다.[102]

제6절 맺음말

본 장에서 세이프가드규정의 도입배경을 살펴본 뒤에 현행 WTO 세이프가드
협정의 주요 규정과 관련 이슈들을 WTO 분쟁사례들과 함께 분석하였다. 구체적
으로는 세이프가드조치의 발동요건을 살펴본 뒤에 세이프가드조치의 부과와 관
련된 이슈인 조치형태, 부과기간과 잠정조치들을 분석하였다. 그리고 세이프가드
와 관련된 기타사항으로서 보상, 개도국우대조항 및 지역협정과의 관계인 병렬주
의를 분석하였다.

한편, 우리나라가 미국과 EU를 비롯한 여러 국가들과 FTA를 체결해오고 있
는데 지역무역협정 회원국이 다른 회원국에 대하여 세이프가드조치를 취할 수
있는지 여부는 아직까지 명확히 해결되지 않은 상태라는[103] 점을 감안하여 동
FTA의 글로벌세이프가드조항의 WTO세이프가드 합치성을 검토할 필요가 있다.
일부 지역협정의 세이프가드조항들은 세이프가드조치의 회원국에 대한 부과제외
를 명시하고 있기 때문에 향후 FTA이행관련 양자협의시 개선할 필요가 있다.[104]

---

101) WTO, *World Trade Report 2011*, p. 181.
102) 국내 관련규정은 〈불공정무역행위 조사 및 산업피해구제에 관한 법률〉 제22조의 4와
    동법 시행령 제24조의 2이며 2017년 10월말 현재 부과배제대상 국가는 미국, 인도, 페루,
    콜롬비아, 호주, 캐나다, 뉴질랜드 및 베트남이다.
103) Petros C. Mavroidis, George A. Bermann and Mark Wu, *The Law of the World Trade
    Organization (WTO): Documents, Cases & Analysis* (St. Paul, MN: West, 2010, p. 632).
104) 손기윤은 한-미 FTA의 세이프가드규정을 분석하였으며 병렬주의에 위반될 소지가 있다
    고 지적하고 있다. 손기윤, "한-미 FTA의 세이프가드규정 분석", 「법학논총」(단국대 법학
    연구소, 제33권 제2호, 2009). 한편 미국무역위원회(USITC)는 글로벌세이프가드조사를 진
    행하고 최종긍정판정을 내린 뒤 미국이 FTA를 체결한 국가에 대해서는 추가적으로 별도
    판정을 내려야 하며 이 때 병렬주의이슈가 제기될 수 있다. 미국무역위원회는 한국기업들
    이 수출하는 상품인 태양광 전지와 대형가정용세탁기가 포함된 수입품에 대한 세이프가드
    조사를 진행한 뒤 2017년 9월과 10월에 각각 긍정판정을 내리면서 FTA를 체결한 국가에
    대해서 추가로 별도 판정을 내릴 예정이라고 밝혔다. 추가판정대상이 되는 미국의 FTA에

그리고 향후 진행되는 FTA협상에서는 세이프가드협정관련 분쟁사례의 판정을 반영할 필요가 있다.

끝으로 우리 수출기업들이 주요교역국에서 세이프가드조사대상이 되었을 때 효과적인 대응을 위하여 미국과 EU뿐만 아니라 주요 교역국의 세이프가드규정과 관련 조사당국의 관행에 대한 이해를 높일 필요가 있다.[105]

는 NAFTA, 한미 FTA, 미−요르단 FTA, 미−호주 FTA, 미−콜롬비아 FTA, 미−파나마 FTA, 미−페루 FTA, 미−싱가포르 FTA, 미−이스라엘 FTA 및 CAFTA−DR과 FTA가 포함된다.

105) Gregory W. Bowman, Nick Covelli, David A. Grantz and Ihn Ho Uhm, *Trade Remedies in North America* (Austin: Wolters Kluwer, 2010)는 미국과 캐나다 및 멕시코의 세이프가드규정과 관행을, Ivo Van Bael and Jean−Francois Bellis, 2011, *Anti−Dumping and Other Trade Protection Laws of the European Community* (5th ed.) (Hague: Kluwer Law International, 2011)는 EU의 세이프가드규정과 관행을 그리고 International Trade Centre, *Business Guide to Trade Remedies in Brazil: Anti−Dumping, Countervailing And Safeguard Legislation, Practices and Procedures* (Geneva: ITC, 2009)는 브라질의 세이프가드규정과 관행을 상세히 분석하고 있다.

서비스무역 및
무역관련 지식재산권

제5부 서비스무역 및 무역관련 지식재산권

제21장
서비스무역과 GATS*

제1절 서비스무역협정 개관

1. 서비스의 정의

일반적으로 서비스(service)란 "생산된 재화를 운반·배급하거나 생산·소비에 필요한 노무를 제공하는 것"을 뜻한다.[1] 그러나 서비스는 이처럼 단순한 개념으로 정의하기에는 다소 부족하다. 법적 관점에서는 "노동, 기술 또는 자문과 같이 인간의 수고 형태를 띤 무형의 상품"으로 정의되거나,[2] 경제학적으로는 "재화가 아닌 무형의 경제재의 생산활동" 등 다양한 관점에서 정의될 수 있다.[3] 이처럼 서비스를 단일한 개념을 통해 정의하기 어려운 이유는 서비스가 갖고 있는 독특한 특징에 기초한다. 예를 들어 서비스는 상품(goods)처럼 눈에 보이거나 만질 수 있는 것이 아니며, 저장 및 지속기간이 상대적으로 짧다. 따라서 서비스가 국경을 넘어 교역의 대상이 되는 경우 상품과는 달리 관세(tariff)라는 장벽이 제기되지 않고 대신 수량제한이나 국내규제(domestic regulation)가 중요한 무역장벽이 된다. 또한 서비스는 공급자와 소비자의 일정한 상호연계(linkage)가 필요하다. 따라서 무역의 관점에서도 서비스를 정의할 때 "통신, 은행, 보험, 육상 및 해상운송, 항공, 회계, 법률, 엔지니어링, 엔터테인먼트 등과 같은 핵심적인 경제활동들을 포함하며, 제품 또는 다른 서비스의 일부분으로 생산되는 것"이라는 예시적인 형식

---

* 본 장의 참조조문은 별도의 기재가 없는 한 '서비스무역에관한일반협정'(GATS)을 말한다.
1) 국립국어원, 표준국어대사전 https://stdict.korean.go.kr/main/main.do 2022년 1월 10일 최종접속.
2) Black's Law Dictionary, 7th edition, 1999, West Publishing Co., p. 1372.
3) 법무부, 「GATS 해설서」, 2000년 12월, p. 3.

을 취하고 있다.[4] 이러한 특징은 서비스무역에관한일반협정(General Agreement on Trade in Services: GATS)에서도 그대로 나타난다. 즉, GATS에서는 서비스를 구체적 범위를 정하여 명시적으로 정의하지 않고 단지 4가지 서비스의 공급유형을 규정하고 있을 뿐이다.[5]

2. 우루과이 라운드와 GATS의 체결

서비스무역에 대한 다자간 규율 논의는 국제무역기구(International Trade Organization: ITO) 설립을 위한 하바나 헌장(Havana Charter)으로 거슬러 올라간다. 제2차 세계대전 이후 국제경제 질서의 재편을 위한 브레튼 우즈 체제(Bretton Woods System)의 한 축으로 시작된 ITO 설립을 위한 하바나 헌장은 "회원국들은 운송, 통신, 보험 및 은행서비스, 등과 같은 특정 서비스들은 국제무역의 실질적 요소가 되며, 국제무역에서 이러한 활동에 종사하는 기업에 의한 어떠한 제한적 영업관행도 국제무역에 해로운 영향을 미칠 수 있다."고 서비스무역에 대한 명시적인 규정을 두었다.[6] 그러나 동 조항은 서비스무역에 대한 일반적 지침을 설정하는 규정이 아니라 국제무역에 영향을 주는 기업의 제한적 영업관행(restrictive business practices)을 다루는 하바나 헌장 제5장(chapter V)의 일부로서 서비스무역에 대한 특별한 절차를 규정한 조항이라는 점에서 내용적인 한계가 있다. 그러나 보다 근본적으로는 하바나 헌장 자체가 미국 등의 반대로 채택되지 못하였다는 점이 국제교역에서 서비스무역의 다자규범화가 늦어지게 된 원인 중 하나로 평가될 수 있다.[7]

---

4) Walter Goode, *Dictionary of Trade Policy Terms*, 4th edition, Cambridge University Press 2003, p. 312.
5) 제I:2조. GATS의 적용 대상과 범위 및 서비스의 4가지 공급유형에 대해서는 제2절에서 보다 자세하게 다룬다.
6) Havana Charter, 제53.1조.
7) 물론 하바나 헌장 논의 당시나 지금까지도 서비스 부문은 대표적으로 국가간 교역격차가 큰 부문 중 하나이다. 즉, 선진국과 개발도상국, 그리고 선진국과 선진국 간에서도 서비스 대상 자체에 대한 입장의 차이로 인하여 다양한 의견이 존재하였고 동시에 무역규범화의 수준과 틀에 대해서도 많은 논란이 제기되었다. 그리고 이러한 서비스무역의 규범화가 이루어진 이후 자유화의 수준과 대상 및 범위에 대한 논란은 지금도 계속되고 있다. 이에 대한 일반적 논의는 Rudolf Adlung, "Services Trade Liberalization from Developed and Developing Country Perspectives", Patrick Low and Aaditya Mattoo, "Is There a Better

서비스무역을 규율하는 국제규범의 형성에 대한 국가들의 인식은 국제적인 서비스무역의 성장과 함께 하였다. 이에 따라 1986년에 시작된 GATT의 제8차 다자간 무역협상인 우루과이 라운드(Uruguay Round)에서 서비스무역의 자유화를 위한 다자간 국제규범의 제정노력이 본격적으로 시작되었고, 오랜 협상 끝에 서비스무역협정은 1993년 12월 15일 우루과이 라운드의 최종협정문에 포함된 'WTO 설립협정'(Agreement Establishing the World Trade Organization)의 부속서 1B로 채택되었다.

3. GATS의 주요 특징

GATS의 주요 특징으로 주목되는 것은 다음과 같다. 첫째, 우루과이 라운드에서 최종 타결된 GATS는 서비스무역을 규율하는 최초의 다자간 무역협정이라는 점이다. 즉, GATS는 특정 분야의 서비스만을 대상으로 하는 것이 아니라 일반적인 서비스무역 전체를 상정하고 체결된 최초의 다자간무역협정이라는 점에서 기존의 협정들과 구분되는 특징을 갖는다. 마치 GATT가 상품무역 전반에 적용되는 일반협정(general agreement)인 것처럼, GATS는 서비스무역 전체에 적용되는 '일반협정'이다. 따라서 GATS는 국제사회가 경험한 서비스 분야 최초의 다자간무역협정으로서 서비스무역에 대한 다자간 규칙과 원칙체계를 확립하였다.

둘째, GATS에서는 최혜국대우에 대한 광범위한 예외가 인정된다. 이는 서비스무역의 경우 GATS가 체결되기 이전에는 주로 항공, 해운, 금융 등 각 분야별로 양자협정에 따라 무역을 규율하는 상호주의가 지배적이었기 때문에 최혜국대우를 무조건적으로 인정하게 되면 관련 서비스 분야를 개방하지 않은 국가가 최혜국대우 원칙에 근거하여 소위 '무임승차'(free riding)를 하게 되는 경우가 발생할 수 있어 불공정 무역에 대한 우려가 커지기 때문이다. 따라서 GATS는 우선적으로는 일반적 의무로서 최혜국대우 원칙의 적용을 인정하되 일정 조건에 따라 이를 제한하였다. 즉, 회원국이 최혜국대우로부터 벗어나기 위해서는 '제II조 면제에

Way? Alternative Approaches to Liberalization under GATS", Bernard M. Hoekman and Patrick A. Messerlin, "Liberalizing Trade in Services: Reciprocal Negotiations and Regulatory Reform", in Pierre Sauve and Robert M. Stern (ed.), *GATS 2000: New Directions in Services Trade Liberalization*, The Brookings Institution, 2000 참조.

관한 부속서'에 열거되어 있고 동 부속서상의 조건을 충족하는 경우에 한하여 최혜국대우 의무를 이탈하는 조치를 취할 수 있다.[8]

셋째, GATS의 자유화조치의 개념과 방식은 상품무역과 분명한 차이를 보인다. 즉, 서비스무역의 자유화조치는 어떤 국가의 서비스 시장에 대한 실제적인 시장접근(market access)과 내국민대우(national treatment)가 법적으로 보장되는지 여부가 핵심이 된다. 또한 GATS는 모든 서비스 분야를 일시에 개방하는 것이 아니라 5년을 협상주기로 하여 점진적으로 자유화를 진전시키도록 하는 '점진적 자유화원칙'을 채택하였다.[9] 한편 이러한 점진적 무역자유화를 이루는 방식에 있어 GATS는 양허표에서 구체적으로 약속하는 서비스분야는 '긍정적 목록방식'(또는 적극적 목록방식, positive list approach)에 따르고, 양허된 분야에 대해 외국인의 서비스 공급을 제한하는 조치, 즉 '시장접근과 내국민대우에 대한 제한'은 '부정적 목록방식'(또는 소극적 목록방식, negative list approach)을 사용하는 절충적 방식을 채택하였다.[10] 무역자유화 방식의 자세한 내용은 제 4 절에서 다루기로 한다.

넷째, GATS는 추후 협상에 의한 시장개방을 약속한다. 즉, 회원국은 GATS의 목적에 따라 점진적으로 보다 높은 수준의 자유화를 달성하기 위하여 WTO협정 발효일로부터 5년 이내에 협상을 개시하고, 그 이후 계속해서 주기적으로 협상한다(제XIX:1조). 또한 회원국은 자격, 표준, 면허에 관한 조치를 포함하여 시장접근과 내국민대우에 따른 양허표 기재사항은 아니나 서비스무역에 영향을 미치는 조치에 관한 양허협상을 개시할 수 있다(제XVIII조). 따라서 특정 서비스분야가 WTO 출범 당시 구체적 약속에서 제외되었다 하더라도 후속협상에 의하여 시장개방의 대상이 될 수 있다. 이러한 특징은 GATS가 완성된 협정이 아니라 서비스무역의 자유화를 위한 시작단계에 불과하며, 서비스무역의 개방과 GATS의 미비점을 보충하기 위한 추가적인 협상이 계속됨을 의미한다.[11]

---

8) GATS, 제II:2조. 그러나 최혜국대우의 광범위한 예외인정은 상호주의에 입각한 시장개방의 수단으로 남용될 우려가 있다는 비판이 제기된다. 최승환, 「국제경제법」(제3판), 법영사, 2006, p. 391.

9) 이를 위해 GATS는 제XIX조 '구체적 약속에 대한 협상', 제XX조 '구체적 약속에 관한 양허표' 및 제XXI조 '양허표의 수정'까지 제 4 부 점진적 자유화(progressive liberalization)를 명시적으로 규정하고 있다.

10) GATS 제XVI조 및 제XVII조 참조. 한편 GATS의 자유화 추진방식의 문제점에 대한 일반적 논의는 서철원, "WTO의 서비스무역에 관한 일반협정의 평가", 「서울국제법연구」(제 3 권 3 호, 1996), pp. 116-126 참조.

4. GATS의 기본원칙

GATS는 상품무역을 규율하는 GATT와 마찬가지로 기본적으로 최혜국대우 원칙과 내국민대우 원칙, 그리고 투명성 원칙 등을 핵심원칙으로 채택하고 있다. 또한 GATS는 서비스 분야의 특성에 따라 서비스무역의 점진적 자유화 원칙 등을 기본원칙으로 하고 있다. 그러나 GATS는 상품무역과는 다른 서비스무역의 특성에 따라 이러한 기본원칙들, 특히 최혜국대우와 내국민대우가 적용되는 방식에서 GATT와 다소 차이를 나타내고 있다.

우선 GATS는 GATT와 마찬가지로 최혜국대우(MFN Treatment)를 '일반적 의무'로서 모든 회원국에 적용되는 기본원칙으로 채택하였다. 즉, GATS의 대상이 되는 '모든 조치'(any measure)에 대하여 각 회원국은 다른 회원국의 서비스와 서비스 공급자에게 특정 회원국에게 부여한 대우보다 불리하지 아니한 대우를 다른 회원국의 서비스와 서비스 공급자에게 즉시 그리고 무조건적으로 부여해야 한다(제Ⅱ:1조). 이러한 최혜국대우 원칙은 WTO 체제에서 가장 핵심적인 무역자유화 원칙이다. GATT의 최혜국대우는 "관세와 과징금의 부과 및 부과방법, 수출입과 관련된 모든 규칙, 절차, 내국세 및 기타 국내규제"를 다른 회원국의 '동종상품'(like products)에 대하여 적용되는 것에 비해, GATS의 최혜국대우는 "서비스무역에 영향을 미치는 회원국의 모든 조치"를 다른 회원국의 '동종 서비스 및 서비스 공급자'에게 적용된다는 점에서 차이를 보인다. 또한 GATS의 경우에는 앞서 살펴본 것처럼 최혜국대우의 광범위한 예외가 인정된다는 점에서 GATT와는 다른 특성을 나타낸다.[12]

한편 GATS의 내국민대우(National Treatment) 원칙은 GATT와는 달리 상당히 제한적이다. GATT의 경우 내국민대우는 각 회원국이 수입상품에 대한 내국세 및 무역관련 국내규칙의 적용에 있어 국내 동종상품과 '무조건적으로' 동등한 대우를 부여해야 하는 '일반적 의무'로 규정되었다. 그러나 GATS의 내국민대우는 회원국의 일반적 의무가 아니라 '구체적 약속'(specific commitments)의 형태로 규정되

---

11) WTO, *Guide to the Uruguay Round Agreement*, World Trade Organization Secretariat, Geneva, 1998, pp. 171−173.

12) 다만, 이 경우라도 GATS 제Ⅱ:2조에서 명시한 조건, 즉 "제Ⅱ조 면제에 관한 부속서"에 열거되어 있고 동 부속서 상의 조건을 충족하는 경우에 한하여 최혜국대우를 이탈하는 조치를 취할 수 있다는 점은 변함이 없다.

어 있다는 점에서 GATT의 내국민대우와 차이를 나타낸다. 즉, GATS의 경우 각 회원국은 "자국의 양허표에 기재된 분야에 있어 양허표에 명시된 조건 및 제한에 따라" 다른 회원국의 서비스 및 서비스 공급자에게 서비스의 공급에 영향을 미치는 '모든 조치'와 관련하여 자국의 '동종 서비스'와 '동종 서비스 공급자'에게 부여하는 대우보다 불리하지 않은 대우를 부여해야 한다(제XVII:1조).

제2절   GATS의 구조, 적용범위 및 서비스 공급유형

1. GATS의 구조

GATS는 모든 회원국에게 적용되는 기본의무를 포함하는 총 6부(part) 29개 조문(article)으로 구성된 협정본문과, 개별서비스 부문과 서비스 공급방식 및 제Ⅱ조 면제에 관한 세부 내용을 규정한 8개의 부속서(Annexes), 그리고 GATS 협상 당시 이루어진 각료결정(Ministerial Decisions) 및 양해(Understanding) 등 세 개의 기본 축으로 구성된다. 협정본문은 모든 회원국들에게 포괄적으로 적용되는 일반규범으로, 소위 골격협정(framework agreement)의 성격을 나타낸다. 또한 부속서는 협정본문의 해석을 보완하고 설명하는 역할을 한다. 특히 부속서는 각료결정이나 양해와는 달리 GATS 협정본문과 동등한 효력을 갖는 '불가분의 일체'(integral part)로 전체로서의 GATS와 분리될 수 없다(제XXIX조). 따라서 GATS의 부속서는 모든 회원국에 대하여 적용되며 특정 부속서의 전부 또는 일부 내용의 적용을 유보할 수 없다. GATS에 첨부된 부속서는 총 8개가 있으며 구체적으로 제II조 면제에 관한 부속서, 자연인의 이동에 관한 부속서, 항공운송서비스에 관한 부속서, 금융서비스에 관한 부속서, 금융서비스에 관한 제2 부속서, 해상운송서비스협상에 관한 부속서, 통신에 관한 부속서 및 기본통신협상에 관한 부속서가 있다. 한편, 각료결정과 양해는 GATS의 운영 면에서는 협정본문과 동일한 법적 효력을 갖지만 부속서와 달리 법적 측면에서 GATS와 불가분의 일체를 이루는 것은 아니다.[13]

한편 이러한 GATS의 외형적 구조에서 특징적인 부분은 GATS와 불가분의 일체를 이루는 개별 회원국의 양허표(Schedule)가 명시적으로 포함되지 않았다는 점이

13) 법무부, 전게서, p. 104.

다. 회원국의 시장개방에 대한 구체적 약속에 관한 양허표는 우루과이 라운드 협상과 이후 추가협상에서 이루어진 개별 회원국의 시장개방 협상의 결과물로 '의정서'(protocol)를 통해 GATS에 포함됨으로써 법적 효력을 갖고 GATS의 불가분의 일부를 구성하게 된다(제XX:3조). 그리고 이러한 국가별 서비스시장의 개방수준과 제한조건을 담은 국가별 양허표는 서비스무역 자유화의 핵심이다. 따라서 GATS의 외형적 구조에도 불구하고 GATS의 고유 가치를 내재적으로 구성하는 핵심 축은 협정본문과 회원국들의 개별 양허표, 그리고 부속서 등 세 가지라고 볼 수 있다.[14]

2. GATS의 적용범위

GATS는 서비스무역에 영향을 미치는 '회원국의 조치'에 대하여 적용된다(제 I:1조). 따라서 서비스 산업을 규제하는 회원국의 조치라 하더라도 서비스무역에 영향을 미치지 않는 조치에 대해서는 GATS가 적용되지 않는다. 'EC-바나나 사건'에서 상소기관(Appellate Body)은 "영향을 미치는"(affecting)이라는 용어의 통상적 의미는 "영향을 갖는"(have an effect) 조치를 의미하기 때문에 적용범위가 광범위하며, GATS의 범위로부터 GATT가 적용되는 조치를 선험적으로(a priori) 배제할 법적 근거가 없다고 평결한 바 있다.[15] 또한 동 사건의 패널(Panel) 역시 어떤 조치도 GATS 조항에 의해 정의되는 것으로써 그 범위로부터 선험적으로 배제되지 않으며, GATS의 범위는 회원국의 조치가 직접적으로 서비스의 공급을 규율하거나 또는 다른 사안들을 규율하거나에 관계없이 단지 서비스무역에 영향을 미치는 경우 서비스의 공급에 영향을 미치는 범위에서 회원국의 모든 조치를 포함한다고 평결하였다.[16] 결국, GATS의 적용범위에 해당하는 서비스무역에 영향을 미치는 회원국의 '조치'는 법률, 규정, 규칙, 절차, 결정, 행정행위 또는 그 밖의 형태의 여부에 관계없이 회원국에 의해 취해지는 모든 조치를 의미한다(제XXVIII조 (a)). 다만, 정부의 권한 행사로 이루어진 서비스 공급에는 GATS가 적용되지 않는다.[17]

---

14) 이한영, 「디지털@통상협상-UR에서 한미FTA까지」, 삼성경제연구소, 2007, pp. 35-38 참조.
15) WTO, *European Communities-Regime for the Importation, Sale and Distribution of Bananas*, Report of the Appellate Body, WT/DS27/AB/R, 9 September 1997, para. 220.
16) WTO, *European Communities-Regime for the Importation, Sale and Distribution of Bananas*, Report of the Panel, WT/DS27/R, 22 May 1997, para. 7.285.

3. GATS에서의 서비스 공급유형

GATS는 서비스에 대하여 명시적으로 정의하고 있지 않고 4가지 유형의 서비스 공급으로 정의한다. 즉, GATS의 적용 대상이 되는 '서비스무역'은 서비스의 국경간 공급(cross-border supply), 서비스 소비자의 해외소비(consumption abroad), 외국 서비스 공급자의 상업적 주재(commercial presence) 및 자연인의 주재(presence of natural persons) 등을 통한 '서비스의 공급'(supply of services)으로 정의된다(제 I:2조).

첫째, GATS는 서비스의 국경간 공급(cross-border supply of services: mode 1)을 "한 회원국의 영토로부터 그 밖의 회원국의 영토 내로의 서비스 공급"으로 정의하고 있다(제I:2조 (a)). 즉, 서비스 공급자는 자신이 위치한 서비스 수출국에 그대로 머물고 있으며 여기에서 생산된 서비스를 소비자가 위치한 서비스 수입국에 제공하는 경우를 말한다. 따라서 이 경우에는 자본이나 노동과 같은 생산요소의 이동은 수반되지 않는다. 예를 들어 전화와 같은 통신수단을 이용하여 외국의 변호사가 국내 기업을 상대로 법률 자문을 하는 것이 여기에 해당된다. 또는 상품에 체화된 서비스의 국경간 공급도 가능한데, 예를 들어 CD 등 저장매체에 담겨 있는 건축도면 등에 체화된 설계서비스 등이 이에 해당한다.[18]

둘째, 서비스의 해외소비(consumption abroad: mode 2)란 서비스 소비자가 자국 영역 밖에서 서비스를 구매하거나 소비하는 경우를 말한다. GATS에서는 이를 "한 회원국의 영토 내에서 그 밖의 회원국의 서비스 소비자에 대한 서비스 공급"으로 정의하고 있다(제I:2조 (b)). 가장 일반적인 예로는 소비자가 다른 국가로 관광을 가거나, 유학을 위하여 다른 국가로 여행하여 현지에서 교육을 받는 경우

---

17) '정부의 권한 행사로 공급되는 서비스'는 상업적 기초에서 공급되지 않으며 하나 또는 그 이상의 서비스 공급자와의 경쟁 하에 공급되지 아니하는 모든 서비스를 의미한다(제I:3조 (c)). 따라서 현재 중앙은행이 제공하는 서비스 및 정부가 제공하는 각종 사회보장 서비스 등은 GATS의 적용대상에서 제외되지만, 우체국에서 제공되는 예금, 보험 등의 금융서비스나, 우편서비스 또는 택배서비스 등과 같이 정부기관이 제공하는 서비스이지만 상업적으로 제공되거나 다른 동종의 서비스 공급자와 경쟁 상황에서 서비스가 제공되는 경우에는 GATS의 적용대상에 포함된다.

18) 그러나 상품에 체화된 서비스의 공급형태에 대해서는 이를 상품으로 취급해야 한다는 견해와, 서비스의 공급자가 최종적으로는 내국인이라는 점에서 국경간 서비스 공급이 발생하지 않았다는 견해도 일부 제기되고 있다. 법무부, 전게서, p. 127 참조.

또는 외국 의료기관에 병을 치료하고자 환자가 외국 병원에 직접 가서 치료를 받는 경우 등이 해당될 것이다.

셋째, GATS는 "한 회원국의 서비스 공급자에 의한 그 밖의 회원국의 영토 내에서 상업적 주재를 통한 서비스 공급", 즉 상업적 주재를 세 번째 서비스 공급유형으로 명시하고 있다(제I:2조 (c)). 외국 서비스 공급자의 상업적 주재(commercial presence: mode 3)란 서비스를 공급할 목적으로 하는 회원국 영역 내에서의 법인의 설립, 인수 또는 유지나, 지사나 대표 사무소의 창설 또는 유지 등을 통한 모든 형태의 '영업적 또는 전문직업적 설립'(business or professional establishment)을 의미한다(제XXVIII조 (d)). 즉, 상업적 주재를 통한 서비스 공급은 예를 들어 은행이나 법률자문 또는 통신 등의 서비스를 제공하기 위해 투자를 통하여 직접 법인을 설립하는 것이다. 따라서 서비스 공급유형으로서 상업적 주재의 핵심은 투자를 통한 외국자본의 이동문제이다. 다만, 상업적 주재가 반드시 외국인의 주재를 요구하는 것은 아니다.

넷째, GATS에서 마지막 서비스 공급유형으로 규정된 자연인의 주재(presence of natural persons: mode 4)는 "한 회원국의 서비스 공급자에 의한 그 밖의 회원국 영토 내에서의 자연인의 주재를 통한 서비스 공급"으로 정의된다(제I:2조 (d)). 서비스는 그 특성상 서비스 공급인력에 의해 현장에서 생산·판매되는 경우가 대부분이므로 GATS 상의 자연인의 주재는 상업적 주재와 밀접한 관련을 갖고 있으며 중요한 비중을 차지하고 있다. 또한 자연인의 주재 문제는 경제적 문제뿐만 아니라, 외국인 고용문제 등과 같이 정치·사회·문화적으로도 중대한 문제를 수반하기 때문에 대부분 국가들은 이에 대해 엄격한 통제를 하고 있는 실정이다.[19]

제 3 절 GATS의 일반적 의무와 규율

1. 최혜국대우

GATS는 제II조 1항에서 "이 협정의 대상이 되는 모든 조치에 관하여, 각 회원국은 그 밖의 회원국의 서비스와 서비스 공급자에게 다른 국가의 동종 서비스

---

19) 법무부, 전게서, p. 133.

와 서비스 공급자에게 부여하는 대우보다 불리하지 아니한 대우를 즉시 그리고
무조건적으로 부여한다.”고 최혜국대우 원칙을 명시하고 있다. GATS는 소위 ‘무
조건부 최혜국대우’ 원칙을 채택하고 있다. 또한 동 조항에서의 ‘불리하지 않은
대우’의 개념에는 법률상의 차별(de jure discrimination)은 물론 사실상의 차별(de
facto discrimination)도 포함하며,20) WTO 회원국 모두가 부담해야 하는 일반적 의
무(general obligation)로 규정되어 있다. 따라서 양허표상에 약속한 수준 이상의 혜
택을 특정 국가에게만 부여하고자 한다면 별도의 최혜국대우 의무면제를 받아야
한다. 이러한 예외를 인정받기 위해서 회원국은 ‘제Ⅱ조 면제에 관한 부속서’에
열거되어 있고 동 부속서 상의 조건을 충족하는 경우에만 최혜국대우 의무로부
터 벗어날 수 있다(제II:2조).21) 다만, 최혜국대우 의무면제의 남용을 방지하기 위
하여 서비스무역이사회(Council for Trade in Services)는 5년 이상의 기간 동안 부여
되는 모든 면제조치를 검토하며,22) 면제기간은 원칙적으로 10년을 초과할 수 없도
록 하였다.23) 또한 WTO 설립협정이 발효된 이후 제기되는 모든 새로운 면제조치
는 WTO 설립협정 제IX:3조의 절차에 따라 회원국 3/4 이상의 동의를 받아야 한
다.24) 마지막으로 최혜국대우 원칙은 GATS 제V조의 조건에 충족하는 경제통합
(Economic Integration)이나, 제XIII조의 정부구매(또는 정부조달, Government Procurement)
에는 적용되지 않는다.

2. 투명성 원칙

GATS의 투명성 원칙은 회원국의 조치에 대한 공표(publication), 통보(notification)

---

20) WTO, *European Communities—Regime for the Importation, Sale and Distribution of
   Bananas*, Report of the Appellate Body, WT/DS27/AB/R, 9 September 1997, paras.
   231-234 참조.
21) 이는 서비스무역에서는 그동안 각 서비스 분야별로 상호주의에 따른 당사국간의 양자협
   정 체제가 일반적이었기 때문에 이러한 기존의 관행과 조화를 도모하고, 동 분야에 대해
   양허하지 않는 회원국의 무임승자(free riding)를 방지하기 위해 나타난 예외적 현상이다.
   최승환, 전게서, pp. 407-408 참조.
22) 제II조 면제에 관한 부속서 제3항. 서비스무역이사회의 면제조치에 대한 최초의 검토는
   WTO협정 발효 후 5년 이내에 이루어져야 한다.
23) 제II조 면제에 관한 부속서 제6항. 또한 이러한 면제조치는 후속 무역자유화 협상에서 협
   상의 대상이 된다.
24) 제II조 면제에 관한 부속서 제2항.

및 문의처(enquiry point) 설치 등의 의무를 주된 내용으로 한다. 첫째, 공표의무와 관련하여 각 회원국은 GATS 운영에 관련되거나 영향을 미치는 일반적으로 적용되는 모든 관련 조치들을 신속히 공표해야 한다. 또한 특정 회원국이 서명국인 서비스무역에 관련되거나 영향을 미치는 국제협정 역시 공표해야 한다(제III:1조). 만약 이러한 공표가 실행이 불가능할 경우에는 그러한 정보를 달리 공개적으로 입수가 가능하도록 해야 한다(제III:2조). 둘째, 통보의무와 관련하여 각 회원국은 자국의 구체적 약속의 대상이 되는 서비스무역에 중대한 영향을 미치는 모든 법률(laws), 규정(regulations), 또는 행정지침(administrative guidelines)의 새로운 도입 또는 수정에 관하여 신속히 그리고 적어도 해마다 통보해야 한다(제III:3조). 셋째, 문의처 설치에 대하여 회원국은 자국의 모든 조치, 또는 국제협정에 대한 그 밖의 회원국의 특정 정보에 관한 모든 요청에 신속하게 응답해야 하며, 이러한 요청이 있는 경우 구체적인 정보를 다른 회원국에 제공하기 위해 WTO 설립협정 발효일로부터 2년 이내에 1개 이상의 문의처를 설립해야 한다. 다만, 개발도상국인 회원국에 대해서는 문의처 설치의 시간제한에 관하여 개별적으로 적절한 융통성이 부여된다(제III:4조).

3. 개발도상국의 참여증진

개발도상국인 회원국의 국제무역에의 참여증진은 GATS 제III부(구체적 약속)와 제IV부(점진적 자유화)에 따라 다른 회원국이 행한 구체적 약속을 통해 촉진된다. 이 때 각 회원국은 특히 상업적 기초에서의 기술접근을 통한 개발도상 회원국의 국내 서비스 능력과 효율성 및 경쟁력 강화, 유통망과 정보망에 대한 개발도상 회원국의 접근 개선, 그리고 개발도상 회원국이 수출에 관심을 가지고 있는 분야 및 공급유형에서의 시장접근 자유화 등을 고려해야 한다(제IV:1조). 또한 이를 위해 선진국인 회원국과 가능한 범위 내에서 다른 회원국은 자국 시장과 관련되는 서비스 공급의 상업적 및 기술적 측면, 전문 자격의 등록, 인정 및 취득, 그리고 서비스 기술의 입수 가능성 등에 관한 정보에 대하여 개발도상 회원국의 서비스 공급자의 접근을 촉진하기 위하여 WTO 협정 발효일 이후 2년 이내에 접촉처(contact point)를 설치해야 한다(제IV:2조). 한편, 이상의 내용을 이행함에 있어 최빈개도국 회원국에게는 특별한 우선권(special priority)이 부여되어야 한다. 특히 최빈개도국의 특별한 경제상황과 개발, 무역 및 재정의 필요에 비추어 협상된 구체적 약속을 수락하는데 있어 최빈개도국의 심각한 어려움이 특별히 고려되어야 한다(제IV:3조).

4. 경제통합

GATS는 상품무역협정 제XXIV조에서와 같이 일정한 요건을 충족하는 경제통합 또는 경제공동체를 구성하는 협정을 체결하는 것을 허용하고 있으며, 이를 근거로 GATS의 최혜국대우 원칙으로부터 벗어날 수 있다. 동 조항에서 의미하는 경제통합이 되기 위한 실체법적 요건으로는 첫째, '상당한 분야별 대상 범위'(substantial sectoral coverage)를 가져야 하고,25) 둘째 '상당한 분야별 대상 범위'의 대상이 되는 서비스 분야에 있어 양자 간 또는 여러 당사자 간에 '실질적으로 모든 차별 조치'를 그 협정의 발효시 또는 합리적인 시간 계획에 기초하여 없애거나 폐지해야 하며,26) 셋째 이러한 경제통합 또는 그 협정은 당사국 간의 무역을 촉진하기 위한 것이 되어야 하고, 협정의 당사자가 아닌 모든 회원국에 대하여 그러한 협정이 체결되기 이전에 적용 가능한 수준과 비교하여 각 서비스 분야 및 업종에서의 서비스무역에 대한 전반적인 장벽 수준을 높여서는 안된다(제V:4조).

한편 경제통합협정과 관련된 절차적 측면으로 경제통합협정의 당사국인 회원국은 동 협정의 체결, 확대 또는 중대한 수정을 하는 데 있어 회원국이 자국의 양허표에 규정된 조건들과 일치하지 않게 구체적 약속을 철회하거나 수정하려고 하는 경우, 그 회원국은 최소한 90일 이전에 그러한 수정 또는 철회를 사전 통보하며, 이 경우 제XXI:2조~제XXI:4조의 절차가 적용된다(제V:5조). 또한 경제통합협정의 당사국인 회원국은 이러한 협정의 체결과 확대 또는 중대한 수정을 신속히 서비스무역이사회에 통보해야 한다. 또한 회원국은 서비스무역이사회가 요청

---

25) 이러한 조건은 대상 서비스 분야의 수, 영향을 받는 무역량 그리고 공급유형의 관점에서 이해되며, 이 조건을 충족시키기 위해서는 협정이 특정 공급유형을 사전에 제외하는 것을 규정해서는 안 된다. GATS 제V:1조 (a) 및 각주 참조.

26) 즉, '실질적으로 모든 차별조치의 폐지'는 기존의 차별조치의 폐지뿐만 아니라 신규 혹은 더욱 차별적인 조치를 폐지하거나 금지하는 것을 의미한다. 다만, 제XI조(지급 및 이전), 제XII조(국제수지방어를 위한 수입제한), 제XIV조(일반적 예외), 제XIV조의2(국가안보예외)에 따라 허용되는 조치는 예외로 한다. GATS 제V:1조 (b).

할 수 있는 관련 정보를 이사회에 제공해야 하며, 동 이사회는 이러한 협정 또는 그 협정의 확대 또는 수정을 검토하고 동 조항에 합치하는지 여부에 대하여 서비스무역이사회에 보고할 작업반(working party)을 설치할 수 있다(제V:7조 (a)). 마지막으로 경제통합협정의 당사국인 회원국은 이러한 협정으로 인하여 다른 회원국에게 귀속될 수 있는 무역혜택(trade benefit)에 대해 보상(compensation)을 청구할 수 없다(제V:8조). 또한 회원국은 노동시장의 완전한 통합을 이루는 양자 또는 다자간 협정을 체결할 수 있다. 이 경우 동 협정은 협정 당사국 국민을 거주 및 근로허가와 관련된 요건으로부터 면제하고, 서비스무역이사회에 통보된다(제V조의 2(bis)).

5. 국내규제

GATS는 국가의 정책목표를 충족시키기 위하여 자국 영토 내의 서비스 공급을 규제하고 새로운 규제를 도입할 수 있는 회원국의 권리를 인정하고 있다.[27] 이에 따라 GATS 제VI조는 국내규제 조치의 운영방식과 행정절차에 대한 구제, 자격요건과 절차, 기술표준 및 면허 요건 등 다양한 국내규제의 측면을 규율하고 있다.

우선 각 회원국은 구체적 약속이 이루어진 분야에서 서비스무역에 영향을 미치는 일반적으로 적용되는 모든 조치가 합리적이고 객관적이며 공평한 방식으로 시행될 것을 보장해야 한다(제VI:1조).[28] 또한 각 회원국은 영향을 받는 서비스 공급자의 요청에 따라 서비스무역에 영향을 미치는 행정결정을 신속하게 검토하고, 정당화되는 경우 행정결정에 대한 적절한 구제를 제공할 사법, 중재, 또는 행정재판소 또는 절차를 가능한 조속히 유지하거나 설치해야 한다. 그리고 이러한 절차가 관련 행정결정을 위임받은 기관과 독립적이지 않은 경우 회원국은 동 절차가 실제로 객관적이고 공평한 검토를 제공하도록 보장해야 한다(제VI:2조 (a)). 그러나 동 규정은 자국의 헌법 구조나 법체계상의 성격과 일치하지 않는 경우에도 이러한 재판소나 절차를 설치할 것을 회원국에게 요구하는 것으로 해석되지

---

27) GATS 전문(preamble).
28) 동 조항은 서비스무역의 주된 장벽이 국내규제이기 때문에 이러한 국내규제가 부당한 무역장벽이 되지 않도록 규제조치의 운영방식을 명시한 것이다.

는 않는다(제Ⅵ:2조 (b)). 또한 구체적 약속이 이루어진 서비스의 공급을 위하여 승
인이 요구되는 경우 회원국의 주무 당국은 신청서의 제출 이후 합리적인 기간 내
에 신청자에게 동 신청과 관련된 결정을 통보한다. 또한 신청자의 요청이 있는
경우 회원국의 주무 당국은 부당한 지연 없이 신청의 처리 현황에 대한 정보를
제공한다(제Ⅵ:3조).

한편 서비스무역이사회는 자격 요건과 절차, 기술표준 및 면허 요건과 관련된
국내조치가 서비스무역에 불필요한 장벽이 되지 않도록 보장하기 위하여 동 이사
회가 설치할 수 있는 적절한 기관을 통하여 모든 필요한 규율(disciplines)을 제정한
다. 이러한 규율은 그 요건이 서비스를 공급할 자격 및 능력과 같은 객관적이고
투명한 기준에 기초하고, 서비스의 질을 보장하기 위하여 필요한 정도 이상의 부
담을 지우지 말아야 하며, 면허절차의 경우 요건 그 자체가 서비스 공급을 제한
하는 조치가 되지 않도록 보장하는 것을 목적으로 한다(제Ⅵ:4조).[29] 마지막으로
전문직 서비스와 관련하여 구체적 약속이 이루어진 분야에 있어 각 회원국은 다
른 회원국의 전문 직업인의 자격을 검증할 적절한 절차(adequate procedures)를 제
공해야 한다(제Ⅵ:6조).

6. 인정제도

인정(recognition) 제도는 소위 전문직 서비스 공급자의 경우 국가 간에 상이
한 자격취득 요건이 서비스무역의 장벽이 될 가능성이 있기 때문에 그 중요성이
크다. 이에 따라 GATS는 회원국이 특정 국가에서 습득한 교육이나 경험, 충족된
요건 또는 부여받은 면허나 증명을 인정할 수 있다는 원칙을 제시하고 있으며,
이를 부여하는 방법으로 각국의 자격인정제도를 통일시키는 조화(harmonization)를 통
하거나, 관련 국가와 서비스 공급자의 자격을 상호 인정하는 협정이나 약정에 기
초하거나, 국내법상 일정한 기준을 충족하는 경우 자율적 방법으로 가능하다고
규정한다(제Ⅶ:1조). 특히 이러한 협정이나 약정의 당사국은 관심 있는 다른 회원
국이 동 협정이나 약정에 참여할 수 있는 충분한 기회를 제공해야 하며, 자율적

---

29) 다만, 회원국이 구체적 약속을 한 분야에서는 동 조항에 따라 제정되는 각 분야별 규율이
　　발효할 때까지 회원국은 그러한 구체적 약속을 무효화 하거나 침해하는 면허 및 자격 요
　　건과 기술표준을 적용하지 아니 한다. GATS 제Ⅵ:5조 참조.

으로 인정을 부여하는 경우 회원국은 다른 회원국이 자국 영역 내에서 습득한 교육, 경험, 면허나 증명, 또는 충족된 요건이 인정되어야 한다는 것을 증명할 적절한 기회를 부여해야 한다(제VII:2조).

다만 회원국은 서비스 공급자에 대한 승인, 면허 또는 증명에 대한 표준 또는 기준을 적용함에 있어 국가 간 차별의 수단이나 서비스무역에 대한 위장된 제한이 되는 방식으로 인정을 부여하지 않을 의무를 진다(제VII:3조). 또한 회원국은 WTO협정이 자국에 대하여 발효하는 일자로부터 12개월 이내에 서비스무역이사회에 자국의 기존 인정조치를 통보하고 그러한 조치가 GATS 제VII:1조에 언급된 유형의 협정이나 약정에 근거한 것인지 여부를 명시하며, 가능한 사전에 자격인정에 관한 협정에 대하여 협상의 개시를 서비스무역이사회에 신속하게 통보하며, 새로운 인정조치를 채택하거나 현행 인정조치에 중요한 수정을 가하는 경우 서비스무역이사회에 신속히 통보하고 동 조치가 GATS 제VII:1조에 언급된 유형의 협정이나 약정에 기초한 것인지를 명시해야 한다(제VII:4조).

7. 독점·배타적 서비스공급자 및 영업관행

GATS는 불공정무역행위에 대한 규제의 일환으로 제VIII조에서 서비스무역의 자유화를 저해하는 독점 및 배타적 서비스 공급자의 경쟁제한 행위를, 그리고 제IX조에서 이를 제외한 일반 서비스 공급자의 제한적 영업관행에 대하여 규정하고 있다. 우선 여기에 사용된 용어를 정의하면 '서비스의 독점 공급자'란 회원국 영토의 관련 시장에서 서비스의 유일한 공급자로서 회원국에 의해 공식적으로 또는 사실상 승인을 받거나 설립된 모든 공인 또는 사인을 의미한다(제XXVIII조 (h)). 또한 '배타적 서비스 공급자'란 회원국이 공식적이거나 또는 사실상 소수의 서비스 공급자를 승인하거나 설립하고, 또한 자국의 영토 내에서 그 공급자들 간의 경쟁을 실질적으로 방해하는 경우 이러한 공급자를 의미한다(제VIII:5조). 따라서 각 회원국은 자국 영역 내의 모든 독점 및 배타적 서비스 공급자가 관련 시장에서 독점 및 배타적 서비스를 제공함에 있어 최혜국대우와 구체적 약속에 따른 회원국의 의무에 일치하지 아니하는 방식으로 행동하지 않도록 보장할 의무를 진다(제VIII:1조 및 제VIII:5조). 또한 회원국의 독점 및 배타적 공급자가 자신의 독점 및 배타적 서비스 이외의 서비스로서 구체적 약속의 대상이 된 서비스를 공급함에 있어 직접 혹은 제휴기업을 통하여 경쟁을 할 경우, 회원국은 그러한 공급자가 자신의 독점적 또는 배타적 지위를 남용하여 자국의 영토 내에서 구체적 약속에 일치하지 않는 방식으로 행동하지 않도록 보장해야 한다(제VIII:2조 및 제VIII:5조). 한편, 다른 회원국의 독점 및 배타적 서비스 공급자가 이러한 의무에 일치하지 않는 방식으로 행동한다고 믿을만한 사유를 갖고 있는 회원국의 요청이 있을 경우, 서비스무역이사회는 그러한 공급자를 설립, 유지, 또는 승인하고 있는 회원국에게 관련된 운영에 관한 구체적 정보의 제공을 요청할 수 있다(제VIII:3조 및 제VIII:5조). 또한 WTO 설립협정의 발효일 이후 회원국이 구체적 약속의 대상이 된 서비스의 공급과 관련한 독점권을 부여할 경우, 동 회원국은 늦어도 독점권 부여의 시행 예정일로부터 3월 이내에 서비스무역이사회에 그러한 사실을 통보해야 하며, 이 경우 양허표 수정에 관한 제XXI조의 규정이 적용된다(제VIII:4조).

한편 회원국은 독점적 및 배타적 서비스 공급자의 영업관행을 제외한 서비스 공급자의 특정 영업관행이 경쟁을 제약할 수 있으며 서비스무역을 제한할 수 있다는 점을 인정한다(제IX:1조). 따라서 각 회원국은 다른 회원국의 요청이 있을 경우 이러한 제한적 영업관행의 폐지를 목표로 협의를 개시한다. 이러한 요청을 받은 회원국은 동 요청에 대하여 충분하고 호의적인 고려를 부여하며, 당해 사안과 관련된 공개적으로 입수 가능한 비밀이 아닌 정보의 제공을 통하여 협력한다. 또한 요청을 받은 회원국은 자국의 법에 따라 그리고 정보를 요청한 회원국에 의한 비밀보호와 관련한 만족스러운 합의를 조건으로 다른 입수 가능한 정보를 요청 회원국에게 제공한다(제IX:2조).

8. 지불 및 이전

GATS는 제XI조에서 경상거래에 대한 국제적인 지불 및 이전의 제한금지 의무와 국제통화기금(International Monetary Fund: IMF) 규정상의 권리와 의무 및 자본거래에 대하여 규정하고 있다. 즉, 각 회원국은 GATS 제XII조에 따라 국제수지 보호를 위해 수입제한조치가 허용되는 경우를 제외하고는 자국의 구체적 약속과 관련된 경상거래(current transaction)에 대한 국제적인 지불(payments) 및 이전(transfers)에 대하여 제한을 적용하지 아니한다(제XI:1조). 또한 GATS의 어떤 규정도 국제통화기금협정에 합치하는 외환조치의 사용을 포함한 국제통화기금협정 조문의 국

제통화기금 회원국의 권리와 의무에 영향을 미치지 아니한다. 다만, 회원국은
GATS 제XII조나 국제통화기금의 요청에 의한 경우를 제외하고는 자본거래에 관
한 자국의 구체적 약속에 일치하지 않는 방식으로 모든 자본거래에 대하여 제한
할 수 없다(제XI:2조).

9. 보 조 금

GATS는 특정 상황에서 보조금이 서비스무역을 왜곡시키는 효과를 가질 수
있다는 점을 인정한다. 회원국은 이러한 무역왜곡 효과를 방지하기 위하여 필요
한 다자간 규율을 발전시켜 나가기 위한 협상을 개시하며, 이러한 협상은 상계절
차의 적절성 문제를 취급한다. 특히 동 협상은 개발도상국의 개발계획과 관련한
보조금의 역할을 인정하며, 또한 이 분야에서의 융통성에 대한 회원국, 특히 개
도국인 회원국의 필요를 고려해야 한다. 또한 이러한 협상의 목적상 회원국은 자
국의 국내 서비스 공급자에게 제공하는 서비스무역과 관련된 모든 보조금에 대
한 정보를 교환해야 한다(제XV:1조). 특히 다른 회원국의 보조금에 의해 부정적
영향을 받고 있다고 간주되는 모든 회원국은 이러한 사안에 관해 동 회원국에게
협의를 요청할 수 있으며, 이러한 요청에 대해서는 호의적인 고려가 부여된다(제
XV:2조). 그러나 상품무역과 달리 GATS에서는 보조금의 정의나 상계조치의 발동
요건과 절차 등에 관한 구체적 규정이 없다. 이는 서비스 분야를 대상으로 하는
보조금 지급과 동 보조금에 의한 피해, 서비스의 출처, 서비스 시장의 점유율, 서
비스무역의 경제적 영향 등을 측정하기 어려운데 기인한다.[30] 따라서 GATS 제
XV조는 보조금 지급이 서비스무역을 왜곡시키는 효과를 가질 수 있다는 점을 회
원국이 인정하는데 불과하며, 보조금 지급을 금지하는 실질적 의무를 회원국에게
부과한 것은 아니다.

---

30) UN, *The Outcome of the Uruguay Round: An Intitial Assessment*, UNCTAD/TDR/14
(supplement), 1994, p. 165.

제 4 절   GATS의 구체적 약속

법적 체제로서 WTO가 추구하는 무역자유화 원칙은 상품무역과 서비스무역
이 서로 다른 방법을 사용한다는데 특징이 있다. 상품무역이 주로 '관세고정 및
인하'(tariff binding and reduction)와 수량제한의 금지(prohibition of quota)를 통하여
무역자유화를 달성하고자 하는데 반해, 서비스무역은 소위 '구체적 약속'(specific
commitment)을 통해 무역자유화를 이룬다. GATS에서의 구체적 약속은 '시장접
근'(market access)과 '내국민대우'(national treatment) 및 '추가적 약속'(additional
commitment)로 구성되며, 서비스무역의 자유화를 위한 핵심이 된다.

1. 시장접근

GATS 제I조에 명시된 공급형태를 통한 시장접근과 관련하여 각 회원국은
다른 회원국의 서비스 및 서비스 공급자에 대해 자국의 양허표 상에 합의되고
명시된 제한 및 조건 하에서 규정된 대우보다 불리하지 아니한 대우를 부여해야
한다(제XVI:1조). 또한 일단 시장접근이 허용된 서비스 분야에 대해서는 자국의
양허표 상에 달리 명시되지 아니하는 한, 회원국은 자국 일부 지역이나 혹은 전
영토에 걸쳐 다음의 조치들을 유지하거나 채택할 수 없다: ① 수량쿼터, 독점,
배타적 서비스 공급자 또는 경제적 수요심사 요건의 형태 여부에 관계없이, 서
비스 공급자 수에 대한 제한, ② 수량쿼터 또는 경제적 수요심사 요건의 형태의
서비스 거래 또는 자산의 총액에 대한 제한, ③ 쿼터나 경제적 수요심사 요건의
형태로 지정된 숫자 단위로 표시된 서비스 영업의 총 수 또는 서비스의 총 산출
량에 대한 제한,[31] ④ 수량쿼터 또는 경제적 수요심사 요건의 형태로 특정 서비
스 분야에 고용되거나 혹은 한 서비스 공급자가 고용할 수 있는, 특정 서비스의
공급에 필요하고 직접 관련되는, 자연인의 총 수에 대한 제한, ⑤ 서비스 공급자
가 서비스를 제공할 수 있는 수단인 법인체나 합작 투자의 특정 형태를 제한하
거나 요구하는 조치, ⑥ 외국인 지분 소유의 최대비율 한도 또는 개인별 투자

---

31) 다만 동 조치에는 서비스 공급을 위한 투입 요소를 제한하는 회원국의 조치들은 그 대상
    으로 하지 않는다. GATS 제XVI:2조 (c)의 각주.

또는 외국인 투자 합계의 총액한도에 의한 외국 자본 참여에 대한 제한(제XVI:2
조). 즉, GATS 제XVI:2조는 4개의 양적 제한조치(①~④)와 2개의 질적 제한조치
(⑤~⑥)의 유형을 명시하고 있다. 그러나 양적 제한조치란 수치로 표시된 제한과
는 다르다. 즉, 양적 제한조치는 수량쿼터로 표시될 수도 있고 독점이나 진입금
지, 경제적 수요심사 등과 같이 숫자로 표시되지 않을 수도 있다. 따라서 숫자로
표시된 조치가 모두 양적 제한조치는 아니다. 우리나라의 경우 업종마다 사업면
허요건에 최소자본금요건이 있는데, 이는 비록 숫자로 표시되어 있지만 양적 제
한조치라 할 수 없다. 또한 GATS 제XVI:2조상의 4개의 양적 제한조치는 최대한
도제한(maximum limitation)만을 포괄한다. 즉, 회사 설립시 최소자본금요건과 같
은 최소요건(minimum requirement)은 시장접근에 대한 제한조치가 아니다.[32]

　　한편, GATS에서 시장접근을 이루는 방식은 회원국이 서비스무역의 자유화
의무를 부담할 서비스 분야만을 자국 양허표상에 기재하고, 이처럼 명시적으로
기재하지 않는 서비스 분야는 자유화할 의무가 없는 소위 '긍정적 목록방식'(또는
적극적 목록방식, positive list approach)에 의한다. 그러나 일단 서비스무역의 자유화
의무를 부담하겠다고 자국 양허표상에 명시적으로 기재한 서비스 분야에 대해서
는 시장접근상의 조건 및 제한을 양허표에 명시적으로 기재하지 않는 한 기재된
제한조치 이외의 다른 조치들은 허용되지 않는 소위 '부정적 목록방식'(또는 소극
적 목록방식, negative list approach)을 채택함으로써 두 가지 서로 다른 성격의 접근
방법을 절충하였다.

　　그러나 서비스무역 자유화를 위한 시장접근의 방식으로 인하여 제기되는 혼
란도 존재한다. 예를 들어 서비스 협상 당시 어떤 회원국이 시장개방의 대상 분
야로 자국 양허표에 기재한 특정 서비스의 공급을 가능하게 했던 기술이 단지 2
가지 방법으로만 존재했으나, 협정이 발효된 후 새로운 제3의 기술이 등장하여
해당 서비스를 제공할 수 있게 되었다면, 이 국가는 새로운 기술에 의한 서비스
공급에 대해서도 시장접근을 허용한 것인지 여부에 대해 논란이 제기될 수 있다.
이러한 문제는 기본적으로 GATS에서 시장개방의 대상이 되는 서비스를 양허표
에 기재하는 방식이 'positive approach'에 의하기 때문에 발생한다. 즉, 어떤 회원
국의 서비스 양허표는 협상 당시의 사정을 반영하여 개방의 대상이 되는 서비스

---

32) 이상의 내용은 최승환, 전게서, p. 427 참조.

분야를 결정하게 된다. 그러나 향후 기술의 발전에 따라 기존과는 다른 방식의 서비스 공급이 가능해 졌다면 과연 이러한 서비스를 새로운 서비스로 봐야 하는 지 아니면 기존 서비스가 확대된 것으로 이해해야 하는지의 문제이다. 예를 들어, 무선 네트워크와 모바일(mobile) 기술의 발전은 이러한 혼란을 가중시킨다.

　　이에 대해 GATS의 주된 목적을 서비스무역의 자유화와 시장개방의 확대에 둔다면 새로운 기술에 의한 서비스 시장의 확대는 해당 서비스 분야가 개방된 것 으로 보는 것이 타당할 것이다. 이는 시장개방의 대상인 서비스 분야에 대해서는 구체적인 기술방식의 유형이 개방 여부에 변화를 주지 않는다는 것으로, 흔히 '기 술중립성'(technological neutrality)이라 부른다. 즉, 서비스의 속성은 동일하지만 전 달수단에서 차이를 가져오는 것은 서비스 분야의 변경이 될 수 없다는 것이다. 다만, '기술중립성'은 그 개념적 유용성에도 불구하고 WTO 차원에서 확립된 보 편적 법원칙은 아니다. 오히려 기술중립성은 시장개방 협상에서 당사국 간 합의 를 통해 결정되어야 할 성질의 것이지, 단순히 시장자유화에 도움이 된다고 하여 일방에 의해 자의적으로 원용할 수 있는 법원칙은 아니라는데 현재까지 공감대 가 형성된 것으로 보인다. 대표적으로 WTO에서 이루어진 전자상거래 관련 논의 에서 보듯이 기존에 CD에 담겨 오프라인(off-line)을 통해 공급되는 소프트웨어 와 온라인(on-line)을 통해 다운로드되는 소프트웨어가 같은 것인지 여부에 대해 서 WTO 차원에서 명확한 합의에 도달하지 못하고 있는 상황도 기술중립성이 WTO 차원에서 확고한 법원칙으로 정립되지 못하였다는 사실을 시사한다.[33)]

　　따라서 이러한 법적 공백의 문제가 제기되는 경우 현재까지는 주어진 사안 별로(case by case) 분쟁해결 과정을 통해 그 해석을 얻을 수밖에 없다. 이와 관련 하여 WTO 분쟁해결기구(Dispute Settlement Body: DSB)에서 이루어진 '중국-일부 출판물 및 시청각제품의 유통서비스와 무역권한에 영향을 미치는 조치'사건은 동 사안에 대한 해결책을 제시하였다. 동 사건에서 피소국인 중국은 전자적 형태의 음반유통에 대하여 자국의 국내법으로 외국 기업이 이러한 유통서비스에 종사하 는 것을 금지하였다. 중국은 자국 양허표에 기재된 '음반'은 단지 물리적 매개체 에 체화된 음반의 유통만을 의미하는 것이며 전자적 유통은 이에 포함되지 않는 다, 즉 양허한 적이 없다고 주장하였다.[34)] 이에 대해 패널은 중국이 전자적 형태

---

33) 이러한 문제에 대해서는 이한영, 전게서, pp. 53-55 참조.
34) WTO, *China-Measures Affecting Trading Rights and Distribution Services for Certain*

의 음반유통을 양허하였는가 여부에 대하여 판단하였다. 즉, 패널은 '조약법에관한비엔나협약' 제31조 및 제32조를 적용하여 "음반"에 대한 일반적 의미(ordinary meaning)로 물리적 매개체가 중요한 것이 아니라 그 "콘텐츠"로서의 속성에 중점을 두어야 한다는 점을 강조하였다. 또한 "유통 서비스"에 대하여 패널은 유형·무형의 가치 있는 것들이 소비자들 사이에서 중간매개체를 통하거나 그런 매개체 없이 거래되는 것으로 이해된다고 하였다. 또한 조약의 문맥(context)이나 대상과 목적(object and purpose)에 대한 검토 이후, 패널은 중국의 서비스 양허표의 Sector 2.D 시청각서비스에 따른 '음반유통서비스'라는 표기는 전자적 수단을 통한 즉, 물리적 형태가 아닌 음반의 유통에까지 미친다고 평결하였다.[35] 이는 WTO가 서비스무역에서 유지하고 있는 '기술중립성'의 관점을 적용한 결과로 판단된다.[36]

2. 내국민대우

GATS의 내국민대우는 상품무역과는 달리 회원국의 일반적 의무가 아닌 구체적 약속의 형태로 규정되었다. 이는 서비스무역의 분야별로 국내규제나 제도상의 차이로 인하여 내국민대우를 일반적 의무로 규정할 경우 외국인 사업자에 대한 사전적인 거주요건 등과 같이 실질적으로는 차별적인 대우를 초래할 수도 있기 때문이다.[37] 이에 따라 GATS 제XVII조는 자국 양허표에 기재된 분야에 있어 양허표에 명시된 조건 및 제한을 조건으로, 각 회원국은 다른 회원국의 서비스 및 서비스 공급자에게 서비스의 공급에 영향을 미치는 모든 조치와 관련하여 자국의 동종 서비스 및 서비스 공급자에게 부여하는 대우보다 불리하지 않은 대우를 부여해야 한다고 규정하고 있다(제XVII:1조).[38]

Publications and Audiovisual Entertainment Products, Report of the Panel, WT/DS363/R, 12 August 2009, paras. 7.1122, 7.1127−7.1142 참조.

35) *Ibid.*, paras. 7.1173−7.1181, 7.1204−7.1207, 7.1219 및 7.1265 참조.
36) 동 사건에 대한 보다 자세한 설명은, 권현호, "WTO에서의 콘텐츠무역의 법적 쟁점: '중국 ─ 일부 출판물 및 시청각제품 사건'을 중심으로", 「국제법평론」, 통권 제31호(2010. 4), pp. 25−49 참조.
37) 법무부, 전게서, p. 173.
38) 동 조에 따르면 내국민대우 의무는 회원국이 양허표에 기재한 서비스 분야에 대해서만 적용되므로 양허표에 기재되지 않은 서비스 분야에 대해서는 외국의 서비스나 서비스 공급

GATS에서의 내국민대우는 외국의 서비스 및 서비스 공급자와 동종의 국내 서비스 및 서비스 공급자 간의 차별금지를 의미한다. 이러한 '차별'에는 형식상의 차별뿐만 아니라 사실상의 또는 실질적인 차별도 포함된다(제XVII:2조). 그리고 사실상의 차별을 판정하는 기준은 '경쟁조건'(conditions of competition)으로 GATS에서는 "형식적으로 동일하거나 상이한 대우라도 그것이 다른 회원국의 동종 서비스 또는 서비스 공급자와 비교하여 회원국의 서비스 또는 서비스 공급자에게 유리하도록 경쟁조건을 변경하는 경우에는 불리한 대우로 간주된다"고 규정하고 있다(제XVII:3조). 다만, GATS 제XVII조에 따라 이루어진 구체적 약속은 어떤 회원국으로 하여금 관련 서비스 또는 서비스 공급자가 외국산이라는 성격으로부터 기인하는 내재적인 경쟁상의 불이익을 보상하도록 요구하는 것은 아니다(제XVII;1조의 각주). 이러한 내재적 경쟁상의 불이익에 관련된 쟁점은 '캐나다-자동차 산업에 영향을 미치는 조치' 사건에서 "서비스 공급유형 중 첫 번째와 두 번째를 통해 공급되는 외국 서비스의 특징에 기인한 어떤 내재적 불이익도 CVA(Canada Value Added) 요건과 관련하여 캐나다의 내국민대우 의무로부터 캐나다를 면제시킬 수 없다"는 패널의 평결에 의하여 지지된 바 있다.[39]

3. 추가적 약속

회원국은 자격, 표준 또는 면허 사항에 관한 조치를 포함하여 제XVI조 또는 제XVII조에 따른 양허표 기재사항은 아니나 서비스무역에 영향을 미치는 조치와 관련하여 약속에 관한 협상을 할 수 있다. 이러한 약속은 회원국의 양허표에 기재된다(제XVIII조). 이러한 추가약속은 GATS상의 양허범위를 넓히는 기능을 한다. 또한 서비스무역에 영향을 미치는 조치라면 무엇이든 추가약속의 대상이 될 수 있으며, 추가약속은 '긍정적 목록방식'(또는 적극적 목록방식, positive list approach)으로 기재하기 때문에 약속할 의사가 없는 경우에는 양허표에 아무 것도 기재할 필요가 없으며 국가간 협상에서 합의된 사항만을 약속의 수락형태로 기재한다. 다만, GATS 제XVI조(시장접근)과는 달리 추가약속의 범위는 명백하게 정의되지 않

자에게 어떤 차별조치를 시행하든 그 회원국의 재량에 해당된다.
39) WTO, *Canada-Certain Measures Affecting the Automotive Industry*, WT/DS139/R, WT/DS142/R, 11 February 2000, paras. 10.300-10.301 참조.

았다.[40]

제 5 절 GATS의 기본원칙에 대한 제한

GATS에서 규율하는 기본원칙에서 벗어나 예외적으로 무역제한 조치를 취할 수 있는 조항으로 GATS는 제X조(긴급수입제한조치), 제XII조(국제수지 보호를 위한 제한), 제XIII조(정부구매), 제XIV조(일반적 예외) 및 제XIV조의 2(안보상의 예외) 등을 규정하고 있다.

1. 긴급수입제한조치

긴급수입제한조치란 외국서비스 공급이 급격히 증가하여 국내 동종 서비스 공급자들이 심각한 피해를 받거나 받을 우려가 있는 경우 국내 서비스 산업을 보호하기 위하여 필요한 범위 내에서 잠정적으로 수입제한조치를 취할 수 있는 제도로, 이는 GATT1994 제XIX조와 WTO 상품무역협정에 부속된 세이프가드협정 (Agreement on Safeguard)상의 세이프가드 제도를 서비스무역에도 도입한 것이다. 그러나 상품무역협정과는 달리 GATS는 서비스무역의 특성상 관련 국내 서비스 산업의 정의 및 범위와 피해의 판정 등에 있어 기술적 어려움이 있기 때문에 긴급수입제한조치의 발동요건과 발동절차에 관한 구체적 기준을 규정하지 못하였으며 GATS 발효이후 추가협상의 대상으로 남게 되었다.[41]

2. 국제수지 보호를 위한 제한

국제수지 보호를 위한 제한에 관한 GATS 제XII조는 GATT 제XII조 및 제XVIII:B조와 유사한 규정을 채택하였다. 즉, 국제수지와 대외 금융상의 심각한 어려움이 있거나 그러한 우려가 있을 경우, 회원국은 구체적 약속과 관련된 거래를 위한 지불 또는 이전에 대한 제한을 포함하여 구체적인 약속이 행하여진 서비스

---

40) 최승환, 전게서, p. 429.
41) 법무부, 전게서, pp. 174-175 참조.

무역에 대해 제한을 채택하거나 유지할 수 있다. 특히 경제개발 과정이나 경제전환 과정에 있는 회원국의 경우에는 해당 국가의 경제개발 또는 경제전환계획의 이행을 위하여 적절한 외환보유고 수준을 유지하는 것을 보장하기 위하여 이러한 제한의 사용이 필요할 수 있다는 점이 인정된다(제XII:1조). 그러나 이러한 제한은 회원국을 차별할 수 없고, 국제통화기금 협정 조문과 일치해야 하며, 다른 회원국의 상업적·경제적 그리고 금융상의 이익을 불필요하게 침해하지 않고, 상황에 따라 필요한 것 이상으로 제한적일 수 없으며, 또한 일시적이어야 하고 상황에 따라 점진적으로 폐지되어야 한다(제XII:2조). 특히 이러한 제한의 범위를 결정함에 있어 회원국은 자국의 경제 혹은 개발계획에 보다 필수적인 서비스의 공급에 우선권(priority)을 부여할 수 있으나, 이러한 제한을 특정 서비스 분야를 보호하기 위한 목적으로 채택되거나 유지할 수 없다(제XII:3조). 또한 동 규정에 따라 채택되거나 유지되는 모든 제한이나 이에 대한 변경은 신속하게 일반이사회(General Council)에 통보되어야 한다(제XII:4조).

3. 정부구매

정부구매(또는 정부조달, Government Procurement)는 GATT와 마찬가지로 정부가 스스로의 사용을 위하여 구매하는 서비스에 대해서는 기본적인 GATS의 의무로부터 면제된다. 즉, GATS에 따르면 제II조(최혜국대우), 제XVI조(시장접근) 및 제XVII조(내국민대우)는 정부의 목적으로 구매되며, 상업적인 재판매 또는 상업적 판매를 위한 서비스 공급에 사용할 목적이 아닌 정부기관의 서비스 구매를 규율하는 법률, 규정 또는 요건에는 적용되지 않는다(제XIII:1조).

4. 일반적 예외 및 안보상의 예외

일반적 예외 및 안보상의 예외에 관한 GATS 규정은 GATT의 해당 조항과 매우 유사하다. 이는 어떤 국가가 국제적 의무를 무시할 수 있다고 인정되는 심각한 상황은 어떤 측면에서도 무시할 수 없을 것이라는 사실을 반영한다.[42] 특히

---

42) WTO, *supra* note 11, p. 179.

GATS의 일반적 예외에 관한 조문은 GATT1994 제XX조의 내용과 구조적으로 거의 일치하며 이에 대한 해석 방법론 역시 GATT1994 제XX조의 해석방법을 그대로 따른다. 이러한 GATS 제XIV조의 해석론은 미국과 안티구아 바부다(Antigua and Barbuda) 간의 인터넷 도박서비스 관련 서비스 분쟁사건에서 상소기관이 GATS 제XIV조는 GATT1994 제XX조와 같은 방식으로 의무의 면제를 규정하고 있으므로 우선 각 호의 요건에 대한 테스트 이후 GATS 제XIV조의 두문(chapeau)의 요건을 충족하는가를 검토하는 소위 '2단계 접근법'(two-step approach 또는 two-tier analysis)에 의해 정당화 되어야 한다는 평결에서도 명확히 나타난다.43)

이와 같은 해석론에 따라 GATS 제XIV조를 좀 더 구체적으로 살펴보면, 우선 일반적 예외의 사유로는 첫째, 공중도덕을 보호하거나 공공질서를 유지하기 위해 필요한 조치(제XIV조 (a)호), 둘째 인간이나 동식물의 생명 또는 건강을 보호하기 위하여 필요한 조치(제XIV조 (b)호), 및 셋째, '기만행위 및 사기행위'(deceptive and fraudulent practices)의 방지 또는 서비스계약 불이행 효과의 처리, 사적자료(private data)의 처리 및 배포와 관련된 개인의 사생활 보호와 개인의 기록 및 구좌의 비밀 보호, 그리고 안전(safety) 등에 관한 조치를 포함하여 GATS의 규정에 위반되지 않는 법률이나 규정의 준수(compliance)를 확보하기 위하여 필요한 조치(제XIV조 (c)호), 넷째 직접세에 대한 내국민대우의 예외(제XIV조 (d)호), 그리고 마지막으로 이중과세방지조약에 대한 최혜국대우의 예외(제XIV조 (e)호) 등이 있다. 이 중 GATS 제XIV조 (a)호와 (b)호는 '1994년 GATT'에도 규정되어 있다. 다만 공공질서에 대한 예외는 사회의 근본적인 이익에 대하여 진정하고도 충분히 심각한 위협이 제기되는 경우에만 원용될 수 있다(제XIV조 (a)호의 각주). 또한 GATS 제XIV조 (c)호, 소위 'compliance issue'는 GATS 규정에 위반되지 않는 국내법규의 이행을 위하여 필요한 조치를 허용하는 것으로 GATT 규정에는 없던 것이다. 이는 특정규제의 기본목적과 성격, 내용 등은 국가 간 차별이나 내외국인간 차별을 위한 것이 아니라 당해 규제의 이행을 위하여 불가피하게 집행과정에서 차별적 요소가 기재되는 조치라는 취지에서 일반적 예외사유로 인정된 것이다.44)

한편 GATS 제XIV조는 예외사유뿐만 아니라 이러한 예외가 허용될 수 있는

---

43) WTO, *United States—Measures Affecting the Cross-Border Supply of Gambling and Betting Services*, WT/DS285/AB/R, 7 April 2005, paras. 291-293 참조.

44) 최승환, 전게서, p. 436.

조건을 함께 명시하고 있다. 즉, 동 조항에 따라 허용되는 예외조치는 유사한 상황에 있는 국가 간에 자의적 또는 정당화될 수 없는 차별의 수단이 되거나 혹은 서비스무역에 대한 위장된 제한을 구성하는 방식으로 적용되어서는 안된다.45) 흥미로운 점은 이러한 조건은 'GATT1994' 제XX조 두문(chapeau)과 거의 동일해 보인다. 그러나 양자 간에 차이를 나타내는 부분은 GATT1994 제XX조의 두문에서는 '동일한 조건'(same condition)으로 규정된 부분이 GATS 제XIV조에서는 '유사한 상황'(like condition)으로 표현이 변경되었다는 점이다. 이는 아마도 서비스무역이 갖는 비정형적 특성에서 비롯된 것으로 보인다.

결국 일반적 예외조항은 규범의 엄격한 적용을 완화시켜 일정한 예외조치를 허용함으로써 국가주권의 제약을 꺼리는 다수 국가의 참여를 유도하는 측면이 있다. 그러나 정당한 목적달성을 위해 필요하다는 이유로 어떠한 보호주의적 무역제한조치도 정당화 된다면 자유무역주의에 입각한 WTO 협정은 사실상 의미가 없게 될 것이므로 일반적 예외조치의 발동 요건에 대한 보다 엄격한 해석이 요청된다.46) 즉, 예외는 어디까지가 예외로서 엄격히 해석되어야 한다는 법의 일반원칙이 GATS 제XIV조 일반적 예외의 적용과 해석에도 준용되어야 한다.

마지막으로 안보상의 예외는 자유무역의 고전적 예외로서 인정되고 있는데, 이는 자원의 효율적 분배라는 자유무역체제상의 이점도 국가생존을 확보해야 하는 긴박한 필요성을 상쇄할 수 없음을 의미한다.47) GATS에서 안보상의 예외 역시 GATT의 경우와 사실상 동일하며, 동 예외로 인정되는 조치로는 첫째, 공개가 되는 경우 자국의 중대한 안보이익에 반하는 것으로 회원국이 간주하는 정보의 비공개조치, 둘째 자국의 중대한 안보이익을 보호하기 위하여 필요하다고 회원국이 간주하는 조치들로, 군사시설에 공급할 목적으로 직접 또는 간접적으로 행하여지는 서비스 공급과 관련된 조치나 핵분열 핵융합 물질 혹은 이들의 원료가 되는 물질과 관련된 조치, 전시 또는 기타 국제관계상 긴급 상황에서 취해지는 조치 등이 포함되며, 셋째 국제평화와 안전을 유지하고 국제연합(UN) 헌장상의 의무를 준수하기 위하여 회원국이 취하는 조치 등이 있다(제XIV조의 2(bis) 1항). 이

45) GATS 제XIV조 두문(chapeau).
46) 법무부, 전게서, p. 187.
47) J. Jackson, W. Davey & A. Sykes, *Legal Problems of International Economic Relations*, 3rd edition, West Publishing Co., 1995, p. 983.

러한 조치를 취한 회원국은 그 조치와 동 조치의 종료에 관하여 가능한 완전하게
서비스무역이사회에 통보해야 한다(제XIV조의 2(bis) 2항).

제 6 절 서비스무역의 점진적 자유화 및 분쟁해결

GATS 제IV부 점진적 자유화(Progressive Liberalization)는 동 협정이 완성된 협정
이 아니라 추후 협상을 통해 계속되는 협정임을 보여주는 주된 증거가 된다. 동
규정은 서로 다른 서비스 환경에 있는 다양한 국가들이 자국의 입장을 고려하여
개별 서비스 분야별로 자유화를 추진할 수 있도록 하는 제도적 장치라는 점에서
의미를 갖는다. 서비스무역의 점진적 자유화는 제XIX조 구체적 약속에 관한 협상
(Negotiation of Specific Commitments), 제XX조 구체적 약속에 관한 양허표(Schedule of
Specific Commitments), 및 제XXI조 양허표의 수정(Modification of Schedules) 등 세 부
분으로 구성된다.

한편 GATS 제V부에서는 서비스무역협정의 적용과 관련된 각종 제도에 관한
규정들을 두고 있다. 특히 여기에서는 서비스무역의 분쟁해결과 관련된 기본원칙
을 규정하고 있는데, 제XXII조 협의(Consultation)와 제XXIII조 분쟁해결 및 집행
(Dispute Settlement and Enforcement)이 핵심 규정이다.

1. 구체적 약속에 대한 협상

WTO 회원국들은 GATS의 목적에 따라 점진적으로 보다 높은 수준의 자유화
를 달성하기 위하여 WTO 협정 발효일로부터 5년 이내에 협상을 개시하고, 이후
계속하여 주기적인 협상을 한다. 이러한 협상은 효과적인 시장접근을 제공하기
위한 수단으로, 조치가 서비스무역에 미치는 부정적 영향(adverse effects)을 완화하
거나 폐지하는 방향으로 이루어져야 한다. 또한 이러한 과정은 상호주의를 기초
로 모든 협상 참가국들의 이익을 증진하고 권리와 의무의 전체적인 균형 확보를
목적으로 이루어져야 한다(제XIX:1조). 또한 점진적 자유화의 과정은 전반적 및 개
별적 분야에 걸쳐 개별 회원국의 국가 정책 목표 및 개발의 정도를 정당하게 고
려하면서 이루어진다. 개별 개발도상 회원국을 위하여 그들의 개발 상황에 따라

보다 적은 거래유형을 자유화하며, 점진적으로 시장접근을 확대할 수 있도록 적절한 융통성이 부여되며, 또한 개발도상 회원국이 외국의 서비스 공급자에게 자국 시장에의 접근을 허용할 경우 GATS 제IV조(개발도상국의 참여증진)에 언급된 목적을 달성하기 위한 접근 조건을 이러한 시장접근 허용에 첨부하는데 있어 적절한 융통성이 부여된다(제XIX:2조).

2. 양허표의 수정

GATS 제XXI조는 이미 이루어진 회원국의 양허표에 대한 수정을 인정하고 있다. 그러나 양허표는 다른 회원국들과의 협상의 결과물이기 때문에 GATS 제XXI조에서는 양허표의 수정과 철회의 경우 일정한 요건에 의해서만 가능하도록 제한을 하고 있다. 즉, 회원국은 약속의 발효일로부터 3년이 경과한 후에는 언제라도 자국의 양허표상의 어떠한 약속도 수정 또는 철회할 수 있지만, 양허표를 수정하려는 회원국은 동 수정 또는 철회를 이행하고자 하는 날로부터 늦어도 3월 이내에 서비스무역이사회에 그 의사를 통보해야 한다(제XXI:1조). 다만 양허표의 수정이나 철회로 인하여 GATS의 혜택이 영향을 받을 수 있는 회원국의 요청이 있는 경우, 양허표를 수정하거나 철회하려는 회원국은 필요한 보상조정(compensatory adjustment)에 대한 합의 도출을 위하여 협상을 개시한다. 이러한 협상과 합의에 있어 관련 회원국은 이러한 협상 이전의 구체적 약속에 관한 양허표에 규정된 것에 비하여 무역에 더 불리하지 않은 호혜적 약속의 일반적 수준을 유지하도록 노력해야 하며, 보상조정은 최혜국대우에 기초하여 이루어져야 한다(제XXI:2조). 이처럼 양허표의 수정이나 철회를 위한 협상을 위해 마련된 기간이 종료되기 이전에 양허표의 수정이나 철회를 하는 회원국과 이에 영향을 받는 회원국 간에 합의가 이루어지지 않는 경우, 영향을 받는 회원국은 동 사안을 중재(arbitration)에 회부할 수 있다.

3. 협의 및 분쟁해결

GATS에서는 분쟁해결과 관련하여 제XXII조 협의(Consultation)와 제XXIII조 분쟁해결 및 집행(Dispute Settlement and Enforcement) 등 두 조항을 두고 있다. 그러

나 동 조항들은 WTO 체제의 통일적 분쟁해결제도라는 큰 틀에서 이해되어야 하므로 여기에 명시되지 않은 사안에 대해서는 WTO 설립협정의 부속서 2(Annex 2) "분쟁해결규칙및절차에관한양해"(Understanding on Rules and Procedures governing the Settlement of Disputes: DSU)가 적용된다.

우선 GATS 제XXII조에 따르면 각 회원국은 GATS의 운영에 영향을 미치는 모든 사항과 관련하여 다른 회원국이 제기할 수 있는 주장과 관련한 협의에 대해 호의적인 고려를 하며, 협의를 위한 적절한 기회를 제공해야 한다(제XXII:1조). 만약 이러한 협의를 통해 만족스러운 해결책을 찾지 못하는 경우, 서비스무역이사회 또는 분쟁해결기구는 회원국의 요청이 있는 경우 이러한 사안에 대하여 관련 회원국과도 협의할 수 있다(제XXII:2조). 한편 다른 회원국이 GATS에 따른 자국의 의무나 구체적 약속을 이행하지 않는다고 간주하는 회원국은 상호 만족스러운 해결에 이르기 위해 '분쟁해결양해'(DSU)를 이용할 수 있다. 분쟁해결기구(DSB)는 그러한 행위를 정당화할 만큼 상황이 충분히 심각하다고 간주하는 경우, 회원국이 DSU 제22조에 따라 다른 회원국에 대하여 의무와 구체적 약속의 적용을 중지하도록 허가할 수 있다(제XXIII:1조 및 제XXIII:2조). 특히 GATS 제Ⅲ부(구체적 약속)에 의한 다른 회원국의 구체적 약속에 따라 자국에 귀속될 것이라 합리적으로 기대될 수 있었던 혜택이 GATS의 규정에 저촉되지 않는 조치를 적용한 결과 무효화되거나 침해되고 있다고 간주하는 회원국은 분쟁해결양해를 이용할 수 있다.[48] 만약 이러한 조치가 앞서 주어진 혜택을 무효화하거나 침해하였다고 분쟁해결기구가 판정하는 경우, 영향을 받는 회원국은 제XXI:2조(양허표의 수정 및 철회에 따른 보상조정)를 기초로 조치의 수정이나 철회를 포함할 수 있는 호혜적인 조정에 대한 권리를 갖는다. 한편 관련 회원국 간에 합의가 이루어질 수 없는 경우에는 분쟁해결양해 제22조(보상 및 양허의 정지)가 적용된다(제XXIII:3조).

---

48) 동 규정은 GATS에 따른 서비스무역 분쟁에서도 소위 협정의 '비위반제소'가 가능함을 의미한다.

제 7 절 부문별 부속서, 각료결정 및 양해

1. 부문별 부속서와 주요 내용

GATS에 첨부된 총 8개의 부속서(Annexes)는 GATS의 불가분의 일체(integral part)를 구성하므로(제XXIX조) 모든 회원국에 대하여 적용되며, 특정 부속서의 전부 또는 일부 내용의 적용을 유보할 수 없다. 이러한 GATS의 부속서는 그 성격에 따라 첫째, 절차상의 문제를 해결하기 위해 GATS가 발효되기 이전에 GATS 제Ⅱ조의 면제를 첨부해야 하는 회원국을 위한 '제Ⅱ조 면제에 관한 부속서'와, 둘째 특정 서비스 분야의 추가적 또는 세부적 내용을 규율하기 위해 작성된 '항공운송서비스에 관한 부속서', '금융서비스에 관한 부속서', '금융서비스에 관한 제 2 부속서', '통신에 관한 부속서'49) 등이 있으며, 셋째 서비스 공급형태의 보다 세부적인 조건을 규정한 '자연인의 이동에 관한 부속서' 및 넷째 향후 서비스 협상의 추가적인 방식을 규정한 '해상운송서비스 협상에 관한 부속서', '기본통신협상에 관한 부속서' 등으로 구분될 수 있다. 이와 같은 총 8개의 부속서 중 현재 국제통상 관계에서 가장 실질적인 의미를 갖는 부속서는 '제Ⅱ조 면제에 관한 부속서'와 '자연인의 이동에 관한 부속서', '금융서비스에 관한 부속서' 및 '통신에 관한 부속서' 등이다.50)

첫째, '제Ⅱ조 면제에 관한 부속서'(Annex on Article Ⅱ Exemptions)는 GATS의 최혜국대우 원칙에서 벗어나기 위해 필요한 내용을 담고 있다. 즉, GATS의 최혜국대우 원칙의 예외를 인정받기 위해 회원국은 '제Ⅱ조 면제에 관한 부속서'에 면제에 관한 목록을 부속해야 한다. 그리고 최혜국대우 의무면제의 남용을 방지하

---

49) 통신서비스는 경제활동의 독립된 분야로 독자적인 서비스 영역에 속하기도 하지만 다른 경제활동을 위한 전달수단이라는 점에서 이중적 성격을 갖는다. 이러한 성격에 따르면 '통신에 관한 부속서'는 특정 서비스 분야에 대한 부속서로서의 특성과, 동시에 서비스 공급형태의 보다 세부적인 조건을 규정한 부속서로도 분류가 가능하다. 그러나 '자연인의 이동에 관한 부속서'와 비교할 때 '통신'은 서비스 공급수단이라는 측면보다 특정 분야의 서비스 영역이라는 성격이 더 강하므로 여기에서는 편의상 '통신'(telecommunication)이라는 하나의 서비스 분야로 파악하여 분류하였다.

50) GATS 부속서에 대한 보다 자세한 설명은 김성준, 「WTO법의 형성과 전망」, 제 4 권, 삼성출판사, 1996, pp. 174−200 및 법무부, 전게서, pp. 228−291 참조.

기 위하여 서비스무역이사회는 5년 이상의 기간 동안 부여되는 모든 면제조치를 검토하며,[51] 면제기간은 원칙적으로 10년을 초과할 수 없다.[52] 또한 WTO 설립협정이 발효된 이후 제기되는 모든 새로운 면제조치는 WTO 설립협정 제IX:3조의 절차에 따라 회원국 3/4 이상의 동의를 받아야 한다.[53]

둘째, '자연인의 이동에 관한 부속서'(Annex on Movement of Natural Persons Supplying Services under the Agreement)는 GATS에서 명시하고 있지 않은 자연인의 이동에 관한 GATS의 적용범위와 회원국의 권한에 대하여 규정하고 있다. 동 부속서는 서비스의 제공과 관련하여 회원국의 서비스 공급자인 자연인 및 회원국 서비스 공급자가 고용한 회원국의 자연인에게 영향을 미치는 조치에 적용된다.[54] 다만 동 부속서는 회원국의 고용시장에 접근하고자 하는 자연인에게 영향을 미치는 조치에 대해서는 적용되지 않으며, 또한 영구적인 차원에서의 시민권, 거주 또는 고용에 관한 조치에도 적용되지 않는다.[55] 한편 회원국의 권한과 관련하여 동 부속서는 회원국이 자국 국경의 보전과 자국 국경을 통과하는 자연인의 질서 있는 이동을 보장하기 위하여 필요한 조치를 포함하여 자연인의 자국 영토 내로의 입국 또는 자국 내에서의 일시적인 체류를 규율하는 조치를 취하는 것을 방해하지 않는다고 규정한다.[56] 또한 회원국은 GATS에 따라 서비스를 제공하는 모든 범위의 자연인의 이동에 적용되는 구체적 약속을 협상할 수 있으며, 구체적 약속의 대상이 되는 자연인은 동 약속의 조건에 따라 서비스를 공급할 수 있도록 허용된다.[57]

셋째, '금융서비스에 관한 부속서'(Annex on Financial Services)는 해당 분야에 대한 정부규제의 중요성을 감안하여 GATS의 적용이 면제되는 정부금융서비스의 범위, 정부의 국내규제권 보장과 상호인정, 금융서비스의 분류 등을 규율하고 있

---

51) 제II조 면제에 관한 부속서 제3항. 서비스무역이사회의 면제조치에 대한 최초의 검토는 WTO협정 발효 후 5년 이내에 이루어져야 한다.
52) 제II조 면제에 관한 부속서 제6항. 또한 이러한 면제조치는 후속 무역자유화 협상에서 협상의 대상이 된다.
53) 제II조 면제에 관한 부속서 제2항.
54) 자연인의 이동에 관한 부속서 제1항.
55) 자연인의 이동에 관한 부속서 제2항.
56) 자연인의 이동에 관한 부속서 제4항. 다만 이러한 조치는 구체적 약속의 조건에 따라 회원국에게 발생하는 이익을 무효화하거나 침해하는 방법으로 적용되지 아니한다.
57) 자연인의 이동에 관한 부속서 제3항.

다. 동 부속서에서 금융서비스는 "회원국의 금융서비스 공급자에 의해 제공되는 금융적 성격을 가지는 모든 서비스"로 정의되며, 금융서비스는 모든 보험 및 보험 관련 서비스와 모든 은행 및 다른 금융서비스(보험 제외)를 포함한다.58) 한편 금융서비스 공급자는 금융서비스를 공급하기를 원하거나 공급하고 있는 회원국의 모든 자연인 또는 법인을 의미하나, "금융서비스 공급자"라는 용어는 공공기관(public entity)을 포함하지 아니한다.59) 여기에서 "공공기관"은 상업적 조건하에 금융서비스의 공급에 주로 종사하는 기관을 제외하고 정부의 목적을 위하여 정부기능 또는 활동을 수행하는 기관으로서 회원국의 정부, 중앙은행 또는 금융당국 또는 회원국이 소유하거나 지배하는 기관을 의미한다.60) 한편 동 부속서는 금융서비스의 공급에 영향을 미치는 조치에 대해 적용된다.61) 동 부속서에서의 금융서비스 공급은 GATS 제I:2조에 정의된 4가지 유형의 서비스 공급을 의미한다. 그러나 '정부 권한의 행사로서 제공되는 서비스'를 정의하는 GATS 제I:3조(c)는 동 부속서의 대상이 되는 서비스에 적용되지 않는다.62) 한편 동 부속서의 다른 규정에도 불구하고, 회원국은 투자자, 예탁자, 보험 계약자 또는 금융서비스 공급자가 신용상의 의무를 지고 있는 자의 보호를 위한 조치 또는 금융제도의 보전과 안정성을 확보하기 위한 조치 등과 같은 합리적 이유를 위한 조치를 취하는 것을 방해받지 않는다.63) 또한 회원국은 금융서비스와 관련된 자국의 조치가 어떻게 적용되어야 하는지를 결정함에 있어 다른 국가의 합리적 조치를 인정할 수 있다.64)

  넷째, '통신에 관한 부속서'(Annex on Telecommunications)는 GATS에 첨부된 특정 서비스 분야의 부속서 중에서 그 내용이 가장 실질적인 것으로 평가된다.65) 동 부속서는 공중전기통신전송망(PTTN)과 공중전기통신전송서비스(PTTS)에 대한 접근과 이용에 영향을 미치는 회원국의 모든 조치에 대하여 적용된다.66) 회원국

---

58) 금융서비스에 관한 부속서 제 5 항(a).
59) 금융서비스에 관한 부속서 제 5 항(b).
60) 다만, 민간기관이라도 중앙은행이나 금융당국이 통상적으로 수행하는 기능을 행사하는 경우에는 동 부속서의 공공기관으로 본다. 금융서비스에 관한 부속서 제 5 항(c).
61) 금융서비스에 관한 부속서 제 1 항(a).
62) 금융서비스에 관한 부속서 제 1 항(d).
63) 금융서비스에 관한 부속서 제 2 항(a).
64) 금융서비스에 관한 부속서 제 3 항(a).
65) 법무부, 전게서, p. 228.

은 필요한 모든 조치를 통하여 동 부속서의 의무가 PTTN과 PTTS의 공급자에 대하여 적용되도록 보장해야 한다.[66] 동 부속서는 회원국이 구체적 약속에 관한 양허표에서 시장접근의 구체적 약속을 한 모든 서비스에 적용된다. 그러나 동 부속서는 라디오 또는 TV프로그램의 유선 또는 무선방송에 영향을 미치는 조치에 대해서는 적용되지 않으며, 또한 회원국은 대중에게 일반적으로 제공되지 않는 PTTN 또는 PTTS를 설치, 건설, 취득, 임대, 운영 또는 제공할 것을 강제하도록 요구되지도 않는다.[68] 한편 동 부속서에 규정된 회원국 의무의 핵심은 PTTN과 PTTS에 대한 접근과 이용에 대한 것이다. 즉, 각 회원국은 자국의 구체적 약속에 관한 양허표에 포함된 서비스의 공급을 위하여 다른 회원국의 서비스 공급자에게 합리적이며 비차별적 조건으로 PTTN과 PTTS에 대한 접근과 이용이 부여되도록 보장해야 한다.[69] 그 밖에 동 부속서가 회원국에 부과하는 의무로는 투명성 의무 등이 있으며, 관련 국제기구 및 지역기구, 그리고 개발도상국과의 기술협력에 대한 내용도 규정하고 있다.

2. 각료결정 및 양해

각료결정(Ministerial Decisions)과 양해(Understanding)는 GATS의 운영면에서는 협정본문과 동일한 법적 효력을 가지나 부속서와 같이 GATS와 불가분의 일체를 이루지는 않는다.[70] GATS에는 다음과 같이 총 8개의 각료결정과 1개의 양해가 첨부되어 있다: ① GATS의 제도적 장치에 관한 결정, ② GATS를 위한 특정분쟁 해결절차에 관한 결정, ③ 서비스무역과 환경에 관한 결정, ④ 자연인의 이동에 대한 협상에 관한 결정, ⑤ 금융서비스에 관한 결정, ⑥ 해상운송서비스 협상에 관한 결정, ⑦ 기본통신협상에 관한 결정, ⑧ 전문직 서비스에 관한 결정, ⑨ 금융서비스의 자유화 약속에 관한 양해.[71]

---

66) 통신에 관한 부속서 제 2 항(a).
67) 통신에 관한 부속서 제 2 항(a)의 각주.
68) 통신에 관한 부속서 제 2 항(c).
69) 통신에 관한 부속서 제 5 항(a).
70) 최승환, 전게서, p. 450.
71) 각료결정 및 양해에 대한 자세한 내용은 김성준, 전게서, pp. 201-214 참조.

제8절 GATS와 서비스무역의 미래

지난 반세기 동안 국가와 세계경제에서 서비스가 차지하는 비중이 점차 확대되었고, 국가경제가 선진화 될수록 이러한 경향은 뚜렷이 증가하고 있으며 앞으로도 서비스무역의 확대 및 중요성은 더욱 커질 것으로 예상된다. 이러한 시대적인 흐름에 따라 WTO 설립을 위한 우루과이 라운드에서 합의된 국제적인 서비스무역의 다자간 규범인 GATS는 서비스무역도 상품무역과 마찬가지로 국제적 규율의 대상이 되며, 이를 규제하는 국제규범이 가능함을 보여주었다. 다만 WTO의 서비스무역에 대한 규범인 GATS는 상품무역을 규율하기 위하여 지난 1947년 체결된 GATT와 마찬가지로 '골격규범'(framework agreement)으로서의 성격을 나타내며 동시에 서비스 분야의 긴급수입제한조치나 보조금 등 중요한 규범적 내용을 포함하지 못한 미완성의 규범이다. 그러나 1947년 GATT가 50년에 가까운 이행과정과 총 8차례의 관련 다자간 무역협상을 통해 현재의 모습으로 발전해 온 것처럼 GATS 또한 이러한 과정을 거쳐 보다 완성된 체계를 갖춘 규범으로 발전할 수 있을 것으로 기대된다.[72]

그렇다면 GATS의 협상당시 국가들의 바람대로 국제사회에서의 서비스무역은 자유화 되었는가? 현재의 WTO 회원국들의 서비스시장의 개방은 국가에 따라 상당한 차이가 있기는 하지만 전체적으로 미흡한 수준이라는 평가가 있다.[73] 이러한 평가가 제기되는 근본적인 이유는 서비스무역의 자유화를 위한 방법에 있다고 보는 것이 타당할 것이다. 즉, 서비스무역 자유화의 핵심인 국가의 구체적 약속(specific commitments)이 시장접근과 내국민대우로 이루어지고, 이러한 구체적 약속을 이루기 위해 회원국은 다른 회원국들과 끊임없는 협상을 해야 한다. 특히 서비스 자체의 특성상 이에 대한 규율은 국내규제(domestic regulation)를 통하는 것이 일반적이고, 회원국의 구체적 약속의 내용은 결국 이러한 국내규제를 어느 수준까지 인정할 것인지의 문제와 맞닿는다. 따라서 개별 회원국의 구체적 약속

---

72) GATS의 서문(preamble)에서도 "지속적인 다자간 협상을 통해 점진적으로 보다 높은 수준의 서비스무역 자유화의 조기 달성"을 명시하고 있다.

73) 법무부, 전게서, p. 585. 다만 이러한 견해 역시 WTO 출범 이후 타결된 금융협상이나 기본통신협상에서 보듯이 지속적인 시장개방 협상을 통해 서비스시장의 장벽이 낮아질 것이라는 점에는 동의하고 있다.

에 대한 양허표에 포함되는 서비스 분야가 많으면 많을수록, 그리고 시장접근과 내국민대우에 대한 제한상에 'unbound'라 표시되거나 다른 제한 사항이 포함된 공급유형이 적으면 적을수록 서비스무역의 자유화는 보다 진전될 수 있을 것이다.

이처럼 시장접근과 내국민대우의 제한에 근거가 되는 회원국의 국내규제는 기본적으로 개별 국가의 경제적 주권(sovereignty)의 문제이기도 하다. 따라서 '관세고정 및 인하'와 '수량제한의 금지'를 무역자유화의 주요 수단으로 하는 상품무역의 경우와 비교할 때, 서비스무역의 자유화는 회원국의 구체적 약속을 이루는 과정에 국가의 경제적 주권문제가 깊숙이 개입할 수밖에 없는 구조를 갖고 있다. 따라서 이러한 측면에서 서비스무역의 자유화는 상품무역에 비해 무역자유화가 더딜 수밖에 없고, 결국 무역자유화 자체의 수준도 상당히 제한적일 수밖에 없다는 평가도 가능하다. 그러나 다른 한편으로 비록 현재는 많은 국가들의 서비스 시장의 개방이 각종 국내규제를 구체적 약속에 포함시킴으로써 다소 미흡하다 하더라도, 향후 국가들의 서비스 협상에서 기존 양허표에 포함된 국내규제들이 철폐된다면 이는 오히려 상품무역의 경우보다 더 나은 수준의 시장개방과 무역자유화를 가져올 수 있다는 해석도 가능하다.

지금까지 살펴본 바와 같이 GATS는 일반적인 서비스무역에 대한 최초의 다자간 무역협정으로서 점증하는 국가 간의 서비스무역에 대한 의미 있는 규범체제를 이루었다는 점에서 중요한 의의를 갖는다. 그러나 동시에 GATS는 동 협정의 협상 당시 여러 사정에 의해 완성된 협정이 되지 못하였고, 그 자체가 하나의 골격협정에 불과하며 보다 구체적인 개별 회원국의 서비스무역의 자유화는 별도의 협상을 통한 양허표를 통해 구현된다는 점, 그리고 이를 해결하기 위해 향후 점진적 자유화를 위한 협상이 계속되어야 한다는 점 등은 한계로 다가온다. 게다가 서비스무역의 자유화 범위의 확대를 위한 향후협상 역시 현재로서는 여러 문제점들이 지적되고 있어 쉽지 않을 것으로 보인다. 그러나 GATS는 이제 시행된 지 이제 30년을 향해가는 규범으로 역동적으로 변화하고 있는 국제무역 환경에 적응하고 이를 이끌어 갈 시간이 필요할 것이다. WTO 회원국들은 "지속적인 다자간 협상을 통해 점진적으로 보다 높은 수준의 서비스무역 자유화의 조기 달성"을 위해 협상을 계속해야 할 것이고, 이 과정에서 선진국과 개도국 등 다양한 국가의 이익의 균형을 실현시킬 수 있는 노력이 요구된다.

제22장
TRIPs협정

제1절 TRIPs협정[1]의 개요

지적재산권의 국제적 보호에 관해서는 기본적으로 세계지적재산권기구(World Intellectual Property Organization: WIPO)를 중심으로 논의가 되어 왔다. 즉 특허, 상표 등 산업재산권에 대해서는 "산업재산권보호를위한파리협약(이하, '파리협약')[2]" 일반저작물에 대해서는 "저작권의국제적보호를위한베른협약(이하, '베른협약')[3]" 저작인접권에 대해서는 "실연자, 음반제작자및방송기관의보호에관한로마협약(이하, '로마협약')[4]" 등 WIPO가 주관하는 각종 조약을 통하여 지적재산권을 국제적으로 보호하고 있다.[5]

이미 WIPO 주관하에 지적재산권을 보호하는 각종 조약들이 다수 존재함에도 불구하고, 세계무역기구(이하, 'WTO')는 우루과이라운드를 통하여 무역 관련

---

1) Agreement on Trade-Related Aspects of Intellectual Property Rights, Apr. 15, 1994, Marrakesh Agreement Establishing the World Trade Organization, Annex 1C, Legal Instruments-Results of the Uruguay Round vol. 31, 33 I.L.M. 81 (1994).

2) Paris Convention for the Protection of Industrial Property of March 20, 1883. 1979년 6차 개정(Stockholm), 2021년 11월 1일 현재 177개 당사국.

3) 이 조약의 정식명칭은 "문학 및 예술저작물보호에 관한 베른협약"(Berne Convention for the Protection of Literary and Artistic Works)으로서 1886년 9월 9일 체결된 이래 7차의 개정(1896 파리, 1908 베를린, 1914 베른, 1928 로마, 1948 브뤼셀, 1969 스톡홀름, 1971 파리)을 거쳐 오늘에 이르고 있고, 우리나라는 1996년 5월 21일에 가입하여 3개월 후인 1996년 8월 21일에 발효되었다. 2021년 11월 1일 현재 179개 회원국.

4) International Convention for the Protection of Performers, Producers of Phonograms and Broadcasting Organizations of October 26, 1961, 2021년 11월 1일 현재 96개 회원국.

5) WIPO가 보호하는 지적재산권에 대해서는 WIPO 홈페이지 www.wipo.org 참조. 국제기구로서의 WIPO는 1970년 설립되었으며, 1974년 UN 전문기구의 하나가 되었고, 본부는 스위스 제네바에 있다. 2021년 11월 1일 현재 193개 회원국.

지적재산권 보호에 관한 새로운 조약을 WTO 부속서의 하나로 채택하여 그 활동
영역을 확장하였다. 이는 그 동안에도 지적재산권 보호에 관한 조항이 GATT에
존재하여 왔으나, 그 실효성이 미미하고 지적재산권의 무역상의 중요성이 증가함
에 따라 기존의 각종 지적재산권 조약들을 아우르는 하나의 새로운 조약을 채택
함으로써 선진국의 입장을 반영한 것으로 보인다.

WTO체제하의 동 협정의 의미는 GATT체제의 한계를 극복하고, 보다 자유롭
고 공정한 무역질서를 형성하기 위하여 무역과 관련된 규제의 대상은 상품에 국
한하지 않고 지적재산권 분야로 확대한 점과 GATT체제하에서 불완전한 것으로
평가되었던 분쟁해결절차를 개선하여 보다 강화된 분쟁해결절차를 도입한 점을
들 수 있다. 기본적으로 TRIPs협정은 WTO설립협정의 여러 부속서 중의 하나이
며, 각 부속서는 WTO의 불가분의 일부를 형성하여 WTO 모든 회원국을 구속하
게 되고, 이에 따라 각 회원국은 자국의 지적재산권 관련 국내법령을 TRIPs협정
에 일치하도록 개정할 의무를 부담한다.[6] TRIPs협정은 그 동안 WIPO가 개별 지
적재산권조약에 의해 규율하여 오던 지적재산권 보호의 문제를 이제는 WTO가
범세계적 차원에서 무역과 관련한 지적재산권 보호의 통일된 기준을 정하여 규
율하게 되었다고 말할 수 있을 것이다.

WTO협정 부속서 1C로 발효된 TRIPs협정은 총 7개 장에 73개 조항으로 구성
되어 있다.[7] TRIPs협정의 내용과 기존의 국제규범을 비교하여 보면 가장 큰 특징
은 지적재산권보호규범의 강화라 할 것이다. 그러나 TRIPs협정은 기존의 규범과
는 달리 집행에 관한 문제나 분쟁처리에 대해서도 규정한다. 오히려 TRIPs가 기
존의 국제규범과 구별되는 중요한 특색은 이들 집행절차나 분쟁해결절차를 규정
하고 있다는 점에 있을 것이고 이것이 미국이 기존의 국제규범을 이용하지 아니
하고 GATT 체제를 이용한 이유이기도 하다. 이하 일반규정 및 기본원칙, 실체규
정, 집행규정, 분쟁해결규정에 대해서 살펴본다.

---

6) WTO 설립협정 제16조 4항. 우리나라는 2000년 6월 개발도상국으로서는 처음으로 WTO의
지적재산권 법령심사를 받은 바 있다: 저작권심의조정위원회, 「저작권관계자료집34: 세계
무역기구 무역관련지적재산권협정 법령심사」(서울: 저작권심의조정위원회, 2001). p. 2.
7) 제1장은 일반규정 및 기본원칙, 제2장은 보호기준, 즉 실체규정이며, 제3장은 지적재산
권 집행절차, 제4장은 지적재산권 획득, 유지 및 관련 내부절차, 제5장 분쟁예방 및 해결
절차, 제6장 경과조치, 제7장 제도관련규정(최종규정)이다.

| 표 22-1 | TRIPs협정의 구성체계 |

〈전문과 총 7부 및 73개 조문〉

제 1 부 일반규정 및 기본원칙(1-8)

제 2 부 지적재산권의 취득, 범위 및 사용에 관한 기준

　　　제 1 절 저작권 및 저작인접권(9-14)

　　　제 2 절 상표(15-21)

　　　제 3 절 지리적 표시(22-24)

　　　제 4 절 디자인(25-26)

　　　제 5 절 특허(27-34)

　　　제 6 절 집적회로 배치설계(35-38)

　　　제 7 절 미공개정보의 보호(39)

　　　제 8 절 사용허락계약에 있어 반경쟁관행의 통제(40)

제 3 부 지적재산권의 집행

　　　제 1 절 일반적 의무(41)

　　　제 2 절 민사 및 행정절차와 구제(42-49)

　　　제 3 절 잠정조치(50)

　　　제 4 절 국경조치에 관한 특별조치(51-60)

　　　제 5 절 형사절차(61)

제 4 부 지적재산권의 취득, 유지 및 관련당사자간 절차(62)

제 5 부 분쟁의 방지 및 해결(63-64)

제 6 부 경과조치(65-67)

제 7 부 제도규정과 최종조항(68-73)

제 2 절　TRIPs협정상의 일반규정 및 기본원칙

TRIPs협정은 국제무역의 왜곡과 장애를 축소하고, 지적재산권의 효과적이고 적절한 보호를 촉진하며, 지적재산권의 집행을 위한 조치가 국제무역의 장애가 되지 않도록 지적재산권을 집행하는 조치와 절차를 각 회원국이 확보할 것을 그

전문에서 규정하고 있다. 또한, 지적재산권의 공공성을 인정하고, 기술이전과 전파를 장려하고, 지적재산권의 남용을 금지하는 규정을 두고 있다.[8]

협정은 제1부에서 일반규정과 기본원칙을 밝히고 있는데, TRIPs협정이 보호하는 지적재산권으로는 협정 제2부에서 저작권과 저작인접권, 상표, 지리적 표시, 디자인, 특허, 집적회로배치설계, 영업비밀 등을 들고 있으며, 아울러 라이선싱 계약에 있어서의 반경쟁관행의 통제에 대해서도 규율하고 있다. 협정은 또한 협정상의 지적재산권은 다른 회원국 국민에게 적용되는 사권(private right)임을 전문에서 명백히 밝히고 있지만,[9] 무역과 관련한 지적재산권의 보호와 집행은 WTO회원국 자신의 몫이다.[10]

TRIPs협정의 목표는 국제무역의 왜곡과 장애를 줄이고, 지적재산권의 유효·적절한 보호를 촉진함과 아울러 이들 지적재산권의 보호가 오히려 무역장벽으로 되지 않도록 보장하는 것이다. 이 목표를 위하여 TRIPs협정은 다음과 같은 사항을 규정한다.

- 1994년도 GATT의 기본원칙과 관련 국제지적재산권조약의 적용가능성;
- 지적재산권의 취득가능성, 권리범위, 권리행사에 관한 적절한 원칙과 기준;
- 국가간의 법적 차이를 고려한 효과적이고 적절한 집행절차;
- 정부간 분쟁의 해결절차;
- 가능한 많은 나라를 협정에 참가시키기 위한 경과조치.

이러한 규정을 함에 있어서 다음 사항을 고려한다.
- 지적재산권은 사적 권리이나 지적재산권제도가 존재하는 것은 산업발전이나 문화발전 등 공적 목적을 달성하기 위한 것이라는 점;
- 개발도상국의 기술발전을 위해서 법제도에 융통성을 발휘할 수 있는 여지를 주어야 한다는 점;

---

8) TRIPs협정 제7조 및 제8조 참조.
9) 협정은 전문에서 "… intellectual property rights are private rights"임을 분명히 밝히고 있다.
10) TRIPs협정 제41조 1항 1문은 다음과 같이 규정하고 있다.: "Members shall ensure that enforcement procedures as specified in this Part are available under their law so as to permit effective action against any act of infringement of intellectual property rights covered by this Agreement, …"

- 무역관련 지적재산권 분쟁을 강화된 다자간 절차를 통해 해결함으로써 긴장을 완화시키는 것의 중요성;
- WTO와 다른 관련 국제기구 및 WIPO와의 상호 협력관계의 수립.

TRIPs협정은 다음과 같은 기본원칙을 천명하고 있다:

㈎ 회원국은 본 협정을 준수하며, 다른 회원국 국민에 대하여 이 협정에 규정된 대우를 한다.

㈏ 본 협정상의 지적재산권의 보호수준은 최저한의 보호수준이다. 따라서 회원국은 이보다 높은 수준의 보호는 할 수 있되 이보다 낮은 보호는 할 수 없다.

㈐ 실체규정, 집행절차규정, 분쟁해결절차규정과 관련해서 파리조약 제1조에서 제12조까지 및 제19조를 준수한다.

㈑ 회원국은 타 회원국 국민에 대하여 '내국민대우', '최혜국대우'를 하여야 한다.

㈒ 회원국은 자기나라의 법 및 규정을 제정 또는 개정함에 있어, 이 협정의 규정과 일치하는 범위 내에서 공중의 건강을 보호하고, 자기나라의 사회경제적 및 기술적 발전에 매우 중요한 분야의 공공의 이익을 증진시키기 위하여 필요한 조치를 취할 수 있다.

㈓ 이 협정의 규정과 일치하는 범위 내에서 권리자에 의한 지적재산권의 남용 또는 불합리한 무역제한이나 국가간 기술이전에 부정적인 영향을 미치는 관행을 방지하기 위해서 적절한 조치를 할 수 있다.

제3절 실체규정

TRIPs협정의 내용과 기존의 국제규범을 비교하여 보면 가장 큰 특징은 지적재산권 보호규범의 강화라 할 것이다. 협정은 기존 지적재산권조약의 위상이나 내용을 감안해서 3개의 접근방법을 취하고 있다. 즉 제1은 종래의 지적재산권보호조약을 그대로 두고 거기에 일정한 내용을 덧붙이는 방법으로 저작권, 특허, 상표, 디자인분야가 이 방법을 택한다. 제2는 기존의 국제규범을 참고하면서 새로운 국제규범을 만드는 방법으로 저작인접권, 지리적 표시, 반도체집적회로분야가 이에 속한다. 제3은 기존의 국제규범이 존재하지 아니하므로 백지상태에서 새로운 국제규범을 만드는 방법으로 미공개정보 분야이다. 이상의 방법을 사용하여 TRIPs협정은 제 9 조에서 제40조까지 실체규정을 두고 있다.

1. 저 작 권

(1) 베른협약과의 관계(제 9 조)

WTO TRIPs협정 제 9 조는 제 1 항에서 베른협약과의 관계를 설명하고, 제 2 항에서 저작권보호의 한계를 명시하고 있다. 즉, 제 1 항은 베른협약[11]의 준용을 밝히고 있고(제 1 조 내지 제21조 및 부속서), 제 2 항에서는 저작권의 보호범위가 표현에만 미치고, 아이디어, 절차, 운용방법, 수학적 개념 등은 제외됨을 밝히고 있다.

특히 제 9 조 1항은 TRIPs협정이 기존 협약 플러스 방식으로 지적재산권을 보호함을 잘 보여주고 있다.[12] TRIPs협정 제 9 조 제 2 항은 저작권의 보호범위를 '표현'으로 한정하였다. 즉, 아이디어, 절차, 운영방법 또는 수학적 개념 자체는 저작권의 보호대상이 될 수 없다. TRIPs협정은 저작권의 한계가 '표현'임을 명시한 최초의 조약이며, 베른협약은 이를 명시하지는 않았지만, 그 취지가 입법이유서에 기록되어 있고, 또한 해석에 의하여 보호의 한계를 표현으로 하였으므로 실제로 베른협약과 TRIPs협정 간에는 차이점이 없게 된다.

(2) 컴퓨터프로그램의 보호(제10조 1항)

TRIPs협정 제10조 제 1 항은 컴퓨터프로그램이 베른협약에서의 '문학저작물 (literary works)'로서 보호된다고 규정하고 있다. 베른협약은 컴퓨터프로그램의 보호를 명시하고 있지 않지만,[13] (i) 컴퓨터프로그램이 베른협약의 문학저작물에 포

---

11) 베른협약은 크게 다음의 4부분으로 나누어 볼 수 있다. (i) 베른협약 제 1 조는 동맹의 설립에 관한 규정이며, (ii) 제 2 조부터 제19조는 실체적 규정이고, (iii) 제20조는 동맹국 간의 베른협약 이외의 저작권 관련 협정체결 조건을 규정하고 있으며, (iv) 제21조 및 부속서는 개도국들을 위한 특별규정을 담고 있다.
12) TRIPs협정 제 1 조 3항 참조.
13) 1886년에 채택된 베른협약은 진정한 의미에서의 개정이 되기 위해서는 동맹국의 만장일치를 필요로 하지만, 현재까지 이르고 있는 개정(revised)베른협약은 만장일치에 의하지 않

함되며, (ii) 제2조 제1항이 '문학저작물'을 '문학의 영역에서의 모든 제작물이며, 그 표현의 방법 및 형태를 제한하지 않는 것'으로 정의하고 있으므로, 일반적으로 베른협약에 의하여도 컴퓨터프로그램은 저작권의 보호를 받는 것으로 해석되어 왔다. 그러나 이를 명확히 하기 위하여 TRIPs협정에 명시적 규정을 둔 것이다.

(3) 데이터베이스의 보호(제10조 제2항)

TRIPs협정 제10조 제2항은 편집물을 보호하고 있는데 베른협약 제2조 제5 항도 비슷한 규정을 두고 있다. 두 규정을 비교하면 우선 보호대상이 될 수 있는 '저작물'의 구성요소에서 양 규정의 차이가 있다. 베른협약은 문학·예술'저작물'을 규정한 반면, TRIPs협정은 '데이터'를 포함시켜 저작물에 국한하지 않았다. 그러 므로 문리해석을 할 경우 데이터베이스 중 창작성 없는 데이터를 구성요소로 하 는 것은 TRIPs협정의 보호대상이 될 여지는 있지만 베른협약의 보호대상에서는 제외된다. TRIPs협정은 창작성 없는 데이터를 구성요소로 하는 편집물이 보호되 는 경우에 편집물의 저작자가 그 보호를 각 구성요소의 저작권보호에 이용하는 것을 방지하기 위하여 편집물을 구성하는 데이터 기타 구성요소는 이 규정의 보 호대상이 아님을 명시하였다. 그러나 구성요소가 저작물인 경우에는 TRIPs협정과 베른협약 사이에 차이가 없다. 마지막으로 TRIPs협정과 베른협약 모두 구성요소 의 선택과 배열에 창작성이 없는 경우에는 보호하지 않는 점에 주의하여야 한다.

(4) 컴퓨터프로그램 및 영상저작물의 대여권(제11조)

디지털 시대의 복제기술의 발달에 따른 대응책으로 TRIPs협정은 대여권 (rental right)을 인정하고 있다. 영상저작물은 대여된 영상저작물의 광범위한 복제 로 인하여 저작권자의 복제권이 실질적으로 침해되는 경우에, 컴퓨터프로그램은 컴퓨터프로그램이 대여물의 핵심을 이루고 있는 경우 대여권을 인정할 수 있도 록 규정하고 있다. 음반에 대해서도 협정 제14조 4항에서 대여권에 관한 제11조 가 준용됨을 규정하고 있다.

은 개별 조약으로서 존재하고 있으며, 따라서 각각의 회원국 역시 다르다. 마지막으로 개 정된 것이 1971년이라는 것을 감안하면 이는 당연한 것으로 보인다.

(5) 저작권의 보호기간(제12조)

TRIPs협정은 사진저작물 및 응용저작물이 아닌 일반저작물의 보호기간을 저작자의 생존기간 동안 및 사후 50년을 기준으로 규정하고 있다. 다만, 사진저작물과 미술저작물로서 보호되는 응용미술의 보호기간은 각국의 법률로 정하되, 저작물의 제작시로부터 최소한 25년간은 보호되어야 한다. 그러나 TRIPs협정은 제1조 1항에서 WTO 회원국들은 협정이 정하는 것보다 광범위한 보호를 실시할 수 있으며, 그 구체적인 실시방법은 각 회원국의 국내법에서 구체적으로 정할 수 있다고 규정하고 있어서, 각 회원국은 보다 장기간의 보호를 할 수 있고, 실제로 우리나라, 미국과 유럽의 대부분의 국가들은 저작자의 생존기간과 사후 70년간 저작권을 보호하고 있다.

(6) 저작권의 제한과 예외(제13조)

TRIPs협정은 베른협약과 마찬가지로[14] 저작권을 제한하는 요건을 매우 엄격하게 규정하고 있다. 그 요건을 살펴보면 다음과 같다. (i) 특정되고 특별한 경우(certain special cases)에 한하며, (ii) 저작물의 통상적 이용(normal exploitation)과 저촉되지 않아야 하며, (iii) 저작권자의 합리적 이익(legitimate interests)을 부당하게 해하지 않는 범위 내에서만 허용된다는 것이다. 이를 통상 저작권제한 3단계이론(3단계 테스트)이라고 하는데, 이 규정은 세계 각국이 자국의 저작권법상의 저작권 제한사유를 규정함에 있어서 매우 중요한 기준이 되고 있다.

3단계 테스트는 베른협약 복제권의 제한과 관련하여 제9조 제2항의 내용이 TRIPs협정 제13조, WCT 제10조, WPPT 제16조 제2항에도 규정되어 모든 저작물의 사용에 있어서 '제약조건 및 예외사항'으로 발전한 것이다. 베른협약, TRIPs협정 및 WCT와 같은 국제저작권협정들은 디지털 네트워크 환경에서도 적용가능한 권리의 창설과 저작권 제한 및 예외에 관한 규정을 두고 있다.

---

14) 저작권 보호의 예외 요건을 규정하는 TRIPs협정 제13조는 복제권의 예외요건을 규정한 베른협약 제9조 제2항과 유사하며, 이러한 저작권제한의 엄격한 예외조건은 1996년 채택된 WCT(WIPO Copyright Treaty)와 WPPT(WIPO Performances and Phonograms Treaty)에도 반영되어 있다.

| 표 22-2 | 국제저작권협정의 저작권 제한과 예외 |

저작권협약	조항	내용
베른협약	제 9 조 제 2 항	특별한 경우에 있어서 저작물의 복제를 허용하는 것은 동맹국의 입법에 맡긴다. 다만, 그러한 복제는 저작물의 통상 이용과 충돌하지 아니하여야 하며, 저작자의 적법한 이익을 부당하게 해치지 아니하여야 한다.
TRIPs협정	제13조	회원국은 배타적 권리에 대한 제한 또는 예외를 저작물의 통상 이용과 충돌하지 아니하고 권리자의 적법한 이익을 부당하게 해치지 아니하는 일부 특별한 경우로 한정한다.
WCT	제10조	(1) 체약당사국은 저작물의 통상 이용과 충돌하지 아니하고 저작자의 적법한 이익을 부당하게 해치지 아니하는 특별한 경우에, 이 조약에서 문학·예술 저작물의 저작자에게 부여한 권리에 대한 제한과 예외를 국내법으로 규정할 수 있다. (2) 체약당사국은 베른협약을 적용할 경우에, 동 협약에서 규정한 권리에 대한 제한과 예외를 저작물의 통상 이용과 충돌하거나 저작자의 적법한 이익을 부당하게 해치지 아니하는 특별한 경우로 한정하여야 한다.

(7) 저작인접권의 보호(제14조)

세계 각국에서도 저작인접권자의 권리를 보호하고 있으나 동 유형의 권리는 저작권보다는 늦게 보호되기 시작하였으며, 일반적으로 그 보호기간은 저작권자의 경우보다 짧게 인정하고 있다. 그러나 현대에 들어와 저작권 매개전달자의 역할과 중요성이 증가함에 따라 그 보호가 점점 강화되는 추세이다. TRIPs협정은 실연자와 음반제작자에 대해서는 그 실연 또는 음반제작의 다음 해부터 50년간 보호를 규정하고 있으며, 방송사업자에 대해서는 방송되어진 다음 해부터 20년간의 보호를 규정하고 있다.[15]

TRIPs협정에는 실연 및 실연자에 대한 정의규정이 없다. 따라서 실연의 보호에 대한 가장 광범위한 조약인 로마협약의 규정에 의해서 그 의미를 파악하는 것이 가장 타당할 것이다. TRIPs협정 제 1 조 3항은 동 협정의 체약 당사국의 국민을 보호한다고 하였고, 저작권과 관련해서는 베른협약과 로마협약에서 보호 받을 수 있는 주체로 제시한 자들이 보호를 받을 수 있다고 하였으므로 로마협약에 의

---

15) TRIPs협정 제 9 조 및 제14조 5항.

해 보호를 향유하는 실연자는 TRIPs협정의 체약국 내에서 TRIPs협정에서 정한 보호를 향유할 수 있다.

실연자는 우선 자신의 실연이 음반에 고정되는 데 대해 보호를 향유한다. 여기서 보호라 함은 권리를 부여한다는 것이 아니며, 어떠한 형태로 보호를 하는지 여부는 국내법에 맡겨져 있다는 의미이다. 이는 로마협약과 같은 태도를 유지한 것이라고 보면 된다. 한편 실연자는 생실연이 고정 이후에 복제되는 데 대해 보호를 향유한다. 한편 실연자는 생실연의 방송과 공중전달에 대한 보호를 향유하는데, 복제를 허락하여 이러한 복제물을 바탕으로 방송이나 공중전달하는 것으로부터 보호를 향유하는지 여부는 국내법에 맡겨져 있다고 할 수 있다.[16]

TRIPs협정 제14조 제2항에 따라 음반제작자는 음반이 직접적 혹은 간접적으로 복제되는 데 대해 배타적 권리를 갖는다. 여기서 음반을 직접적으로 복제한다는 것은 음반을 음반으로 복제하는 것을 말하며, 간접적인 복제는 방송 등에 음반을 배경음악으로 사용하여 영상물이 제작된 경우를 말한다. 동 규정의 내용과 해석은 로마협약 제10조에서 규정한 음반제작자의 복제권과 차이가 없다.[17]

방송사업자는 방송의 고정, 고정된 방송의 복제, 무선 재방송, 공중전달에 대한 배타적 권리를 갖는다. 만약 방송사업자에게 이러한 권리를 부여하지 않는 회원국은 방송의 소재가 된 원저작자가 위의 권리를 행사할 수 있도록 해야 한다.[18]

이들 저작인접권에 대해서는 로마협약에서 정한 제한과 예외를 둘 수 있으나[19] 적어도 TRIPs협정에 규정된 저작인접권 규정에 대해 로마협약에서 정한 유보를 할 수는 없다. 아울러 로마협약에는 존재하지 않았던 저작인접권에 대한 소급보호가 TRIPs협정을 통해 도입되었는데, 베른협약 제18조를 준용하는 방식으로 이루어졌다.[20] 따라서 TRIPs협정이 발효하기 이전에 행해진 실연이나 제작된 음반, 송출된 방송이라 하더라도 보호를 부여하지 않을 수 없으며, 발효시기를 기준으로, 그 이전에 보호기간이 만료되지 않은 실연, 음반 및 방송은 저작인접권 보호기간 연장에 따른 혜택 역시 누릴 수 있다.

---

16) TRIPs협정 제14조 1항.
17) TRIPs협정 제14조 2항.
18) TRIPs협정 제14조 3항.
19) TRIPs협정 제14조 6항 1문.
20) TRIPs협정 제14조 6항 2문.

2. 상 표

TRIPs협정 제 2 부 2절은 상품 또는 서비스에 관한 상표의 등록조건(제15조), 허여되는 권리(제16조), 주지상표의 보호(제16조 제 2 항 및 제 3 항), 상표권의 제한 및 예외(제17조), 상표권의 보호기간(제18조), 상표의 사용요건(제19조), 기타 요건 (제20조) 및 사용허락과 양도(제21조)에 관한 규정을 두고 있다.

TRIPs협정 제15조는 상표의 정의, 등록요건, 공고·상표등록취소제도 등에 관한 규정이다. 제 1 항은 등록될 수 있는 상표의 정의 및 일반적인 상표의 등록요건에 관한 규정이고, 제 2 항은 파리협약의 규정에 위반하지 않는 한 회원국이 다른 등록거절사유를 정할 수 있다는 취지의 규정이며, 제 3 항은 미국 등 사용주의를 취하고 있는 국가를 고려하여 등록요건으로 상표사용의무를 부과할 수 있도록 허용한 규정이다. 또한, 제 4 항은 파리협약 제 7 조와 동일한 취지의 규정으로서 상품 또는 서비스의 성질이 부등록요건이 될 수 없다는 규정이며, 제 5 항은 상표공고, 상표등록취소 및 이의신청에 관한 규정이다. 보호대상으로서의 상표는 성명을 포함한 단어·문자·숫자·도형요소 및 색채의 조합과 같은 표지 또는 그러한 표지들의 결합으로서 타 상품 또는 서비스와 상호 구별할 수 있는 표지이다. 회원국은 시각적으로 인식될 수 있는 상표만을 등록요건으로 요구할 수 있다 (제15조 제 1 항). 또 상표의 보호기간은 최소한 7년으로 하고 그 등록갱신은 무제한으로 인정하여야 한다. 불사용을 이유로 취소를 하기 위해서는 불사용기간이 3년 이상 계속되어야 한다(제15조 제 3 항).

TRIPs협정 제16조는 상표권자 권리의 내용과 범위 및 유명상표 보호에 관한 규정이다. TRIPs협정 제16조 제 1 항은 상표권의 일반적 권리내용으로 회원국은 등록된 상표의 권리자에게 권리자의 승낙 없이 상업적으로 권리자의 상품이나 서비스와 동일 또는 유사한 상품이나 서비스에 대하여 권리자의 상표와 동일하거나 유사한 상표를 사용하지 못하도록 할 수 있는 배타적인 권리를 부여해야 한다고 규정하고 있다. 파리협약 제 6 조의2는 상표로서 등록되지 않았어도 타인의 유명상표를 사용하는 것을 금지하거나 타인이 상표등록을 취소하도록 규정하고 있는데 TRIPs협정 제16조 제 2 항은 이를 서비스표에도 확장하고 있고, TRIPs협정 제16조 제 3 항은 등록된 상품 또는 서비스와 유사하지 않은 상품 또는 서비스에 상표를 사용하는 경우까지 파리협약 유명표장(well-known marks) 보호에 관한 규정(제6조의2)의 적용범위를 확대하는 규정이다.

TRIPs협정 제17조는 "회원국은 상표에 의하여 부여된 권리에 대하여, 기술용어의 공정 사용과 같이 한정적인 예외를 규정할 수 있다"고 하고 있다. 이 규정은 기술적 용어(Descriptive term)에 대해서만 명시하고 있으나, 상품 등 식별 목적이 아닌 경우, 예컨대 제품의 목적을 나타내는 명칭, 비교 광고 등의 사용 등도 예외로서 작용할 것이다.

최소보호기간을 규정하고 있지 아니한 파리협약과는 달리, TRIPs협정 제18조는 상표의 최초 등록과 각 갱신등록기간은 최소 7년[21]으로 하고 계속적인 갱신이 가능하도록 규정하고 있다. 또한 상표의 등록은 무한정 갱신할 수 있다. 특허권이나 저작권, 디자인권 등은 공익 목적상 존속기간을 일정 기간으로 한정하고 있으나, 상표권은 상표의 속성상 상표권자의 의사에 따라 존속기간이 정해져야 하기 때문이다. 다만, 등록갱신 요건으로 상표의 사용에 대한 증거(proof of use) 제출을 요건으로 할 것인지의 여부는 각국에 위임하고 있다.[22]

TRIPs협정 제19조는 파리협약에서처럼 상표 사용의무를 부과하고 불사용에 대한 제재를 규정하고 있다. 각국이 상표 불사용으로 인한 등록 취소를 허용하고 있으나, 취소 조건으로서 불사용의 기간을 최소 3년으로 정하고 있다.

TRIPs협정 제20조는 상표의 사용에 대하여 아무런 제한을 가할 수 없도록 하고 있다. 즉, 상표가 다른 상표와 동시에 사용되어야 한다든가, 특별한 형태로 사용되어야 한다든가 또는 상표의 한 기능으로서 식별력을 저해하는 방법으로 사용되어야 한다든가 하는 등의 방법으로 거래과정에서 부당하게 그 사용을 방해받지 않도록 하고 있다.

TRIPs협정 제21조는 "등록상표권자는 그 상표가 속하는 영업의 이전과 함께 또는 이전과 관계없이 그 상표를 양도할 수 있는 권리를 갖는 것으로 양해된다."라고 규정하여 상표권의 자유양도성을 인정하고 있으며, 강제실시권 허여는 불가능함을 규정하고 있다.

---

21) 상표법조약(Trademark Law Treaty: TLT)은 상표의 보호기간을 10년으로 하고, 계속적인 갱신이 가능하도록 규정하고 있다(TLT 제13조 제7항).
22) 한편, TRIPs–plus 규정, 즉 상표법 조약(TLT)은 상표의 갱신 요건으로 상표의 사용 실적을 제출하도록 하는 것을 금지하고 있다(TLT 제13조 제4항).

3. 지리적 표시

TRIPs협정[23])에 의하면 지리적 표시란 「상품의 품질, 명성, 그 밖의 특성이 본질적으로 지리적 근원에서 비롯되는 경우 ① 회원국의 영토, 또는 ② 회원국의 지역이나 지방에서 생산되었다는 것을 알리는 표시」를 의미한다(제22조 제1항). 좁은 의미의 지리적 표시 개념을 사용하고 있는 TRIPs협정은 상품의 품질, 명성 또는 특성이 본질적으로 자연적 또는 인적 요소를 포함하는 지리적 환경에 기인하고, 생산 및 제조과정이 해당지역내에서 이루어지는 경우 그 상품의 산지를 명시해 등록, 보호하는 것이라 할 수 있다. 그러나 지리적 표시의 기본개념인 '본질적으로 기인하는'(essentially attributable)의 정의를 확인하기 위한 방법이나 기준이 규정되어 있지 않다.[24]) 지명이 TRIPs협정상의 지리적 표시에 해당여부에 대한 판단주제에 관한 것은 실무적인 문제인데, TRIPs협정은 본국 정부 또는 이해관계인이 소정의 증거를 첨부하여 보호를 구하는 정부에 통보할 것을 전제로 당해 외국도 판단 주체로 인정할 것을 예정하고 있다. TRIPs협정의 지리적 표시는 상품(goods)에 대하여만 인정된다.[25]) 또한 주목해야 할 사실은 TRIPs협정상의 지리적 표시의 대상이 원칙적으로 모든 산업제품을 포괄하고 있다는 점에서 지리적 표시의 대상을 농산물 및 그 가공품으로 한정하고 있는 EU의 태도와는 크게 다르다.[26])

TRIPs협정은 제22조부터 제24조에 지리적 표시의 보호를 규정하고 있다. 이 규정들은 ①오인가능성이 있는 경우의 보호(제22조), ②오인가능성이 없는 경우의

---

23) TRIPS 협정 이전에는 지리적 표시의 보호에 관한 국제조약으로 파리협약, 원산지허위표시 금지에 관한 마드리드협정, 및 원산지명칭과 그 원산지명칭의 등록을 위한 리스본협정이 존재한다.

24) 리스본협정도 마찬가지이다. 그러나 리스본협정의 경우에는 상품의 원산지에서 보호되고 국제사무국(International Bureau)에 등록된 상품이 보호받기 때문에 이러한 기준의 결여가 큰 문제가 되지 않을 것이다(리스본협정 제5조 제3항 참조). 이러한 기준으로 토양, 기후, 동물군(fauna) 또는 식물군(flora)등이 포함될 수 있을 것이다. 다만, 전통이나 기법 등 인간적 요인은 지리적 표시의 보호에서 제외되어야 할 것이다. 이 점에서 지리적 표시는 대체로 공산품이 아닌 농산품에 대하여 인정될 것이다.

25) 흥미로운 점은 TRIPs협정의 협상그룹의 첫 초안에 서비스도 포함되어 있었다. 예컨대 지리적 또는 자연적 환경의 영향을 받는 관광서비스에 대하여 지리적 표시가 존재할 수 있다.

26) EU에서의 지리적 표시의 보호에 관해서는, 육소영, FTA 지리적 표시와 국내 이행에 관한 법제연구, 한국법제연구원, 2014, pp. 120-137.

보호(제23조 제1항), ③추후 협상(제23조 제4항 및 제24조 제1항), ④보호의 예외(제24조 제4항부터 제9항)의 4부분으로 나눌 수 있다. TRIPs협정은 제3절(제22조－제24조)에서 지리적 표시의 보호에 관한 최저한의 보호수준을 2단계로 구분하고 있다.27)

　　일반적 산품 지리적 표시의 보호와 관련해서는 WTO회원국은 공중의 오인을 유발하는 지리적 표시의 상표등록의 거절·무효화 및 그 사용을 금지하는 법적 수단을 제공하도록 하고 있으며, 와인과 증류주에 대한 추가적인 보호와 관련해서는 공중의 오인·혼동 유발 여부와 관계없이 와인 및 증류주와 관련된 지리적 표시의 사용금지 및 상표등록 거절·무효화 조치를 취하도록 하고 있다. 다만, 예외적으로 원산지 국가에서 보호되지 아니하거나 보호가 중단된 지리적 표시는 동 협정 따른 보호의무가 없도록 규정하고 있다.

　　TRIPs협정 제23조는 지리적 출처에 관한 오인가능성이 없는 지리적 표시도 보호하고 있다. 이를 "추가적 보호(additional protection)"라 하며, 보호대상은 와인 및 증류주의 지리적 표시로 제한된다. 동규정은 표시된 지역에서 생산되지 아니한 와인 또는 증류주에 그 지역의 지리적 표시를 사용하는 것을 금지하고 있다. 각 회원국은 비록 상품의 진정한 원산지가 표시되거나 또는 지리적 표시가 번역되어 사용되거나 '종류', '유형', '양식', '모조품' 등의 표현이 수반되는 경우에도, 당해 지리적 표시가 표시하는 장소에서 기원하지 아니한 와인에 대하여, 또는 해당 지리적 표시가 표시하는 장소에서 기원하지 아니한 주류에 대하여 그 지리적 표시의 사용을 금지할 수 있는 법적인 수단을 이해 당사자에게 제공하여야 한다(제23조 제1항). 지리적 표시를 포함하거나 지리적 표시로 구성되는 와인에 대한 상표의 등록은 이러한 원산지를 가지지 아니한 와인 또는 주류에 관하여, 직권으로 할 수 있도록 자국 법률이 허용하는 경우 직권으로 또는 이해당사자의 요청에

---

27)

	TRIPs협정 제22조 일반보호	TRIPs협정 제23조 특별보호(추가적 보호)
대상품목	제한 없음	와인과 증류주
보호내용	진정한 원산지가 아닌 산지의 표시는 금지	
	대중의 오인을 유발하거나 불공정 경쟁행위를 구성하는 방법인 경우에 한하여 금지	무조건 금지("종류", "유형", "양식", "모조품" 등의 표현이 수반되어 있거나 진정한 원산지가 병기되어 있다 하더라도 금지, 지리적 표시의 번역사용금지)

의하여 거절되거나 무효화하여야 한다(제23조 제2항). 제22조 제3항은 공중의 혼동을 유발해야 한다는 요건이 없다. 따라서 와인이나 증류주에 대해서는 공중의 혼동이 없어도 지리적 표시를 구성하는 상표는 등록이 거절되거나 청구에 의해 무효화 되어야 한다.

와인에 대한 동음의 지리적 표시의 경우, 제22조 제4항의 규정을 따를 것을 조건으로, 보호가 모든 표시에 대하여 부여된다. 각 회원국은 관련 생산자에게 공평한 대우를 보장하고 소비자가 오인하지 아니하도록 할 필요성을 고려하여, 해당 동음의 지리적 표시를 상호간에 구분할 수 있는 실질적인 조건을 정하여야 한다(제23조 제3항).[28] 와인에 대한 지리적 표시의 보호를 용이하게 하기 위하여, 와인의 지리적 표시의 통보와 등록을 위한 다자간 체제에 참여하는 회원국내에서 그 표시가 보호를 받을 수 있도록, TRIPs 이사회에서 그 체제의 수립에 관한 협상이 추진되어야 한다(제23조 제4항).

와인 및 증류주의 절대적 보호에 대해서는 선사용(제24조 제4항), 선행상표(제24조 제5항), 보통명칭(제24조 제6항), 지리적 표시의 보호 청구시한(제24조 제7항), 성명의 사용(제24조 제8항)에 대한 예외 적용에 대해서 자세히 규정을 하고 있다. 한편 TRIPs협정상의 지리적 표시에 대한 제도화는 개별 국가들에 있어 자국의 통상무역 보호를 위해 반드시 필요하다 볼 수 있다. 왜냐하면 원산지 국가에서 보호되지 않거나 그 보호가 중단되거나 오용되고 있는 지리적 표시는 TRIPs 협정의 보호를 받지 않는다(제24조 제9항).

4. 디 자 인

TRIPs협정 제2부 4절은 독자적으로 창작된 신규성, 창작성이 있는 디자인의 보호, 허여되는 권리, 보호기간 등에 대해서 규정하고 있다. 파리협약 제5조가

---

28) 본 항은 두 지역의 지리적 표시가 동음어(homonym)인 경우에 관한 규정이다. 두 개의 지리적 표시가 동음이거나 별개의 정당한 것이므로 각각 보호되어야 한다는 원칙이 첫 문장에 담겨있다. 그러나 일반공중 혹은 소비자에게 발생될 수 있는 혼동을 막을 수 있는 조치가 마련되어야 한다. 따라서 두 번째 문장은 두 개의 지리적 표시를 소비자가 구분할 수 있도록 할 수 있는 실제적인 방법(practical conditions)을 정할 것을 의무화하고 있다. 만약 프랑스와 스페인에 보르도 wine이 있다면 프랑스 보르도 wine, 스페인 보르도 wine으로 명기하도록 하는 것이 이러한 실제적인 방법의 예가 될 것이다.

디자인을 보호한다는 간결한 규정만을 두고 있는 것과 마찬가지로 TRIPs협정에서도 디자인에 관해서는 2개의 조문만을 두어 상세한 권리보호의 기준을 정하지는 않고 있다.

TRIPs협정 제15조 제1항은 디자인의 보호요건으로서 신규성과 독창성을 요구하고 있는데, 공지된 디자인 또는 공지된 디자인의 형태의 결합과 현저하게 다르지 아니한 디자인, 본질적으로 기술적 또는 기능적 고려에 의하여 요구되는 디자인 등은 보호대상에서 제외된다. 한편, 직물디자인의 보호획득요건, 특히 비용, 심사, 공표와 관련한 요건으로 인하여 직물디자인의 보호가 부당하게 저해되어선 아니 된다고 규정하면서 회원국이 이러한 의무를 디자인법이나 저작권법을 통해 이행할 것인지는 회원국의 자유에 맡기고 있다(제15조 제2항). 제25조 제2항은 유행에 민감한 직물디자인(textile design)의 특성을 반영한 규정이며, 신속한 심사와 등록을 통한 보호가 필요하다고 하는 스위스의 주장을 받아들인 것이다. 다만 이에 대해서는 i) 직물디자인에 대해서만 특별보호를 해야 할 필요성이 부족하고, ii) 관련 잡지 등에 게재되면 저작권으로 보호 가능하므로 구태여 이러한 규정을 둘 필요가 없다는 반론이 있었으므로 당초 스위스의 주장인 직물디자인의 경우 무심사주의 혹은 신속한 심사를 이행해야 한다는 주장을 완화하여 비용 심사 혹은 공고상의 요건이 직물디자인의 보호를 저해하지 않아야 한다는 정도로 규정한 것이다.

TRIPs협정 제16조 제1항은 디자인의 보호의 내용으로서 제3자가 권리자의 동의 없이 보호디자인을 복제하였거나 실질적으로 복제한 디자인을 지니거나 형체화한 물품을 상업적 목적으로 제조, 판매, 수입하는 행위를 금지할 권리를 디자인권자에게 부여하고 있다. 디자인 보호에 있어서 예외를 인정하고 있지만 이러한 예외는 제3자의 정당한 이익을 고려하여 보호되는 디자인의 정상적인 이용에 불합리하게 저촉되지 아니하고 권리자의 정당한 이익을 불합리하게 저해하지 아니하여야 한다고 규정함으로써 그 범위를 제한하고 있다(제16조 제2항). 디자인의 보호기간은 10년 이상으로 규정되어 있다(제16조 제3항).

5. 특　　허

TRIPs협정 제2부 제5절은 특허에 관한 것으로 제27조부터 제34조까지 8개

의 조로 이루어져 있는데, 배타적 권리, 발명의 공개, 특허기간, 강제실시 등에
대해서 자세히 규정하고 있다.

(1) 특허대상(제27조)

TRIPs협정 제27조는 신규성, 독창성, 산업상 이용가능성이 있는 발명은 보호
하되 공서양속 등에 위반한 발명은 보호하지 않는다고 규정하고 있다. 또 각국이
개별적으로 제외할 수 있는 발명으로서 ⅰ) 진료·치료·외과수술 등 인간 또는
동물에 대한 의료기술과 ⅱ) 미생물을 제외한 동물 및 식물(특히 동·식물의 생산을
위한 생물학적 제법도 포함)을 들고 있다. 다만, 식물변종에 대하여는 특허 또는 기
타 효과적인 제도에 의한 보호를 제공토록 하고 있다.

(2) 허여된 권리(Rights Conferred)

TRIPs협정 제28조는 특허권을 배타적인 권리(exclusive rights)로 규정하고 있
다. 즉 특허대상이 물건(product)인 경우에는 제3자가 특허권자의 동의 없이 동
물질을 제조, 사용, 판매를 위한 제공, 판매, 판매목적으로 수입하는 행위들은 금
지된다. 이러한 배타적 권리는 상품의 사용, 판매, 수입, 기타 유통에 관하여 협
정상 부여되는 모든 다른 권리와 같이 제6조(권리소진)의 규정에 따르게 된다.
특허대상이 방법(method)인 경우에는 제3자가 특허권자의 동의 없이 동 방법을
사용, 최소한 그 제법에 의해 직접적으로 획득되는 상품의 사용, 판매를 위한 제
공, 판매, 판매를 목적으로 수입하는 행위들은 금지된다. 특허권자는 TRIPs협정에
따라 특허권을 양도나 상속에 의하여 이전하고 사용허가를 할 권리를 갖는다(제
28조 제2항).

(3) 특허출원인의 조건(Conditions on Patent Applicant)

TRIPs협정 제29조는 발명의 공개 의무에 관한 조항으로, 발명이 실시가능할
정도로 충분하고 완전하게 공개되어야 한다는 것이 의무규정으로, 최적실시형태
(best mode)와 외국 특허출원 및 허여에 대한 정보를 요구할 수 있다는 것이 임의
규정으로 규정하고 있다.

(4) 허여된 권리에 대한 예외(Exceptions to Rights Conferred)

TRIPs협정 제30조는 특허권의 배타적 권리에 대한 예외 설정은 제한적이어야 하며 정상적인 특허권의 실시를 부당하게 저촉하여서는 아니 되고, 특허권자의 정당한 이익을 부당하게 저해하여서는 아니 된다고 규정하고 있다. 본 조는 특허권의 예외에 관한 규정으로 저작권과 관련한 제13조, 상표와 관련한 제17조 및 디자인과 관련한 제26조 제 2 항과 유사한 취지의 규정이다.

(5) 권리자의 승인없는 기타 사용(Other Use Without Authorization of the Right Holder)

TRIPs협정 제31조는 강제실시(compulsory license) 또는 비자발적 라이선스(non-voluntary licenses)에 관한 것으로, 그 요건, 보상 등에 대하여 상세히 규정하고 있다. 국제사회에서도 특허 관련조약에 강제실시에 대한 규정이 도입되었는데 1883년 산업재산권 보호에 관한 파리협약이 그 최초의 것이다. 파리협약상의 강제실시제도는 특허권자가 자신의 독점적 권리를 남용하는 것에 대한 제재의 형태를 취하고 있는 반면,[29] TRIPs협정 체제는 일정한 경우 특허를 제한 할 수 있는 강제실시제도 등의 안전장치를 두고 있어서 각 국가들에게 공중보건을 지킬 수 있는 유연성을 부여하고 있다. 즉, TRIPS 협정 제31조는 특허발명의 창작뿐만이 아니라 그 이용의 측면도 중요한 것이므로 두 가치 사이의 조화와 균형을 이룰 수 있도록 하기 위해서 마련된 규정이다.[30] 이 규정을 통해서 장래의 의약품 개발에 대한 인센티브에 역효과를 주지 아니하면서도 의약품의 가격을 낮추어 의약품의 이용을 보다 용이하게 할 수 있다.[31]

TRIPs협정은 반도체의 경우를 제외하고는 강제실시를 부여할 수 있는 요건을 한정하지 아니하고, 대신에 강제실시를 발동할 때 부가하여야 하는 조건만을 규정하고 있다. 따라서 이론적으로는 TRIPs협정상에는 강제실시를 발동할 수 있는 범위에 제한을 두고 있지 않으며, 동 협정은 "강제실시"라는 용어 대신 "권리

---

29) 파리협약 제 5 조 A.

30) 강희갑·박준우, "TRIPS협정의 의약품 특허와 공중보건논의에 관한 미국의 입장과 대응방안", 「산업재산권」 제20호, 2006, 82면.

31) Correa, Public Health and Intellectual Property Rights, Global Social Policy Vol.2(3) (2002), p.263.

자의 승인 없는 기타 사용"("Other Use Without Authorization of the Right Holder")이라는 용어를 사용하고 있다. 현재 개발도상국과 최빈국의 수많은 사람이 에이즈, 말라리아 등 질병으로 생명을 잃고 있으나[32] 이들 대부분의 국가들은 기술, 장비, 인력 등 국내 생산을 위한 경제적인 여력의 부족으로 치료 의약품의 주요 성분이나 제형을 생산하지 못하고 있다. 이에 따라 WTO는 의약품 접근권을 확대하고 특허권이 설정된 의약품을 저렴한 가격으로 공급할 수 있는 방안을 마련하기 위해 2001년 도하 선언문, 2003년 8월 30일 TRIPS이사회 결정, 2005년 WTO/TRIPS 협정의 개정안 승인 등 공중 보건을 위하여 특허권을 제한하는 조치를 취하였다. 특히, 국제사회는 2001년 11월 도하선언을 통하여 강제실시의 실효적 보장을 위한 해법을 찾을 것을 명시하고 이어서 2003년 8월 30일 WTO 일반이사회는 지적재산권과 공중보건 문제를 해결하기 위하여 도하선언문의 이행에 관한 최종결정문(이하, "이사회830 결정")을 채택하였다. WTO 회원국들은 TRIPs협정과 공중보건에 관한 선언(도하선언) 제6항에 대한 합의를 이루었다. "이사회830 결정"은 AIDS와 말라리아, 결핵 등 심각한 질병의 치료를 위한 의약품의 특허권은 인정하되, 인도적 차원에서 자체 의약품 생산시설을 갖추지 못한 최빈국들에 한해 이를 저가에 공급하는 것을 골자로 하고 있다. 또 특허의약품 강제실시는 인도적 차원에서 공중보건 문제를 해결하기 위해 쓰일 것이며, 산업·상업적 목적으로는 쓰일 수 없다고 명시하고 있다. "이사회830 결정"은 TRIPs협정 제31(f) 및 제31(h)의 의무를 면제하였는데[33][34](제31(f)조는 국내시장 공급을 주목적으로 강제실시를 승인할 의무, 제31(h)조는 권리자에게 각 사안의 상황에 따라 승인의 경제적 가치를 고려하여 적절한 보상을 지급할 의무), 그 효력은 830 결정과 동시에 발생한다.[35] 다만 이 면제 규정의 효력은 잠정적인 것에 불과하고, 기존 TRIPs협정을 영구적으로

---

32) 이에 대한 자세한 내용은 Barona, TRIPS and Access of Developing Countries to Essential Medicines-Hands Tied?, Mitt. Heft 9-10(2006), 402 p. 참조.
33) 결정문의 주요 내용은 남희섭, "특허발명의 강제실시 제도 개선 및 의약품 수출을 위한 특허발명의 강제실시 제도 도입을 위한 특허법 개정," 특허법 개정 관련 공청회 자료집, 진보네트워크, 2004년 9월, p. 23 이하 참조.
34) 국내에서는 이를 반영하여 특허발명을 실시하고자 하는 자는, 자국민 다수의 보건을 위협하는 질병을 치료하기 위하여 의약품을 수입하고자 하는 국가에 그 의약품을 수출할 수 있도록 특허발명을 실시할 필요가 있는 경우에는 특허청장에게 통상실시권 설정에 관한 재정을 청구할 수 있도록 특허법 제107조를 개정하였다(일부개정 2005.5.31. 법률 7554호).
35) 남희섭, 특허발명의 강제실시, p. 15. http://www.ipleft.or.kr/main/node/2484 (2016.7.6. 최종 접속).

실효시키는 것이 아니고 다음 개정안이 발효될 때까지 유보시킨 것에 불과하다.[36] 2005년 12월 6일, WTO 회원국들은 2003년의 임시적인 유예조치를 영구적으로 하기 위하여 TRIPs협정 조항의 개정의정서(IP/C/41)를 최종 채택(WT/L/641)하였다. TRIPs협정 제31조(f)의 의무이행 면제를 항구적으로 하기 위한 개정의정서가 효력을 발휘하기 위해서는 WTO 회원국 중 2/3가 공식적으로 수락을 하여야 한다. 원래 2007년 12월 1일까지가 수락기간이었지만, 이사회제안에 따라 수락기한은, 2009년 12월 31, 2011년 12월 1일, 2013년 12월 31까지 연장되었는데, 금년 회원국의 2/3이 수락함에 따라 2017년 1월 23일 발효된 바 있다. 개정의정서는 TRIPs협정을 개정하는 것을 골자로 하고 있으며, 개정내용은 의약품 생산기반이 없는 회원국에 의약품을 수출하기 위해 강제실시권을 실시할 경우, TRIPs협정 제31조(f)에 따른 의무를 면제하도록 하는 것이다.

(6) 특허의 취소 및 보호기간 등

특허의 취소 또는 몰수 결정에 대하여는 사법심사의 기회가 주어진다(제32조). 특허권의 보호기간은 출원일로부터 최소한 20년이다(제33조). 일반적인 침해소송에서는 권리자가 제3자의 침해사실을 입증할 책임이 있으나, 제34조는 방법특허에 관한 침해소송 발생시에는 피고에게 입증책임을 전가함으로써 입증책임의 주체를 전환하고 있다. 다만, 입증책임을 전환시키는 과정에서 영업비밀 보호를 위한 피고의 적법한 이익은 보호되어야 한다.

6. 반도체집적회로

TRIPs협정 회원국은 「집적회로에 관한 지적재산권조약」(Treaty on Intellectual Property in respect of Integrated Circuts)의 규정에 따른 보호를 제공하여야 한다는 일반적 규정을 두고 있다. 그 보호대상은 회로배치설계(layout-design), 보호되는 배치설계가 결합된 집적회로(integrated circuits) 및 그 집적회로가 포함된 최종제품에도 미치도록 하고 있다. 논의과정에서 IC배치설계나 IC칩을 보호해야 한다는 것에 대해서는 이론이 없으나 IC칩이 내장된 전자제품 등의 최종제품(final product

---

36) 이현석, "개발도상국의 보건문제 해결: 강제 실시권," LAW & TECHNOLOGY 제9권 제6호(제49호), 2013, p. 45.

혹은 down stream product)까지 보호해야 할 것인지에 대해서는 의견의 대립이 있었다. 우리나라도 처음에는 최종제품의 보호에 대해서 반대 입장을 취했으나 "최종제품에서 불법복제된 IC칩을 제거하고 정상제품으로 전환하는 것이 가능한 제품"도 있고(이 경우 불법 IC칩이 제거된 최종제품에는 배치설계권이 미치지 아니한다), 또 제37조에서 "선의의 구입자를 보호한다"는 규정도 있으므로 이 정도의 선에서 타협을 본 것이다. 1992년 성립된 우리나라 「반도체집적회로의 배치설계에 관한 법률」도 최종제품까지 보호하나 선의의 구매자보호규정을 두고 있고 이 점은 TRIPs 규정 역시 마찬가지이다(제37조 제 1 항).

반도체칩의 배치설계의 보호기간은 등록출원일 또는 배치설계의 창작일로부터 10년으로 하고 있다(제38조).

7. 미공개정보의 보호

TRIPs협정 제39조는 부정경쟁을 효율적으로 방지하기 위하여 영업비밀 및 정부에 제출한 자료를 보호하도록 규정하고 있다. 협상 초기에는 영업비밀은 지적재산권이 아니므로 협상대상이 아니라는 개도국의 반발 때문에 논의조차 이루어지지 않았으나 그 후 선진국은 부정경쟁행위를 방지하기 위해서는 영업비밀도 보호되어야 한다고 주장하였고, 이러한 주장에 일본 및 유럽 등이 찬성함으로써 비공개정보가 보호대상에 포함되게 되었다. 비공개정보에는 영업비밀(협정 제39조 제 2 항)[37]과 정부에 제출된 임상실험자료(협정 제39조 제 3 항)[38]가 포함된다.

8. 이용허락 계약에 있어서 반경쟁적 관행의 규제

TRIPs협정은 지적재산권 보호규범의 강화를 꾀하고 있으나 이와 아울러 그

---

37) 협정은 영업비밀로 보호되기 위해서는 ⅰ) 비밀일 것, ⅱ) 경제적 가치가 있을 것, ⅲ) 비밀로서 관리되고 있을 것이 필요하다고 규정한다.

38) 협정 제39조 제 3 항은 "신규의약품 또는 신규화학물질을 이용한 농약품의 제조허가 요건으로 상당한 노력이 소요된 미공개 테스트 또는 데이터의 제출을 요구할 때 그와 같은 데이터를 부정한 영업적 사용으로부터 보호하여야 한다. 또한 회원국은 공중을 보호하기 위하여 필요한 경우 이외에는 그리고 부정한 영업적 사용으로부터 그 데이터의 보호가 보장되는 조치가 취해지지 않았을 경우에는 그와 같은 데이터가 공개되는 것을 금지하여야 한다"고 규정한다.

남용이나 오용을 규제하는 규정도 두고 있다. 즉 TRIPs협정은 선진국 그룹에 비교적 불리한 부분인 '원칙'(협정 제8조)과 이용허락 계약에 있어서 반경쟁적 관행의 규제'(협정 제40조) 조항을 두고 있다. 이들 조항의 적절한 활용은 지적재산권의 남용으로부터 중진국 내지는 개발도상국을 보호하는 수단이 될 수 있다.

제 4 절   지적재산권의 집행(enforcement)

파리협약과 베른협약을 핵심 축으로 하여 WIPO를 중심으로 운영되어 왔던 기존의 국제적 지적재산권 보호체제와 비교하여, (i) TRIPs협정은 포괄적인 지적재산권 보호규범일 뿐만 아니라, (ii) WTO의 집행력을 가진 분쟁해결체제에 연결되어 있고, (iii) 내국민대우 등 기존의 국제지적재산권법원칙과 함께 최혜국대우원칙, 투명성원칙 등 새로운 국제경제법원칙들이 채택됨으로써 규제체제의 규범력을 강화하였다. TRIPs협정에 의하여 지적재산권의 국제적 규제체제에서 혁신된 또 하나의 중요한 측면은 지적재산권 보호가 실질적으로 이루어지는 데 핵심적인 중요성을 갖는 집행조항의 강화라고 하겠다.[39]

TRIPs협정 제3부는 지적재산권 집행을 위한 최소기준을 규정하고 있다. 여기에서 집행(enforcement)이라 함은, 지적재산권 침해를 방지하고 침해에 대한 구제방법을 확보하는 것을 의미한다. WIPO에 의한 지적재산권의 보호와 WTO에 의한 지적재산권의 보호에 있어서 가장 큰 차이점이 지적재산권의 집행에 관한 규정이라 할 수 있다. 지적재산권의 집행절차에 관한 국제표준을 마련하여 기존의 국제조약과 구별되는 특성이 있으며, TRIPs협정의 집행에 관한 규정이야말로 WIPO가 주관하는 지적재산권 관련 조약과 구별되는 가장 중요한 특징이라고 말할 수 있다. TRIPs협정은 각 회원국에게 포괄적 집행체제의 수립을 의무화하되, 국가간 법제도의 차이를 고려하여 각 회원국이 협정의 제 규정에 관한 이행방법

---

39) Gervais는 집행관련조항이 TRIPs협상에서의 가장 중요한 성과의 하나로 평가한다. Danial Gervais, The TRIPs Agreement: Drafting History and Analysis, 2nd ed.(London, Sweet & Maxwell, 2003), p. 287; 반대견해는 J. H. Reichman and D. Lange, "Bargaining Around the TRIPs Agreement: The Case of Ongoing Public—Private Initiative to Facilitate Worldwide Intellectual Property Transactions," Duke Journal of Comparative and International Law, vol.9(1998), pp. 33—34.

을 자유로이 결정하도록 규정하고 있다.[40]

　　제3부 지적재산권 집행절차는 크게 5개 부문으로 나누어 볼 수 있다. 첫째는, 일반적인 의무(제41조)이다. 각 회원국은 본 협정상의 권리침해에 대해 공정하고 공평한 구제가 이루어질 수 있도록 효과적인 구제조치를 마련할 것을 규정하고 있다. 두 번째는, 민사 및 행정절차와 구제(제42조-제49조)에 관한 부분이다. 여기에서는 TRIPs협정상의 모든 권리의 집행과 금지명령·손해전보·정보·파괴의 요구와 관련된 절차들에 대해 규정하고 있다. 세 번째는, 잠정조치(제50조)로 침해예방과 적절한 증거의 보호를 규정하고 있다. 네 번째는, 국경조치에 관한 특별요건(제51조-제60조)으로 세관당국에 의한 수입상품의 반출정지의 요건과 결과에 대해 규정하고 있다. 마지막으로 다섯 번째는, 형사절차(제61조)에 관한 것으로 적어도 고의적인 상표 도용이나 저작권 침해를 상업적 규모로 행하는 경우에는 형사절차가 적용되어야 함을 규정하고 있다. 그 밖에도 제4부 이하에서 지적재산권의 취득, 유지 및 관련 당사자간 절차(제62조)와 다자간 협의 및 분쟁해결절차(제63조-제64조) 등을 규정하고 있다. 이상의 규정들은 각 회원국들이 지적재산권의 보호를 위하여 자국의 국내입법을 통하여 반드시 확보하여야 할 사항들이다.[41]

　　협정은 각 회원국이 지적재산권 침해행위에 대한 효과적인(effective) 대응조치를 취하기 위하여 필요한 국내법을 정비하되, 이러한 절차가 합법적인 무역에 장애가 되지 아니하고 남용되지 않도록 적용되어야 함을 일반적 의무로 규정하고 있다(제41조 1항). 즉, 지적재산권의 행사절차는 '공정하고 공평(fair and equitable)'하여야 하며, 불필요하게 복잡하거나 비용이 많이 들거나, 불합리하게 시간을 제한하거나 부당하게 지연하여서는 아니 되고(동 2항), 사안의 본안에 대한 결정은 서면주의와 증거주의에 입각하여야 하며(동 3항), 지적재산권 보호에 대한 최종적인 행정결정과 사건 본안에 대한 최초의 사법적 결정에 관하여 당사자에게 사법당국에 의한 심사의 기회를 제공하여야 한다(동 4항).

　　각 회원국은 지적재산권의 행사에 관하여 민사상의 공정하고 공평한 사법절차를 권리자에게 보장하고, 동 절차는 현행 헌법상의 요건에 위반되지 않는 범위

---

40) WTO설립협정 제16조 4항 및 TRIPs협정 제41조 1항 참조.
41) 집행규정에 관한 상세한 내용은 이석용, "WTO 무역관련 지적재산권협정의 이행조치," 「창작과 권리」, 제14호(1999년 봄), pp. 76-106 참조.

내에서 비밀정보를 확인하고 보호하는 수단을 제공하여야 한다(제42조). 사법당국은 비밀정보를 보호하는 조건으로 관련 당사자에게 증거자료의 제출, 권리침해자에 대한 금지명령(injunction) 또는 손해배상(damages)을 명할 권한을 가지며(제43조－제45조), 지적재산권을 침해한 상품을 배제하기 위하여 필요한 기타 구제조치를 취할 수 있고(제46조), 집행조치가 남용되어 당사자에게 부당한 피해가 발생한 경우 적절한 보상을 하도록 관련 당사자에게 명할 수 있어야 한다(제48조). 이러한 민사절차는 사건의 본안에 관한 행정절차를 통하여 민사구제조치가 가능한 경우 행정절차에도 준용되어야 한다(제49조).

침해를 방지할 긴급한 필요가 있다고 인정되는 경우 사법당국은 침해상품의 유통경로에의 유입을 방지하고 침해혐의에 관한 증거를 보전하기 위한 잠정조치(provisional measures)[42]를 취할 수 있으며, 사법당국은 남용을 방지하고 피고를 보호하기 위하여 충분한 담보(security) 또는 동등한 보증(assurance)의 제공을 명할 수 있으나, 잠정조치들이 일방 절차에 의하여 취해진 경우 관련 당사자에게 지체 없이 통보하여야 한다(제50조).

TRIPs협정 집행규정은 국경조치(border measures)에 관한 특별규정을 담고 있는데, 특히 위조상품의 유통을 규제하기 위하여 필요한 조치를 취할 의무를 규정한 제51조는 TRIPs협정의 핵심내용 중의 하나이다. 회원국은 상표권자 또는 저작권자가 상표권 또는 저작권 침해상품의 통관정지를 사법 및 행정당국에게 서면으로 청구할 수 있는 절차를 갖추어야 하며 그 구체적인 내용은 협정 제52조－제60조의 내용을 포함하여야 한다. 권리자가 갖는 다른 권리를 저해함이 없이 또한 피고가 사법당국에 의한 심사를 청구할 수 있는 조건으로, 관할당국은 침해상품의 폐기 또는 처분을 명령할 권한을 가진다(제59조).

회원국은 적어도 고의로 상표권 또는 저작권을 상업적 규모로 침해한 경우에 적용될 형사절차와 처벌을 규정하여야 할 의무를 부담하고, 적절한 경우에 이용 가능한 구제에는 침해상품과 주로 범죄행위에 사용된 재료 또는 기구에 대한 압수, 몰수 및 폐기를 포함하여야 한다(제61조).

---

42) TRIPs협정의 집행과 관련된 두 개의 분쟁은 모두 잠정조치의 미비에 대하여 미국이 제소한 사건으로 협의 과정에서 관련 당사국의 국내법을 개정하기로 합의하여 종결되었다.

제5절 TRIPs협정과 분쟁해결

TRIPs협정 제64조는 TRIPs 관련 분쟁을 GATT 1994 제XXII조, 제XXIII조의 규정에 의하여 처리하도록 하고 있다.[43] 다만, WTO설립협정 발효일로부터 5년간은 GATT 1994 제XXIII조 1항(b)호, (c)호를 적용하지 않도록 하고 있으므로 결국 이 기간 동안은 협정위반을 이유로 한 분쟁사건만을 대상으로 할 수 있다.[44]

지적재산권 분쟁에 GATT의 분쟁해결절차를 이용하는 것이야말로 선진국이 우루과이라운드 교섭에서 새로운 분야의 하나로 지적재산권 보호문제를 상정할 것을 강력하게 주장하였던 가장 큰 이유이다. 선진국은 WIPO관장 지재권협약들이 실효적인 이행확보수단이 결여되어 있는 것으로 판단하여 지적재산권 보호 위반에 대해 무역제재조치의 발동을 가능케 하는 것을 희망하였다. 한편 종래의 GATT 분쟁해결절차에는 많은 문제점이 있는 것으로 지적되어 이에 대해서도 우루과이라운드에서 논의를 거쳐 UR협상의 최종협정문 제2부속서에는 「분쟁해결을 규율하는 규칙과 절차에 관한 양해각서(Understanding on Rule and Procedures Governing the Settlement of Disputes: DSU)」라는 명칭으로 이에 관한 규정을 두고 있다. DSU 제3조 2항에서와 같이 WTO 분쟁해결절차는 "다자무역체제의 안정성과 예측가능성을 제공하는 데 중심적인 요소"라 할 수 있다.

---

43) TRIPs협정 제64조 2항. Subparagraphs 1(b) and 1(c) of Article XXIII of GATT 1994 shall not apply to the settlement of disputes under this Agreement for a period of five years from the date of entry into force of the WTO Agreement.
44) TRIPs협정 제64조 2항.

복수국가간 무역협정

제 6 부 복수국가간 무역협정

WTO협정 부속서 4(Annexe 4)의 복수국간무역협정들(plurilateral trade agreements)은 부속서(Annexes) 1-3의 다자무역협정들과 달리 동 협정에 가입한 WTO회원국에 대해서만 법적 구속력을 갖는다. WTO협정이 발효된 1995년 1월 1일 당시 복수국간무역협정은 민간항공기무역협정(Agreement on Trade in Civil Aircraft), 정부조달협정(Agreement on Government Procurement), 국제낙농협정(International Dairy Agreement), 국제우육협정(International Bovine Meat Agreement) 등 4개의 협정이 있었으나, 국제낙농협정과 국제우육협정은 1998년 1월 1일자로 종료되어,[1] 현재는 민간항공기무역협정과 정부조달협정 2개의 협정만 존재한다.

---

1) 국제낙농이사회(International Dairy Council)와 국제우육협회(International Meat Council)는 각각 1997년 9월 30일 동 협정의 기능이 WTO농업위원회와 SPS위원회에서 보다 경제적이고, 효율적으로 수행될 수 있다고 결론 내리고, 1997년 12월 31일자로 이들 협정을 종료시키기로 결정하였다. WTO, IDA/8 (30 September 1997), IMA/8 (30 September 1997) 참조.

제23장
민간항공기무역협정

제1절 협정의 개관

민간항공기무역협정(Agreement on Trade in Civil Aircraft: 이하 'TCA'라 함)은 동경라운드(Tokyo Round) 협상의 결과 1979년 4월 12일 체결되었고, 1980년 1월 1일 발효되었다.[1] 동 협정은 엔진, 레이더, 비행기록장치, 그리고 지상비행시뮬레이터와 같이 동 협정의 상품목록에 포함된 민간항공기 관련 상품에 대한 수입관세를 철폐하고, 민간항공기의 정부지시조달 및 구매에 대한 유도와 같은 사안들에 대한 규범들을 포함하고 있다.[2] 동 협정의 당사국들은 1983년 3월 8일 '민간항공기무역협정 2.1.2조의 합의된 해석(Agreed Interpretation of Article 2.1.2 of the Agreement on Trade in Civil Aircraft)'과 당사국들의 GATT양허표에 頭註(headnote)로 삽입될 '부속품에 대한 관세양허를 위한 공통의 가이드라인(Common guidelines for binding of duties on repairs)'을 채택하였다.[3]

우루과이라운드 협상 당시 동 협정의 기관인 민간항공기무역위원회(Committee on Trade in Civil Aircraft)가 TCA를 개정할 소위원회를 설치하여 개정협상을 하였으나 1995년 말까지 어떠한 합의도 도출하지 못하였다.[4] 마라케쉬협정(Marrakesh Agreement)은 TCA의 후속협정이 부속서 4(Annex 4)의 복수국간무역협정에 포함될

---

1) TCA 제9.3조.
2) WTO, "Civil Aircraft Committee adopts protocol to update aviation product list", 5 November 2015.
3) WTO, WTO Analytical Index: Agreement on Trade in Civil Aircraft (http://www.wto.org/english/res_e/bookp_e/analytic_index_e/aircraft) (2017년 9월 3일 방문).
4) WTO, *Guide to the Uruguay Round Agreements* (Hague: Kluwer Law International, 1999), p. 252.

것을 예정하였으나 후속협정에 대한 새로운 합의가 도출되지 못한 채 1979년 TCA가 그대로 WTO협정에 부속되었다.[5]

2021년 11월 3일자로 동 협정의 당사국은 33개국[6]이며, WTO회원국으로서 동 협정 위원회에 옵서버의 지위를 갖는 회원국은 한국을 포함하여 25개국[7]이다. 국제통화기금(IMF)과 국제연합무역개발회의(UNCTAD)도 동 협정의 참관국 지위를 가지고 있다.

TCA는 전문(preamble)과 9개 조문 그리고 대상상품(product coverage)에 관한 부속서(Annex)로 구성되어 있다. 부속서는 동 협정의 불가분의 일부를 구성하며,[8] 다른 당사국의 동의가 없는 한 동 협정의 어느 규정에 대해서도 유보는 허용되지 않는다.[9] 2015년 11월 5일 TCA 대상상품 부속서를 개정하는 의정서[10]가 민간항공기교역위원회 정기회의에서 채택되었고, 각 당사국의 수락을 위해 개방되었다.[11] 다음에서는 TCA의 주요 내용을 중심으로 살펴본다.

---

5) WTO, *supra* note 4.

6) 33개 당사국은 다음과 같다: Albania, Canada, Egypt, the European Union(다음의 19개 EU 회원국이 동 협정의 당사국으로 자국의 권리를 다: Austria, Belgium, Bulgaria, Denmark, Estonia, France, Germany, Greece, Ireland, Italy, Latvia, Lithuania, Luxembourg, Malta, the Netherlands, Portugal, Romania, Spain, Sweden, Egypt, Georgia, Japan, Macao China, Montenegro, North Macedonia, Norway, Switzerland, Chinese Taipei, the United Kingdom, the United States.

7) WTO회원국 중 민간항공기무역위원회에 참관국 지위를 갖는 25개 국가는 다음과 같다: Argentina, Australia, Bangladesh, Brazil, Cameroon, China, Colombia, Finland, Gabon, Ghana, India, Indonesia, Israel, Korea, Mauritius, Nigeria, Oman, Russian Federation, Saudi Arabia, Singapore, Sri Lanka, Trinidad and Tobago, Tunisia, Turkey, Ukraine. IMF와 UNCTAD 역시 참관국 지위를 갖고 있다. WTO, Report (2016) of the Committee on Trade in Civil Aircraft, WT/L/992, TCA/12 (7 November 2016).

8) TCA 제9.8조.

9) TCA 제9.2조.

10) Protocol (2015) Amending the Annex to the Agreement on Trade in Civil Aircraft.

11) WTO, Report (2015) of the Committee on Trade in Civil Aircraft, WT/L/963, TCA/10 (5 November 2015).

제 2 절 협정의 주요 내용

1. 목   적

TCA의 목적은 민간항공기 및 부품의 자유무역을 확립하고, 항공기의 생산
및 판매를 보조하는 정부보조금 및 압력의 광범위한 사용을 다자적으로 통제하
는 것이다. TCA는 민간항공기 개발, 생산 및 마케팅에 있어 정부지원의 결과로
나타나는 민간항공기 무역의 부정적 효과를 제거하는 것을 추구하지만, 그러한
정부 지원 자체가 무역의 왜곡으로 간주되지는 않는다.[12]

2. 적용대상

TCA목적상 민간항공기(civil aircraft)는 군용항공기를 제외한 모든 민간항공기
를 의미하며, 원 장비(original equipment) 또는 민간항공기의 제조, 수리, 유지, 재
건, 변경 또는 전환에 있어 대체장비로 사용되는지 여부에 관계없이 (a) 모든 민
간항공기, (b) 모든 민간항공기 엔진 그리고 그 부품(parts) 및 구성품(components),
(c) 민간항공기의 기타 부품, 구성품 및 하부 조립품(sub-assemblies) 그리고 (d)
모든 지상항공 시뮬레이터와 그 부품 및 구성품에 대하여 적용된다.[13]

WTO가 출범한 1995년 1월 1일 이후 민간항공기위원회는 1998년 11월 30일
회의에서 AIR/TSC/W/49에 포함된 국내의 관세목적의 민간/군용 규명과 관련된
사실적 정보를 갱신하기로 결정하였고, 2000년 11월 15일 동 협정의 당사국들에게
잠정적으로 항공기 지상유지 시뮬레이터를 포함하여 WTO문서(TCA/W/5/Rev.3)[14]에
제시된 제안된 대상상품 부속서의 상품에 대하여 즉시 무관세 대우를 적용할 것
을 촉구하기로 결정하였다. 동 결정에 따라 당사국은 그러한 잠정 적용과 관련하
여 취한 조치들을 위원회에 통보하여야 한다.[15]

---

12) TCA 전문.
13) TCA 제1.1조.
14) WTO, Draft Revised Protocol and Product Coverage Annex-Note by the Secretariat,
　　TCA/W/5/Rev.3 (21 November 2001).
15) WTO, *supra* note 4.

3. 당사국의 주요 의무

(1) 관세 및 기타 부과금

동 협정의 당사국은 1980년 1월 1일까지 또는 동 협정의 발효일까지 동 협정의 부속서에 기재된 각 관세 세번에 따라 관세목적으로 분류된 상품이 항공기의 제조, 수리, 유지, 재수선, 변경 또는 전환과정에서 민간항공기에 사용되거나 항공기에 포함된다면 그러한 상품수입에 대하여 또는 수입과 관련하여 부과되는 모든 종류의 관세 및 기타 부과금[16)]을 철폐하여야 한다. 또한 민간항공기 수리에 부과되는 모든 종류의 관세 및 기타 부과금도 철폐하여야 한다.[17)]

(2) 무역에 대한 기술 장벽

기술무역장벽협정(Agreement on Technical Barriers to Trade: 이하 'TBT협정'이라 함) 규정이 민간항공기 무역에도 적용되며, 이에 추가하여, 동 협정의 당사국간에 민간항공기 인증요건(certification requirements)과 운영 및 유지절차에 관한 명세사항(specifications)도 TBT협정규정에 의해 규율한다.[18)]

(3) 정부에 의해 지시된 구매, 강제적인 하부계약 및 유인

민간항공기 구매자는 자유롭게 상업적, 기술적 요인에 근거하여 공급자를 선택할 수 있다.[19)] 동 협정의 당사국들은 항공사, 항공기 제조사, 또는 민간항공기 구매에 관련된 기타 법인들에 대하여, 다른 당사국의 공급자에 대한 차별을 불러일으키는, 특정 공급원으로부터 민간항공기를 구매하도록 요구하거나 그들에게 비합리적인 압력을 행사해서는 안 된다.[20)]

협정의 당사국들은 다른 당사국의 공급자에 대한 차별을 불러일으키는 특정 공급원으로부터의 민간항공기 판매 또는 구매에 대하여 유인을 부여하는 것을 피해야 한다.[21)]

---

16) 기타 부과금(other charges)은 GATT1994 제II조와 동일한 의미를 갖는다. TCA 각주 1.
17) TCA 제2.1조.
18) TCA 제3조.
19) TCA 제4.1조.
20) TCA 제4.2조.
21) TCA 제4.3조.

(4) 무역제한

당사국들은 GATT의 적용 가능한 규정에 일치하지 않는 방식으로 민간항공기의 수입을 제한하기 위하여 수량제한(수입쿼터) 또는 수입허가요건을 적용해서는 안 된다. 이것은 GATT에 일치하는 수입 감시 또는 허가 제도를 배제하는 것은 아니다.[22] 당사국들은 GATT의 적용 가능한 규정에 일치하지 않는 방식으로 다른 당사국에 대한 민간항공기의 수출을 상업적 또는 경쟁적 이유로 제한하기 위하여 수량적 제한 또는 수출허가 또는 기타 유사한 요건을 적용해서는 안 된다.[23]

(5) 정부지원, 수출신용, 및 항공기 마케팅

GATT1994 제VI조, 제XVI조, 제XXIII조(보조금 및 상계조치협정)이 민간항공기 무역에 적용된다. 민간항공기 프로그램에 참여 또는 지원에 있어서, 당사국들은 보조금 및 상계조치협정의 제8.3조 및 제8.4조의 의미에서 민간항공기 무역에 부정적 영향을 피하도록 해야 한다. 항공기 분야에 적용되는 특별한 요소들 특히 이 분야의 광범위한 정부지원, 국제 경제적 이해관계, 그리고 세계 민간항공기 시장의 확대에 참여하고자 하는 모든 당사국 생산자들의 바람이 고려되어야 한다.[24] 당사국은 민간항공기의 가격 책정이 비경상적 프로그램 비용(non-recurring programme costs), 항공기, 구성품, 그리고 그러한 민간항공기의 생산에 후속적으로 적용된 시스템에 대한 규명 가능한 비용, 평균 생산비용, 그리고 재무경비를 포함하는 모든 비용의 공제(recoupment)에 대한 합리적 기대에 근거해야 한다.[25]

(6) 지역 및 지방정부

동 협정에 따른 당사국의 의무에 더하여, 당사국들은 지역 및 지방정부 및 당국, 비정부기관, 그리고 기타 기관에 대하여 동 협정 규정에 일치하지 않는 방식으로 조치를 취할 것을 직접적으로 또는 간접적으로 요구하거나 장려하지 않

---

22) TCA 제5.1조.
23) TCA 제5.2조.
24) TCA 제6.1조.
25) TCA 제6.2조.

는다.26)

4. 민간항공기무역위원회

민간항공기무역위원회(Committee on Trade in Civil Aircraft)는 모든 당사국으로 구성된 기관으로, 고유의 의장을 선출한다. 당사국들은 필요에 따라, 그러나 적어도 연1회 이상 회의를 갖는다. 이와 같은 기회를 통해 당사국들은 민간항공기산업의 발전을 포함하여 TCA의 운영과 관련된 사항을 협의하고, 자유롭고 왜곡되지 않은 무역의 계속성을 보장하기 위한 TCA의 개정 필요성 여부를 결정하고, 양자협의를 통하여 만족스러운 해결책을 찾는 것이 불가능한 사안을 검토하는 등 동 협정 또는 당사국에 의해 민간항공기무역위원회에 부여된 책임을 수행하기 위한 기회를 갖는다.27)

위원회는 동 협정의 목적을 고려하여 협정의 이행 및 운영을 연례적으로 검토해야 하며, 그러한 검토의 대상이 되는 기간 동안의 발전에 대하여 WTO설립협정 제8.4조에 따라 일반이사회에 연례보고서를 제출해야 한다.28)

민간무역항공기위원회는 2008년부터 TCA의 상품목록이 2007년 버전의 국제통일상품분류제도(Harmonized System: HS)와 양립할 수 있도록 동 목록을 변경하기 위한 작업을 수행하였고, 그 결과 2015년 11월 5일 항공기 상품목록을 업데이트하는 의정서를 채택하였다. 동 의정서는 TCA당사국들의 수락을 위해 개방되었다.29)

민간항공기무역위원회는 1980년 2월 20일 기술소위원회(Technical Sub-Committee)를 설치하고 두 가지 위임사항을 부여하였다. 첫째, 제8.4조에 따라 대상상품, 최종용도 시스템, 항공기 관세명명법(tariff nomenclature)과 관련된 사안을 포함하여 관세 및 기타 부과금과 관련된 제 2 조의 이행을 검토하고, 둘째, 동 협정의 전문에 비추어 대상상품을 변경하는 제안을 검토하고 위원회에 그에 대해 보고하는 것이다.

---

26) TCA 제7.1조.
27) TCA 제8.1조.
28) TCA 제8.2조. WTO, *supra* note 4 참조.
29) WTO, "Civil Aircraft Committee adopts protocol to update aviation product list", 5 November 2015.

이후 민간항공기무역위원회는 1992년 7월 16일 동 협정 제8.3조에 따른 협상을 수행할 민간항공기무역위원회의 소위원회(sub-committee)를 설치하였는데, 동 소위원회는 1995년 11월 14회 회의 이후에 소집된 적은 없다.[30]

5. 분쟁해결

TCA는 고유의 분쟁해결절차를 두고 있다. TCA관련 분쟁은 정부조달협정과 달리 WTO분쟁해결제도에 제기될 수 없다. 민간항공기 제조, 수리, 유지, 수선, 변형 또는 전환에 있어서 자국의 무역이익이 다른 당사국의 조치에 의해 부정적으로 영향을 받았거나 받을 가능성이 있는 경우, 모든 당사국 대표로 구성된 민간항공기무역위원회에 동 사안을 검토해 줄 것을 요청할 수 있다.

민간항공기무역위원회는 그러한 요청을 받은 날로부터 30일 이내에 위원회를 소집하여야 하고, 가능한 한 신속하게 관련된 문제를 해결하기 위하여 가능한 특히, 다른 곳에서 동 사안에 대한 최종결정하기 전에 신속하게 관련 문제를 해결할 목적으로 가능한 한 빨리 그 사안을 검토하여야 한다. 이와 관련하여, 동 위원회는 적절한 결정 또는 권고를 내릴 수 있다. 그러한 검토는 GATT 또는 GATT 체제에서 민간항공기 무역에 영향을 주는 다자적으로 협상된 문서에 따른 당사국들의 권리를 저해해서는 안 된다.[31]

GATT1994 제XXII조(협의) 및 제XXIII조(무효화 또는 침해)의 규정 및 통고, 협의, 분쟁해결 및 감독과 관련한 분쟁해결양해(DSU)의 규정이 관련 분쟁해결을 목적으로 당사국과 위원회에 의해 준용되어야 한다. 분쟁당사국들이 합의하는 경우 그러한 절차들이 동 협정의 관련 분쟁에 적용되어야 한다.[32] 1995년 1월 1일 WTO가 출범한 이후 2021년 11월 현재까지 TCA가 인용된 분쟁사건은 단 한 건도 발생하지 않았다.[33]

---

30) 민간항공기위원회의 하부 위원회 설치의 법적 근거는 TCA 제8.4조. WTO, *supra* note 4 참조.
31) TCA 제8.7조.
32) TCA 제8.8조.
33) WTO, Disputes by Agreement (https://www.wto.org/english/tratop_e/dispu_e/dispu_agree ments_index_e.htm?id=A2#selected_agreement, 2021년 11월 17일 검색).

6. 협정의 개정

당사국들은 동 협정을 개정할 수 있으며, 그 중에서도 협정의 이행에서 얻은 경험을 고려하여 개정할 수 있다. 당사국들이 위원회에 의해 확립된 절차에 따라 그러한 개정에 동의하였다 하더라도 그러한 개정은 당사국이 수락할 때만 그 당사국에 대해서 효력이 있다.[34]

민간항공기위원회는 2008년부터 TCA의 상품목록이 2007년 버전의 국제통일 상품분류제도(Harmonized System: HS)와 양립할 수 있도록 동 목록을 변경하기 위한 작업을 수행하였으며, 그 결과로 2015년 11월 5일 항공기 상품목록을 업데이트하는 의정서(Protocal (2015) Amending the Aannex to the Agreement on Trade in Civil Aircraft)를 채택하였다. 동 의정서는 2015년 11월 5일, 민간항공기위원회에서 당사국들의 총의로 수락을 위해 개방되었다.[35]

7. 가입 및 탈퇴

TCA는 동 협정에 따른 권리와 의무의 효과적인 적용과 관련하여, 가입하는 정부와 당사국간에 합의 될 조건으로 다른 WTO회원국에게 개방되어 있으며, 합의된 조건을 명시한 가입문서를 WTO사무총장에게 기탁하여야 한다.[36]

당사국은 TCA에서 탈퇴할 수 있으며, 탈퇴의 효력은 탈퇴의 서면통지가 WTO 사무총장에게 접수된 날로부터 12개월이 만료되는 시점에 발생한다. 당사국은 그러한 통고에 대하여 위원회의 즉각적인 회의를 요청할 수 있다.[37]

---

34) TCA 제9.5조.
35) WTO, Report (2015) of the Committee on Trade in Civil Aircraft, WT/L/963, TCA/10 (5 November 2015).
36) TCA 제9.1.3조.
37) TCA 제9.6조.

제24장
정부조달협정

제1절 정부조달과 무역

정부조달은 일반적으로 행정주체가 교육, 국방, 전기·수도 등 시설, 도로·항만 등 사회간접시설, 보건 등등의 공공 서비스를 제공하기 위해 상품이나 서비스를 구매하는 행위라고 정의[1])되며, 정부조달무역은 국가간의 무역을 통하여 이러한 정부조달을 행하는 것이라 볼 수 있다. 다만, 과거에는 중앙정부만을 정부조달의 주체로 간주하였으나 현행 WTO 정부조달협정 적용대상에는 일부 공기업을 포함하고 있어 정부만이 그 주체로 보기 어려운 측면이 있으며, 정부가 상업적 재판매를 목적으로 조달하거나, 판매를 목적으로 물품을 생산하기 위해 상품과 서비스를 구매하는 것은 일반적으로 정부조달로 보지 않는다.[2])

정부조달은 현대에 와서 행정의 비대화와 함께 고도로 발달된 행정적 집행 내용을 효율적으로 지원하기 위해 그 수요도 다양화되고 전문화되어, 일상적이고 반복적 수요에 의한 단순물품의 조달에서부터 전문적 기술이 요구되는 특수한

---

1) Hoekman, Kostecki, *The Political Economy of the World Trading System(Second Edition)* (Oxford University Press, 2001), p. 369. 또한 조달(Procurement)을 구매(Purchasing)와 비교해보면, 먼저 구매는 재화나 서비스를 구입하는 과정을 의미하는데, 이 과정에서는 수요의 인식, 설계 및 시방서의 작성, 공급자 또는 시공자의 선정, 가격과 조건의 합의, 합의의 이행 등이 포함된다. 이와 달리 조달은 구매보다 더 광범위한 개념으로서 구매행위 이외에 저장, 재고관리, 운송, 감리, 인수, 검사, 분배, 공공재 관리, 사후보증, 처분 등 관리기능을 포함하는 일련의 활동을 말하며, 이와 같은 조달행위가 정부 또는 공공기관에 의해 이루어지는 경우를 정부조달이라 할 수 있다(신삼철, 「WTO 정부조달협정체계의 분석과 제도정비에 관한 연구」, 박사학위논문, 청주대학교, 2003, p. 13). 현행 WTO 정부조달협정은 'procurement(조달)'의 정의규정이 없으며, 협정내 정의규정을 새로 마련한 2011년 개정 협정 제1조에도 이에 대한 정의규정은 없다.
2) 양준석/김흥률, 「다자무역내 정부조달 논의와 정책적 시사점」, 대외경제정책연구원, 2001, p. 19.

서비스 구매에 이르기까지 매우 광범위한 영역을 차지하고 있으며, 일반적으로 그 규모가 대략 각국 GDP의 10~15%에 달한다.[3]

정부조달의 자유무역에 대한 국제적 논의는 1940년대 국제무역기구(International Trade Organization: ITO) 설립 추진 당시에도 시도되었는데,[4] ITO 협상 초기에는 정부조달이 ITO 협정의 대상으로 포함되어야 한다고 대부분의 회원국들이 동의 하였으나 협상이 진행되면서 오히려 정부조달은 최혜국대우원칙과 내국민대우원 칙으로부터 제외되어야 한다는 의견이 강조되기 시작하였으며, 그 후 1947년 GATT 성립 과정에서 ITO 협상시 제기된 정부조달 관련 내용들이 반영되었다.[5] 즉, 국내 조세제도와 규제에 대한 내국민대우원칙을 규정한 GATT 제Ⅲ조 8항 (a)에서 정부의 고유목적을 수행하기 위한 정부조달을 GATT 적용대상에서 제외 시키고 있으며, 국영기업을 다루는 GATT 제XVII조 2항에서도 국영기업의 조달이 라도 정부의 고유목적을 수행하기 위한 조달은 역시 비차별원칙에서 제외시켰다. 또한 정부조달에서도 상당 부분을 차지하는 국방·안보 관련 조달의 경우, GATT 제XXI조 안보상의 예외규정에 의해 GATT 내국민대우원칙의 예외로 명시되었다.

1979년에 처음 성립된 정부조달무역 국제협정이 GATT 정부조달협정(Agreement on Government Procurement)인데,[6] 이후 1994년 우루과이라운드 협상결과에 따라 WTO 정부조달협정(WTO Agreement on Government Procurement: 이하 "GPA"라 함)이 복수국간 무역협정의 형태로 창설[7]되어 1996년 1월 1일에 발효되었는데, 그 후 2011.12. 협정의 개정협상이 최종 타결되었다.[8]

2016년 9월 현재 WTO 회원국 중 GPA 회원국은 47개국[9]에 한정되어 있는

3) Mitsuo Matsushita; Thomas. J. Schoenbaum; Petros C. Mavroidis, *The World Trading Organization(Law, Practice, and Policy)* (Oxford University Press, 2006), pp. 740−741.
4) Blank, Marceau, Blank, Annet; Marceau, Gabrielle, "*The History of Government Procurement Negotiation Since 1945*", *Public Procurement Law Review,* vol.5, 1996, p. 79.
5) 양준석/김흥률, 전게서, pp. 5−9.
6) Blank, Marceau, *supra* note p. 4, p. 97−98.
7) GPA는 다른 WTO 협정과는 달리, 다자간(multilateral)협정이 아닌 복수국간(pluri−lateral) 협정으로, 협정에 가입한 일부 WTO 회원국만이 협정을 준수할 의무가 있다. 따라 서 WTO GPA에 가입한 WTO 회원국은 GPA 부록에서 양허한 물품과 서비스에 대해서 최 혜국대우원칙, 내국민대우원칙, 시장접근의무를 시행해야 하나, GPA에 가입하지 않은 회 원국은 이러한 의무를 시행할 필요가 없다.
8) 우리나라는 국내 절차를 거쳐 2015년 12월 개정 GPA 발효를 위한 수락서를 WTO 기탁하 여 2016년 1월 14일부터 개정 GPA의 적용을 받게 되었다.
9) 2017. 12. 현재 EU회원국 28개국(탈퇴 결정한 영국을 포함), 한국, 캐나다, 핀란드, 홍콩,

데, 이는 많은 국가들이 국내 산업을 지원하는데 정부조달을 이용하는 권한을 제한 또는 금지되는 것을 원하지 않으며, 공공시장 자유화의 경제적 이익에 공감하면서도 정치적 이유들 때문에 정부조달시장 개방을 실행하지 못해왔다. 이것이 정부조달부문에 대해 국제적 무역규범을 마련하는데 있어 주요한 장애요인이지만, 이러한 여러 가지 제약에도 불구하고 정부조달 부문이 세계경제에서 차지하는 비중이 큰 만큼, 선진국을 중심으로 한 정부조달 자유무역 확대 논의는 향후에도 활발하게 진행될 것으로 예상된다.[10]

제 2 절 정부조달협정의 내용 및 분쟁사례

1. GATT 정부조달협정의 내용 및 분쟁사례

(1) 개 요

1979년 도쿄라운드 협상의 결과 체결된 1979년 정부조달협정은 1981년에 발효되었는데, 발효 당시 원회원국은 19개국이었고, 6개국이 후속 가입하였다. 이 1979년 GPA는 차별적인 정부조달 관행에 대해 국제적 규율을 하기 위한 최초의 다자적 조약으로서 그 의의가 있으며, 동 협정은 우루과이라운드 협상을 통해 체결된 WTO GPA의 기초가 되었다.

이 1979년 GPA 당사국들은 몇 년간의 GPA 운영경험을 바탕으로 1987년 협정의 적용대상범위를 다소 확대시키는 개정안을 채택하였고, 개정안은 1988년에 발효되었다.

(2) 주요내용

1979년 정부조달협정은 적용대상을 중앙정부의 물품조달에 한하였고, 그 적용범위는 우루과이라운드 GPA와 달리 구매(purchase), 리스, 임차, 할부를 포함하

일본, 노르웨이, 스위스, 미국, 싱가포르, 이스라엘, 리히테슈타인, 네덜란드령 아루바, 아이슬란드, 대만, 아르메니아, 뉴질랜드, 몬테네그로, 우크라이나, 몰도바 등 WTO 회원국 중 GPA 회원국은 47개국이다

10) 참고로 한국·미국 FTA, 한국·EU FTA 등 최근 체결되는 각국의 자유무역협정에 정부조달 관련 규정이 포함됨이 일반화되고 있다.

지 않고 조달(procurement)로 한정하였다. 모든 정부조달에 협정의 규정을 강요하면 각 조달주체, 즉 정부부처의 GPA 적용을 통한 규제의 부담이 클 것으로 예상되어 일정한 하한선 이상 금액의 조달에만 협정의 적용의무를 부과하기로 하고, 그 하한선을 15만 SDR로 합의하였다. 그러나 이러한 중앙정부의 물품조달에 관하여 실제 양허협상 과정에서 각 국가들은 국내적으로 민감한 일부 품목들과 일부 정부기관들의 조달을 협정대상에서 제외시켰다.

1988년 발효된 1987년 GPA는 ① 협정적용기준금액을 15만 SDR에서 13만 SDR로 하향조정하고, ② 구매(purchase)와 리스, 임차를 적용범위에 포함시켰으며, ③ 내국민대우규정이 외국인소유 또는 외국인과의 제휴, 원산지국이 협정의 당사국이라면 공급되는 상품의 생산국임을 기초로 국내에 근거를 둔 공급자에 대한 차별을 금지하도록 강화하고, ④ 공급자가 공고된 입찰초청에 대해 통상적으로 응답할 수 있는 최소기간이 40일로 확대되었으며, 긴급상황시 이용될 수 있는 가장 짧은 기간을 10일로 정하였다.

(3) 분쟁사례[11)

1) EEC 부가가치세 사건[12)

① 사건 개요

본 사건은 1982년 7월 2일, 정부구매계약 가액의 결정시 부가가치세를 공제하는 EEC(European Economic Community)의 조치에 대하여 미국이 정부조달위원회(Committee on Government Procurement)에 EEC를 제소한 사건으로, 동 위원회는 미국의 요청에 따라 1983년 2월에 GATT 정부조달협정 제VII조 7항에 따른 패널을 설치하였다. 주요한 쟁점은 EEC 회원국 정부의 정부구매계약이 정부조달협정의 적용을 받는지 여부를 판단 시, 총액에서 부가가치세액을 제외한 것을 기준으로 하한선을 적용하면서 정부조달협정 적용을 받지 않는 조달행위의 범위가 넓어지는 문제였다.[13) 이러한 부가가치세를 공제하는 EEC의 조치는 1976년 도입된 이사회지침(Council Directive) 77/62/EEC[14)의 "공공공급계약의 수여를 위한 조정절

---

11) 당시 GATT 정부조달협정 조문에 근거한 사례임.
12) *EEC−value−added Tax and Threshold*, GATT Panel Report, GPR/21−33S/247.
13) *Ibid.*, para. 2.6.
14) 동 지침에서 EC는 공공공급을 위한 상품의 회원국 간 이동에 대한 제한을 금지하고 회원국 간 동일 경쟁조건을 보장하는 정책을 시행하기 위하여 회원국 간 존재하는 상이한 계

차"에 따른 것이었다. 동지침은 부가가치세가 공제된 산정 계약가액이 20만 EUA(European Unit of Account) 이상인 공공 공급계약에 적용되는 것이었는데, 이후 1980년 7월에, 지침이 적용되는 계약가액(부가가치세공제 포함)의 하한선을 15만 SDR로 낮추는 내용의 이사회지침 80/767/EEC[15]로 개정되었다. 결국, 본 사건은 이 지침의 '계약가액'이 부가가치세가 제외된 금액으로 규정되었다는 것이 문제였다.[16]

이에 대해 미국은 1981년 EEC 협정대상기관 구매의 49.8%가 기준가액 이하였는데, 계약가액에서 부가가치세를 공제하는 조치가 없었다면 이중 상당 부분이 적용되었을 것이므로, 동 조치로 인해 협정 적용대상 계약수가 상당히 축소되었다고 주장하였다.[17]

② 주요 법적 쟁점

미국은 회원국의 정부구매계약이 정부조달협정의 적용범위에 해당하는지 판단함에 있어 부가가치세를 공제하는 EEC의 관행이, 협정상 의무의 위반이라고 주장하였다. 미국은 협정이 계약가액에 대한 공제를 규정하고 있지 않음에도 불구하고, EEC와 그 회원국이 실제로는 부가가치세를 부과하면서도 1979년 GPA 기준을 적용하는 경우에는 계약가액에서 이를 공제해왔음을 지적하였다. 또한 미국은 협정의 규정이나 협상기록 어디에도 협정입안자들이 이러한 공제조치를 허용할 의도가 나타나 있지 않다고 주장하였다.[18]

이에 대해 EEC는 협정 제Ⅰ조 1항 (b)와 그 외 모든 조항 및 부속서의 주석은 구매계약의 가액 산정시 부가가치세를 포함시킬지, 또는 제외할지 여부에 대해서 어떠한 언급도 하고 있지 않다고 지적하였다. 즉, 제Ⅰ조 1항 (b)가 협정이

약수행조건을 조정하는 절차를 규정하였다. 동 지침은 산정된 계약가액이 20만 EUA 이상인 정부구매계약에 대하여 기술규정(Common Rules in the Technical Field), 공고규정(Advertising Rules), 참가에 관한 규정(Common Rules on Participation) 등을 적용하였다.

15) 이 지침은 1979년 EC가 정부조달협정에 가입함에 따라 이사회지침(Council Directive) 77/62/EEC를 개정하는 내용의 지침으로, 전문에서 GATT GPA 당사국인 제3국의 입찰신청자와 상품에 대해서는 협정이 적용된다고 규정하는 한편, 역내 입찰신청자와 상품에 대해서도 협정의 혜택이 적용될 수 있도록 하는 취지를 담았다. 동 지침 제3조로 인해 지침이 적용되는 계약가액이 20만 EUA에서 14만 EUA로 낮추어지게 되었다.

16) 1979년 GPA 제Ⅰ조 1항 (b)에 의한 물품조달의 협정적용 하한선은 15만 SDR이었으며, 이 기준은 모든 당사국에 일률적으로 적용되었다.

17) *EEC-value-added Tax and Threshold*, GATT Panel Report, GPR/21-33S/247, para. 3.14.

18) *Ibid.*, para. 3.10.

적용되는 계약가액의 산정시 현지 세금을 어떻게 처리해야 하는 지에 대하여 규정하고 있지 않으므로 현지세금이 반드시 포함되어야 한다고 추정할 수 없다고 주장하였다.[19]

③ 주요 패널판정 내용

계약가액(contract of a value)이라는 용어의 해석과 관련하여 패널이 계약가액 (contract of a value)을 분석한 바로는, 구매기관과 낙찰된 공급자 간에 맺는 계약의 대상가액은 구매가 어떤 방식으로 수행되었는지에 따라서 간접세를 포함할 수도 있고 포함하지 않을 수도 있으나, 구매하는 기관의 입장에서 계산한다면 계약가액은 해당 물품을 획득하기 위하여 지불하여야 할 총 가격이 될 것이다. 동 기관이 부가가치세를 지불하여야 한다면 공급자의 청구서에 이 부가가치세가 포함되게 되든지, 아니면 해당 기관이 다른 방식으로 이를 납부하게 되든지, 부가가치세는 총 가격에 포함되는 것이라고 판단하였다. 이에 따라 패널은, '계약가액'(contract of a value)이라는 용어는 조달기관이 부담하는 총비용을 의미하고, 기관이 부가가치세를 면제받는 경우를 제외하고는 지불하여야 할 부가가치세를 포함하는 것이며, 대부분의 협정당사국이 기준금액의 판단시 부가가치세와 같은 간접세를 포함하였다고 밝혔다.[20]

한편, 기준금액의 판정이 부정확한 추정가액에 기초한다는 미국의 주장에 관하여 패널은, 15만 SDR의 기준금액을 각국 통화로 환산 시 환율은 매일 변동하므로 변동 폭이 큰 경우 환산된 기준금액과 실제 가치 사이에는 큰 차이가 생길 수도 있고, 또한 실무상 추정가액의 정확성은 담당 공무원의 능력과 경험에 의해 큰 차이를 보일 수 있음을 인정하였다. 하지만, 패널은 협정의 적용상 모든 당사국에게 적용되는 부정확한 요소가 있다고 하여 부가가치세와 같은 비용요소를 일방적으로 제외할 자유(권한)가 당사국에 부여되는 것은 아니라고 지적하였는데, 이는 부가가치세 공제를 행하면 당사국의 협정적용 양허하한선을 올리는 효과가 있기 때문이라고 하였다.[21]

---

19) *Ibid.*, para. 3.11.
20) *Ibid.*, para. 4.22.
21) *Ibid.*, para. 4.26.

2) 트론헤임 도로통행료징수기 조달 사건[22]

① 사건개요

Norway Public Roads Administration(노르웨이 도로청)은 트론헤임이라는 도시의 Toll 시스템(도로통행료 징수시스템)의 구매계약에 대해, 단독입찰(일종의 제한입찰로, 우리나라의 '수의계약'에 해당함)을 통해 노르웨이 회사인 마이크로디자인社와 계약하였다. 이에 미국은 1991월 9월 노르웨이가 전자요금징수기의 구매에 있어서 외국기업은 물론 다른 국내 기업에게 조차 입찰기회를 주지 않고 특정기업에게 단독입찰을 허용한 행위에 대해 GATT 정부구매위원회에 제소하였다.[23]

② 주요 패널판정 내용

패널은 먼저 Norway Public Roads Administration가 협정에 해당하는 기관(entity)에 해당함을 인정하고, 노르웨이 측이 본 계약이 "research, development"의 하나라고 하였으나 미국은 동 계약이 단지 완제품인 통행료징수기의 구매에 해당한다고 주장하고 있음을 확인하였다. 이 논점에 대해, 패널은 1979년 GPA 제Ⅴ조 16항 (e)의 예외조항에 해당하는 것은 구매대상물이 연구개발의 결과물이기 때문에 구매한다거나, 구입한 장비가 연구개발을 통한 지식발전의 수단으로 공급되는 등 '구매상품의 특성'과 관련되어야 하고, "연구, 개발을 위해" 구매를 하는 지의 여부는 중요하지 않다고 판단하였다. 즉, 1979년 GPA 제Ⅴ조 16항 (e)의 예외조항에 해당한다는 것, 즉 마이크로디자인社로부터 연구개발의 결과물을 구매하는 것이 그 계약이 목적이었는지, 마이크로디자인社로부터 구입한 장비가 연구개발을 통한 지식발전 수단으로 공급되고 시험되는 것인지에 대해서 노르웨이가 입증책임을 지는데, 노르웨이는 그 어느 것도 증명하지 못하였다고 판단하였다.[24]

결국, 패널은 문제가 된 노르웨이의 정부구매관행이 1979년 GPA 제Ⅴ조 16항 (e)의 예외조항에 의해 정당화되지 않으므로, 내국민대우에 관한 1979년 GPA 제Ⅱ조 1항의 내국민대우원칙을 위반한 것이라 판단하였다.[25]

---

22) *Norway−Procurement of Toll Collection Equipment for the City of Trondheim*, GATT Panel Report, GPR.DS2/R.

23) *Ibid.*, para. 2.1.

24) *Ibid.*, para. 4.10.

25) *Ibid.*, para. 4.15.

3) 음파탐지시스템(Sonar Mapping System) 조달 사건[26]

① 사건개요

미국 정부기관인 National Science Foundation(NSF; 국립과학재단)은 과학탐사 활동을 담당하며 이를 위한 물품 및 서비스 계약을 체결할 권한을 가지고 있었고, GPA(정부조달협정)상에 등재된 양허기관(covered entity)에 해당하기도 하였다. 이런 NSF가 1989년 10월 남극에 대한 정부프로젝트를 지원하기 위한 광범위한 물품 및 서비스공급 계약을 사기업인 Antarctic Support Associates(ASA)社와 체결하였고, 이 계약에 따르면 ASA社가 다른 기업체로부터 하청계약을 통해 물품 및 서비스공급을 받을 수도 있었다. NSF와 ASA社의 계약 중에는 sonar mapping system[27]이라는 시스템 구매대행 서비스가 포함되어 있었는데, 1990년 5월에 미국의회는 sonar mapping system 예산을 2백 4십만 달러로 확정하는 긴급정부지출법(Emergency Appropriation Act)을 통과시키면서 미국내 'Buy American'조건(미국 산품우선구매조건 법안)을 부관으로 설정하였다. 이는 곧 외국업체는 sonar mapping system 납품 입찰에 참여할 수 없음을 의미하는 것이었다.

결국 1991년 5월에 ASA社는 'Buy American'조건과 기타 정부의 계약조건을 명시한 채 외국업체를 배제하는 sonar mapping system 입찰공고를 하였는데, 이에 대해 EC는 본 계약이 정부조달에 해당함이 명백함에도 불구하고 그 입찰이 'Buy American'조건을 명시하는 등 GPA상의 조달절차를 따르지 않아 1979년 GPA 제II조상 비차별원칙을 위반하였다면서 미국을 GATT에 제소하였다.[28]

② 주요 패널판정 내용

패널은 1979년 GPA 제1조 1항 1문에서 covered entity(양허기관)에 "의하여(by)" 조달이 이루어져야 함을 규정한 것은 동 정부기관이 물품구입에 지배적 영향(controlling influence)을 행사하고 있음을 뜻하는 것으로 보았으며, 이러한 지배적 영향 이외에도 정부의 대금지급행위, 상품으로의 사용과 그로 인한 이익, 정

---

26) *United States—Procurement of a Sonar Mapping System*, GATT Panel Report, GPR.DS1/R. (비채택 보고서).
27) 'Sonar Mapping System'이란, 항공기 등에서 해양으로 전파를 쏘아 음파를 탐지하여 깊은 해저의 지리도를 작성하는 시스템이다.
28) *United States—Procurement of a Sonar Mapping System*, GATT Panel Report, GPR.DS1/R., paras. 2.3.—2.8.

부의 소유 등을 종합적으로 고려하여 정부조달 여부를 판단하여야 한다고 밝혔다.[29] 패널은 이러한 기준에 따라 문제된 system 구매계약을 검토한 후 다음과 같이 밝혔다.

첫째, sonar mapping system 구매계약은 NSF가 ASA社의 비용을 환급해주는 형태로 이루어져 있어 그 대금이 정부자금으로 지급되는 것으로 판단된다.[30] 둘째, 납품시 NSF가 소유권을 취득하게 되고 그 과정에서 ASA社가 소유권을 취득하는 바가 없다. NSF는 ASA社와의 계약 종료 후에 동 시스템의 사용, 처분 여부를 결정할 수 있다.[31] 셋째, 동 시스템 선정 시 NSF가 최종승인 권한을 보유하며, NSF가 그 선정계약의 취소 권한 또한 보유한다. 또한 본 sonar mapping system 입찰 공고 시 ASA社가 'Buy American'조건과 기타 정부의 계약조건을 명시하는 등 정부의 개입 정도가 컸다.[32] 넷째, ASA社는 sonar mapping system 구매 시 수익이나 위험부담의 측면에서 상업적 이해관계가 없어, 오로지 3자를 위해 조달을 대행한 것으로 볼 수 있다.[33]

이러한 요소들을 감안할 때, 본 조달은 1979년 GPA 제1조 1항 1문의 물품 조달에 해당한다고 패널은 판단하였다.

2. WTO 정부조달협정(GPA)[34]의 내용 및 분쟁사례

(1) 개 요

1994년 4월 15일 마라케시에서 기존 도쿄라운드 정부조달협정국 중 홍콩과 싱가포르를 제외한 23개 협상국이 이 1994년 GPA에 서명한 뒤, 2017.12. 현재 47개국이 2011년 개정된 GPA의 회원국이다.

개정된 GPA는 협정의 적용범위 확대, 차별적 조치와 관행의 철폐, 협정의 단순화 및 개선 등 세 가지 요소를 중심으로 개정이 되었는데 특히, 보다 많은 국가들의 GPA 가입을 촉진하고, 정보통신기술의 발전 등 정부조달과 관련된 변화

---

29) *Ibid.*, paras. 4.6.−4.7.
30) *Ibid.*, para. 4.9.
31) *Ibid.*, para. 4.10.
32) *Ibid.*, para. 4.11.
33) *Ibid.*, para. 4.12.
34) 이하 내용은 2011.12. 개정된 GPA(이하 "GPA"라 함)에 따라 기술함.

를 협정에 반영할 수 있도록 개선을 이루었다.

GPA 회원국의 구체적 정부조달 시장 양허방식은 각 회원국별로 작성하여 부록 I(Appendix I)로 첨부한 다음의 7건의 부속서(Annex)에 담겨 있다.

- 부속서1: 양허대상 중앙정부 조달기관 및 동 기관의 양허하한선을 기재
- 부속서2: 양허대상 중앙정부보다 하위에 해당하는 지방정부 조달기관 및 동기관의 양허하한선을 기재
- 부속서3: GPA의 규정에 따라 조달을 실시하는 그 밖의 기관, 즉 양허대상 공기업 및 그 양허하한선 기재
- 부속서4: GPA의 적용 대상이 되는 상품 분야를 기재하였고, 포지티브방식 또는 네거티브방식 중 택일하여 작성할 수 있음
- 부속서5: GPA의 적용 대상이 되는 서비스 분야를 기재하였고, 포지티브방식 또는 네거티브방식 중 택일하여 작성할 수 있음
- 부속서6: 적용 대상 건설서비스 및 그 양허하한선을 별도로 기재
- 부속서7: 일반 주석

---

(2) 주요내용

1) 내국민대우와 비차별원칙

정부조달협정의 적용을 받는 정부조달에 관한 법규, 규정, 절차 및 관행과 관련하여 각 당사국은 다른 당사국의 물품, 서비스 및 동 물품이나 서비스의 공급자에게 '즉시 무조건적으로' (a) 국내물품, 서비스 및 공급자에게 부여되는 대우, (b) 다른 당사국의 물품, 서비스 및 공급자에게 부여되는 대우보다 불리하지 않은 대우를 부여하여야 하며, 자국조달기관이 (a) 외국인과의 제휴 또는 외국인 소유의 정도를 기준으로 하여 국내에 설립된 공급자를 다른 국내에 설립된 공급자보다 불리하게 대우하지 않도록 하고, (b) 다른 당사국이 원산지인 물품 및 서비스를 공급받아 재공급하는 자국 내 공급자들을 차별하지 않도록 보장해야 한다(GPA 제IV조 1항 및 2항).

2) 투명성원칙

GPA 제Ⅵ조 1항은 "각 당사국은 (a) 모든 법률, 규정, 사법적 결정, 일반적으로 적용되는 행정 판결, 법이나 규정이 요구하고 입찰공고나 입찰 설명서에 참조로 들어가 있는 표준 계약조항 및 협정 적용대상 조달에 관한 절차 그리고 이것들의 수정사항들을, 광범위하게 전파할 수 있고 일반대중이 쉽게 접근할 수 있는 공식적으로 지정된 전자매체나 활자매체로 즉시 공표해야 한다."고 하고 "(b) 그에 대한 설명을 어떤 당사국에게나 요청 받는 대로 제공해야 한다."고 하여, 투명성원칙을 천명한다. 이는 정부조달법규의 자의적 해석 및 적용을 방지함으로써, 이를 무역장벽수단으로 이용하는 것을 방지하고 정부조달규범의 예측가능성을 높이기 위한 것이다.

3) 협정의 적용대상 범위

GPA는 중앙정부, 지방정부, 국영기업을 포함하여 당사국이 양허한 기관에 의한 구매로 각 회원국에 의해 약속된 일정 기준금액 이상의 상품, 서비스 및 건설부문의 구매를 적용대상으로 하는데, 개정된 GPA 제Ⅱ조 3항에 따라 국제개발원조 및 주둔군 관련 조달사항은 협정의 적용대상에서 배제되었다.

4) 참가조건

개정된 GPA는 참가조건을 별도로 제Ⅷ조에 규정하여 조달참가조건에 법적 능력에 대한 고려가능성을 추가하였으며, 조달기관은 조달요건을 충족하는데 필수적인 경우를 제외하고는 공급자에게 하나 이상의 계약이 낙찰된 실적이 있어야 한다는 조건을 부과해서는 안 된다는 점을 명시하였다.

5) 대응구매(offset)의 금지

대응구매(offset)란 국산부품사용, 기술사용허가, 투자요건, 연계무역, 또는 유사한 요건을 통해 국내개발을 장려하거나 국제수지 계정을 개선하기 위해 사용되는 조치를 말한다. GPA 제Ⅳ조 6항은 당사국과 그 조달 기관은 모든 대응 구매를 모색, 고려, 부과, 또는 시행하지 않아야 함을 규정하고 있다.

6) 무역제한적 기술 규격 금지

또한 GPA에서는 자의적 기술규격의 운영을 통해 각국의 정부조달시장에 진

입장벽을 유발하는 것을 억제하기 위하여 기술규격(Technical Specifications)과 관련된 규정을 두고 있다. GPA 제Ⅹ조 1항은 "조달기관은 국제무역에 불필요한 장애를 초래하는 목적이나 효과를 가지는 기술규격을 마련, 채택 또는 적용하거나 그러한 취지의 어떤 적합여부 심사 절차도 설정해서는 안 된다."고 규정한다. 이와 더불어 개별 국가 조달기관의 입찰에 있어서 기술규격내용은 주로 GPA 내국민대우 및 비차별 규정에 따르게 된다.

7) 개발도상국에 대한 특별대우

GPA 제Ⅴ조는 개발도상국에게 협정 예외를 다른 회원국과 협상하여 예외 신청이 가능하도록 규정하며, 가격특혜, 대응구매, 양허기관 및 분야의 단계적 추가 개방을 허용하고 있다.

8) 조달절차

입찰절차에는 일반경쟁입찰(open tendering), 지명경쟁입찰(selective tendering), 수의계약(limited tendering)이 있다(GPA 제Ⅸ조, 제ⅩⅠ조). 협정은 모든 공급자가 입찰절차에 참여할 수 있는 공개입찰과 초청받은 공급자만 입찰절차에 참여하는 지명경쟁입찰을 원칙으로 하지만, 엄격한 조건을 충족하는 경우(예를 들어, 일반경쟁입찰 또는 지명경쟁입찰을 실시했으나 응찰이 없는 경우, 제출된 입찰서가 담합에 의한 것이거나 입찰의 필수요건에 합치하지 않는 경우, 물품과 서비스가 특정 공급자에 의해서만 공급될 수 있으며 적절한 대용품이나 대체품이 없는 경우 등)에는 예외적으로 수의계약을 허용한다.

9) 전자적 조달수단

GPA 제Ⅵ조는 법령, 조달공고 등의 전자적 공표가 가능하도록 하고, GPA 제ⅩⅣ조(전자 경매)는 예를 들어, 입찰 설명서에 데이터의 인증과 암호화요건을 포함시키도록 하는 등 최근 각국에서 전자적 조달수단의 사용이 증가되고 있는 현상을 반영하고 있다.

10) 이의제기절차

GPA 제ⅩⅩ조는 GPA 위반사례가 있는 경우, 물품이나 서비스공급자가 당사국의 구매기관과의 협의(consultation)를 통하거나 법원 내지 독립적 심사기구에 이의(challenge)를 제기함으로써 이를 해결하거나 다투는 것이 가능하도록 하는 제도를 설치할 당사국의 의무를 규정하고 있다. 각 당사국은 공급자가 관심을 가지고 있거나 관심을 가졌던 구매와 관련해 발생하는 동 협정의 위반혐의에 대해 이의를 제기할 수 있도록 하는 비차별적이고, 시의적절하며, 투명하고, 효과적인 절차를 마련해야 하며 이러한 이의제기절차는 법원에 의해 수행되거나, 독립적 기관에 의해 사법절차에 준해 처리되어야 한다. 이러한 이의제기절차는 GPA가 '사법화'(judicialisation)를 달성하였다는 데 중요한 의의가 있다.

또한 GPA 이의제기절차는 사적 당사자가 국내심사 기관에 WTO 협정을 원용하여 이의를 신청할 수 있도록 한 것이 특징이다. 원고의 정부 재량에 의존하지 않고 공급자의 이해를 통해 이의제기를 할 수 있는 가능성이 열려있는 것은 정부조달 참가에서의 확실성과 예측가능성을 제고하는 역할을 수행한다.

이러한 이의제기절차는 위에 언급한 검토기관의 독립성, 이의제기 청문절차, 구제방안(remedies)에 관한 최소기준을 충족하면 각 국가들이 자국의 법적·제도적·행정적 전통에 맞추어 자유로운 형태로 설치할 수 있는데, 비위반제소(non-violation complaint)가 가능한 분쟁해결양해(DSU) 분쟁해결절차와 달리 GPA 이의제기절차는 오직 협정위반(breaches of agreement)을 이유로 제기된다.

개정된 GPA는 공급자가 문제된 입찰 시행 당사국 국내법의 미비 등으로 GPA 위반에 대해 직접적으로 이의신청할 권리가 없는 경우에도, 이의신청이 가능하도록 규정하여 국내 이의제기절차를 보다 실질화하였다.

11) 분쟁해결절차

WTO에서는 분쟁해결양해(DSU)를 통한 분쟁해결을 정하였으며, WTO 체제에서의 GPA 분쟁도 원칙적으로 이에 따르도록 하였다(GPA 제ⅩⅩ조). 결국 GPA 관련 분쟁의 원칙적 해결은 정부간 분쟁해결체계라고 할 수 있다.

이 분쟁해결기구(Dispute Settlement Body, 이하 'DSB'라 함)에 의해 설치된 패널은 본래 정부조달분야의 전문가를 포함하여야 하는 것으로 규정하다가 개정 GPA에서는 동 의무를 삭제하였다. GPA는 복수국간 무역협정이므로 다른 협정과의 교차보복(cross-retaliation)이 허용되지 않는다(GPA 제ⅩⅩ조 3항).

(3) 분쟁사례[35]

1) 인천공항 엘리베이터 설비 조달 사건[36]

① 사건 개요

인천공항 건설사업은 1960년 당시 교통부에 신국제공항건설기획단을 설치하고, 1992년 한국공항공단 내에 신공항건설본부를 설치한 뒤, 1994년 수도권신공항건설공단이 설립되어 신공항 건설 책임기관으로 활동하면서 본격적으로 시행되었다. 그 후 수도권신공항건설공단이 1999년 인천국제공항공사로 민영화되기 바로 전인 1998년, 500억 원 상당의 공항 내 엘리베이터 설비 입찰공고를 하였는데, 이 때 입찰자격과 관련해 엘리베이터제조업 면허 등 4가지 국내면허를 요구하였다. 미국의 한국 현지법인인 한국 오티스(Otis Korea)는 이 면허요건 때문에 어느 한국 기업의 하도급 형태로 입찰에 참여하였으나, 최종 입찰에서 다른 한국 업체에게 낙찰되었다.

수도권신공항건설공단의 GPA 적용 여부에 대해 지속적으로 문제제기를 하던 미국은 위 공단이 GPA(정부조달협정) 상의 양허기관으로서 협정에서 정한 정부조달입찰 절차에 따라 엘리베이터 설비 입찰이 되어야 함에도 주계약자로서의 입찰자격이 있으려면 참여 외국기업은 한국에 생산시설을 갖추고 있는 경우에만 부여되는 면허를 가진 경우로 한정하고 외국기업은 국내기업과 공동도급 또는 하도급 형태로만 참여하도록 함으로써 '94 GPA 제Ⅲ조 1항 (a), 제Ⅷ조 1문과 제 Ⅷ조 (b)를 위반하였으며, 만일 이러한 조치가 GPA를 위반하지 않았다고 해도, '94 GPA 제XXⅡ조(비위반제소)를 근거로 미국의 이익이 침해 또는 무효화되었다고 하여 1999년 5월 한국을 WTO에 제소하였다.[37]

② 주요 패널판정 내용

패널은 한국 '94 GPA 양허안 부속서1 주석1의 정부조직법상의 보조기관 (subordinate linear organizations)이 한국 정부조직법상의 정의에 따라야 한다고 하여 미국의 주장을 배척하고 한국의 입장을 지지하면서, 수도권신공항건설공단은

---

35) 이하 사례는 1994년 정부조달협정(이하 "'94 GPA"라 함)에 따른 분쟁내용임.

36) *Korea—Measures Affecting Government Procurement*, WTO Panel Report, WT/DS163.

37) *Ibid.*, paras. 1.1–1.6 (조영준, "한국의 인천공항 정부조달조치에 관한 패널보고서 고찰", 「통상법률」, 제33호(2000), p. 133 재인용).

보조기관(subordinate linear organizations)이 아니고, 또한 정부조직법 제 3 조 1항상 수도권신공항건설공단이 지방행정기관이 아닌 점이 명백하며, 동법 제 4 조의 부속기관이 아니라는 데에 당사자 간 이견이 없으므로 수도권신공항건설공단은 양허기관이 아니라고 판단하였다.[38]

또한 한국이 부속서1에 주석을 추가하게 된 협상과정을 검토한 결과 이는 양허기관을 확대하기 위한 것이 아니라, 부속서1의 범위를 분명히 하려는 의도에서 추가된 것으로 확인하고, 수도권신공항건설공단은 건교부 내의 임시 위원회로서 정부조직법에 규정된 직제상의 직위(individual office)가 아닌 점도 재확인하여 양허대상이 아니라고 패널은 결론 내렸다.[39]

그리고, 수도권신공항건설공단 또는 그 승계기관이 독립된 별도의 실체임을 인정하고 수도권신공항건설공단이 건교부를 대신하여(on behalf of) 행위 하는지 여부를 살펴본 뒤, 비록 건교부가 주무 관청으로서 전반적인 감독기능을 수행하기는 하지만 한국의 신공항건설법 및 여타 모든 증거가 공항건설사업은 수도권신공항건설공단에 위임되어 있다는 점을 입증하고 있으므로 동 공단은 독립기관이라고 판단하였다.[40]

한편, GATT 제XXIII조 1항 (b)는 비위반 제소와 관련해 이 사건 패널은 문제된 기관이 명시적인 양허안에는 언급되지 않고 있으므로, '양허내용'보다는 미국이 한국과의 양허 '협상'중에 합리적 기대이익이 침해되었는지가 문제된다고 보았다.[41] 즉, 전통적 의미의 비위반제소상의 이익침해는 양허로서 상대국의 양허로부터 얻어질 것이라고 합리적으로 기대할 수 있었던 이익이 협상 종결 전에 취해진 조치로 인해 침해되었다면 비위반제소에 해당한다는 것인데,[42] 이 사건의 경우 한국은 애초에 자국 양허안의 양허기관으로서 수도권신공항건설공단 또는 그 승계기관을 명기하지 않았으므로 미국이 침해되었다는 이익의 기초인 양허 자체가 없는 경우라고 판단하였다. 또한 미국은 한국과의 GPA 양허협상 중 얻은 합리적 기대이익이 한국의 조치에 의하여 무효화되거나 침해되었다는 점을 입증

38) Ibid., para. 7.34.
39) Ibid., paras. 7.35.−7.36(조영준, 전게논문, p. 142 재인용).
40) Ibid., paras. 7.71.−7.73.
41) Ibid., para. 7.86.
42) Japan−Measures Affecting Consumer Photographic Film and Paper, WTO Panel Report WT/DS44/R, 31 March 1998, para. 10.61.

하지 못하였다고 패널은 판단하였다.[43)]

2) 미국의 주입법을 통한 정부조달조치 사건[44)]

미국의 메사추세츠주는 1997년 6월, 당시 미얀마군정의 인권탄압을 제재하기 위해 미얀마 관련 상거래를 하는 기업과의 상품 또는 서비스의 구매계약에 제재법을 제정하면서 사실상 메사추세츠 주정부기관들이 미얀마에서 또는 미얀마와 사업을 한다고 여겨지는 회사의 상품 또는 서비스를 구매하는 것을 금지하고 그러한 회사가 주정부계약에 입찰시 10%의 자동적 가격패널티를 적용하는 제도를 시행하였다. 이 법의 적용범위에는 특정 해당 회사에 대한 제한구매목록이 있었으며, 동 목록에 수록되지 않은 회사이지만 동 목록에 포함시킬 수 있는 기준에 부합된다고 여겨지는 회사도 포함되었다.

이에 대해 EC는, 메사추세츠주가 GPA상의 미국 양허대상에 포함되므로 이러한 법의 제정은 '94 GPA 제Ⅷ조 (a)의 공급자 자격심사 차별금지, 제Ⅹ조상의 입찰선정절차에서의 공평한 기회부여, '94 제ⅩⅢ조의 입찰서 제출, 접수, 개찰, 낙찰 절차에서의 내국민대우 및 비차별원칙 등을 위반하였다고 주장하였고, 동 조치는 권리와 의무의 균형을 유지하는 것을 포함한 GPA의 목적달성을 저해할 뿐 아니라, GPA상의 이익을 무효화시키는 조치라고 주장하였다.

일본은 1997년 7월에 EC가 제기한 동일한 사항에 대하여 협의를 요청하였고, EC와 일본 양국이 모두 1998년 9월 동 미얀마제재법의 GPA 양립성을 결정할 패널설치를 요청한 후, 1998년 10월 동 사건에 대한 패널이 설치되었다. 한편, 이와는 별도로 미국의 산업조직인 NFTC(National Foreign Trade Council)는 1998년 7월에 문제된 법안의 합헌성을 미국 연방법원에 제소하였고, 동 법원이 1998년 11월 위헌을 결정하여 해당 법안의 시행이 금지되었고, 이에 따라 EC와 일본은 1999년 2월 패널절차의 중지를 요청하였다.

---

43) *Korea ─ Measures Affecting Government Procurement*, WTO Panel Report, WT/DS/163R, para. 8.2.
44) *United States─Measure Affecting Government Procurement complaint by the European Communities*, WT/DS88/1.

제 **7** 부

WTO의 새로운 동향과 신통상의제

제 7 부　WTO의 새로운 동향과 신통상의제

제25장
TiSA*

제1절 TiSA 협상 출범 배경 및 경위

지난 우루과이라운드(UR) 서비스협상 결과 다자간 차원에서의 서비스무역에 대한 규율이 처음으로 이뤄지게 되었다. 그렇지만, WTO협정의 일부로서 채택된 서비스무역에 관한 일반협정(General Agreement on Trade in Services: GATS)은 불과 29개 조문으로 구성된, 명칭 그대로 총론적 규정일 뿐만 아니라 이에 기초한 WTO 회원(국)들의 구체적 약속 양허표에 따른 서비스시장 개방 수준 역시 회원국별로 차이가 있기는 하지만 전체적으로 매우 낮아 실질적인 개방 효과를 기대하기에는 한계가 있었다. 이는 규범에 대해 GATS에서 정부조달에 대한 실체적 규정을 두지 못하고 이를 후속협상 과제로서 부과한 것이나[1] 국내규제와 관련하여 자격요건과 절차, 기술표준 및 면허요건과 관련된 조치가 서비스무역에 불필요한 장벽이 되지 않도록 보장하기 위하여 서비스무역이사회는 자신이 설치할 수 있는 기관을 통해 모든 필요한 규율을 수립, 개발해야 한다고 규정[2]한 것에서 알 수 있다. 또한 시장개방 약속에 대해 보다 높은 수준의 서비스무역 자유화를 달성하기 위하여 WTO협정 발효 후 5년 이내에 협상을 개시하도록 규정한 것[3]에서도 확인된다.

그런데, 서비스무역규범 추가 제정과 관련 1998년 12월 14일 "회계분야 국내

---

* 먼저 본장의 집필 대상인 TiSA협상은 아직 타결되지 않은 상태이어서 협정안 내용이 비밀로 분류되어 있고, 따라서 공개할 수 없는 관계로 본고에서도 아직 협정안의 내용에 대해서는 소개할 수 없음을 밝혀 둔다.
1) GATS 제13조.
2) GATS 제6조 4항.
3) GATS 제19조 1항.

규제에 관한 규범(Disciplines on Domestic Regulation in the Accountancy Sector)"4)을 채택하는 성과를 거둔 것 이외에 달리 2017년까지 실질적인 성과가 없다. 또한 추가적인 서비스무역 자유화를 위한 협상을 2000년 개시한 후 2001년 말 시작된 도하개발어젠다(DDA) 협상의 일부로써 추가 자유화를 서비스협상에서 진행하여 WTO 회원국들이 2005년 수정양허안(Revised Offer)을 제출하는 진전이 있었으나 2017년 현재까지 DDA협상이 교착상태를 벗어나지 못한 채로 난항을 겪고 있다. 설혹 DDA 서비스협상이 타결된다 하더라도 WTO 회원(국)의 수정양허안에 비추어 보면 서비스시장 개방 수준은 여전히 미흡한 수준이다.

이와 같이 다자간 차원에서 서비스무역규범의 후속 입법이나 추가 시장개방 약속이 지지부진한 상황이 계속되자, 2011년 말 미국과 호주의 주도 하에 "Really Good Friends of Services"라는 16개국 그룹이 서비스무역 자유화를 위한 별도의 협정을 추진하기 위한 일련의 모임을 가졌다. 처음에는 동 협정의 명칭을 "국제서비스협정"(International Services Agreement: ISA)이라 불렀고, 2013년 이후 "복수국간 서비스무역협정"(Trade in Service Agreement: 이하 'TiSA')으로 개칭하였다. TiSA 협상은 2013년 4월 제네바에서 시작되었고, 미국의 주도 하에 구체적인 서비스무역규범을 입안하기 위한 협상이 먼저 시작되었고, 이와 병행하여 2013년 말까지 TISA 참가국들은 새로운 서비스무역협정에 기초하여 각기 자국의 서비스시장 개방 약속에 관한 양허안을 제출함으로써 양허협상을 위한 준비에 착수하였고, 2014년 2월 개최된 TISA 협상에서는 협상 참가국별로 제출한 자국의 TISA 1차 양허안에 대한 설명과 다른 참가국들로부터의 질의응답을 가짐으로써 본격적인 양허 협상을 진행하였다.

2016년 기준 TiSA 협상 참여국은 23개 WTO 회원인데, EU가 28개 회원국5)으로 구성된 것을 감안하면 협상 참가 국가 수는 총 50개국에 달한다([표 25-1[참조). 참고로 우루과이가 2014년 초 TiSA 협상에 참가하고자 하였고, 중국 역시 참가 의사를 표명하였으나 협상 참여가 거부되었다. 이후 우루과이만이 참가가 허용되어 협상에 참여하여 왔으나 2015년 9월 초 TiSA 양허협상을 위한 국별 양허표의 시한을 앞두고 협상 참여를 포기하였고, 협상에 참여해 온 파라과이가 협상에서 탈퇴하였으며 아프리카의 모리셔스가 협상에 참여하여 현재까지 이르고 있

---

4) WTO, S/L/64 (dated on Dec. 17, 1998).
5) 2013년 크로아티아가 28번째 회원국으로 가입.

다. TiSA에 참여중인 23개 실체를 보면 선진 경제권 국가 거의 모두가 참여하고
있음은 예상된 것이나 개도권 국가 중 중남미 국가들이 다수(6개) 참여하고 있는
점, 우리나라를 비롯한 대만, 홍콩, 이스라엘, 터키 등 중진 경제권 국가들이 참
여하고 있는 점, 그리고 파키스탄과 모리셔스와 같은 저개발국이 참여하고 있는
점이 특징이다. 이들 23개 TiSA협상 참가자들의 서비스시장 규모는 전 세계 시장
의 대략 70%를 차지한다.

표 25-1 **TiSA 협상 참여국의 지역별 분포 현황**

지역	협상 참여국		국가 및 관세영역 기준(50개)
	WTO 회원 자격[실체*] 기준(23개)		
아시아·대양주· 아프리카	한국, 일본, 대만, 홍콩*, 파키스탄, 호주, 뉴질랜드(7개)		7개
미주	미국, 캐나다, 멕시코, 코스타리카, 파나마, 콜롬비아, 페루, 칠레(8개)		8개
유럽·중동· 아프리카	EU*, 스위스, 노르웨이, 아이슬란드, 리히텐슈타인, 터키, 이스라엘, 모리셔스(8개)		EU(28개 국) 등 35개

* 여기에서 국가 대신 실체(entities)라 한 것은 홍콩의 경우 중국의 일부를 구성하는 관계로
  독자적인 국가가 아닌 독자관세영역으로서 WTO 회원이며, EU 역시 개별 국가가 아닌 28
  개 국가로 구성된 관세동맹 자격으로서 WTO 일 회원인 점을 가리킨다.

한편, TiSA협상은 일부 미결 이슈가 남아 있기는 하나 전반적인 협정문안을
작성, 회람한 상태에서 2016년 12월 협상에서 타결을 시도하였으나 트럼프 미국
대통령 후보자의 당선 이후 트럼프 행정부가 TiSA협상에 대한 추진 의사를 보이
지 않음에 따라 2017년 이후 진전 없이 중단된 상태에 있다.

제 2 절 TiSA의 형태 및 규율대상 개관

TiSA협상은 WTO 회원중 23개 회원들만이 참여하고 있어 TiSA는 일종의 복
수국가간 무역협정(plurilateral trade agreement: PTA) 형태로서 추진되고 있다. 또한

그간의 TiSA협상은 참여 회원(국)들간 자발적인 형식으로 진행하여 왔고, WTO로부터의 공식 인준을 받은 상태가 아니어서 WTO 사무국으로부터의 공식적인 지원을 받고 있지도 아니하다. 다만, TiSA 협상이 타결되어 WTO PTA의 하나로서 편입될 가능성은 열려 있다.

앞서 언급하였듯이 TiSA협상에서는 기존의 GATS를 기초로 하는 새로운 서비스무역협정(TiSA)을 채택하는 규범협상과 TiSA 참가국들의 서비스무역 자유화 약속이라는 양허협상을 병행하여 진행하여 왔다. TiSA 규범협상의 경우 협정 본문에 해당하는 "Core Text"와 부속서의 채택을 위한 협상이 함께 논의되고 있다.

먼저 TiSA의 협정 본문(Core Text)에 관한 그간의 진전을 GATS 조문과 비교하여 개관해 보면, 첫째, GATS 조문을 기초로 입안된 규정들이 있는데, 전문, 범위, 정의, 최혜국대우(MFN), 시장접근(MA), 내국민대우(NT), 추가적 약속, 투명성, 비밀정보의 공개, 국내규제, 인정, 지불 및 이전, 국제수지 보호를 위한 제한, 독점·배타적 서비스공급자, 일반적 예외, 안보상 예외, 혜택의 거부, 정부조달, 보조금,6) 양허표 작성 약속 등이 이에 해당된다. 둘째, GATS에는 규정되어 있으나 TiSA안에는 포함되어 있지 아니한 규정들이 있는데, 긴급수입제한조치 및 개발도상국의 참여 증진 등이 이에 해당된다. 요컨대 협정 본문의 규율사항만 보면, TiSA와 GATS는 거의 동등하고, 내용면에서도 큰 차이는 없어 보인다. 그렇지만, TiSA안에서는 투명성이나 국내규제에 대해 협정 본문에서는 근거규정만 두는 대신에 별도의 이에 관한 부속서에서 매우 구체적이고 상세한 규정을 도입하고 있어 내용면에서는 큰 차이가 있다.

다음으로 TiSA의 부속서에 관한 최근의 진전을 GATS 부속서와 비교하여 개관해 보면, 첫째, GATS 부속서의 규율 대상인 자연인의 이동, 통신, 금융서비스 및 해상운송서비스에 대해 TiSA 역시 동 분야에 대한 부속서를 도입하고 있다.7) 둘째, GTAS에서는 협정에 1개 조문으로만 규정하였던 사항을 TiSA에서는 별도의 부속서를 통해 상세하게 규정하고 있는 분야가 있는데, 국내규제, 투명성, 정부조달에 관한 부속서가 그러하다. 이들 TiSA 부속서는 GATS의 총칙 규정을 보다 상세하게 규정한 점에서 규범적 측면에서 서비스무역 규범이 총칙에서 세칙으로의

---

6) TiSA안에는 보조금 조항을 명기하고 있으나 구체적인 조문 내용은 아직 없다.

7) 이와 관련 MFN 면제에 대해 GATS에서는 제2조(MFN)면제에 관한 부속서 형태를 취하고 있는 반면에 TiSA에서는 Core Text의 조문을 통해 이를 규정한다.

발전을 보여준다. 또한 이는 상품무역 분야의 WTO 다자간무역협정에 상응하는 발전이기도 하다.[8] 셋째, GATS에서는 협정 본문이나 부속서 어디에서 달리 규율하고 있지 아니한 사항이나 TiSA에서는 별도의 부속서를 통해 규율하고 있는 분야로서 현지화, 전자상거래, 배달서비스, 도로화물운송 및 관련 물류서비스, 항공운송서비스 및 공기업 등이 있다.[9] 이들 TiSA 부속서의 규율대상은 GATS와 비교하여 규율대상이 수평적 확대가 되었다고 볼 수 있다.

제 3 절 TiSA 양허협상에서의 서비스무역자유화 방식 및 자유화 수준

TiSA협상 참가국들의 서비스무역 자유화[시장개방] 약속의 방식과 관련하여 Core Text 상의 양허표 작성 약속(Scheduling Commitments) 규정에서는 시장접근과 내국민대우의 양허 작성 그리고 시장접근 및 내국민대우와 불일치하는 조치의 양허 작성에 관한 지침을 규정하고 있다. 이에 따르면, 첫째, 시장접근(market access: MA)에 대한 약속의 작성은 GATS에서 사용된 구체적 약속 양허표를 이용하여 시장개방 분야 및 업종을 기재하는 소위 positive list 방식을 따르되, 개방을 약속한 분야의 시장접근에 대한 제한 및 조건 등에 대해서는 4가지 서비스 공급 모드별로 제한 사항만을 규제하고 그 밖의 추가 제한을 하지 못하도록 하는 negative list 방식에 따라 약속하도록 하는 것으로 알려지고 있다.

둘째, 내국민대우(national treatment: NT)에 대한 약속의 작성은 각 당사자의 양허표에 기재한 제한을 따르되, 그 밖의 제한은 각 당사자의 동종의 서비스 또는 서비스공급자에게 부여하는 대우보다 불리하지 아니한 대우를 다른 서비스 및 서비스공급자에게 부여하도록 하고 있다. 다만, 각 참가자의 수평적 양허 약속에 대한 내국민대우를 제한하고자 하는 경우 미래유보와 현재유보를 기재하도록 하고, 각 참가자 의 구체적 양허 약속에 대한 내국민대우를 제한하고자 하는

---

8) 가령, 1947년 GATT 제 6 조가 단일의 조문에서 덤핑과 보조금을 규율하였음에 비해 WTO 상품무역에 관한 다자간 협정에서는 각기 1994년 GATT 제 6 조의 이행 협정(반덤핑협정)과 보조금 및 상계조치협정을 통해 세칙을 가진 협정으로 규율한 것이 그러하다.

9) 이밖에도 그간의 TiSA협상에서는 수출보조금 규제, 일시적 입국 카테고리, 전문직서비스, 직접판매, 에너지관련 서비스, 환자이동성 촉진 등에 관한 부속서가 제안되어 논의되었다.

경우 개방을 약속한 분야 및 업종에 대해 현재유보 제한만을 기재하도록 하고 있다. 또한 각 당사자가 어느 조치를 개정하면서 개정 직전에 존재하였던 동 조치의 내국민대우와의 비합치성을 감소시키거나 제거하는 방식으로 개정한 경우 추후에 동 조치의 비합치성을 증가시키는 방식으로 동 조치를 개정할 수 없도록 하는 소위 'ratchet'(자유화약속의 후퇴 방지) 조항을 규정하고 있다. 이러한 TiSA에서의 내국민대우의 약속 작성은 미국이 체결하는 자유무역협정에서의 유보목록 방식과 매우 유사하다.

셋째, 최혜국(most-favoured nation: MFN) 면제리스트를 통해 기재하도록 하고, 이밖에 추가적 약속을 통해 자격, 표준 또는 면허 사항 등에 대한 양허를 각 당사자의 양허표에 기재할 수 있게 하고 있다.

요컨대, TiSA에서의 양허 방식은 기본적으로 GATS에서의 양허표 방식을 따르면서 내국민대우는 미국형 FTA에서 이용되는 유보목록 방식을 제한적으로 따르고 있어 그간 서비스무역자유화 개방 약속에서 전례가 없는 매우 독특한 '혼합' 방식임이 주목된다.

한편, TiSA에서의 서비스무역자유화 수준과 관련하여 TiSA협상에서는 WTO GATS에 기한 양허 약속 이상의 개방 약속을 추구할 것임은 분명하다.

제 4 절   TiSA 협상 전망 및 시사점

미국이 주도하여 개시되고, 추진되어 왔던 TiSA 협상은 상당한 진전을 보였고, 참가국들은 2016년 12월 협상 타결을 기대하였다. 그런데 트럼프 후보가 2016년 가을 미 대통령 선거에 승리한 이후 TiSA협상은 중단되었고, 트럼프 행정부는 TiSA 협상 재개에 대한 어떠한 지지나 반대도 표명하고 있지 아니하여 협상 재개 전망이 불투명한 상황이 계속되었다. 다만, 트럼프 행정부 하에서 USTR 대표를 맡은 Lighthizer는 "TiSA는 방치해서는 안 되는 중요한 협정"이라고 언급하였지만 협상 재개를 위한 조치를 취하지는 않았다.[10] 이후 TiSA에 대한 행정부의 입장을 묻는 Tom Carper 민주당 상원의원의 질의에 대해 TiSA를 검토 중에 있다

---

10) Inside U.S. Trade's World Trade Online, Sources: UK officials float possibility of smaller services deal if TISA fails, July 27, 2017.

는 답변을 하였고, 이후에도 같은 답변만을 반복하였다.[11] 또한 민주당의 바이든 행정부가 출범한 이후로도 통상정책의 우선순위에서 TiSA 협상 재개를 언급하고 있지 않아, 협상 재개 전망은 여전히 불투명한 상황이다.

다만, TiSA협상이 재개되어 타결된다면, 비록 복수국간 무역협정이기는 하지만, 서비스무역규범 측면에서 GATS라는 총론적 규율에서 상품무역에서와 같은 각론적 규율로의 발전뿐만 아니라 규율 대상의 확대를 통해 서비스무역규범의 역할이 크게 확대될 것이다. 또한 서비스무역자유화 측면에서도 시장개방의 범위가 확대되고, 자유화 수준 역시 높아질 것임은 분명하다.

이와 같이 TiSA의 타결 전망이 불투명한 상황에서 TiSA 참가국들을 포함하여 훨씬 많은 WTO 63개 회원국이 2019년 4월부터 서비스 국내규제에 관해 복수국간 무역협상을 전개하였고, 그 결과 2020년 12월 18일 "서비스 국내규제에 관한 공동 제안(안)(Joint Initiative on Services Domestic Regulation(Draft))"[12]이 합의되었고, 동 제안에는 "제2절 서비스 국내규제에 관한 규범"(Section II −DISCIPLINES ON SERVICES DOMESTIC REGULATION)이 포함되어 있다. 동 제안은 협상 참가국들의 이견이 있는 조항들을 삭제한 채 합의된 내용만을 반영한 것이어서 사소한 문구 수정을 거쳐 2021년 11월 30일 개최되는 각료회의에서 채택될 가능성이 높은 것으로 알려지고 있다. 서비스 국내규제 규범 역시 복수국간 협정의 형태이기는 하지만 TiSA에 비해 참가국 수가 훨씬 많고, 서비스통상규범에 있어 핵심 의제라는 점에서 채택된다면 서비스통상법 발전에 있어 중요한 성과라고 평가할 수 있다. 다만, 동 규범의 채택을 일차적인 목표로서 추진한 관계로 동 규범의 수준이 TiSA(안)에 비해 낮을 뿐만 아니라 연성조항 형태의 규정이 다수 포함되어 규범력 역시 낮다는 한계가 있다.

---

11) Inside U.S. Trade's World Trade Online, Lighthizer: Work on new FTAs begins this week; TISA decision soon, March 29, 2018.
12) 이 문서 역시 restricted로 분류되어 아직 공표되고 있지 아니하다.

제26장
디지털무역과 통상규범*

제1절 디지털통상규범 논의 개관

1. 논의 배경 및 필요성

다자무역을 대표하는 WTO 시스템은 20세기 말 정보통신기술의 급격한 발전과 함께 전자상거래(e-commerce)라는 새로운 유형의 무역을 규율해야 하는 도전을 맞이하였다. 이러한 현상은 단지 규범적 측면뿐만 아니라 실제 경제 환경에서도 거대한 담론을 형성하였고,[1] 국제통상법의 질적 변화를 이끌어가는 새로운 동력이 되고 있다. 또한 중국 등 신흥국의 부상, 4차 산업혁명의 도래, 보호무역 및 지역주의의 심화 등에 기인한 글로벌가치사슬(Global Value Chain)의 패러다임의 변화는 이러한 흐름을 더욱 가속화 시키고 있다.[2] 특히 2017년 트럼프 미국 대통령 취임 이후 본격화된 미국과 중국 간의 갈등은 단순한 통상 분쟁에 머무는 것이 아니라 안보와 기술, 나아가 국제사회의 패권 경쟁으로 발전하고 있다.[3] 결국,

---

* 이 글은 「명지법학」 제20권 제2호(2022년 1월)에 실린 저자의 논문 "디지털무역과 국제통상규범"을 수정·보완한 것임을 밝힌다.
1) 예를 들어, 2021년 5월 시가총액 기준 세계 10대 기업에는 애플, 마이크로소프트, 아마존, 알파벳, 페이스북, 텐센트, 알리바바 등 7개 기업이 올라 있다. 이는 2008년 기준으로 마이크로소프트와 구글 등 단 2개 기업이 올라온 것과 비교하면 이미 상당한 변화가 진행되었음을 알 수 있다. 이에 대한 통계는 https://www.statista.com/statistics/263264/top-companies-in-the-world-by-market-capitalization 참조(2022년 1월 10일 최종검색).
2) 한국무역협회 국제무역연구원, 「글로벌 가치사슬(GVC)의 패러다임 변화와 한국무역의 미래」, 2020년 2월, pp. 18-63 참조.
3) 2008년 선진국 발 글로벌 금융위기 이후 시작된 미국의 자국우선주의와 보호무역주의는 중국을 그 대상으로 하였으며, 특히 4차 산업혁명 기술과 글로벌가치사슬 및 디지털규범에 있어 소위 '민주주의 가치 동맹국'과 함께 규범의 제도화를 통해 새로운 판을 구상하고 있다. 미-중 분쟁의 통상관계 측면에 대한 좀 더 자세한 내용은 신원규, "디지털 대전환과 글로벌

이러한 배경들 속에서 국제무역 관계에서 디지털 분야를 규율하는 통상규범을 마련하는 작업은 WTO에서 논의된 전통적 쟁점들과, 새롭게 등장한 다양한 디지털이슈들을 포함하여 무역환경과 통상규범의 급격한 변화에 직면하고 있다.

이러한 변화 속에서 디지털무역의 성장은 통상 관계에서 기회와 도전을 동시에 가져왔다. 우선 디지털무역의 성장은 관련 인프라 및 서비스에 대한 접근비용을 낮춰 많은 국가들이 국제무역에 참여할 수 있는 기회를 확대시킬 수 있다. 특히, 디지털화가 가능한 서비스 분야는 이를 통하여 새로운 산업으로 성장할 수 있다는 긍정적 측면을 갖는다.[4] 한편, 디지털무역이 점차 플랫폼화 되면서 개인정보 보호, 온라인 소비자 보호 및 데이터의 국경간 이전과 보안 문제, 데이터저장시설(서버) 국내유지 요구 금지 등 다양한 이슈들에 대한 우려가 제기되고 있으나 이를 규율하는 국제통상 규범이 아직까지 제한적 상태에 있다는 점은 해결해야 할 도전이 된다.[5]

결국, 전통적인 무역에서 디지털무역으로의 전환이 가져오는 변화의 핵심은 '무역 플랫폼의 디지털화'와, 상품과 서비스의 디지털화에 따른 실체 변화, 즉 기존 무역의 대상이었던 상품과 서비스가 디지털화 된 '데이터'로 변화되어 전자적으로 전송이 가능하다는 점에서 찾을 수 있다.[6] 이에 따라 디지털무역을 다루기 위한 통상규범은 WTO 전자상거래 논의 과정에서 다루었던 '전자적 전송물에 대한 관세부과 유예' 등 전통적 쟁점들에 더하여, '국경 간 데이터 이동의 자유화', '디지털세', '데이터저장시설(서버) 국내유지 요구 금지' 등 새로운 도전 과제들을 해결하기 위한 국가들의 협상결과로 나타난다. 다만, 현 상황에서 기존 WTO 규범을 변화된 디지털환경과 통상시스템에 그대로 적용하기에는 많은 문제점이 제기될 수 있으며,[7] 따라서 디지털경제를 무역의 관점에서 파악하고, 이러한 디지

통상환경의 변화", 「SW중심사회」, 소프트웨어정책연구소, 2021년 9월, pp. 59-60 참조.

4) 예를 들어, 교육·회계·원격진료 등 기존에 비교역재로 인식되던 서비스가 디지털화 되어 국경간 공급이 가능해지면서 무역을 통한 미래 먹거리의 다양화가 가능해지고, 또한 AICBM(AI, IoT, Cloud, Big Data, Mobile) 등 신기술을 활용하는 새로운 재화와 서비스 공급 여건을 조성하여 혁신성장을 유도할 수 있다는 견해가 있다. KOTRA, "글로벌 디지털 통상규범 논의 동향 및 주요국 입장", Global Market Report 20-003, p. 6 참조.

5) 앞의 주.

6) KOTRA, 앞의 주4), p. 7 참조.

7) 예를 들어, 디지털제품(digital product)의 분류(classification) 문제나, 전자적 전송물에 대한 관세부과 유예(moratorium), 새로운 디지털서비스에 대한 회원국의 양허 여부 등 기존 WTO 전자상거래 협상에서 제기된 오래된 논쟁들도 아직 해결되지 않은 상황이며, 데이터

털무역을 통상규범에 근거하여 규율할 수 있는 새로운 디지털통상규범 시스템을
마련할 필요가 있다.

2. 개념 및 범위

비록 일부 국가들과 협정에서 '디지털무역' 또는 '디지털통상'에 대한 개념이
제시되고 있으나, 동 개념에 대하여 일반적으로 수용되는 구체화 된 정의와 국제
적 합의는 아직까지 마련되지 못한 것으로 보인다. 다만, 디지털무역 또는 디지
털통상에 대한 논의는 과거 WTO에서 '전자상거래'(e-commerce)라는 용어를 사용
하여 관련 쟁점들을 논의하던 경험에서 출발하므로 WTO에서 이루어진 '전자상
거래'의 정의를 살펴보는 것이 본 논의의 출발점이 될 수 있다.

WTO에서의 전자상거래 논의는 1998년 5월 일반이사회(General Council)에서
채택한 '세계전자상거래선언'(Declaration on Global Electronic Commerce)[8]에서 시작
되었다. 또한 동 선언에 따라 같은 해 9월 이루어진 '전자상거래 작업프로그램'
(Work Programme on Electronic Commerce)은 전자상거래를 '전자적 수단에 의한 상
품과 서비스의 생산, 유통, 마케팅, 판매 또는 전달'을 의미하는 것으로 이해한다
고 명시하였다.[9] 이러한 견해에 따르면 전자상거래는 물리적 상품 및(또는) 실제
오프라인에서 이루어지는 서비스를 온라인을 통해 다른 국가와 교역하는 것을
의미한다. 다시 말해 1998년 WTO가 이해했던 전자상거래는 기본적으로 교역의
대상, 즉 상품이나 서비스가 오프라인에서 존재하거나, 또는 이와 동종의 대상이
전자적 수단을 통해 온라인에서 교역이 이루어지는 일종의 수단 또는 매개체로서
의 성격을 강조한 것으로 평가된다. 다만, 이 과정에서 오프라인에서 존재하는 상
품 또는 서비스가 온라인으로 제공될 때 나타날 수 있는 소위 '디지털 제품'(digital
product)과 '전자적으로 전송되는 서비스 공급'에서의 문제는 좁은 의미의 전자상
거래 범위에서는 해결될 수 없는 통상법적 쟁점을 불러오기도 하였다.[10]

의 국경간 이전이나 데이터저장시설(서버) 국내유지 요구 금지 문제 등 새롭게 등장한 분
야에서는 이를 규율할 마땅한 WTO 규범을 찾기 어려운 상황이다.

8) WTO, Declaration on Global Electronic Commerce, WT/MIN(98)/DEC/2, May 25, 1998.
9) WTO, Work Programme on Electronic Commerce, WT/L/274, 30 September 1998, para.
1.3.
10) WTO에서 이루어진 전자상거래 및 디지털무역에 대한 논의는 제2절 디지털무역과 다자규

이처럼 WTO는 2000년 이전에는 '전자상거래'라는 용어로 통상규범 논의를
진행하였으나 2000년대 이후에는 '디지털무역'이라는 용어를 공식적으로 사용하
기 시작하였다.[11] 이러한 변화는 디지털경제의 고도화와 함께 WTO에서 전자상
거래 논의를 주도하고 있던 미국이 전자상거래라는 용어 대신 디지털무역 또는
디지털통상이라는 용어를 사용하면서 변경된 것으로 보이며, 디지털 기술의 발
전과 시대의 변화에 따라 그 개념과 범위도 변경되고 있다. 예를 들어, 2013년
미국 국제무역위원회(USITC)는 디지털무역을 인터넷, 즉 고정된 유선망이나 모바
일 네트워크를 통하여 이루어지는 상품 및 서비스의 제공으로 정의하고 있으며,
국제무역뿐만 아니라 미국 내 통상활동도 디지털무역의 범위에 포함되는 것으
로 정의하였다.[12] 다만, USITC는 소프트웨어나 음악, 영화 등 CD나 DVD에 담겨
판매되는 물리적 상품들과, 온라인으로 주문된 물리적 실체가 있는 상품들은 이
러한 디지털무역의 범위에서 제외된다고 밝히고 있어[13] 기존 WTO에서의 전자
상거래의 개념과 범위와는 다소 차이를 보인다. 또한 이러한 USITC의 디지털무
역에 대한 개념은 2017년 보고서에서는 다소 변경되어 "모든 산업 분야에서 인
터넷을 통한 상품 및 서비스의 전송, 그리고 스마트폰 등 인터넷과 연결되는 기
기 등 관련 상품의 전송"을 의미한다고 명시하여 이전 2013년 보고서와 차이를
나타낸다.[14]

한편, WTO 전자상거래 이니셔티브 논의를 위해 2018년에 제출한 회람문서
에서 미국은 디지털무역을 "전자적 수단에 의하여 이루어지는 통상의 모든 무역
관련 측면들을 포함하는 것"으로 설명하고 있다.[15] 또한 2020년 7월 발효된 미국-

범에서 좀 더 자세히 다루기로 한다.
11) KOTRA, 앞의 주4), p. 3.
12) United States International Trade Commission, Digital Trade in the U.S. and Global Economies, Investigation No.332-531, USITC Publication 4415, July 2013, at xii, and 1-2.
13) Id. 이러한 USITC의 디지털무역에 대한 개념정의는 동 보고서에 한정된다는 한계가 있다.
14) United States International Trade Commission, Global Digital Trade 1: Market Opportunities and Key Foreign Trade Restrictions, Investigation No.332-561, USITC Publication 4716, August 2017, p. 33. 다만 동 보고서에서도 전자상거래 플랫폼과 관련된 서비스의 제공은 디지털무역의 범위에 포함되지만, 2013년 보고서와 마찬가지로 온라인으로 주문된 물리적 실체가 있는 상품과 CD나 DVD에 체화될 수 있는 디지털상품은 디지털무역의 대상에서 제외된다.
15) WTO, JOINT STATEMENT ON ELECTRONIC COMMERCE INITIATIVE, Communication from the United States, JOB/GC/178, 12 April 2018, footnote 1.

멕시코-캐나다 자유무역협정(USMCA)은 19장(chapter)에서 디지털무역을 명시적으로 규정하고 있으며, 기존 WTO에서의 전자상거래 범위에 더하여 온라인 소비자보호, 개인정보보호, 데이터의 국경 간 이전이나 서버 현지화 문제 등 보다 다양한 쟁점들을 디지털무역의 범위에 포함시키고 있다.16)

결국, 디지털무역에 대한 정의나 범위에 대하여 현재까지 국제적으로 합의된 단일 기준은 없다고 할 수 있다. 이는 디지털무역이 포괄하는 산업과 교역의 형태 및 행위자들의 다양성으로 그 범위를 한정하기 어렵고, 기술의 발전에 따른 상황의 가변성이 크기 때문이다. 다만 과거 WTO에서의 전자상거래 정의에서부터 최근 체결되는 다양한 FTA 또는 RTA에서의 디지털무역의 범위까지 공통적으로 나타나는 점을 살펴보면 다음과 같은 특징을 발견할 수 있다. 첫째, 디지털무역은 기본적으로 유무선 네트워크를 통한 인터넷, ICT 기술 등 디지털화 된 수단을 통해 이루어진다. 즉, 그 대상이 물리적 상품, 서비스 또는 디지털제품이나 개인정보 등 데이터 자체라 하더라도 그 교역이 디지털화 된 수단을 통해서 이루어져야 한다. 둘째, 전통적인 전자상거래와 온라인 서비스 공급의 범위를 넘어 디지털화가 가능한 상품이나 서비스의 교역 또는 데이터 그 자체를 교역의 대상으로 한다. 이는 디지털 기술의 발전에 따라 과거 WTO 전자상거래 논의 당시와는 달리 그 대상과 범위가 보다 넓어진 것이다. 정리하면, 비록 디지털무역에 대하여 명문으로 합의된 국제적 정의는 없으나, 디지털무역 또는 디지털통상이란 디지털 기술에 기초한 전자적 수단에 의하여 이루어지는 상품, 서비스 및 데이터 등의 교역과 이와 관련된 경제주체 사이의 국경을 넘는 활동으로, 온라인을 통한 상품 및 서비스의 교역뿐만 아니라 시청각 스트리밍, 소셜미디어서비스(SNS), 검색엔진 등 새로운 인터넷 플랫폼 서비스와 클라우드 서비스 등을 통한 데이터의 이동 등을 포괄하는 것으로 이해될 수 있다.17) 이러한 개념은 [그림 26-1]과 같이 표현될 수 있다.18)

---

16) USMCA에서 이루어진 디지털무역에 대한 합의내용은 제3절 디지털무역과 양자 및 지역규범에서 좀 더 자세히 다루기로 한다.

17) KOTRA, 앞의 주4), p. 4.

18) 서울대학교 디지털통상아카데미, 2021년 5월 1일 강연자료(산업자원부 이경수 디지털경제통상과장) 중 발췌.

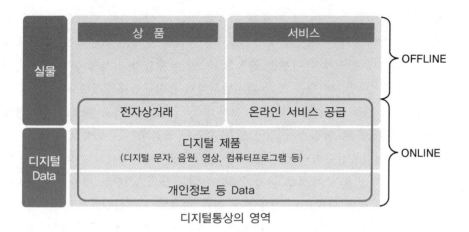

그림 26-1 디지털통상의 영역

마지막으로, 디지털무역과 디지털통상이라는 용어의 차이는 'trade'라는 용어의 번역의 문제에서 비롯된다. 비록 국제경제법의 영역에서 '무역'과 '통상'이라는 용어의 차이로 인하여 법주체 또는 교역대상의 범위 등에서 문제가 제기될 수는 있으나, 디지털무역 또는 디지털통상이 다루는 규범의 논의 범위에서는 양자의 본질적 차이는 제기되지 않는 것으로 보인다. 따라서 본 장에서 '디지털무역'과 '디지털통상'은 동일한 의미로 사용한다.

3. 논의구조

디지털무역을 규율하는 통상규범에 관한 논의는 국제기구를 매개로 이루어지는 다자간 논의와, 양자(또는 소수의 국가들) 및 지역 차원에서 이루어지는 FTA/RTA를 통한 논의가 서로 병행하는 구조로 이루어지고 있다. 우선, 디지털무역을 규율하는 통상규범의 형성에 대한 다자간 논의는 WTO나 OECD 등 국제기구를 중심으로 이루어지고 있다. 특히, WTO에서 이루어지는 전자상거래 협상이 디지털무역에서의 통상규범에 관한 논의의 주를 이루고 있으며, OECD 등 다른 국제기구들은 디지털무역의 제한적 이슈만을 다루고 있다.[19] 또한 WTO에서의

---

19) 예를 들어, OECD는 1980년대부터 전자상거래 관련 논의를 진행하였으며, 2015년 이후에는 '디지털세'(Digital Tax) 도입에 대한 논의를 주도하고 있다.

디지털통상에 대한 논의는 그 자체가 구속력 있는 통상규범을 마련하기 위한 것이지만, WTO를 제외한 다른 국제기구에서의 논의의 결과는 회원국이 그 결과를 자국 국내규범에 반영할지 여부를 결정할 수 있는 재량적 지침에 불과하다는 한계를 보인다.[20] 다만, WTO를 통한 디지털무역의 통상규범화를 위한 다자논의 역시 회원국 간 입장 차이에서 비롯된 선진국과 개도국, 그리고 때로는 선진국들 사이에서의 갈등으로 아직까지 의미 있는 결과를 도출하지는 못하고 있다.

한편, 디지털통상규범의 형성에 대한 양자 또는 지역에서의 논의는 주로 일부 국가의 FTA 및 RTA 체결로 구체화 되고 있다. 특히 WTO로 대표되는 다자주의적 접근이 한계를 나타내는 상황에서 최근 체결된 무역협정들은 기존 전자상거래 쟁점을 넘어 개인정보보호, 데이터 이전이나 로컬 서버 문제 등 디지털무역에 관한 새로운 통상규범에서도 상당한 진전을 이루었다.[21] 그러나 디지털통상규범에 대한 양자 또는 지역적 접근에서도 WTO에서의 다자간 논의와 마찬가지로 일부 국가들, 특히 미국과 EU, 중국 등을 중심으로 하는 블록화 경향이 나타난다.

이처럼 다자주의와 양자(또는 지역)주의를 막론하고 디지털통상규범이 파편화 또는 블록화 되고, 보편적 성격을 갖기 어려운 이유는 해당 규범 형성에 참여하는 국가마다 처한 상황과 입장이 다르기 때문이다. 우선 미국은 동 사안을 소위 '경쟁적 자유화'의 관점에서 접근한다.[22] 이러한 관점에서 볼 때 미국의 입장은 현 WTO에서의 양허보다 높은 수준의 개방, 정부규제의 최소화, 디지털무역에 대한 비차별대우 의무의 명시적 적용 등이 요구되는 '디지털무역의 자유화'로 요약될 수 있다. 따라서 미국은 자신의 협상력이 제한되는 WTO를 통한 다자간 협상 보다는 양자 또는 지역적 차원에서의 협상을 보다 선호하며, 디지털통

---

20) KOTRA, 앞의 주4), p. 8.

21) 전자상거래와 디지털무역을 규율하는 미국 주도의 대표적 협정들로는 한-미 FTA, 포괄적·점진적 환태평양경제동반자협정(Comprehensive and Progressive Agreement for Trans-Pacific Partnership: CPTPP), 미국-멕시코-캐나다 자유무역협정(USMCA) 등이 있으며, 동 협정들은 다른 디지털무역 관련 FTA/RTA에 상당한 영향을 주었다. 이러한 협정들에서 규율하는 디지털무역 관련 새로운 통상규범에 대해서는 제3절에서 좀 더 자세히 다룬다.

22) 2019년 미무역대표는 "미국은 디지털 교역분야에서 최고의 경쟁력을 지니고 있으므로 미국의 무역정책은 이와 같은 사실을 반영해야 한다."고 명시적으로 언급하고 있다. USTR, 2019 Trade Policy Agenda and 2018 Annual Report of the President of the United States on the Trade Agreements Program, March 2019, p. 13.

상규범을 포함하는 FTA/RTA 네트워크의 확산을 통해 자국 이익의 극대화를 추구하고 있다.

한편, 유럽연합(EU)은 디지털무역과 통상규범에 대하여 '제한적 자유화'의 개념에서 접근한다. 즉, EU는 역내 디지털시장의 단일화 및 육성을 통해 협소한 개별 시장의 한계를 극복하고자 독자적인 규제체제를 도입하고 있으며 대외적인 개방에는 소극적 태도를 취하고 있다.23) 또한 EU는 일반적인 전자상거래 쟁점들에 대해서는 협력의 입장을 취하고 있으나, 콘텐츠 분야에 대해서는 문화 및 서비스로서의 예외를 주장하고 있다.24) 그럼에도 불구하고 EU는 전자적 전송에 대한 무관세를 지지하고, 소비자 및 개인정보 보호를 전제로 데이터 이전의 자유화를 찬성하며, 디지털세 도입을 요구하는 등 디지털통상규범 형성에 적극 참여하고 있다.25)

마지막으로, 중국은 거대 인구를 대상으로 하는 독자적인 시장과 규제체제를 추구하며, 대외적으로는 데이터 이전에 대한 강력한 제한, 데이터 저장설비의 현지화 등 디지털무역에 제한적인 입장을 나타내고 있다.26) 특히, 전자상거래, 디지털무역 및 나아가 디지털경제 전반에서 중국 시장의 규모가 커지고 있는 상황에서 중국 정부의 디지털 환경 전반에 대한 제한적 입장은 경제와 통상의 문제를 정치 및 안보의 문제로 확대시켜 보편적 디지털통상규범을 마련하기 위한 국제사회의 노력을 더욱 어렵게 만드는 요소가 되고 있다.

---

23) 예를 들어, 2018년 5월 시행된 EU의 일반데이터보호규칙(General Data Protection Regulation: GDPR)은 개인정보 보호를 위한 법령으로, 정보주체의 권리와 기업의 책임성 강화, 개인정보의 EU역외이전 요건 명확화 등을 주요 내용으로 한다. 동 규칙은 원래 EU 역내 단일시장 육성을 위한 장치였으나 회원국과 교역하는 외국 기업에도 동 규칙이 적용되어 대외적으로는 디지털무역의 규제적 요소로서의 성격도 갖게 되었다.

24) 권현호, "디지털콘텐츠무역에 대한 통상법적 논의의 성과와 한계", 「국제법평론」 2011-Ⅱ (통권 제34호), 2011년 10월, pp. 50-51, pp. 73-75 참조.

25) KOTRA, 앞의 주4), p. 10.

26) 중국을 포함하여 앞서 미국과 EU 등 디지털통상규범에 대한 주요 국가들의 입장에 대한 보다 자세한 내용은 박노형·정명현, "디지털통상과 국제법의 발전", 「국제법학회논총」 제63권 제4호, 2018년, pp. 200-205 참조.

제2절 디지털무역과 다자규범

1. WTO를 통한 디지털통상규범의 형성

(1) 논의동향 개관

WTO에서 디지털무역에 대한 논의의 출발은 전자상거래에 대한 WTO 규범의 적용 문제에 초점을 두게 되었고, 이러한 논의는 1998년 5월 제2차 WTO 각료회의에서 이루어진 '세계전자상거래선언'(Declaration on Global Electronic Commerce)에서 비롯되었다.[27] 동 선언에 따라 일반이사회는 1998년 9월 WTO에서의 구체적인 전자상거래 논의계획을 담은 작업계획을 채택하였으며,[28] 이에 따라 WTO는 무역과 관련된 전자상거래의 다양한 측면을 검토하였다. 동 작업계획에 따르면 회원국들은 1997년 7월까지 각 이사회별로 논의된 결과를 일반이사회에 제출하도록 하였으나 어느 분야에서도 명확한 결론에 이르지는 못하였다. 게다가 1999년 11월 개최된 제3차 시애틀(Seattle) 각료회의가 실패함에 따라 WTO에서의 전자상거래 논의는 상당기간 답보상태를 이어갔다. 이후 2000년 7월 일반이사회는 WTO 전자상거래 작업계획을 다시 시작할 것을 결정하고, 각 이사회는 일반이사회에 그 결과를 보고하도록 하였다.[29] 이후 2001년 5월 일반이사회에서 회원국들은 분류문제를 포함한 전자상거래의 중복쟁점(cross-cutting issues)에 대해 일반이사회 중심으로 논의를 지속하기로 결정하고, 동년 6월 첫 회의를 개최하였다.[30] 한편 동년 11월 카타르 도하(Doha)에서 개최된 제4차 WTO 각료회의에서 채택된 각료선언은 WTO에서의 전자상거래 논의를 다시 활성화 시키는 데 중요한 역할을 하였다.[31] 그러나 WTO는 제11차 각료회의에 이르기까지 디지털무역

---

27) WTO, *supra* note 8, 동 각료선언은 WTO 일반이사회에 전자상거래의 무역관련 쟁점들을 검토하기 위한 작업계획(Work Programme)을 설정할 것을 결정하고, 회원국들이 전자상거래에 관세를 부과하지 않는 현 관행을 지속할 것을 규정하였다.

28) WTO, *supra* note 9.

29) WTO, G/L/421, 24 November 2000. para. 1.

30) WTO, WT/GC/W/436(*restricted*), 4 July 2001, p. 1. 동 회의에서 결정된 '중복쟁점'으로는 분류문제 이외에도 개발관련 쟁점, 전자상거래의 재정적 함의, 전자상거래와 전통적 상거래와의 관계, 관세의 부과, 경쟁문제 및 관할권과 준거법 등이 있다.

31) WTO, WT/MIN(01)/DEC/1, 20 November 2001, para. 34.

에 대한 논의의 구체적 성과를 이루지는 못하였다. 이후 WTO 회원국들은 제11차 각료회의에서 '전자상거래 공동선언'을 채택하여[32] 기존 전자상거래 작업계획에서 확인된 내용뿐만 아니라 전자상거래를 통한 무역원활화 측면에서 모든 활동을 포함하여 협상을 계속하기로 결정하였고,[33] 현재까지 협상타결을 위한 노력을 계속하고 있다.

(2) 주요 쟁점별 논의결과 및 평가

1) 디지털무역과 분류 문제

디지털제품(digital products)의 무역에 적용되는 통상규범을 결정하는 것은 WTO 전자상거래 논의의 핵심쟁점 중 하나이다. 여기에서 '디지털제품'이란 인터넷 등 전자적 전송수단인 네트워크를 통하거나 또는 CD나 DVD 등 물리적인 저장매체에 체화되어 무역이 가능한 책, 음반, 영화, 드라마, 게임, 소프트웨어 등 디지털화가 가능한 모든 제품을 아우르는 용어로 이해된다. 그런데 이러한 제품들 중 WTO에서 분류(classification) 문제가 제기되는 제품은 "전자적으로 전달되거나 전송되는 제품"을 그 대상으로 한다.

전자적으로 전송되는 디지털제품에 대한 분류 문제의 핵심은 동 제품에 대해 어떤 WTO 규범이 적용되는가 여부이다. 즉, 동 제품의 교역을 상품무역으로 다루어 GATT에 기초한 규범이 적용되어야 할 것인지, 아니면 이를 서비스의 일종으로 파악하여 GATS의 영역에 포함되는지 여부를 사전에 결정해야 한다는 것이다.[34] 동 쟁점이 중요한 이유는 GATT와 GATS가 추구하는 무역자유화의 방식이 회원국의 경제적 주권 또는 자율성 등에 기초하여 상당한 차이를 나타내기 때

---

32) WTO, JOINT STATEMENT ON ELECTRONIC COMMERCE, WT/MIN(17)/60, 13 December 2017.
33) WTO, WORK PROGRAMME ON ELECTRONIC COMMERCE, MINISTERIAL DECISION OF 13 DECEMBER 2017, WT/MIN(17)/65, WT/L/1032, 18 December 2017.
34) 한편, 2001년 일본과 싱가포르가 WTO 전자상거래 작업계획에서 제안한 제3의 혼합방식 (hybrid approach)도 분류문제를 해결하기 위한 하나의 논의로 제시되기도 하였다. 특히 후자의 경우는 디지털제품을 일단 서비스로 간주하되 동 제품에 대한 시장접근은 GATT 수준으로 보장하자는 것을 핵심 내용으로 한다. 따라서 일본과 싱가포르는 GATS에서도 무조건적인 최혜국대우를 부여하고, 내국민대우나 수량제한의 금지가 허용되면 논의 중인 디지털제품의 분류문제에 대한 논의는 의미가 없어진다고 주장하였다. 일본의 주장에 대해서는 WTO, JOB(01)/90, 15 June 1002, para. 2.1 그리고 싱가포르의 주장에 대해서는 WTO, WT/GC/W/247, 9 July 1999, para. 14 참조.

문이다. 즉, GATT는 관세고정 및 인하, 일반적 수량제한의 금지를 통하여 무역자유화를 추구하며, 이 과정에서 회원국은 최혜국대우, 내국민대우 등 통상법의 기본규범들을 '일반적 의무'로 부담해야 한다. 반면, GATS에서 시장접근과 내국민대우 등은 소위 '구체적 약속'(specific commitment)을 통해 이루어지고, 무역자유화의 제한은 회원국의 국내규제를 통하여 이루어지므로 그 제한 가능성이 상대적으로 크다. 이에 따라 미국 등 디지털제품의 무역자유화를 주장하는 국가들은 동 제품의 교역에 GATT의 자유화 원칙이 적용되어야 한다는 입장이며, 문화와 연계된 시청각제품 등에서의 국가의 자율성을 보장하고자 하는 유럽연합은 동 제품(서비스)에 GATS가 적용되어야 한다는 입장을 나타낸다. 결국, 동 사안은 아직까지 합의된 내용이 없는 일종의 규범의 혼란 또는 부재 상태에 있다.

2) 디지털제품, 전자적 전송과 관세유예

디지털제품에 대한 분류문제가 해결되지 않은 상황에서 WTO 회원국들은 1998년 '세계전자상거래선언'을 통해 전자적 전송에 관세를 부과하지 않는 현재의 관행을 유지한다는 선언을 하였다. 그러나 이러한 관세유예선언이 차기 각료회의에서 연장되지 않았기에 2001년 도하(Doha) 각료회의에서 명시적으로 동 관세유예를 갱신할 때까지 그 자체의 법적 지위가 매우 불확실하여 동 관세유예의 유효성 여부에 대한 문제가 제기되기도 하였다.

그러나 디지털제품에 대한 관세유예는 좀 더 복잡한 문제들을 내포하고 있다. 우선 회원국들이 관세를 부과하지 않는 대상을 '전자적 전송'(electronic transmissions)이라고 표현하였다. 그런데 여기에서 말하는 '전자적 전송'은 일견 일종의 전달수단을 의미하는 것으로 보인다. 그러나 이러한 문제에 따르면 전자적으로 전송되는 서비스는 기본적으로 관세부과의 대상이 아니라는 점에서 의미가 없다. 그렇다면 문제가 되는 부분은 과연 관세유예선언에서 의미하는 전자적 전송에 그 전달 대상, 즉 그 실체적 대상이자 내용에 해당하는 디지털콘텐츠가 포함되는지 여부이다. 그러나 이러한 문제에 대해서는 WTO 회원국 사이에서 어떤 구체적 합의도 없었다. 따라서 현재 적용되고 있는 관세유예합의는 엄밀히 말하면 법적 합의가 아닌 일종의 정치적 합의에 불과하며 또한 일시적 성격의 합의에 불과하다는 한계를 갖는다. 따라서 이를 이행하지 않는 회원국에 대해서 WTO의 분쟁해결제도를 통해 강제할 수 없다는 견해도 존재한다.[35]

또한 동 관세유예선언으로 전자적으로 전송되는 디지털제품과 물리적으로 교역되는 제품 사이에 차별의 문제가 제기될 수 있다. 즉, 전자적으로 전송되는 디지털제품은 관세부과의 대상이 아니지만, 물리적 방법으로 전달되는 동종의 제품은 관세부과의 대상이 될 수 있다면 이는 전달방식에 따른 차별에 해당한다. 이는 WTO가 일관된 입장을 보이고 있는 소위 '기술중립성'(technological neutrality) 원칙에도 벗어난다. 그러나 기술중립성 개념은 회원국들이 부담해야 하는 일반적 의무나 구속력이 있는 법원칙이 아니라 WTO 협정에 명시적으로 규정되지 않는 동종성(likeness) 판단을 위한 개념이라는 측면에서 한계를 갖는다. 결국, 동 사안은 매 각료회의마다 회원국들이 관세부과 유예를 연장하는 합의를 통해 해결하고 있으나,36) 이는 어디까지나 임시방편에 불과하고 이를 제도적으로 영구화 하는 것에 대해서는 아직 합의가 이루어지지 않고 있다.

3) 디지털무역과 GATS의 해석

가. GATS의 적용 가능성

인터넷을 통한 디지털제품의 공급과 같이, 전자적으로 전송되는 서비스의 공급 방식으로 이루어지는 디지털무역에 GATS가 적용되는지에 대하여 WTO 전자상거래 협상은 명확한 결론에 도달하지 못한 것으로 보인다. 그러나 동 사안을 다루었던 WTO 분쟁해결 사례를 통해 이러한 불명확성은 일부 해소된 것으로 평가된다. 즉, 인터넷을 통해 전자적 공급방식으로 이루어진 서비스무역에 대한 최초의 사건인 '미국-도박 및 내기서비스' 사건(United States-Measures Affecting the Cross-Border Supply of Gambling and Betting Services)에서 패널과 상소기관은 동 쟁점에 대해 구체적인 평결을 이루었다. 우선, 동 상소기관은 GATS 제XVI조가 명시적으로 전면금지(total ban) 조치를 열거하고 있지 않음에도 불구하고, 미국의 조치는 국경간 공급에 내재한 서비스 전달수단 가운데 최소한 한 가지 이상의 사용을 전면 제한하는 것에 해당하기 때문에, GATS 제XVI:2조(a)가 의미하는 수량쿼터의 형식으로 서비스 공급자의 수를 제한하는 것에 해당된다고 평결하였다.37)

---

35) Inside US Trade, *"WTO Members Reach Standstill Pact on Duty-Free Electronic Commerce"*, 22 May 1998.
36) 가장 최근에 있었던 제11차 WTO 각료회의에서도 전자적 전송에 관세를 부과하지 않는 현 관행을 연장하기로 다시 합의하였다. WTO, *supra* note 33 참조.
37) WTO, *United States-Measures Affecting the Cross-Border Supply of Gambling and Betting*

또한 패널은 전면제한 조치가 합법적으로 가능하기 위해서는 해당 분야를 양허
표에 기재하지 않았어야 했다고 평결하였다.[38] 결국, 패널과 상소기관은 도박 및
내기서비스의 인터넷을 통한 공급은 미국이 약속한 양허범위에 포함되며, 이에
따라 인터넷을 통해 이루어지는 서비스무역의 공급에 대해서도 GATS가 적용될
수 있다는 점을 확인하였다.[39]

나. 서비스의 공급방식

디지털제품의 국가 간 교역에 GATS가 적용될 수 있다면 다음 쟁점으로 전자
적 전송을 통해 이루어지는 디지털무역은 서비스 공급유형 중 어디에 포함되는
지 여부가 쟁점으로 제기될 수 있다. 동 쟁점이 중요한 이유는 어떤 공급유형에
해당하는가에 따라 서비스무역의 자유화 정도가 차이를 나타낼 수 있기 때문이
다. 일반적으로 이야기 할 때 서비스 공급유형 중 해외소비(mode 2)에서의 양허
는 국경간 공급(mode 1)에 따른 양허보다 더 자유롭다.[40] 이에 따라 WTO 전자상
거래 작업계획에 따른 논의 과정에서도 전자적으로 전송되는 서비스의 공급유형
을 두고 국경간 공급과 해외소비 사이에서 많은 논쟁이 있었으나 결국 합의에 이
르지 못하였다.[41] 그러나 앞서 '미국－도박 및 내기서비스' 사건에서 패널과 상소
기관은 도박 및 내기서비스의 인터넷을 통한 전자적 전송이 국경간 공급에 해당
한다고 해석함으로써 이를 명확히 하였다.[42]

다. 구체적 약속의 존재와 신규서비스의 양허

디지털제품 또는 전자적으로 전송되는 서비스가 GATS의 대상이 되고, 만약
이러한 서비스의 공급유형이 국경간 공급으로 이해된다고 하더라고 과연 이러한
디지털무역이 구체적으로 GATS의 어떤 서비스 양허에 해당하는지 여부는 아직

Services, WT/DS285/AB/R, 7 April 2005, para. 223 참조.

38) WTO, *United States-Measures Affecting the Cross-Border Supply of Gambling and Betting Services*, WT/DS285/R, 10 November 2004, paras. 6.338 및 7.2(b) 참조.

39) 다만, 동 사건의 패널의 평결은 이 사건이 갖고 있는 특수한 상황에 직접 적용되는 것으
로 여기에서 결정되지 않은 내용들에 대하여 회원국들은 패널의 결정을 일반화 하지 말
것을 강조하고 있다. *Id.*, para. 7.4. 동 사건에 대한 보다 구체적인 쟁점별 분석은 권현호,
"WTO 최초의 전자상거래 분쟁: 미국－도박 및 내기서비스에 영향을 미치는 조치 사건",
「통상법률」, 통권 제63호, 2005년 6월 참조.

40) Sacha Wunsch－Vincent, *The WTO, the Internet and Trade in Digital Products: EC－US Perspectives*, Oxford and Portland, Oregon, 2006, p. 67.

41) WTO, S/C/W/68, 16 November 1998, para. 6ff 참고.

42) WTO, *supra* note 37 참조.

까지 확실히 결정되지 않은 것으로 보인다. 즉, 이 문제는 디지털무역의 대상 자체가 갖는 속성에서 기인하는 문제이다. 또한 이러한 문제가 발생하게 된 근본적인 이유는 현재 국가별 구체적 약속에 대한 양허표 상의 서비스 분류가 현실과는 다소 차이가 있기 때문이다.

즉, 우루과이 라운드 당시 국가들은 서비스 분야 협상을 하면서 소위 'W/120' 문서43)에 따른 서비스 분류를 이용하였다. 그러나 이 목록에 따른 서비스 분류는 협상 당시의 시대적 상황에서는 유용했을지도 모른다. 그러나 현재에는 기술의 발전에 따라 과거에는 존재하지 않았던 새로운 서비스가 등장하거나 서비스의 공급방식이 변경되는 등 많은 변화가 나타났고, 이에 따라 기존 WTO 서비스 분류의 유효성에 의문이 제기되고 있다. 결국, 동 쟁점의 핵심은 디지털제품 또는 전자적 전송방식에 기초한 디지털무역의 대상에 대하여 회원국들이 이미 구체적 약속을 하였는지 아니면 디지털무역의 대상은 기존 구체적 약속과는 상관없는 완전히 새로운 서비스에 해당하는지의 문제이다.

한편, 동 쟁점이 문제가 되는 또 다른 이유는 서비스무역 자유화를 위한 구체적 약속의 방법에서 찾을 수 있다. 즉, GATS에 따른 시장개방의 대상이 되는 서비스 분야는 소위 '긍정적 목록방식'(또는 적극적 목록방식, positive list approach), 에 따른다. 다시 말해 회원국이 협상을 통해 GATS의 '서비스 분야별 분류목록'(W/120 문서)에서 개방을 하고자 하는 서비스 분야를 자국의 양허표상에 기재함으로써 해당 서비스 분야가 개방되는 효과를 갖는 것이다. 따라서 동 양허표상에 명시적으로 기재하지 않은 서비스 분야는 개방되지 않는 것으로 본다. 그러나 문제는 디지털무역의 대상이 되는 디지털제품 또는 전자적으로 전송되는 서비스는 이러한 양허의 기초가 되는 '서비스 분야별 분류목록'상의 분류에 일치하는 항목이 없을 수 있다는 점이다.44) 따라서 이러한 문제들로 인하여 디지털무역의 대상을 국가들이 구체적 약속을 통해 양허하였는지 여부에 대해서는 여전히 논쟁이 제기될 수 있으며, 그 해결은 적어도 현재까지는 구체적인 분쟁해결을 통하여 사안별로(case by case) 논의가 이루어질 수밖에 없을 것이다.45) 또한, 회원국이 구

---

43) *Services Sectoral Classification List*, MTNGS/W/120, 10 July 1991.

44) 이러한 W/120문서가 갖는 문제점에 대한 보다 자세한 설명은 Sacha Wunsch-Vincent, *supra* note 40, pp. 72.-75 참조.

45) 예를 들어 앞서 살펴본 '미국-도박 및 내기서비스' 사건에서도 미국은 인터넷을 통해 공급되는 도박이나 내기서비스를 양허한 적이 없다고 주장하였다. 그러나 동 사건에서 패널

체적 약속을 한 기존 서비스 분야가 기술의 발전에 따라 양허 당시에는 예상하지 못하였던 디지털무역의 형태로 공급되는 경우, 이러한 서비스가 기존 양허에 포함되는지 아니면 양허를 하지 않은 새로운 서비스의 출현인지 여부 역시 GATS의 해석에 동일한 문제를 불러온다. 특히, 이 경우에는 기존 서비스가 존재하고 있고 단지 서비스의 공급수단에서의 변경이 있게 된 경우로 기존 서비스와 새로운 서비스와의 '동종성'(likeness) 문제가 추가적인 쟁점이 된다

라. 서비스의 동종성 문제

WTO에서는 전자상거래 작업계획 논의과정에서 GATS의 최혜국대우 및 내국민대우와 관련하여, 전자적으로 전송되는 서비스와 전통적 방식에 의해 제공되는 서비스가 동종서비스로 간주되는가에 대해 논의가 있었다. 이 과정에서 기술중립성에 근거하여 양 서비스가 동종서비스라는 견해에 대해 WTO는 서비스의 전달방식이 동종성을 판단하는데 있어 중요한 변수가 아니라는 점을 언급하였지만,[46] WTO 차원에서 어떠한 공식적 입장도 아직 합의된 바는 없다.[47] 즉, WTO의 '기술중립성' 개념에 따르면, 전자적 수단에 의한 서비스의 공급과 기존에 이루어졌던 비전자적 수단에 의한 서비스의 공급 간에 차이가 서비스 자체의 변경이 아닌 단지 전달수단에만 있는 경우라면 이러한 차이는 양 서비스 간의 동종성에 영향을 준다고 볼 수 없다.[48] 한편 '미국-도박 및 내기서비스' 사건에서도 패널은 전자적으로 전송되는 서비스가 비전자적으로 전달되는 서비스와 비교하여 동종인지 여부에 대해서는 어떤 결론도 내리지 않았으며, 국내사업자와 외국사업자가 전자적으로 전달하는 서비스의 동종성 문제에 대해서도 직접

은 미국의 양허표는 도박 및 내기서비스에 대한 특정 약속을 포함하는 것이며, 이에 대해 구체적 약속을 하였다고 평결하였다. 동 쟁점에 대한 패널의 평결에 대해서는 WTO, *supra* note 38, para. 6.93, 6.106-6.109, 6.134-6.136 참조. 한편 동 평결에 대해 미국은 상소하였으나 상소기관 역시 비록 이유의 차이는 있었지만 도박 및 내기서비스가 미국의 구체적 약속에 포함된다는 패널의 평결을 지지하였다. 상소기관의 평결 내용에 대해서는 WTO, *supra* note 37, paras. 198-201, 208 및 231 참조.

46) WTO, *Progress Report to the General Council*, S/L/74, 27 July 1999, para. 8.
47) 이한영, "전자적 서비스무역에 관한 통상규범: WTO 및 FTA의 성과", 「통상법률」, 통권 제 81호, 2008년 6월, p. 29 참조.
48) 이는 기술중립성 개념을 중요시하는 견해로 전자적 수단과 비전자적 수단의 차이는 옷을 소비자에게 전달함에 있어 차량에 의해 운반할지, 항공기로 운반할지의 문제와 유사한 정도에 불과하다는 것이다. Aaditya Matto and Ludger Schuknecht, *"Trade Policies for Electronic Commerce"*, Policy Research Working Paper Series 2380, World Bank, June 2000, pp. 15-16. 이한영, 앞의 주, p. 128 참조.

거론하지 않았다.[49]

결국 동 쟁점에서 문제는 '기술중립성' 개념을 어디까지 인정해야 할 것인지 여부가 여전히 남아있다. 비록 현재는 동 개념이 WTO 회원국을 구속하는 일반적 의무는 아니라고 이해되지만, 향후 상황의 변경에 따라 동 개념 자체가 일반원칙으로 적용되는 경우에는 다른 해석도 가능하기 때문이다. 다만, 현재로서는 동 쟁점의 해결을 위한 GATS의 일반원칙을 발견하기는 어렵고, 결국 주어진 사안별(case by case)로 해결되는 수밖에 없을 것이다.

마. 디지털무역과 일반적 예외

디지털제품 또는 전자적으로 전송되는 서비스가 GATS의 적용 대상이 되고 회원국의 구체적 약속을 통해 양허표에 기재되어 있다고 하더라도 WTO 회원국은 이러한 디지털무역에 대해 GATS 제XIV조에 근거하여 예외로서 무역제한 조치를 취할 수 있다. 여기에서 문제의 핵심은 GATS 제XIV조(a)에서 규정하는 '공중도덕 보호' 또는 '공공질서 유지'를 위해 디지털무역 자체를 제한하는 것이 가능한지 여부이다. 구체적으로는 디지털무역의 대상이 무엇인가 여부에 따라 달라지겠지만, 일반적으로 디지털제품 또는 전자적으로 전송되는 서비스무역에서 GATS 제XIV조가 적용 가능한지 여부에 대해서는 다음 사건을 통해 어느 정도 입장이 정리된 것으로 보인다. 즉, '미국-도박 및 내기서비스' 사건에서 상소기관은 문제가 된 미국의 도박서비스를 금지하는 국내법이 공중도덕의 보호라는 관점에서 GATS 제XIV조 상의 예외로 인정될 수 있으며 두문(chapeau)의 요건에도 충족한다고 평결하였다.[50] 결국, 이러한 평결은 비록 디지털무역의 해당 서비스를 전면개방을 약속한 회원국이라 하더라도 자국의 합법적 정책목적을 추구하기 위해 필요한 경우 GATS 제XIV조에 근거하여 제한조치를 취할 수 있음을 의미한다.[51]

4) 디지털무역과 지적재산권

디지털무역의 수단이 되는 유무선 네트워크 및 디지털 환경에서 지적재산권

---

49) WTO, *supra* note 38, paras. 6.25-6.28 및 6.425-6.426 참조.
50) WTO, *supra* note 37, para. 229.
51) 다만, 이러한 제한조치가 GATS 제XIV조에 따라 WTO에 합치하는 방식으로 이루어져야 함은 물론이다. 즉, 이를 위해서는 동 사건의 경우 우선 일차적으로 소위 '필요성 테스트'(necessity test)를 통과해야 하고, 동시에 GATS 제XIV조 두문(chapeau)의 요건을 충족해야 한다.

보호 문제는 불법적으로 이루어지는 디지털제품에 대한 사용과 복제를 어떻게 방지하는가의 문제로 귀결된다. 특히 디지털무역에서 전자적으로 전송이 가능한 디지털제품이나 콘텐츠 서비스의 경우에는 물리적 제품의 경우보다 복제나 전파가 용이하기 때문에 다른 어떤 경우보다 지적재산권에 대한 보호의 문제가 중요하다. 또한 네트워크의 확산은 이제 단순히 어느 한 국가에서 지적재산권 침해자 개인에 대한 통제가 더 이상 지재권 보호에 유효하지 못하다는 것을 증명하고 있다. 이러한 환경의 변화는 WTO의 무역관련지적재산권협정(TRIPs협정)의 적용에도 여러 문제를 제기하고 있다.

가. 디지털제품의 교역과 TRIPs협정의 적용[52]

이러한 배경에서 무역관련지적재산권이사회(TRIPs이사회)는 1998년 '전자상거래 작업계획'에 따라 저작권 및 상표권 보호를 중심으로 전자상거래와 관련된 지적재산권 문제에 대하여 논의하였다. 여기에서 회원국들의 가장 큰 관심은 변화된 환경에서 TRIPs협정이 지적재산권 보호를 위한 효과적인 수단이 될 수 있을지 여부에 초점이 맞춰졌다. 이에 대해 동 이사회를 통한 논의는 전반적으로 디지털 환경의 변화에도 불구하고 TRIPS협정이 지적재산권 보호를 위한 논의의 기초가 되어야 한다는 점에 긍정적 평가를 내렸으나 회원국들의 명시적인 합의에 이르지는 못하였다.

이처럼 회원국들이 합의에 이르지 못하게 된 원인에는 과연 TRIPs협정이 기술중립성을 갖는지 여부에 대하여 회원국의 입장이 큰 차이를 보였다는 점이 있다. 즉, 전통적인 전달매체를 중심으로 한 TRIPs협정의 규정들이 인터넷과 같이 온라인에서 이루어지는 전송에도 자동적으로 적용되어야 하는가에 대해 회원국들은 서로 다른 입장을 나타냈기 때문이다.[53] 또한 동 작업계획의 논의 과정에서 회원국들은 저작권이 보호되는 제품의 온라인거래 활성화에 필요한 안전하고도 예측 가능한 법적 환경을 구축하기 위해 'WIPO 저작권조약'(WCT) 및 'WIPO 실연 및음반조약'(WPPT)과 TRIPs협정 간의 연계에 대하여 다양한 의견을 제시하였으

---

52) 이하의 내용은 이한영, 「디지털@통상협상－UR에서 한미 FTA까지」, 삼성경제연구소, 2007년, pp. 312－314의 내용을 주로 참조하였음을 밝힌다.

53) 예를 들어 일본과 호주는 TRIPs협정의 기술중립적 적용에 대해 찬성하는 입장을, 우리나라 등 다른 국가들은 이에 대해 우려를 표명하였다. 이러한 회원국들의 입장에 대한 보자 자세한 내용은 WTO, IP/C/W/145, 12 July 1999, IP/C/W/144, 6 July 1999, IP/C/18, 30 July 1999, IP/C/M/33, 2 November 2001 참조.

나[54) 합의에는 도달하지 못하였다.

나. 디지털제품과 국경조치

TRIPs협정은 인터넷 등 네트워크를 통해 수입되는 지적재산권 침해 물품에 대해 국경조치를 취할 수 있는지 여부에 대해 명시적으로 규정하지는 않는다. 다만 이론상으로는 국경을 넘는 지적재산권 침해 물품의 유통이라면 그 경로가 인터넷 네트워크라 하더라도 TRIPs협정의 적용을 받는다고 해석해야 할 것이다. 가령 가상공간(cyber space)을 통한 지적재산권 침해 물품의 유통에 TRIPs협정상의 국경조치에 관한 규정이 적용되지 않는다고 해석되더라도 동 협정은 WTO 회원국들이 취해야 할 최소한의 국경조치를 규정하고 있을 뿐이며 회원국이 이 최소기준을 넘어 다른 국경조치를 취하는 것을 금지하는 것은 아니므로 국내 입법으로 세관당국에 이러한 지적재산권 침해물품을 단속하는 국경조치를 취할 수 있는 권한을 부여하여도 TRIPs협정에 위반하는 문제는 발생하지 않는다.[55)

그러나 디지털무역의 경우 이러한 해석은 다음과 같은 문제가 있다. 우선 디지털무역의 유형을 구분해야 할 필요성이 있다. 예를 들어 온라인상에서 주문이 이루어지고 교역의 대상인 제품은 오프라인을 통해 수입이 된다면 위 해석은 큰 무리가 없다. 그러나 오로지 온라인상에서 이루어지는 디지털무역의 경우에는 이러한 지적재산권 침해에 대한 국가의 조치가 현실적으로 또한 기술적으로 이루어지기 어렵다는데 문제가 있다.[56) 또한 다른 측면으로는 만약 어떤 콘텐츠가 디

---

54) WCT와 WPPT 그리고 이들과 TRIPs협정과의 관계에 대해서 호주는 3가지 대안을 제시하였는데, 첫째는 TRIPs이사회 차원에서 TRIPs협정 목표의 효율적 달성을 위해 WCT 및 WPPT의 중요성을 인정하고, 디지털 환경에서 저작권에 대한 이들 협약의 관련성을 인정하는 성명(statement)을 채택하는 것이고, 둘째는 WCT 및 WPPT의 관련 부분을 TRIPs협정의 일부로 편입시키는 것, 그리고 세 번째는 WCT 및 WPPT의 관련 부분을 TRIPs협정의 신규조문 제정협상의 출발점으로 활용하자는 것이다. 이러한 호주의 입장에 대해 미국은 적극적 지지를 표명하였지만, 우리나라는 시기상조라는 의견을 제시하였다. WTO, IP/C/M/39, 21 March 2003 및 IP/C/M/33, 2 November 2001 참조.
55) 박진아, "국제전자상거래 상 OSP의 지적재산권 보호의무",「통상법률」, 통권 제89호, 2009년 10월, p. 115.
56) 물론 이러한 기술적 어려움은 향후 얼마든지 기술의 발전에 따라 극복할 수 있는 문제일 것이다. 유명한 인터넷 접속차단 사건이었던 "Yahoo.com" 사건에서도 초기에는 프랑스의 인터넷 사용자를 구분하여 접속을 막는 것이 기술적으로 불가능하다고 여겨졌으나 사건진행 중 새로운 기술의 도입으로 이러한 제한이 가능하게 되었다. Yahoo 사건에 대한 일반적인 설명은 Jack Goldsmith and Tim Wu, *Who Controls the Internet: Illusions of a Borderless World*, Oxford University Press, 2006, pp. 1–10 참조.

지털무역을 통하여 교역되고 동 콘텐츠가 지적재산권을 침해하였는지 여부가 불분명한 상황에서 이를 TRIPs협정에 근거하여 어떤 회원국이 차단하는 조치를 취한다고 가정하면, 이는 새로운 방식의 시장접근에 대한 제한조치가 될 수 있다는 점이다. 즉, 아직 해당 디지털콘텐츠 자체의 분류가 결정되지 않은 상황이지만, 만약 상품으로 분류된다면 이러한 접속차단조치는 GATT1994 제XI조 위반의 문제를 가져올 수 있을 것이고, 만약 서비스로 분류되는 경우에는 (구체적 약속이 있다는 전제에서) GATS 제XVI조 위반의 문제가 될 것이다. 결국 어떤 유형의 경우에도 이와 같은 국내조치는 WTO 의무의 위반 문제가 제기될 수 있고, 해당 조치의 유효성 여부는 구체적인 분쟁해결 과정을 통해 결정될 것이다.

(3) 최근 논의동향과 함의

2017년 12월 제11차 각료회의에서 채택된 '전자상거래 공동성명'과, 전자상거래 작업계획에 따른 각료결정에 따라 2018년 3월부터 WTO는 비공식적으로 디지털무역의 다양한 쟁점들에 대한 협상을 진행하였다.[57] 이후 WTO는 기존 전자상거래 작업계획에서의 미해결 쟁점뿐만 아니라, 데이터의 국경 간 이전의 자유, 서버 로컬화 금지 등 최근 디지털무역에서 등장하는 자유화 요소와 함께, 소비자 보호 규제 협력 등 다음 [표 26-1]에서와 같이 다양한 쟁점들을 포함하여 논의를 진행하였다.[58]

이러한 협상주제에 따라 WTO 전자상거래 협상은 2018년부터 수차례 비공식 회의를 가졌으나 미국을 중심으로 전반적인 개방을 추구하는 국가그룹과, 이에 반대하는 중국 등 개발도상국들이 대립하는 속에서 구체적인 합의는 어려운 상황이 전개되었다. 다만, 2018년 12월 개최된 9차 회의에서 의장국인 호주는 지금까지의 비공식 회의가 다양한 쟁점들에 대한 협상 참여국들의 이해를 높였으며, 향후 WTO 차원의 협상 진행을 위한 공감대 형성에 기여했다고 평가하였다.[59]

---

57) WTO, *supra* note 32 및 33 참조.
58) KOTRA, 앞의 주4), p. 8 참조.
59) 예를 들어, 전자상거래 촉진을 위한 전자인증의 효력인정, 서류 없는 무역 등 기존 전자상거래 혹진과 관련된 주제에 대해서는 협상 참여국들 간에 이견이 크지 않았으나, 국경 간 데이터 이전의 자유화, 시장접근 개선방안, 전자적 전송에 대한 무관세 등 자유로운 디지털무역 활동과 관련된 쟁점들에 대해서는 자유화를 주장하는 미국, 일본, 싱가포르, 호주 등의 그룹과 이에 반대하는 중국을 비롯한 개발도상국 그룹 간의 견해 차이가 크게 나타났다. 이종석, 앞의 주.

표 26-1 WTO 전자상거래(디지털무역) 협상 논의 주제[60]

큰 주제	작은 주제 예시
(1) 디지털무역가능/전자상거래 촉진 (enabling digital trade/e-commerce)	종이 없는 무역, 전자결재, 전자서명과 계약, 인증, 전자적 전송에 대한 무관세 적용
(2) 개방성과 디지털무역 (openness and digital trade/e-commerce)	시장접근 개선, 국경 간 데이터 이전 자유화 문제, 컴퓨팅 설비 현지화 금지, 디지털제품 비차별, 망중립성
(3) 신뢰와 디지털무역 (trust and digital trade/e-commerce)	강제기술이전 및 특정기술 적용 금지, 지식재산권 보호, 온라인 소비자와 개인정보 보호
(4) 공통이슈 (cross-cutting issues)	투명성 강화, 인프라와 디지털 격차 해소, 협력과 규제 조화

또한 2019년 1월 비공식 WTO 각료회의에서 협상 참가국들은 모든 WTO 회원국들이 전자상거래 협상에 참여할 것을 촉구하면서, 이러한 협상이 개발도상국을 포함한 모든 WTO 회원국들에게 도전과 기회를 제공할 것이라는 내용의 공동성명을 발표하기도 하였다.[61] 이에 따라 협상 참가국들은 제12차 WTO 각료회의까지 기존 전자상거래의 미해결 쟁점뿐만 아니라 데이터 이전, 서버 장소에 대한 문제, 온라인 소비자 보호 등 디지털무역의 다양한 쟁점들에 대하여 논의하고 그 결과를 전자상거래 협정으로 담기위한 노력을 진행 중이나,[62] 아직까지 의미 있는 결과를 내놓지는 못하고 있다.

2. OECD와 디지털경제규범의 형성

(1) 논의동향 개관

OECD에서 전자상거래 관련 논의는 이미 1980년대부터 진행되었으며, 1990

60) 김흥종, "디지털 무역 규범의 국제 논의와 한국의 대응", 통상법률, 통권 제149호, 2020년 11월, 4면 및 이종석, "디지털 통상규범 정립 지연 이유와 우리나라 디지털 통상정책에 시사점", 물류학회지 제29권 제1호, 2019년 2월, p. 67 <표 1>을 참조하여 재구성.
61) WTO, JOINT STATEMENT ON ELECTRONIC COMMERCE, WT/L/1056, 25 January 2019.
62) WTO, News "Negotiations on e-commerce advance, eyeing a statement at MC12", 10 November 2021. https://www.wto.org/english/news_e/news21_e/ecom_10nov21_e.htm (2022년 1월 11일 최종접속)

년대에는 세부 주제별 논의가 본격화 되었다. 1980년대와 1990년 초 OECD에서의 전자상거래 논의는 개인정보보호와 정보이동의 자유 등 개인권리의 보호 측면에 중점을 두었고, 1990년대 초와 중반을 거쳐 프라이버시 침해, 미성년자 음란물 유통 등의 문제점이 지적되기 시작하였다. 또한, OECD는 1997년 전문가그룹보고서(Sacher Report)를 발간하여 전자상거래의 유용성과 정부정책 방향을 제시하였으며,63) 암호화정책지침(Guidelines for Cryptography Policy)을 제정하여 프라이버시 보호 수단의 기초를 마련하였다.64) 또한 OECD는 1997년 11월 19~21일 전자상거래에 관한 국제적 정책합의의 도출을 목표로 핀란드 투르쿠(Turku)에서 '세계 전자상거래 장벽제거'를 주제로 정부 및 민간합동 국제회의를 개최하였다.65) 한편, 1998년 10월 7~9일 캐나다 오타와(Ottawa)에서 개최된 OECD 전자상거래 각료회의는 소비자보호 및 프라이버시 보호에 대한 각료선언과, 전자상거래 인증에 관한 각료선언 등을 채택하였으며, 사용자와 소비자의 신뢰구축, 디지털 시장질서의 기본규칙 정립, 전자상거래를 위한 정보통신기반의 확충 및 전자상거래 잠재능력의 극대화 등 범세계 전자상거래 진흥을 위한 행동계획(Action Plan)을 수립하고, 분야별 추진과 협력을 강조하였다.66) 이후 OECD는 1999년 전자상거래 파리(Paris) 포럼, 2001년 두바이(Dubai) 포럼 등 다양한 국제회의를 통하여 전자상거래 분야에서의 국가들의 효과적인 정책협력에 대하여 논의하였다.

---

63) OECD, STI Digital Economy Paper 29, https://www.oecd.org/sti/ieconomy/publications anddocuments/89 (2022년 1월 11일 최종접속)

64) OECD, OECD/LEGAL/0289 27 March 1997. https://legalinstruments.oecd.org/en/instru ments/OECD-LEGAL-0289 (2022년 1월 11일 최종접속)

65) OECD, "DISMANTLING THE BARRIERS TO GLOBAL ELECTRONIC COMMERCE", An International Conference Organised by The OECD and The Government of Finland In Cooperation with the European Commission, the Government of Japan and the Business and Industry Advisory Committee to the OECD, DSTI/ICCP(98)13/FINAL, 03 July 1998. 동 회의에서는 시장주도와 기술중립성(technology neutrality)을 기조로 하는 OECD의 업계자문위원회인 BIAC이 제시한 전자상거래 10대 정책원칙선언(BIAC-Declaration of Policy Principles for Global Electronic Commerce)이 발표되었다.

66) OECD, OECD MINISTERIAL CONFERENCE "A BORDERLESS WORLD: REALISING THE POTENTIAL OF GLOBAL ELECTRONIC COMMERCE", OTTAWA, 7-9 October 1998, SG/EC(98)14/FINAL, 18 December 1998. Ottawa 전자상거래 각료회의는 전자상거래의 범세계적 기본질서를 수립하기 위한 최초의 시도라는 점과 함께, 동 회의에서 채택된 행동계획은 세계 전자상거래 논의방향을 주도하였다는 평가를 받았다.

과거 OECD가 다루었던 전자상거래 관련 쟁점들은 국가 간 협력의 필요성이 큰 분야에 집중되었다. 특히 OECD가 관심을 두었던 분야들은 조세 및 관세, 전자서명 및 인증, 소비자 보호 및 개인정보 보호, 보안 및 암호, 분쟁해결 및 관할권 등이었다. 그러나 이러한 OECD의 전자상거래 분야에 대한 관심은 정보통신기술(ICT)의 발전과 더불어 최근에는 인공지능(AI), 블록체인(Blockchain), 광대역통신(Broadband and Telecom) 등 디지털경제 전반으로 논의의 폭을 넓히고 있다.[67] 특히, 최근 다국적 디지털 기업이 국외에 서버를 두고 소비지 국가에는 물리적 사업장을 두지 않거나, 매출을 조세 혜택이 많은 국가로 이전하여 법인 소득세가 제대로 과세되지 않는 문제가 발생하자 OECD와 G20는 다국적 디지털 기업의 조세회피에 대한 국제적 공동대응을 위해 2015년부터 '세원잠식 및 수익이전'(Base Erosion and Profit Shifting: BEPS) 프로젝트를 추진하였으며, 소위 '디지털세'(Digital Tax)는 동 프로젝트의 가장 중요한 논의대상이 되었다. 그러나 디지털세는 엄밀히 말해 내국세로서 국제무역 또는 통상관계의 직접적인 요소는 아니다. 그럼에도 불구하고 디지털무역 환경에서 디지털세는 다국적 디지털 기업의 상업적 주재(mode 3)와 밀접한 관련이 있으며, 이러한 측면에서 디지털통상규범에 영향을 미친다.

(2) 디지털세 관련 주요 논의 결과

이미 OECD는 1999년 캐나다 오타와(Ottawa)에서 개최된 전자상거래 각료회의에서 전자상거래 과정에서 나타나는 세금은 차별적 방법으로 과세되어서는 안 된다는 점을 명시하였다.[68] 그러나 고도화 된 디지털경제에서 각종 비즈니스의 발전은 기업의 물리적 실제를 전제로 한 고정된 사업장의 의미를 찾기 어려워졌고, 이를 기초로 조세를 회피하려는 글로벌 디지털기업의 과세 문제가 나타나게 되었다.[69] 이에 OECD와 G20은 2015년부터 BEPS프로젝트를 추진하였고, 2021년 10월 '포괄적 이행체제'(Inclusive Framework: IF)는[70] 글로벌 기업의 총 소득에서 시

67) OECD에서의 디지털 분야의 정책협력에 대한 일반적인 내용은 https://www.oecd.org/digital (2022년 1월 11일 최종접속) 참조.
68) OECD, *supra* note 66, p. 9.
69) 최서지, "글로벌기업 과세에 관한 국제적 논의 동향", 최신 외국입법정보, 2021-19호(통권 제168호), 2021년 8월 10일, p. 3.
70) BEPS의 이행 문제를 논의하는 회의체로, 139개국이 참여하여 Pillar 1과 Pillar 2의 논의를

장 소재지국별 소득을 구분하여 시장 소재지국의 과세권을 인정하는 연계기준을 설정하는 '통합접근법'(Pillar 1)과, 세원잠식의 방지를 위한 '글로벌 최저한세율' (Pillar 2)을 주요 내용으로 하는 'OECD 디지털세 합의안'을 발표하였다.[71] 동 합의문은 Pillar 1과 Pillar 2에 관한 합의문과 이행계획을 다룬 부속서(Annex)로 이루어졌으며,[72] 2022년 다자협약과 모델규칙의 개발, 각국의 입법과정 등을 거쳐 2023년 이후 발효될 것으로 예상된다.[73]

동 합의에서의 핵심은 Pillar 1과 Pillar 2로 구성된 과세시스템에 있다. 이중 Pillar 1의 통합접근법은 과세권을 매출이 발생한 국가에 배분한다는 것이다. 즉, 국가마다 디지털 분야에 대한 적용대상과 과세비율이 다르기 때문에 통합접근법을 통하여 예측가능한 조세의 일관성을 확보한다는 것이 Pillar 1 논의의 핵심이다.[74] 이에 따라 Pillar 1에서는 적용대상기업(Scope), 과세연계점(Nexus), 배분량(Quantum), 매출귀속 기준(Revenue sourcing), 사업구분(Segmentation), 조세확실성(Tax certainty), 일방주의적 조치(Unilateral measures), 이행계획(Implementation) 등에 대한 합의가 이루어졌다.[75] 한편, 글로벌 최저한세 도입을 주요 내용으로 하는 Pillar 2는 조세피난처 등을 활용한 글로버 기업의 조세회피를 규제하기 위하여 법인세 15% 수준을 최저한으로 규정한다. 이는 법인세 인하경쟁을 감소시키고 경영환경의 중요도에 초점을 맞추기 위함이다.[76] 이에 따라 Pillar 2에서는 기본체계(Overall design), 적용대상기업(Scope), Pillar 2의 지위(Rule status), 이행(Implementation), GloBE 규칙(Rule design), 원천지국과세규칙(STTR), 실효세율 계산(ETR calculation),

---

주도한다. 앞의 주, p. 4 각주2) 참조.

71) OECD, Press Release, "International community strikes a ground−breaking tax deal for the digital age", 8 October 2021, https://www.oecd.org/tax/beps/international−community−strikes−a−ground−breaking−tax−deal−for−the−digital−age.htm (2022년 1월 11일 최종접속)

72) OECD, Statement on a Two-Pillar Solution to Address the Tax Challenges Arising from the Digitalisation of the Economy, 8 October 2021.

73) 예상준, "최근 디지털세 논의 동향과 시사점"(업데이트), KIEP 오늘의 세계경제, 2021년 10월 13일, p. 3 참조.

74) 최서지, 앞의 주69), p. 4.

75) OECD/G20 Base Erosion and Profit Shifting Project, "Two−Pillar Solution to Address the Tax Challenges Arising from the Digitalisation of the Economy", October 2021, pp. 6−7. 이에 대한 보다 자세한 내용은 예상준·오태현, "최근 디지털세 논의 동향과 시사점", KIEP 오늘의 세계경제, 2021년 7월 9일, pp. 8−9 참조.

76) 최서지, 앞의 주69), p. 5.

최저한세율(Minimum rate), 적용 예외(Carve-outs), 단순화(Simplifications) 등에 대해 합의하였다.[77] 다만, 이러한 합의에 일부 개발도상국들은 참여하지 않았고, 이행계획에 명시된 대로 각국이 2023년에 Pillar 1과 Pillar 2 구상을 실현할 수 있을지 여부는 불확실하지만, 그럼에도 불구하고 디지털경제의 특성을 반영한 새로운 국제조세 시스템의 도입은 이루어질 것으로 전망된다. 또한 Pillar 1과 Pillar 2의 성공적인 시행을 위해 향후 국가 간 공조와 정보 교환 등 협력의 중요성의 더욱 커질 것으로 보인다.

3. 다자간 디지털통상협정 체결의 도전과 전망

디지털무역을 규율하는 다자통상규범은 결국 WTO에서의 전자상거래 협상과 그 결과가 주된 내용을 이룬다. 그렇다면 WTO에서 현재까지 디지털무역을 규율하는 다자통상규범을 형성하지 못한 이유는 무엇인가? 이러한 질문에 대한 평가는 향후 다자간 디지털통상협정의 체결 가능성을 검토하는 기초가 된다.

(1) 다자간 디지털통상협정 정립의 어려움

우선, 다자간 디지털통상협정의 정립이 어려운 이유는 두 가지 측면에서 검토될 수 있을 것이다. 첫째, 디지털무역 자체가 갖는 기본적 속성에 따른 법적 해석 및 정립의 어려움이다. 이러한 문제가 나타나게 된 주된 이유는 논의의 중심이 되는 쟁점들 중 전자적 전송(electronic transmission)의 속성과, 디지털제품(digital products)의 분류문제(classification issue)에 기인한다. 이러한 쟁점이 WTO 전자상거래 논의의 핵심이 된 이유는 동 제품(또는 서비스)이 상품 또는 서비스 중 어느 유형으로 분류되는가에 따라 적용법이 달라지고 이에 따라 무역자유화의 방법이 달라지기 때문이다.[78] 그러나 이에 대한 WTO에서의 논의는 미국과 EC의 입장이

---

77) OECD/G20 Base Erosion and Profit Shifting Project, *supra* note 75, pp. 8–9 및 예상준·오태현, 앞의 주75), pp. 10–11 참조.

78) 즉, 만약 디지털제품이 상품으로 분류되면 동 제품의 수입에 대해서는 일반적으로 수량제한이 부과되지 않고, 내국세 및 국내규정을 통한 차별이 허용되지 않는다. 따라서 이러한 제품에 대한 현재의 무관세 관행이 유지된다면 이는 사실상 완전한 자유무역을 보장하는 결과를 가져온다. 반면에 동 제품이 서비스로 분류된다면, 동 서비스의 무역자유화는 회원국의 구체적 약속(specific commitment)에 의존하므로 시장접근과 내국민대우 등에서 회원국의 개입이 상대적으로 자유로울 수 있고, 일정한 경우 최혜국대우 의무로부터 면제가 가

대립하고 있고 아직까지 합의에 이르지 못하였다.[79]

한편 WTO에서 이루어진 전자적 전송에 대한 관세유예 선언 역시 디지털통상규범의 해석과 정립에 어려움을 가져왔다. 즉, 1998년 5월 '세계전자상거래선언'을 통해 WTO 회원국들은 전자적 전송에 관세를 부과하지 않는 현재의 관행을 유지한다는 선언을 하였고, 동 선언은 제3차 시애틀 각료회의까지 유효했다. 이러한 일시적인 관세유예선언은 전자상거래의 자유화에 중요한 요소이었지만 동시에 많은 문제점도 내포하고 있다. 즉, 동 관세유예는 회원국들의 법적 합의가 아닌 정치적 약속이라는 점, '전자상거래'에 어떤 단계까지 관세유예가 적용되는지 불명확하다는 점, 관세유예선언이 WTO의 일관된 원칙인 소위 '기술중립성'(technological neutrality)과 일치하지 않는다는 점, 디지털제품이 서비스로 분류되는 경우 관세부과유예는 의미를 갖지 못한다는 점, 관세유예선언은 전자적으로 전송되는 제품과 물리적으로 교역되는 동종상품 또는 동종서비스 간에 차별의 문제를 야기할 수 있다는 점, 그리고 동 관세유예가 디지털콘텐츠와 그 전송에 있어 영구적인 무관세 합의가 아닌 일시적 성격을 갖는다는 점 등이 문제점으로 제기될 수 있다. 게다가 이러한 전자적 전송에 대한 일시적 무관세 합의는 그 자체의 법적 불확실성도 노출시켰다. 즉, 1998년 관세유예선언 이후 1999년 시애틀 각료회의에서 이를 명시적으로 연장하지 않았기 때문에 2003년 제5차 칸쿤(Cancún) 각료회의 전 각료들이 2001년 도하(Doha) 각료회의에서 명시적으로 동 관세유예를 갱신할 때까지 2년 동안 그 자체의 법적 지위가 매우 불확실하여 동 관세유예의 유효성 여부에 대한 문제가 제기되기도 하였다.[80]

다자간 디지털통상협정의 정립이 어려운 두 번째 이유로는 WTO가 갖는 다자주의 시스템의 한계를 언급할 수 있다. 이러한 한계가 나타나는 이유는 기본적으로 디지털무역이 갖고 있는 '승자독식'의 특성에 기초한다. 그런데 이러한 디지털무역의 특징을 누릴 수 있는 기업들은 현실적으로 소위 'GAFA'라고 불리는 미국의 거대 플랫폼 기업들 등 극히 일부에 제한된다.[81] 따라서 미국 정부는 자국

능하다.

79) 권현호, "전자상거래 통상규범 형성을 위한 다자적 접근의 한계", 「동아법학」 제78권, 2018년 2월, pp. 387-393 참조.

80) 앞의 주, pp. 380-384 참조.

81) GAFA는 미국의 글로벌 디지털기업인 Google, Apple, Facebook, Amazon 등의 기업의 앞 글자를 따서 부르는 이름이다.

기업의 독과점적 지위를 공고히 할 수 있도록 오픈 인터넷, 데이터와 서버 현지화 금지 등 자유로운 디지털통상규범을 강력히 주장하고 있다. 반면, 중국이나 EU의 경우에는 자국 기업이 최소한 자국 내 또는 역내에서 경쟁력을 갖기 위해서는 미국이 주장하는 자유로운 디지털무역 보다는 제한적인 디지털통상규범 시스템을 갖추는 것이 오히려 국익에 도움이 될 수 있다. 예를 들어, 중국은 구글이나 페이스북 같은 주요 해외 서비스의 국내접속을 차단하고, 2018년에 시행된 '사이버 안전법'(Cyber Security Law)을 통해 서버의 현지화 및 데이터 이전 금지를 의무화 하였다.[82] 또한 EU는 '디지털단일시장'(Digital Single Market) 전략에 따라 역내에서는 오픈 인터넷과 데이터의 자유 이동을 추구하지만, 역외에는 제한적인 개방정책을 추구한다. 이러한 대표적 정책이 2018년 5월 시행된 '일반데이터보호규칙'(GDPR)으로 동 규칙에 따르면 EU 역내에서의 개인정보 이전은 자유롭지만 역외로의 이전은 보다 어렵게 한다. 동 규칙은 기본적으로 개인정보에 대한 보호를 목적으로 하지만, 동시에 앞서 언급한 미국의 거대 플랫폼 기업들에 대한 견제목적도 크다.[83] 따라서 이러한 미국과 EU 및 중국의 디지털무역에 대한 입장차이는 다자주의 시스템 하에서 WTO를 통해 일반적이고 보편적인 디지털통상규범에 합의하는 것을 어렵게 만드는 핵심적인 요소가 되고 있다. 또한 이러한 다자주의 논의 구도 하에서 디지털무역의 확산에 따라 제기될 수 있는 각종 부작용에 대한 통상법적 안전장치(safeguard)도 제대로 마련되지 않았고, 이에 대한 논의 역시 충분히 이루어지지 않았다는 점 또한 다자간 디지털통상협정의 정립이 어려운 이유로 제기될 수 있다.[84]

(2) 다자간 디지털통상협정 체결 가능성

이상과 같은 어려움에도 불구하고 WTO는 제12차 각료회의 전까지 전자상거래 협상에서 회원국들의 합의를 이끌어 내기 위한 노력을 계속하고, 적어도 스팸 메세지, 전자서명 및 인증, 전자계약 및 온라인 소비자 보호 등에서는 합의를 이

---

82) 박용숙, "중국의 「네트워크안전법」에 대한 일고찰", 「강원법학」 제53권, 2018년 2월, p. 66 참조.

83) 정일영 외 4인, "유럽 개인정보보호법(GDPR)과 국내 데이터 제도 개선방안", STEPI Insight, vol.227, 2018년 12월, p. 6.

84) 디지털통상의 부작용에 대한 안전장치의 부재에 대해서는 이종석, 앞의 주59), pp. 70-72 참조.

루었음을 강조한다.[85] 그러나 이러한 합의에도 불구하고 제12차 WTO 각료회의까지 보다 완성된 전자상거래 다자규범을 도출하는 것은 현실적으로 어렵다는 평가가 지배적이다.[86] 다만, 만약 제12차 각료회의까지 동 분야에서의 합의안이 도출된다면 이는 그동안 협상참여국 간에 이견이 크지 않았던 앞서 언급한 분야에 한정될 것이고 따라서 해당 합의는 핵심적인 쟁점들에 대한 내용은 빠진 낮은 수준의 합의에 불과할 전망이다.

결국, WTO를 통한 다자간 디지털통상협정 체결을 위한 협상은 장기화 될 가능성이 크다. 이는 현재 WTO에서 논의 중인 중요 쟁점들에 대하여 미국과 중국, 또는 미국과 EU 사이의 이견이 쉽게 조정되기는 어려워 보이기 때문이다. 또한 이러한 다자간 디지털통상협정의 미비로 인한 문제를 해결하기 위하여 양자 및 지역 차원의 FTA나 RTA에 강화된 디지털무역 규범을 포함시키는 현 상황은 거꾸로 다자간 차원에서의 디지털통상협정의 체결을 더욱 어렵게 만드는 원인이 되고 있다.

그럼에도 불구하고 WTO를 통한 디지털통상규범 마련을 위한 다자간 협상이 계속되어야 하는 이유는 다음과 같다. 첫째, 디지털무역 분야의 보편적이고 일반적인 통상규범의 필요성이다. 예를 들어, 우루과이 라운드 협상 이전까지 국제사회는 서비스무역에 관하여 부분적, 단편적인 규범들은 존재하였으나 일반적인 통상규범을 갖지는 못하였다. 이후 1995년 1월 WTO가 공식 출범하게 되면서 서비스무역에 관한 일반협정(GATS)이 서비스 분야를 규율하는 일반적이고 보편적인 규범으로 적용되게 되었다. 이와 마찬가지로 현재 다자간 디지털통상규범 협상이 구체적 성과를 내지는 못하지만, 현재의 어려운 상황이 동 규범의 필요성 자체를 저해하는 것은 아니다. 둘째, 디지털통상규범은 보다 많은 국가들의 필요성에 기인한다. 현재 WTO 협상에서의 어려움은 주로 미국과 중국, EU 등 소수 국가들의 입장에 기인한다. 그러나 WTO 내에는 디지털무역에 따른 도전과 기회를 얻을 수 있는 다양한 국가들이 존재한다. 특히, 현재 다자간 협상을 주도하고 있는 호주와 일본, 싱가포르 등을 포함한 많은 국가들은 WTO 전자상거래 협상을 통한 기대이익이 상당하다. 또한 개발도상국들의 경우에도 향후 디지털경제의 성장에 맞춰 자국의 이익을 반영할 수 있는 다자포럼에의 참여가 절실한 상황이다.

---

85) WTO, *supra* note 62 참조.
86) 김흥종, 앞의 주59), pp. 5~7 참조.

따라서 가능한 많은 국가들이 참여하는 보편적이고 일반적인 다자간 디지털통상
규범 제정을 위한 노력은 계속되어야 한다.

제3절 디지털무역과 양자 및 지역규범

1. 디지털통상규범의 새로운 동향

국제경제와 무역의 디지털화가 가속화 되는 가운데 WTO를 통한 다자간 차
원의 디지털무역의 통상규범 제정을 위한 협상이 난관에 부딪히자 일부 국가들
은 이를 양자 및 지역무역협정을 통해 해결하고자 시도하였다. 이러한 도전은 디
지털통상규범을 포함하는 다양한 유형의 FTA 및 RTA를 출현시켰고, 이를 통하여
국가들은 다자무역 시스템에서는 해결되지 못하였던 일부 디지털무역의 쟁점들
에 대한 실질적 해결을 이루어 내기도 하였다. 특히, WTO로 대표되는 다자주의
를 통한 무역 자유화 협상이 전반적으로 난관에 빠져있는 상황에서, 미국은 자국
의 디지털 분야의 지배적인 경쟁력을 바탕으로 디지털통상규범이 포함된 FTA 네
트워크를 이루고자 하는 전략을 나타내기도 하였다.

이처럼 디지털무역을 규율하는 실질적 규범으로서 체결된 FTA 중 의미 있는
첫 사례가 바로 한-미 FTA이다.[87] 즉, 한-미 FTA는 독립된 전자상거래 장(chapter)
을 통해 디지털무역을 규율하였으며, 특히 디지털제품(digital products)에 대한 정
의와 이에 대한 비차별원칙(non-discriminatory principles)을 규정하고, 온라인 소비
자 보호, 인터넷 접근 및 이용의 자유화, 그리고 국경간 정보의 이동 등 현재 디지
털무역에서 중요하게 다루는 쟁점들에 대하여 명시적으로 규정하였다.[88] 이를 통
해 미국은 디지털무역에서 다루어야 할 핵심쟁점들에 대한 검토를 이루었고, 한-미
FTA 전자상거래 장은 이후 '포괄적·점진적 환태평양경제동반자협정'(Comprehensive
and Progressive Agreement for Trans-Pacific Partnership: CPTPP) 제14장 전자상거래 규
범의 기초가 되었다.[89]

---

87) 한-미 FTA는 2007년 6월 미국 워싱턴(Washington D.C.)에서 서명되었으며, 국내 비준절차
    등을 거쳐 2012년 3월 발효되었다. 이후 2018년 개정협상을 통해 2019년 1월 한-미 FTA
    개정의정서가 발효되었다.
88) 한-미 FTA 제15장, 제15.3조, 제15.5조, 제15.7조 및 제15.8조 등 참조.

CPTPP는 제14장(전자상거래)에서 기존 환태평양경제동반자협정(Trans-Pacific Strategic Economic Partnership: TPP)에 포함된 디지털무역과 관련된 통상규범들을 그대로 포함하였다. 즉, CPTPP는 디지털제품에 대한 관세 부과 및 차별대우 금지, 전자인증과 서명, 온라인 소비자 보호, 종이 없는 무역, 전자상거래를 위한 인터넷 접속 및 이용 원칙 등 기존에 논의 되었던 디지털무역 관련 기본적인 규범들을 명시적으로 강화하였다.[90] 그러나 디지털통상규범으로서 CPTPP가 중요한 이유는 기존에 논의되던 전자상거래 규범을 강화한 것에 더하여 CPTPP는 개인정보의 보호, 국경간 정보 이동과 정당한 공공정책목적 예외, 컴퓨터 설비 현지화 문제, 스팸메일, 사이버 보안 문제, 소스코드 개방 요구 등 최근 디지털무역에서 제기되는 디지털무역 자유화 관련 요소들에 대하여 명시적 규정을 둠으로써 기존 FTA들과 달리 디지털통상의 범위를 넓혔다는 의미를 갖는다.[91] 이러한 CPTPP의 디지털무역 관련 내용들은 미국·멕시코·캐나다협정(United States-Mexico-Canada Agreement: USMCA)에 대부분 수용되었으며,[92] 이후 이어지는 디지털통상규범들에서 핵심 조항으로 채택되고 있다는 점에서 디지털통상규범의 발전과정에서 중요성을 갖는다.[93]

한편, USMCA는 제19장 제목을 디지털무역(Digital Trade)으로 하여 기존 FTA/RTA에서 사용하던 전자상거래의 틀을 벗어나 본격적인 디지털통상규범의 강화를 추구한 것으로 보인다.[94] USMCA의 제19장 디지털무역은 전반적으로 앞선 CPTPP의 전자상거래 조항들을 대부분 수용하였으며, 일부 내용이 추가되거나 삭제되기도 하였다. 특히, 컴퓨터 설비 현지화 조항에서 기존 USMCA는 명시되었

---

89) 포괄적·점진적 환태평양경제동반자협정(CPTPP)은 기존에 미국과 일본이 주도하던 환태 평양경제동반자협정(Trans-Pacific Strategic Economic Partnership: TPP)에서 미국이 빠지면 서 일본 등 아시아·태평양 지역 11개국이 추가로 참여한 경제동맹체로, 현재 일본, 캐나 다, 호주 등 총 11개국이 참여하고 있으며, 2018년 12월 발효되었다.

90) CPTPP, 제14.3조, 제14.4조, 제14.6조, 제14.7조, 제14.9조 및 제14.10조 등 참조.

91) CPTPP, 제14.8조, 제14.11조, 제14.13조, 제14.14조, 제14.16조 및 제14.17조 등 참조.

92) 미국·멕시코·캐나다협정(USMCA)은 1994년 발효되어 적용되었던 기존 북미자유무역협정 (North America Free Trade Agreement: NAFTA)을 대체하여 2018년 9월 체결된 협정으로 2020년 7월 발효하였다.

93) 김민정, "디지털통상 규범 발전과 통상법 쟁점 연구", 「통상법무정책」 제1호, 2021년 5월, pp. 63-64 참조.

94) Mira Burri, *Data Flows and Global Trade Law: Tracing Developments in Preferential Trade Agreements*, Big Data and Global Trade Law, Cambridge University Press, 2020, p. 16.

던 '정당한 공공정책목적 예외' 규정이 삭제된 점이 눈에 띈다.[95] 또한 콘텐츠를 제공하는 인터넷 서비스 공급자들이 해당 플랫폼에 게재되는 콘텐츠에 대해 책임이 없음을 명시적으로 규정하는 조항을 추가하기도 하였다.[96]

이처럼 디지털무역에 대한 통상규범화 노력은 양자관계에서 독립적인 디지털무역협정을 마련하는 단계로 발전하였다. 즉, 2019년 미국과 일본이 체결한 미-일 디지털무역협정(Agreement between the United-States of America and Japan concerning Digital Trade)은[97] 앞서 CPTPP와 USMCA에서의 디지털무역 관련 규범들을 포함하는 포괄적 쟁점들을 다루면서, 이를 FTA가 아닌 독립된 협정으로 다룬 최초의 사례라는 점에서 의미가 있다.[98] 특히 동 협정은 USMCA 수준의 규범을 서비스 개방여부에 관계없이 적용하며, 금융서비스 관련 컴퓨터 설비 현지화 의무를 금지하고, 알고리즘 공개 및 강제이전·특정 암호화 기술 강제 금지 등 금융서비스 관련 내용을 특화하였다.[99]

디지털무역을 규율하는 실질적 규범형성을 위한 국제사회의 노력은 이제 미국을 넘어 다른 국가들에게도 영향을 주었고, 2020년 6월 새로운 디지털무역협정으로 '디지털경제동반자협정'(Digital Economy Partnership Agreement: DEPA)이 체결되었다.[100] 동 협정은 디지털규범이라는 측면에서는 기존 CPTPP의 전자상거래 장(chapter)과 유사하다. 그러나 동 협정은 그동안 디지털통상규범의 발전과정에서 나타난 다양한 쟁점들을 몇 가지 모듈(module)로 구분하고,[101] 그 속에 세부적인 조항들을 두는 규범 형식을 시도하였다. 특히, DEPA는 기존 규범들에 공통적으로 나타나는 통상규범들에 더하여 새로운 디지털기술에 대한 문제와, 국가들 사이의 디지털무역 원활화에 대한 협력 부분에도 많은 규정을 두었다.[102]

---

95) USMCA, 제19.12조 참조.
96) USMCA, 제19.17조 참조.
97) 미-일 디지털무역협정은 2019년 10월 서명되었으며, 2020년 1월 발효되었다.
98) 김민정·양인창, "디지털무역 표준 논의 동향과 시사점", KITA 통상리포트, vol.6, 2021년 2월, p. 23.
99) 미-일 디지털무역협정, 제12조, 제13조, 제17조 및 제21조 등 참조.
100) 디지털경제동반자협정(DEPA)는 디지털무역 규칙에 대한 공통규정, 기준 등에 대하여 싱가포르, 칠레, 뉴질랜드 등 3국이 체결한 협정으로 2020년 6월 서명되었고, 동년 12월 발효되었다.
101) 대표적으로 DEPA는 모듈2 '사업 및 무역 원활화', 모듈3 '디지털제품 및 관련 쟁점에 대한 대우', 모듈4 '데이터 이슈', 모듈6 '기업 및 소비자 신뢰', 모듈8 '새로운 트렌드와 기술' 등 총 16개 모듈로 디지털무역과 관련된 전반적인 쟁점들을 다루고 있다.

마지막으로 호주와 싱가포르 사이에 체결된 디지털경제협정(Australia – Singapore Digital Economy Agreement: ASDEA) 역시 DEPA와 마찬가지로 디지털무역을 포함하는 디지털경제 전반에 대한 양자협정으로 체결되었다.[103] 호주와 싱가포르는 2022년 1월 현재 WTO 전자상거래 협상을 다루는 공동의장국으로, ASDEA는 디지털무역과 관련된 최신 동향을 반영하여 CPTPP에서 데이터 이동의 자유화와 컴퓨터 설비 현지화 조항에서 제외되었던 금융서비스 분야를 포함시켰고, 소스코드에 대한 내용을 강화한 것이 특징이다.[104]

이처럼 양자 및 지역 차원에서 이루어지는 디지털무역에 대한 통상규범은 형식상으로는 FTA의 일부로서 전자상거래 장(chapter) 또는 조항에서 시작하여 이제는 독립된 디지털무역협정의 체결로 발전하고 있다. 그리고 내용 측면에서도 과거 전자상거래 분야의 협력과 원활화 등에서 데이터의 이전, 개인정보의 보호, 온라인 소비자의 보호, 컴퓨터 설비의 현지화, 소스코드 공개 여부 등 무역자유화를 위한 필수 논의를 거쳐, 이제는 인공지능과 핀테크(FinTech) 등 디지털경제 전반으로 그 범위를 확장해 나가고 있다. 또한, 규범의 질적 측면에서도 과거 단순한 협력조항에서 이제는 많은 부분에서 당사국들의 실체적 의무를 규정하는 명실상부한 디지털통상규범으로 발전하고 있다.

2. 주요 쟁점별 논의 결과 및 평가[105]

(1) 디지털무역의 원활화

1) 전자적 전송물에 대한 무관세

디지털무역에서 전자적으로 전송되는 대상물(또는 서비스)에 대한 무관세는 현재 WTO에서도 일련의 선언으로 계속 유지되고 있다. 다른 한편으로 이러한

---

102) 예를 들어, DEPA는 디지털 개인 식별의 문제(제7.1조), 핀테크(제8.1조), 인공지능(제8.2조) 등 새로운 디지털환경에 따른 문제들과, 전자송장(제2.5조) 및 특송 운송의 문제(제2.6조) 등 무역원활화와 협력에 관한 조항들을 두고 있다.

103) 호주-싱가포르 디지털경제협정(ASDEA)은 2020년 3월 체결되었고, 동년 12월 발효하였다.

104) ASDEA, 부속서A, 제23조–제25조, 제28조 등 참조.

105) 이하에서의 쟁점구분은 2017년 이후 이루어진 WTO 전자상거래 협상에서의 논의 주제에 따라 주요 쟁점을 선별한 것으로 해당 큰 주제에 속한 세부 주제들이 모두 포함된 것은 아니다.

상황은 많은 국가들이 전자적 전송물 또는 디지털제품에 관세를 부과하지 않는 현재의 관행이 보편적인 의무로서 받아들여져야 한다는 묵시적 합의를 의미한다는 해석도 가능하다. 한-미 FTA에서는 동 사안을 당사국의 의무로 명시하고 있다.[106] 또한 CPTPP에서도 당사국 간에 디지털무역에 대한 무관세를 의무로 하는 명시적인 규정을 두고 있다.[107] 즉, 동 조항에 따르면 '당사국은 어느 한 당사국의 국민과 다른 당사국의 국민 사이에서 전자적으로 전송되는 콘텐츠를 포함하여 전자적 전송에 관세를 부과하지 않는다.'고 규정하고 있고, 이와 거의 유사한 내용이 USMCA나 미일디지털무역협정, DEPA 및 ASDEA 등에서도 이어지고 있다.[108] 따라서 이러한 원칙은 향후 체결되는 양자 및 지역 디지털무역협정에서도 계속 이어질 것으로 전망되며, 관련 WTO 협상에서 일종의 국제관습법 형성 요건으로서 국가들의 관행(practice)의 한 모습으로 평가될 수 있을 것이다.

2) 전자서명 및 인증

디지털무역의 원활화 측면에서 이루어지는 전자서명 및 인증의 문제 역시 한-미 FTA에서 규정되어 있다.[109] 다만, 한-미 FTA에서의 전자서명과 인증은 당사국들에게 의무가 아닌 권고적 성격을 내포하고 있다는 점이 특징이다. 그러나 CPTPP에서는 "일방 당사국은 서명이 오로지 전자적 형태로 이루어졌다는 점에 근거하여 해당 서명의 법적 유효성을 부정할 수 없다."고 명시하여 이를 당사국 의무로 규정하고 있다.[110] 그리고 이처럼 의무조항으로서의 전자서명 및 인증은 이후 USMCA나 미일디지털무역협정, 및 ASDEA에서도 명시적으로 규정하고 있다.[111] 특이한 점은 DEPA에서는 전자서명 및 인증에 대한 내용이 구체적 조항으로 포함되지 않았다는 점이다. 그러나 DEPA에서는 모듈2에서 디지털무역의 원활화를 위하여 전자송장(electronic invoicing), 특송(express shipments), 전자결제(electronic payments) 등 보다 세부적인 조항들을 두고 있다.[112] 따라서 비록 DEPA에서는 전자서명과 인증에 대한 구체적 규정이 빠져있기는 하지만, 전체적인 측면에서 볼

---

106) 한-미 FTA 제15.3조 제1항.
107) CPTPP 제14.3조.
108) USMCA 제19.3조, 미일디지털협정 제7조, DEPA 제3.2조, 및 ASDEA 부속서A 제5조 참조.
109) 한-미 FTA 제15.4조.
110) CPTPP 제14.6조.
111) USMCA 제19.6조, 미일디지털협정 제10조, 및 ASDEA 부속서A 제9조 참조.
112) DEPA 제2.5조−제2.7조 참조.

때 동 쟁점은 대부분의 디지털무역협정에 당사국의 의무조항으로 포함되어 있다
고 할 수 있으며, 이러한 경향은 앞으로도 계속 이어질 것으로 보인다. 또한 이러
한 경향에 더하여 향후 디지털무역의 원활화를 위한 규범들은 DEPA에서 이루어
진 것처럼 관련된 다양한 법적 쟁점들을 해결하는 조항들을 함께 명시하는 방향
으로 발전할 것으로 예상된다.

3)종이 없는 무역

디지털무역의 원활화 요소들 중 소위 '종이 없는 무역'(paperless trading)을 위
한 당사국들의 의무도 한-미 FTA를 통해서 명시적으로 규정되었다. 한-미 FTA는
동 쟁점에 대하여 "각 당사국은 무역행정문서가 대중에게 전자적 형태로 이용가
능하도록 노력한다. 각 당사국은 전자적으로 제출된 무역행정문서를 종이형식의
그러한 문서와 법적으로 동등한 것으로 수용하도록 노력한다."고 규정하였다.[113]
다만, 한-미 FTA에서 동 조항은 각 당사국이 해당 사안에 대하여 노력할 것을 의
무로 하는 소위 '연성법'(soft law)으로서의 특징을 나타낸다는 해석도 가능하
다.[114] 이러한 내용은 CPTPP에서도 동일하게 규정되었다.[115] 또한 USMCA에서는
앞서 CPTPP의 내용 중 전자문서와 종이문서와의 동등성만 규정하고 있고,[116]
DEPA는 종이 없는 무역을 위하여 전자문서에 대한 공개성과, 전자문서와 종이문
서의 동등성에 대해서는 의무규정으로 명시하고 있으며, 동 사안과 관련된 데이
터 교환 시스템에 대한 협력의무를 추가적으로 두고 있다.[117] 한편, 미일디지털무
역협정과 ASDEA에서는 종이 없는 무역을 별도 조항을 통하여 명시적으로 규정
하지는 않았다.

---

113) 한-미 FTA 제15.6조 1항 및 2항.
114) 연성법(soft law)의 특징 중 의무를 명시적으로 규정하고 있기는 하지만 그 내용이 협력
   이나 조화 등에 그치는 경우를 의미한다. 한-미 FTA 동 조항에서는 "Each Party shall
   endeavor to make ~", "Each Party shall endeavor to accept ~" 등과 같이 노력해야 하는
   의무를 명시하고 있다. (밑줄 강조 추가)
115) CPTPP 제14.9조.
116) USMCA 제19.9조.
117) 전자문서의 공개성과 종이문서와의 동등성 등에 대해서는 DEPA 제2.2조 제1항-제3항을
   통해 의무규정을 두고 있으며, 이러한 데이터의 교환 시스템 관련한 협력의무는 동 조 제5
   항-제11항까지 규정하고 있다.

(2) 신뢰와 디지털무역

1) 개인정보 및 온라인 소비자 보호

디지털무역의 신뢰 확보를 위한 노력 중 개인정보 보호와 온라인에서의 소비자 보호는 양자 및 지역 디지털무역협정의 전개에 따라 발전적 양상을 나타내고 있다. 우선 한-미 FTA는 개인정보 보호에 관한 조항이 없다. 또한 온라인 소비자 보호에 대해서는 명문의 규정을 두었으나 그 내용은 당사국 간의 협력을 명시한 수준에 머물고 있다.[118] 그러나 CPTPP는 개인정보 보호와 온라인에서의 소비자 보호를 당사국 의무로 규정하고 있다. 즉, 각 당사국은 개인정보 보호를 위한 법적 구조를 채택하고 확보해야 하며, 개인정보 보호 위반으로부터 사용자를 보호하는 데 있어 비차별적인 관행을 채택하도록 노력해야 한다.[119] 또한 각 당사국은 온라인 상업 활동에 참여하는 소비자에게 피해를 입히거나 잠재적으로 피해를 입히는 사기나 기만적 상업 활동을 금지하기 위해 소비자 보호법을 채택하거나 유지해야 한다.[120]

이러한 개인정보 보호와 온라인 소비자 보호의 내용은 USMCA에서 좀 더 구체화 되고 발전되었다. 우선 개인정보 보호와 관련하여 당사국들은 'APEC 프라이버시 구조'와,[121] 'OECD 개인정보의 국경간 흐름과 프라이버시 보호를 규율하는 지침에 관한 2013년 OECD 권고'[122] 등과 같은 관련 국제기구들의 원칙과 지침을 고려하여 개인정보 보호를 위한 법적구조를 마련해야 하는 의무를 규정하였다.[123] 또한 이러한 법적구조 마련에 포함되는 핵심원칙들로 수입의 제한, 선택, 데이터의 질, 목적의 구체화, 사용 제한, 안전보장, 투명성, 개인의 참여 및 책임 등 구체적인 원칙들을 제안하기도 하였다.[124] 한편, 온라인 소비자 보호에 대해서

---

118) 한-미 FTA 제15.5조.
119) CPTPP 제14.8조 2항.
120) CPTPP 제14.7조 2항.
121) APEC, APEC Privacy Framework, 12 2005. available at https://www.apec.org/publica tions/2005/12/apec−privacy−framework (2022년 1월 11일 최종접속)
122) OECD, The OECD Privacy Framework, OECD Recommendation of the Council concerning Guidelines governing the Protection of Privacy and Transborder Flows of Personal Data, 2013. available at https://www.oecd.org/sti/ieconomy/privacy−guidelines htm (2022년 1월 11일 최종접속)
123) USMCA 제19.8조 2항.
124) USMCA 제19.8조 3항.

USMCA는 이전 CPTPP와 거의 유사한 내용을 두고 있다. 그러나 USMCA는 제21장 경쟁정책 부분과 연계를 통해 소비자 보호를 보다 강화하였다.[125] 한편, 미일 디지털무역협정에서 개인정보와 온라인 소비자 보호는 이전 CPTPP의 내용과 거의 동일하게 규정되어 있다.[126]

개인정보 보호와 온라인 소비자 보호에 대한 규범은 DEPA에서 다소 변화되는 측면이 나타났다. 가장 큰 변화는 기존 개인정보 보호에 대한 내용이 데이터의 국경 간 이동과 연계되어 새로운 법적 쟁점으로 발전하였다는 점이다. 이에 따라 DEPA는 모듈4 데이터 이슈에서 우선 개인정보 보호에 대한 의무규정을 명시하고, 이러한 정보가 전자적 수단에 의해 국경을 넘어 이전되는 경우, 그리고 이러한 개인정보를 담고 있는 컴퓨팅 설비의 위치에 대한 문제까지 하나의 큰 틀에서 해결하고자 하였다.[127] 이는 단순히 개인정보의 보호를 명시한 것에서 벗어나, 디지털경제의 발전에 따라 개인정보가 디지털무역에서 가치를 갖는 일종의 재화로서 간주될 때 발생할 수 있는 법적 쟁점들을 해결하기 위한 의미 있는 시도라고 평가할 수 있다. 한편, 온라인 소비자 보호에서도 DEPA는 사기와 기만행위를 구체적으로 열거하는 등 이제까지 이루어진 디지털무역협정 중 가장 폭넓은 규정을 두고 있다.[128] 마지막으로 ASDEA 역시 개인정보 보호와 온라인 소비자 보호에 있어 USMCA와 DEPA에서의 내용과 유사한 명시적 규정을 두고 있으며,[129] 개인정보 보호에서 'APEC 국경간 프라이버시 규칙'(APEC Cross-Border Privacy Rules(CBPR) 시스템의 원칙을 이용할 수 있도록 규정하였다.[130] 이처럼 개인정보 보호와 온라인 소비자 보호는 디지털경제가 발전함에 따라 규범적으로도 다양한 기준을 통합하여 제도화 되어가는 경향을 나타내고 있다.

---

125) USMCA 제19.7조.
126) 미일디지털무역협정 제14조 및 제15조 참조.
127) DEPA 제4.2조-제4.4조 참조.
128) DEPA 제6.3조.
129) ASDEA 부속서A 제15조 및 제17조 참조.
130) APEC의 CBPR시스템은 전자상거래의 활성화와 회원국 간 안전한 개인정보의 상호 이전을 위해 2011년 개발한 글로벌 개인정보보호 인증체계로, APEC 프라이버시 원칙에 기초한 50가지 인증기준으로 구성되었으며, 개인정보 국외이전 시 기업의 개인정보보호 수준을 파악할 수 있는 기준으로 활용되고 있다. 이에 대한 좀 더 자세한 내용은 http://cbprs.org 참조 (2022년 1월 11일 최종접속)

2) 소스코드 공개 금지

소스코드 공개 요구 금지, 또는 강제 기술이전이나 특정 기술 적용 금지 규정은 디지털무역의 자유화 요소임과 동시에 해당 기술을 보유한 개인 또는 법인의 권리를 보호하는 이중적 질서를 갖는다. 해당 쟁점에 대하여 2022년 1월 현재 우리나라가 체결한 FTA 중 동 사안을 직접 다루는 FTA는 존재하지 않는다. 그러나 해당 쟁점은 CPTPP에서 당사국의 의무사항으로 다루어졌다. 즉, 어떤 당사국도 자국 영역 내에서 해당 소프트웨어 또는 소프트웨어가 포함된 제품의 수입, 배포, 판매 또는 사용을 위한 조건으로 다른 당사자가 소유한 소프트웨어의 소스코드의 이전 또는 접근을 요구할 수 없다.[131] 동 조항은 일반적인 시장에 판매되는 소프트웨어나 이를 포함한 제품을 대상으로 하며, 국가 중요 기반시설에 사용되는 소프트웨어에는 적용되지 않는다.[132] 다만, 상업적 협상에 의해 체결된 계약에 소스코드 제공과 관련된 조건이 포함된 경우나, 또는 동 협정에 합치하는 법률이나 규칙을 준수하기 위해 소프트웨어에 필요한 소스코드를 수정하는 경우는 가능하다.[133]

USMCA는 CPTPP의 소스코드 규정과 유사한 내용의 의무규정을 두고 있다. 특히 USMCA는 "어떤 당사국도 자국 영역 내에서 해당 소프트웨어 또는 소프트웨어가 포함된 제품의 수입, 배포, 판매 또는 사용을 위한 조건으로 다른 당사자가 소유한 소프트웨어의 소스코드 또는 소스코드에 표현된 알고리즘의 이전 또는 접근을 요구할 수 없다."고 명시하였다.[134] 이는 USMCA가 기존 CPTPP의 소스코드 공개요구 금지에 더하여 알고리즘에 대한 공개요구도 금지함으로써 보호범위를 넓히고 있다.

미일디지털무역협정 역시 앞서 USMCA에서의 소스코드 공개요구 금지 원칙과 유사한 내용을 포함하고 있다.[135] 그러나 미일디지털무역협정이 앞선 디지털무역협정들과 다른 점은 소스코드 공개요구 금지와 별개로 암호화 기술을 사용한 정보통신기술(ICT) 제품에 대해 특정 암호화 기술을 사용하거나 해당 암호화

---

131) CPTPP 제14.17조 1항.
132) CPTPP 제14.17조 2항.
133) CPTPP 제14.17조 3항.
134) USMCA 제19.16조 1항.
135) 미일디지털무역협정 제17조.

기술의 공개 요구를 금지하는 의무규정을 두었다는 점이다.[136] 이처럼 ICT 제품
에 특정 암호화 기술을 사용하도록 요구하거나, 동 제품에 사용된 암호화 기술에 대
한 정보를 요구하는 것을 금지한 조항은 이전 CPTPP에서는 기술무역장벽(Technical
Barriers to Trade: TBT)에서 규정한 내용을 디지털무역협정에 포함시킨 것으로 동
협정이 CPTPP와 차별되는 구조적 특징을 나타낸다.[137]

한편, DEPA는 소스코드 공개요구 금지에 대한 명시적 규정을 두고 있지 않
다. 다만, DEPA는 미일디지털무역협정에서 나타난 ICT 제품에 대한 정보요구 금
지와 유사한 내용을 포함하고 있다.[138] 다만, 동 조항은 직접적인 암호화 기술에
대한 정보요구 금지와는 달리 TBT 규범에 따른 기술규제나 적합성평가를 위한
절차적인 측면에서의 접근이 좀 더 강하다는 차이가 있다.

마지막으로 ASDEA는 지금까지의 논의결과를 종합적으로 정리한 디지털통상
규범으로 보인다. 즉, 동 협정은 소프트웨어의 소스코드에 대한 접근과 이전을
요구할 수 없다는 공개요구 금지 원칙을 명시적 의무로 규정하고 있다.[139] 또한
동 협정은 미일디지털무역협정 이후 제기된 암호화 기술을 사용한 ICT 제품을 대
상으로 하는 TBT 규범상의 내용 역시 포함하여 동 쟁점을 디지털무역협정의 한
부분으로 다룸으로써 종합적인 보호를 제공하고 있다.[140] 이러한 소스코드 공개
금지는 디지털무역에서 암호화가 포함된 ICT 제품 등과 관련하여 표준이나 적합
성 평가 등 TBT 규범에 따라 제기될 수 있는 보다 복잡한 통상법 쟁점들을 불러
올 가능성이 있다.

3) 스팸메시지 규제

요청되지 않는 상업적 전자메시지, 소위 '스팸메시지'에 대하여 한-미 FTA는
명시적 규정을 두고 있지 않다. 그러나 이후 CPTPP는 스팸메시지 방지를 위하여
수신자의 명시적 동의를 요구하는 등 다양한 조치들을 당사국들이 채택하고 유
지해야 하는 의무로 규정하고 있다.[141] 이는 USMCA에서도 의무사항으로 명시하

---

136) 미일디지털무역협정 제21조 3항.
137) 예를 들어 CPTPP 제8장(기술무역장벽) 부속서 8-B는 ICT 제품 관련 내용을 명시하고
    있고, 동 부속서의 내용 대부분은 미일디지털무역협정 제21조에 반영되고 있다.
138) DEPA 제3.4조 3항.
139) ASDEA 부속서A 제28조 1항. 다만, 동 협정에서는 USMCA에 규정된 소스코드에 표현된
    알고리즘은 명시적으로 규정하고 있지 않다.
140) ASDEA 부속서A 제7조.

고 있고,[142] 미일디지털무역협정, DEPA, ASDEA 등 현재 대부분의 디지털무역협정에서 유사하게 규정하고 있다.[143]

(3) 개방성 및 디지털무역의 자유화

1) 데이터의 국경 간 이전

개인정보를 포함한 데이터의 국경 간 이동의 문제는 현재 디지털무역의 자유화를 위한 논의의 핵심이다. 동 쟁점이 문제가 되는 이유는 디지털무역에서 데이터의 이동, 특히 개인정보의 해외 이전의 자유와 관련하여 국가들의 입장이 차이를 나타내기 때문이다. 예를 들어 미국은 국경 간 데이터의 자유로운 이동을 보장하고, 데이터의 국외이전에 대한 제한 조치를 없애자는 입장을 보인다. EU 역시 기본적으로는 국경 간 데이터의 자유이동에 찬성하는 입장이다. 다만 EU는 개인정보 보호나 소비자 보호에는 좀 더 엄격한 기준을 제시하고 있다. 즉, EU 역내에서는 정보의 자유이동을 보장하지만, 개인정보를 역외로 이전할 때 상대국이 '적정한 보호수준'을 갖추지 못하는 경우 해당 정보의 국경 간 이전은 금지된다.[144] 한편, 중국은 개인정보를 포함한 데이터를 국가안보 자산으로 평가하고 있으며, 이에 대한 국외 이전을 강력히 제한하고 있다.[145] 이처럼 국가들마다 데이터, 특히 개인정보의 국외이전에 대하여 서로 다른 입장을 취하고 있기 때문에 이를 규율할 수 있는 일반적이고 보편적인 디지털통상규범은 아직까지 마련되지 못하고 있다.

개인정보를 포함하는 데이터의 국경 간 이동 등과 관련하여 한-미 FTA는 "무역을 원활히 함에 있어 정보의 자유로운 흐름의 중요성을 인정하고 ⋯ 양 당사국은 국경간 전자 정보 흐름에 불필요한 장벽을 부과하거나 유지하는 것을 자제하도록 노력한다."고 규정하여 비록 의무조항은 아니지만 데이터의 국경 간 이동에 대한 협력조항을 두고 있다.[146] 한-미 FTA 체결 이후 데이터의 국경 간 이동에 대한 논의는 디지털무역의 자유화에 핵심쟁점이 되었고, 이는 CPTPP에서

---

141) CPTPP 제14.14조.
142) USMCA 제19.13조.
143) 미일디지털무역협정 제16조, DEPA 제6.2조 및 ASDEA 제19조 참조.
144) KOTRA, 앞의 주4), p.15 참조.
145) 앞의 주, p. 16 참조.
146) 한-미 FTA 제15.8조.

기본적인 체계를 갖추게 되었다.

CPTPP는 '전자적 수단에 의한 정보의 국경 간 이전'이라는 제목으로 각 당사국이 정보이전에 관한 규제요건을 마련할 수 있음을 인정하고, 각 당사자는 이러한 활동이 해당 대상자의 사업 수행을 위한 경우 개인 정보를 포함한 전자 수단을 통한 정보의 국가 간 이전을 허용해야 한다고 하여 정보의 국경 간 이동의 자유를 의무규정으로 보장하고 있다.[147] 동시에 동 협정은 당사국이 정당한 공공정책 목적을 달성하기 위한 조치를 채택하거나 유지할 수 있다는, 소위 '정당한 공공정책 목표'(LPPO)의 예외를 명시적으로 인정하고 있다.[148] 다만, 동 조항에 따라 예외로 인정되기 위한 조치는 (ⅰ) 자의적이거나 정당화 될 수 없는 차별의 수단이거나 또는 무역에 대한 위장된 제한을 구성하는 방법으로 적용되어서는 안되며, (ⅱ) 목적 달성에 요구되는 것보다 더 큰 정보 전송에 대한 제한을 부과하지 않아야 한다.[149] 또한 투자와 금융서비스 등이 전자적으로 이루어지는 경우 동 의무는 적용되지 않는다는 범위에서의 제한도 존재한다.[150]

데이터의 국경 간 이전에 관한 CPTPP의 규정은 이후 USMCA에서도 거의 동일하게 유지되고 있다. 즉, USMCA는 전자적 수단에 의한 정보의 국경 간 이전이 대상자의 사업 수행을 위한 활동인 경우 이를 금지하거나 제한할 수 없다는 의무를 명시하고 있다.[151] 다시 말해, 동 조항은 정보이전의 자유원칙을 강화한 것으로, 해당 정보의 이전을 '금지'하는 것뿐만 아니라 이를 '제한'하는 것 역시 금지된다. 또한 동 협정은 CPTPP에서의 두 번째 예외조건, 즉 '목적 달성에 필요한 수준 이상의 제한을 부과하지 말 것'에 따라 이루어지는 조치가 경쟁조건의 변경을 통해서 이루어지는 경우에는 이러한 예외에 해당하지 않는다는 점을 명시하고 있다.[152] 결국, USMCA에 규정된 데이터의 국경 간 이전은 CPTPP의 내용을 좀 더 강화하고, 그 예외에 있어서는 좀 더 엄격한 조건을 두고 있음 알 수 있다.

한편, 미일디지털무역협정은 앞서 검토한 USMCA의 해당 조항과 표현에서 약간의 차이만 있을 뿐 거의 동일한 구조와 내용으로 데이터의 국경 간 이전에

---

147) CPTPP 제14.11조 1항 및 2항.
148) CPTPP 제14.11조 3항.
149) 앞의 주.
150) CPTPP 제14.2조 4항 및 5항 참조.
151) USMCA 제19.11조 1항.
152) USMCA 제19.11조 2항(b)의 각주 5.

대한 문제를 규율하고 있다. 다만, 미일디지털무역협정은 CPTPP나 USMCA와는 달리 금융서비스 컴퓨팅 설비의 현지화 요구를 금지하고 있으므로, 이를 통해서 해당 금융서비스와 관련된 데이터는 양 당사국 간에 자유로운 이동을 보장하고 있다는 해석이 있다.[153]

마지막으로 DEPA는 CPTPP의 관련 조항과 거의 동일한 내용으로 동 사안을 규정하고 있고,[154] ASDEA도 CPTPP와 유사한 조항을 두고 있다.[155] 다만, ASDEA 는 미일디지털무역협정과 마찬가지로 금융서비스를 위한 컴퓨팅 설비 현지화 요구를 금지하는 조항을 두고 있어서 이를 통해 당사국 간에 금융서비스 관련 데이터를 자유롭게 이전할 수 있다는 해석이 가능하다.[156] 특히, 동 협정만의 특징적 측면으로는 데이터 혁신의 한 요소로 전자적 수단에 의한 정보의 국경 간 이전을 명시하고 있다는 점을 들 수 있다.[157]

이상에서 검토한 데이터의 국경 간 이전, 특히 개인정보를 포함한 데이터의 이전은 결국 디지털무역협정을 바라보는 국가들의 입장에 따라 그 범위와 정도가 결정될 것으로 보인다. 또한 데이터 이전을 규정하는 경우, 그 예외는 어떻게 제한 할 것인지 여부에 대하여 USMCA의 '필요성' 테스트는 국제통상법의 오래된 주제를 환기시킨다. 그럼에도 불구하고 데이터의 국경 간 이전의 문제가 디지털 무역협정에서 의무조항으로 다루어진다는 사실 그 자체는 디지털통상규범의 발전과정에 중요한 의미를 더할 것으로 보인다.

2) 컴퓨팅 설비 현지화

디지털무역 논의에서 컴퓨팅 설비의 현지화 문제는 또 다른 핵심 쟁점 중 하나이다. 동 사안은 일종의 '국내화 요건'(localization requirement)의 문제로 디지털 무역에서는 개인정보를 포함하는 데이터를 저장하는 서버의 위치가 문제가 된다. 다만, 우리나라가 체결한 FTA에서 동 쟁점에 대하여 명시적 규정을 둔 것은 없다. 컴퓨팅 설비 현지화, 즉 데이터 저장시설(서버)의 국내유지 요구 금지의 문제

---

153) 곽동철, "FTA 디지털무역과 기술표준", 안덕근·김민정, 「지역무역체제와 기술표준 협상」, 박영사, 2020년, pp. 127-128 참조.
154) DEPA 제4.3조.
155) ASDEA 부속서A 제23조.
156) ASDEA 부속서A 제25조.
157) ASDEA 부속서A 제26조.

를 본격적으로 다룬 것은 CPTPP에서 비롯된다.

CPTPP는 우선 각 당사국이 컴퓨팅 설비의 사용과 관련하여 자국의 규제요건을 마련할 수 있음을 인정한다.[158] 그러나 이는 일종의 선언적 규정이고, 실체법적 내용으로 동 협정은 "어느 당사자도 다른 당사자에게 해당 당사자 영역에서 사업을 수행하기 위한 조건으로 해당 당사자 영역에서 컴퓨팅 설비를 사용하거나 위치를 지정하도록 요구해서는 안 된다."는 명시적 의무를 규정하고 있다.[159] 한편, 동 협정은 당사국이 정당한 공공정책 목적을 달성하기 위한 조치를 채택하거나 유지할 수 있다는, 소위 '정당한 공공정책 목표'(LPPO)의 예외를 명시적으로 인정하고 있다.[160] 다만, 동 조항에 따라 예외로 인정되기 위한 조치는 (ⅰ) 자의적이거나 정당화 될 수 없는 차별의 수단이거나 또는 무역에 대한 위장된 제한을 구성하는 방법으로 적용되어서는 안 되며, (ⅱ) 목적 달성에 요구되는 것보다 더 큰 컴퓨팅 설비의 위치 또는 사용에 대한 제한을 부과하지 않아야 한다.[161] 또한 동 협정은 투자와 금융서비스 등이 전자적으로 이루어지는 경우 동 의무는 적용되지 않는다는 제한도 존재한다.[162]

이러한 컴퓨팅 설비 현지화 금지 요건에 대하여 USMCA는 CPTPP의 해당 조항과 유사한 내용의 명시적 의무조항을 두고 있다.[163] 다만, USMCA는 CPTPP와는 달리 동 의무조항 이외에 동 쟁점에 대한 일반적 선언적 규정이나 '정당한 공공정책 목표'(LPPO)와 같은 예외 규정을 두고 있지 않으며, 대신 GATS 제ⅩⅣ조 일반적 예외 조항의 (a), (b) 및 (c)호가 디지털무역에 적용될 수 있음을 명시하고 있다.[164] 이와 같이 GATS 제ⅩⅣ조 일반적 예외에 따른 컴퓨팅 설비 현지화 금지에 대한 예외는 CPTPP의 예외 규정에 비하여 제한적인 것으로 이해된다.[165]

한편, 미일디지털무역협정도 컴퓨팅 설비 현지화 요구 금지에 대한 실체법적 의무규정을 두고 있다.[166] 또한 동 협정은 "어느 당사자도 금융 서비스 공급자가

---

158) CPTPP 제14.13조 1항.
159) CPTPP 제14.13조 2항.
160) CPTPP 제14.13조 3항.
161) 앞의 주.
162) 앞의 주150) 참조.
163) USMCA 제19.12조.
164) USMCA 제32.1조 2항.
165) 박노형·정명현, 앞의 주26), 207면 참조.
166) 미일디지털무역협정 제12조.

해당 영역에서 비즈니스를 수행하기 위한 조건으로 해당 당사자 영역에서 금융 서비스 컴퓨팅 설비를 사용하거나 위치를 지정하도록 요구해서는 안 된다."고 규정하여 금융서비스 분야에서도 컴퓨팅 설비 현지화 요구 금지가 적용됨을 명시하고 있다.[167]

그밖에 DEPA는 CPTPP의 관련 조항과 거의 동일한 내용으로 동 사안을 규정하고 있고,[168] ASDEA 역시 CPTPP의 컴퓨팅 설비 위치 조항과 유사한 내용을 두고 있다.[169] 다만, ASDEA는 앞서 데이터의 국경 간 이전에서 언급했던 것처럼 미일디지털무역협정과 동일한 구조로 금융서비스를 위한 컴퓨팅 설비 현지화 요구를 금지하는 조항을 두고 있다.[170]

결국, 앞서 검토한 데이터의 국경 간 이전과 함께 컴퓨팅 설비의 현지화 문제는 디지털무역의 자유화를 결정하는 핵심내용이 된다. 따라서 CPTPP 이후 체결된 많은 디지털무역협정들이 동 사안에 대하여 명시적인 규정을 두고 있다는 점은 디지털통상규범의 발전적 측면으로 이해할 수 있다. 반면에 디지털무역협정의 적용 범위가 파편화 되는 현상이나, 컴퓨팅 설비 현지화 관련 조항의 형식에 있어 의무와 예외를 한 조항에서 규정하는 CPTPP 방식과, 의무는 디지털무역협정에 명시하지만 해당 조항의 예외는 일반조항을 통해 해결하는 USMCA 방식의 선택의 문제는 향후 당사국들의 예외의 적용과 해석에 대한 문제가 제기될 수 있을 것으로 보인다.

3) 디지털제품의 비차별

디지털제품에 대한 비차별은 WTO에서 전자상거래 논의가 시작된 이후 지금까지 계속되는 디지털무역의 전통적인 쟁점이다. 우리나라의 경우 디지털제품에 대한 비차별 대우가 FTA에 포함된 것은 2006년 3월 발효된 한-싱가포르 FTA에서부터이고,[171] 한-미 FTA에서는 이를 좀 더 제도화 하였다. 즉, 한-미 FTA는 당사국에게 디지털제품의 교역에 내국민대우와 최혜국대우 의무를 부과하고 있으며,[172] 동 조항은 향후 미국이 체결하는 FTA에서 일종의 모델규범이 되었다.[173]

---

167) 미일디지털무역협정 제13조.
168) DEPA 제4.4조.
169) ASDEA 부속서A 제24조.
170) ASDEA 부속서A 제25조.
171) 한-싱가포르 FTA 제14.4조 3항.

CPTPP는 이러한 전자상거래 상의 디지털제품에 대한 비차별대우 의무를 좀 더 명확하게 규정하고 있다. 즉, 동 협정에서는 "어떤 당사국도 다른 당사국의 영토 내에서 창작, 제작, 발행, 계약, 발주 또는 상업적 조건으로 최초 이용 가능하게 된 디지털제품에, 또는 그러한 디지털제품의 저작자, 실연자, 제작자, 개발자 또는 소유자가 다른 당사국의 사람인 경우 해당 디지털제품에 덜 호의적인 대우를 부여해서는 안 된다."는 의무규정을 두고 있다.174) 다만, 동 의무조항은 제18장, 즉 지적재산과 관련된 권리와 의무에 합치하는 경우에만 적용되며, 방송에는 적용되지 않는다.175) CPTPP는 한-미 FTA의 디지털제품에 대한 비차별 대우 논의에서 많은 비판이 있었던 다른 당사국 영토 내에서 저장(stored)과 전송(transmitted), 그리고 배포자(distributor)에 대한 조건을 삭제함으로써 구조적인 합치성을 이루었다. 또한 한-미 FTA에서 존재했던 디지털제품에 대한 최혜국대우 조항을 삭제하고 내국민대우 조항만으로 비차별 의무를 규정한 것은 양자 FTA 및 지역적 RTA가 갖는 본래의 취지를 반영한 것으로 이해된다.

이러한 경향은 USMCA에서도 그대로 나타난다. 동 협정에서 디지털제품에 대한 비차별 대우는 CPTPP의 해당 조항을 거의 그대로 가져왔다.176) 다만, USMCA는 기존 CPTPP에서 제한을 두었던 지적재산과 관련된 내용이나, 방송의 경우 동 조항이 적용되지 않는다는 조항을 삭제하였다는 차이가 있다.

또한 미일디지털무역협정에서도 디지털제품에 대한 비차별 대우 의무는 기존 협정들의 내용과 거의 동일하다.177) 다만, 동 협정은 지적재산권과 관련하여 비차별 대우 의무가 적용되지 않는 범위를 좀 더 구체화 하고 있으며, 특히 방송의 경우 외국 자본의 참여 수준을 제한하는 조치를 채택하거나 유지하는 것을 금지하지 않는다는 명시적 규정을 두어 CPTPP에서 규정했던 방송에 대한 동 조항의 미적용 부분을 보다 명확히 하였다.178)

---

172) 한-미 FTA 제15.3조.
173) 한-미 FTA 전자상거래 장의 디지털제품의 비차별 대우에 대한 보다 자세한 분석과 평가는 권현호, "한·미 FTA 전자상거래 협상에서의 통상법적 쟁점", 「통상법률」 통권 제75호, 2007년 6월, pp. 120−130면 참조.
174) CPTPP 제14.4조 1항.
175) CPTPP 제14.4조 2항 및 4항.
176) USMCA 제19.4조.
177) 미일디지털무역협정 제8조 1항.
178) 미일디지털무역협정 제8조 3항 및 4항.

한편, DEPA와 ASDEA의 경우 디지털제품에 대한 비차별 대우 조항은 기존 CPTPP의 해당 조항과 거의 동일하게 규정되어 있다.[179] 다만, DEPA의 경우 모듈 3의 제목 자체를 '디지털제품과 관련 쟁점들의 처리'로 규정하여 동 쟁점을 독립하여 다루고 있다는 점이 특징이다.

결국, 디지털제품에 대한 비차별 대우는 한-미 FTA를 비롯하여 다양한 디지털협정들에서 명시적인 의무조항으로 체결됨에 따라 동 분야의 통상규범으로서 확고한 틀을 갖춘 것으로 보인다. 특히, 미국이 주도하는 FTA 및 RTA에서 디지털제품에 대한 비차별 대우가 완전한 의무조항으로 체결되었다는 점은 의미가 있다. 이는 자국 관련 산업의 경쟁력을 토대로 WTO를 통한 다자간 협상에서는 합의되지 못한 동 쟁점을 양자 및 지역 간 협정을 통해 해결함으로써 소위 디지털제품에 대한 모델규범(model law)을 설정하고, FTA 네트워크의 확산을 통해 디지털무역의 자유화를 이루고자 하는 미국의 의도를 반영한 것으로 평가할 수 있다.

3. 새로운 디지털통상규범 제정을 위한 노력

디지털 기술과 환경의 변화는 관련 규범의 발전과 변경을 이끌고 있다. 이는 기존에 존재하였으나 규율하지 못했던 분야에 대한 규범일 수도 있고, 또는 새롭게 등장한 분야에 대한 규범일 수도 있다. 이하에서는 CPTPP 이후 디지털무역협정에 포함된 새로운 규범들 중 일부 쟁점들에 대해서 간략히 살펴본다.

1) 플랫폼 사업자의 책임

플랫폼 사업자의 책임 문제는 해당 사업자를 통해 전달되거나 공유되는 콘텐츠에 대한 책임이 플랫폼 사업자에게 있는지 아니면 콘텐츠 제공자에게 있는지 여부에 대한 것이다. 이에 대해 USMCA는 처음으로 동 사안에 대한 명문의 규정을 두었다. 즉, 동 협정은 "양방향 컴퓨터 서비스의 공급자 또는 사용자가 해당 정보의 전체 또는 일부를 만들거나 발전시키는 경우를 제외하고, 어떤 당사국도 해당 서비스에 의해 저장, 처리, 전송, 배포 또는 제공되는 정보에 관련된 피해의 책임을 결정함에 있어 양방향 컴퓨터 서비스의 공급자 또는 사용자를 정보 콘텐츠 공급자로 취급하는 조치를 채택하거나 유지해서는 안 된다."고 명시하여 플랫

---

179) DEPA 제3.3조, ASDEA 부속서A 제6조.

폼 사업자의 면책 원칙을 의무로 규정하고 있다.[180] 또한 동 협정에 따르면 이처럼 플랫폼 사업자의 책임이 면제되는 경우를 선의에 의해 자발적으로 이루어진 조치나, 다른 사람들에게 불쾌하거나 유해한 것으로 간주되는 자료에 대한 접근을 제한할 수 있는 기술적 수단을 가능하게 하거나 사용 가능하도록 취해진 조치의 경우에는 어떤 당사국도 양방향 컴퓨터 서비스의 공급자 또는 사용자에게 책임을 부과할 수 없다.[181] 이러한 내용은 거의 동일하게 미일디지털무역협정에서도 규정하고 있다.[182]

2) 인공지능

디지털무역과 관련된 인공지능(Artificial Intelligence: AI)의 통상규범 문제는 DEPA에서 처음 제기되었다. 동 협정은 인공지능 기술의 사용과 채택이 디지털 경제에서 광범위하게 증가하고 있음을 인식하고, 이에 따른 윤리적 중요성과, 인공지능 기술의 신뢰할 수 있고, 안전하며 책임있는 사용을 위한 지배구조(governance frameworks)의 중요성을 강조한다.[183] 이를 위해 동 협정은 당사국에게 인공지능 기술의 신뢰할 수 있고 안전하며 책임있는 사용을 지원하는 윤리적인 지배구조의 채택을 촉진하기 위해 노력해야 할 의무를 부과한다.[184] 특히, AI 지배구조를 채택할 때 동 협정은 당사국에게 설명 가능성, 투명성, 공정성 및 인간중심의 가치 등을 포함하여 국제적으로 인정된 원칙 또는 지침을 고려할 것을 명시하고 있다.[185] 이러한 인공지능에 대한 통상법적 규율은 ASDEA에서도 유사하게 규정되어 있다.[186] 다만, 이러한 법규범들은 의무조항으로 설정되어 있으나, 실질적으로는 당사국의 노력을 촉구하는 것으로 아직 형성중인 규범, 즉 연성법(soft law)으로서의 특징을 보여준다.

3) 블록체인

지금까지 검토된 디지털무역협정에서 블록체인을 명시적으로 규율하는 통상

---

180) USMCA 제19.17조 2항.
181) USMCA 제19.17조 3항.
182) 미일디지털무역협정 제18조.
183) DEPA 제8.2조 1－2항 참조.
184) DEPA 제8.2조 3항.
185) DEPA 제8.2조 4항.
186) ASDEA 제31조.

규범은 존재하지 않는다. 다만, 앞서 소스코드 공개요구 금지에서 언급한 것처럼 암호화 된 정보통신기술 제품(소위 ICT제품)에 대한 공개요구 금지 조항은 블록체인 기술의 발전과 더불어 주목받고 있다. 이에 대해서는 미일디지털무역협정에서 소스코드 공개요구 금지와 별개로 암호화 기술을 사용한 ICT 제품에 대해 특정 암호화 기술을 사용하거나 해당 암호화 기술의 공개 요구를 금지하는 의무규정을 두었다.[187] 또한 DEPA는 미일디지털무역협정에서 나타난 ICT 제품에 대한 정보요구 금지와 유사한 내용을 포함하고 있고,[188] ASDEA는 미일디지털무역협정 이후 제기된 암호화 기술을 사용한 ICT 제품을 대상으로 하는 TBT 규범상의 내용을 포함하여 동 쟁점을 디지털무역협정의 한 부분으로 다룸으로써 종합적인 보호를 제공하고 있다.[189] 특히, ASDEA는 디지털무역에서 표준 및 적합성 평가 절차 등 TBT 협정의 기술표준에 대한 논의를 명시적으로 규정한 최초의 협정이라는 점에서 의미를 갖는다.[190]

4) 기타

그밖에 인터넷 접근과 이용에 관한 원칙,[191] 사이버 보안 문제에 대한 협력,[192] 디지털 신원(Digital Identities),[193] 경쟁정책의 협력,[194] 핀테크(FinTech)[195] 등 기술 발전에 따라 제기될 수 있는 다양한 쟁점들이 현 디지털무역협정들에서 논의되고 있다.

제 4 절   디지털통상규범 정립과 한계

지금까지의 논의를 살펴볼 때, 디지털경제를 둘러싼 환경은 기술의 발전에

---

187) 미일디지털무역협정 제21조 3항.
188) DEPA 제3.4조 3항.
189) ASDEA 부속서A 제7조.
190) ASDEA 부속서A 제30조.
191) CPTPP 제14.10조, USMCA 제19.10조, DEPA 제6.4조, ASDEA 부속서A 제20조.
192) CPTPP 제14.16조. USMCA 제19.15조, 미일디지털무역협정 제19조, DEPA 제5.1조 및 제5.2조, ASDEA 부속서A 제34조.
193) DEPA 제7.1조, ASDEA 부속서A 제29조.
194) DEPA 제8.4조, ASDEA 부속서A 제16조.
195) ASDEA 부속서A 제32조.

따라 급격히 변화하고 있지만, 디지털무역을 규율하는 보편적이고 일반적인 통상 규범은 아직 국가들의 충분한 공감대를 얻지 못한 것으로 보인다. 이는 기본적으로 디지털무역의 주요 쟁점들에 대한 국가들의 시각 차이에서 비롯된다. 즉, 세계 시장에서 자국의 경쟁력을 바탕으로 한 미국의 자유주의적 접근과, 역내 단일 시장 및 자국 기업의 보호를 염두에 둔 EU, 독자적인 시장을 바탕으로 국가안보 차원에서 동 사안을 접근하는 중국, 그리고 미래의 기회를 확보해야 함과 동시에 현재의 비교열위를 극복해야 하는 개발도상국들에 이르기까지 다양한 국가들의 요구를 모두 충족시키기에는 동 사안은 너무나 복잡한 법적 쟁점들을 포함한다.196)

결국, 디지털무역을 규율하는 통상협정을 마련하기 위해서는 이러한 국가들의 요구를 조정하고 다수의 국가들이 합의할 수 있는 규범이어야 하며, 동시에 지금까지 이루어진 다양한 디지털무역 관련 쟁점들에 대한 내용을 충분히 담아야 할 것이다. 이를 위해 당분간 WTO를 통한 다자적 접근과, 입장을 공유하는 국가들이 중심이 된 양자적 또는 지역적 무역규범을 통한 접근 등 두 가지 협상 방식이 병행될 것이다. 그러나 현재 WTO에서의 협상을 살펴보면 제12차 WTO 각료회의까지 완성된 다자간 디지털통상규범을 도출하는 것은 현실적으로 어렵다고 보인다.197) 설령 제12차 각료회의에서 동 분야에서의 합의안이 도출된다 하더라도 이는 그동안 협상참여국 간에 이견이 크지 않았던 분야에 한정될 것이고, 그 내용은 핵심 쟁점들이 빠진 낮은 수준에 합의에 불과할 것으로 예상된다. 그렇다면 WTO를 통한 다자간 디지털통상협정 체결을 위한 협상은 장기화 될 가능

---

196) 예를 들어, 빅데이터(Big Data)의 활용이나 AI 이용 등에 있어서는 데이터의 국경 간 이전과 관련된 쟁점이 제기될 가능성이 있고, 최근 제기되는 글로벌 가치 사슬(Global Value Chain)의 변화가 온라인 유통망과 연계될 경우 관련 산업에 대한 금융지원 등에 있어 보조금 이슈가 제기될 가능성도 존재한다. 또한 기존 방송과 OTT서비스가 융합되는 환경은 서비스의 분류와 기술중립성 등 전통적인 통상이슈뿐만 아니라 소위 '디지털세'(Digital Tax)나 인앱결제(In-App Purchase) 등 새로운 쟁점들도 야기한다.

197) 당초 WTO 제12차 각료회의는 2021년 11월 30일부터 12월 3일까지로 계획되었다. 그러나 코로나19 팬더믹 상황의 악화로 많은 국가들이 이동을 제한하고 있는 상황에서 제대로 된 회의 개최가 어렵게 되자 2021년 11월 26일 WTO 일반이사회는 전격적으로 제12차 각료회의의 무기한 연기를 결정하였다. 따라서 국가들이 동 쟁점들에 대해 협상을 지속할 시간적 여유를 확보하였으나 이러한 상황의 변화가 실제 결과로 이어질지는 장담하기 어려운 것이 사실이다. WTO, "General Council decides to postpone MC12 indefinitely" NEWS, 26 November 2021, https://www.wto.org/english/news_e/news21_e/mc12_26nov21_e.htm (2022년 1월 13일 최종접속)

성이 크고, 이러한 법적공백 상태를 극복하기 위해 국가들은 앞서 언급한 다양한 양자 및 지역협정들을 통해 균형을 맞춰갈 것으로 보인다.

따라서 지금까지 이루어진 양자 및 지역 무역협정을 통한 디지털무역의 규율 방법과 구조 및 주요 내용들은 그 자체가 디지털통상규범의 정립을 위한 일종의 모델규범(model law)이 될 수 있을 것으로 보인다. 즉, 과거에는 소수의 FTA 내에서 전자상거래의 일부 쟁점에 대하여 적용되던 통상규범이, 이제는 디지털무역과 관련된 다양한 쟁점들을 포함하는 독립적이고 체계화 된 디지털통상협정으로 발전한 것이다. 특히 CPTPP와 USMCA 이후 미국이 포함되지 않은 상태에서 체결된 DEPA와 ASDEA는 디지털통상협정의 구조와 내용이 어때야 하는지를 설명하는 최신의 모델규범이 된다.[198] 따라서 향후 디지털통상협정의 주된 방향과 내용은 이러한 규범들을 기초로 좀 더 구체화 되고 제도적인 완결성을 갖춰나갈 것으로 예상된다.[199]

이처럼 양자 및 지역적 규모에서 이루어지는 협상을 통해 성립되는 디지털통상협정이 현재로서는 국가들 간에 디지털무역을 규율하는 실질적이고 유효한 규범으로서 적용되고 있다. 그럼에도 불구하고 이러한 방식의 디지털통상규범은 다음과 같은 특징과 한계를 갖는다. 첫째, 법규범 주체의 소수성이다. 즉, 앞서 검토한 디지털통상규범 중 가장 많은 당사국을 가진 CPTPP조차 총 11개국에 머무르고 있고,[200] 우리나라가 체결한 '역내포괄적경제동반자협정'(RCEP)의 당사국은 아세안 10개국을 포함해도 총 15개국으로 한정된다. 따라서 아직까지 국제사회에서 보편성을 갖는 디지털통상규범을 기대하는 것은 어려운 상황이다. 둘째, 규율방식의 이중적 질서이다. 다시 말해 현재의 디지털통상규범은 이미 오래전부터 논의되었고 현재까지 해당 쟁점에 대한 규범의 틀이 잘 완성되어 있는 의무조항들과, 최근에 등장한 새로운 디지털무역 쟁점들에 대하여 국가 간 협력을 이끌

---

198) 이와 유사한 맥락으로 CPTPP와 USMCA는 디지털통상규범의 발전에 가장 중요한 전환점을 제공하였고, DEPA와 ASDEA는 디지털통상규범의 제도적 체계화를 촉진하였다는 평가가 있다. 김민정, 앞의 주93) 77면 참조.

199) 이러한 경향에 따라 우리나라도 기존에 체결한 FTA 전자상거래 장(chapter) 중 가장 포괄적이고 현대적인 수준으로 역내포괄적경제동반자협정(Regional Comprehensive Economic Partnership Agreement: RCEP) 내에 전자상거래 규범을 마련하였다. 즉, RCEP 제12장은 디지털무역의 핵심인 데이터의 국경 간 이전, 컴퓨팅 설비 현지화 금지, 사이버 보안 등 앞서 검토한 현대적 요소들을 모두 포함하고 있다.

200) 2022년 1월 13일 현재 기준으로 향후 CPTPP 가입국이 늘어날 경우 변동이 가능하다.

어 내기 위한 협력조항들이 혼재되어 있다. 셋째, 디지털통상규범의 네트워크 현
상이다. 이러한 현상은 양자 및 지역적 규모의 디지털통상협상을 주도하는 소수
의 국가들이 있고, 이러한 국가들의 요구에 찬성하는 다른 국가들이 FTA나 RTA,
또는 독립된 디지털무역협정을 통해 일종의 블록(block)을 형성함으로써 나타난
다. 이에 따라 해당 블록 내에 속해 있는 소수의 국가들은 동 규범이 추구하는
가치와 결과를 과점하는 결과를 초래하고, 이러한 현상은 디지털통상규범의 파편
화(fragmentation of digital trade law)로 이어질 가능성이 커진다. 넷째, 다층적 규범
으로서의 디지털통상규범의 성격 변화이다. 이는 향후 WTO를 통한 다자간 디지
털통상규범이 만들어진다는 가정에서 나타는 것으로, 보편적 규범으로서의 WTO
디지털통상규범과 양자 또는 지역적 디지털통상규범이 동일한 디지털무역의 쟁
점들을 다층적으로 규율하는 구조적 문제가 발생할 수 있다. 이러한 경우 단순한
중복규제의 문제뿐만 아니라, 다자규범과 양자규범의 규제수준의 차이가 현저히
나타나는 경우 당사국들의 이해에 따른 '규범쇼핑'(rule shopping)이나 선택적 법적
용이 나타날 수 있고, 이에 따른 분쟁의 가능성도 예상할 수 있다.

제27장
경쟁정책과 통상문제

제1절 개 관

국제통상법은 자유무역을 제한하는 정부 행위를 금지하는 국제법이고 경쟁법[1]은 시장경쟁을 제한하는 민간 사업자 행위를 금지하는 국내법이라는 점에서 양자는 구별되지만, 이들 모두 자유롭고 공정한 경쟁을 보장함으로써 경제 효율성과 후생 증진을 추구한다는 공통점을 갖는다.[2] 이러한 맥락에서 국제통상과 경쟁 이슈는 제1차 세계대전 종전 후 국제연맹의 1927년 제네바 세계경제회의[3]에서부터 1948년 국제무역기구 설립을 위한 하바나헌장[4]과 1996년 WTO 싱가포르

---

1) 세계 최초의 경쟁법은 1890년 미국 셔먼법(Sherman Antitrust Act)인데, 오늘날 100여개 국가가 경쟁법을 집행하고 있다. 한국 경쟁법인 「독점규제 및 공정거래에 관한 법률」(1981년 시행)은 주로 일본 「사적독점금지 및 공정거래 확보에 관한 법률」을 참조하여 제정된 것이고, 일본 경쟁법은 미국의 셔먼법, 클레이튼법(Clayton Act), 연방거래위원회법(Federal Trade Commission Act)을 모델로 제정된 것이다.

2) 국내 반덤핑법은 외국 수출기업의 국내 경쟁기업을 보호하기 위한 법이어서 낮은 가격의 수입품으로 혜택을 볼 수 있는 국내 소비자가 희생된다는 문제가 있다. 이 때문에 원가 미만의 가격설정은 경쟁법상 시장지배력 남용인 약탈적 가격행위(predatory pricing)로서 금지될 수 있다는 점에 착안하여 1990년대부터 반덤핑법이 경쟁법으로 대체될 수 있는지에 관한 논의가 있었다. 장승화, "WTO 체제하에서의 한국 반덤핑제도의 발전방향," 「서울대학교 법학」(1996), 제37권 2호, pp. 336-343; Daniel J. Gifford, Rethinking the Relationship between Antidumping and Antitrust Laws, 6 American University International Law Review 277 (1991); Raj Bhala, Rethinking Antidumping Law, 29 Geo. Wash. Int'l L. & Econ. 1 (1995); Wesley A. Cann, Jr., Internationalizing Our Views Toward Recoupment and Market Power: Attacking the Antidumping/Antitrust Dichotomy through WTO-Consistent Global Welfare Theory, 17 U. Pa. J. Int'l Econ. L. 69 (1996); Bernard Hoekman & Petros Mavroidis, Dumping, Antidumping and Antitrust, 30 J. World Trade 27 (1996) 등.

3) 당시 국제카르텔에 대한 대응 논의는 다음을 참조. David Gerber, Global Competition: Law, Markets, and Globalization(Oxford University Press, 2010), pp. 24-30.

각료회의[5]를 거쳐 2001년 WTO 도하(Doha) 각료회의[6]에 이르기까지 오랜 기간 동안 논의되었다. 그러나 각국의 서로 다른 이해관계로 인해 2004년 WTO 일반 이사회에서 무역과 경쟁정책 이슈는 공식 폐기되어,[7] 오늘날까지 WTO협정에는 민간기업의 경쟁제한행위를 직접 규율하는 실체법 조항이 없다.[8] 경쟁 이슈의 다자간 해결의 실패 이후 주요 경쟁법 집행 국가들은 양해각서,[9] 양자조약,[10] FTA

---

4) Havana Charter for an International Trade Organization (March 24, 1948), UN Doc. E/Conf. 2/78 (1948). 하바나헌장은 경쟁제한행위에 관한 9개의 실체법 및 절차법 조항(제46조 내지 제54조)을 두고, 국제무역기구가 경쟁제한행위를 조사하도록 하였다. 이 때문에 하바나헌장을 진정한 국제경쟁법(real international antitrust)으로 칭하기도 한다. Diane P. Wood, "The Impossible Dream: Real International Antitrust," 1992 *U. Chi. Legal F.* 277, p. 284.

5) 유럽의 제안으로 싱가포르 각료회의에서 '무역과 경쟁정책' 이슈가 새로운 통상의제로 등장하게 되었다. 싱가포르 각료회의는 "반경쟁적 영업행위를 포함한 무역과 경쟁정책 간의 상호작용에 관한 이슈를 연구하고, WTO의 틀 안에서 적절하게 논의될 수 있는 분야를 확정하기 위한" 작업반(Working Group on the Interaction between Trade and Competition Policy, 이하 "무역·경쟁 작업반")을 설치하기로 하였다. Singapore Ministerial Declaration (adopted on 13 December 1996), para. 20.

6) 도하 각료회의에서는 "국제무역에 대한 경쟁정책의 기여를 촉진하기 위한 다자간 체제의 사례"를 인정하고, 무역·경쟁 작업반에게 차기 2003년 각료회의 때까지 "투명성, 비차별 및 절차적 공정성 등을 포함한 핵심 원리; 하드코어 카르텔에 관한 조항; 자발적 협력 방식; 그리고 개발도상국의 능력배양을 통한 경쟁제도의 점진적 강화 등"에 대한 문제를 집중적으로 연구하도록 지시하였다. Doha Ministerial Declaration (adopted on 14 November 2001), para. 23. 그러나 2003년 칸쿤(Cancún) 각료회의에서 미국과 개발도상국들의 반대로 무역과 경쟁정책에 대한 컨센서스 도출은 불발로 끝났다.

7) 일반이사회는 경쟁 이슈는 "[도하]선언에서 설정된 작업 프로그램에서 제외하고 따라서 도하 라운드 기간 동안 WTO에서 더 이상 경쟁 이슈의 협상을 위한 작업은 진행하지 않는다"고 합의하였다. Decision Adopted by the General Council on 1 August 2004, WT/L/579, para. 1(g).

8) 다만 무역과 경쟁의 관계를 언급한 조항들이 있다: GATT 제17조 해석에 관한 양해각서 제 1 조; GATT 제 6 조 이행에 관한 협정 제3.5조; 무역관련투자조치에 관한 협정 제 9 조; 선적전검사에 관한 협정 제 2 조; 무역관련기술장벽에 관한 협정 제 3 조, 제 4 조, 제 8 조; 보조금 및 상계조치에 관한 협정 제 6 조, 제15:5조; 긴급수입제한조치에 관한 협정 제11:1 조 (b)항; 서비스무역에 관한 일반협정 제 8 조, 제 9 조; 기본통신서비스협정 부속서 Reference Paper; 무역관련지적재산권에 관한 협정 제 7 조, 제8.2조, 제40조; 금융서비스 약속에 관한 양해각서 제 1 조, 제10조. 이들 조항은 WTO 회원국에게 자국 기업의 경쟁제한 행위를 직접 규제할 의무를 부과하지 않고 각국 경쟁법 집행의 조화·협력 문제도 다루지 않기 때문에, 국제경쟁법으로 보기는 어렵다.

9) 양자조약 또는 FTA 경쟁챕터를 체결하기에 앞서, 경쟁당국 차원에서 경쟁법 집행 협력과 관련하여 양해각서("MOU")부터 체결하는 경향이 있다. 예컨대, 한국과 유럽연합은 2005년에 경쟁법 집행 협력을 위한 MOU를 먼저 체결하고, 이로부터 4년이 지난 2009년에 양자조약을 체결하였으며, 2010년 FTA에 경쟁챕터를 포함시켰다.

10) 예컨대 경쟁법 역외적용에 가장 적극적인 미국이 독일, 호주, EC, 캐나다, 일본, 이스라엘,

의 경쟁챕터(Competition Chapter)[11]를 통해 절차법적 측면에서 양자간 협력을 모색하고 있는 실정이다.

　한편 글로벌 경쟁 이슈는 UNCTAD[12], OECD[13], 뮌헨그룹(Munich Group),[14] 국제경쟁네트워크(International Competition Network, "ICN")[15]에서 활발하게 논의되어 왔는데, 오늘날에는 주로 OECD와 ICN에서 각국의 경쟁법 집행 사례 연구를 통한 조화 모색이 논의되고 있다. 그럼에도 불구하고 경쟁법 모델에 가장 큰 영향을 미치는 미국과 유럽의 법리가 가격담합과 같은 부당공동행위를 제외하고는 시장지배력 남용과 기업결합 문제에서 크게 달라서 실체법적 조화는 극히 어려워 보인다. 이를 반영하여 오늘날 글로벌 경쟁 이슈는 "경쟁법의 집행 방식에 관한 특정 사례에 대한 논의, 경험의 공유, 상호 교육 등과 같은 국내 및 지역 경쟁법의 연성적 조화"로 설명되기도 한다.[16] 최근에는 표준필수특허(Standard Essential Patents)를 보유한 기업이 공정하고 합리적이며 비차별적인(이른바 FRAND) 조건으로 라이선스를 부여하기로 선언한 경우 특허침해를 이유로 미국 국제무역법원(The United States Court of International Trade)에 수입금지명령을 청구하는 행위가 시장지배력 남용으로서 경쟁법에 위반되는지 여부가 논의되었고, 경쟁법이 위장된 무역제한 수단으로 악용될 수 있다는 지적도 있다.[17]

　이처럼 2004년 WTO에서 무역과 경쟁 이슈가 폐기된 이후에도 글로벌 경쟁 이슈는 다양한 방식으로 꾸준히 논의되고 있는데, 국내 경쟁법 집행 문제도 글로

브라질, 칠레와 체결한 경쟁법 집행 관련 양자조약.

11) 예컨대, 한국이 체결한 한·미 FTA 제16장, 한·EU FTA 제11장, 한·싱가포르 FTA 제15장, 한·칠레 FTA 제14장, 한·EFTA FTA 제5장.

12) 2007년 개발도상국을 위한 경쟁모델법(Model Law of Competition, TD/RBP/CONF.5/7/Rev.3)을 제안하였다.

13) OECD는 1995년부터 현재까지 매년 카르텔, 시장지배력 남용, 기업결합 규제 등과 관련한 경쟁정책 모범관행을 제시하고 있다. OECD Best Practice Roundtables on Competition Policy, ⟨http://www.oecd.org/competition/roundtabls.htm⟩.

14) 미국·유럽·일본 경쟁법 학자들로 구성된 뮌헨그룹은 1993년 국제독점금지모범법전(Draft International Antitrust Code)을 만들어 GATT에 제출하였다. Gerber, *supra* note 3, pp. 101-102.

15) 2001년 미국 주도로 설립된 ICN은 특히 카르텔, 시장지배력 남용, 기업결합과 관련하여 작업반을 운영하며 각국 경쟁법 집행 경험의 공유를 통해 경쟁법 집행의 조화를 추구한다.

16) Pitofsky/Goldschmid/Wood, *Trade Regulation*, 6th ed. (Foundation Press, 2010), p. 6.

17) Brian Ikejiaku & Cornelia Dayao, Competition Law as an Instrument of Protectionist Policy: Comparative Analysis of the EU and the US, 36 Utrecht Journal of International and European Law 75 (2021), pp. 75-94.

벌 경제 거버넌스 차원에서 접근해야 한다는 주장도 있으며,[18] 외국기업의 시장
접근을 증진시킴으로써 국제무역을 보다 활성화시키기 위하여 국내 경쟁법의 조
화가 필요하다는 의미에서 국제경쟁법 또는 글로벌경쟁법이라는 용어[19]도 등장
하고 있다.

여하튼 경쟁법 적용과 집행은 원칙적으로 국내 관할사항이라는 점은 분명하
지만, 역사적 경험에서 알 수 있듯이 경쟁법을 일방적으로 역외적용(extraterritorial
application)하거나 과소·과잉 집행할 경우 이로 인해 국제적 마찰이 발생할 수도
있고,[20] 최근에는 국가개입 수출카르텔의 경우 경쟁법과 WTO법 차원에서 어떻
게 다룰 수 있는지가 문제되고 있다. 본장은 국제경제법의 전통적 주제이기도 한
경쟁법의 일방적 역외적용 문제(제2절), 경쟁법의 과소·과잉 집행으로 인한 국제
적 마찰 문제(제3절), 그리고 국가개입 수출카르텔 문제(제4절)에 대해 살펴본다.

제 2 절   경쟁법의 역외적용[21]

국내 경쟁법의 역외적용으로 인한 국제적 마찰 문제는 주로 미국 셔먼법의
역외적용과 관련하여 촉발된 것인데, 이하에서는 미국, 유럽, 한국 경쟁법의 역외
적용에 대해 소개한다.

---

18) 보다 자세한 논의는 다음을 참조. Frederic Jenny, *Competition Law and Policy: Global
Governance Issues*, 26 World Competition 609 (2003).
19) 이들 용어는 '*lex ferenda*' 또는 비교경쟁법(comparative competition law)으로 이해된다.
예컨대, 다음 문헌의 제목은 국제경쟁법이지만 그 내용은 미국·유럽의 비교경쟁법이다.
Ariel Ezrachi (ed.), *Research Handbook on International Competition Law* (Edward Elgar,
2013).
20) 예컨대, WTO 회원국 X가 자국기업이 다른 회원국 Y의 외국기업에 대하여 경쟁제한행위
를 행함으로써 해당 외국기업을 시장에서 배제시켰음에도 불구하고 해당 경쟁제한행위를
금지하지 않거나(과소집행) 또는 외국기업의 영업활동이 경쟁제한행위에 해당되지 않음에
도 불구하고 이를 금지한다면(과잉집행), 해당 외국기업의 시장접근이 봉쇄될 수 있다. 이
러한 맥락에서 X와 Y 사이에 국제통상 또는 경쟁 이슈가 제기될 수 있다.
21) 이하 내용은 다음 문헌의 일부를 발췌한 것이다. 주진열, "한국 독점규제법의 역외적용 및
면제 요건에 대한 고찰: 항공사 국제카르텔 관련 대법원 2014. 5. 16. 선고 2012두13689 판
결을 중심으로," 통상법률(2017), 통권 제134호, pp. 53-77.

1. 미 국

당초 미국 연방대법원은 1909년 American Banana 판결에서 셔먼법의 역외적용을 부인하였으나,[22] 1927년 Sisal Sales 판결에서 종전 입장을 변경하여 역외적용을 인정하였다.[23] 그 후 1945년 Alcoa 판결에서 연방제2항소법원은 이른바 영향이론(Effects doctrine)에 근거하여 미국 밖에서 행해진 캐나다 기업의 행위가 미국에 악영향을 미친 경우에는 셔먼법을 적용할 수 있다고 하면서, 이러한 법리는 국제법 원칙에도 부합된다고 하였다.[24] 한편 제2차 세계대전 종전 무렵 미국 정부는 전후 세계경제의 안정과 번영을 위해서 글로벌 차원에서 경쟁법 집행이 필요하다고 보았는데, Alcoa 판결을 계기로 연방법무부는 해외카르텔에 대해 셔먼법을 적극적으로 적용하였다.

그러나 국제카르텔에 가담한 기업의 국적국이 크게 반발하는 등 국제마찰이 발생하자, 연방제9항소법원은 1976년 Timberlane 판결[25]에서 영향이론에 따라 재판관할권이 성립하더라도 국제예양에 기한 타국 이익을 참작하여 역외적용 여부를 결정해야 한다는 이익형량이론(balancing doctrine)을 새롭게 제시하였다. 그러나 개별 사건에서 구체적으로 어떻게 이익형량을 할 수 있는지 객관적 판단기준이 없고, 본질적으로 정치적 문제인 대외관계 문제를 법원이 결정하는 것 자체가 적절하지 않다는 비판도 있었다.[26] 이처럼 Alcoa 판결의 영향이론과 Timberlane 판결의 이익형량이론에 대한 지지와 비판이 거듭되자, 1982년 미국 의회는 대외무역반독점촉진법(Foreign Trade Antitrust Improvement Act, "FTAIA")을 제정하여, 미국 밖에서 이루어진 외국기업 행위가 미국에 대해 "직접적이고 중대하고 합리적으로 예측 가능한 영향"(direct, substantial, and reasonably foreseeable effects)(이하 "직

---

22) *American Banana v. United Fruit Co.*, 213 U.S. 347 (1909).

23) *United States v. Sisal Sales Corp.*, 274 U.S. 268 (1927).

24) *United States v. Aluminum Co. of America*, 148 F.2d 416 (2nd Cir. 1945). 이 사건에서 셔먼법 집행당국인 연방법무부는 ALCOA(미국 회사)의 국내 알루미늄 시장 독점화 사건과 관련하여 ALCOA의 캐나다 자회사인 ALCAN에 대해서도 셔먼법을 적용하였는데, 캐나다 정부는 미국이 셔먼법의 일방적 역외적용의 근거로 주장한 영향이론은 국제법상 확립된 원칙이 아니라고 항의하였다. 이 판결은 당시 연방대법원의 구성 문제를 이유로 불가피하게 연방제2항소법원이 심리하고 선고하였기 때문에 형식상 하급심일 뿐 그 실질은 연방대법원 판결과 같은 지위에 있다.

25) *Timberlane Lumber Co. v. Bank of America*, 549 F.2d 597 (9th Cit. 1976).

26) Gerber, *supra* note 3, p. 7.

접성·중대성·예측성")을 미친 경우에만 셔먼법을 역외적용할 수 있도록 하였다.[27)]

그런데 FTAIA는 "셔먼법은 (수입거래가 아닌) 외국과의 거래 행위로서 (1) 그러한 행위가 (A) 외국과의 거래가 아닌 거래 또는 외국과의 수입거래 (B) 또는 미국 내에서 미국 수출업자의 외국과의 수출거래에 직접적이고 상당하고 합리적으로 예측 가능한 영향을 미치고 (2) 그러한 영향이 셔먼법상 청구원인이 되지 못하면 적용되지 않는다"[28)]라고 상당히 복잡하게 규정하고 있어,[29)] 셔먼법의 역외적용 기준이 정확히 무엇인지가 오늘날까지 논란의 대상이 되고 있다.[30)] 다만 셔먼법은 1890년 제정 당시부터 이미 당해 법률은 미국 내 주간 거래 뿐 아니라 외국과의 거래("trade or commerce among the several States, or with foreign nations")에 적용된다고 규정하고 있으므로, 미국으로 상품이 수입되는 수입거래의 경우(예컨대 외국 기업들이 가격을 담합한 상품이 미국에 수입된 경우), ① 직접성 등 요건("direct, substantial, and reasonably foreseeable effect") 및 ② 셔먼법상 청구원인 요건("such effect gives rise to a claim")과 무관하게 종전 영향이론 법리에 따라 셔먼법이 역외적용된다고 볼 수 있다. 그러나 '수입거래가 아닌 외국과의 거래' 행위의

---

27) "Sections 1 to 7 of this title shall not apply to conduct involving trade or commerce (other than import trade or import commerce) with foreign nations unless (1) such conduct has a direct, substantial, and reasonably foreseeable effect…" (15 U.S.C. § 6a).

28) 원문: "[The Sherman Act] shall not apply to conduct involving trade or commerce (other than import trade or import commerce) with foreign nations unless − (1) such conduct has a direct, substantial, and reasonably foreseeable effect (A) on trade or commerce which is not trade or commerce with foreign nations, or on import trade or import commerce with foreign nations; or (B) on export trade or export commerce with foreign nations, of a person engaged in such trade or commerce in the United States; and (2) such effect gives rise to a claim under the provisions of [the Sherman Act], other than this section."

29) 이 때문에 FTAIA의 문구가 조악하다("inelegantly phrased")는 연방법원의 평가도 있다. *Carpet Grp. Int'l v. Oriental Rug Imps. Ass'n*, 227 F.3d 62, 69 (3d Cir. 2000); *United States v. Nippon Paper Indus. Co.*, 109 F.3d 1, 4 (1st Cir. 1997).

30) FTAIA의 태생적 불명확성을 지적하고 각 연방하급심의 견해 차이를 논한 문헌들은 매우 많은데, 예컨대 다음을 참조. Gerard F. Bifulco, *From Sea to Shining Sea: A New Approach to Interpreting the Foreign Trade Antitrust Improvements Act*, 64 Emory L.J. 869 (2015); Rene H. DuBois, *Understanding the Limits of the Foreign Trade Antitrust Improvement Act Using Tort Law Principles as a Guide*, 58 N.Y. L. Sch. L. Rev. 707 (2013−2014); Richard Lobas, *A Quest for Consistency: The Meaning of Direct in the Foreign Trade Antitrust Improvements Act,* 5 Global Bus. L. Rev. 1 (2016); Edward Valdespino, *Shifting Viewpoints: The Foreign Trade Antitrust Improvement Act, a Substantive or Jurisdictional Approach*, 45 Tex. Int'l L. J. 457 (2009).

경우 ① 및 ② 요건이 무엇을 의미하는지 명확하지 않다. 다만 FTAIA의 문언상 위의 ①요건과 함께 '국내피해예외'(domestic injury exception) 요건으로도 칭해지는 ②요건[31]이 충족되어야 셔먼법이 역외적용될 수 있다는 점은 분명하므로, 수입거래가 아닌 국외행위에 대해 셔먼법의 역외적용을 주장하는 자는 ①요건 외에도 셔먼법 위반으로 인해 국내피해가 발생하여 '원고의 청구원인'[32]이 있음을 증명해야한다. 여하튼 ①요건은 기본적으로 영향이론을 반영한 것으로 보이지만, 연방대법원은 1993년 Hartford Fire Insurance 판결[33]에서 FTAIA 문언이 모호하여 종전 판례법을 단순히 성문화한 것인지 아니면 변경한 것인지 여부는 알 수 없다고 하였다. FTAIA에는 직접성·상당성·예측성의 구체적 판단기준이 없는데, 실제 사건에서 당사자들은 직접성 문제를 주로 다투었기 때문에 판례도 자연히 직접성 요건을 중심으로 형성되어 있다. 연방하급심 판례는 (i) 국외행위로 인한 국내영향이 어떠한 매개도 없이 즉시 나타나야 직접성이 인정된다는 입장과[34] (ii) 국외행위와 국내영향 사이에 합리적으로 상당한 견련성(reasonably proximate causal nexus) 정도만 인정되면 직접성이 충족된다는 입장으로 나뉜다.[35] 셔먼법의 역외적용을 주장하는 원고의 입장에서 보면 전자의 기준보다 후자의 기준을 적용할 때 증명책임이 완화된다. 이처럼 직접성 판단기준은 하급심 차원에서는 서로 다르게 형성되어 있는데, 아직까지 연방대법원은 이 문제를 명시적으로 해결하지 않고 있다.

여하튼 셔먼법의 역외적용을 위해서는 ① 직접성·상당성·예측성 요건 및 ② 셔먼법상 청구원인 또는 국내피해예외 요건이 모두 충족되어야 한다는 점은 분명하지만, ②요건이 ①요건과 함께 실체법상 청구 요건인지 아니면 연방법원의 사물관할권(subject matter jurisdiction)을 제한하는 것인지와 관련하여서는 논란이 있다. 민사사건에서 ②요건이 (i) 사물관할권 제한 조항이라면 연방민사소송규칙(Federal Rule of Civil Procedure) 12(b)(1)[36]에 따라 원고가 연방법원의 관할권 성립

---

31) FTAIA는 일정한 요건에 해당되지 않으면 셔먼법은 역외적용되지 않는다는 식으로 규정하고 있는데, 국내피해가 발생한 경우에는 예외적으로 셔먼법이 역외적용된다는 의미에서 '국내피해예외' 요건으로 칭해진다.

32) *F. Hoffman—La Roche Ltd v. Empagran S.A.*, 542 U.S. 155, 174−75 (2004).

33) *Hartford Fire Insurance Co. v. California*, 509 U.S. 764, 797 (1993) ("[U]nclear is whether the Act's "direct, substantial, and reasonably foreseeable effect" standard amends existing law or merely codifies it").

34) *United States v. LSL Biotechnologies*, 379 F.3d 672 (9th Cir. 2004).

35) *Minn—Chem, Inc. v. Agrium Inc.*, 683 F.3d 845 (7th Cir. 2012) (en banc).

을 증명해야 하는 반면, (ii) 실체법상 추가적인 청구 조항이라면 같은 규칙 12(b)(6)[37]에 따라 피고가 원고의 청구 주장이 이유 없음을 증명해야 한다. 따라서 원고 입장에서는 피고에게 증명책임을 부담시키는 실체법상 추가적 청구 조항으로, 피고 입장에서는 원고에게 증명책임을 부담시키는 사물관할권 제한 조항으로 해석되는 것이 유리하다. 이 문제와 관련하여 당초 연방하급심은 ②요건은 사물관할권 제한 조항이라고 해석하였다.[38] 그러다 연방대법원이 2006년 Arbaugh 판결[39]에서 의회가 명시적으로 연방법원의 관할권 제한을 명시한 조항이 아닌 경우에는 해당 조항을 관할권 제한 조항으로 볼 수 없다[40]는 법리를 제시하자, 연방하급심은 FTAIA에는 관할권 제한에 대한 명시적 규정이 없다는 이유로 종전 입장을 변경하여 ②요건은 실체법상 청구 요건이라고 하였다.[41] 판례는 셔먼법 위반 손해배상 사건에서 국외행위의 ①요건의 영향으로 인해 ②요건, 즉 원고의 피해가 초래되었다는 합리적 상당 인과관계(reasonable proximate causation)의 증명이 요구된다고 본다.[42]

36) "Every defense to a claim for relief in any pleading must be asserted in the responsive pleading if one is required. But a party may assert the following defenses by motion: (1) lack of subject-matter jurisdiction."
37) "(6) failure to state a claim upon which relief can be granted."
38) *United Phosphorus, Ltd. v. Angus Chem. Co.*, 322 F.3d 942 (7th Cir. 2003); *Den Norske Stats Oljeselskap As v. HeereMac V.O.F.*, 241 F.3d 420 (5th Cir. 2001); *Filetech S.A. v. France Telecom S.A.*, 157 F.3d 922, 931 (2d Cir. 1998); *Carpet Group Int'l. v. Oriental Rug Importers Association*, 227 F.3d 62, 69 (3d Cir. 2000); *McGlinchy v. Shell Chem. Co.*, 845 F.2d 802 (9th Cir. 1988); *United States v. Anderson*, 326 F.3d 1319 (11th Cir.); *Caribbean Broad. Sys., Ltd. v. Cable & Wireless PLC*, 148 F.3d 1080 (D.C. Cir. 1998).
39) *Arbaugh v. Y & H Co.*, 546 U.S. 500 (2006). 이 판결은 고용차별을 금지하는 연방민권법 (Civil Rights Act of 1964)에 따른 개인의 청구 요건에 관한 것이다.
40) *Ibid.*, p. 516 ("when Congress does not rank a statutory limitation on coverage as jurisdictional, courts should treat the restriction as nonjurisdictional in character").
41) *Animal Science Products. v. China Minmetals Co.*, 654 F.3d 462, 466 (3d Cir. 2011); *Minn-Chem, Inc. v. Agrium, Inc.*, 683 F.3d 845 (7th Cir. 2012); *United States v. Hui Hsiung*, 778 F.3d 738 (9th Cir. 2014); *Lotes Co. v. Hon Hai Precision Industry Co.*, 753 F.3d 395 (2d Cir. 2014). 이에 대해 *Arbaugh* 판결은 연방민권법에 관한 것이고 이 판결에서 연방대법원이 FTAIA를 언급하지도 않았고 당초 미국 의회는 FTAIA를 연방법원의 사물 관할권 제한을 위해 입법된 것이라는 비판도 있다. Abbott B. Lipsky, Jr. & Kory Wilmot, "The Foreign Trade Antitrust Improvements Act: Did Arbaugh Erase Decades of Consensus Building?" The Antitrust Source (August 2013), pp. 6-9.
42) *Empagran S.A. v. Hoffmann-LaRoche, Ltd.*, 417 F.3d 1267 (D.C. Cir. 2005); *In re Monosodium Glutamate Antitrust Litig.*, 477 F.3d 535 (8th Cir. 2007); *In re Dynamic Random Access Memory (DRAM) Antitrust Litig.*, 546 F.3d 981 (9th Cir. 2008); *Lotes Co. v.*

한편 FTAIA에 따라 셔먼법을 역외적용할 수 있는 사안에서도 연방법원은 외국주권면제법(Foreign Sovereign Immunities Act, "FSIA") 및 연방 판례법상 국가행위(act of state), 국가강제(foreign sovereign compulsion), 국제예양(international comity)의 법리를 고려하여 셔먼법 적용을 자제할 수 있다.[43]

2. 유   럽

1945년 미국의 Alcoa 판결 이후 프랑스, 영국 등 일부 국가는 자국 회사에 대한 셔먼법 적용을 차단하기 위하여 영향이론은 국제법상 확립된 관할권 원칙이 아니라고 비판하면서, 자국 회사가 타국 경쟁당국의 조사에 응하지 못하도록 하거나 자국 회사에 대한 타국 법원의 경쟁법 판결이 승인·집행될 수 없도록 하는 대항법(blocking statute)을 제정하였다.[44] 그러나 오늘날 미국과 함께 세계 경쟁법의 양대 축을 형성하고 있는 EU[45]도 1970년대부터 국제카르텔 사건에서 경제단일체(single economic entity)이론[46] 또는 담합실행지(place of implementation)이론[47]을 원용하고, 기업결합 사건에서 영향이론[48]을 원용하며 경쟁법을 역외적용하고 있다.[49] 여하튼 오늘날에는 경쟁법의 역외적용 자체가 국제법에 위반된다는 주장

Hon Hai Precision Indus., 753 F.3d 395 (2d Cir. 2014).

43) 각 법리에 대한 보다 자세한 설명은 다음을 참조. 주진열, "국가개입 수출카르텔 관련 경쟁법과 WTO법의 충돌 조화 문제," 이화여자대학교 법학논집(2016), 제21권 제2호, pp. 419–422.

44) 프랑스의 1968년 Loi n°68–678 및 1980년 Loi n°80–538, 영국의 1980년 Protection of Trading Interests Act, 캐나다의 1985년 Foreign Extraterritorial Measures Act 등. 대항법에는 외국 경쟁당국의 조사에 협조한 자국민을 형사 처벌할 수 있도록 하는 조항도 있는데, 이는 조사에 협조한 자국민을 실제로 처벌하기 위한 것이 아니라 조사 불응을 정당화시킴으로써 자국민을 보호하기 위한 것이다.

45) 이하 구 EC도 편의상 EU라고 칭한다.

46) 외국 모회사의 EU 역내 자회사가 가격담합을 한 경우 외국 모회사에 대해서도 경쟁법이 역외적용될 수 있다는 이론. *Imperial Chemical Industrial Ltd. v. Commission*, Case 48/69, [1972] ECR 619.

47) 외국회사가 외국에서 행한 가격담합이 EU 역내에서 실행된 경우 경쟁법이 역외적용될 수 있다는 이론. *A. Ahlström Osakeyhtiö and others v. Commission*, [89/85, 114/85, 116–117/85, 125–129/85] [1988].

48) 국외 기업결합이 EU 시장에 직접적이고 상당하고 예측 가능한 영향("immediate, substantial and forseeable effect")을 미친다면 경쟁법이 역외적용될 수 있다는 이론. *Gencor Ltd v. Commission*, Case T–102/96 [1996].

49) EU 경쟁법의 역외적용 이론에 대한 보다 자세한 설명은 다음을 참조. Geradin Damien et

은 찾아보기 어렵다.

3. 한   국

한국은 2002년 흑연전극봉 국제카르텔 사건[50]을 계기로 2004년 「독점규제 및 공정거래에 관한 법률」("독점규제법" 또는 "공정거래법")에 제 2 조의2를 신설하여 "이 법은 국외에서 이루어진 행위라도 국내시장에 영향을 미치는 경우에는 적용한다"라는 역외적용 조항을 두게 되었다.

구 독점규제법 제 2 조의2(2021. 12. 30. 개정된 독점규제법 제 3 조)와 관련하여 2014년 대법원은 전 세계 26개 항공사가 가담한 항공화물운송 유류할증료 국제카르텔 판결에서 (i) "국가 간의 교역이 활발하게 이루어지는 현대 사회에서는 국외에서의 행위라도 그 행위가 이루어진 국가와 직·간접적인 교역이 있는 이상 국내시장에 어떠한 형태로든 어느 정도의 영향을 미치게 되고, 국외에서의 행위로 인하여 국내시장에 영향이 미친다고 하여 그러한 모든 국외행위에 대하여 국내의 공정거래법을 적용할 수 있다고 해석할 경우 국외행위에 대한 공정거래법의 적용범위를 지나치게 확장시켜 부당한 결과를 초래할 수 있다"고 하면서, (ii) 독점규제법은 국외행위가 "국내시장에 직접적이고 상당하며 합리적으로 예측 가능한 영향"을 미치는 경우에만 제한적으로 적용되고, (iii) "동일한 행위에 대하여 국내 법률과 외국의 법률 등이 충돌되어 사업자에게 적법한 행위를 선택할 수 없게 하는 정도에 이른다면 그러한 경우에도 국내 법률의 적용만을 강제할 수는 없으므로, 당해 행위에 대하여 공정거래법 적용에 의한 규제의 요청에 비하여 외국 법률 등을 존중해야 할 요청이 현저히 우월한 경우에는 공정거래법의 적용이 제한될 수 있다"는 법리를 처음으로 제시하였다.[51] 이러한 법리는 독점규제법의 과도한 역외적용으로 인한 국가간 마찰을 예방하기 위한 것으로 이해된다.

대법원은 위 판결에서 한국시장을 직접 대상으로 삼은 국외 카르텔의 경우

---

al, *Extraterritoriality, Comity and Cooperation in EC Competition Law* (July 2008), ⟨https://ssrn.com/abstract=1175003⟩. EU 경쟁법의 역외적용과 별개로 EU 회원국도 자국 경쟁법을 역외적용할 수 있다. 독일은 자국 경쟁법에 명문으로 영향이론에 근거한 역외적용 조항을 두고 있다.

50) 공정거래위원회 의결 제2002-077호 2002. 4. 4.
51) 대법원 2014. 5. 16. 선고 2012두13689 판결 등.

특별한 사정이 없는 한 직접성·상당성·예측성 요건이 충족된다는 입장인데, 이 경우를 제외한 사안에서 해당 요건의 충족 여부는 개별 사안에 따라 구체적으로 판단할 수밖에 없을 것이다.

제 3 절   경쟁법의 과소·과잉집행 문제[52)]

국제적 마찰을 일으킬 수 있는 경쟁법의 '과소집행'이란 자국 관할권 내에서 외국기업에 대한 자국기업의 경쟁제한행위를 용인하는 것을 말하는데, 이 문제는 WTO에서 다루어진 1998년 Kodak/Fuji 사건과 2004년 Telmex 사건에서 찾아볼 수 있다. 이들 사건은 국내 기업의 경쟁제한행위에 대한 규제 미비로 인한 외국 기업의 시장접근 제한 문제라는 공통점을 갖고 있다. 다른 한편 국제적 마찰을 일으킬 수 있는 '과잉집행'은 자국 관할권 내에서 경쟁제한성이 없는 외국기업의 행위를 금지하는 것을 말하는데, 이 문제는 특히 미국에서 경쟁법 위반이 아닌 미국기업의 행위가 EU에서 경쟁법 위반으로 결정된 사건을 두고 벌어진 미국·EU 사이의 마찰에서 찾아볼 수 있다.[53)] 이하에서는 이들 사례를 소개한다.

1. 과소집행 문제

(1) WTO-Kodak/Fuji 사건[54)]

이 사건은 미국 회사 Kodak이 일본 정부가 자국 회사 Fuji가 국내 사진기 및 필름 소매업체와 체결한 배타적 유통계약을 제대로 규제하지 않음으로 인해,

---

52) 이하 내용은 다음 문헌의 일부를 수정한 것이다. 주진열, "글로벌경쟁정책과 무역 이슈의 최근 동향," 통상법률(2011), 통권 제101호, pp. 16–33.
53) 이 문제를 경쟁법 법리 차원에서 다룬 문헌으로는 다음을 참조. Daniel J. Gifford & Robert T. Kudrle, *The Atlantic Divide in Antitrust: An Examination of US and EU Competition Policy* (University of Chicago Press, 2015).
54) WTO Panel Report, *Japan–Measures Affecting Consumer Photographic Film and Paper*, WT/DS44/R (22 April 1998) (이하 "*Kodak/Fuji*"). 이 사건 배경과 경과에 대한 자세한 설명은 다음을 참조. Peterson Institute for International Economics, "Chapter 3. Snapshot: Kodak v. Fuji," in *Case Studies in US Trade Negotiation*, Vol. 2, pp. 143–191, 〈http://www. piie.com/publications/chapters_preview/3632/03iie3632.pdf〉.

Kodak의 일본 필름시장 접근이 제한되었다는 주장에서 비롯되었다. 1995. 5. Kodak은 미국 통상법(Trade Act of 1974) Section 301에 따라 무역대표부에 이 문제를 제기하였고, 무역대표부는 일본 정부에게 배타적 거래 문제 해결을 위한 협의를 요청하였으나, 일본은 당해 사안은 자국 공정거래위원회(公正取引委員會)가 자국 경쟁법에 따라 해결할 문제라고 주장하며 미국의 협의 요청을 거부하였다. 미국은 일본과 여러 차례 협상을 시도하였으나 결국 실패하자, 1996. 10. WTO에 패널 설치를 요청하게 되었다.55) 미국은 일본이 GATT 제3.4조, 제10.1조, 제23조 1항 (b)호 등을 위반하였다고 주장하였지만, 패널은 일본이 GATT를 위반하지 않았으며, 미국이 제기한 비위반제소(non-violation claim)의 충분한 근거가 없다고 하였다.56) 이 사건을 계기로 위반제소 또는 비위반제소를 불문하고 GATT를 원용하여 경쟁법의 과소집행 문제를 다투기란 대단히 어렵다는 점이 확인될 수 있었다.

(2) WTO-Telmex 사건57)

이 사건은 미국의 AT&T, WorldCom, Sprint 등 통신회사들이 멕시코 통신시장에서 시장지배력을 가진 Teléfonos de México, S.A. de C.V.("Telmex")가 미국 통신회사의 국제통신(즉, 미국에서 멕시코 국내로의 통신) 접속료를 과다하게 부과한 행위에 대해 멕시코 정부가 아무런 조치도 취하지 않았다는 주장에서 비롯되었다.

이에 미국은 멕시코와 협상을 시도하였으나 결국 실패하자, 2000. 10. WTO에 패널 설치를 요청하게 되었다.58) 이 사건 당시 멕시코는 WTO 기본통신서비스협정에 부속된 Reference Paper("RP")상의 의무를 부담하고 있었고, RP Section 1.1.은 가입국으로 하여금 자국의 주요 통신서비스 공급업자가 경쟁제한행위에 개입 또는 유지하는 것을 금지하기 위한 적절한 조치를 취할 것을 요구하는 바,59) 미국은 멕시코가 이러한 의무를 다하지 못하였다고 주장하였다.

---

55) *Kodak-Fuji*, para. 1.2.

56) *Ibid.*, paras. 10.402-10.404.

57) WTO Panel Report, *Mexico-Measures Affecting Telecommunications Services*, WT/DS204/R (1 June 2004) (이하 "*Telmex*").

58) *Ibid.*, para. 1.2.

59) "Appropriate measures shall be maintained for the purpose of preventing suppliers who,

WTO 패널은 먼저 RP에 규정된 경쟁제한행위("anti-competitive practices")라는 용어는 WTO 회원국의 경쟁법에서 널리 쓰이고 있으며,[60] 1948년 하바나헌장, OECD, WTO 등에서도 논의된 바 있음을 고려할 때,[61] 해당 용어는 특히 가격담합이나 시장분할합의와 관련한 수평적 행위("horizontal practices related to price-fixing and market-sharing agreements")등 시장경쟁을 제한하는 어떠한 행위도 포함하는 것이라고 보았다.[62] 결국 WTO 패널은 멕시코 정부가 Telmex의 경쟁제한행위에 대해 적절한 조치를 취하지 않은 것은 RP 위반이라고 판단하여, 미국이 승소하였다.[63] Telmex 사건을 계기로 WTO에서 무역과 경쟁 이슈가 잘 다루어 질 수 있다는 점이 증명되었다는 견해[64]도 있는데, 여하튼 이 사건은 통신서비스시장에 국한된 사안이라는 한계가 있다.

2. 과잉집행 문제

(1) 기업결합 제한 사례

EU는 미국 회사들 사이의 다음과 같은 기업결합, 즉 1997년 Boeing/McDonnell Douglas 합병, 2000년 Time Warner/EMI 합병, 2001년 General Electrics("GE")/Honeywell 합병이 EU 경쟁법에 위반된다는 이유로 이들 합병을 불허한 바 있다.[65] 이와 관련하여 미국은 위의 기업결합이 어떠한 경쟁제한성도 없음이 밝혀졌음에도 불구하고 EU가 합병 승인을 불허한 것은 유럽 역내 기업들을 보호하기

alone or together, are a major supplier from engaging in or continuing anti-competitive practices."
60) *Telmex*, para. 7.235.
61) *Ibid.*, para. 7.236.
62) *Ibid.*, para. 7.238.
63) *Ibid.*, paras. 8.1–8.5.
64) Eleanor M. Fox, *The WTO's First Antitrust Case—Mexican Telecom: A Sleeping Victory for Trade and Competition*, 9 Journal of International Economic Law 279 (2006).
65) 이들 각 사건에 대한 설명은 다음을 참조. William E. Kovacic, *Transatlantic Turbulence: The Boeing—McDonnell Douglas Merger and International Competition Policy*, 68 Antitrust L. J. 805 (2001); Bernard M. Hoekman & Michel M. Kostecki, *The Political Economy of the World Trading System*, 2nd ed. (Oxford University Press, 2001), p. 431; Eleanor M. Fox, *GE/Honeywell: The U.S. Merger that Europe Stopped—A Story of the Politics of Convergence*, in Eleanor M. Fox & Daniel A. Crane (ed.), *Antitrust Stories* (Foundation Press, 2007), pp. 331–360.

위한 것이라는 강한 의혹을 제기하였다. 위의 사건들 중에서 특히 1997년 Boeing 사건과 2001년 GE 사건 배경에는 대형 민간항공기 시장을 두고 유럽과 미국 간에 벌어진 치열한 경쟁이 있었다.[66]

2001년 GE/Honeywell 사건 당시 GE는 다양한 종류의 항공기 제트 엔진을 생산하고 있었고, Honeywell은 항공기 제트 엔진의 컴퓨터 제어장치를 생산하고 있었으므로, 두 회사의 합병은 경쟁기업들 간의 순수한 수평적 결합이 아니라 수직적 결합의 성격도 있는 혼합결합(conglomerate merger)이었다. 미국 경쟁당국은 해당 합병에 대한 심사 결과 경쟁제한성이 없다고 판단하여 합병을 허용하였지만, EU 경쟁당국은 경쟁제한성이 있다는 이유로 합병 불허를 통보하였다. 이에 당시 유럽 순방 중이었던 Bush 대통령은 기자회견에서 GE와 Honeywell 합병에 대해서는 캐나다도 합병허가 결정을 내렸음을 강조하며, 동일한 합병 건에 대한 EU의 불허 방침에 우려를 표명하였다.[67] 미국 의회도 EU의 불허 방침에 큰 우려를 표명하였다. 그럼에도 불구하고 EU 경쟁당국이 최종적으로 합병불허 결정을 내리자, 미국 정부는 EU의 결정이 결국 유럽 민간항공기 산업을 보호하기 위한 것이라고 강력하게 비난하였다. 이러한 미국의 비난에 대해 EU 위원회는 미국도 유럽이 허가한 합병을 불허한 사례가 있었음을 지적하며, GE/Honeywell 합병불허 결정은 오로지 EU 경쟁법에 근거한 정당한 조치라고 반박하였다.[68] GE는 EU 경쟁당국의 합병불허 결정에 불복하여 구 유럽제 1 심법원(Court of First Instance, "CFI")[69]에 항소하였다.

한편 GE 사건이 있은 지 3년이 지난 2004. 10. 미국은 1980년대 GATT에서의 보조금 분쟁 이후 다시 유럽의 항공산업 보조금을 문제 삼아 WTO에 제소하였는데, 유럽도 이에 맞대응하여 미국 항공산업 보조금을 문제 삼아 WTO에 제소하였

---

66) 1970년대 말에 설립된 유럽의 Airbus가 프랑스·독일·영국·스페인 정부의 전폭적인 지원 (보조금 포함)을 받고 상당한 경쟁력을 갖추게 되면서 민간항공기 시장에서 미국의 시장점 유율이 하락하게 되자, 미국이 유럽의 보조금을 문제 삼아 GATT에 제소하였고, 이에 유럽 도 미국의 항공산업 보조금을 문제 삼아 GATT에 제소하였다. 결국 미국과 유럽이 1992년 민간항공산업에 대한 보조금 제한을 내용으로 하는 양자협정을 체결함으로써 양자간의 보 조금 논쟁은 일단락되었다.

67) Raf Caset, *General Electrics to EU 'Negotiations are over'—Bush couldn't sway Europe on Honeywell deal*, Toronto Star, June 16, 2001, E 11. Fox, *supra* note 65, p. 341에서 재인용.

68) Fox, *supra* note 65, p. 342.

69) 오늘날 *EU법원은 제 1 심인 일반법원(General Court)과 제 2 심인 사법법원(Court of Justice)* 으로 개편되었다.

다.[70] 2004년 미국의 WTO 제소가 있은 지 1년 후인 2005. 12. CFI는 GE/Honeywell 합병을 불허한 EU 경쟁당국의 결정을 지지하고, 원고 패소 판결을 내렸다.[71] 이 판결이 나오기 전에 구 유럽사법재판소(European Court of Justice)는 혼합결합의 성격을 가진 Tetra Laval/Sidel 합병을 불허한 EU 경쟁당국의 조치를 취소한 2002년 CFI 결정[72]을 확정한 바 있어, 경쟁법 전문가들은 CFI가 위 합병 건과 마찬가지로 혼합결합의 성격을 가진 GE/Honeywell 합병을 불허한 EU 결정도 취소하리라고 예상하였으나, 이러한 예상은 빗나가고 말았다.[73]

(2) 글로벌 IT기업 관련 사례

외국기업에 대한 시장지배력 남용 규제로 인해 국제적 마찰이 발생한 대표적인 사례로는 EU의 Microsoft("MS") 사건을 들 수 있다. 1990년대부터 전 세계 개인용 컴퓨터 운영시스템("OS") 시장에서 독점적 지위를 누리고 있던 MS는 자사의 윈도우(Windows) 프로그램 제품에 인터넷 익스플로러, 미디어플레이어와 같은 개별 소프트웨어도 같이 결합하여 판매하였다. 그 결과 MS와 경쟁관계에 있던 네스케이프 등 IT 회사들이 관련시장에서 부당하게 퇴출되었다는 의혹이 제기되었다. 이에 미국을 시작으로 유럽, 한국, 일본 등 세계 각지에서 위와 같은 MS의 행위가 시장지배력 남용에 해당하는지 여부가 문제되었다. 미국에서는 연방항소법원이 MS의 윈도우·익스플로러 결합판매는 당연위법이 아니고 경쟁제한성 여부는 IT 기술혁신의 측면을 고려하여 합리의 원칙(rule of reason)에 따라 판단해야 한다고 하자,[74] 경쟁제한성 증명 부담을 진 연방법무부는 결국 MS와 합의하여

---

70) 2011. 5. WTO 항소기구는 EU 승소 결정을 내렸다. *European Communities — Measures Affecting Trade in Large Civil Aircraft*, WT/DS316/AB/R (18 May 2011).

71) *Judgment of the Court of First Instance of 14 December 2005 — Honeywell International Inc. v Commission of the European Communities*, Case T−209/01, 〈http://eur−lex. europa.eu/ LexUriServ/LexUriServ.do?uri＝OJ:C:2006:048:0026:0027:EN:PDF〉.

72) CFI는 *Tetra Laval/Sidel* 합병처럼 혼합결합의 경우 경쟁제한적 효과가 극히 드물게 나타나기 때문에, 합병불허를 위해서는 경쟁당국이 경쟁제한성을 명백히 입증해야 함에도 불구하고, 이러한 입증을 하지 못했다고 보았다. *Tetra Laval BV. v. Commission*, Cases T−5/02 ad T−80/02, [2002] ECR II−4381. para. 155.

73) Fox, *supra* note 64, pp. 347−348.

74) *United States v. Microsoft*, 147 F.3d 935 (D.C. Cir. 1998); *United States v. Microsoft*, 253 F.3d 34 (D.C. Cir. 2001). MS 사건은 매우 다양하고 복잡한 형태로 진행되었는데, 이 사건 전반에 대한 자세한 설명은 다음을 참조. William H. Page & John E. Lopatka, *The Microsoft Case: Antitrust, High Technology, and Consumer Welfare* (University Of Chicago

사건을 종결시켰다. 이에 비하여 EU 위원회는 MS의 결합판매를 사실상 당연위법(*per se* illegal)으로 판단하여 약 5억 유로의 과징금을 부과하자,[75] 미국 정부는 EU가 경쟁법을 오용하였다고 비판하였다.[76]

한편 2005년 한국 공정거래위원회("공정위")는 MS가 윈도우 제품에 미디어플레이어, 메신저 등을 결합하여 판매한 행위가 독점규제법상 시장지배적지위 남용 및 불공정거래행위라고 보고 약 300억 원의 과징금을 부과한 바 있다.[77] 당시 미국 연방법무부가 공정위의 결정에 대해 유감을 표명하였으나,[78] 양국 간의 마찰로 확대되지는 않았다. 또한 2017. 1. 한국 공정위가 미국 회사 퀄컴(Qualcomm)의 이동통신기술 관련 표준필수특허 라이선스 관행이 시장지배적지위 남용 및 불공정거래행위에 해당된다는 이유로 1조 원이 넘는 과징금을 부과한 사건[79]과 관련하여, 미국 정부는 한국 공정위의 조사 단계에서부터 퀄컴의 반론권이 제대로 보장되지 않았다며 이는 한미 FTA의 기본 정신에 위배된다고 항의하였다.[80] 미국 무역대표부는 2017년 국가별 무역장벽 보고서에서 한국 공정위가 특히 외국 기업들을 대상으로 독점규제법을 더욱 공격적으로 집행하고 공정위 조사과정에서 외국 기업들의 방어권이 보장되지 않는다는 미국 기업들의 문제 제기가 있음을 지적하였다.[81] 2020년 구글(Google)의 앱스토어를 이용하는 게임업체에 대한 수수료 부과 방식으로서 인앱결제 요구가 시장지배력 남용 또는 불공정거래행위로서

Press, 2006).

75) James F. Ponsoldt & Christohper D. David, *Comparison between U.S. and E.U. Antitrust Treatment of Tying Claims against Microsoft: When Should the Bundling of Computer Software Be Permitted*, 27 Nw. J. Int'lL. & Bus. 421 (2007).

76) Joris Evers, *DOJ criticizes EU's ruling on Microsoft* (March 25, 2004), ⟨http://www.infoworld.com/t/platforms/doj−criticizes−eus−ruling−microsoft−230⟩.

77) MS는 공정위 결정에 항소하였으나 2007년에 소를 취하하여 사건이 종결되었다.

78) US Department of Justice, *Press Release: Statement of Deputy Assistant Attorney General J. Bruce McDonald Regarding Korean Fair Trade Commission's Decision in its Microsoft Case (December 7, 2005)*, ⟨http://www.justice.gov/atr/public/press_releases/2005/213562.upd⟩.

79) 공정위 의결 제2017−025호 2017. 1. 20. 2009년에도 공정위는 퀄컴의 칩셋 할인 및 특허 실시료 할인이 시장지배적지위 남용에 해당된다며 1천억 원이 넘는 과징금을 부과하였다. 공정위 의결 제2009−281호 2009. 12. 30.

80) 매일경제(인터넷판 2016. 3. 30), 「美상무차관, 공정위와 '수상한 만남'」, ⟨http://news.mk.co.kr/newsRead.php?no=236148&year=2016⟩.

81) Office of the United States Trade Representative, *2017 National Trade Estimate Report on FOREIGN TRADE BARRIERS*, pp. 283−284. ⟨https://ustr.gov/sites/default/files/files/reports/2017/NTE/2017%20NTE.pdf⟩.

한국 독점규제법에 위반되는지 여부가 문제되었는데 2021. 7. 국회가 전기통신사업법을 개정하여 전 세계에서 처음으로 인앱결제 요구 자체를 아예 불법행위로 규정함에 따라 한미 FTA 위반 문제가 제기되었다.[82]

3. 소 결

앞서 살펴본 사례에서 알 수 있듯이 경쟁법의 과소·과잉 집행은 외국기업의 시장접근을 제한하여 국제적 마찰을 불러일으킬 수도 있고, 이러한 문제를 해결하기 위하여 국제경쟁법이 필요하다는 주장도 있다.[83] 그러나 개별 국가 입장에서 국제경쟁법으로부터 편익(타국 경쟁법의 과소·과잉 집행을 방지함으로써 얻을 수 있는 자국 기업의 시장접근 보장)을 얻을 수 있더라도, 이러한 편익이 거래비용(다른 국가들과 합의를 도출하는데 소요되는 유·무형의 비용)이나 기회비용(자국 경쟁법의 독자적 집행을 제한함으로써 발생하는 유·무형의 비용)보다 작다고 판단되면 국제경쟁법 탄생을 위해 노력해야 할 인센티브가 없게 된다. 결국 경쟁 이슈에 대한 주권 제약이라는 기회비용에 대한 인식 변화가 있지 않는 한 국제경쟁법의 탄생은 어려울 것으로 보인다.

---

82) 중앙일보(인터넷판 2021. 7. 30), 「공정위 대신 방통위가 제재, '구글 갑질 방지법' 통상마찰 우려?」, <https://www.joongang.co.kr/article/24117061#home>; The New York Times (Aug. 27, 2021), Apple and Google's Fight in Seoul Tests Biden in Washington, <https://www.nytimes.com/2021/08/23/technology/apple−google−south−korea−app−store.html>.

83) 다음 문헌은 국제경쟁법의 필요성을 지지하고 있다. Martyn D. Taylor, *International Competition Law: A New Dimension for the WTO?* (Cambridge University Press, 2006); Chris Noonan, *The Emerging Principles of International Competition Law* (Oxford University Press, 2008); Oliver Budzinski, *The Governance of Global Competition: Competence Allocation in International Competition Policy* (Edward Elgar Publishing, 2008); Jörg Philipp Terhechte, *International Competition Enforcement Law Between Cooperation and Convergence* (Springer, 2011).

제 4 절   국가개입 수출카르텔 문제[84]

1. 개   관

한국을 비롯하여 대부분의 경쟁법 집행 국가들은 자국 시장에 악영향을 미친 역외 수출카르텔에 대한 경쟁법의 역외적용을 인정하는 한편 국가강제가 인정되는 경우에는 역외적용을 제한할 수 있다. 그런데 '국가가 개입한 수출카르텔'의 경우 WTO법 차원에서 해당 국적국의 수출제한조치로 볼 여지가 있으므로, (i) 국내적 차원에서는 국내 법원의 국가강제 여부 판단과 통상당국의 WTO 제소 여부가 문제될 수 있고, (ii) 국제적 차원에서는 WTO의 수출제한조치 여부 판단이 문제될 수 있다.

실제로 최근 (i) 미국 연방법원에서 다루어진 중국회사들의 비타민 C, 보크사이트, 마그네사이트 관련 가격담합 손해배상 3개 집단소송 사건(이하 "비타민 C 등 3개 사건")[85]과 (ii) WTO에서 다루어진 중국의 보크사이트, 마그네사이트 등 원자재 수출제한 사건[86]에서 국가개입 여부가 문제되는 수출카르텔이 국내 법원과 WTO에서 동시에 다투어질 경우 경쟁법과 WTO법 차원에서 국가강제 쟁점이 어떻게 다루어져야 하는지와 관련하여 상당히 복잡하지만 흥미로운 문제가 제기된

---

84) 이하 내용은 다음 문헌의 일부를 수정한 것이다. 주진열, "국가개입 수출카르텔 관련 경쟁법과 WTO법의 충돌 조화 문제," 이화여자대학교 법학논집(2016), 제21권 제 2 호, pp. 411-432.

85) ① 비타민 C 사건: *In re Vitamin C Antitrust Litigation*, 810 F. Supp. 2d 522 (E.D.N.Y. 2011); *In re Vitamin C Antitrust Litigation*, No. 06-MD-01738-BMC-JO (E.D.N.Y Mar. 14, 2013); *In re Vitamin C Antitrust Litigation,* No. 13-4791 (2d Cir. Sept. 20, 2016). ② 마그네사이트 사건: *Animal Science Products, Inc. & Resco Product, Inc. v. China National Metals & Minerals Imports & Export Corp. et al.*, 596 F. Supp. 2d 842 (D.N.J. 2008); *Animal Science Products, Inc. & Resco Product, Inc. v. China National Metals & Minerals Imports & Export Corp. et al.*, 702 F. Supp. 2d 320 (D.N.J. 2010). ③ 보크사이트 사건: *Resco Product, Inc. v. Bosai Minerals Group et al*, Civil Case No. 06-235, 158 F.Supp.3d 406 (2016).

86) WTO Reports of the Panel, *China-Measures Related to the Exportation of Various Raw Materials*, WT/DS394/R, WT/DS395/R, WT/DS398/R (5 July 2011) (이하 "Panel Reports"); WTO Reports of the Appellate Body, *China-Measures Related to the Exportation of Various Raw Materials*, WT/DS394/AB/R WT/DS395/AB/R, WT/DS398/AB/R (30 January 2012) (이하 "Appellate Body Reports").

바 있다.[87] 미국에서는 위 사건들을 계기로 ① 법원과 행정부는 권력분립 원칙에 따라 수출카르텔과 관련한 국가강제 등의 문제를 각자 독자적으로 판단하는 것이 바람직한지, ② 국내 법원은 동일한 사안에서 WTO 결정을 어느 정도 고려하는 것이 바람직한지가 문제되었다.[88] 이외에도 ③ WTO에서 국가개입이 인정되지 않아 수출제한조치로 인정되지 않는 반면에, 국내 법원에서는 국가강제가 인정됨으로써 경쟁법의 역외적용이 부인되어 해당 카르텔로 인한 피해자의 손해배상청구가 기각될 경우 피해자는 어떻게 구제될 수 있는지도 문제될 수 있을 것이다.

한국의 경우 국가개입 수출카르텔이 국내 법원과 WTO에서 동시에 문제된 사례가 없기 때문에 앞서 언급한 문제들이 실제로 제기된 적은 없다. 그러나 한국도 중국, 러시아 등 사회주의 국가들로부터 각종 원자재를 대량 수입하기 때문에, 향후 원자재 관련 국가개입 수출카르텔 문제가 발생할 수 있는 가능성을 완전히 배제하기란 어렵다. 이하에서는 중국의 원자재 수출제한 관련 WTO 사건과

---

87) 중국 수출카르텔 사건 이전에 2008년 글로벌금융위기로 세계경제가 침체 국면에 접어들 당시 국제유가가 급등하면서 그 주범으로 지목받은 중동지역 산유국들의 카르텔인 OPEC을 WTO에 제소해야 한다는 주장이 미국에서 제기되었으나 실제로 성사되지는 못했다. Press Release, Senator Frank R. Lautenberg, Senators Call on Bush to Take Action Against OPEC in the WTO (June 17, 2008), 〈http://lautenberg.senate.gov/newsroom/record.cfm?id=299257〉. OPEC 문제를 WTO법이나 경쟁법 차원에서 다룰 필요가 있는지에 관한 논의로는 다음을 참조. Stephen A. Broome, *Conflicting Obligations for Oil Exporting Nations: Satisfying Membership Requirements of Both OPEC and the WTO*, 38 Geo. Wash. Int'l L. Rev. 409 (2006); Tim Carey, *Cartel Price Controls vs. Free Trade: A Study of Proposals to Challenge OPEC's Influence in the Oil Market through WTO Dispute Settlement*, 24 Am. U. Int'l L. Rev. 783 (2009); Melaku Geboye Desta, *OPEC Production Management Practices under WTO Law and the Antitrust Law of Non–OPEC Countries*, 28 J. Energy & Nat. Resources L. 439 (2010); Bashar H. Malkawi, *Trade in Oil and Export Restrictions: Taking the Organization of the Petroleum Exporting Countries to the WTO Court*, 14 Eur. J.L. Reform 17 (2012). 미국 연방법원은 OPEC의 원유 수출가격 담합은 OPEC 회원국의 천연자원 수출과 관련한 고권적 행위로 인정한 바 있다. *International Association of Machinists v. OPEC*, 477 F.Supp. 553 (C.D. Cal. 1979), 649 F.2d 1354 (9th Cir. 1981), cert. denied, 454 U.S. 1163 (1982).

88) Michael N. Sohn & Jess Solomon, *Lingering Questions on Foreign Sovereignty and Separation of Powers after the Vitamin C Price–Fixing Verdict*, 28 Antitrust 78 (2013), pp. 81–85; Dingding Tina Wang, *When Antitrust Met WTO: Why U.S. Courts Should Consider U.S.–China WTO Disputes in Deciding Antitrust Cases Involving Chinese Exports*, 112 Colum. L. Rev. 1096 (June 2012), pp. 1127–1142; Laura Zimmerman, *Sovereignty–Based Defenses in Antitrust Cases Against Chinese Manufacturers: Making Room for Diplomacy*, 36 Brook. J. Int'l L. (2010), pp. 359–369.

미국 연방법원의 비타민 C 등 3개 사건을 소개하고, 이들 사건으로부터 어떤 시사점을 얻을 수 있는지를 살펴본다.

2. 전체 사건의 경위

중국의 원자재 수출제한 관련 미국 연방법원의 비타민 C 등 3개 사건과 WTO 사건의 경위는 상당히 복잡한 바, 먼저 전체 사건의 경위를 간략하게 살펴본다.

미국에 비타민 C, 보크사이트, 마그네사이트를 수출한 중국회사들의 수출가격 및 물량 담합으로 인해 피해를 입었다고 주장한 개인들이 ① 뉴욕동부 연방지방법원(비타민 C 사건), ② 펜실바니아서부 연방지방법원(보크사이트 사건), ③ 뉴저지 연방지방법원(마그네사이트 사건)에 셔먼법 제 1 조 위반 및 클레이튼법 제 4 조에 따른 3배 손해배상 집단소송을 제기하였다. 이에 피고 중국회사들은 수출가격 및 물량 결정은 중국정부의 기관인 수출입상회의 지시에 따른 것이므로 FSIA 외에도 연방 판례법상 국가행위, 국가강제, 국제예양의 법리에 따라 셔먼법이 적용될 수 없다고 항변하였다.

비타민 C 등 3개 사건 제 1 심에서 중국 상무부는 재판부에 피고 중국회사들이 가입한 수출입상회, 즉 ① 비타민 C 수출회사들이 가입한 中國醫藥保健品輸出入商會(China Chamber of Commerce for Import & Export of Medicines & Health Products, "CCCMHPIE"), ② 보크사이트·마그네사이트 수출회사들이 가입한 中国五矿化工进出口商会(China Chamber of Commerce of Metals, Minerals, & Chemicals Importers & Exporters, "CCCMC")는 외견상 서구권의 상공회의소와 같은 민간단체로 보일 뿐 그 실질은 정부기관이어서, 이들 수출입상회에 의한 비타민 C, 보크사이트, 마그네사이트의 수출가격 및 물량 결정은 국가행위 또는 국가강제에 해당하므로 피고들에 대해 셔먼법이 적용될 수 없다는 의견서(amicus curiae brief)를 제출하였다.

한편 2009년 미국은 중국 상무부가 스스로 미국 법정에서 CCCMC는 정부기관이라고 인정하였으므로, CCCMC가 보크사이트 등 9종류의 원자재[89] 수출회사

---

89) 보크사이트(bauxite), 코크(coke), 형석(fluorspar), 마그네슘(magnesium), 망간(manganese), 실리콘카바이드(silicon carbide), 실리콘메탈(silicon metal), 황인(yellow phosphorus), 아연

들의 수출가격과 물량을 제한한 것은 결국 중국정부의 수출제한조치에 해당되고, 이는 1994년 GATT 또는 2001년 중국의 WTO 가입의정서(Protocol on the Accession of the People's Republic of China, 이하 "중국가입의정서")에 따른 수출제한금지 의무를 위반한 것이라며 WTO에 제소하였다.

3. 중국의 원자재 수출제한 관련 WTO 사건

(1) 개 요

2009. 6. 미국 무역대표부는 중국의 원자재 수출제한이 GATT 제8조 내지 제11조 또는 중국가입의정서에 위반된다는 이유로 WTO 분쟁해결절차양해각서("DSU")에 따라 중국에 협상을 요청하였는데, EC, 캐나다, 멕시코, 터키도 협상에 참여하였다. 2009. 11. 미국, EC, 멕시코는 각자 분쟁해결기구("DSB")에 위 문제와 관련한 패널 설치를 요청하였다. 이에 따라 3개 사건(미국이 제소한 DS394 사건, EC가 제소한 DS395 사건, 멕시코가 제소한 DS396 사건)을 병합 심리하기 위한 단일 패널이 설치되었으며, 한국을 비롯하여 아르헨티나, 브라질, 캐나다, 칠레, 콜롬비아, 에콰도르, 인도, 일본, 멕시코, 노르웨이, 대만, 터키, 사우디아라비아 등 여러 국가들이 이해당사국으로서의 권리를 유보하였다. 2011. 6. 패널은 원자재에 대한 ① 수출관세, ② 수출쿼터, ③ 수출쿼터 운영 및 배정, ④ 수출허가제, ⑤ CCCMC의 최저수출가격제한은 GATT 또는 중국가입의정서에 위반된다고 하였는데,[90] 중국은 이에 불복하여 항소하였다. 2012. 1. 항소기구는 패널 결정 중에서 위 ①, ② 부분은 수긍하였지만, ③, ④, ⑤ 부분은 DSU에 따른 적법절차 위반을 이유로 법적 효력이 없다고 하였다.[91]

위와 같은 패널 및 항소기구의 결정에는 보크사이트·마그네슘 외에 기타 7개 원자재에 대한 미국, EU, 멕시코의 수출제한 주장에 대한 판단도 포함되어 있는데, 이하에서는 미국이 제소한 DS394 사건에서 보크사이트·마그네슘 결정 부분만 소개하기로 한다.

(zinc).
90) Panel Reports, paras. 8.2−8.6.
91) Appellate Body Reports, para. 362.

(2) 패널심

미국 무역대표부가 패널심에서 주장한 보크사이트·마그네슘에 대한 중국의 수출제한은 크게 ① 수출관세, 수출쿼터, 수출쿼터 운영 및 배정, 수출허가제와 같이 중국정부에 의한 직접적인 제한과 ② 민간 수출회사들이 회원으로 가입한 CCCMC에 의한 최저수출가격제한 및 수출쿼터제한으로 대별된다. 미국 연방법원에서 다루어진 보크사이트·마그네사이트의 수출가격과 관련한 국가행위 또는 국가강제 문제는 CCCMC의 수출쿼터 및 최저수출가격 제한과 관련된 것이므로, 이하에서는 이 부분에 대한 미국과 중국의 주장 요지를 소개한다.

미국은 '중국 상무부'가 2005년부터 미국 연방법원에서 진행 중이던 중국회사들의 가격담합 손해배상 사건에 제출한 의견서의 내용, 즉 중국정부는 정부기관인 수출입상회를 통해 수출가격과 물량 제한을 지시하였으므로, CCCMC의 수출가격제한은 바로 중국정부에 의한 수출제한조치에 해당된다는 주장을 인용하였다.[92] 이에 대해 중국은 미국의 패널 요청서가 불명확하고, 보크사이트 등 일부 원자재는 GATT 제20조 (g)항의 유한 천연자원에 해당하므로 수출관세, 수출쿼터 등의 조치는 유한 천연자원 보존을 위한 조치로서 정당화될 수 있다고 항변하였다.[93]

2011. 6. 패널은 ① 보크사이트·마그네슘에 대한 수출관세는 중국가입의정서 제11.3항에 위반되고,[94] ② 보크사이트에 대한 수출쿼터는 GATT 제11:1조에 위반되고, 중국은 내화성(refractory-grade) 보크사이트에 대한 수출쿼터는 GATT 제11:2조 또는 제20조 (g)항에 의해 정당화된다는 점을 증명하지 않았고,[95] ③ 보크사이트에 대한 수출쿼터 운영 및 배정은 GATT 제10:3(a)조와 제8:1(a)조, 중국가

---

92) *First Written Submission of the United States of America, China—Measures Related to the Exportation of Various Raw Materials*, WT/DS394 (1 June 2010).

93) Panel Reports, Addendum, *Annex D-1 Executive Summary of the First Written Submission of China; Annex D-2 Executive Summary of the Opening Oral Statement by China at the First Substantive Meeting; Annex D-3 Executive Summary of the Closing Oral Statement by China at the First Substantive Meeting; Annex D-4 Executive Summary of the Second Written Submission of China.*

94) Panel Reports, para. 8.2. (a).

95) 중국가입의정서 위반 여부는 소송경제 차원에서 판단하지 않았다. *Ibid.*, para. 8.3. (a), (c), (e).

입의정서에 위반되고,[96] ④ 보크사이트·마그네슘에 대한 수출허가제는 GATT 제 11:1조에 위반되고,[97] ⑤ 보크사이트·마그네슘에 대한 수출가격제한은 GATT 제 10:1조에 위반된다[98]고 하였다.

(3) 항 소 심

중국은 미국의 패널설치 요청서에는 어떤 종류의 원자재에 대한 어떤 조치가 GATT 또는 중국가입의정서에 위반된다는 것인지 분명하게 기재되지 않았다는 등의 이유로 패널 결정은 DSU 제6.2조[99]에 위반된다며 항소하였다.[100] 2012. 1. 항소기구는 미국이 제소한 DS394 사건의 패널 결정 중에서 ① 보크사이트·마그네슘에 대한 (i) 수출관세, (ii) 수출쿼터가 중국가입의정서 또는 GATT 위반이라는 판단 부분[101]은 수긍하였지만, ② 보크사이트·마그네슘에 대한 (i) 수출쿼터 운영 및 배정, (ii) 수출허가제, (iii) 최저수출가격 제한이 중국가입의정서 또는 GATT 위반이라는 판단[102]은 미국의 패널 설치 요청서 범위를 벗어나 DSU 제6.2조에 위반되므로 법적 효력이 없다고 하였다.[103] 이처럼 항소기구가 CCCMC의 수출가격제한이 수출제한조치로서 GATT 위반이라는 패널 결정 부분이 무효라고 함으로써, CCCMC의 수출가격제한이 중국정부의 행위에 해당되는지 여부는 밝혀지지 않았다.

---

96) *Ibid.*, para. 8.4. (b), (d), (e).

97) 중국가입의정서 위반 여부는 소송경제 차원에서 판단하지 않았다. *Ibid.*, para. 8.5.(b), (e).

98) *Ibid.*, para. 8.6. (b), (d), (e).

99) 원문: "The request for the establishment of a panel shall be made in writing. It shall indicate whether consultations were held, identify the specific measures at issue and provide a brief summary of the legal basis of the complaint sufficient to present the problem clearly. In case the applicant requests the establishment of a panel with other than standard terms of reference, the written request shall include the proposed text of special terms of reference."(밑줄 첨가).

100) Appellate Body Reports, paras. 16−22.

101) Panel Reports, paras. 8.2−8.5.

102) *Ibid.*, paras. 8.4.(a)−(e), 8.5.(a)−(b), 8.6.(a)−(b).

103) Appellate Body Reports, para. 362.

4. 비타민 C 등 3개 사건에서 미국 연방법원의 판단

앞서 언급한 것처럼 비타민 C 등 3개 사건에 대한 각 연방법원의 접근방식과 결론은 서로 다르다. 이하에서는 이들 사건에서 연방법원이 각 사건에서 미국 무역대표부의 입장, 중국정부의 의견서, WTO 결정을 어떻게 고려하여 사건을 처리하였는지를 살펴본다.

(1) 비타민 C 사건

2005년 뉴욕동부 연방지방법원(제1심)에 제기된 비타민 C 사건은 미국에 비타민 C를 수출한 중국회사들이 CCCMHPIE를 통하여 셔먼법 제1조에 위반되는 가격담합을 하였다는 이유로 원고들이 대표당사자로서 손해배상 집단소송을 제기한 사건이다. 이 사건에서 피고 중국회사들은 비타민 C 수출가격 및 물량 담합은 중국 상무부의 지시에 따른 것이므로, 국가행위, 국가강제, 국제예양 법리에 따라 셔먼법을 적용할 수 없다고 항변하였고, 원고들은 CCCMHPIE는 민간단체라고 반박하였다. 2006년 중국 상무부는 피고들이 가입한 CCCMHPIE는 정부기관이므로 국가행위, 국가강제, 국제예양 법리에 따라 피고들에 대해 셔먼법이 적용될 수 없다는 의견서를 제출하였다.

미국 무역대표부는 CCCMHPIE의 수출가격제한에 대해서는 WTO에 제소하지 않았지만 CCCMHPIE도 CCCMC와 같은 방식으로 수출가격 및 물량을 제한하였기 때문에, WTO에서 다투어진 CCCMC의 수출가격제한과 동일한 쟁점이 비타민 C 사건에도 있다. 즉 WTO에서 CCCMC의 수출가격제한이 중국의 수출제한조치로 인정되면, CCCMHPIE의 수출가격제한도 중국 정부의 행위로 인정될 수 있는 여지가 있는 것이다.

2011. 7. CCCMC의 수출가격제한을 중국의 수출제한조치로 인정한 WTO 패널 결정이 나온 뒤, 2011. 9. 제1심은 (i) 수출입상회를 정부기관으로 본 WTO 패널 결정은 당해 재판부를 구속하지 않으며, (ii) 중국정부가 WTO에서 비타민 C의 경우 2002년부터 수출통제를 하지 않았고 2008년부터는 수출입상회의 지시에 따르지 않은 수출회사에 대한 제재를 중단하였다고 주장한 점 등에 비추어보면, CCCMHPIE가 정부기관이라거나 수출가격담합이 정부에 의해 강제되었다는 중국 상무부의 의견을 믿기 어렵다고 하면서 국가행위 등을 원용한 피고들의 약식판

결(summary judgement) 청구를 기각하였다.[104] 이로부터 2년이 지난 2013. 3. 제1심은 피고들에게 약 1억 4천 7백만 달러의 손해배상책임을 인정하였다.[105]

그러나 2016. 9. 연방제2항소법원은 중국 상무부의 의견서에 비추어볼 때 중국법과 미국 셔먼법 사이에 진정한 저촉의 존재를 인정할 수 있다고 하면서 피고들의 국제예양 항변을 받아들여 제1심을 파기하였다.[106]

(2) 마그네사이트 사건

2005. 9. 뉴저지 연방지방법원(제1심)에 제기된 마그네사이트 사건은 미국에 마크네사이트를 수출한 중국회사들이 셔먼법 제1조에 위반되는 가격담합을 하였다는 이유로 원고들(2개 미국회사)[107]이 손해배상 집단소송을 제기한 사건이다. 이 사건에서 피고 중국회사들은 국가면제, 국가행위, 국가강제, 국제예양의 법리에 따라 셔먼법을 적용할 수 없다고 항변하였고, 중국 상무부도 피고들의 주장과 유사한 내용의 의견서를 제출하였다.

2010년 제1심은 피고들의 국가면제, 국가행위 항변은 배척하였으나 국가강제 항변에 대해서는 판단하지 않고, FTAIA상 셔먼법의 역외적용 요건에 관한 원고의 증명 부족을 이유로 재판관할권이 없다고 하였다.[108] 그러나 2011년 연방제3항소법원은 FTAIA는 셔먼법 위반 손해배상 사건에서 재판관할권 존부가 아니라 손해배상청구권의 실체법적 요건을 규정한 법률이라는 이유로 제1심을 파기하였다.[109] 2014. 7. 파기환송 후 제1심은 원고들 중에서 Resco Product, Inc.가 피고들로부터 마그네사이트를 직접 구매하였다는 증명이 없다는 이유로 원고적격을 부인하였다.

---

104) *In re Vitamin C Antitrust Litigation*, 810 F. Supp. 2d 522 (E.D.N.Y. 2011).

105) *In re Vitamin C Antitrust Litigation*, No. 06−MD−01738−BMC−JO (E.D.N.Y Mar. 14, 2013).

106) *In re Vitamin C Antitrust Litigation*, No. 13−4791 (2d Cir. Sept. 20, 2016).

107) 이 사건 원고 Resco Product, Inc.는 보크사이트 사건의 원고이기도 하다.

108) ① *Animal Science Products, Inc. & Resco Product, Inc. v. China National Metals & Minerals Imports & Export Corp. et al.*, 596 F. Supp. 2d 842 (D.N.J. 2008); ② *Animal Science Products, Inc. & Resco Product, Inc. v. China National Metals & Minerals Imports & Export Corp. et al.*, 702 F. Supp. 2d 320 (D.N.J. 2010). ② 판결은 ① 판결이 나온 뒤 원고가 청구 이유를 변경하여 다시 소를 제기한 사건이다.

109) *Animal Science Products, Inc. & Resco Product, Inc. v. China National Metals & Minerals Imports & Export Corp. et al.*, 654 F.3d 462 (3d Cir. 2011).

미국 연방대법원의 판례상 셔먼법 위반 손해배상소송에서 가격담합 대상 제품의 직접구매자만 원고적격(antitrust standing)이 인정되는바,[110] 마크네사이트 사건 제 1 심 판결에 따르면 Resco Product, Inc.는 피고가 아닌 중국회사로부터 마그네사이트를 직접 구매한 회사인 Worldwide Refractories, Inc.를 인수하였다거나 피고가 아닌 중국회사로부터 마그네사이트를 직접 구매하였다고 주장하였을 뿐 피고들로부터 직접 마그네사이트를 구매하였다는 사실을 증명하지 못했기 때문에 원고적격이 없다는 것이므로, 피고들의 국가강제 항변을 받아들인 것은 아니다.

(3) 보크사이트 사건

2006년 펜실바니아서부 연방지방법원(제 1 심)에 제기된 보크사이트 사건은 미국에 보크사이트를 수출한 중국회사들이 CCCMC를 통하여 셔먼법 제 1 조에 위반되는 가격담합을 하였다는 이유로 원고가 손해배상 집단소송을 제기한 사건이다. 이 사건에서도 피고 중국회사들은 CCCMC는 정부기관이므로 국가행위, 국가강제, 국제예양 법리에 따라 셔먼법을 적용할 수 없다고 주장하였고, 중국 상무부 역시 CCCMC는 정부기관이라는 의견서를 제출하였다. 이에 대해 원고는 보크사이트 수출카르텔은 CCCMC의 하부조직인 보크사이트 기구(Bauxite Branch)가 스스로 밝힌 바와 같이 수출업자들의 자율기관("self−regulation, self−discipline, self−protection, and self−development of the enterprise group")이므로, 정부기관이 아니라고 주장하였다.

2009년 제 1 심 재판부는 미국 무역대표부가 중국을 상대로 제기한 WTO 사건에서 CCCMC가 정부기관이라는 취지의 주장을 하였고, WTO 패널 결정을 참조할 필요가 있다는 이유로, 패널 결정이 나올 때까지 심리를 잠정적으로 중단하기로 하였다. 이러한 판단은 앞서 살펴본 마그네사이트 사건에서 WTO 결정을 참조하지 않은 뉴저지 연방지방법원의 입장과 대비된다. 2011. 6. WTO 패널 보고서가 나온 뒤 재판절차가 속개되었으나, 2012. 1. WTO 항소기구가 CCCMC의 수출가격제한을 중국정부의 수출제한조치로 인정한 패널 결정을 적법절차 위반을 이유로 무효로 함에 따라, 제 1 심은 CCCMC가 정부기관인지 여부에 대한 WTO

---

110) *Illinois Brick Co. v. Illinois*, 431 U.S. 720 (1977); *Associated General Contractors of California, Inc. v. California State Council of Carpenters*, 459 U.S. 519 (1983).

결정을 참조할 수 없게 되었다. 2016. 1. 제 1 심은 결국 CCCMC가 정부기관인지 여부에 대한 판단 없이 피고들의 가격담합 개연성에 대한 원고의 증명이 부족하다는 이유로 집단소송을 허가하지 않았다.[111]

5. 시 사 점

앞서 살펴본 것처럼 비타민 C 등 3개 사건에서 각 연방법원은 중국 상무부가 제출한 의견서, 미국 무역대표부의 입장, WTO 결정의 비중을 다르게 취급하여, 각자 다른 방식으로 결론을 내렸다. 지금까지 한국에서는 국가개입 수출카르텔이 법원과 WTO에서 동시에 다루어진 사례는 없지만, 위 문제를 민사사건으로 상정하여 국가강제를 중심으로 한국 독점규제법과 통상정책 및 피해자 구제 관점에서 시사점을 도출해보면 다음과 같다.

첫째, 국내 법원이 국외 수출카르텔에 대한 국가강제를 부정하더라도, 헌법의 권력분립 원칙상 행정부는 통상정책 차원에서 국적국의 국가강제를 인정하여 해당국의 수출제한조치로 보고 WTO 제소를 추진할 수 있을 것이다.

둘째, WTO법(국제법)과 독제규제법(국내법)은 서로 독립된 법이며, WTO법 차원에서 국내 독점규제법은 '사실'에 불과하므로, WTO는 국내 법원의 국가강제 여부 판단을 전혀 고려하지 않고 수출카르텔이 국적국의 수출제한행위에 해당되는지 여부를 판단할 수 있다. 다른 한편 일반 행정사건에서 WTO협정의 직접효력을 부인한 대법원 판례[112]에 의하면 독점규제법 민사사건에서도 WTO법의 직접효력은 인정되지 않을 것으로 보이므로, 국내 법원도 WTO의 수출제한조치 여

---

111) *Resco Product, Inc. v. Bosai Minerals Group et al,* Civil Case No. 06-235, 158 F.Supp.3d 406 (2016). 연방대법원은 *Bell Atlantic Corp. v. Twombly,* 550 U.S. 544 (2007) 판결에서 가격담합 손해배상 집단소송에서는 대표당사자인 원고가 가격담합 존재의 개연성을 증명해야만 집단소송이 허가된다고 하였는데, 보크사이트 사건의 제 1 심 판결에 따르면 원고들은 마그네사이트 수출가격이 외형상 일치한다는 점만 증명하였을 뿐 가격담합 개연성 인정에 필요한 추가적 요소(plus factors)를 증명하지 못했기 때문에 집단소송을 허가할 수 없다는 것이므로, 피고들의 국가행위·국가강제 항변을 받아들인 것은 아니다.
112) 대법원 2015. 11. 19. 선고 2015두295 전원합의체 판결. 단 대법원은 추상적 규범통제 사건인 조례소송에서는 GATT의 직접효력을 인정하였다(대법원 2005. 9. 9. 선고 2004추10 판결). 관련 평석으로는 다음 참조. 주진열, "GATT/WTO협정에 위반된 지방자치단체 조례안의 효력," 서울국제법연구(2005) 제12권 제 2 호, pp. 21-46; 주진열, "한국 대법원의 WTO협정 직접효력 부인," 서울국제법연구(2015), 제16권 제1호, pp. 223-235.

부 결정을 고려하지 않고 국가강제 여부를 독자적으로 판단할 수 있을 것이다. 따라서 국가강제 또는 수출제한조치 여부와 관련하여 WTO와 국내 법원이 서로 다르게 결정하더라도, 규범적 차원에서 WTO법과 독점규제법 사이에 충돌 문제는 없다고 할 것이다. 다만 국내 법원이 WTO 결정을 참고하여 국가강제 여부를 판단한다면, WTO법과 독점규제법이 규범적으로 조화될 수 있는 여지가 있음은 물론이다.

셋째, 만약 국내 법원이 국가강제를 인정하여 국외 수출카르텔에 대하여 독점규제법을 적용할 수 없다고 한다면, 해당 카르텔의 제품을 구매한 국내 피해자는 어떠한 손해배상도 받을 수 없게 된다. 이 경우 행정부가 피해자 구제를 위해 국적국을 상대로 외교적 보호권을 행사할 수 있는지 여부가 문제될 수 있다. 만약 외교적 보호권 행사가 불가하거나 실효성이 없는 경우에는, 국가개입 수출카르텔로 인한 국내시장의 피해를 막기 위해서 해당 카르텔을 해당 국적국의 수출제한조치로 보고 WTO 제소를 고려할 수 있을 것이다.

제 8 부

지역무역협정

집필자 명단

제 8 부 지역무역협정

제28장
RTA의 현재와 미래

제1절 개 관

1. 개념, 유형, 이념

'지역(region)'의 개념은 국가 내부의 하위영역을 지칭할 수도 있고 국가 외부의 상위영역을 지칭할 수도 있으나 국제경제법상 RTA(Regional Trade Area or Agreement)는 국가 상위의 지역개념에 기초한 지역경제통합협정 또는 그것이 포섭하는 확대된 영역을 의미한다.

지역경제통합에는 지역무역협정(RTA, Regional Trade Area or Agreement), 관세동맹(CU, Customs Union), 자유무역협정(FTA, Free Trade Area or Agreement), 공동시장(요소이동자유화, 대외경제정책 조정), 경제통합(경제정책조화: Economic Integration) 등 다양한 형태가 있다.

자유무역협정은 특정국가간에 배타적인 무역특혜를 서로 부여하는 협정으로서 가장 느슨한 형태의 지역 경제통합이며, 지역무역협정의 대종을 이루고 있다. 자유무역협정은 당사국 모두의 상호적 무역자유화를 요건으로 함에 비하여 일방적 무역자유화로 차별적 특혜를 부여하는 PTA(Preferential Trade Arrangement)와 구별 짓기도 한다. 이하에서는 지역무역협정을 자유무역협정과 같은 의미로 파악하고 혼용한다.

지역무역협정 옹호론자들은 FTA가 범세계적 무역자유화에 디딤돌이 될 수 있다는 희망을 피력한다. 하지만 다자적 무역자유화를 지지하는 측에서는 지역무역협정의 증대가 다자주의에 장애가 되고 있다고 지적한다. 순전히 경제적으로 본다면 자유무역 협정의 득실은 무역창출효과와 무역전환효과의 상대적 크기에

| 표 28-1 | **지역무역협정의 종류와 포괄범위3)** |

역내관세 철폐	역외 공동 관세부과	역내생산요소 자유이동보장	역내공동경제정책 수행	초국가적기구 설치·운영
① 자유무역협정 (NAFTA, 한미FTA 등)				
② 관세동맹 (베네룩스 관세동맹, MERCOSUR)				
③ 공동시장 (EEC, CACM,1) ANCOM2) 등)				
④ 완전경제통합 (1992년 마스트리히트조약 발효 이후의 EU)				

의하여 결정된다. 그렇지만 자유무역협정에 따른 사회경제변화에 적응하기 위하여 겪어야 하는 구성원의 비경제적 적응비용을 고려한다면 단순히 플러스 무역효과가 있다는 것만으로는 자유무역협정의 추진 근거로 빈약하며,4) 플러스 무역효과가 충분히 클 뿐만 아니라 자유무역협정 체결에 따른 부작용을 최소화하고 창출되는 기회를 극대화할 수 있는 구체적 계획이 동반되어야 한다.

2. 법적 취급의 개관

1947년 GATT의 체결당시와 현재까지 자유무역협정(FTA)과 지역무역협정 (RTA)은 종종 혼용되었으며 그런 배경에서 GATT 제XXIV조는 그 문언에 "지역"이라는 표현을 전혀 사용하지 않았음에도5) 지역무역협정에 관한 규정으로 이해되어 왔다. 유럽공동체는 자유무역을 추구하는 유럽지역협정이었다.

'지역주의'는 국가나 범 세계에 비하여 '지역'이 중시되어야 한다는 사회·문

---

1) Central American Common Market.
2) Andean Community.
3) 출처: http://www.fta.go.kr/의 〈FTA 일반〉을 기초로 수정함.
4) 국내경제구조의 개혁을 위한 외부적 동인으로 작용할 수 있다는 주장도 있다.
5) 제XXIV조의 제목은 "Territorial Application – Frontier Traffic – Customs Unions and Free – Trade Areas"이다.

화·정치·경제적 운동으로서 다양한 형태를 가지고 발전하였다. 특히 유럽경제공동체(European Economic Community, EEC)의 형성과 유럽연합(European Union, EU)으로의 성장은 범세계적 자유무역에 앞서서 역내에서 선도적으로 과감한 무역자유화를 추진하고 이를 위한 법적 기반을 설계함으로써 국제경제법 발전에 기여하여 왔다. 그러나 이는 유럽지역에 한정되고 다른 지역으로 확산되지는 못하였다. 비록 동남아시아국가연합(Association of South-East Asian Nations, ASEAN)과 북미자유무역협정(North American Free Trade Agreement, NAFTA)[6]이 체결되었으나 이는 다분히 경제적 협력의 연대 수준에 머물렀을 뿐 법적, 정치적 지역공동체로 나아가지 못하였다. 그러나 근년 들어 세계무역기구(World Trade Organization, WTO) 도하개발의제(Doha Development Agenda, DDA)협상의 정체와 자유무역협정 체결의 활성화는 두 현상 상호간 인과관계의 규명은 차치하고 현실적으로 지역주의에 국제무역 규범의 발전을 선도해나갈 역할을 부여하고 있다.

　WTO협정은 다자적 무역자유화에 대한 보완책으로 지역적 무역자유화가 추진될 수 있음을 인정하면서도 양자 간의 긴장관계를 직시하여 지역무역협정이 다자무역자유화에 긍정적으로 기여하고 저해요소로 작용하지 않기 위한 요건을 설정하고 있다. 즉, GATT와 GATS는 일부회원국에 의한 관세동맹, 자유무역지대의 형성과 그들 간의 특혜대우를 용인하면서도 이와 같은 지역주의가 대내적으로 실질적인 무역자유화를 달성하고 대외적으로 제3국에 대한 무역장벽이 종전보다 높아지지 않아야 한다는 조건을 부과하고 있다.[7]

　지역무역협정은 다자무역질서의 근간인 최혜국대우(MFN) 원칙에 배치되지만, GATT 이전에 존재한 다양한 형태의 지역주의를 포섭하고 미래에 발생할 수 있는 지역협정 체결 필요성을 대비하여 WTO회원들은 신축적인 규정과 규범적용을 보이고 있다.

---

6) 2020.7.1.부로 개정되면서 USMCA(United States-Mexico-Canada Agreement)로 호칭이 바뀌었다.
7) GATT 제XXIV조; GATS 제5조.

제 2 절   WTO의 RTA 관련규정 및 통제메커니즘

1. GATT 제XXIV조

언급한대로 GATT는 RTA를 수용하면서도 역내의 관세나 다른 무역장벽이 실질적으로 모든 무역부분에 있어 완화 또는 제거되어야 하며 역외 국가에게는 그룹형성 이전에 비해 교역이 더 제한적이지 않아야 한다는 요건을 부과하고 있는바 아래 상론한다.

(1) 대외적 조건

GATT 제24조가 '영토적 적용, 국경무역, 관세동맹 및 자유무역지역'이라는 표제 하에 규율하는 주요 규정은 다음과 같다.

> "5. 따라서 이 협정의 규정은 체약당사자 영토간에 관세동맹 또는 자유무역지역을 형성하거나 관세동맹 또는 자유무역지역의 형성을 위하여 필요한 잠정협정을 채택하는 것을 방해하지 아니한다. 단,
>
> (a) [관세동맹과 관련하여 (b)호와 같은 취지의 규정(필자 주)]
>
> (b) 자유무역지역 또는 자유무역지역의 형성으로 이어지는 잠정협정에 관하여는, 각 구성영토에서 유지되고 또한 동 자유무역지역의 형성 또는 동 잠정협정의 채택 시에, 동 지역에 포함되지 않았거나 동 협정의 당사자가 아닌 체약당사자의 무역에 대하여 적용 가능한 관세 및 그 밖의 상거래 규정은 자유무역지역의 형성 또는 잠정협정 이전에 동일한 구성영토에서 존재하였던 상응하는 관세 또는 그 밖의 상거래 규정보다 더 높거나 더 제한적이어서는 아니 된다."

소위 대외적 조건으로 전체적으로 제 3 국에 대한 무역조건이 악화되지 않을 것을 요구할 뿐만 아니라 개별 조치에 있어서도 악화되지 않아야 한다.[8] 이는 관

세동맹의 경우 전체적으로 제3국에 대한 교역조건이 악화되지 않을 것만을 요하는 것과 비교된다.[9]

(2) 대내적 조건

"8. 이 협정의 목적상

(a) [관세동맹과 관련하여 (b)호와 같은 취지의 규정(필자 주)]

(b) 자유무역지역은 관세 및 그 밖의 제한적인 상거래 규정(필요한 경우 제11조, 제12조, 제13조, 제14조, 제15조 및 제20조 하에서 허용되는 것은 제외한다) 이 구성영토를 원산지로 하는 상품의 동 영토간의 실질적으로 모든 무역에 대하여 철폐되는 둘 또는 그 이상의 관세영역의 일군을 의미하는 것으로 양해한다."

소위 대내적 조건으로서 실질적으로 모든 무역이 어느 정도를 의미하는지가 한때 논의가 되었지만 FTA를 체결하는 당사국간의 사정에 의해서 그 정도가 유동적이다. 적어도 당사국 중 일방이 시장을 개방하는 반면에 타방은 전혀 개방하지 않는 것은 이 요건을 충족하지 못한다.[10] 제3국의 입장에서는 굳이 높은 정도의 통합을 요구하여 무역전환에 따른 자국의 피해를 자초할 이유가 없으므로 이를 문제 삼는 경우는 드물다.[11]

---

8) 「GATT 제XXIV조의 해석에 관한 양해」는 실행관세를 양허관세 한도에서 인상하는 것을 허용한다. 다만 법상으로 허용된다고 하더라도 이와 같은 제3국에 대한 실행관세 인상은 대외 관계를 악화시킬 우려가 있기에 실제로는 발생하지 않을 것이다.

9) GATT 제XXIV조5(a) "…duties and other regulations of commerce…shall not <u>on the whole</u> be higher or more restrictive than <u>the general incidence</u> of the duties and regulations of commerce applicable in the constituent territories prior to the formation of such union…"(필자 밑줄), 실행관세를 수입량에 의해 가중평균하여 비교하며 관세율이 인하된 관세동맹회원국으로부터 받게 되는 혜택을 고려하여야 한다. 「GATT 제XXIV조의 해석에 관한 양해」 및 GATT 제XXIV조 6.

10) GATT Panel, EEC-Banana II, para 159.

11) 예컨대, 한중FTA의 자유화 수준이 낮다고 미국이나 베트남 등이 한중FTA의 자유화 수준을 높일 것을 요구할 이유가 없는 것이다.

(3) 회원국간 재수출에 대한 관세조정

GATT 부속서상의 제24조 제 9 항에 대한 주석은 "특혜관세율로 관세동맹 또는 자유무역지역 회원국의 영토로 수입된 상품이 동 동맹 또는 지역의 다른 회원국의 영토로 재수출되는 때에는, 제1조의 규정은 후자의 회원국이, 이미 지급된 관세와 동 상품이 직접 그 영토로 수입되고 있는 경우 지급할 더 높은 관세간의 차액과 동일한 관세를 징수하여야 한다는 것을 요구하는 것으로 양해한다."고 하여, 지역무역협정 등에 의하여 수입된 상품이 재수출되는 경우에 대하여 규정하고 있다.

터키-섬유 사건[12]에서 터키는 EU와의 관세동맹을 유지하기 위해서는 인도로부터 수입되는 섬유제품의 EU지역으로의 유통을 막기 위한 수량제한이 불가피하며 이는 GATT 제XXIV조에 의해 정당화된다고 주장하였으나, 상소기구는 무역제한조치의 불가피성은 이를 주장하는 국가에서 입증하여야 하며, 이 사안에 있어서는 원산지증명제 등을 통하여 인도제품이 무관세로 EU로 유통되는 것을 막는 것과 같은 덜 무역제한적인 대안이 있었으므로 수량제한이 없었다고 하여 관세동맹이 불가능하지 않다는 이유로 터키의 주장을 배척하였다.[13]

(4) WTO비회원국과의 FTA

GATT 제XXIV조와 제I조의 문언에 의하면 WTO회원국 간의 FTA만 최혜국대우원칙의 면제를 받으며 비회원국과의 FTA의 경우에는 그 혜택이 자동적으로 다른 WTO회원국에게 제공되어야 할 것이다. 그러나 확립된 관행에 의하면 비회원국과의 FTA도 WTO에 통보되며 그 혜택은 다른 WTO회원국에게 제공되지 않는다.[14]

---

12) Turkey-Restrictions on Imports of Textile and Clothing Products, WT/DS34/AB/R, 1999.
13) 그 밖에 상소기구는 협정문이 "형성"(formation)이라는 단어를 사용하는 것을 주목하여 형성 이후 단계에서의 제약은 GATT 적용이 면제되지 않는다고 해석하였는데 이는 많은 비판을 받고 있다.
14) 예, EC-CARIFORUM, Ukrain-Uzbekistan, Turkey-Syria, EFTA-Lebanon FTA.

2. GATS 제V조

(1) 원 칙

GATS 제5조는 GATT 제24조와 마찬가지로 최혜국대우 부여 의무에 대한 예외를 허용하고 있다. GATT 제24조와는 달리 GATS 제5조는 관세동맹과 자유무역지역을 구별하고 있지 않다. 동조는 "경제통합"이라는 용어를 사용하고 있다. 다만, 제5조에서 사용하는 용어와 그 내용에 비추어 볼 때 GATS에서의 지역통합은 관세동맹이라기 보다는 GATT의 자유무역지대와 유사하다고 볼 수 있다. GATT 제24조와 실질적으로 동일한 역내적 요건과 역외적 요건이 제시되어 있다.

(2) 노동시장 통합

GATS는 또한 각 회원국이 노동시장의 완전한 통합을 이루는 양자간 또는 다자간 협정의 당사자가 되는 것을 방해하지 아니하나 그러한 협정은 서비스무역이사회에 통보되어야 한다. 전형적으로 이러한 노동시장 통합협정은 관련 당사자의 국민에 대해 당사자의 고용시장에 자유롭게 진출할 권리를 부여하며, 임금조건, 다른 고용조건 및 사회적 혜택에 관한 조치를 포함한다.[15] 그러나 공동시장이나 완전한 경제통합에 이르지 않는 단순한 자유무역협정은 노동시장의 개방에 소극적인 것이 현실이다.

3. 통보와 심사

(1) 통제절차의 개선

GATT와 WTO는 지역무역협정을 체결하는 경우 관련 이사회에 통보하고 심사를 받도록 규정하고 있으나 준수되지 않는 경우가 많았다. 도하라운드협상에서 지역무역협정에 적용되는 현행 WTO 규정의 기준 명확화와 절차개선을 목표로 설정하였으나 협상의 진전이 더디었다. 이에 당시 WTO 사무총장인 Pascal Lamy 의 제안에 의하여 2006. 7. 회원국들이 도하라운드 협상을 타결하기 전까지 다음과 같은 내용을 담은 투명성 통제메커니즘을 임시적으로 시행할 것에 합의하였다.

---

15) GATS 제V조의 2.

i) RTA 협상의 시작을 다른 회원국에서 통지할 것

ii) 협정의 서명을 다른 회원국에게 통지할 것

iii) RTA가 비준되면 즉시 공식적으로 다른 회원국들에게 공지할 것

iv) RTA의 이행과정의 변화를 WTO에 통지할 것

(2) WTO 규범합치성에 대한 판단

FTA가 범세계적 무역자유화에 받침돌이 될지 걸림돌이 될지는 이론상으로나 경험상으로나 논란이 해소되지 않고 있다. FTA는 WTO의 지역무역협정위원회 (Committee on Regional Trade Agrements, CRTA)에 통보되어 검토의 대상이 되지만 투명성강화메커니즘 도입 이후 현재 동 위원회는 통보된 FTA의 WTO합치성에 대한 평가를 더 이상 하지 않는다. 패널이나 상소기구가 분쟁의 해결에 필요한 한도에서 이를 판단할 권한이 있음은 분명하며,[16] GATT 제XXIV조에 따른 예외를 주장하는 측에서 당해 FTA가 제XXIV조의 요건을 충족함을 보여야 한다.[17]

그러나 실제에 있어서는 FTA 체결이 단순히 법적, 경제적 결정이 아니라 고도의 정치적 성격을 갖는 이유로 법적 판단을 어렵게 한다.[18] 결과적으로 FTA를 WTO협정위반으로 제소하는 경우도 드물고 인정되는 경우는 더욱 희소하다.

4. FTA와 WTO분쟁해결절차

GATT/WTO 역사상 어떤 FTA가 GATT 제24조를 충족하는지 여부에 대한 판결 결정례는 극히 드물다. GATT시절 대표적인 사례로 EEC-바나나 사건에서 아프리카-캐리비안-태평양 국가들에게 유리한 EC의 차별적 바나나 수입제도가 EC와 이들 국가들 사이의 로메협약에 의해 보호될 수 있는지에 대하여 판단하면서 로메협약은 GATT 제24조 요건을 충족하지 못한다고 판정한 것을 들 수 있

---

16) Turkey-Textile, AB, para 58-9.

17) US-Line Pipe, Panel, para 7.144.

18) GATT채택 이후 최초의 지역무역협정인 ECSC는 단지 석탄, 철강 분야에서의 무역제한만 철폐하고 있으므로 제소되었더라면 제XXIV조의 "실질적으로 모든 영역에서의 무역제한 철폐"요건의 위반이 선언되었을 것이다. 결국 어떤 FTA를 제소하여 그 규율을 엄격하게 하는 것은 제소국 자체의 장래 행동을 제약하는 것을 포함하여 어떤 부메랑 효과가 미칠지 예측하기 어렵기에 쉽게 나서지 않는 것이다.

다.19) WTO 체제하에서는 터키-섬유사건20)이 대표적인데 터키가 EC와 체결한 관세동맹의 후속조치로 섬유수출에 대하여 새로운 장벽을 쌓아 인도가 피해를 입었다고 한 사건인데 패널과 상소기구는 터키를 통해 다른 EC회원국으로 수출되는 제3국 산품에 대해서는 원산지 판정을 통해서 관세를 조정하면 되는데 수량제한을 하는 것은 필요성 기준을 일탈한 것이라고 판시하여 GATT 제24조의 요건을 비교적 엄격하게 해석하였다.

FTA는 해당 FTA의 해석 적용과 관련한 분쟁해결을 위한 규정을 두는 것이 일반적이다. 그런데 FTA의 규정과 WTO 규정은 상당부분 중첩하므로 FTA와 WTO의 분쟁해결절차를 양립적으로 인정하는 경우에 자기에게 유리한 분쟁절차를 선택하는 이른바 'Forum shopping'의 위험이 있다. 이 경우 제소국은 양 규정의 차이 등에 기인한 승소가능성, 예견가능성뿐만 아니라 판결의 영향력도 감안하게 된다. 그 결과 현재까지는 WTO분쟁해결절차가 선호되고 있다.

5. 개도국과 지역무역협정

위에서 언급한 GATT 및 GATS 조항 외에도 허용조항(Enabling Clause)이라는 것이 있는데, 이는 GATT의 1979년 결정21)으로서 GATT 회원국들이 개도국에 대하여 보다 완화된 조건하에 지역무역협정을 체결하여 특혜대우를 할 수 있도록 허용한 것이다. 동 조항은 일반특혜관세(GSP) 및 방콕협정22) 등의 근거가 되고 있다.

제3절 한국의 자유무역협정 추진과 전략

1. 개 설

한국의 FTA 정책추진의 변화를 고찰해 보면 지난 10여 년간 한국 FTA 추진

---

19) GATT/DS32/R, dated 3 June 1993; DS38/R, dated 11 February 1994.
20) WTO/DS34, Turkey — Restrictions on Imports of Textile and Clothing Products.
21) Differential and more favourable treatment reciprocity and fuller participation of developing countries, Decision of 28 November 1979 (L/4903).
22) 아시아태평양국가(방글라데시, 스리랑카, 인도, 라오스, 한국)간 특혜관세 부여.

정책의 주안점은 '주요거점국가와의 동시다발적 FTA 체결' 및 'FTA 허브국가'[23] 등의 목표를 추구하였다. 이어 2015.4 박근혜정부는 '신FTA 추진전략'[24]을 발표하였는데 3대 추진과제로 '1) 환태평양동반자협정(Trans- Pacific Partnership, TPP), 역내포괄적경제동반자협정(Regional Comprehensive Economic Partnership, RCEP), 한중일 FTA, 아시아태평양자유무역지대(Free Trade Area of the Asia-Pacific, FTAAP) 등 Mega-FTA 대응. 2) 기체결 FTA 업그레이드 및 기설정 의제 추진. 3) 신흥 유망국 중심의 신규 FTA 적극 추진'을 제시하였다. 2021.10 현재 RCEP이 서명되었으며 한-중미 FTA, 한-영 FTA 등이 새로 발효되었다.

그동안 추진한 FTA의 성과에 대해서는 다방면의 종합적 연구가 요구된다. 단순히 수출입의 변화만 살펴보면 기대한대로 수출증대의 성과를 거둔 경우가 일반적이지만 수출이 감소한 경우도 있다. 후자의 경우인 한/EU FTA도 전체적인 유럽경제의 침체에 따른 것이고 협정체결 이후 양측의 무역량 변동을 품목별로 분석해보면 FTA관세효과를 누리는 품목은 그렇지 않은 것에 비하여 상대적으로 선전한 것으로 분석된다.

2. 동아시아 지역과 FTA

지난 1997년 아시아에 몰아친 금융위기 이후 아시아 국가의 정상들은 급변하는 세계경제의 통합화 추세에 더불어 지역성 경협에 따른 지역 전반의 경제력을 한층 높여 세계경제의 불안한 변수에 따른 충격을 여유 있게 대처할 필요성에 공감하였으며 이는 2014년 아시아인프라투자은행(Asian Infrastructure Investment Bank, AIIB)의 설립으로 이어졌다. 또한 2012년에는 한중일 3국간 투자협정[25]도 체결되어 2014년 발효하였다.

그러나 이와 같은 부문별 협력과는 달리 포괄적인 지역경제자유화의 추진은 더디었다. WTO 출범이후 지난 20여 년간 각국의 자유무역협정 체결의 관행을 돌이켜보면 자유무역협정에서 지역성이 차지하는 비중은 미약하였다. 예컨대 한

---

23) 국정브리핑 특별기획팀, 「참여정부 경제 5년」, 한스미디어, 2008, pp. 331-332.
24) 산업통상자원부 보도자료, "신흥국 중심의 '자유무역협정(FTA)' 제2라운드" 본격 추진, 2015. 4. 30.
25) 공식 명칭은 「대한민국 정부, 중화인민공화국 정부 및 일본국 정부 간의 투자 증진, 원활화 및 보호에 관한 협정」.

국의 첫 번째 FTA 체결상대는 지구 반대편에 있는 칠레였으며 두 번째는 싱가포르, 세 번째는 유럽자유무역연합(EFTA)이었다. 다들 한국과 지리적으로 인접한 공간에 있는 국가가 아니었던 것이다. 그 밖에 한국은 ASEAN, 인도, 유럽연합, 페루, 미국, 터키, 호주, 캐나다, 콜롬비아, 뉴질랜드, 중국, 베트남, 이스라엘, 캄보디아 등과 FTA를 체결하였다. 반면 한/일, 한/중/일 FTA는 진척이 거의 없었다고 할 수 있다. 자유무역협정의 체결에 있어서 지역주의를 활용할 필요성을 인정하면서도 이를 실천하지 못한 것은 동북아 경제의 주도권과 함께 역사왜곡과 같은 정치, 문화적인 문제들이 있기 때문이다. 다행히 RCEP이 타결되어 유대의 끈이 이어지고 있는바 향후 CPTPP에 한, 중이 가입하여 관계가 더욱 견실해지기를 희망한다. 장기적으로는 FTAAP을 중심으로 여기에 경제, 사회적 협력까지 포함하는 형태로 APEC을 기능적으로 확장하고 구조적으로 강화한 아시아태평양공동체(Asia-Pacific Community)를 형성하는 논의에 한국이 적극적으로 나서는 것도 전략적 선택지가 될 것이다.[26]

3. FTA 추진절차

한/미 FTA등 일련의 자유무역협정의 체결이 지나치게 행정부의 일방적 주도로 추진되었다는 비판이 있어서 2012년 「통상조약의 체결절차 및 이행에 관한 법률」이 제정되었다. 이에 의하면 정부는 통상협상 개시 전 통상조약체결계획을 수립하고, 이를 지체 없이 국회 소관 상임위에 보고하여야 하며, 진행 중인 통상협상 또는 서명이 완료된 통상조약에 관한 사항도 요청이 있을 경우 보고하거나 서류를 제출하여야 하고, 통상조약에 대하여 경제적 효과, 피해산업 국내대책의 실효성 및 개선방안 등 이행상황을 평가하고 그 결과를 국회에 보고하여야 한다. 이와 같이 FTA체결에 관한 국회의 심사권은 상당히 제고되었으나 일반 공중의 통상협상의 진행에 대한 알권리와 이에 기반한 참여권의 실현은 아직 개선의 여지가 많다.

---

26) 정찬모, "지역, 지역주의와 아시아태평양공동체" 「법학연구」, 인하대 법학연구소, 19권 1호, 2016.

제29장
FTA 원산지 규정*(FTA Rules of Origin)

제1절 FTA와 원산지 규정(Rules of Origin)

1. 원산지 규정의 의미

원산지 규정(Rules of Origin)이란 물품의 국적을 정하는 기준을 정하는 제 규정을 의미한다.[1] 원산지 규정은 비특혜원산지 규정과 특혜원산지 규정으로 구분되는데, 비특혜원산지 규정은 최혜국대우, 반덤핑, 상계관세, 세이프가드, 원산지 표시 등에 사용되며, 특혜원산지 규정은 FTA 또는 일반특혜관세(Generalized System of Preference: GSP) 등 관세특혜를 부여할 목적으로 사용된다.[2] 이하 이 글에서 언급하는 원산지 규정은 특혜원산지 규정을 의미한다.

FTA상 원산지 규정은 특히 그 중요성을 가지는데, 그 이유는, FTA상의 원산지 기준을 충족한 것으로 인정받은 물품에 대하여만 FTA에 의한 특혜관세혜택이 부여되기 때문이다. 따라서 원산지 규정 협상은 관세자유화 협상과 더불어 FTA 협상 상품분야에서 가장 중요한 협상으로 일컬어진다. 관세자유화를 고속도로에, 원산지 규정을 톨게이트(Toll-Gate)에 비유하여 설명하면 이해가 쉬울 것이다. 좋은 고속도로를 건설해 놓더라도 톨게이트(Toll-Gate)를 통과하지 못한다면 고속도로 진입자체가 불가능하므로 빠른 시간 내에 원하는 곳으로 이동하려고 하는 목표를 달성하지 못하게 되는 이치와 같이, 아무리 상대국과 관세자유화에 합의한다고 하더라도 해당물품이 FTA상의 원산지 기준을 충족하지 못한다면 그 자유

---

* 이 글은 법무부 발간 「통상법률」 제80호(2008. 4)에 게재되었던 필자의 논문(한국-미국 FTA 원산지 규정에 관한 연구)을 일반 독자를 위해 수정·편집한 것이다.

1) WTO Agreement on Rules of Origin, Article 1.1.

2) *Ibid.* Article 1.2 및 Annex II Article 2 참조.

화의 혜택을 누릴 수 없게 되어 FTA의 의미가 크게 반감된다.

원산지 규정은 국내산업 보호 및 투자 활성화를 위한 정책수단으로도 작용한다.[3] 원산지 규정은 표면적으로 보면 중립적이고 객관적인 기준이지만, 자세히 들여다보면 해당 산업에 대한 생산형태 및 산업구조와 관련된 정책적 판단과 결부되어 있음을 알 수 있다. 예를 들면, 원산지 판정과 관련하여 역내 부품을 일정 수준 이상 사용하도록 규정한다면 해당 제품을 생산하기 위하여 필요한 국내 부품업계의 생산 및 투자 활성화에 도움이 될 것이다. 다른 한편으로, 역외 부품 사용을 제한함으로써 기업들이 해외에 건설한 생산기지로부터의 부품조달이 제한되어 기업들의 세계화 경향과는 배치되는 정책이 될 수도 있다. 따라서 원산지 기준을 어떻게 규정할 것인가의 문제는 개별 산업 생산형태, 산업구조, 교역구조 등을 종합하여 판단하여야 한다. 원산지 기준을 엄격하게 하느냐, 혹은 느슨하게 하느냐에 따라서 FTA가 각각의 산업에 미치는 영향이 달라지게 된다.

또한 원산지 규정은 FTA 협상상대국에 따라 그 기준이 달라질 수 있다. FTA 협상상대국과의 교역량 및 산업의 분업화 정도에 따라 원산지 기준이 엄격해 질 수도 있고, 느슨한 형태가 될 수도 있기 때문이다. 이와 같은 협상과정을 반영하여 FTA에 따라 서로 다르게 규정되는 원산지 기준은 경우에 따라 무역업자들에게 부담이 되기도 한다. 각국에 물품을 수출하거나 수입할 때 원산지 기준을 충족했는지 여부를 국가별로 각각 확인하여야 하기 때문이다. 이러한 어려움을 타개하기 위하여 FTA 협상과정에서 되도록이면 동일한 기준을 유지할 수 있도록 하는 것이 필요하다.[4]

또 다른 면에서 보면 원산지 규정은 간접적으로 외국인투자의 유입을 유인하는 수단이 되기도 한다.[5] 예를 들면 FTA 원산지 기준에 주요 부품을 역내산으로 사용하도록 규정하면, 지금까지 국내에 부품을 수출하던 역외국가는 해당 상품의 수출이 어려워 질 것이므로, 결국 국내에 부품공장을 건설할 유인이 생길 수 있다.

---

3) 정인교 외, 「우리나라 FTA 원산지 규정(ROO) 연구 및 실증분석」(한국경제연구원, 2005. 11), pp. 33-36 참조.
4) FTA 협정문마다 원산지 기준이 달라서 생기는 영향을 스파게티 보울 효과(spaghetti bowl effect)라고 한다. 스파게티 보울 효과의 문제점에 대한 전반적인 분석에 대하여는 다음을 참조. Jagdish Bhagwati, 「Free Trade Today」(Princeton University Press, 2002).
5) 정인교 외, 전게서, pp. 35-36.

　　원산지 규정 협상은 이렇듯 개별 품목 및 산업에 대한 정책적 판단과 맞닿아 있어 그 기준을 정하는 협상과정이 만만치 않다. 원산지 규정 협상을 맡게 되는 원산지 분과의 경우 대개 다른 분과의 협상보다 먼저 시작하고 다른 분과의 협상보다 늦게까지 협상을 진행하게 된다. 따라서 원산지 규정 협상이 FTA 타결의 마지막 협상이 되는 경우도 많다. 협상과정에서 협상국들은 원산지 협상을 관세자유화와 연계하여 관세자유화에는 합의하고도, 원산지 기준을 엄격하게 함으로써 그 효과를 형해화시키는 전략을 구사하기도 한다. 흔히 언론에는 관세자유화에 초점을 맞추어 보도하기 때문에 해당 물품의 관세가 철폐되거나 감축되면 기업들은 FTA 상대국가에 대한 수출이 증가할 것으로 기대하게 되는데, 실제로 자유화가 달성되어 시장접근이 이루어질 수 있는지는 수출기업이 상대국가에 수출할 물품이 FTA상의 원산지 기준을 충족할 수 있는지 여부를 확인하여야 알 수 있다.

2. 원산지 규정 협정문의 구성

　　FTA협상에서 원산지 규정 협상은 두 부분으로 나뉘어 진행된다. 첫 번째 부분은 원산지 규정 협정문에 대한 협상이고, 두 번째 부분은 품목별 원산지 기준(Product Specific Rules of Origin)에 대한 협상이다. 원산지 규정 협정문은 보통 14−20여 조문으로 구성되는데, 주로 원산지 결정기준에 대한 원칙조항과 결정기준 충족을 위한 계산공식, 누적, 직접운송 원칙 등이 포함된다.

　　한−미 FTA를 예를 들면 원산지 규정 협정문에 포함되는 주요 내용은 다음과 같다.

제6.1조 원산지 상품(원산지 결정기준)

제6.2조 역내가치포함비율

제6.3조 재료의 가치

제6.4조 재료의 가치에 대한 추가조정

제6.5조 누적

제6.6조 최소허용수준

제6.7조 대체가능 상품 및 재료

제6.8조 부속품·예비부품 및 공구

제6.9조 상품의 세트

제6.10조 소매판매를 위한 포장재료 및 용기

제6.11조 수송을 위한 포장재료 및 용기

제6.12조 간접재료

제6.13조 통과 및 환적

제6.14조 협의 및 수정

제6.22조 정의

원산지 결정기준은 통상적으로 (1) 완전생산기준("Wholly Obtained or Produced" Rule)과 (2) 실질변형기준("Substantial Transformation" Rule)으로 구분된다.[6] 완전생산기준이란 보통 가공농수산물을 제외한 기초농수산물에 적용되는 기준으로 협정 당사국의 영역 내에서 완전하게 획득되거나 생산된 상품을 의미한다. 완전하게 획득되거나 생산된다는 의미는 협정문에 보다 자세하게 규정되어 있으나 쉽게 설명하면 당사국에서 나고 자란 동물이나 당사국에서 재배되고 수확된 식물, 당사국에서 채취된 광물 등을 의미한다.

실질변형기준이란 주로 공산품에 적용되는 기준으로서, 협정 당사국내에서 이른바 실질적인 변형이 이루어져야만 당사국이 해당 상품의 원산지로 인정받게 된다. 실질변형을 판정하는 방식으로는 세번변경기준(Change of Tariff Classification Rule), 부가가치기준(Regional Value Contents Rule), 특정공정기준(Specific Process Rule) 등이 있다.[7]

세번변경기준이란 재료를 수입하여 제품을 생산하는 경우에 생산공정에 사용된 재료의 세번과 최종제품의 세번이 일정단위 이상 변경된 경우에 실질변형을 인정하는 기준이다. 세번이란 품목에 붙이는 고유의 번호를 말하는데, 통상적

---

[6] WTO 통일원산지 규정에서는 원산지 기준을 크게 완전생산기준과 실질변형기준의 둘로 나누고 있으며, FTA에서도 원산지 결정기준을 규정하는 조항에서 완전생산기준과 실질변형기준을 나누어서 명시하고 있다. WTO Agreement on Rules of Origin, Article 9 및 한-미 FTA 제6.1조 참조.

[7] *Ibid.*

으로 통일상품명 및 부호체계(HS 코드)[8]를 사용한다. 예를 들어 HS 코드 4단위 변경(CTH)[9]이 원산지 기준이라고 가정할 때, HS 코드가 2709인 원유를 수입하여 국내에서 공정을 거쳐 HS 코드가 2710인 석유를 생산하였다면 HS 코드의 네 자리 단위가 변경되게 되어 원산지 기준을 충족하게 된다.

부가가치기준이란 수입재료를 사용하여 제품을 생산하는 경우, 생산과정에서 일정수준 이상의 부가가치가 발생하면 그 생산국가를 원산지로 인정하는 기준을 말한다. 예를 들어 수입재료를 사용하여 우리나라에서 생산공정을 거쳐 최종제품을 생산한 경우, 우리나라에서 일정 수준 이상의 부가가치가 창출되었다면 우리나라가 원산지 국가가 된다.

특정공정기준이란 특정한 공정(재단·봉제공정 등)을 거쳐 생산된 경우에 그 특정공정이 수행된 국가를 원산지로 인정하는 기준을 말한다. 예를 들어 수입산 원단을 들여와 우리나라에서 재단·봉제 공정을 수행하여 최종제품을 생산한 경우 우리나라가 원산지 국가가 된다.

통상적으로 협정문에서는 원산지 판정에 대한 원칙적인 기준을 명시하고, 개별 품목에 관한 원산지 기준(이른바 품목별 원산지 기준)은 부속서(Annex)에서 별도로 규정한다. 품목별 원산지 기준은 HS 코드에 의하여 분류된 수천여개의 품목을 대상으로 하여 이루어진다. 보통 국제적으로 동일하게 사용되는 HS코드 여섯 자리 단위를 기초로 한 5000여 품목을 대상으로, 생산과정, 교역패턴 등을 감안하여 그 개별품목 각각의 원산지 기준을 정하게 된다. 품목수가 많고 다양하기 때문에 품목별 원산지 기준 협상은 장기간이 소요되며, 국내 산업적으로나 정치적으로 민감한 품목의 경우에는 협상 막바지에 극적으로 타결되는 경우도 종종 있다.

---

8) 통일상품명 및 부호체계(the Harmonized Commodity Description and Coding System: 약 칭 HS 코드)란통계산출, 과표근거, 통관조건 등에 활용하기 위하여 물품마다 부여하는 국제기준의 코드를 말한다. HS 코드는 6단위까지는 세계 공통으로 사용하지만, 6단위 이하의 사용에 있어서는 각국에 재량이 부여되며 우리나라는 현재 10단위까지 사용하고 있다. 자세한 내용은 관세청 홈페이지(http://www.customs.go.kr/) 용어 검색 참조.

9) HS 코드 4단위 변경은 CTH(Change of Tariff Heading)이라고 하며, 6단위 변경은 CTSH (Change of Tariff Sub-Heading), 2단위 변경은 CC(Change of Chapter)라고 한다.

제2절 한-미 FTA 원산지 규정 협정문의 주요 내용

1. 협정문의 체계

한-미 FTA의 원산지 규정 협정문을 살펴보면, 우리나라가 지금까지 체결한
FTA 원산지 규정 협정문에는 없던 내용들이 포함되어 있는 것을 알 수 있다. 예
를 들면, "특혜관세대우 신청"(제6.15조), "증명 또는 그 밖의 정보의 면제"(제6.16
조), "기록유지요건"(제6.17조), "검증"(제6.18조), "수입관련의무"(제6.19조), "수출관
련의무"(제6.20조), "공동지침"(제6.21조) 등의 내용이 원산지 규정 협정문에 포함되
어 있다. 우리나라는 종래 동 내용들을 원산지 규정 장(Rules of Origin Chapter)과
는 별도로 통관절차 장(Customs Procedure Chapter)에 포함시켜 두고 있었다. 한-
칠레, 한-싱가포르 FTA 등 우리나라가 기존에 체결한 FTA 협정문을 살펴보면,
동 내용들이 통관절차 장에 규정되어 있는 것을 알 수 있다.[10] 반면 미국은 미-
싱가포르, 미-호주 FTA 등 기존 FTA 협정문에서 동 내용들을 원산지 규정 장에
포함시켜 왔다.[11]

이러한 차이는 원산지 규정 협정문을 어떻게 바라볼 것인가라고 하는 관점
의 차이에서 온 것으로 파악할 수 있을 것이다. 다시 말하면 한국은 원산지 규정
장에서는 FTA상의 특혜관세 혜택을 받는 상품을 정하는 기준만을 규정하고, 그
이외의 절차적인 내용들은 모두 통관절차 장에서 규정하고 있음에 반하여, 미국
은 원산지 규정 장에 특혜관세 혜택을 받는 상품의 기준뿐 아니라 동 상품들에
대한 특혜관세 신청절차까지도 규정하고 있는 것이다.[12]

표면적으로 체계는 다르지만 실질적인 내용은 큰 차이가 없다고 할 수 있다.
그러한 내용들이 원산지 규정 장에 포함되어 있든, 통관절차 장에 포함되어 있든
그 실제 적용에 있어서 차이가 발생하는 것은 아니다. 한-미 FTA에서는 제6장

---

10) 한-칠레 FTA 제5장 통관절차(Customs Procedures), 한-싱가포르 FTA 제5장 통관절차
   (Customs Procedures) 등 참조.
11) 미-싱가포르 FTA Chapter 3. Section B, 미-호주 FTA Chapter 5. Section B 등 참조.
12) 미국은 특혜관세와는 무관한 통관절차에 대한 내용들을 따로 묶어 "관세행정 및 무역원활
   화(Trade Administration and Trade Facilitation)"이라는 제목 하에 별도의 장에서 다루고
   있다.

"원산지 규정 및 원산지 절차(Rules of Origin and Origin Procedures)"라는 제목 하에 절을 나누어 제1절에서는 "원산지 규정(Rules of Origin)"을, 제2절에서는 "원산지 절차(Origin Procedures)"를 규정하고 있다. 이는 FTA 협상의 결과 양쪽 입장을 절충하여, 종래 우리나라가 통관절차 장에서 규정하던 내용을 원산지 규정 장에서 규정하기는 하지만, 원산지 규정 장에서 별도의 절로 독립하여 규정하는 형식을 취한 것이다. 현재의 원산지 규정 협정문 구조는 협상의 결과 양측의 이해관계를 조정한 형태인 것으로 판단된다.

체계면에서 볼 때 또 한가지 특기할 만한 것은 섬유 장(Textile and Apparel Chapter)이 별도로 규정되어 있다는 점이다. 한국이 기존에 체결한 FTA 협정문에서는 섬유를 따로 분리하여 별도의 장으로 규정한 전례가 없었다. 한국은 원산지와 관련된 내용 및 품목별 원산지 기준 등은 원산지 규정 장에서, 세관협력과 관련된 내용은 통관절차 장에서 일반적으로 다루고 있었다. 그러나 미국은 섬유산업이 자국의 민감한 산업임[13]을 내세워 기존 FTA에서 섬유분야를 별도의 장으로 만들고 섬유 장에서 섬유와 관련된 긴급 수입제한조치(Special Safeguard Actions),[14] 원산지 관련 사항(Rules of Origin and Related Matters), 그리고 세관협력(Customs Cooperation), 품목별 원산지 기준(Product Specific Rules of Origin) 등의 내용을 규정하고 있다.

2. 일반적인 원산지 규정

한－미 FTA에서는 통상 여타의 FTA에서 규정되는 누적, 최소허용수준, 직접운송, 포장재료 및 용기, 세트, 부속품·예비부품 및 공구, 간접재료 등 일반적인 규정들을 대부분 포함하고 있다. 이 중 주요한 내용을 살펴보면 다음과 같다.

누적이란 상대국의 재료를 사용하여 물품을 생산하는 경우 원산지 기준 충

---

13) 미국의 섬유·의류에 대한 관세율은 다른 공산품에 비하여 상대적으로 높게 책정되어 있다. 미국의 평균 실행관세율은 4.9%에 불과하지만, 섬유·의류에 대한 관세율은 평균 9.2%이며 일부 제품에 대하여는 20% 이상의 고율의 관세를 부과하고 있다. 한국무역협회, "한미 FTA와 제조업", 「한미 FTA 공청회 자료집」(2006.2.2), pp. 137－141 참조.

14) 미－모로코 FTA에서는 제4.2조 섬유·의류에 대한 특별수입제한조치(Special Textile and Apparel Safegauard Actions)라는 제목으로 규정하고 있으며, 미－호주 FTA, 미－오만 FTA에서는 양자 긴급조치(Bilateral Emergency Actions)라는 제목으로 동 내용을 규정하고 있다. 미－모로코 FTA 제4.2조, 미－호주 FTA 제4.1조 및 미－오만 FTA 제3.1조 참조.

족여부 판정시 해당 재료를 자국산인 것처럼 간주할 수 있도록 허용함으로써 원산지 기준 충족을 용이하게 하는 규정을 말한다.[15] 예를 들면, 우리나라에서 자동차를 생산할 때, 미국산 부품을 사용하더라도 원산지 판정시에 해당 미국산 부품을 국산 부품처럼 취급해 줌으로써 원산지 기준 충족을 수월하게 해 주는 것이 누적 조항이다. 누적 조항은 FTA 원산지 조항 중 핵심조항의 하나라고 할 수 있다. 누적 조항을 통하여 FTA 체결국가간 재료·부품의 교역을 활성화하고 투자증진 효과를 기대할 수 있다.

최소허용수준(De Minimis)이란 해당 물품이 양국이 합의한 품목별 원산지 기준을 충족하지 못하더라도 역외산 재료가 물품가격의 일정 비율 미만으로 사용된 경우에는 원산지를 인정해 주는 원칙을 말한다. 한-미 FTA에서는 역외산 재료의 허용비율을 가치 기준으로 10% 미만으로 규정하였다.[16] 섬유에 대한 최소허용수준은 별도로 섬유 장에서 규정하고 있는데, 그 비율은 중량기준 7% 미만으로 규정하였다.[17]

한미 양국은 수출물품이 생산국에서 수입국으로 바로 운송되는 것을 원칙으로 하면서, 만약 한미 양국이 아닌 제3국을 경유하게 되는 경우에는, 경유국에서 단순하역 작업 또는 물품의 보존·운송에 필요한 작업만을 수행할 수 있도록 하고, 해당 물품을 경유국 세관당국 통제 하에 두도록 규정하여, 이를 위반할 경우 해당 물품은 원산지 상품으로 인정받지 못하도록 합의하였다.[18] 이를 직접운송원칙이라고 하는데 이러한 직접운송원칙은 실무적으로는 매우 중요한 원칙이다. 원칙적으로 원산지 기준이란 FTA 체결국에서 실질적인 변형이 일어난 것을 전제로 하여 해당 국가에만 특혜관세의 혜택을 주는 것이 골자이다. 그러나 현실적으로는 물품이 수출국에서 수입국으로 직접 운송되지 않고, 제3국을 경유하는 경우가 많은데, 경유국에서 추가적인 가공이 이루어지거나 제3국산 물품이 섞여 들어와 원산지 둔갑이 이루어지는 경우가 있다. 아무리 원산지 기준을 정교하게 규정하더라도 운송과정에서 제3국산 물품이 원산지 물품으로 둔갑한다면 FTA로 인한 효과가 크게 반감되게 된다. 따라서 특혜관세 혜택을 받는 물품은 수출국에

---

15) 한-미 FTA 제6.5조 참조.
16) 한-미 FTA 제6.6조.
17) 한-미 FTA 제4.2조 제7항.
18) 한-미 FTA 제6.13조.

서 수입국으로 직접 운송되는 것을 원칙으로 하면서, 불가피하게 제 3 국을 경유할 때에는 보존·운송에 필요한 작업 등 제한적인 작업만을 수행할 수 있도록 규정해 두었다.

상품의 포장에 사용되는 포장재료 및 용기에 대하여는 그 목적을 기준으로 하여 수송용과 소매판매용으로 구분하여, 수송을 위한 포장재료 및 용기는 원산지 상품을 결정하는 데 고려하지 않는 반면, 소매판매를 위한 포장재료 및 용기는 역내 부가가치 포함 비율 산정시 고려하는 것으로 규정하였다.[19]

세트물품과 관련하여, 한-미 FTA에서는 세트를 구성하는 물품 중에서 비원산지 상품의 가치가 세트가격의 15% 이하인 경우에는 세트전체를 원산지 상품으로 인정하는 것으로 규정하였다.[20] 섬유에 대한 규정은 별도로 섬유 장에서 규정하고 있는데 그 비율은 10%이다.[21]

상품의 시험·검사나 상품생산과 관련된 설비의 유지 등에 사용되는 연료·도구·부품 등 간접재료에 대한 원산지 판정 기준과 부속품·예비부품 및 공구에 대한 원산지 판정 기준들은 기존의 여타 FTA에서와 동일하게 한-미 FTA에서 규정되었다.[22]

한-미 FTA 원산지 협정문 내용 중 특기할 만한 것은 불인정공정(Non-Qualifying Operation)에 관한 규정이 없다는 것이다. 불인정공정 규정이란 단순하고 경미한 과정을 거쳐서 생산된 상품에 대하여는 품목별 원산지 기준을 충족하더라도 원산지를 인정하지 않는 원칙을 말한다. 예를 들면, 화강암(HS 2516)을 분쇄하여 자갈(HS 2517)을 만드는 경우, 원산지 기준이 세번변경기준이라면 세번이 변경되어 원산지 기준을 충족한 것이 되지만, "분쇄"공정을 불인정공정으로 규정하는 경우에는 원산지를 인정하지 않는다. 이러한 공정은 실질변형이라고 보기 어렵기 때문에 원산지 지위를 부여하지 않는 것이다.

우리나라가 기존에 체결한 FTA 협정문에서는 불인정공정의 근거규정 및 유

---

19) 한-미 FTA 제6.10조 및 제6.11조 참조.

20) 한-미 FTA 제6.9조.

21) 한-미 FTA 제4.2조 제 8 항.

22) 따라서 간접재료의 경우 해당 상품의 원산지 판정시 고려하지 아니한다, 상품과 함께 부수적으로 인도된 부속품·예비부품 및 공구의 경우에는 해당 상품의 세번변경기준 충족여부 판정시에는 고려하지 아니하나, 역내 부가가치 산정시에는 이를 고려하여 계산한다. 한-미 FTA 제6.12조 및 제6.8조 참조.

형을 협정문에 규정하였으나,[23] 한-미 FTA 협정문에서는 불인정공정 규정을 협정문에 두지 않고, 개별 품목별 원산지 기준에서 이러한 불인정공정을 반영하도록 규정하였다. 본래 불인정공정을 품목별로 개별적으로 규정하는 것이 바람직하나, 그러기 위해서는 품목별로 그 특성 및 생산과정에 대한 철저한 연구가 선행되어야 하며, 협상 상대국과 해당 물품의 특성 및 생산과정을 품목별 기준에 세세히 반영하는 과정을 거쳐야 하기 때문에 지금까지는 편의상 품목별 기준에 반영하기보다는 협정문에 불인정공정의 예를 규정하고, 개별 품목이 그러한 불인정공정을 통하여 생산되는 경우에는 원산지를 인정하지 않는 방식을 취하여 왔다. 그러나 한-미 FTA를 통하여 이러한 불인정공정의 유형과 과정이 품목별 원산지 기준에 개별적으로 반영·규정됨으로써, 품목별 원산지 기준이 보다 정교해졌다고 평가할 수 있다.

3. 농수산물에 대한 원산지 규정

(1) 농산물에 대한 원산지 규정

통상적으로 각국의 FTA 협정문에서 농수산물 특히 기초 농수산물[24]에 대하여는 기본적으로 완전생산기준("Wholly Obtained or Produced" Rule)에 근접한 원산지 기준을 적용해 오고 있다. 각국의 FTA협정문에서는, 완전생산기준을 충족한 경우에 원산지를 인정한다는 원칙규정을 협정문에 두면서, 개별 품목에 관한 구체적인 기준은 원산지 규정 협정문의 부속서의 형태로 첨부되는 품목별 원산지 기준에 규정하고 있다. 한-미 FTA에서도 이와 같은 기본적인 틀에서 벗어나지 않는 범위에서 농수산물에 대한 원산지 기준을 규정하였다. 제6장의 "원산지 규정 및 원산지 절차" 장에서는 원산지 상품을 판정하는 원칙을 규정하고 있고, 품목별 원산지 기준은 제6장에 대한 부속서에 별도로 규정하고 있다.

완전생산기준이란 "전적으로 어느 한 쪽 또는 양 당사국의 영역에서 완전하게 획득되거나 생산된 상품"을 의미한다.[25] 여기에서 문제가 되는 것은 "완전하

---

23) 예를 들면 한-칠레 제4.13조, 한-싱가포르 제4.16조 등에서 불인정공정을 규정하고 있다.
24) HS 코드 2단위 기준으로 품목은 1~97류까지 구분되는데, 농수산물은 1류~24류까지가 해당한다. 농수산물은 실무상 다시 HS 1~14류까지의 기초 농수산물(또는 신선 농수산물)과 15~24류까지의 가공 농수산물로 구분한다.
25) 한-미 FTA 제6.1조.

게 획득되거나 생산"되었다고 하는 것이 무엇을 의미하는가 하는 것이다.

"어느 한 쪽 또는 양 당사국의 영역에서 완전하게 획득되거나 생산된 상품"에 대하여는 별도의 조항에서 규정하고 있는데, 농산물과 관련하여서는 주로 "어느 한 쪽 또는 양 당사국의 영역에서 재배되고 수확 또는 채집된 식물 및 식물생산품", "어느 한 쪽 또는 양 당사국의 영역에서 출생되고 사육된 살아있는 동물", "어느 한 쪽 또는 양 당사국의 영역에서 살아있는 동물로부터 획득된 상품", "어느 한 쪽 또는 양 당사국의 영역에서 수행된 수렵·덫사냥·어로·양식으로부터 획득된 상품" 등의 조항이 관련된다.26) 따라서 화훼, 채소, 과실, 곡물류 등은 한국 또는 미국에서 재배하고 수확된 경우에 특혜관세 혜택을 받을 수 있게 된다. 가금류 등 한국 또는 미국에서 출생하고 사육된 동물의 경우에도 특혜관세 혜택을 받을 수 있다. 살아있는 동물로부터 획득한 상품, 예를 들면 생유나 달걀 등도 특혜관세 혜택을 받는다.

육류에 관한 기준은 품목에 따라 다른 기준이 적용되는데, 이에 관하여는 품목별 원산지 기준에 구체적으로 명시되어 있다. 품목에 따라 육류는 닭고기의 경우 완전생산기준이 적용되지만, 나머지 육류의 경우에는 제 3 국산 생축을 수입해 도축한 경우 도축을 행한 국가를 원산지로 인정하는 이른바 도축국 기준이 적용된다.27) 다만 FTA 원산지 기준은 특혜관세 부여 여부만을 결정할 뿐이지 그 이외의 위생·검역조건 등은 별도의 절차를 통하여 그 수입여부가 판정된다. 한-미 FTA 협정문은 이런 점을 명시하고 있다.28)

가공 농산물과 관련하여서는 원칙적으로 당사국에서 실질적 변형이 일어나는 경우에는 원산지를 인정하기로 하면서, 한국과 미국 각기 국내적으로 민감한 품목에 대하여는 상품 생산시 주요 재료는 역내산 재료만을 사용하도록 규정하여 엄격한 원산지 기준을 마련하고 있다. 이러한 품목의 예로 한국에 대하여는 특히 쌀과 관련된 제품들이 해당한다. 따라서 제 3 국에서 수입한 쌀을 미국에서 제분하여 쌀가루, 쌀 가공 식품, 찐쌀 등을 생산할 경우에도 미국을 원산지로 인정받지 못한다.29) 미국의 경우에도 국내 정치적으로 민감한 설탕류 등에 대하여

---

26) 한-미 FTA 제6.22조.
27) 한-미 FTA 부속서 6-가 참조.
28) 한-미 FTA 제6.1조 주석, "For greater certainty, whether a good is originating is not determinative of whether the good is also admissible."
29) 한-미 FTA 부속서 6-가 중 제1901호(조제식료품 등)에 관한 기준 참조.

는 엄격한 원산지 기준을 규정하여 역내산 재료만을 사용하도록 규정하였다.[30)]

(2) 수산물에 대한 원산지 규정

수산물에 대하여도 농산물과 마찬가지로 완전생산기준을 충족한 경우에는 원산지를 인정한다는 원칙규정을 협정문에 두면서, 개별 품목에 관한 구체적인 기준은 품목별 원산지 기준에 별도로 규정하고 있다.

수산물에 적용되는 완전생산기준에 대하여 한－미 FTA에서는, "어느 한 쪽 또는 양 당사국의 영역에서 수행된 수렵·덫사냥·어로 또는 양식으로부터 획득된 상품", "어느 한 쪽 당사국에 등록되거나 등기되고 그 당사국의 국기를 게양한 선박에 의하여, 어느 한 쪽 또는 양 당사국의 영역 밖의 바다·해저 및 하부토양에서 잡힌 어류·패류와 그 밖의 해양 생물", "어느 한 쪽 당사국에 등록되거나 등기되고 그 국가의 국기를 게양한 가공선박 내에서 상기 바호("어느 한 쪽 당사국에 등록되거나 등기되고 그 당사국의 국기를 게양한 선박에 의하여, 어느 한 쪽 또는 양 당사국의 영역 밖의 바다·해저 및 하부토양에서 잡힌 어류·패류와 그 밖의 해양 생물"을 의미)에 언급된 상품으로부터 생산된 상품" 등을 규정하고 있다.[31)]

수산물에 대하여는 특히 배타적 경제수역(Exclusive Economic Zone)에서 잡은 어류 등 수산물의 원산지 판정이 문제된다. 통상적으로 바다는 영해와 공해, 그리고 영해 밖에 인접한 수역으로서 연안국의 배타적이고 주권적 권리가 미치는 구역인 배타적 경제수역으로 구분된다.[32)] 배타적 경제수역에서 잡은 어류 등 수산물에 대한 원산지 판정과 관련하여 각국의 입장을 분석해 보면, 수산물을 획득한 선박의 국적에 따라 원산지를 판정하는 소위 기국주의와 선박의 국적에 관계없이 연안국을 원산지로 인정하는 연안국주의가 팽팽하게 맞서고 있다. 우리나라가 체결한 기존의 FTA에서도 연안국주의와 기국주의가 혼용되어 규정되어 왔다. 한－칠레 FTA에서는 연안국주의를 채택하였으나, 이후 한－싱가포르, 한－EFTA 등에서는 기국주의를 채택하였다. 한－미 FTA에서는 한－칠레 FTA와 마찬가지로 연안국주의를 규정하였다.

원산지 규정에서 "영역"을 기준으로 하여 수산물에 대하여 서로 다른 기준을

---

30) 한－미 FTA 부속서 6－가 중 제17류에 대한 기준 참조.
31) 한－미 FTA 제6.22조.
32) UN Convention on the law of the sea, Part II, Part V, Part VII. 참조.

적용하고 있기 때문에, 수산물에 대한 원산지 기준을 이해하기 위하여는 한－미
FTA상 "영역"의 정의가 어떻게 규정되어 있는지 살펴보아야 한다.33)

　　우리나라와 미국이 각각 규정한 "영역"의 정의를 살펴보면 다음과 같다. 미
국에 대한 영역의 정의를 보면, "50개 주, 콜럼비아 특별구 및 푸에르토리코를 포
함하는 미합중국의 관세 영역", "미합중국 및 푸에르토리코에 위치하는 대외무역
지대", 그리고 "해저 및 하부토양과 그 천연자원에 대하여 미합중국이 국제법과
그 국내법에 따라 주권적 권리를 행사할 수 있는 미합중국 영해 밖의 지역"이라
고 규정하고 있다.34)

　　우리나라에 대하여는 "대한민국이 주권을 행사하는 육지·해양 및 상공, 그
리고 대한민국이 국제법과 그 국내법에 따라 주권적 권리 또는 관할권을 행사할
수 있는 영해의 외측한계에 인접하거나 한계밖에 있는 해저 및 하부토양을 포함
한 해양지역"이라고 정의하고 있다.35)

　　우리나라의 "영역"에 관한 정의는 우리나라가 체결한 기존 FTA에 규정되었
던 "영역"의 정의와 일치한다.36) 우리 측 정의에 의하면 전통적인 영토의 개념인
전통적인 영토의 개념과, UN해양법 협약에서 규정하고 있는 배타적 경제수역을
설명하고 있는 것으로 해석된다.37) 미국의 경우에도 "영역"의 범위에 배타적 경
제수역을 포함하고 있는 것으로 해석된다.

　　이와 같이 "영역"의 범위에 배타적 경제수역이 포함되기 때문에 위에서 언급

---

33) "영역"의 정의는 원산지 규정 장 뿐 아니라 FTA의 다른 장에도 적용이 되기 때문에 제 1
　　장 최초규정 및 정의(Chapter 1. Initial Provisions and Definitions)에 규정되어 있다. 제 1
　　장은 제 1 절 최초규정(Section A. Initial Provisions)과 제 2 절 일반적 정의(Section B.
　　General Definitions)로 나뉘는데, 제 1 절에서는 자유무역지대의 창설, 다른 협정과의 관계,
　　의무의 범위 등을 규정하고 있으며, 제 2 절에서는 FTA 전반에 걸쳐 사용되고 있는 용어의
　　정의를 규정하고 있다.
34) 한－미 FTA 제1.4조.
35) *Ibid.*
36) 한－칠레 FTA Annex 2.1 및 한－싱가포르 FTA 제 2 장 참조.
37) 한－미 FTA에서는 "영역"에 대한 우리측 정의부분을 UN해양법 협약의 배타적 경제수역
　　관련규정과 동일하게 수정하여 보다 명확하게 규정하였다. UN해양법 협약에서는 배타적
　　경제수역을 "an area beyond and adjacent to the territorial sea"라고 하고 있는데, 우리가
　　체결한 기존의 FTA에서는 "those maritime areas, including the seabed and subsoil
　　adjacent to the outer limit of the territorial sea…."라고 규정하였었다. 한－미 FTA의 우리
　　측 "영역"의 정의는 기존 FTA에서 규정하였던 정의에서 다음 밑줄 친 beyond를 추가하여
　　"those maritime areas, including the seabed and subsoil adjacent to and beyond the outer
　　limit of the territorial seas…"라고 규정하였다.

하고 있는 완전생산기준의 내용을 함께 읽으면, 한국(미국)의 영해 또는 배타적 경제수역 내에서 어로로 획득한 상품의 경우에는 어로행위를 한 선박의 국적과 관계없이 연안국인 한국(미국)산이 되며, 공해에서 잡은 어획물의 경우에는 어로행위를 한 선박의 국적인 선적국이 원산지로 인정된다. 이와 같이 한미 FTA는 배타적 경제수역에서 획득한 수산물에 대하여 연안국주의를 규정하고 있다고 할 수 있다.

연안국주의와 기국주의의 차이는 제3국의 선박이 배타적 경제수역에서 어로행위를 하여 획득한 수산물의 경우에 해당 수산물의 원산지를 어디로 판정할 것인가의 문제로 귀착된다. 만약 연안국주의를 따르면, 미국의 배타적 경제수역에서 어로행위를 한 선박의 국적이 미국이 아니더라도 획득된 수산물은 미국산으로 인정받아 우리나라로 수출시 특혜관세혜택을 받을 것이고, 기국주의에 의한다면 어로행위를 한 선박의 국적이 미국인 경우에만 특혜관세혜택을 받게 된다. 우리나라의 배타적 경제수역에서 제3국 선박이 획득한 수산물의 원산지 판정에도 동일한 논리가 적용된다.

4. 자동차에 대한 원산지 규정

당초 자동차 원산지 규정은 한미 양측이 첨예하게 대립하는 주요 쟁점 중의 하나였다. 미국은 종래 자동차와 엔진, 엔진부품, 차체 등 주요 부품에 대한 역내 가치 포함비율을 계산하는 방식에 있어서 순원가법(Net Cost Method)라고 하는 독특한 방식을 고수해 오고 있었다. 순원가법이란 미국이 북미자유무역협정(NAFTA) 이래로 고수해 오고 있는 방식이다.

NAFTA에서는 자동차에 대한 별도의 원산지 규정을 통해 자동차 업체들로 하여금 자동차엔진 등 주요 부품을 역내에서 생산토록 유도하였는데, 그 주요 내용으로 역내 부가가치 계산 시 순원가법(Net Cost Method)을 사용하고, 원산지 판정을 받기 위한 역내 부가가치 수준을 상향조정하였으며, 부품의 유통경로를 추적할 수 있는 시스템 구축(추적기법: Tracing) 등을 규정하였다.

순원가법이란 순원가를 기준으로 하여 역내 부가가치를 계산하는 방식으로서, 순원가는 총비용에서 판매촉진비, 마케팅 및 사후판매서비스 비용, 로열티, 선적포장비, 비허용이자 등을 공제하여 산정한다.[38] 순원가법에 따르면 생산공정과 무관한 비용들이 공제되고, 생산공정에 들어가는 재료비용 등에 의하여 역내 부가가치 비율 충족여부가 결정되므로, 순원가법에 의하면 역내 부가가치 비율 산정이 더욱 엄격해 진다고 볼 수 있다.

NAFTA에서는 순원가법[39]으로 계산된 역내 부가가치의 비율이 승용자동차, 경자동차 및 그 엔진, 트랜스미션은 62.5%, 기타 자동차 및 그 엔진, 트랜스미션과 부분품 등은 60%를 넘는 경우에 원산지 물품으로 인정받도록 규정하였다.[40]

또한 NAFTA에서 규정된 추적기법이란 NAFTA지역으로 수입되는 자동차 주요 부품과 어셈블리의 원산지 및 그 가격을 역추적 하여 확인·계산하도록 함으로써 역내 부가가치 계산의 정확성을 제고하고, 외국산 엔진 등 자동차 부품의 가치가 역내 부가가치 산정에서 확실히 제외되도록 함으로써, 외국 자동차 제조업체가 NAFTA상의 특혜혜택을 받지 못하도록 차단하는 장치를 말한다. 예를 들면, 일본과 같은 역외 국가가 노동임금이 상대적으로 저렴한 멕시코에 현지 생산체계를 구축한 후 비역내산 부품을 수입, 가공을 거쳐 멕시코산 표기를 통해 역내시장으로 진출하는 경우를 규제하는 효과를 기대할 수 있었다. 추적대상 자동차 부품 및 원자재는 별도의 부속서에 규정되어 있다.

그러나 이러한 미국의 입장은 NAFTA이후 여러 나라와 FTA를 추진하여 오면서 다소 변화를 보여 왔다. 예를 들면, 미-호주 FTA의 경우 자동차 제품에 대한 순원가법 적용은 유지되었으나, 추적기법은 협정문에 반영되지 않았으며, 자동차 제품에 대한 역내 부가가치 비율도 50% 수준으로 하향 조정되었다.[41] 미국의 입장이 변화된 주요 요인은 이른바 글로벌 소싱(global sourcing)의 영향이 아닌가 추측된다. 미국의 주요 자동차 업체는 경비절감을 통한 가격 경쟁력 확보, 효율적인 생산체계 구축, 새로운 소비 시장 확보 등을 위하여 세계 각지에 현지 공장을 세웠다. 따라서 이러한 세계 각지의 공장으로부터 부품을 조달하기 위하여는 추적기

---

38) NAFTA 제415조.

39) NAFTA 제402조 3항 및 5항. 순원가법에 의한 역내 부가가치 계산공식은 다음과 같다.

$$RVC = \frac{NC(\text{순원가}) - VNM(\text{비원산지 재료가치})}{NC(\text{순원가})} \times 100$$

40) NAFTA협정문에 의하면, 승용자동차 및 경자동차, 그 엔진 및 트랜스미션은 협정 발효초기(1994. 1. 1)에는 50%의 역내 부가가치비율을 충족하여야 하나, 8년의 경과기간이 지난 후(2002. 1. 1.)에는 그 비율이 62.5%로 상향조정되며, 기타자동차 및 그 엔진·트랜스미션과 부분품의 경우에는 처음 50%에서 경과기간후에는 60%로 상향조정되도록 규정되었다. NAFTA협정문 제403조 6항.

41) 미-호주 FTA 품목별 원산지 기준 참조.

법 및 높은 수준의 역내 부가가치 비율을 유지하기가 어려워진 측면이 있다.

한－미 FTA 협상과정에서도 미국은 순원가법이 적용되어야 한다고 주장하였다. 이에 반하여 한국은 기존 FTA에서 자동차 제품에 대한 역내 부가가치 계산을 위한 별도의 방식을 두지 않고, 일반적인 부가가치 계산방식인 집적법(Build－Up)과 공제법(Build－Down)을 적용하여 왔었기 때문에 순원가법을 도입하는데 부정적이었다.[42] 우리나라의 입장에서는 순원가법 등은 우리나라가 기존에 체결한 FTA에서 한 번도 규정하지 않았던 것으로, 만약 새롭게 규정될 경우 그 이행에 상당한 어려움이 예상되었던 사항이었다. 예를 들면, 자동차업계는 특혜관세를 받으려면 새로운 방식에 따라 역내 부가가치를 계산하고 이를 입증하여야 할 것이므로, 종래와는 다른 회계프로그램을 운용하여야 하며, 이를 위한 회계사 및 변호사 비용 등 추가 비용의 요인이 발생하므로 관련 업계의 우려가 컸다.[43]

한－미 FTA 협상결과 한미 양측은 자동차제품에 대하여 순원가법과 공제법/집적법이 모두 역내 부가가치 계산방식으로 사용될 수 있도록 허용하였으며, 수출입업자가 동 방식 중 선택할 수 있도록 협정문에 명시하였다.[44] 협정문에 규정된 역내 부가가치 계산방식은 다음과 같다.[45]

$$※ \ 집적법 = \frac{원산지\ 재료\ 가치}{조정가치[46]} \times 100 \qquad 공제법 = \frac{조정가치 - 비원산지\ 재료\ 가치}{조정가치} \times 100$$

$$순원가법 = \frac{순원가 - 비원산지\ 재료\ 가치}{순원가[47]} \times 100$$

---

42) 집적법(Build－Up Method)은 제품생산에 사용된 역내산 부품 등의 가격을 합산하여 역내 부가가치 비율을 계산하는 반면, 공제법(Build－Down Method)의 경우에는 최종제품 가격에서 역외산 부품 등의 가격을 공제하여 역내 부가가치 비율을 계산한다.

43) 머니투데이, 2006년 3월 19일자 참조.

44) 한－미 FTA 제6.2조 제3항. 순원가법이 적용되는 품목은 구체적으로 HS Code기준으로 제8407.31호 내지 제8407.34호(엔진), 제8408.20호(자동차를 위한 디젤엔진), 제84.09호(엔진부품), 제87.01호 내지 제87.05호(자동차), 제87.06호(샤시), 제87.07호(차체) 및 제87.08호(자동차 부품)등 이다.

45) 한－미 FTA 제6.2조 제1항 및 제3항 참조.

46) 조정가치란 "관세평가협정 및 주해"에 따라 결정된 가치를 말하며, 제품가치에서 필요시 수출국으로부터 수입지까지 제품의 국제수송에 수반되는 운송, 보험 및 관련 서비스에 대하여 발생한 모든 비용·부과금 및 경비를 제외하도록 조정된 가치를 말한다. 한－미 FTA 제6.22조 정의 참조.

이러한 협상결과는 우리나라 자동차 업계의 요구를 반영한 것으로 기업이 역내 부가가치 계산방식을 선택적으로 사용할 수 있도록 함으로써 순원가법만 사용할 경우에 예상되는 추가비용 부담 등의 우려를 해소할 수 있을 것으로 기대된다.

역내 부가가치 수준은 순원가법 적용시 35%, 집적법 사용시 35%, 공제법 사용시 55%에서 결정되었다.[48] 이와 같은 역내 부가가치 수준은 기존 우리나라가 체결한 FTA에 규정되었던 수준과 큰 차이가 없는 것[49]으로서 기업의 글로벌 소싱(Global Sourcing) 경향을 반영한 것으로 평가된다.

5. 섬유·의류제품에 대한 원산지 규정

섬유 및 의류 산업은 한국이 미국에 대해 지속적인 무역수지 흑자를 기록하는 산업 중 하나로 2005년 한국의 대미 섬유 및 의류 수출은 22억 달러, 수입은 4억 달러로 18억 달러의 흑자를 기록하고 있으며, 섬유 및 의류 산업 총 무역수지 흑자에서 미국에 대한 흑자가 차지하는 비중은 2005년 기준 27%를 기록, 미국이 우리 섬유 및 의류산업에 있어 중요한 수출시장인 것으로 파악되고 있다.[50]

반면 섬유·의류산업은 미국에 있어서는 매우 민감한 산업이다. 따라서 미국은 동 산업을 보호하기 위하여 기존에 체결한 FTA 원산지 규정에서 섬유·의류제품에 대하여, "원사기준(yarn-forward rule)"이라는 엄격한 기준을 적용하여 왔다.

원사기준이란 직물이나 의류 생산시 반드시 역내에서 생산된 원사를 이용하여야 하는 요건이다. 섬유·의류를 만드는 제조공정을 살펴보면, 섬유원료(fiber)를 방적하여 원사(yarn)를 만들고, 원사를 제직 또는 편직하여 직물(fabric)을 만들고, 직물을 재단·봉제하여 의류(apparel)를 생산하게 된다. 따라서 원사기준이란 의류의 재료가 되는 직물을 만들기 전 단계인 원사 즉 "실"을 만드는 단계에서부터 역내에서 수행하여야 하는 매우 까다로운 요건이다. 특히 이러한 엄격한 기준은

---

47) 순원가란 총비용에서 마케팅 비용, 로열티, 운송비용 등을 공제한 비용을 말한다. 한-미 FTA 제6.22조 정의 참조.
48) 한-미 FTA 부속서 6-가(품목별 원산지 기준) 참조.
49) 자동차 및 자동차 부품 등에 대하여 한-칠레 FTA에서는 집적법 30%, 공제법 45%가 적용되도록 규정되었으며, 한-싱가포르 FTA에서는 공제법 50~55%가 적용되도록 규정되었다. 한-칠레 FTA 품목별 원산지 기준 및 한-싱가포르 FTA 품목별 원산지 기준 참조.
50) 「한-미 FTA 관련 통계」, (외교통상부, 2006.8), p. 62.

원사 및 직물을 제3국으로부터 수입하여 가공 후 재수출하는 우리나라 섬유·의류산업의 생산구조를 감안할 때, 우리나라로서는 수용하기 어려운 기준이었다.

우리나라가 체결한 기존의 FTA에서는 섬유·의류제품에 대하여 원칙적으로 재단·봉제기준을 적용하여 왔다. 즉 제3국산 실이나 직물을 사용하여 제품을 생산하더라도 원산지 기준을 충족하는 것으로 하여 왔다. 다만 원사나 직물 생산단계에서부터 경쟁력을 가지고 있는 화학섬유 같은 분야는 원사요건에 크게 구애받지 않는 분야도 있었다. 결국 협상의 관건은 우리나라가 원사기준을 충족할 수 있는 품목 이외에 주로 제3국에서 원사를 수입하여 국내에서 제조하는 품목 중 얼마만큼의 예외를 확보할 수 있는가 하는 것이었다.

한-미 FTA 협상시, 우리 측은 원칙적으로 원사기준에 반대하면서 특히 국내 섬유업계의 관심 품목에 대하여 원사기준이 적용되지 않도록 미국측과 협상을 진행하였다. 협상 결과 리넨직물, 합섬 여성재킷 및 합섬 남성셔츠, 폴리에스터 섬유, 폴리에스터사, 기타 순견직물, 기타 합성섬유, 기타의 직물 및 기타 인조섬유, 장섬유사 등의 품목에 대하여 원사기준이 적용되지 않는 것으로 규정하였다.[51]

한편으로 미국은 과거 체결한 FTA에서 FTA 상대국에게 일정기간 동안 제3국산 원사 및 원단을 사용한 의류제품에 대하여 특혜관세를 적용하는 TPL(Tariff Preference Level)제도를 도입해 왔다.[52] 따라서 우리나라도 한-미 FTA에서 이러한 TPL제도를 도입하기 위하여 미국을 설득하였다. 협상 결과 한미 양측은 공급이 부족한 원료의 역외조달을 허용할 수 있는 절차를 도입하기로 합의하였는데, 직물·의류에 대해 각 최대 1억 SME(Square Meter Equivalent)[53]까지 역외산 원료 조달이 허용될 수 있도록 규정하였다.[54] 한-미 FTA 협정문에서는 이를 "상업적인 물량으로 이용가능하지 아니한 섬유원료·원사 및 원단"("Fibers, Yarns, and Fabrics not available in commercial quantities")이라고 지칭하였다.

이번에 한-미 FTA에 도입된 TPL제도는 미국이 기존의 FTA에서 부여하여

51) 한-미 FTA 부속서 4-가(섬유 또는 의류상품에 대한 품목별 원산지 기준) 참조. 이 중 폴리에스터 섬유, 폴리에스터사, 기타 합성섬유, 장섬유사 등은 미국측도 기존 FTA에서 원사기준을 적용하지 않았던 품목들이다.
52) 미-모로코 FTA, 미-바레인 FTA, 미-싱가포르 FTA 참조. 미국은 미-호주 FTA 등에서는 TPL을 도입하지 않았다.
53) SME(Square Meter Equivalent)란 섬유·의류 제품의 계산단위를 제곱미터로 환산한 단위를 말한다.
54) 한-미 FTA 부속서 4-나 제5항 및 제6항.

온 TPL과는 다소 다른 점이 있다. 예를 들면 관세특혜를 받기 위하여는 먼저 원료의 공급부족을 인정받는 절차를 거쳐야 한다. TPL이 적용되는 절차를 살펴보면, 이해관계인은 특정 원료·원사·원단의 공급이 부족하여 상업적으로 이용가능하지 않다는 사실과 관련 정보를 수입국에 제공하고, 수입국은 이에 기초하여 공급부족 여부를 판정하게 된다.[55] 그리고 다른 이해관계인의 반대가 없을 경우, 당해 원료·원사·원단을 공급부족 원료 리스트에 등재하고 동 원료의 역외조달을 허용하게 되는 것이다.[56] 이와 같은 절차를 통하여 생산된 상품에 대하여는 원사요건에도 불구하고 특혜관세를 부여하게 된다. 한—미 FTA에서 규정된 TPL 물량은 직물·의류 각 1억 SME 상당으로 여타 FTA에서 규정된 물량에 비하여 상당히 많은 물량이라고 할 수 있으며, 이를 통하여 우리 수출업체가 어느 정도 도움을 받을 수 있을 것으로 예상된다.[57]

이러한 TPL제도는 일종의 예외적인 규정이므로, 그 준수여부를 엄격히 감시하게 되며 만약 수출국의 수출자, 생산자 등이 섬유·의류 무역에 관한 불법행위로 적발될 경우, 수입국은 상기 1억 SME의 물량에서 불법행위 연루 물량의 3배까지의 물량을 공제할 수 있다.[58] 한—미 FTA에 규정된 TPL 제도의 존속기간은 원칙적으로 발효 후 5년이며 양국 간 협의에 따라 연장이 가능하도록 규정하였다.[59]

6. 개성공단

개성공단은 개성시 일대에 남북합작 공단을 조성하는 것을 골자로 단계적으로 추진되고 있다.[60]

개성공단 사업은 여러모로 의미가 있는 사업이다. 먼저 경제적인 측면에서

---

55) 한—미 FTA 부속서 4—나 제 1 항. 이해관계인이란 당사국, 섬유 또는 의류 상품의 잠재적 또는 실제적 구매자, 또는 섬유 또는 의류 상품의 잠재적 또는 실제적 공급자를 말한다. 제12항 참조.

56) *Ibid.*

57) 미—모로코 FTA에서는 직물에 대하여 3000만 SME, 면제품에 대하여 100만 Kg의 TPL 물량을 인정하였다. 미—모로코 FTA 제4.3조 참조.

58) 한—미 FTA 부속서 4—나 제 8 항.

59) 한—미 FTA 부속서 4—나 제13항 및 제10항

60) 개성공단 개발과 관련된 자세한 내용은 개성공업지구지원재단 홈페이지를 참조 (http://www. kidmac.com/).

살펴보면, 개성공단 사업은 남북한 간의 새로운 경제협력모델로서, 남한의 기술력과 자본이 북한의 노동력과 결합하여 생산성면에서 시너지 효과를 발휘할 것으로 기대되고 있다. 특히 남한의 중소기업들이 임금상승 압력 등으로 해외로 공장을 이전하고 있는 상황에서 지리적으로 가까운 곳에서 의사소통이 가능한 노동력을 제공받을 수 있다는 점은 무시할 수 없는 매력이라고 하겠다.

군사적인 측면에서도 개성이 서울에서 불과 60여 Km 떨어진 곳에 위치하고 있으며, 북한의 대표적인 군사요충지였다는 점을 감안할 때, 군사기지지역이 산업단지로 변모해 가는 모습은 남북 간 화해와 협력의 상징적 모습으로 비칠 수 있을 것이다. 또한 장기적으로 보면, 현재 54,000여 명의 북한 근로자[61]가 근무 중인데, 이들이 개성공단 사업에 참여함으로써 기술습득은 물론 시장경제에 대한 학습기회를 가짐으로써 향후 북한 경제가 개방으로 나아가는데 전위대로서의 역할을 해 줄 것으로 기대할 수 있을 것이다.

한미 양측은 한－미FTA협정문에 '역외가공지역위원회' 근거규정을 두기로 하는 한편, 동 위원회가 역외가공지정에 관한 구체적인 기준을 정하도록 한다는 내용에 최종 합의하였다.

개성공단에 관한 한－미 FTA의 합의내용은 몇 가지 점에서 특기할 만하다. 먼저 역외가공지역위원회의 내용은 원산지 규정 장에서 규정되어 있지 않고, 위원회 규정을 모아 놓은 제22장 기관 및 분쟁해결 장(Chapter 22. Institutional Provisions and Dispute Settlement)에서 부속서의 형태로 규정되었다. 이러한 점은 한국이 체결한 기존 FTA에서 역외가공의 내용, 특히 역외가공 대상 물품이라든지, 역외가공 인정요건 등을 원산지 규정 장(부속서 포함)에 규정하였던 경우와는 다른 것이다.[62] 둘째, 한－미 FTA 협정문에서는 개성이라는 직접적인 언급을 하지 않았다. 다만 개성이라는 언급은 없으나 역외가공지역위원회 앞에 '한반도'가 붙었다는 점을 볼 때, 해당 위원회 규정이 개성공단을 위한 것임을 충분히 짐작할 수 있다. 역외가공에 관한 규정을 두면서 특정지명을 거명하는 것은 국제무역기구(WTO)의 주요 원칙 중 하나인 최혜국대우(MFN)원칙을 위반할 소지가 있으므로, 통상적으로 지명에 대한 언급 없이 역외가공에 관한 기준만을 규정하고 있으며, 우리나라

---

61) *Ibid.*
62) 한－EFTA FTA 부속서 1(원산지 규정 및 통관절차), 한－싱가포르 FTA 제4.3조 및 부속서 4B 참조.

가 체결한 기존의 FTA협정문도 이러한 예를 따르고 있다.63) 셋째, 역외가공지역
위원회를 설치하고 동 위원회에서 원산지 기준 등 역외가공과 관련된 여러 가지
사항을 결정하도록 하고 있다.

구체적으로 역외가공지역위원회에 관한 규정을 살펴보면, 한－미FTA에 의하
여 설치되게 되는 '한반도역외가공지역위원회(Committee on Outward Processing on
the Korean Peninsula)'는 한미 양국의 공무원으로 구성되며, 협정 발효 1년 후 최초
로 개최되도록 규정되었으며, 향후 매년 1회 또는 양국 합의시 수시로 개최될 수
있다.64) 동 위원회는 역외가공지역(Outward Processing Zones)으로 지정될 수 있는
지리적 구역을 결정한다.65) 동 위원회는 역외가공지역에서 생산된 제품이 한미
FTA 특혜관세혜택을 부여 받기 위하여 충족되어야 할 기준(Criteria)을 세울 수 있
고, 지정된 역외가공지역이 이러한 기준을 충족하였는지를 결정할 수 있는 권한
을 가진다.66) 여기서 말하는 기준이란 우리가 이해하는 원산지 기준과는 달리 훨
씬 광범위한 내용으로 구성되어 있으며, 일부 내용은 정치적이기까지 하다. 예를
들면, 한반도의 비핵화 진전, 역외가공지역이 남북간 관계에 미치는 영향, 역외가
공지역에 적용되는 환경기준, 근로기준·관행, 임금, 경영·관리 관행 등의 내용을
포함하고 있다.67) 다만 그러한 기준들은 북한지역의 일반적인 기준 및 관련 국제
규범을 참조하도록 되어 있다.68) 또한 역외가공지역위원회는 역외가공지역의 지
리적 구역 내에서 원산지 최종상품에 추가될 수 있는 총 투입가치의 최대한도를
정할 수 있다.69) 위원회의 결정은 양국에 권고되며, 양국은 국내입법절차에 대한
책임이 있다.70)

---

63) 개성공단생산제품에 대한 최혜국대우(MFN) 적용문제에 대한 논의는 다음을 참조: 박노형,
  "WTO 체제에서의 남북한 무역거래의 지위", 「법조」 제49권 11호(2000.11), pp. 35－57; 문
  준조, 「남북경제교류의 민족내부거래성과 대우문제」(한국법제연구원, 2002), pp. 61－73.
64) 한반도역외가공지역위원회는 2013년 11월, 2014년 11월, 2015년 3월에 개최되었다.
65) 한－미 FTA 부속서 22－나, 제 3 항.
66) 한－미 FTA 부속서 22－나, 제 3 항 및 제 4 항.
67) 한－미 FTA 부속서 22－나, 제 3 항.
68) 원문에 의하면 "…with due reference to the situation prevailing elsewhere in the local
  economy and the relevant international norms."라고 규정되어 있다. 한－미 FTA 부속서
  22－나, 제 3 항 참조.
69) 한－미 FTA 부속서 22－나, 제 3 항.
70) 한－미 FTA 부속서 22－나, 제 5 항.

제30장
RTA에서의 서비스 및 투자의 규율

제1절 지역무역협정에서의 서비스무역 자유화의 의의

1. 지역무역협정을 통한 서비스무역 자유화의 근거

상품무역에 적용되는 일반협정인 GATT의 제24조는 WTO 회원국들간의 자유무역지역이나 관세동맹과 같은 RTA(지역무역협정)에 대해 일정한 요건의 충족을 조건으로 동 협정 제1조에 따른 최혜국대우 의무로부터의 적용 예외를 허용한다. 마찬가지로 서비스무역에 대한 일반협정인 GATS 제5조도 WTO 회원국들이 양자간 또는 여러 당사자간 서비스무역을 자유화하는 협정을 체결하는 것을 허용한다. 즉 일정한 요건하에 동 협정 제2조에 따른 최혜국대우원칙에 대한 예외를 인정하는 것이다. 이러한 예외를 인정하는 근거는 지역무역협정이 무역자유화를 추구하는 GATT나 GATS의 기본 목적과 부합하며, 지역무역협정이 확대될 경우 궁극적으로 세계 무역 장벽의 철폐로 이어져 세계 자유 무역을 확대시킬 것이라는 데 있다.

GATS 제5조에 따른 서비스무역을 자유화하기 위한 지역무역협정이 최혜국대우원칙에 대한 예외로서 허용되기 위해서는 동조에 규정된 일정한 요건을 충족하여야 한다. 이는 GATT 제24조의 요건을 기초로 하고 있지만 동일하지는 않다. 요건을 살펴보면 다음과 같다.

[제5조 경제통합]
1. 이 협정은 회원국이 서비스무역을 자유화하는 양자간의 혹은 여러 당사자간의 협정의 당사자가 되거나 이러한 협정을 체결하는 것을 방해하지 아니한다.

단, 그러한 협정은,

(a) 상당한 분야별 대상범위를 가지며,1) 그리고

(b) 아래 조치를 통해, 가호에 따라 대상이 되는 서비스분야에 있어서 제17조의 의미상 양자간 혹은 여러 당사자간에 실질적으로 모든 차별조치를 그 협정의 발효시 또는 합리적인 시간계획에 기초하여 없애거나 폐지하도록 규정하여야 한다.

(i) 기존 차별조치 폐지, 그리고/ 또는

(ii) 신규 혹은 더욱 차별적인 조치의 금지,

단, 제11조, 제12조, 제14조 그리고 제14조의 2에 따라 허용되는 조치는 예외로 한다.

4. 제 1 항에 언급된 모든 협정은 그 협정의 양 당사자간의 무역을 촉진하기 위한 것이 되어야 하며, 협정의 당사자가 아닌 모든 회원국에 대하여 그러한 협정이 체결되기 이전에 적용가능한 수준과 비교하여 각 서비스분야 및 업종에서의 서비스무역에 대한 전반적인 장벽의 수준을 높여서는 아니 된다.2)

GATS 제 5 조에서 규정하고 있는 요건을 분석해 보면 첫째, 지역무역협정이 상당한 분야별 대상범위를 가져야 한다(동조 제 1 항 (a)). 각주에 따르면 이는 대상

---

1) 이 조건은 분야의 수, 영향을 받는 무역량 그리고 공급형태의 관점에서 이해된다. 이 조건을 충족시키기 위해서는 협정이 특정 공급형태를 사전에 제외하는 것을 규정하여서는 아니 된다.

2) GATS 제 5 조 해당 규정의 원문은 다음과 같다.

[Article V Economic Integration]

1. This Agreement shall not prevent any of its Members from being a party to or entering into an agreement liberalizing trade in services between or among the parties to such an agreement, provided that such an agreement:

(a) has substantial sectoral coverage1, and

(b) provides for the absence or elimination of substantially all discrimination, in the sense of Article XVII, between or among the parties, in the sectors covered under subparagraph (a), through:

(i) elimination of existing discriminatory measures, and/or

(ii) prohibition of new or more discriminatory measures,

either at the entry into force of that agreement or on the basis of a reasonable time-frame, except for measures permitted under Articles XI, XII, XIV and XIV bis.

4. Any agreement referred to in paragraph 1 shall be designed to facilitate trade between the parties to the agreement and shall not in respect of any Member outside the agreement raise the overall level of barriers to trade in services within the respective sectors or subsectors compared to the level applicable prior to such an agreement.

서비스 분야의 수, 영향 받는 무역량, 공급형태 등 모든 면에서 실질적으로 상당한 서비스 분야를 대상으로 무역자유화를 실현해야 한다는 의미이다(동조 제1항 (a)의 각주). 각주의 설명에도 불구하고 첫 번째 요건과 관련하여 상당한 분야별 대상범위를 평가할 때 분야별(sector-by-sector)로 평가할 것인지 아니면 그 보다 하위분야나 업종(sub-sector or activities)별로 평가할 것인지 알 수 없어 요건의 해석이 불분명하다는 문제점이 있다. 또한 서비스무역에 대한 데이터가 제대로 확보되어 있지 않은 상황이기 때문에 영향 받는 서비스의 무역량 등을 측정하기가 어렵다.

둘째, 지역무역협정은 협정당사국간에 서비스분야에 대한 모든 차별조치를 실질적으로 철폐하여야 한다. 기존의 차별조치는 물론 신규 또는 더욱 차별적인 조치를 금지함으로써 지역무역협정의 대상이 되는 서비스분야에 있어서 제17조상 내국민대우의 측면에서 양자간 또는 다자간 모든 차별조치를 협정의 발효시 또는 합리적인 시간계획에 기초하여 없애거나 폐지하여야 한다. 다만, 제11조(지급 및 이전), 제12조(국제수지방어를 위한 수입제한), 제14조(일반적 예외), 제14조의2 (국가안보예외)에 따라 허용되는 조치는 예외로 한다(동조 제1항 (b)). 두 번째 요건에 따라 지역무역협정의 당사국은 타방 당사국의 서비스 및 서비스 공급자에게 자국 서비스 및 서비스 공급자에게 부여하는 대우보다 불리하지 아니한 대우를 부여하여야 한다.

셋째, 지역무역협정은 협정의 당사국이 아닌 회원국에 대해서 협정체결 이전에 적용 가능한 수준과 비교하여 서비스무역에 대한 전반적인 장벽의 수준을 높여서는 안 된다. 앞의 첫 번째와 두 번째 요건이 지역무역협정 당사국 내부적으로 적용되는 역내적 요건이라면 세 번째 요건은 비당사국과의 관계에서 적용되는 역외적 요건이라 할 수 있다.

GATS 제5조는 GATT 제24조와 달리 개발도상국에 대한 특례를 규정하고 있는데, 개발도상국이 지역무역협정의 당사국인 경우 전반적이고 개별적인 서비스분야 및 업종에서의 관련국가의 발전수준에 따라 위의 요건 중 두 번째 요건의 적용에 있어 융통성을 부여하고 있다.[3]

Canada-Autos 사건에서 패널은 제5조의 대상 및 목적에 대하여 다음과 같

---

3) GATS 제5조 제3항 (a).

이 해석하였다.

"It is our view that the object and purpose of this provision is to eliminate all discrimination among services and service suppliers of parties to an economic integration agreement, including discrimination between suppliers of other parties to an economic integration agreement. In other words, it would be inconsistent with this provision if a party to an economic integration agreement were to extend more favourable treatment to service suppliers of one party than that which it extended to service suppliers of another party to that agreement."[4]

2. 지역무역협정을 통한 서비스무역 자유화의 전개

지역무역협정에서 서비스무역을 자유화는 작업은 위에서 살펴본 바와 같이 상품무역에 대한 협정과 별도의 조항에 근거하고 있다. 동 조항에 따르면 협정의 당사국은 이러한 협정의 체결 등에 대하여 WTO의 서비스무역이사회에 별도의 통보를 하여야 한다.[5] 이는 지역무역협정 협상에 있어 반드시 상품무역과 서비스무역 분야를 동시에 진행하거나 또는 하나의 협정에 담아야 하는 것은 아니라는 점을 시사한다.

그런데 국가들이 지역무역협정 협상시 대체로 상품무역과 서비스무역에 대한 협상을 함께 진행하기 때문에 대다수의 지역무역협정에서 두 분야의 협상 결과가 단일한 협정문 안에 규정되고 있다. 실제로 많은 지역무역협정 협상시 상품무역, 서비스무역 이외에도 지적재산권, 위생 및 식물위생, 정부조달, 노동, 환경 등 다양한 분야에 대하여 분과를 나누어 동시에 협상을 진행하며 분과별 협상 결과를 별도의 챕터에 담아 단일한 협정문으로 만들었다. 우리나라의 기체결 지역무역협정 중 대표적인 한-미 FTA의 경우에도 하나의 협정문 안에 제 2 장에서는 상품무역을, 제12장에서는 서비스무역에 대하여 규율하고 있다.

그러나 드물기는 하지만 상품무역에 대한 지역무역협정과 서비스무역에 대

---

4) Canada-Certain Measures Affecting the Automotive Industry, Panel Report, adopted on 11 February 2000, WT/DS139/R, WT/DS142/R, para. 10.270.

5) GATS 제 5 조 제 7 항 (a)

한 지역무역협정을 별도로 체결하는 경우도 있다. 우리나라의 기체결 지역무역협정 중 한－아세안 FTA는 상품무역에 대한 협상 개시 및 협정 체결을 먼저 진행하였고, 상품무역에 대한 협상 쟁점이 상당부분 합의를 이룬 이후 서비스무역에 대한 협상이 개시되어 후에 협정이 체결되었다.[6)]

지역무역협정 협상에서 서비스무역 분야의 협상은 당사국간 서비스무역시 준수하여야 할 규범을 정하는 협정문 협상과 당사국의 자유화 정도를 정하는 양허안 협상으로 나누어 진행된다. 서비스무역 협상 분과를 두 개로 나누어 진행하는 것은 아니며, 하나의 분과에서 두 개의 큰 주제를 구별하여 다루는 것이다.[7)]

또한 서비스 분야 중 다른 서비스 분야와 특별히 구별되는 고유성을 지닌 일부 서비스 분야의 경우 일반적인 서비스무역에 적용되는 협정문이 아니라 별도의 협정문이 적용되도록 협상을 체결할 수도 있다. 이러한 별도의 협정문은 일반 서비스무역 협정문과 분리되어 별도의 챕터에 규정된다. 한－미 FTA의 경우 금융서비스, 통신서비스, 전자상거래에 관한 규범이 별도의 챕터에 마련되었다.

제 2 절   지역무역협정에서의 서비스무역 자유화의 방식

1. 서비스무역 자유화 방식의 의의

지역무역협정을 통하여 서비스무역을 자유화한다는 것의 의미는 일차적으로는 협정 상대국의 서비스 공급자로 하여금 자국의 소비자에게 서비스를 공급하도록 허락한다는 의미이고, 이차적으로는 개방한 서비스 분야의 공급자에게 부여하는 대우를 자국내 동종 서비스 공급자와 동등하게 하는 등 기타 추가적인 의무를 부과하지 아니하는 것이다.

지역무역협정에서의 서비스무역 자유화의 방식은 여러 가지가 존재할 수 있으나, 기본적으로 두 가지 정도로 분류할 수 있다. 하나는 포지티브리스트 방식이라 하여 각 당사국이 개방하고자 하는 서비스 분야에 대해서 리스트를 작성하

---

6) 이외에도 EC와 멕시코 역시 상품무역에 대한 협정과 서비스무역에 대한 협정을 별도의 시기에 체결하였다.

7) 서비스양허안은 서비스협정문의 부속서(Annex)로서 지역무역협정의 일부를 구성하게 된다.

는 방식이다. 이러한 방식에 따라 작성된 자유화 계획표를 양허표(schedule of specific commitment)라 한다. 다른 하나는 네거티브리스트 방식이다. 이는 각 당사국이 개방하지 않고자 하는 서비스 분야에 대해서 리스트를 작성하는 방식이다. 이러한 방식에 따라 작성된 자유화 계획표는 유보리스트(Reservation list)라 한다.

(1) 포지티브리스트 방식에 따른 자유화

포지티브리스트 방식(positive list approach)이라 함은 지역무역협정의 상대국에게 개방할 서비스 분야, 하위 분야, 업종을 기재하고, 해당 분야에 대하여 서비스의 무역형태별[8] 가지고 있는 제한사항을 시장접근분야와 내국민대우분야로 나누어 기재하는 방식이다. 이 방식에 따르면 양허안에 기재하지 않은 그 밖의 서비스 분야, 하위 분야, 업종은 상대국에게 개방되지 않는다.

포지티브리스트 방식을 채택한 지역무역협정의 서비스 협정문은 시장접근과 내국민대우 등 관련 의무 조항에서 '시장접근 약속이 행하여진 분야에서' 또는 자국의 양허표 안에 기재된 분야에 있어' 등과 같이 양허표에서 개방하기로 한 분야에 대해서만 개방한다는 점을 명시하는 문구를 둔다. 그러나 개방대상인 서비스 분야에 대해 포지티브리스트 방식을 채택하는 지역무역협정이라 하더라도 당해 개방 서비스 분야에 부과되는 제한(시장접근 제한, 내국민대우 제한 등)에 대해서는 각 당사국이 자국 양허표에 서비스 분야, 하위 분야, 업종별로 기재한 조치에 한하여 허용된다는 점을 유의하여야 한다. 즉 엄밀히 말해서 개방 대상 서비스 분야에 대해서는 포지티브리스트 방식을, 그 분야에 부과할 제한사항에 대해서는 네거티브리스트 방식을 채택한다고 할 수 있다.[9]

포지티스리스브 방식에 따라 작성된 당사국의 서비스 양허표는 크게 수평적 약속 부분과 구체적 약속 부분으로 구성된다. 수평적 약속(horizontal commitment)이란 양허표에 포함된 모든 분야에 대하여 공통적으로 적용되는 제한사항을 의미

---

8) GATS는 서비스의 무역형태를 ① 국경간 공급, ② 해외소비, ③ 상업적 주재, ④ 자연인의 주재 이렇게 네 가지로 분류하고 있는데, 지역무역협정에서 포지티브리스트 방식에 따른 자유화를 하는 경우 이러한 분류에 따라 양허안을 작성하고 있다.
9) 이와 같이 실질적으로는 포지티브리스트 방식과 네거티브리스트 방식이 혼합되어 있다는 점, WTO회원국들이 서비스무역 자유화 방식으로 이와 같은 방식을 채택하고 있다는 점에서 이러한 유형의 서비스무역 자유화 방식을 GATS식 혼합형 방식이라 부르기도 한다.

| 표 30-1 | **포지티브리스트 방식에 따라 작성된 양허표 중 일부**[10] |

공급형태: (1) 국경간 공급, (2) 해외소비, (3) 상업적 주재, (4) 자연인의 주재

분야 또는 업종	시장접근에 대한 제한	내국민대우에 대한 제한	추가적 약속
II. 분야별 구체적 약속			
A. 전문직 서비스			
(d) 건축 서비스 (CPC 8671)	(1) 계획 설계에 대하여는 제한 없음. 계획 설계 외에는 중국 전문 기관과의 협력이 요구됨. (2) 제한 없음. (3) 외국인 다수 지분 소유 합작 투자 기업이 허용됨. 완전 외국인 소유 기업이 허용됨. (4) 수평적 양허에 기재한 사항 외에는 약속 안함.	(1) 제한 없음. (2) 제한 없음. (3) 외국인 서비스 공급자는 자신의 본국에서 등록된 건축가/엔지니어 또는 건축/엔지니어링/도시 계획 서비스에 종사하는 기업이어야 함. (4) 수평적 양허에 기재한 사항 외에는 약속 안함.	한국 서비스 공급자에 의하여 중국에 설립된 엔지니어링 디자인 기업의 중국내 지역과 중국 외 지역에서의 계약 이행은 중국 내에서 그 기업의 자격 평가 시 산정됨.
(e) 엔지니어링 서비스 (CPC 8672) (f) 통합 엔지니어링 서비스 (CPC 8673)	(1) 계획 설계에 대하여는 제한 없음. 계획 설계 외에는 중국 전문 기관과의 협력이 요구됨. (2) 제한 없음. (3) 외국인 다수 지분 소유 합작 투자 기업이 허용됨. 완전 외국인 소유 기업이 허용됨. (4) 수평적 양허에 기재한 사항 외에는 약속 안 함.	(1) 제한 없음. (2) 제한 없음. (3) 외국인 서비스 공급자는 자신의 본국에서 등록된 건축가/엔지니어 또는 건축/엔지니어링/도시 계획 서비스에 종사하는 기업이어야 함. (4) 수평적 양허에 기재한 사항 외에는 약속 안함.	

한다. 이 제한사항 역시 구체적 약속 부분과 마찬가지로 시장접근에 대한 제한과 내국민대우에 대한 제한으로 나누어 서비스무역 공급형태별로 기재한다.

다음으로 구체적 약속(specific commitment)이란 개방을 약속한 서비스 분야, 하위 분야, 업종을 기재하고 그 분야에 대한 제한사항을 시장접근에 대한 제한과 내국민대우에 대한 제한으로 나누어 서비스무역 공급형태별로 기재한 것이다. 한-

---

10) 한-중 FTA 부속서 8-가 중국의 구체적 약속에 관한 양허표 중 일부.

중 FTA에 첨부된 부속서상 중국 측의 구체적 약속에 관한 양허표 중 일부([표 30-1] 참조)를 통해 건축 서비스(CPC 8671[11])에 대해서 설명하면 다음과 같다. 첫째, 중국은 서비스 분야 중 건축 서비스를 개방하였다. 둘째, 해외소비의 경우 시장접근이나 내국민대우에 대해서 제한이 없다. 셋째, 국경간 공급은 내국민대우에 대해서는 제한이 없지만, 시장접근은 계획 설계에 대해서만 제한이 없고, 기타 분야는 중국 전문기관과의 협력이 필요하다는 제한이 있다. 넷째, 상업적 주재에 의한 시장접근은 외국인이 다수의 지분을 소유한 합작 투자 기업이 허용되며, 완전 외국인 소유 기업도 허용된다고 하였고, 내국민대우는 개인 건축가에게는 본국 등록 요건이, 기업은 관련 서비스에 종사할 요건이 부과되어 있다. 다섯째, 자연인의 주재에 대해서는 수평적 양허를 통해 개방한 사항 이외에는 약속하지 않았다.

(2) 네거티브리스트 방식에 따른 자유화

네거티브리스트 방식(negative list approach)이라 함은 지역무역협정의 당사국이 개방하지 않고자 하는 서비스 분야를 유보리스트에 기재하는 방식이다. 이 방식은 기본적으로 모든 서비스 분야의 자유화를 전제로 하기 때문에 기재하지 않으면 개방하는 것으로 간주하여 포지티브리스트 방식보다 자유화율이 높아질 수밖에 없다. 따라서 유보리스트 작성에 더욱 주의를 요한다 할 수 있다.

일반적으로 유보리스트는 현재 외국 서비스 및 서비스 공급자에 대하여 개방하지 않을 분야와 그 분야에 대한 비합치조치(non conforming measures)[12]를 기재하는 현재유보리스트(부속서 I)와 현재는 외국 서비스 및 서비스 공급자에 대하여 제한사항이 없으나 미래에 특정 서비스 분야의 보호를 위하여 정부에게 비합치조치를 도입할 권한이 있음을 포괄적으로 기재하는 미래유보리스트(부속서 II)로 나누어 작성된다. 현재유보리스트에 기재된 당사국의 비합치조치에 대해서는 서비스 협정문의 관련 의무인 내국민대우, 시장접근 등이 적용되지 않는다. 미래유보리스트에 기재된 서비스 분야에 대해 당사국은 유보의 범위 내에서 미

---

11) CPC란 Central Product Classification의 줄임말로서 UN에서 작성한 서비스 분야 분류표이다. 서비스 분야를 명확하게 확정하기 위하여 양허표에 CPC번호를 병기하여 준다.
12) 비합치조치란 지역무역협정 서비스협정상 관련 의무(시장접근, 내국민대우 등)에 위배되는 조치를 말한다.

래에 비합치조치를 도입하는 것이 허용된다.

표 30-2	**현재유보리스트 중 일부**[13]

분　야	전문직 서비스
관련의무	내국민대우(제7.2조) 최혜국대우(제7.3조)
정부수준	중앙
조치근거	1958년 출입국법(연방)
유보내용	국경 간 서비스무역 호주에서 출입국 대리인으로 개업하고자 하는 인은 호주 시민이거나 영주권자 또는 특별범주비자를 가진 뉴질랜드 시민이어야 한다.

표 30-3	**미래유보리스트 중 일부**[14]

분　야	유통 서비스
관련의무	시장접근(제7.4조)
유보내용	국경 간 서비스무역 호주는 담배, 주류 또는 총포의 도소매업 서비스에 대하여 어떠한 조치 도 채택하거나 유지할 권리를 유보한다.

　　네거티브리스트 방식을 채택한 지역무역협정의 서비스 협정문은 시장접근과
내국민대우 등 관련 의무 조항에서 포지티브리스트 방식을 채택한 지역무역협정
의 서비스 협정문과 달리 해당 의무가 일반적으로 적용됨을 규정하고 있다. 즉
"각 당사국은 동종의 상황에서 자국의 서비스 공급자에게 부여하는 것보다 불리
하지 아니한 대우를 다른 쪽 당사국의 서비스 공급자에게 부여한다."라고 규정하
여[15] 의무의 적용범위를 양허표에 기재한 서비스 분야만으로 제한하지 않는다.

　　또한 네거티브리스트 방식을 채택한 지역무역협정의 서비스 협정문에는 '최
저 자유화수준 보장(standstill) 조항' 또는 '자유화수준 후퇴 금지(ratchet mechanism)
조항'이 포함된다. 최저 자유화수준 보장 조항이란 현재유보리스트에 기재된 모
든 비합치조치에 대하여 이를 협정 발효 시점을 기준으로 유보리스트에 작성한
수준보다 자유화하는 것만 허용하는 조항이다. 반면, 자유화수준 후퇴 금지 조

---

13) 한-호주 FTA 부속서 Ⅰ 호주의 유보목록.
14) 한-호주 FTA 부속서 Ⅱ 호주의 유보목록.
15) 한-미 FTA 제12장 서비스 협정문 제12.2조.

항이란 최저 자유화수준 보장 조항보다 엄격한 의무를 부과하는 조항으로 당사
국이 유보리스트에 작성한 이후 그 수준보다 자발적으로 자유화수준을 증진한
경우 이와 같이 높아진 자유화수준을 기준으로 이 보다 자유화를 후퇴하는 것을
금지하는 조항이다.

　　네거티스리스브 방식에 따라 작성된 당사국의 서비스 유보리스트는 앞에서
살펴 본 바와 같이 크게 현재유보리스트와 미래유보리스트로 구별할 수 있다. 또
한 현재유보리스트와 미래유보리스트는 다시 모든 분야에 적용되는 유보와 특정
서비스 분야 및 업종에만 적용되는 유보가 있다. 한－호주 FTA에 첨부된 부속서
상 호주측의 현재유보리스트의 일부([표 30－2] 참조)를 살펴보면, 호주는 전문직
서비스에 대하여 현재 내국민대우와 최혜국대우 조항에 위배되는 제한사항을 가
지고 있고, 근거법은 1958년 출입국법이다. 관련 제한사항의 구체적인 내용은 호
주에서 출입국 대리인으로 개업하고자 하는 사람은 호주 시민이거나 영주권자
또는 특별범주비자를 가진 뉴질랜드 시민이어야 한다는 것이고, 이러한 제한사항
은 중앙정부 차원에서 유지되고 있다. 다음으로 한－호주 FTA에 첨부된 부속서
상 호주측의 미래유보리스트의 일부([표 30－3] 참조)에 따르면 호주는 미래에 유
통서비스 분야 중 담배, 주류 또는 총포의 도소매업 서비스에 대하여 시장접근
조항에 위배될 소지가 있는 제한사항을 새롭게 마련할 수 있다.

2. 주요 지역무역협정에서의 서비스무역 자유화 방식 개관

　　지역무역협정 체결시 그간의 관행을 보면 EC, EFTA, 아세안과 같이 공동체
가 일방 당사국으로서 참여하는 경우 또는 서비스시장 개방에 소극적인 개발도
상국이 당사국이 되는 경우에 포지티브리스트 방식을 선호한다. 포지티브리스트
방식을 채택한 지역무역협정의 경우 서비스 협정문의 내용도 GATS의 관련 규정
을 거의 그대로 수용하여 규정한다.[16) 우리나라가 체결한 지역무역협정을 살펴보
면, 한－EFTA간 FTA, 한－EU FTA, 한－아세안 FTA, 한－중 FTA에서 포지티브리
스트 방식을 사용하였다.

　　지역무역협정에서 네거티브리스트 방식에 기초하여 서비스무역 자유화를 추

---

16) 호주－태국 FTA, 일본－싱가폴 EPA, EFTA－싱가폴 FTA, 중국－뉴질랜드 FTA 등.

구한 선도적인 사례는 북미자유무역협정(NAFTA)이다. NAFTA는 서비스무역 협정
문 제1206조에서 각 당사국의 협정상 내국민대우 의무 등과 합치하지 아니하는
기존의 또는 미래의 조치에 대개 각기 부속서(유보리스트)를 통해 유보한 경우 당
해 협정상 의무가 적용되지 아니한다고 규정하고 있다.[17] 특히 NAFTA에서는 자
유화수준 후퇴 금지 조항을 도입하였는데, 이후 미국이 체결하는 지역무역협정에
서는 예외 없이 네거티브리스트 방식을 채택하였다.

한-미 FTA의 경우에도 네거티브리트스 방식을 채택하였다. 또한 한-미
FTA 역시 자유화수준 후퇴 금지 조항을 도입하여 현재 유보리스트에 대하여 비
합치조치의 개정은 그 개정 직전에 존재하였던 조치의 합치성을 감소시키지 못
하도록 규정하였다.[18] 그 외에 한-칠레 FTA, 한-싱가폴 FTA, 한-캐나다 FTA,
한-호주 FTA 등에서 네거티브리스트 방식을 사용하였다. 특히 한-중 FTA의 경
우 2단계 협상 방식을 채택하여, 현재에는 포지티브리스트 방식을 사용하였으나,
후속협상을 통해 서비스 협정문과 부속서를 개정하기로 합의하였다.[19]

3. RTA에서의 상업적 주재에 의한 서비스공급의 규율

GATS에서는 서비스무역을 그 공급방식을 기준으로 (1) 한 회원국의 영토로
부터 그 밖의 회원국의 영토 내로의 서비스 공급(국경간 공급-mode 1), (2) 한 회
원국의 영토 내에서 그 밖의 회원국의 서비스 소비자에 대한 서비스 공급(해외소
비-mode 2), (3) 한 회원국의 서비스 공급자에 의한 그 밖의 회원국의 영토 내에
서의 상업적 주재를 통한 서비스 공급(상업적 주재-mode 3), (4) 한 회원국의 서
비스 공급자에 의한 그 밖의 회원국 영토 내에서의 자연인의 주재를 통한 서비스
공급(자연인의 주재-mode 4) 이렇게 4가지로 정의한다.[20]

이 4가지 방식 중 mode 3인 상업적 주재는 서비스의 공급을 목적으로 하는
회원국의 영토 내에서의 모든 유형의 영업적 또는 전문 직업적 설립체를 의미하
며, ① 법인의 구성, 인수 또는 유지, ② 지사나 대표 사무소의 창설 또는 유지를

---

17) NAFTA 제1206조 제 1 항 (c).
18) 한-미 FTA j 제12.6조 제 1 항 (c).
19) 한-중 FTA 제22장 최종규정 제22.2조 참조.
20) GATS 제 1 조 제 2 항.

포함하는 개념이다.[21] 즉 이는 GATS에서는 서비스무역의 한 공급형태로 포함되지만, 개념상 외국인 투자를 의미하고, 내용상 국제투제법의 규율대상이다.

이러한 까닭에 그간 체결된 지역무역협정의 협정문 구조를 살펴보면 일부 지역무역협정에서는 mode 3를 GATS와 동일하게 서비스무역의 일부로 보아 서비스 협정문에서 규율하고 있고, 또 일부 지역무역협정에서는 mode 3를 외국인 투자의 일부로 보아 별도의 투자 협정문에서 규율한다. 서비스무역 자유화 방식 중 포지티브리스트 방식을 채택한 지역무역협정에서는 전자의 입장을, 서비스무역 자유화 방식 중 네거티브리스트 방식을 채택한 지역무역협정에서는 후자의 입장을 취하였다.

상업적 주재에 의한 서비스 공급에 대한 규율과 관련하여 우리나라가 체결한 지역무역협정은 크게 두 가지 방법으로 나누어진다. 첫째는 mode 3를 서비스 협정문에서 다루지 않고 별도의 투자협정문을 두면서 서비스 협정문의 제목을 '국경간 서비스 무역'이라고 칭하는 방법으로 대표적으로 한-미 FTA가 이 부류에 속한다. 둘째는 mode 3를 서비스 협정문에서 다루는 방법이다. mode 3를 서비스 협정문에서 다루면서도 서비스 협정문과 별도로 투자협정문도 두는 방법은 한-인도 CEPA가 채택하였고, 한-EFTA는 mode 3를 서비스 협정문에서 다루면서 별도의 투자협정문을 두지 않아서 이와 다소 차이가 있다. 한-EU FTA는 다소 독특하게 서비스와 투자에 적용되는 서비스 무역·설립 및 전자상거래에 관한 한 개의 장과 투자에 관하여 적용되는 지급 및 자본이동의 장을 두었다. 이렇게 mode 3를 서비스 협정문의 적용범위에 포함하는 경우에 서비스 협정문의 제목은 '서비스 무역'으로 칭한다.[22]

제 3 절   지역무역협정에서 규정하는 서비스무역에 적용되는 의무

지역무역협정의 서비스 협상단은 협상의 시작단계에서 서비스무역의 자유화 방식을 우선 결정하고, 다음으로 결정된 자유화 방식에 따라 협정문 협상과 양허

---

21) GATS 제28조 (d).
22) 고준성, FTA의 서비스무역규정 조문별 유형분석: 한국의 협상 가이드라인 모색, KIET 산업연구원, 2008. p. 114-123 참조.

표 또는 유보리스트 협상을 진행한다. 서비스 협정문에는 당사국간 서비스무역시 준수하여야 할 의무를 담게 되는데 어떠한 내용의 의무가, 어떠한 조건 하에 적용되는지는 지역무역협정별로 다양하다.

여기에서는 우리나라가 체결한 지역무역협정 중 네거티브리스트 방식을 채택한 대표적인 지역무역협정인 한－미 FTA와 포지티브리스트 방식을 채택한 대표적인 지역무역협정인 한－중 FTA에서의 서비스무역에 적용되는 의무에 대하여 살펴본다. 한－중 FTA 서비스 협상은 포지티브리스트 방식을 채택하여 협정문 및 양허표를 작성하였으며, 발효 후 2년 내 개시 예정인 후속협상을 통해 네거티브리스트 방식으로 전환하는 것으로 합의하였다.

1. 한－미 FTA 서비스협정문상의 의무

(1) 내국민대우 의무

내국민대우 의무란 동종의 상황에서 자국의 서비스 공급자에게 부여하는 것보다 불리하지 않은 대우를 상대국 서비스 공급자에게 부여하는 것이다. GATS 제17조에 따른 내국민대우 원칙과 달리 한－미 FTA 서비스협정문 제12.2조에 따른 내국민대우 의무는 일반적인 의무이다. 즉 유보리스트를 통해 유보되지 않은 사항에 대해서는 타방 당사국에 대하여 내국민대우 의무를 준수하여야 한다. GATS 제17조는 '자기나라의 양허표에 기재된 분야에 있어서 양허표에 명시된 조건 및 제한을 조건으로' 내국민대우 의무를 부담한다고 규정하고 있으나, 한－미 FTA 서비스협정문 제12.2조는 이러한 표현 없이 내국민대우 의무를 부담한다고 규정하고 있는 것이다.

다음으로 동 협정문 제12.2조 제 2 항에서는 지역정부(regional level of government)에 대한 내주민대우 의무를 규정하고 있다. GATS 제17조에는 이러한 의무 규정이 없다. 한－미 FTA에서 '지역정부'란 미국에 대하여는 주를 의미하고, 대한민국에 대하여는 지역정부는 적용되지 않는다.[23] 그러므로 우리나라는 제 2 항상의 의무를 부담하지 않는다. 이러한 규정을 둔 이유는 미국의 일부 주가 내주민과 타주민을 차별하는 경우가 있기 때문이다.[24]

---

23) 한－미 FTA 제 1 장 제1.4조.
24) 한국의 기체결 FTA 서비스 및 투자 협정문 분석: 한－미 FTA와 한－EU FTA를 중심으로,

표 30-4	한-미 FTA 서비스협정문 중 내국민대우 의무 조항

Article 12.2: National Treatment

1. Each Party shall accord to service suppliers of the other Party treatment no less favorable than that it accords, in like circumstances, to its own service suppliers.

2. The treatment to be accorded by a Party under paragraph 1 means, with respect to a regional level of government, treatment no less favorable than the most favorable treatment accorded, in like circumstances, by that regional level of government to service suppliers of the Party of which it forms a part.

(2) 최혜국대우 의무

지역무역협정에서 최혜국대우 의무 조항을 포함하는 것의 의미는 향후 타방 당사국이 다른 국가와 지역무역협정을 체결하면서 추가 개방이 이루어진다면 그 개방의 혜택을 과거 지역무역협정의 상대국에게도 부여하기 위한 것이다. 우리나라가 체결한 지역무역협정 중에서 위와 같은 의미의 최혜국대우 위무 조항이 포함된 대표적인 지역무역협정이 바로 한-미 FTA이다. 한-미 FTA 제12.3조는 동종의 상황에서 제3국의 서비스 공급자에게 부여하는 것보다 불리하지 않은 대우를 상대국 서비스 공급자에게 부여할 의무를 규정하고 있다.

최혜국대우 의무를 규정한 GATS 제2조와 비교해 보면 한-미 FTA 제12.3조는 문구가 매우 간략하게 되어 있다. 그러나 이는 형식적인 차이일 뿐이고 실질적인 의무 내용의 차이는 없다. 동 조는 최혜국대우 의무를 일반적인 의무로 규정하였는데, 양국은 모두 미래유보리스트를 통하여 최혜국대우 의무의 적용 범위를 제한하고 있다.

표 30-5	한-미 FTA 서비스협정문 중 최혜국대우 의무 조항

Article 12.3: Most - Favored - Nation Treatment

Each Party shall accord to service suppliers of the other Party treatment no less favorable than that it accords, in like circumstances, to service suppliers of a non-Party.

김종덕·엄종현, 대외경제정책연구원 연구자료 13-13, pp. 38-39 참조.

(3) 시장접근제한 금지의무

한-미 FTA 제12.4조는 시장접근제한 금지 의무에 대하여 규정하고 있다. 동 조항에 따르면 첫째, 서비스 공급자의 수를 제한하는 것, 둘째, 서비스 거래 또는 자산의 총액을 제한하는 것, 셋째, 서비스 영업의 총수 또는 서비스 총 산출량을 제한하는 것, 넷째, 고용인의 총수를 제한하는 것, 다섯째, 사업자의 법적 형태를 제한하는 것이 금지된다.

GATS 제16조상의 최혜국대우 조항과 달리 여섯 번째 유형인 외국 자본 참여에 대한 제한을 제외하였는데, 이는 한-미 FTA가 상업적 주재에 의한 서비스 공급을 투자 협정문의 적용 대상으로 하고 있기 때문이다.

표 30-6 ┃ 한-미 FTA 서비스협정문 중 시장접근제한 금지의무 조항

Article 12.4: Market Access

Neither Party may adopt or maintain, either on the basis of a regional subdivision or on the basis of its entire territory, measures that:

(a) impose limitations on:
   (i) the number of service suppliers, whether in the form of numerical quotas, monopolies, exclusive service suppliers, or the requirement of an economic needs test;
   (ii) the total value of service transactions or assets in the form of numerical quotas or the requirement of an economic needs test;
   (iii) the total number of service operations or the total quantity of services output expressed in terms of designated numerical units in the form of quotas or the requirement of an economic needs test; or
   (iv) the total number of natural persons that may be employed in a particular service sector or that a service supplier may employ and who are necessary for, and directly related to, the supply of a specific service in the form of numerical quotas or the requirement of an economic needs test; or

(b) restrict or require specific types of legal entity or joint venture through which a service supplier may supply a service.

(4) 현지주재요건 부과 금지의무

한－미 FTA 제12.5조에서는 국경간 서비스 공급의 조건으로 다른 당사국의 서비스 공급자에게 자국 내에서 사무실을 구비하게 하거나 또는 거주할 것을 요구하는 것을 금지하고 있다. 이러한 의무 규정에 불합치하는 규제를 도입하거나 또는 유지하기 위해서는 유보리스트에 명시하여야 한다.

GATS에서는 제16조 시장접근 조항[25]에서 서비스 공급자가 서비스를 제공할 수 있는 수단이 법인 등의 형태를 제한하거나 요구하는 조치를 금지하고 있으나, 한－미 FTA 서비스 협정문과 같이 현지주재요건을 부과하는 것에 대한 금지 규정을 별도로 두고 있지 않다.[26]

표 30-7   한-미 FTA 서비스협정문 중 현지주재요건 부과 금지의무 조항

Article 12.5: Local Presence

Neither Party may require a service supplier of the other Party to establish or maintain a representative office or any form of enterprise, or to be resident, in its territory as a condition for the cross－border supply of a service.

---

(5) 국내규제

WTO회원국은 국가 정책목표를 달성하기 위하여 자국 영토 내의 서비스 공급을 규제하고 신규 규제를 도입할 수 있는 권리를 가진다(GATS전문). 국가는 국내법을 통하여 서비스 공급과 관련하여 자격 요건, 절차, 기술 표준 및 면허 요건 등을 도입함으로써 결과적으로 서비스 공급에 대한 규제를 하게 되는 것이다. GATS 제 6 조 제 4 항에서 자격 요건, 절차, 기술 표준 및 면허 요건이 서비스 무역에 불필요한 장벽이 되지 아니하도록 보장할 것을 의무화하고 있는데, FTA에서 이 국내규제에 대하여 각 당사국의 의무를 규정하고 있다.

한－미 FTA에서는 제12.7조에서 국내규제를 규정하고 있는데, 서비스공급을

---

25) GATS 제16조 제 2 항 (e).
26) 한－미 FTA 제12.5조는 NAFTA 제1205조와 동일하다.

위하여 승인을 요구하는 경우 권한 있는 당국은 신청인에게 합리적 기간내에 신청과 관련된 결정을 통보하여야 한다(제1항). 다만, 이 의무는 부속서Ⅱ 유보사항에 대해서는 적용되지 아니한다. 다음으로 자격요건 및 절차, 기술 표준, 면허 요건과 관련된 조치가 객관적이고 투명한 기준에 기초할 것과 면허절차의 경우 그러한 조치 자체가 서비스 공급에 대한 제한이 아닐 것을 규정하고 있다(제2항).

| 표 30-8 | 한-미 FTA 서비스협정문 중 국내규제 조항 |

ARTICLE 12.7: Domestic Regulation

1. Where a Party requires authorization for the supply of a service, the Party's competent authorities shall, within a reasonable time after the submission of an application considered complete under its laws and regulations, inform the applicant of the decision concerning the application. At the request of the applicant, the Party's competent authorities shall provide, without undue delay, information concerning the status of the application. This obligation shall not apply to authorization requirements that a Party adopts or maintains with respect to sectors, sub−sectors, or activities as set out in its Schedule to Annex II.

2. With a view to ensuring that measures relating to qualification requirements and procedures, technical standards, and licensing requirements do not constitute unnecessary barriers to trade in services, while recognizing the right to regulate and to introduce new regulations on the supply of services in order to meet national policy objectives, each Party shall endeavor to ensure, as appropriate for individual sectors, that such measures are:
  (a) based on objective and transparent criteria, such as competence and the ability to supply the service; and
  (b) in the case of licensing procedures, not in themselves a restriction on the supply of the service.

3. If the results of the negotiations related to Article VI:4 of the GATS (or the results of any similar negotiations undertaken in other multilateral fora in which both Parties participate) enter into effect, this Article shall be amended, as appropriate, after consultations between the Parties, to bring those results into effect under this Agreement.

2. 한-중 FTA 서비스협정문상의 의무

(1) 내국민대우 의무

한-중 FTA 서비스 협정문상 내국민대우 조항인 제8.4조는 GATS 제17조 내국민대우 조항과 동일한 문구를 유지하였다. 우리나라와 중국간 서비스 무역에 있어서 양 당사국은 자국의 구체적 약속에 관한 양허표에 기재된 분야에서, 그 양허표에 명시한 조건 및 제한을 조건으로, 자국의 동종 서비스 및 서비스 공급자에게 부여하는 것보다 불리하지 않은 대우를 상대국 서비스 및 서비스 공급자에게 부여하여야 한다.

한-중 FTA 서비스 협정문상 내국민대우의무는 한-미 FTA 서비스 협정문에서처럼 일반적 의무가 아니라 양허표를 통하여 양 당사국에게 제한적으로 적용되는 의무이다. 서비스 협상 방식을 포지티브리스트 방식을 채택한 지역무역협정 서비스 협정문에서 볼 수 있는 유형이다. 따라서 당사국이 자국의 서비스 양허표에 기재하지 않은 서비스 분야에서 내외국인을 차별하는 것은 가능하나, 양허표에 기재한 분야에서 동 양허표에 기재하지 않은 차별 이외의 조치를 채택하게 되면 내국민대우 위반이 된다.[27]

표 30-9	한-중 FTA 서비스협정문 중 내국민대우 의무 조항

Article 8.4: National Treatment

1. In the sectors inscribed in its Schedule of Specific Commitments, and subject to any conditions and qualifications set out therein, each Party shall accord to services and service suppliers of the other Party, in respect of all measures affecting the supply of services, treatment no less favourable than that it accords to its own like services and service suppliers.

2. A Party may meet the requirement in paragraph 1 by according to services and service suppliers of the other Party either formally identical treatment or formally different treatment to that it accords to its own like services and service suppliers.

3. Formally identical or formally different treatment shall be considered to be less

---

27) 고준성, 위의 논문, pp. 169-170 참조.

favourable if it modifies the conditions of competition in favour of services or service suppliers of the Party compared to like service or service suppliers of the other Party.

(2) 시장접근제한 금지의무

시장접근 제한조치 도입 금지의무를 규정한 한-중 FTA 서비스 협정문 제 8.3조는 GATS 제16조 시장접근 조항과 동일한 문구를 유지하였다. 이는 한-중 FTA 서비스 협상이 포지티브리스트 방식을 채택하였기 때문이며, 따라서 GATS 와 같이 시장접근 제한조치 도입금지 의무는 일반적 의무가 아니라 양허표를 통한 제한적인 의무로서 작용한다.

동 조항에 따르면 우리나라와 중국 간 서비스 무역의 시장접근과 관련하여 당사국은 시장접근을 허용한 분야에 대해서 자국의 양허표상 달리 명시하지 않는 한 첫째, 서비스 공급자 수에 대한 제한, 둘째, 서비스 거래 또는 자산의 총액에 대한 제한, 셋째, 서비스 총영업량 또는 총산출량에 대한 제한, 넷째, 고용인의 총 수의 제한. 다섯째, 서비스 공급의 구체적 형태에 대한 제한, 여섯째, 외국인 지분 소유 최대 비율 한도 또는 외국인 투자 합계의 총액한도에 대한 제한을 채택하거나 유지해서는 안 된다.

표 30-10 | 한-중 FTA 서비스협정문 중 시장접근제한 금지의무 조항

Article 8.3: Market Access

1. With respect to market access through the modes of supply defined in Article 8.1, each Party shall accord to services and service suppliers of the other Party treatment no less favourable than that provided for under the terms, limitations and conditions agreed and specified in its Schedule of Specific Commitments in Annex 8-A.

2. In sectors where market access commitments are undertaken, the measures which a Party shall not maintain or adopt either on the basis of a regional subdivision or on the basis of its entire territory, unless otherwise specified in its Schedule of Specific Commitments, are defined as:
  (a) limitations on the number of service suppliers whether in the form of numerical quotas, monopolies, exclusive service suppliers or the requirement of an economic needs test;

(b) limitations on the total value of service transactions or assets in the form of numerical quotas or the requirement of an economic needs test;

(c) limitations on the total number of service operations or the total quantity of services output expressed in terms of designated numerical units in the form of quotas or the requirement of an economic needs test;

(d) limitations on the total number of natural persons that may be employed in a particular service sector or that a service supplier may employ and who are necessary for, and directly related to, the supply of a specific service in the form of numerical quotas or the requirement of an economic needs test;

(e) measures which restrict or require specific types of legal entity or joint venture through which a service supplier may supply a service; and

(f) limitations on the participation of foreign capital in terms of maximum percentage limit on foreign share holding or the total value of individual or aggregate foreign investment.

(3) 최혜국대우와 현지주재요건 부과 금지의무

한-중 FTA 서비스 협상에서 최혜국대우 조항의 도입 여부는 주요 쟁점 중의 하나였으나, 결국 서비스 협정문에 포함되지 않았다. 따라서 우리나라와 중국 간 서비스 무역에 있어서 최혜국대우는 의무사항이 아니다. 또한 GATS와 같이 한-중 FTA 서비스 협정문에는 현지주재요건 부과 금지의무에 대한 별도의 조항도 없다.

(4) 국내규제

한-중 FTA 제8.7조에서 국내규제를 마련함 있어 각 당사국이 부담할 의무엠 대하여 규정하고 있다. 의무의 내용을 살펴보면, 서비스협상 방식을 포지티브 리스트 방식을 채택한 결과 GATS 제 6 조에서 국내규제에 대하여 규정하고 있는 것과의 내용이 거의 동일하다.

제 1 항에서는 개방하기로 약속한 분야에 있어 서비스 무역에 영향을 미치는 모든 조치가 합리적이고 객관적이며 공평한 방식으로 시행되도록 보장하도록 하고 있다. 제 2 항에서는 서비스 공급에 영향을 미치는 행정결정을 신속하게 검토하고, 행정결정에 대한 적절한 구제를 제공할 사법, 중재, 또는 행정재판소 또는 절차를 실행 가능한 한 조속히 설치하거나 유지할 의무를 규정하고 있다. 제 3 항

에서는 서비스 공급을 위해 승인이 요구되는 경우 신청서의 제출 이후 합리적 기간 내에 신청에 대한 결정을 통보하고 요청이 있는 경우 신청의 처리 현황에 대한 정보 제공하도록 규정하고 있다. 제4항에서는 자격요건과 절차, 기술표준 및 면허요건이 ① 객관적이고 투명한 기준에 기초할 것, ② 필요한 정도 이상의 부담을 지우지 아니할 것, ③ 면허절차의 경우, 그러한 조치 자체가 서비스 공급에 대한 제한이 아닐 것을 요구하고 있다. 제5항에서는 개방 약속을 무효화하거나 침해하는 면허, 자격 요건과 기술 표준을 적용하지 아니할 의무를 규정하고 있다.

| 표 30-11 | 한-중 FTA협정문 중 국내규제 조항 |

Article 8.7: Domestic Regulation

1. In sectors where specific commitments are undertaken, each Party shall ensure that all measures of general application affecting trade in services are administered in a reasonable, objective and impartial manner.

2. (a) Each Party shall maintain or institute as soon as practicable judicial, arbitral or administrative tribunals or procedures which provide, at the request of an affected service supplier, for a prompt review of, and where justified, appropriate remedies for, administrative decisions affecting trade in services. Where such procedures are not independent of the agency entrusted with the administrative decision concerned, the Party shall ensure that the procedures in fact provide for an objective and impartial review.

(b) The provisions of subparagraph (a) shall not be construed to require a Party to institute such tribunals or procedures where this would be inconsistent with its constitutional structure or the nature of its legal system.

3. Where authorisation is required for the supply of a service on which a specific commitment has been made, the competent authorities of a Party shall, within a reasonable period of time after the submission of an application considered complete under its domestic laws and regulations, inform the applicant of the decision concerning the application. On the request of the applicant, the competent authorities of the Party shall provide, without undue delay, information concerning the status of the application.

4. With a view to ensuring that measures relating to qualification requirements and procedures, technical standards and licensing requirements do not constitute unnecessary barriers to trade in services, the Parties shall jointly review the results of

the negotiations on disciplines on these measures pursuant to Article VI.4 of GATS, with a view to incorporating them into this Chapter. The Parties note that such disciplines aim to ensure that such requirements are, inter alia:

(a) based on objective and transparent criteria, such as competence and the ability to supply the service;

(b) not more burdensome than necessary to ensure the quality of the service; and

(c) in the case of licensing procedures, not in themselves a restriction on the supply of the service.

5. (a) In sectors in which a Party has undertaken specific commitments, pending the incorporation of the disciplines referred to in paragraph 4, that Party shall not apply licensing and qualification requirements and technical standards that nullify or impair its obligation under this Agreement in a manner which:

(i) does not comply with the criteria outlined in subparagraphs 4(a), (b) or (c); and

(ii) could not reasonably have been expected of that Party at the time the specific commitments in those sectors were made.

(b) In determining whether a Party is in conformity with the obligation under paragraph 5(a), account shall be taken of international standards of relevant international organisations applied by that Party.8

6. In sectors where specific commitments regarding professional services are undertaken, each Party shall provide for adequate procedures to verify the competence of professionals of the other Party.

제4절 한-미 FTA 투자 협정문상의 의무

한-미 FTA에서는 상업적 주재(mode 3)에 의한 서비스 공급을 투자로 보고, 11장에서 별도의 투자 챕터를 두고 있다.

1. 내국민대우 의무

투자 챕터에서 내국민대우란 상대국의 투자자 또는 적용대상투자에 대하여 동종의 상황 하에서 자국 투자자 또는 자국 투자자의 투자에 부여하는 처분보다 불리하지 않은 대우를 부여하는 것이다. 제11.3조에 따르면 내주민대우를 규정하고 있는데, 이 의무는 미국의 주정부가 해당 주의 주민에게 부여하는 대우와 동등한 대우를 상대국의 투자자에게 제공하는 것이어서, 다른 주의 주민에게 제공하는 것과 동등한 대우를 부여하는 내용의 타주민 대우보다 더 월등한 대우라고 볼 수 있다.[28]

| 표 30-12 | 한-미 FTA 투자협정문 중 내국민대우 의무 조항 |

ARTICLE 11.3: National Treatment

1. Each Party shall accord to investors of the other Party treatment no less favorable than that it accords, in like circumstances, to its own investors with respect to the establishment, acquisition, expansion, management, conduct, operation, and sale or other disposition of investments in its territory.

2. Each Party shall accord to covered investments treatment no less favorable than that it accords, in like circumstances, to investments in its territory of its own investors with respect to the establishment, acquisition, expansion, management, conduct, operation, and sale or other disposition of investments.

3. The treatment to be accorded by a Party under paragraphs 1 and 2 means, with respect to a regional level of government, treatment no less favorable than the most favorable treatment accorded, in like circumstances, by that regional level of government to investors, and to investments of investors, of the Party of which it forms a part.

2. 최혜국대우 의무

제11.4조에 따라서 각 당사국은 상대국 투자자 또는 적용대상투자에 대하여 동종의 상황 하에서 비당사국의 투자자 또는 비당사국 투자자의 자국 영역 내 투자에 부여하는 대우보다 불리하지 않은 대우를 부여하여야 한다. 양국은 한-미 FTA 발효 이후 서명되는 협정에 대해 최혜국대우를 부여하기로 합의하였는데, 일부 분야에 대해서는 이러한 의무를 적용받지 않기로 하였다. 한국은 ① 항공, ② 수산, ③ 해운, ④ 위성방송, ⑤ 철도, ⑥ 시청각 공동제작협정에 대해서, 미국은 ① 항공, ② 수산, ③ 해운, ④ 위성방송에 대해서 최혜국대우 적용에 대한 예

---

28) 산업통상자원부 제공 투자챕터에 대한 설명자료 참조.

외를 인정하기로 하였다. 또한 동시에 이 분야 이외에도 최혜국대우 의무가 배제되는 특정 조치에 대해서는 개별적으로 유보를 명시하였다.

표 30-13   한-미 FTA 투자협정문 중 최혜국대우 의무 조항

ARTICLE 11.4: Most−Favored−Nation Treatment

1. Each Party shall accord to investors of the other Party treatment no less favorable than that it accords, in like circumstances, to investors of any non−Party with respect to the establishment, acquisition, expansion, management, conduct, operation, and sale or other disposition of investments in its territory.

2. Each Party shall accord to covered investments treatment no less favorable than that it accords, in like circumstances, to investments in its territory of investors of any non−Party with respect to the establishment, acquisition, expansion, management, conduct, operation, and sale or other disposition of investments.

---

3. 최소기준대우 의무

제11.5조에 따라서 각 당사국은 적용대상투자에 대하여 공정하고 공평한 대우와 충분한 보호 및 안전을 포함하여 국제관습법에 따른 대우를 부여하여야 한다(제 1 항). 제 1 항의 공정하고 공평한 대우를 제공할 의무는 세계의 주요 법률체계에 구현된 적법절차의 원칙에 따라 형사·민사 또는 행정적 심판절차에 있어서의 정의를 부인하지 아니할 의무를 포함하고, 제 2 항의 충분한 보호 및 안전을 제공할 의무는 각 당사국이 국제관습법에 따라 요구되는 수준의 경찰보호를 제공하도록 요구된다(제 2 항).

표 30-14   한-미 FTA 투자협정문 중 최소기준대우 의무 조항

ARTICLE 11.5: Minimum Standard of Treatment

1. Each Party shall accord to covered investments treatment in accordance with customary international law, including fair and equitable treatment and full protection and security.

2. For greater certainty, paragraph 1 prescribes the customary international law

minimum standard of treatment of aliens as the minimum standard of treatment to be afforded to covered investments. The concepts of "fair and equitable treatment" and "full protection and security" do not require treatment in addition to or beyond that which is required by that standard, and do not create additional substantive rights. The obligation in paragraph 1 to provide:

(a) "fair and equitable treatment" includes the obligation not to deny justice in criminal, civil, or administrative adjudicatory proceedings in accordance with the principle of due process embodied in the principal legal systems of the world; and

(b) "full protection and security" requires each Party to provide the level of police protection required under customary international law.

3. A determination that there has been a breach of another provision of this Agreement, or of a separate international agreement, does not establish that there has been a breach of this Article.

4. Notwithstanding Article 11.12.5(b), each Party shall accord to investors of the other Party, and to covered investments, non−discriminatory treatment with respect to measures it adopts or maintains relating to losses suffered by investments in its territory owing to war or other armed conflict, or revolt, insurrection, riot, or other civil strife.

5. Notwithstanding paragraph 4, if an investor of a Party, in the situations referred to in paragraph 4, suffers a loss in the territory of the other Party resulting from:

(a) requisitioning of its covered investment or part thereof by the latter's forces or authorities; or

(b) destruction of its covered investment or part thereof by the latter's forces or authorities, which was not required by the necessity of the situation, the latter Party shall provide the investor restitution, compensation, or both, as appropriate, for such loss. Any compensation shall be prompt, adequate, and effective in accordance with paragraphs 2 through 4 of Article 11.6, mutatis mutandis. 6. Paragraph 4 does not apply to existing measures relating to subsidies or grants that would be inconsistent with Article 11.3 but for Article 11.12.5(b).

4. 수용 및 보상관련 의무

당사국은 공공목적을 위하여, 비차별적인 방법으로, 신속하고 적절하며 효과적인 보상을 지불하고, 적법절차와 협정상 최소대우기준(제11.5조 제1항 내지 제3항)에 따라서 수용하거나 국유화할 수 있다(제11.6조 제1항). 이 경우 보상은 지체 없이 지불되어야 하며, 수용일 직전의 공정한 시장가격과 동등해야 한다(제11.6조 제2항). 제11.6조 제1항이 간접수용에 대해서도 적용되도록 합의하였다(부속서 11-나). 간접수용이란 당사국의 행위 또는 일련의 행위가 명의의 공식적 이전 또는 명백한 몰수 없이 직접수용에 동등한 효과를 가지는 경우를 말한다.

표 30-15 | 한-미 FTA 투자협정문 중 수용 및 보상 조항

ARTICLE 11.6: Expropriation and Compensation

1. Neither Party may expropriate or nationalize a covered investment either directly or indirectly through measures equivalent to expropriation or nationalization (expropriation), except:
(a) for a public purpose;
(b) in a non-discriminatory manner;
(c) on payment of prompt, adequate, and effective compensation; and
(d) in accordance with due process of law and Article 11.5.1 through 11.5.3.

2. The compensation referred to in paragraph 1(c) shall:
(a) be paid without delay;
(b) be equivalent to the fair market value of the expropriated investment immediately before the expropriation took place (the date of expropriation);
(c) not reflect any change in value occurring because the intended expropriation had become known earlier; and
(d) be fully realizable and freely transferable.

3. If the fair market value is denominated in a freely usable currency, the compensation referred to in paragraph 1(c) shall be no less than the fair market value on the date of expropriation, plus interest at a commercially reasonable rate for that currency, accrued from the date of expropriation until the date of payment.

4. If the fair market value is denominated in a currency that is not freely usable, the compensation referred to in paragraph 1(c) - converted into the currency of payment at the market rate of exchange prevailing on the date of payment - shall be no less than:
(a) the fair market value on the date of expropriation, converted into a freely usable currency at the market rate of exchange prevailing on that date, plus
(b) interest, at a commercially reasonable rate for that freely usable currency, accrued from the date of expropriation until the date of payment.

5. This Article does not apply to the issuance of compulsory licenses granted in

relation to intellectual property rights in accordance with the TRIPS Agreement, or to the revocation, limitation, or creation of intellectual property rights, to the extent that such issuance, revocation, limitation, or creation is consistent with Chapter Eighteen (Intellectual Property Rights).

5. 송금보장 의무

당사국은 출자금, 이윤, 배당, 청산에 따른 대금, 이자, 로얄티 지불, 관린 수수료 등을 포함하는 모든 송금이 자국 영역 내외로 자유롭고 지체 없이 이루어지도록 허용하여야 한다(제11.7조 제1항). 다만 예외적으로 다음의 경우에 자국법의 공평하고 비차별적이며 선의에 입각한 적용을 통하여 송금을 금지할 수 있다. ① 파산, 지급불능 또는 채권자의 권리보호, ② 유가증권·선물·옵션 또는 파생상품의 발생·거래 또는 취급, ③ 형사범죄, ④ 법집행 또는 금융규제당국을 지원하기 위하여 필요한 때에, 송금에 대한 재무보고 또는 기록보존, ⑤ 사법 또는 행정 절차에서의 명령 또는 판결의 준수 보장.

표 30-16   한-미 FTA 투자협정문 중 송금 조항

ARTICLE 11.7: Transfers

1. Each Party shall permit all transfers relating to a covered investment to be made freely and without delay into and out of its territory. Such transfers include:
   (a) contributions to capital, including the initial contribution;
   (b) profits, dividends, capital gains, and proceeds from the sale of all or any partof the covered investment or from the partial or complete liquidation of the covered investment;
   (c) interest, royalty payments, management fees, and technical assistance and other fees;
   (d) payments made under a contract, including a loan agreement;
   (e) payments made pursuant to Article 11.5.4 and 11.5.5 and Article 11.6; and
   (f) payments arising out of a dispute.

2. Each Party shall permit transfers relating to a covered investment to be made in a freely usable currency at the market rate of exchange prevailing at the time of transfer.

3. Each Party shall permit returns in kind relating to a covered investment to be made as authorized or specified in a written agreement between the Party and a covered investment or an investor of the other Party.

4. Notwithstanding paragraphs 1 through 3, a Party may prevent a transfer through the equitable, non−discriminatory, and good faith application of its laws relating to:
 (a) bankruptcy, insolvency, or the protection of the rights of creditors;
 (b) issuing, trading, or dealing in securities, futures, options, or derivatives;
 (c) criminal or penal offenses;
 (d) financial reporting or record keeping of transfers when necessary to assist law enforcement or financial regulatory authorities; or
 (e) ensuring compliance with orders or judgments in judicial or administrative proceedings.

6. 이행요건 부과금지 의무

당사국은 외국인투자자(당사국 및 비당사국 투자자 포함)의 자국 영역 내 투자의 설립·인수·확장·경영·영업·운영이나 매각 또는 그밖의 처분과 관련하여, 일정한 요건을 부과 또는 강요하거나, 이에 대한 약속 또는 의무부담을 강요할 수 없다(제11.8조 제 1 항). 일정한 요건이란 ① 일정 수준 또는 비율의 상품 또는 서비스를 수출하는 것, ② 일정 수준 또는 비율의 국내 지료 사용을 달성하는 것, ③ 자국 영역에서 생산된 상품을 구매 또는 사용하거나 이에 대하여 선호를 부여하는 것, 또는 자국 영역에 있는 사람으로부터 상품을 구매하는 것, ④ 수입량 또는 수입액을 수출량이나 수출액, 또는 그러한 투자와 연계된 외화유입액과 어떠한 방식으로 관련시키는 것, ⑤ 상품이나 서비스의 판매를 수출량이나 수출액, 또는 외화획득과 어떠한 방식으로 관련시킴으로써 자국 영역에서 판매를 제한하는 것, ⑥ 자국 영역에 있는 사람에게 특정한 기술, 생산공정 또는 기타 재산권적 지식을 이전하는 것, ⑦ 상품이나 공급하는 서비스를 당사국의 영역으로부터 특정한 지역시장 또는 세계시장으로 독점적으로 공급하는 것이다. 그러나 제11.8조 제 3 항에 따라서 특정 요건의 경우 부과할 수 있는 예외를 인정하고 있으며, 부속서에 기재하여 유보한 경우에도 이행요건을 부과할 수 있다.

표 30-17 | **한-미 FTA 투자협정문 중 이행요건부과금지의무 조항**

ARTICLE 11.8: Performance Requirements

1. Neither Party may, in connection with the establishment, acquisition, expansion, management, conduct, operation, or sale or other disposition of an investment in its territory of an investor of a Party or of a non−Party, impose or enforce any requirement or enforce any commitment or undertaking:
  (a) to export a given level or percentage of goods or services;
  (b) to achieve a given level or percentage of domestic content;
  (c) to purchase, use, or accord a preference to goods produced in its territory,or to purchase goods from persons in its territory;
  (d) to relate in any way the volume or value of imports to the volume or value of exports or to the amount of foreign exchange inflows associated with such investment;
  (e) to restrict sales of goods or services in its territory that such investment produces or supplies by relating such sales in any way to the volume or value of its exports or foreign exchange earnings;
  (f) to transfer a particular technology, a production process, or other proprietary knowledge to a person in its territory; or
  (g) to supply exclusively from the territory of the Party the goods that such investment produces or the services that it supplies to a specific regional market or to the world market.

2. Neither Party may condition the receipt or continued receipt of an advantage, in connection with the establishment, acquisition, expansion, management, conduct, operation, or sale or other disposition of an investment in its territory of an investor of a Party or of a non−Party, on compliance with any requirement:
  (a) to achieve a given level or percentage of domestic content;
  (b) to purchase, use, or accord a preference to goods produced in its territory, or to purchase goods from persons in its territory;
  (c) to relate in any way the volume or value of imports to the volume or value of exports or to the amount of foreign exchange inflows associated with such investment; or
  (d) to restrict sales of goods or services in its territory that such investment produces or supplies by relating such sales in any way to the volume or value of its exports or foreign exchange earnings.

3. (a) Nothing in paragraph 2 shall be construed to prevent a Party from conditioning the receipt or continued receipt of an advantage, in connection with an investment in its territory of an investor of a Party or of a non−Party, on compliance with a requirement to locate production, supply a service, train or

employ workers, construct or expand particular facilities, or carry out research and development, in its territory.

(b) Paragraph 1(f) does not apply:

    (i) when a Party authorizes use of an intellectual property right in accordance with Article 31 of the TRIPS Agreement, or to measures requiring the disclosure of proprietary information that fall within the scope of, and are consistent with, Article 39 of the TRIPS Agreement; or

    (ii) when the requirement is imposed or the commitment or undertaking is enforced by a court, administrative tribunal, or competition authority to remedy a practice determined after judicial or administrative process to be anticompetitive under the Party's competition laws.

(c) Provided that such measures are not applied in an arbitrary or unjustifiable manner, and provided that such measures do not constitute a disguised restriction on international trade or investment, paragraphs 1(b), (c), and (f), and 2(a) and (b), shall not be construed to prevent a Party from adopting or maintaining measures, including environmental measures:

    (i) necessary to secure compliance with laws and regulations that are not inconsistent with this Agreement;

    (ii) necessary to protect human, animal, or plant life or health; or

    (iii) related to the conservation of living or non−living exhaustible natural resources.

(d) Paragraphs 1(a), (b), and (c), and 2(a) and (b), do not apply to qualification requirements for goods or services with respect to export promotion and foreign aid programs.

(e) Paragraphs 1(b), (c), (f), and (g), and 2(a) and (b), do not apply to government procurement.

(f) Paragraphs 2(a) and (b) do not apply to requirements imposed by an importing Party relating to the content of goods necessary to qualify for preferential tariffs or preferential quotas.

4. For greater certainty, paragraphs 1 and 2 do not apply to any commitment, undertaking, or requirement other than those set out in those paragraphs.

5. This Article does not preclude enforcement of any commitment, undertaking, or requirement between private parties, where a Party did not impose or require the commitment, undertaking, or requirement. For purposes of this Article, private parties include designated monopolies or state enterprises, where such entities are not exercising delegated governmental authority.

제31장
환태평양경제동반자협정(TPP)

제1절 협정의 개관

WTO의 다자무역협상이 지체되는 가운데 미국, EU, 아시아의 3대 거대 경제권 간의 거대 광역 FTA 체결이 가속화되고 있다. 2000년대 들어 FTA 체결을 주도하는 지역·국가는 아시아인데, 거대 광역 FTA 역시 중국, 일본, 동남아 등 아시아 국가들이 체결에 적극적이다. 즉, 이들 지역·국가들은 환태평양경제동반자협정(Trans−Pacific Strategic Economic Partnership: TPP), 역내 포괄적 경제동반자협정(Regional Comprehensive Economic Partnership: RCEP)을 추진 중에 있고 이들 거대 광역 FTA의 체결은 향후 국제통상질서는 물론 WTO 및 RTA/FTA의 지대한 영향을 끼칠 것으로 전망되고 있다. TPP 협정은 2016년 2월 정식 서명[1] 이후 미국의 탈퇴 선언(2017. 1. 23.)으로 인해 발효 여부[2]가 불투명한 상황이다. 그러나 일본을 주축으로 TPP−11의 형태인 CPTPP로 명칭을 변경하여 2018년 타결 조기타결하여 2019년에 발표하기로 합의(2017. 11. 11.)하였고[3] 2018년 3월 8일 공식서명 절

---

[1] TPP는 시장개방 범위와 규범수준에 대한 회원국 간 의견 대립으로 협상이 지연되었지만 협상을 주도한 미국이 2015년 6월 의회에서 무역협상촉진권한(Trade Promotion Authority, TPA)을 부여받으며 협상의 타결 가능성을 보여주었다. 이후, 잔여 쟁점인 자동차 원산지 기준, 바이오의약품 특허보호기간, 낙농품 시장개방 등에 대한 회원국 간 합의가 이루어지며 2015년 10월 TPP는 타결되었다.

[2] TPP는 발효 지연을 막기 위한 규정을 두고 있는데, 협정문 서명후 2년간 모든 회원국이 각국의 비준 절차를 완료하지 못하더라도 역내 GDP의 85% 이상을 차지하는 최소 6개 이상의 회원국(원체약국)의 비준절차가 완료된 경우, 비준이 완료된 회원국을 대상으로 위 2년이 만료된 60일 이후 동 협정은 발표된다. TPP 협정문 제30.5조.

[3] CPTPP 11개국은 TPP 1000여 개에 달하는 기존 협정 조항의 95%을 유지하면서 의약품 특허 보호 등 종전 미국이 강력하게 주장해 오던 22개 항목만 동결하고 동결한 항목 역시 미

차를 마쳤다. CPTPP 역시 일부 동결된 조항을 제외하고는 기존 TPP 협정문을 그대로 적용하고 주요 통상국가들 간 높은 수준의 통상규범을 포함하고 있는바, 향후 국제통상질서에 상당한 파급력을 미칠 것으로 예상된다.

표 31-1 TPP 협정문의 구성

장 (Chapter)	내 용	장 (Chapter)	내 용
전문		제18장	지적재산권
제1장	설립조항 및 일반 정의	제19장	노 동
제2장	상품에 대한 내국민대우 및 시장접근	제20장	환 경
제3장	원산지 규정 및 절차	제21장	협력 및 비즈니스 원활화
제4장	섬유 및 의류	제22장	경쟁력 및 비즈니스 원활화
제5장	관세행정 및 무역원활화	제23장	개 발
제6장	무역구제	제24장	중소기업
제7장	위생 및 식물위생조치	제25장	규제조화
제8장	무역에 관한 기술장벽	제26장	투명성 및 반부패
제9장	투 자	제27장	행정 및 제도규정(통합챕터)
제10장	국경 간 서비스무역	제28장	분쟁해결(통합챕터)
제11장	금융서비스	제29장	예외조항
제12장	비즈니스 목적의 일시적 입국	제30장	최종조항
제13장	전기통신	부속서 I & II	비합치 조치
제14장	전자상거래	부속서 III	금융서비스
제15장	정부조달	부속서 IV	국영기업
제16장	경쟁정책	관련기구	
제17장	국영기업 및 지정독점	미일 양자 간 협상결과	※미국: 일본 자동차 무역 비관세 조치 ※일본: 비관세 조치 병렬 협상

국이 복귀하면 해제를 논의하기로 하였다. CPTPP 주요 내용과 협정문은 뉴질랜드 외교통상부 홈페이지(www.mfat.govt.nz)를 참조.

　　TPP 협정문은 총 30개 챕터로 구성되어 있으며 한미 FTA를 기본 탬플렛으로 활용하여 협상이 이루어졌는데, 시장접근과 규범 분야 모두 전반적으로 한미 FTA와 유사한 수준인 것으로 평가된다. 시장접근 분야의 경우, TPP 협상과정에서 높은 수준의 포괄적 자유화를 기본 목표로 협상을 추진해 온 결과, 관세가 즉시 철폐되는 것부터 최장 30년 철폐를 통해 품목수 기준 약 95%~100%의 자유화를 달성하였고, 이는 한미 등 우리나라가 체결한 FTA의 자유화 수준(98~100%)과 유사하다. 다만, 공산품의 경우, TPP 협정상 수입액 기준 미국의 대일 양허 즉시철폐 비율이 67.4%인 데 반해, 이미 발효 후 관세철폐가 상당히 진행되어온 한미 FTA에서는 2017.1.1. 일부로 미국의 관세 약 95.8%(수입액 기준)가 무관세화 되었다.[4]

　　한편, TPP 규범 분야는 WTO, 복수국간 서비스협정(TISA) 협상 등에서도 논의되고 있는 글로벌 트렌드를 반영한 것으로, 향후 글로벌 통상규범화될 가능성이 높고 이에 따라 각국의 관련 법제도 변화 역시 클 것이다. 또한 한미 FTA 24개 챕터에는 없었던 국영기업, 협력 및 역량 강화, 경쟁력 및 비즈니스 촉진, 개발, 중소기업, 규제조화 등 신규 챕터들이 새롭게 추가되었다. 본고에서는 이중 상품 무역 및 원산지규정, 투자 및 ISDS, 그리고 지적재산권 분야를 기술한다.

제2절 상품 무역 및 원산지 규정

1. 상품 무역 규정 및 양허 결과

　　TPP 협정 전체 30개 챕터중에서 상품(시장접근) 규정은 협정문 제2장, 원산지규정은 제3장에서 다루고 있다. 상품규정의 경우 전반적으로 한미 FTA와 유사한 형태로 이루어져 있으나 수출세 부과 금지, 농업 수출보조금 금지, 정보기술협정(Information Technology Agreement: ITA) 가입 의무화 등 한미 FTA에 없는 추가규정이 있으며, 기존 참여국(12개국)의 관세양허표는 제2장 부속서 D에 첨부되어 있고 양허단계가 표시된 일반주석, 관세할당, 관세차별 등과 관련된 부록이

---

4) 회원국별 품목수 기준 구체적 관세철폐율은 경우 미국, 말레이시아, 싱가포르, 칠레 뉴질랜드, 베트남, 브루나이 등 7개국은 100% 관세 철폐를 이루었고, 일본(95%), 캐나다(99%), 호주(100%), 멕시코(99%), 페루(99%) 등은 각기 관세철폐를 양허하였다. 한국무역협회 국제무역연구원 자료 참조.

기재되어 있다. 특히, 관세차별 부록에는 각 당사국에게 관세를 상이하게 양허한 경우 고율의 관세를 적용받는 당사국이 저율의 관세를 적용받는 당사국을 우회하여 수출하는 것을 방지하기 위한 추가적인 원산지기준이 규정되어 있다.[5]

상품양허의 경우 전체적인 자유화 수준은 품목수 기준으로 TPP 회원국 평균 95%~100%로 거의 전면적 자유화가 이루어졌는데, 공산품의 경우 중고 자동차에 대한 관세철폐 예외를 인정받은 호주, 베트남, 멕시코를 제외한 9개 국가가 100% 관세 철폐를 양허하였다. 관세의 양허방식은 국가에 따라 공통양허 방식과 개별 양허 방식을 각기 채택하였으며, 양허 스케줄은 국가마다 자국 산업의 민감성 보호를 위해 선형철폐, 비선형철폐, TRQ 등 복잡하고 다양한 별도의 양허 방식을 채택하였다.

2. 농업 규정 및 양허

공개된 협정문을 살펴보면 일본, 미국, 베트남을 제외한 TPP 회원국은 협정 발효와 동시에 상당수의 농산물 세번을 즉시 철폐하기로 합의하였다. 특히 싱가포르, 호주, 뉴질랜드, 브루나이, 말레이시아 등의 국가는 전체 농산물 중 즉시 철폐 비중이 매우 높다. 10년 이상 장기 철폐를 하는 품목 세번이 많은 회원국은 캐나다, 일본, 말레이시아, 멕시코 등이며, 특히 일본과 베트남은 다른 회원국에 비해 관세를 10년 이상 장기 철폐하는 농산물 세번 품목이 많았다.

TPP 협상은 예외 없는 무관세화를 원칙으로 협상을 진행하였지만 캐나다, 일본, 말레이시아, 베트남 등 여러 회원국들은 관세를 모두 철폐하지 않고 부분 감축을 하거나 계절관세로 양허한 경우도 있으며, TRQ를 통해 일부 물량의 관세를 철폐하지 않는 품목도 있다. 특히 베트남은 현행관세를 유지해 시장개방을 완전히 예외 받았고 캐나다, 칠레, 일본, 멕시코, 미국 등은 회원국 별로 양허를 달리하여 자국의 민감품목 예외를 인정받았다. 미국의 경우 전체 농산물 품목 세번 중 57.2%를 국가별로 달리 양허하였으며, 자국의 만감품목인 낙농품, 설탕 및 설탕제조품 등의 품목은 TRQ를 통해 관세철폐를 면제받았다. 일본과 칠레는 회원국별로 양허수준을 달리하여 특정 국가를 제외하고는 현행관세를 유지하였고, 멕

---

5) 진병진, "TPP협정 상품분야 활용 가능성 분석", 「동북아논총」, 제79호(2016), p. 140.

시코는 관세감축에 차등을 두는 방법이외에도 동일 품목 세번 내에서 용도나 규격 등을 달리하는 양허를 통해 민감도를 확보하였다.[6]

그 밖에 TPP 협정 중 농산물 관련 규정은 농산물 수출경쟁, TRQ 관리방식, 위생 및 식물위생조치(SPS)가 있다. TPP 협정 제 2 장에서는 역내 회원국 간 판매되는 농산물에 대해 무역 왜곡 조치로 여겨지는 농산물 수출보조금과 수출보조와 유사한 형태의 조치에 대해 WTO와 공조할 것을 명시하고 있다.[7] 또한 회원국이 수출중심 국영기업에 대해 WTO 차원에서 무역 왜곡 제한요소 제거, 특혜 금융제도 철폐, 수출중심 국영기업의 운영 및 유지와 관련한 투명성 강화 등에 대한 합의를 위해 공조할 것을 규정하고 있다.[8]

TRQ 관리방식과 관련하여 TPP 협정에서는 각 회원국이 TRQ 운영과 관련하여 공개적이고, 공정, 공개, 공평하게 관리해야 할 것을 요구하고 있다. 또한 TRQ 운영 회원국은 할당규모, 자격요건 등 TRQ 관리와 관련된 모든 정보를 최소 90일 전에 지정된 웹사이트에 공개해야 하며, TRQ 관리와 자격요건에 대해 수입업자가 TRQ 물량을 충분히 활용하는 기회를 제공하는 방식으로 TRQ를 관리하도록 규정하고 있다. 그 밖에 TRQ 회수 및 재할당에 대해서는 선착순 방식이 아닌 경우에는 회원국은 TRQ 물량의 최대한 수입기회를 제공한다는 차원에서 최소기준 할당량을 회수 및 재할당하는 방식을 보장하도록 규정하고 있다. SPS는 제 7 장에서 다루고 있는데 인간의 생명 및 건강 보호를 위한 위생과 식물위생 조치에 대하여 WTO의 SPS 협정을 상회하는 수준으로 규정하고 있다. 이와 관련하여 회원국이 WTO 위생 및 식물위생 위원회의 관련 지침과 국제표준, 각 회원국의 SPS 조치에 대한 절차의 투명성 향상 등에 관한 규정을 포함하고 있다.

3. 원산지 규정

TPP 협정문 원산지 챕터(rules of origin and origin procedures)에서 관세특혜 대

---

6) 한편, 칠레와 미국 등은 TPP 회원국과의 기체결 FTA 양허협상 결과를 TPP 협상 양허안으로 도입하기도 하였고 칠레와 페루의 경우에는 가격밴드제도를 유지하여 민감도를 확보하였다. TPP 회원국별 농산물 분야 양허 내용에 대해서는 이상현·정대희·안수정, TPP 농업 부문 협상결과와 시사점, 한국농촌경제연구원, 2015를 참조.

7) TPP 협정 제2.3조.

8) TPP 협정 제2.5조.

상이 되는 역내 원산지 상품의 인정 기준과 증명 절차를 규정하고 있고 섬유 및 의류제품에 대한 원산지 기준은 별도의 챕터에서 다루고 있다. TPP의 원산지 규정은 단일원산지 규칙을 원칙으로 하여 회원국 간 동일한 품목에 대해서는 동일한 원산지 규정이 적용된다. 또한 수출자, 생산자, 수입자 스스로 원산지 증명서를 발급할 수 있도록 하였다.9) 원산지 기준을 충족하는 요건으로 동 협정문 제3.2조에서는 a) 한 국가 또는 다른 회원국의 영역에서 전적으로 획득되거나 생산된 상품, b) 원산지 재료만인 경우 전적으로 한 국가 또는 다른 회원국의 영역에서 생산된 재료, c) 비원산지 재료를 사용하여 한 국가 또는 다른 회원국의 영역에서 완전히 생산됨 상품이 부속서 3－D(품목별 원산지 규정)의 모든 적용 가능한 요건을 충족하는 경우, d) 기타 원산지 챕터의 다른 규정을 충족하는 경우, 원산지 상품으로 인정되는 기준으로 인정된다.10)

　　TPP 협정에서는 원산지 재료뿐만 아니라 비원산지 재료에 대한 역내 생산활동의 누적을 인정하는 완전 누적원산지 규정을 채택하고 있다. 즉, 협정문 제3.10조 제1항에 따라 회원국은 상품이 1개 이상의 생산자에 의해 1국 이상의 회원국 영역에서 생산된 경우, 해당 상품이 원산지 상품 규정과 다른 적용 가능한 요건을 충족하면 원산지 상품으로 인정받는다.11) 또한 당사국은 1개 이상 회원국의 원산지 상품 또는 재료가 다른 회원국의 영역에서 다른 상품을 생산하는데 사용된 경우, 다른 회원국을 원산지로 간주해야 한다고 규정하여 원산지 재료 또는 상품에 대한 공정 및 재료누적을 허용하고 있다.12) 비원산지 재료와 관련에서도 비원산지 재료를 통한 생산이 회원국 내에서 이루어지는 경우, 비원산지 재료에 대해 회원국에서 이루어진 생산활동에 대한 누적을 규정하고 있다.13) 결국 TPP 협정은 완전누적을 허용하고 있는데, 원산지 규정을 충족하지 않는 역외 국가의 재료에 대한 누적을 인정하여 역내 상품의 원산지 판단 가능성을 높이고 있다.

　　한편 일반적인 FTA와 마찬가지로 원산지 적용의 확대를 위해 최소기준에 관한 규정이 있는데, 이에 따라 비원산지 재료가 부속서의 품목별 원산지 규정을 충족하지만 모든 비원산지 재료의 가치가 상품가치의 10%를 초과하지 않는 경우

---

9) TPP 협정 제3.2조.
10) TPP 협정 제3.2조.
11) TPP 협정 제3.10조 1항.
12) TPP 협정 제3.10조 2항.
13) TPP 협정 제3.10조 3항.

에만 원산지 상품으로 인정된다.[14] 또한 TPP 협상 당시에 핵심 쟁점 중 하나였던
섬유·의류(textiles and apparel)의 경우 한미 FTA와 전체적으로 유사하고 원사기준
(yan-forward rule)이 적용된다.[15] 이에 따라 TPP 역내산 원사를 사용하여 역내에
서 제직·편직하고 재단·봉제까지 이루어져야 역내 원산지 규정을 충족하여 특혜
관세 혜택을 받는다. 비원산지 섬유가 전체 섬유 중량의 10% 이하인 경우에만 원
산지 상품으로 인정되며[16] 이는 한미 FTA(7%)보다 원산지 인정 기준을 완화하고
있다. 이는 원사직물의 자급력이 낮은 베트남 및 말레이시아 등 일부 회원국의
입장을 고려한 것이다. 또한 공급부족재료 목록(short-supply list)을 허용하여 역
내에서 조달하기 어려운 원사·원단 등이 공급부족재료 목록에 등재된 경우, 역외
산이라도 협정 발효일로부터 7년간 역내 재료로 인정받을 수 있게 하였다.[17]

제3절 투자 및 ISDS

1. 정의와 범위

투자의 정의와 관련 TPP 투자협정 정의 조항에서는 "투자자가 직접적 또는
간접적으로 소유하거나 지배하는 모든 자산으로, 자본 또는 그 밖의 자원의 약속,
이득 또는 이윤에 대한 기대, 또는 위험의 감수와 같은 특징을 포함하여, 투자의
특징을 가진 것을 말한다"라고 규정하여 비교적 포괄적으로 투자를 정의하고 있
다.[18] 또한 동조의 (a)~(h)에서 구체적인 투자정의에 포함되는 투자유형을 규정하
고 있는데 기업의 경우 한중 FTA[19]와는 달리 기업의 지점을 명시하고 있지 않고
사법적 또는 행정적 행위에 들어있는 명령 또는 판결의 경우 투자의 정의에서 배
제하고 있다.

한편 종래 국가의 위반행위가 투자협정위반인지 계약위반인지를 구분하여

---

14) 10% 최소기준은 한미 FTA와 전체적으로 유사하다. TPP 협정 제3.11조.
15) TPP 협정문 부속서 4-A 참조.
16) TPP 협정 제4.2조 3항.
17) TPP 협정 제4.2조 9항.
18) TPP 협정 제9.1조.
19) 한중 FTA 협정 제12.1조.

투자협정상의 분쟁해결제도를 적용하는데, TPP에서는 한미 FTA와 같이 투자계약에 관한 제한적인 정의규정을 두고 그 위반에 대해서만 투자자－국가분쟁해결을 이용할 수 있도록 규정하고 있다.[20) 또한 중앙 및 지방정부의 조치나 이들로부터 권한을 위임받은 사인을 포함한 모든 개인의 행위가 규율대상이 되지만 순수한 사인의 행위와 협정 발효 전 종료된 행위에는 적용되지 않는다.[21)

2. 내국민대우

TPP의 투자관련 내국민대우 규정은 비합치 조치 및 자유화 후퇴방지에 관한 내용(제9.12조)과 내국민대우 원칙(9.4조)을 별개의 조항으로 구분하여 규정하고 있다.[22) 즉, 제9.4조 1항에서 "설립, 인수, 확장, 경영, 영업, 운영, 매각 기타 투자의 처분"에 대하여 불리하지 아니한 대우를 적용한다고 규정하면서 제 2 항에서 "경영, 영업, 운영, 유지, 사용, 향유 및 매각 기타 투자의 처분"을 예시하고 있다. 이러한 규정은 TPP 개별 회원국의 국내법상 투자 차별대우의 판단기준 보다 더 높은 수준의 차별대우 기준이 적용될 수도 있음을 시사하는 규정이다.

3. 최혜국대우

당사국의 투자와 투자자에 대하여 제 3 국 투자자와 투자자보다 불리하지 않는 대우를 제공해야하는 최혜국대우의 경우 TPP 투자협정상 ISDS와 관련해서는 적용되지 않는다고 명확히 규정하고 있다. 이와 관련 한미 FTA에서는 이에 대한 규정이 없고 한중 FTA의 경우에는 동일하게 최혜국대우의 ISDS 적용배제를 규정하고 있다.[23) 다만 TPP 투자챕터에서는 최혜국대우 적용배제와 관련 ISDS에 한정하지 않고 분쟁해결규정 일반을 배제하고 있다.[24) 동 조항의 취지는 그간 최혜

---

20) 소위 우산조항이라는 포괄적 규정을 통해 투자자－국가 분쟁해결제도를 적용하지는 않지만 제9.1조상 투자계약의 범주는 '비자산투자(Non－Equity Mode)' 형태를 제외한 포괄적인 형태로 규정하고 있다.

21) TPP 협정 제9.2조 2항 및 3항.

22) TPP 협정 제9.4조 및 12조.

23) 한미 FTA 제11.4조 및 한중 FTA 제12.4조 3항.

24) TPP 투자챕터 제9.5조 3항에서는 이와 관련 다음과 같이 규정하고 있다. "For greater certainty, the treatment referred to in this Article does not encompass international

국대우원칙이 분쟁해결규정에 적용되는지 여부를 놓고 중재판정이 혼선을 빚은 것을 명확히 한 점에서 의의가 있다.[25]

4. 동 종 성

내국민대우와 최혜국대우는 "동종의 상황(like circumstances)"에서 적용되는데, 주석에 투자자와 투자를 정당한 공공복리 목적에 근거하여 구별된 대우를 하고 있는지 "전 상황을 종합하여(the totality of the circumstances)" 그 의무의 준수여부를 판단한다고 밝히고 있다.[26] WTO에서는 동종성 판단과 관련 소위 '2단계 분석(two-step analysis)'법을 통해 차별성 판단 후 조치의 목적이 정당화될 수 있는지를 판단하는 반면 TPP 협정문상으로는 동종성을 판단하는 단계에서 정당한 공공복리 목적으로 고려하는 '통합분석법'을 적용하는 것으로 규정한 것이 대조적이다.

5. 수용과 보상

TPP의 수용과 보상 규정(제9.8조)은 한미 FTA(제11.6조)와 유사한데, 수용은 공공목적을 위해 비차별적으로 신속·적절·효과적인 보상을 제공하며 적법절차에 따른 경우에만 허용된다. 또한 보상의 경우 지체 없이 수용의 발표 이전 공정시장가격을 수용 당시의 환율에 따라 이자와 함께 태환 가능한 화폐로 지급할 것을 규정하고 있다. 이와 함께 TPP에서는 법 또는 의무위반이나 절차의 위반과 같은 특별한 사정이 없는 한 보조금 또는 무상교부의 지급 및 갱신거부, 수정, 감축의 사실만으로는 수용을 구성하지 않는다고 명확히 규정하고 있다.[27] 한미 FTA에서는 지적재산권과 관련 강제실시권의 발동이나 지적재산권의 발동·취소·제한 또는 생성에 적용되지 않는다고 규정하였는데,[28] TPP 협정에서도 WTO TRIPs

---

dispute resolution procedures or mechanisms, such as those included in Section B (Investor-State Dispute Settlement)".
25) 이와 관련하여서는 정찬모, "중재판정과 투자협정상 국내절차선행 요건의 최혜국대우 조항을 통한 회피가능성", 「국제경제법연구」, 12권 2호(2014), pp. 169-204를 참조.
26) 투자챕터 주석 14.
27) TPP 협정 제9.8조 6항.
28) 한미 FTA 제11.6조 5항.

협정에 입각한 지적재산권에 대한 강제실시권의 발동이나 TRIPs와 이 협정상 지적재산에 대한 장에 합치하는 지적재산권의 창설·무효·제한에는 적용되지 않는다고 규정하고 있다.29)

　　간접수용과 관련 한미 FTA에서는 그 부속서에서 국내법상 특별희생의 원칙을 간접수용의 요건에 고려사항으로 명시하고, 공중보건·안전·환경 및 부동산가격 안정화를 위해 적용되는 비차별적인 규제 행위는 간접수용에 해당하지 않는 공공복지 목적의 사례로서 명시하였다.30) TPP에서도 간접수용여부의 판단과 관련하여 조치의 경제적 영향, 조치가 투자의 합리적 기대를 저해하는 정도, 조치의 성격을 포함한 여러 요소의 사안별 검토를 전제로 공공복지 목적의 사례로 공중보건·안전·환경을 명시하면서 이를 위한 비차별적 규제조치는 간접수용이 되지 않는다고 규정하였다.31) 또한 공중보건 보호를 위한 규제조치에는 의약, 진단, 백신, 의료기기, 유전자 테라피, 구급약 및 도구, 혈액과 혈액관련 제품의 규제, 공급, 가격설정, 상환과 관련한 조치 등이 포함되는 것으로 예시되었다.32)

6. 이행요건

　　한미 FTA와 같이 TPP에서도 투자관련 비차별대우원칙이 설립후 투자활동 뿐만 아니라 설립, 인수, 확대에도 적용되는 것은 이행요건과 관련해서도 동일하게 적용된다. 또한 TPP 이행요건 부과금지는 당사국뿐만 아니라 비당사국 투자자의 투자에 대해서도 적용되는 것은 한미 FTA와 동일하다.33) TPP는 단순히 투자를 허용하는 데에 이행요건을 부과하는 것과 투자유인 조치를 제공하면서 그에 대한 조건으로 이행요건을 부과하는 것을 구분하여 규정하고 있다. 전자와 관련하여 제9.10조 제 1 항에서는 이미 WTO TRIMs에서 금지되던 이행요건인 수출요건, 국내원자재 사용요건, 수출입연계요건 등 이외에 특정 지역 또는 세계시장에만 전량 제공될 것을 요구하는 것, 특정기술을 의무화하거나 우대하는 것, 로

---

29) TPP 협정 제9.8조 6항.
30) 한미 FTA 부속서 11-B.
31) TPP 협정 부속서 9-B 3항(a).
32) TPP 협정 부속서 9-B 3항(b).
33) TPP 협정 제9.10조 및 한미 FTA 제11.8조. 다만, 상기한 이행요건 부과금지는 한중 FTA에서는 적용되지 않는다. 한중 FTA 제12.7조.

열티액수 및 존속기간과 같은 지적재산 라이선스 조건과 관련하여 행정기관이 민간의 자율적 계약에 개입하여 특정한 요구를 하는 것 등을 금지하고 있다.³⁴⁾ 후자와 관련하여서는 국내콘텐츠 및 원자재 우선요건, 수입 또는 국내 판매규모를 수출 또는 외화가득 규모에 연계하는 요건을 붙이지 못하도록 하였다.³⁵⁾

TPP 협정에서는 이행요건 부과금지에 대한 예외를 예시하고 있는바, 투자인센티브의 조건으로 투자유치국 영토 내에서 생산설비를 갖출 것, 노동자에 대한 훈련 및 고용, 연구개발을 수행할 것을 요구할 수 있다.³⁶⁾ 그 밖에 TRIPs에 합치하는³⁷⁾ 지적재산권의 강제실시와 영업비밀의 공개, 사법 및 준사법기관에 의해 취해지는 공정경쟁과 저작권보호를 위한 조치, 동 협정에 합치하는 법규의 준수를 확보하기 위한 조치, 동식물인간의 건강 및 유한 천연자원 보호를 위한 환경조치 등과 해외원조, 정부조달, 특혜관세 원산지요건부과, 공공복지 목적 보호 등을 위한 예외도 인정하고 있다.³⁸⁾ 또한 특허기술이나 영업비밀의 이전으로 의무화 하지 않는 한 투자유치국이 인센티브를 부여하지 않는 투자조치로서 노동자에 대한 훈련 및 고용의 조건을 요구하는 것이 금지되지 않는다.³⁹⁾ 결과적으로 TPP 이행요건 부과금지 규정은 여타 FTA에 비해 세세하고 방대한 규정이 되었고 수출 진흥과 관련한 상품 또는 서비스의 지격요건 부과와 같이 일부 예외의 경우 논란이 여지가 있을 수 있다.

7. ISDS

(1) 중재신청의 요건

TPP 제 2 장 투자챕터 Section B에서는 ISDS를 다루고 있는데, ISDS 절차를 발동할 수 있는 중재신청의 요건과 관련 투자분쟁이 피청국국이 협의요청 서면 수령 후 6개월 이내에 해결되지 않는 경우⁴⁰⁾ 청구인은 자기 자신이나 본인이 직

---

34) TPP 협정 제9.10조 1항(g), (h), (i).
35) TPP 협정 제9.10조 2항.
36) TPP 협정 제9.10조 3항.
37) TRIPs 제31조 및 제39조.
38) TPP 협정 제9.10조 3항(b) – (h).
39) TPP 협정 제9.10조 4항.
40) TPP 투자챕터는 투자분쟁이 발생하는 경우, 청구인 및 피청구국은 우선 협의 및 협상을

간접적으로 소유 또는 통제하는 법인을 위하여, 투자보호의무, 투자인가, 투자계
약41) 위반 및 위반으로 인한 청구인이나 법인에게 발생한 손실 또는 손해 등 4가
지 사안에 대해 중재를 신청할 수 있다고 규정하고 있다.42) 한미 FTA의 경우 협
의에 의해 분쟁을 해결할 수 없겠다는 일방 분쟁당사자의 판단에 의해 사건 발생
6개월 후 중재신청이 가능한 반면, TPP에서는 피청구국의 협의요청서 수령 후 6
개월이라는 최소기간을 설정하여 완료시점을 명확히 하였다.43) 또한 종래 반대청
구를 인정하지 않는 경우 별건의 소를 제기해야 하는 비효율성을 개선하기 위해
투자인가나 투자계약 위반에 기인하여 청구가 제기된 경우 피청구국은 동 청구
의 법적·사실적 기초와 관련된 반대청구를 체기하거나 상계를 위한 청구를 할
수 있음을 규정하고 있다.44) 중재기관 및 규칙과 관련 TPP 역시 한미 FTA와 마
찬가지로 국제투자분쟁해결센터(International Centre for Settlement of Investment
Disputes, ICSID),45) 유엔국제무역법위원회(United Nations Commission on International
Trade Law, UNCITRAL) 중재규칙 또는 당사자간 합의에 의하여 여타의 중재기관과
중재규칙을 이용할 수 있으며,46) 각 절차에서 청구가 중재에 제기된 것으로 보는
시점을 정하고, 중재신청서와 함께 청구인이 임명하는 중재인의 성명 또는 사무
총장이 중재인을 임명하는 것에 대한 서면 동의를 제출할 것을 규정한다.47)

중재신청에 동의와 관련 TPP 협정은 사전 동의와 청구인의 중재신청으로
ICSID, 뉴욕협약(Convention on the Recognition and Enforcement of Foreign Arbitral
Awards, 1958), 미주간협약(Inter－American Convention on International Commercial
Arbitration, 1975)에서 요구되는 중재합의 요건을 충족하는 것으로 간주된다.48)

통하여 해결하고 이러한 과정에 알선, 조정, 중개 등 비구속적인 제3자 절차를 예시하고
있다. TPP 협정 제9.18조 1항 및 2항.
41) 투자계약 위반에 대한 청구는 청구대상과 청구된 손실이 관련 투자계약에 의거하여 설립
또는 인수되었거나 설립 또는 인수가 추진되었던 적용대상투자와 직접적ㅇ으로 관련이 있
는 경우에만 가능하며, 투자의 정의에서 규정한바와 같이 중앙정부 소관청과 투자자간에
맺은 자원개발계약, 공공서비스계약, 인프라건설계약 등을 의미한다. TPP 협정 제9.1조.
42) TPP 협정 제9.19조 1항(a) 및 (b).
43) 한미 FTA 제11.16조 1항 및 3항, TPP 협정 제9.19조 1항.
44) TPP 협정 제9.19조 2항.
45) ICSID 협약과 중재절차규칙 뿐만 아니라 ICSID 비체약국일 경우 이용할 수 있는 추가절차
규칙도 포함한다.
46) TPP 협정 제9.19조 4항.
47) TPP 협정 제9.19조 5항 및 7항.
48) TPP 협정 제9.20조 1항 및 2항.

TPP는 제소기한과 관련 제9.19조 제 1 항의 위반사실과 손실 또는 손해의 발생 사실을 청구인이 최초로 인지하였거나 최초로 인지하였어야 한 날로부터 3년 6개월이 경과하였을 경우에는 이 절에 따른 중재를 제기할 수 없다고 규정하여 한미 FTA에서보다 그 기간을 6개월 연장하였다.[49] 한편, 국내구제절차와 중재절차의 병행문제와 관련 TPP ISDS 중재를 위해서는 동일 사안에 대해 국내 행정 또는 사법재판소나 기타 분쟁해결절차에서 소송을 개시하거나 계속하는 권리를 포기하여야 한다.[50] 다만, 청구인의 권리 및 이익을 보전하기 위한 임시 가처분을 피청구국의 사법 또는 행정재판소에 구하는 것은 허용된다.[51]

(2) 중재인의 선정

TPP ISDS상 중재인의 선정은 한미 FTA와 대체로 동일한데, 분쟁당사자들이 달리 합의하지 않는 한, 중재판정부는 3인의 중재인으로 구성되며, 각 분쟁당사자는 각 1인의 중재인을 임명하고, 의장이 되는 세 번째 중재인은 분쟁당사자들의 합의에 의하여 임명된다.[52] 중재제기 후 75일 이내에 중재판정부가 구성되지 아니하는 경우, 사무총장은 일방의 요청에 따라 자신의 재량으로 아직 임명되지 아니한 중재인을 임명한다. 다만 분쟁당사자들이 합의하지 않는 한 사무총장은 어느 한 쪽 당사국의 국민을 의장중재인으로 임명하지 아니한다.[53] 다만, 한미 FTA와 차이점은 TPP는 여기에 추가하여 중재인의 전문분야 또는 준거법에 대한 관련 경험을 고려할 것과[54] 중재인은 독립·중립성과 함께 TPP 당사국이 제공할 무역분쟁해결 패널리스트 행동지침(code of conduct)을 ISDS의 중재인이 적용하기 위한 가이드라인을 준수할 것을 규정하였다.[55]

(3) 중재절차의 투명성

원칙적으로 피청구국은 중재의사통보, 중재신청, 변론서 등 제출된 모든 서

---

49) TPP 협정 제9.21조 1항.
50) TPP 협정 제9.21조 2항. 한편 칠레, 페루, 멕시코, 베트남은 국내 사법행정재판소의 절차에서 청구된 사항은 ISDS 중재를 제기하지 못하도록 하였다.
51) TPP 협정 제9.21조 3항.
52) TPP 협정 제9.22조 1항.
53) TPP 협정 제9.22조 3항.
54) TPP 협정 제9.22조 5항.
55) TPP 협정 제9.22조 6항.

면, 중재판정부의 심리의사록, 명령, 판정, 결정 등을 수령 즉시 비분쟁당사국에게 송부하고 대중에게 이용가능하게 하며 중재판정부는 심리를 공개한다.[56] 양자 FTA나 BIT의 경우 비분쟁 당사국은 1개국이지만 TPP의 비분쟁 당사국 수는 10여 개국 이상으로 확대되기 때문에 모든 서면과 의사록을 송부하는 것은 행정적 부담을 가중시킬 수도 있지만 그 간 논란이 되었던 ISDS의 투명성 및 일관성 제고에는 일정한 기여를 할 수 있을 것으로 예상된다. 다만, 보호정보 혹은 제29.2.조(안보예외)와 제29.6조(정보공개)에 따라 보류되는 정보는 공개할 것이 요구되지 않는다.[57] 특정 정보가 보호정보를 구성한다고 주장하는 분쟁당사자는 중재판정부의 지시에 따라 이를 명백하게 지정한다.[58] 중재판정부는 보호정보 지정에 대한 이의에 대하여 결정하는데 지정이 적정하게 되지 않았다고 중재판정부가 결정하는 경우 그 정보를 제출한 분쟁당사자는 그 정보를 포함하는 서면의 일부 또는 전부를 철회하거나, 수정본을 제출할 수 있다. 타방당사자의 서면도 필요한 경우 이에 따라 수정되어 다시 제출된다.[59] 위의 규정이 피청구국이 자국법상 공개의무가 있는 정보를 공개하지 않을 것을 요구하는 것은 아니나 보호정보로 지정된 정보의 보호에 유의하여 공개의무를 적용할 것이 요청된다.[60] 한미FTA의 경우 중재판정부의 보호정보지정 부적정결정에 대해 분쟁당사국의 요청에 의해 공동위원회가 구속적 결정을 내리는 절차를 두었으나,[61] TPP에는 해당 규정이 없다.

(4) 중재판정

중재판정부가 피청구국에 패소판정을 내리는 경우, 중재판정부는 금전적 손해배상과 적용가능한 이자 혹은 재산의 원상회복만을 별도로 혹은 조합하여 판정할 수 있다. 또한 원상회복의 경우 판정은 피청구국이 원상회복 대신 금전적 손해배상과 적용가능한 이자를 지불하는 것을 판정할 수 있다.[62] 기업을 위해 제기된 중재신청에 대해 청구인 승소판정이 내려지는 경우 원상회복이나 금전배상

---

56) TPP 협정 제9.24조 1항 및 2항.
57) TPP 협정 제9.24조 3항.
58) TPP 협정 제9.24조 4항(a)(b).
59) TPP 협정 제9.24조 4항.
60) TPP 협정 제9.24조 5항.
61) 한미 FTA 제11.21조 4항(e).
62) TPP 협정 제9.29조 1항.

은 그 기업에 대하여 이루어지고 비용과 변호사 보수를 판정할 수 있으나 징벌적 손해배상을 부여하지는 못한다고 보여진다.[63] 실행된 투자뿐만 아니라 투자의 시도에 따른 손해에 대해서도 손해배상이 주어질 수 있으나 위반과 손해간의 근접한 인과관계가 증명되어야 하며 중재판정부는 그러한 청구가 소송권의 남용인 경우 피청구국에게 합리적인 비용과 변호사 보수를 판정할 수 있다.[64]

분쟁당사자는 판정이 내려진 날로부터 일정한 시점[65]까지 그 판정의 수정 또는 취소가 요청되지 않거나 그러한 절차가 완료되어야 최종판정의 집행을 구할 수 있다.[66] 각 당사국은 자국 영역에서의 판정의 집행을 규정하고, 또한 분쟁당사자는 ICSID협약, 뉴욕협약 또는 미주간협정에 따른 중재판정의 집행을 구할 수 있다.[67]

(5) 예외규정

TPP투자챕터 부속서는 ISDS 중재 예외 대상인 공공부채, 인수합병 승인, 투자계약, 국가별 예외에 대해 규정하고 있다.[68] 우선 공공부채의 경우 공공채권의 구입처럼 상업적 위험을 갖고 있는 것은 해당 채권의 채무불이행이 보상 없는 수용과 같이 실체적 의무를 위반하는 것이 아니라면 중재절차에서 청구인에게 승소판정이 내려질 수 없다.[69] 채무재조정이 협의된 재조정인 경우 이에 대해서는 내국민대우와 최혜국대우 의무위반을 제외하고는 중재청구를 하지 못한다.[70] 또한 내국민대우와 최혜국대우 의무위반의 경우를 제외하고는 채무재조정이 제1절의 실체적 의무를 위반하였다는 청구는 협의와 협상요청서를 피청구국이 수령한 날로부터 270일이 경과하지 않고는 제기하지 못한다.[71] 다만, 상기 예외 세 가

---

63) TPP 협정 제9.29조 3항, 5항, 6항.
64) 투자자 성공하였을 경우 기대할 수 있는 수익은 손해배상의 범위에서 벗어난다. TPP 협정 제9.29조 4항.
65) ICSID 협약의 경우 120일, ICSID 추가절차, UNCITRAL 중재규칙 및 여타의 경우에는 90일 경과 시점이다.
66) TPP 협정 제9.29조 9항.
67) TPP 협정 제9.29조 10항.
68) 한편 TPP는 투자챕터 이외의 다른 챕터에서 조세(제29.4조 8항), 금융(제11장) 담배규제 (제29.5조) 관련 ISDS 적용 예외를 규정하고 있다.
69) 부속서 9-G para. 1.
70) 부속서 9-G para. 2.
71) 부속서 9-G para. 3.

지 중 두 번째 세 번째 예외의 경우 미국과 싱가포르에는 적용하지 않기로 하였다.[72]

또한 TPP 투자챕터 부속서에서 호주, 캐나다, 멕시코, 뉴질랜드는 자국 관련 법에 따른 외국기업에 의한 인수합병 승인여부에 대한 당국의 결정은 이 절에 따른 ISDS나 제28장에 따른 분쟁해결절차의 대상이 되지 않는다고 명시하였다.[73] 끝으로 투자자와 피청구국이 체결한 투자계약에 그 투자계약 위반에 대한 분쟁해결방식으로 TPP와 동등한 ISDS를 허용하고 있다면 굳이 중복된 절차를 인정할 필요가 없기에 TPP 중재절차 제공하지 않는다.[74] 한편 TPP 협정 제20조 2항(b) '포기조항'에도 불구하고 해당 문제의 분쟁해결절차가 TPP와 동등한 ISDS라면 그 절차에 따라 협정상 실체의무위반과 투자인가위반을 묻는 청구를 개시 또는 계속할 수 있다.[75] 다만, 청구인이 동일한 사안에 대하여 TPP절차와 위와 같은 절차에 따른 중재를 중복하여 신청하는 경우 어느 분쟁당사자라도 TPP 제9.27조에 의거하여 절차의 병합명령을 구할 수 있다.[76]

제 4 절   지식재산권

1. 협정문 개관

TPP 협정 지식재산권은 TPP 협정의 핵심적 쟁점 사안으로 협상이 타결되기 까지 가장 첨예한 대립이 지속되었던 분야이다.[77] TPP협정 제18장은 지식재산권을 다루고 있는데 일반규정(General Provisions), 협력(Cooperation), 상표(Trademarks), 국가명(Country Names), 지리적 표시(Geographical Indications), 특허(Patents and Undisclosed Test or Other Data), 산업 디자인(Industrial Designs), 저작권(Copyright and Related Rights), 집행(Enforcement), 인터넷 서비스 제공자(Internet Service Providers), 최종규

---

72) TPP 투자챕터 각주 43.
73) 부속서 9-H.
74) 부속서 9-L, A.1.
75) 부속서 9-L, A.2.
76) 부속서 9-L, A.3.
77) 실제 CPTTP 협상 20개 보류 항목 중 11개가 지식재산권 관련 내용이다.

정(Final Provisions), 총 11개의 섹션으로 구성되어 있다. 지식재산권 협정 중 TPP 협상에서 쟁점이 된 내용들은 지식재산권을 기존 다른 협정의 규범들의 보호 수준보다 강화하는 조항들인 상표권의 보호범위의 확대, 바이오 의약품특허의 자료 독점기간 연장, 저작권의 존속기간 연장 등의 내용이다.

2. 상표권과 지리적 표시

(1) 상표 등록요건

상표의 등록요건과 관련 TPP 지식재산권 협정은 디자인이나 문구에 의하여 인식되는 상표 이외의 시각에 의존하지 않는 비전형상표인 소리와 냄새까지 상표등록이 가능하도록 규정하였다.[78] 이러한 상표들은 시각적인 상표에 비해 선호되는 냄새나 소리의 고갈·증발 가능성이 있는데 가정용품 등 일정한 상품에서 유사한 향이 사용되는 경우 냄새를 일정한 상표권자가 선점하여 후발주자가 그러한 향을 사용할 수 없을 경우가 발생할 수 있다. 소리의 경우 역시 익숙한 소리 등이 이미 상표로 등록된다면 추후 유사한 소리를 사용할 기회가 부여되지 않는 것이다.[79] 이는 TRIPs협정보다 확장된 상표등록 범위로서 시각적인(단어, 문자, 숫자, 도형적 요소, 색채의 조합 등) 상표를 넘어서는 규정이다.[80]

(2) 유명 상표의 보호

TPP 협정의 유명상표 보호의 경우 유명상표인지를 결정하는 요건으로 등록을 요구해서는 안 된다고 규정하고 있고 표지의 저명성에 대한 사전인식이 결여되어 있다는 이유로 표지의 유명상표에 대한 보호를 거부할 수 없도록 하고 있다.[81] 또한 파리 협약 제6조의2는 등록 여부와 관계없이, 유명상표에 의하여 확인되는 상품 또는 서비스와 동일하거나 유사하지 아니한 상품 또는 서비스에 준용되도록 하고 있다.[82] TPP협정이 규정한 조항 중 유명 상표의 저명성을 판단하

---

78) TPP 협정 제18.18조.
79) 한미 FTA의 경우도 제18.2조 1항에서 표지가 소리 또는 냄새라는 이유로 상표의 등록을 거부할 수 없다고 규정하고 있다.
80) TRIPs협정 제15.조 1항에서는 회원국은 등록요건으로 표지가 시각적으로 인식 가능할 것을 요구할 수 있다고 규정하고 있다.
81) TPP 협정 제18.22조.

기 위해서는 그 저명성을 관련 상품이나 서비스를 통상적으로 다루는 일반인의
범위를 넘어서는 안 된다고 설명하고 있다. 이는 한미 FTA 규정과 유사한데, 사
용자주의를 근간으로 한 미국을 고려한 규정으로서 선 등록제를 사용하는 국가
들에게는 법체계에 변화나 추가적인 법률을 제정해야 할 것이다.[83]

(3) 지리적 표시

TPP 협정에서는 지리적 표시가 상표로 보호 될 수 있다는 내용을 포함하고
있고 각 당사국이 지리적 표시의 보호를 위한 제도를 갖추고 있어야 한다고 명시
하였다.[84] 또한 그러한 제도는 대중이 쉽게 이용 가능하도록 과도하게 어렵지 않
은 형식으로 처리할 수 있게 절차를 명확하게 규정하고 출원에 관련된 상황을 신
청인이 쉽게 알 수 있도록 해야 한다. 지리적 표시의 신청에 대해 문제가 있을
경우 이의제기 절차가 가능해야 하며 지리적 표시의 취소절차 또한 규정하도록
규정 하고 있다.[85] 한편, 지리적 표시의 취소의 경우 이미 출원된 상표 혹은 등록
중인 상표와 혼동을 야기할 가능성이 있거나 이미 관습적으로 보통명칭으로 사
용될 때는 취소가 가능하다고 규정하고 있다.[86]

TPP 협정은 단체표장(Collective Mark)과 증명표장(Certification Mark)에 대한 보
호에 대해 각 당사국은 상표가 단체표장과 증명표장을 포함하도록 규정하고 표
장들에 대한 보호를 제공해야 하며 지리적 표시의 역할을 하는 표지 또한 상표제
도 아래서 보호받을 수 있다고 규정하고 있다.[87] 단체표장과 증명표장의 개념이
혼동되기 쉬우나 단체표장이란 단체 자체에 의해서 사용된다기보다 그 단체 구
성원에 의하여 소속 단체원이 사용토록 하는 표장이다.[88] 반면 증명표장이란 상
품이나 서비스의· 품질, 원산지, 생산방법 등 특성의 증명을 업으로 하는 자가 상

---

82) 다만, 그 상품 또는 서비스에 관련된 상표의 사용이 해당 상품 또는 서비스와 상표권과
    연관성이 있어야 하고, 상표권자의 이익이 그러한 사용에 의사여 손상될 가능성이 존재해
    야 한다. TPP 협정 제18.22조.

83) 한미 FTA 제18.2조 6항.

84) TPP 협정 제18.19조.

85) TPP 협정 제18.31조.

86) TPP 협정 제18.32조.

87) TPP 협정 제18.19조.

88) 육소영, "상표권에 관한 한미 FTA의 이해 및 분석", 「과학기술법연구」 제13집 1호,
    (2007), p. 78.

품이나 서비스의 특성이 충족됨을 증명하는데 사용하게하기 위한 표장으로 이는 상품의 출처를 표시하는 것이 아니고 상품 또는 서비스가 품질 또는 기타의 특성을 충족하고 있다는 것을 증명하거나 보증하는 것을 목적으로 하는 표장이다.

지리적 표시는 TRIPs협정의 협상시에도 EU와 미국, 호주, 캐나다 등 선진국 간에 의견 대립이 첨예한 분야였는데, 비유럽 국가들은 일방적인 지리적 표시 보호의 강화로 관련 산업이 받을 부정적 영향을 우려하였고, 유럽연합은 오래 전부터 널리 알려진 명성과 지역적 특성을 가진 농산물 및 식료품에 대한 지리적 표시와 원산지 명칭을 지적재산 차원에서 등록, 보호하고 있기 때문이었다. TPP 협정의 협상에서도 지리적 표시는 쟁점에 올랐지만 미국의 주도하에 진행된 TPP 협정에서는 결국 쉐리포도주(Sherry wine), 파마산 치즈(parmesan cheese), 페타 치즈(feta cheese), 볼로냐 고기(bologna meat) 등 이미 보통명칭화 되어버린 지리적 표시의 경우 그 출처가 어느 국가인지 여부에 상관없이 모든 유형의 제품에 대해 적용되는 증명표장 또는 단체표장으로 지리적 표시를 상표법의 일부로 보호하게 하였다.[89]

3. 특허 및 자료독점

(1) 보호대상과 기간연장

TPP 지식재산권 협정에서는 모든 기술 분야에서 물건 혹은 방법에 관계없이 어떠한 발명도 신규성, 진보성, 산업적 이용가능성이 있으면 특허가 가능하다고 규정하고 있다.[90] 또한 알려진 물건의 새로운 용도, 사용방법 혹은 제조에 대하여 한 가지 이상을 충족하면 특허가 가능하다고 규정하는데, 이는 한미 FTA 제18.8조 2문을 규정한 것이다.[91] 특허 대상에서 제외가 가능한 발명으로는 인간이나 동물의 치료를 위한 진단방법과 치료방법 및 외과적 방법은 특허 등록에서 제외할 수 있으며, 미생물을 제외한 동물과 비생물과 미생물적 방법을 제외한 식물 혹은 동물의 생성의 본질적 생물학적 과정도 특허 등록을 제외할 수 있다.[92] 또

---

89) TPP 협정 제18.19조.
90) TPP 협정 제18.37조 1항.
91) 다만, 한미 FTA에서는 "*any* new uses or methods"로 특허가능성이 보다 넓게 해석되게 규정되었다. 한미 FTA 제18.1조, TPP 협정 제18.37조 2항.
92) TPP 협정 제18.37조 3항. 다만, 한미 FTA의 경우 특허등록 배제 대상의 사항을 "may only"로 규정하여 보다 엄격하게 적용되는 것으로 규정하고 있다. 한미 FTA 제18.8조 2항.

한 식물과 미생물에 대한 대하여 특허등록대상에서 제외할 수 있지만 식물에서 얻은 발명의 경우는 특허등록이 가능하다고 규정하고 있다.[93]

위와 같은 특허대상의 확대로 인해 가장 혜택을 보는 산업은 제약산업인데,[94] TPP 협정은 특허부분에 의약품에 대한 세부내용(Subsection C: Measures Relating to Pharmaceutical Products)을 추가해 규정하고 있다. 이와 관련 TPP 협정에서는 특허등록 지연에 따른 보상차원의 특허존속기간 연장을 규정하고 의약품의 특허출원에 있어 불합리한 지연이란 당사국 영역에서 출원일로부터 5년 또는 출원에 대한 심사청구 후 3년의 기간 중 더 늦은 기간을 초과하는 특허 설정등록의 지연을 최소한 포함한다.[95] 이는 TRIPs협정의 제33조의 특허출원 후 20년간 특허권을 보호할 수 있도록 하는 규정에서 나아가 의약품과 같이 실시를 위한 별도의 허가과정이 필수적으로 요구되는 발명에 대하여 보호기간을 연장 할 수 있도록 한 것이다.

(2) 허가특허 연계제도

의약품의 시판을 위해서는 특허기관의 특허허가 절차와는 별도로 식약당국에 의한 안전성과 유효성을 검증하는 절차에 따라 승인을 받아야 한다. 허가특허 연계제도[96]의 취지는 신약 특허가 존속하는 기간 중에 후발사업자가 최초 특허 의약품 개발자의 자료를 원용 시판 허가 신청을 하는 경우 이러한 사실을 신약 특허권자가 통보받도록 하고, 특허권자의 동의나 묵인 없이 해당 의약품이 시판

---

93) TPP 협정 제18.37조 4항.

94) 용도 및 제법특허로 특허를 확대할 경우 의약품의 새로운 용도를 특허 출원하는 것이 보다 간편해지기 때문에 제약회사들은 소위 '에버그리닝(ever greening)'전략을 통해 특허의 존속기간을 연장하여 원천특허의 존속기간을 연장하여 독점적 권리를 부여받고자 하고 한다.

95) TPP 협정 제18.46조 4항 및 제18.48조. 한미 FTA 제18.8조 6항에서는 출원일로부터 4년으로 규정하고 있다.

96) 허가특허 연계제도는 신약 특허권자와 후발 제네릭 제약사의 이익균형을 도모하기 위해 1984년 "의약품 가격 경쟁 및 특허기간 회복법(Drug Price Competition Patent Term Restoration Act)" 발의자의 명의를 따라 해치-왁스만법(Hatch-Waxman Act, HW법) 제정을 통해 미국에서 처음 도입되었다. 동법 이후 특허권 침해소송의 남발과 특허권자와 최초 제네릭 제조업자의 담합으로 인한 제네릭 의약품 출시 지연 등의 문제로 2003년 HW법의 자료독점 및 허가특허 연계제도를 보완하는 규정을 포함하는 "메디케어 처방약 개선 및 선진화법(Medicare Prescription Drug, Improvement and Modernization Act, 2003)"이 제정되었다.

되는 것을 금지하는 제도이다.[97] 결국 특허권자는 제네릭 의약품이 시판되기 전에 미리 특허침해 소송을 제기할 수 있다. 다만, 허가특허 제도는 특허소송을 미연에 방지하여 사회적 비용을 낮추는 효과도 있지만 후발업자의 경제행위를 억압하고 특허권자의 독점권을 우선적으로 보장해주는 측면이 크다.[98]

허가특허 연계제도는 일정기간 미공개자료의 자료독점을 허용하는 것과 이와 관련 원특허권자의 특허침해소송을 제기하는 체계로 구성되어있다. 이와 관련 TPP 협정은 신규 제네릭 한미 FTA의 규정[99]과 대체로 유사하게 특허 존속기간 내에 특허권자가 아닌 다른 사람이 기제출된 안정성 및 유효성 정보를 바탕으로 시판허가를 신청하는 경우 그러한 사실을 이전에 제출한 인의 동의가 없이는 동일하거나 유사한 제품을 시판하는 것을 시판허가일로부터 최소한 5년간 승인하여서는 안 되도록 규정하고 있다.[100] 이와 관련하여 원천 특허권자가 이러한 사실을 통보받을 수 있는 체계를 갖추어야 하고 특허권자에게 특허권을 침해한 것으로 예상되는 의약품이 시판되기 이전 이를 방지하기 위한 조치를 취할 수 있는 적절한 시간과 기회를 주어야 한다. 또한 특허권을 침해한 것으로 예상되는 행위에 대한 사법적 행정적인 조치 또는 임시 금지명령 같이 특허침해 분쟁을 신속히 해결할 수 있는 절차를 마련해야한다.[101] 다만, TPP 협정이 한미 FTA보다 다소 유연한데, 한미 FTA의 경우 약식신청이 있다는 사실뿐만 아니라 신청자의 신원 (identity)이 특허권자에게 통보되어야 하는 반면, TPP 협정에서는 이러한 의무는 특정되어 있지 않고 단지 신청이 있었다는 사실만을 통보하는 체계를 갖추기만 되고 그러한 체계는 반드시 허가당국의 정보에 의존하는 형태가 아닐 수도 있다는 점에서 차이가 있다.[102]

---

97) 즉, 특허권자의 자료를 이용하여 연구를 하는 것은 허용되지만, 그러한 자료를 원용하여 상업적 이익을 취득할 목적으로 시판 허가를 받는 행위는 특허 침해가 된다는 것이다.
98) 이는 제네릭 의약품의 시판 지연을 초래하고 의약품 가격경쟁에 악영향을 미칠 가능성이 높다 실제로 특허를 침해하지 않는 제네릭 의약품이 허가특허 연계제도로 시판이 지연되는 경우가 빈번하고 에버그리닝 전략을 통해 특허권을 연장할 수 있다는 점도 동 제도의 문제점으로 지적된다. 이에 대해서는 박실비아, 강은정, 박은자, "한미 FTA 협상과 의약품 관리제도의 발전적 개선방안", 한국보건 사회연구원 연구보고서를 참조.
99) 한미 FTA 제18.8조 5항.
100) TPP 협정 제18.50조 1항은 결국 허가단계에서 자료독점을 규정한 것이라 볼 수 있다.
101) TPP 협정 제18.53조 1항 및 2항.
102) 한미 FTA 제18.9조 5항, TPP 협정 제18.53조 1항 및 2항.

(3) 바이오의약품

TPP 특허협정 중 가장 논쟁이 심했던 규정 중 하나인 바이오의약품103)의 자료독점(data protection)에 관해 TPP 협정문 51조는 바이오의약품 신약 혹은 바이오의약품을 포함하는 신약의 자료 보호에 대하여 회원국은 미공개 자료 혹은 안전성·유효성 자료에 대해서 적어도 8년간 보호해야 한다.104) 또는 상기 자료 등을 적어도 5년간 보호할 경우 나머지 기간 동안은 다른 조치를 취하여야 하는데, 이 조치는 시장 상황을 이해하고 효과적인 시장 보호에 기여해야 한다고 규정하고 있다.105) 이는 바이오의약품의 자료독점(data protection) 기간을 5년으로 최소의 기간으로 규정하되 8년을 선택하던지 최소 5년의 독점기간에 8년의 독점기간과 비교될 만한 시장성과가 나올 수 있는 조치 둘 중 하나를 선택해 사실상 바이오 신약의 자료독점(data protection) 기간은 8년 이상으로 규정한 것이다.

한미FTA와 TPP협정 간 가장 큰 차이 중 하나는 TPP협정에는 지재권챕터에서 바이오의약품에 대한 별도의 조항을 두고 있는 반면, 한미FTA에는 그러한 규정이 없다는 것이다. 미국은 합성의약품과 바이오의약품에 대해 다른 허가절차를 적용하고 있으므로 과연 한미FTA 의약품관련 조항이 바이오의약품에도 적용되는지가 문제가 될 수 있다. 한미 FTA 협상 당시에는 바이오의약품에 대한 적용 여부가 이슈가 되지 않았지만 한국에서는 통상 화학의약품과 바이오의약품을 모두 포함한다고 해석되는 것이 일반적이다.106) 그러므로 한미FTA 이행을 위한 약사법 개정시에도 바이오의약품에 허가특허 연계제도가 적용되도록 입법조치를 하였다는 것으로 평가된다.

---

103) 바이오의약품(biologic)은 인간세포, 동물세포, 혹은 미생물과 같이 생체를 이용하는 의약품으로 합성의약품과는 기술적 특성이나 산업구조 측면에서 상당한 차이를 보인다. 국내 법률 용어로는 생물의약품에 해당하며 「생물학적제제 등의 품목허가·심사규정」에 따르면 "사람이나 다른 생물체에서 유래된 것을 원료 또는 재료로 하여 제조한 의약품으로서 보건위생상 특별한 주의가 필요한 의약품을 말하며, 생물학적제제, 유전자재조합 의약품, 세포치료제, 유전자치료제, 기타 식품의약품 안전처장이 인정하는 제재를 포함한다"라고 정의하고 있다.

104) TPP 협정 제18.51조 1항.

105) TPP 협정 제18.51조 2항.

106) 이는 약사법 개정시에 바이오의약품에 허가특허 연계제도가 적용되도록 입법조치를 한 점에서도 확인할 수 있다. 다만, 국내법상으로는 의약품 품목허가에 적용되는 규칙(의약품 등의 안전에 관한 규칙)과 바이오의약품 허가 규칙(생물학적제제 등의 품목허가심사규정)은 별건으로 규정하고 있다.

4. 저작권 및 저작인접권

(1) 저작권 보호기간

TPP 협정상 저작권의 보호기간은 한미 FTA와 동일하게 자연인의 수명에 기초하는 경우 저작자의 생존기간과 사후 70년 이상이며 법인 저작물과 같이 승인된 저작물의 경우 발행된 연도 말로부터 70년 이상으로 규정하고 있다.[107] 또한 창작후 25년 내 승인되고 발행을 못한 경우는 창작된 연도 말로부터 70년 이상으로 규정하고 있는데, 이는 창작 후 최대 95년 이상의 저작권 보호기간을 설정한 것이다.[108]

(2) 전속적 복제권

저작권의 권리는 적속적인 복제권과 배포권을 포함하는데, 복제권의 정의 즉 복제방식과 관련 TPP 협정에서는 전자적 형식을 포함한 "어떠한 방식이나 형태(in any manner or form)"로 규정하고 있다.[109] 이러한 정의는 한미 FTA와 다소 차이가 있는데, 한미 FTA에서는 "영구적 또는 일시적"라는 문구로 규정하고 "고정된(fixed)"이라는 요건성은 당사국의 법적 사안이라고 규정하였다.[110] TPP 협정에서는 정의조항에서 "고정(fixation)"은 인식, 복제, 전달될 수 있는 것으로 규정하고 있고,[111] 문제가 되었던 일시적 복제는 명문화하지 않았다.[112]

---

107) 한미 FTA 제18.4조 4항, TPP 협정 제18.63조.
108) 미국의 경우 일명 '미키마우스법'인 "Sonny Bono Copyright Term Extension Act"에서 사후 70년, 승인된 저작물의 경우 발행후 95년, 승인된 발행을 하지 못한 경우 창작후 120년으로 연장하였다. 다만, 동법에서는 "not less than"으로 규정하지 않고 "no 120 years option from the making of unpublished works"으로 규정하고 있다. 17 USC § 302(a),(b).
109) TPP 협정 제18.58조.
110) 이러한 규정의 배경에는 미국 저작권법(17 USC § 106(1))에서는 복제권의 복제 방식 및 형태를 "copies or phonorecords(복제물 혹은 음반)"으로 제한하고 복제물(copies)를 "fixed by amy method(어떠한 방식으로 고정된)", "material objects(유형적 물체)"로 정의하고 "고정된"이란 의미는 "인식, 복제될 수 있거나 일시적 기간 이상의 시간동안 전달될 수 있을 만큼 충분히 영구적이고 안정적"이어야 한다고 규정하고 있어서 미국 저작권법의 차이를 고려했기 때문이다. 한미 FTA 제18.4조 1항.
111) TPP 협정 제18.57조.
112) 전속적 복제권을 규정한 제18.58조 각주 64에서는 고정되지 않은 복제물에 대한 저작권상의 보호는 국내법으로 유보하였다.

(3) 기술 보호조치

우회방지를 위한 기술 보호조치(Technological Protection Measures, TPMs)는 디지털 기술의 발전에 따른 저작권 보호조치의 일환으로 규정되는데, WIPO 인터넷조약(WCT, WPPT) 및 미국의 디지털밀레니엄저작권법(Digital Millenium Copyright Act, DMCA, 1998)에서 반영된 후 동 법안의 주요 내용을 TPP에서 규정하고 있다.113) TPP 협정에서는 저작권상 금지된 행위를 제한하는 효과적인 기술조치의 우회에 대하여 충분한 법적 보호와 구제를 제공하기 위한 조치를 규정하고 있다.114) 즉, 여하한 효과적인 기술조치 우회를 알거나 합리적인 근거를 가지고 알 수 있는115) 권한 없이 우회하는 사람이나116) 또는 그러한 우회를 하는 제품, 서비스를 제도, 수입, 배포, 공중에게 제의하는 행위나 사람을 규제하고 있다.117) 한미 FTA에서는 기술조치의 우회를 "가능(enabling)"하게 하거나 "용이(facilitating)"하게 하는 장치를 규제하는 반면 DMCA나 위조방지무역협정(Anti-Counterfeiting Trade Agreement, ACTA)에서는 우회 목적인 장치나 서비스만을 규제하고 있고118) TPP 협정에서도 이를 반영 우회 목적의 장치나 서비스만을 규정하였다.119) 또한 처벌과 관련 회원국은 고의적으로 상업적 이익이나 금전적 이득을 목적으로 하는 경우 필요적 형사절차와 처벌을 규정하고 있다.120)

---

113) 즉, 다자 국제조약이 먼저 체결된 후 미국의회가 반영하고 보다 강화된 규정을 FTA에서 반영하는 방식으로 진행되었다.

114) TPP 협정 제18.68조.

115) 미국 저작권법(17 USC § 1201)에서는 인지요건을 규정하지 않는 '엄격책임(strcit liability)'을 인정하고 협상과정에서 인지요건을 배제하려 하였지만 최종 협정문에서는 한미 FTA(한미 FTA 제18.4조 7항 (a))와 같이 인지요건을 규정하였다.

116) TPP 협정 제18.68조 1항(a).

117) TPP 협정 제18.68조 1항(b).

118) 한미 FTA 제18.4조 7항(b), 17 USC § 1201(a)(2), ACTA Art. 5 및 27.6(b)((i).

119) TPP 협정 제18.68조 1항(b).

120) TPP 협정 제18.68조 1항.

제32장
범대서양무역투자동반자협정(TTIP)

제1절 머리말

세계 경제질서의 3대 축은 미국을 중심으로 하는 미국·멕시코·캐나다 협정 (United States—Mexico—Canada Agreement: USMCA, 구 북미자유무역지대(North American Free Trade Area: NAFTA)를 대체), 유럽연합(European Union: EU)을 중심으로 하는 유럽, 한·중·일 및 동남아시아국가연합(Association of Southeast Asian Nations: ASEAN)을 중심으로 하는 동아시아라고 할 수 있다. 이러한 측면에서 EU와 미국 간의 범대서양무역투자동반자협정(Transatlantic Trade and Investment Partnership: TTIP)은 포괄적·점진적 환태평양경제동반자협정(Comprehensive and Progressive Agreement for Trans—Pacific Partnership: CPTPP)[1]과 유사한 메가—FTA의 하나로서 국제사회에 막대한 영향을 줄 수 있다. 따라서 우리나라를 포함한 국제사회의 많은 국가들이 이에 관하여 주목하고 있다. 여기에서는 TTIP 전체에 적용되는 일반규정(Chapter I General Provisions)상의 목적, 범위, 정의 그리고 TTIP 전체에 역시 적용되는 예외 (Chapter Ⅶ Exceptions)에 관하여 살펴본다. 특히 TTIP에서의 투자(Chapter Ⅱ Investment)상의 투자 자유화(Section 1 Liberalisation of Investments), 투자 보호(Section

---

1) TTIP가 독일, 프랑스, 이탈리아, 벨기에, 네덜란드, 룩셈부르크, 덴마크, 아일랜드, 그리스, 스페인, 포르투갈, 스웨덴, 핀란드, 오스트리아, 키프로스, 몰타, 헝가리, 폴란드, 슬로박공화국, 라트비아, 에스토니아, 리투아니아, 체코, 슬로베니아, 루마니아, 불가리아, 크로아티아로 구성된 EU와 미국 간의 거대규모의 FTA라면, CPTPP는 높은 수준의 자유화를 지향하는 거대규모의 FTA로 뉴질랜드, 싱가포르, 칠레, 브루나이, 호주, 페루, 베트남, 말레이시아, 멕시코, 캐나다, 일본으로 구성되어 있다. 영국은 1973년 1월 1일부터 당시 유럽공동체 (European Community: EC)의 회원국이었으나, 2020년 1월 31일 EU에서 탈퇴하였다. 미국은 당시 환태평양경제동반자협정(Trans—Pacific Partnership: TPP)에 참여하기로 하였다가 나중에 탈퇴하였다. EU의 통합법제사에 관하여는 김두수, 「EU법」(박영사, 2020), pp. 2—17 참조.

2 Investment Protection), 투자분쟁해결과 투자법원제도(Section 3 Resolution of Investment Disputes and Investment Court System)를 중심으로 살펴본다.

제 2 절   일반 규정

1. 목적

이 협정의 목적은 양 당사자가 WTO협정의 이행을 재천명하고, 무역과 투자의 발전을 위하여 보다 나은 환경 마련을 위한 상호 간의 약속을 확인하기 위하여 서비스 무역의 혁신적인 상호 자율화, 투자 자유화 및 전자상거래를 촉진하는 것이다. 그리고 이 협정에 따라 당사자는 '정당한 정책 목적'(legitimate policy objectives)의 추구를 위한 조치의 적용, 유지, 강화의 권리를 가진다. 여기에서 합법적인 '정당한 정책 목적'이란 사회보호, 환경보호, 공중 보건, 소비자 보호, 재정 시스템의 안전성, 공공안보와 안전, 문화다양성의 보호와 증진을 의미한다.[2]

2. 범위

이 협정은 다만, 당사자의 고용시장에 접근하려는 자연인(natural person)에게 영향을 미치는 조치에는 적용되지 않으며, 시민권과 영구적 거주나 영구적 고용과 관련된 조치에도 적용되지 아니한다. 그리고 이 협정으로 인해 어떤 당사자도 자연인이 자신의 영토에 들어오거나 일시적으로 체류하는 것을 규제하는 조치를 방해받지 아니한다.[3]

3. 정의

TTIP에서 사용하는 용어에 대한 정의는 아래와 같다: (a) 'EU의 자연인'(natural

---

2) TTIP(Proposal), Chapter I General Provisions, Art. 1−1(Objective, Coverage and Definitions) 1.

3) *Ibid.*, Art. 1−1(Objective, Coverage and Definitions) 2.

person of the EU)이란 EU의 법률에 따른 EU 회원국 중 한 국가의 국민을 의미한다. 또한 '미국의 자연인'(natural person of the US)이란 미국의 법률에 따른 미국의 국민을 의미한다; (b) '법인'(juridical person)이란 정당하게 설립된 법적 실체 또는 준거법에 의해 조직된 모든 법적 실체를 의미한다. 이 법적 실체에는 이익을 위해서 구성되었든 아니든, 민영이든 공영이든 모든 기업, 위탁사업체, 조합, 합작투자, 개인기업 혹은 협회가 포함된다; (c) 'EU의 법인'(juridical person of the EU) 또는 '미국의 법인'(juridical person of the US)은 EU 회원국의 법 또는 미국의 법에 따라 설립된 법인을 말하며, EU 또는 미국의 영토 내의 실질적 사업 운영에 종사하는 법인을 의미한다; (d) EU나 미국의 영토 밖에서 설립되었지만, 각각 EU 회원국 또는 미국에 의해 관리되는 운송회사들 또한 이 협정의 수혜자이다. 다만, 선박이 각각의 법률에 따라 등록된 경우에는 TTIP 제2장 제2절[투자보호](Chapter II Section 2(Investment Protection))에서 제외된다; (e) '기업'(enterprise)이란 이 조항의 정의에 따라 설립된 법인, 지점, 대표사무소를 의미한다; (f) 한 당사자의 법인의 '자회사'(subsidiary)란 그 당사자의 또 다른 법인에 의해 효과적으로 관리되는 법인을 의미한다; (g) '회사설립'(establishment)이란 EU 또는 미국에서 법인을 설립하는 일 혹은 지점이나 대표사무소의 설치를 의미하며, 여기에는 인수(acquisition) 또한 포함된다; (h) '경제활동'(economic activities)이란 장인(craftsmen)의 산업적, 상업적, 그리고 전문적인 특성과 활동을 의미한다. 다만, 공권력에 의해 시행되는 활동은 제외된다; (i) 투자 '사업 경영'(operation)이란 한 당사자의 투자자가 다른 당사자의 영토에서 투자를 수행, 관리, 유지, 이용, 향유, 판매, 또는 처리하는 것을 의미한다; (j) '서비스'(service)란 정부 당국에 의해 공급된 서비스를 제외한 모든 서비스를 의미한다; (k) '정부 당국에 의해 수행된 서비스와 활동'(services and activities performed in the exercise of governmental authority)이란 상업적 목적이 아니며, 하나 또는 다수의 다른 경제주체들과의 경쟁으로 수행되지 않는 서비스와 활동을 의미한다; (l) '서비스의 국경 간 공급'(cross-border supply of services)이란 (i) 당사자의 영토로부터 다른 당사자의 영토로, 혹은 (ii) 당사자의 영토 내에서 다른 당사자의 서비스 소비자로의 서비스의 공급을 의미한다; (m) 당사자의 '서비스 제공자'(service supplier)란 서비스를 공급하거나 공급하려는 목적이 있는 자연인 또는 법인을 의미한다; (n) '조치'(measure)란 당사자의 법, 규제, 규칙, 절차, 결정, 행정행위 등 모든 형태의 조치를 의미한다; (o) '당사자에 의해 채택되거나 유지되는 조치'(measures adopted or maintained by a Party)란 (i) 모든 측면에서의 정부와 당국에 의한 조치, 혹은 (ii) 모든 측면에서의 정부 또는 당국을 대표하는 권한을 행사하는 비정부기구에 의한 조치를 포함한다; (p) '투자자'(investor)란 다른 당사자의 영토에서 이미 투자를 했거나, 현재 하고 있거나, 미래에 할 계획이 있는 자연인 또는 법인을 의미한다; 마지막으로 명확성을 제공한다는 측면에서, '당사자의 영토'(territory of a Party)는 1982년 UN해양법협약(United Nations Convention on the Law of the Sea of 10 December 1982: UNCLOS)에 규정된 바와 같이 배타적 경제수역(exclusive economic zone)과 대륙붕(continental shelf)을 포함한다.4)

제 3 절   투자 자유화

1. 범위

TTIP 제 2 장 제 1 절(투자 자유화)은 한 당사자가 다른 당사자 내에서 기업을 설립하거나 투자자가 투자를 하는 데에 영향을 미치는 해당 당사자의 조치에 적용되며,5) 시청각 서비스(audio-visual services) 부문에는 적용되지 아니한다.6) 한편, 정부조달은 TTIP 제10장에서 다루며 본 제 1 절은 제10장에 따른 공공조달에 대한 당사자의 의무를 제한하거나 정부조달에 대한 어떤 추가적인 의무를 부과하기 위한 목적으로 해석되지 아니하며,7) 보조금은 제10장에서 다루되 본 제 1 절은 당사자에 의해 지급된 보조금에 적용되지 아니한다.8)

2. 시장접근

시장접근(Market Access)의 약속이 발효된 구역에서는 그 어떤 당사자도 영토

---

4) *Ibid.*, Art. 1-1(Objective, Coverage and Definitions) 3.
5) TTIP(Proposal), Chapter Ⅱ Investment, Section 1 Liberalisation of Investments, Art. 2-1(Scope) 1.
6) *Ibid.*, Art. 2-1(Scope) 2.
7) *Ibid.*, Art. 2-1(Scope) 3.
8) *Ibid.*, Art. 2-1(Scope) 4.

전역 또는 한 구획에서의 기업의 설립 혹은 운영을 통한 시장접근에 대해 아래의 내용을 부과하는 조치를 채택하거나 유지해서는 아니 된다: (a) 기업의 수를 수량 제한, 독점, 경제적 수요심사를 요구하는 등의 형태로 제한하는 내용; (b) 매매거 래 또는 자산의 총 가치를 수량제한이나 경제적 수요심사를 요구하는 형태로 제 한하는 내용; (c) 영업활동의 수 또는 생산량의 총량을 쿼터나 경제적 수요심사를 요구하는 형태로 지정된 숫자 단위로 표시하도록 제한하는 내용; (d) 개인의 해외 주식 보유나 해외투자 총액의 최대비율 제한에 의한 외자의 참여를 제한하는 내 용; (e) 다른 당사자의 투자자의 경제활동을 가능케 하는 어떤 특정한 종류의 법 인 혹은 합작투자를 제한하거나 요구하는 조치; (f) 어떤 특정한 구역에서 투자자 가 고용할 가능성이 있거나, 경제활동에 필수적이고 직접적으로 관련된 자연인의 총수를 수량제한 혹은 경제적 수요심사를 요구하는 형태로 제한하는 내용.[9]

3. 내국민대우

내국민대우(National Treatment)에 따라 각 당사자는 영토 내에서의 기업 '설 립'(establishment)에 대한 다른 당사자의 투자자와 투자를 자국민의 투자자와 투자 를 대우하는 것과 동등하게 대우해야 한다. 그리고 각 당사자는 영토 내에서의 기업 '사업 경영'(operation)에 대한 다른 당사자의 투자자와 투자를 자국민의 투자 자와 투자를 대우하는 것과 동등하게 대우해야 한다.[10]

4. 최혜국대우

최혜국대우(Most Favoured-Nation Treatment)에 따라 각 당사자는 영토 내에서 의 기업 '설립'(establishment)에 대한 다른 당사국의 투자자와 투자를 비당사자(any non-Party)의 투자자와 투자를 대우하는 것과 동등하게 대우해야 한다. 그리고 각 당사자는 영토 내에서의 기업 '사업 경영'(operation)에 대한 다른 당사자의 투 자자와 투자를 비당사자의 투자자와 투자를 대우하는 것과 동등하게 대우해야 한다.[11] 다만, 이 최혜국대우는 한 당사자가 이중과세협정(double taxation

---

9) *Ibid.*, Art. 2-2(Market Access).
10) *Ibid.*, Art. 2-3(National Treatment).

agreements) 또는 서비스무역협정(General Agreement on Trade in Services: GATS) 제
Ⅶ조에 따른 자격이나 면허의 인정 등과 같은 경우의 대우로 인해 다른 당사자의
투자자의 이익을 확장하기 위하여 해석되어서는 아니 된다.[12] 그리고 여기에서의
'대우'(treatment)를 더욱 명확하게 하기 위하여 다른 국제투자조약과 무역협정에서
제공된 투자자－국가 간 분쟁해결(ISDS)을 포함하지 않는다는 것을 적시하고 있
다.[13] 이는 최혜국대우에서 투자분쟁해결절차를 명백하게 제외하고자 할 뿐만 아
니라 향후 논의되는 투자법원제도(ICS)의 새로운 도입에 초점을 두기 위한 것으
로 볼 수 있다.

5. 고위경영자 국적의무 부과금지

어떤 당사자도 한 기업이 고위관리직 혹은 이사회 임원의 직위를 어떤 특정
국적(any particular nationality)의 자연인에게 임명하도록 요구되지 아니한다.[14]

6. 이행요건 부과금지

(1) 기업의 설립이나 투자와 관련된 일정한 요구나 강요의 금지

어떤 당사자도 영토 내에서의 모든 기업의 설립이나 투자와 관련된 아래 내
용의 요구사항을 부과하거나 강요해서는 아니 되며, 어떠한 협정 혹은 약속을 강
요해서도 아니 된다: (a) 상품이나 서비스를 주어진 수준 혹은 비율만큼만 제한되
어 수출하기; (b) 국내 생산을 주어진 수준 혹은 비율만큼 달성하기; (c) '영토 내'
에서 공급된 상품이나 제공된 서비스를 구입하거나 사용하거나 선호하기, 혹은
'영토 내'의 자연인 혹은 법인으로부터 상품이나 서비스를 구입하기; (d) 수입의
양이나 가치를 어떤 의미에서든지 수출의 양이나 가치, 혹은 그러한 투자와 관련
된 외환거래 유입량과 연결하기; (e) 투자가 제공하는 영토 내에서의 상품 혹은
서비스의 판매를 수출의 양이나 가치 혹은 외환거래의 유입에 어떤 의미에서든

---

11) *Ibid.*, Art. 2－4(Most－Favoured－Nation Treatment) 1－2.
12) *Ibid.*, Art. 2－4(Most－Favoured－Nation Treatment) 3.
13) *Ibid.*, Art. 2－4(Most－Favoured－Nation Treatment) 4.
14) *Ibid.*, Art. 2－5(Senior Management and Boards of Directors).

지 연결함으로써 제한하기; (f) 기술, 생산과정 혹은 등록상표가 붙은 지식을 영토 내의 자연인 혹은 법인에게 이전해주기; (g) 당사자의 영토로부터 투자에 의해 제공된 상품이나 서비스를 특정한 지역시장 혹은 세계시장으로 배타적으로 공급하기; (h) 투자자의 활동중심지인 본부를 자국 영토상의 특정지역 또는 국제시장에 배치하기; (i) 당사자의 국민을 주어진 수 혹은 비율만큼 고용하기; (j) 영토 내에서 주어진 수준 혹은 가치까지 연구와 성장을 달성하기; (k) 투자자가 제공하는 하나 혹은 다수의 상품이나 서비스를 당사자의 영토를 제외한 특정한 지역시장 혹은 세계시장으로 공급하기; (l) 수출을 제한하기.[15]

(2) 기업의 설립이나 투자와 관련된 이점에 영향을 주는 행위의 금지

제2장 제1절(투자 자유화) 제2-1조(범위)의 4문단과는 별개로 그 어떤 당사자도 영토 내의 기업의 설립 혹은 투자와 관련하여 받는 이점(advantage)에 영향을 주어서는 아니 되며, 아래의 요건을 준수하도록 해서는 아니 된다: (a) 국내생산을 주어진 수준 혹은 비율까지 달성하기; (b) 영토 내에서 공급된 상품을 구입하거나, 사용하거나 선호하기, 혹은 영토 내의 생산자로부터 상품을 구입하기; (c) 수입의 양이나 가치를 어떤 의미에서든지 수출의 양이나 가치, 혹은 그 투자와 관련된 외환거래 유입량과 연결하기; (d) 영토 내의 투자가 제공하는 상품이나 서비스의 판매를 어떤 의미에서든지 수출 혹은 외환거래 소득의 양과 가치와 연결함으로써 제한하기; (e) 수출을 제한하기.[16]

(3) 유의 사항

위 제1절 제2-6조(이행요건 부과금지 원칙) 2항의 그 어떤 내용도 당사자가 받는 이점을 영토 내의 투자와 연결함으로써 제한할 목적으로 해석되어서는 아니 되며, 생산을 시작하고 서비스를 제공하고 노동자를 훈련시키거나 고용하고 특정한 시설을 건립하거나 확장하고 혹은 연구와 영토 내의 성장을 달성하기 위한 요건을 준수해야 한다.[17]

한편, 제2-6조 1항 (f)는 요건, 협정 혹은 약속이 법정, 행정법원, 혹은 경쟁

---

15) *Ibid.*, Art. 2-6(Performance Requirements) 1.
16) *Ibid.*, Art. 2-6(Performance Requirements) 2.
17) *Ibid.*, Art. 2-6(Performance Requirements) 3.

당국에 의해 경쟁법 위반으로 구제되도록 강제된 경우에는 적용되지 아니한다.18)

또한 제2-6조 1항 (a), (b), (c)와 2항 (a), (b)는 수출 촉진과 대외원조계획의 참여에 대한 상품이나 서비스의 자격요건에는 적용되지 않으며,19) 당사자 혹은 국영기업에 의해 상업적 재판매 목적 혹은 상품과 서비스의 공급을 상업적 판매에 사용하기 위한 목적이 아닌, 정부 목적으로 구매된 상품과 서비스의 조달에는 적용되지 않는다.20) 그리고 보다 명확하게 적시하면, 2항 (a), (b)는 특혜관세 혹은 특혜할당량에 부합되기 위한 필수적인 상품의 내용과 관련된 수입 당사자의 요건에는 적용되지 아니한다.21)

마지막으로 제2-6조 6항에 따라 본 협정의 유보 및 예외(Reservations and Exceptions)에 관한 제2-7조의 규정에도 불구하고, 당사자는 WTO 협정하의 의무와 상반된 조치는 당사자에 의해 계획된 것이라 해도 부과하거나 유지해서는 아니 된다.22)

7. 유보 및 예외

'내국민대우, 최혜국대우, 고위경영자 국적의무 부과금지, 이행요건 부과금지'는 아래의 경우에는 적용되지 아니 한다: (a) 다음과 같은 수준의 당사자, 즉 (i) 부속서 I에서 규정된 EU, (ii) 부속서 I에서 당사자에 의해 규정된 중앙정부 (national government), (iii) 부속서 I에서 당사자에 의해 규정된 지역정부(regional government), (iv) 지방정부(local government)가 유지하는 모든 '기존'의 비합치조치 (non-conforming measure); (b) 위의 (a)에서 언급된 규범에 위반되는 모든 기존의 비합치조치의 신속한 갱신; (c) 위의 (a)에서 언급된 규범에 위반되는 모든 기존의 비합치조치의 개정. 여기에서의 개정은 조치의 순응을 감소시키지 않는 범위 안에 시행되어야 한다.23)24)25)

---

18) *Ibid.*, Art. 2-6(Performance Requirements) 4.
19) *Ibid.*, Art. 2-6(Performance Requirements) 5(a).
20) *Ibid.*, Art. 2-6(Performance Requirements) 5(b).
21) *Ibid.*, Art. 2-6(Performance Requirements) 5(c).
22) *Ibid.*, Art. 2-6(Performance Requirements) 6.
23) *Ibid.*, Art. 2-7(Reservations and Exceptions) 1.
24) 한편 '내국민대우'에도 불구하고, 당사자는 부속서 I과 부속서 II에 모순되지 않는 기업운영에 영향을 미치는 모든 조치를 채택하거나 유지할 수 있다. 이러한 조치는 다음과 같다.

8. 검토

투자 조건을 점진적으로 자유화하기 위하여 당사자들은 본 협정 발효 후 수년 이후, 그리고 그 이후에는 정규적으로 투자규범체계 및 투자환경을 다른 국제투자협정상의 약속들과 일관성을 갖도록 검토해야 한다. 이러한 검토에 있어서, 당사자는 모든 장애에 대해 평가를 내릴 수 있으며, 이러한 검토의 결과로 본 협정에 의해 향후 조직된 기관은 관련 부속서, 특정한 약속들 및 유보에 대한 개정을 결정할 수 있다.26)

제 4 절 투자 보호

1. 특별 개념 정의

TTIP 제 2 장 제 2 절(투자 보호)은 투자 보호에 관하여 규정하기에 앞서 투자보호와 관련된 특별한 개념 정의를 하고 있다.

첫째, '적용대상투자'(covered investment)란 본 협정이 발효되기 이전 또는 이후에 준거법에 따르는 상대방의 영토에 있는 투자자가 '직접적으로' 또는 '간접적으로' 소유(owned)하거나 통제(controlled)하는 투자를 의미한다.

둘째, '투자'(investment)란 투자적 성질을 가지는 모든 종류의 자산을 말하며, 이는 자본이나 기타 재원의 제공 확약, 획득이나 이익에 대한 기대, 위험 감수와 같은 특성들과 일정한 기간을 포함한다. 투자의 형태에는 아래와 같은 내용을 포함한다: a) 기업; b) 주식, 증권 및 기업에 참여하는 기타 이와 동등한 형태; c)

(a) 본 협정 발효 전에 채택된 조치, (b) (a)에 언급된 본 협정 발효 후에 지속되거나 재개되거나 개정된 조치. 이러한 지속, 대체, 개정 후의 조치는 일관성이 있어야 함, (c) 본 협정 발효 이후에 채택된 부속서 Ⅱ에서 다루어진 조치. *Ibid.,* Art. 2-7(Reservations and Exceptions) 3.

25) 한편 '시장접근'은 다음의 경우에는 적용되지 아니한다. (a) 지방정부 차원에서 당사자가 유지하는 기존의 모든 조치, 모든 기존의 비합치조치의 신속한 갱신, 혹은 조치의 순응을 감소시키지 않는 수준의 개정, (b) 부속서 Ⅱ에 정의되었듯 약속된 구역에 대해 당사자가 채택하거나 유지하는 모든 조치. *Ibid.,* Art. 2-7(Reservations and Exceptions) 4.

26) *Ibid.,* Art. 2-8(Review) 1-2.

채권 및 기업에 대한 기타 채무증서; d) 기업에 대한 대출; e) 기타 종류의 기업에 대한 이권(이해); f) 다음에서 발생하는 이익, 즉 i) 국내법 혹은 계약 하에 주어진 이권으로서 이는 천연자원의 경작, 추출 또는 이용을 포함함, ii) 완성품 인도, 건설, 생산, 또는 수입공유계약, iii) 다른 유사 계약; g) 지식재산권; h) 그 밖의 동산, 유형 혹은 무형의 부동산 및 이와 관련된 권리; i) 대금청구, 계약의 이행청구. 보다 명확히 표현하면 '대금청구'(claims to money)란 오직 한 영토 내의 기업 혹은 자연인이 다른 영토 내의 기업 혹은 자연인에 의해 행해지는 물건이나 서비스의 판매를 위한 상업적 계약만을 의미하는 것이 아니라, 그러한 계약들의 국내 금융, 이와 관련한 어떠한 명령과 판결 혹은 중재판정을 포함한다. 그리고 투자 혹은 재투자된 자산의 형식에 관한 어떠한 변경도 그 투자로서의 자격에는 영향을 주지 않는다.

셋째, '자유교환가능통화'(freely convertible currency)란 국제외환시장에서 널리 거래되고 국제거래에서 널리 사용되는 교환성 통화를 의미한다.

넷째, '이익'(returns)'이란 투자, 재투자에서 파생되거나 산출된 모든 총합으로서 수익, 배당금, 자본이익, 로열티, 이자, 지적재산권과 관련된 지불, 현물 지불, 다른 모든 합법적 소득을 포함한다.

2. 적용 범위

이 제 2 절(투자 보호)은 ① '적용대상투자'(covered investments) 및 ② 적용대상투자의 실행에 영향을 미치는 일체의 취급을 받는 적용대상투자에 있어서의 당사자의 '투자자'(investors)에 적용된다.27) 한편 이 제 2 절은 '합법적인 정책 목적'(legitimate policy objectives)의 달성을 위하여 공중보건, 안전, 환경보호, 공중도덕, 사회 또는 소비자보호 또는 문화적 다양성 증진과 보호에 필요한 조치를 취하는 양 당사자들의 영토 내의 '규제권리'에는 영향을 주지 아니한다.28)

---

27) TTIP(Proposal), Chapter Ⅱ Investment, Section 2 Investment protection Art. 1(Scope).
28) *Ibid.*, Art. 2(Investment and regulatory measures/objectives) 1.

3. 투자자와 적용대상투자의 대우

(1) 공정하고 공평한 대우

각 당사자는 자신의 영토 내에서 상대방의 관련 투자 및 투자자의 '공정하고 공평한 대우'(fair and equitable treatment: FET), '완전한 보호 및 안전'(full protection and security)을 보장해야 한다.29) 그리고 이 원칙에 대한 보다 구체적인 내용을 설명하면, 만일 당사자가 다음과 같은 조치를 취하는 경우에는 '공정하고 공평한 대우'에 대한 의무의 위반이 된다: (a) 민사상, 형사상, 행정상 재판절차의 거부; (b) 사법절차와 행정절차상 효과적인 재판접근의 장애 및 투명성에 대한 근본적 위반을 포함하는 '적법 절차'(due process)의 근본적 위반; (c) 현저한 자의성(manifest arbitrariness) 또는 독단; (d) 성별, 인종, 종교와 같은 명백히 부당한 이유에 의한 차별; (e) 학대, 강박, 권력 남용, 또는 유사 배반행위.30)

한편 당사자는 상대방의 요청에 따라 '공정하고 공평한 대우'의 제공의무의 내용에 대하여 검토하여야 한다. 이와 관련하여 설치되는 서비스 및 투자 관련 소관 위원회는 권고안을 개발할 수 있으며, 이는 설치되는 무역 관련 소관 위원회에 제출된다.31)

그리고 재판부(tribunal)는 '공정하고 공평한 대우'의 의무의 적용 시에 당사자가 투자자에게 정당한 기대(legitimate expectation)를 성립시키는 관련 투자를 개시하는 특정 표현(specific representation)을 하였으며, 당사자가 차후에 좌절시킨 것이 아닌 투자자가 그에 의존하여 관련 투자를 하였거나 유지하였는지의 여부를 고려해야 한다.32)

(2) 완전한 보호 및 안전

'완전한 보호 및 안전'의 보장은 투자자와 관련 투자에 대한 물리적 안전 (physical security)에 관한 당사자의 의무를 의미한다.33)

---

29) *Ibid.*, Art. 3(Treatment of Investors and of covered investments) 1.
30) *Ibid.*, Art. 3(Treatment of Investors and of covered investments) 2.
31) *Ibid.*, Art. 3(Treatment of Investors and of covered investments) 3.
32) *Ibid.*, Art. 3(Treatment of Investors and of covered investments) 4.
33) *Ibid.*, Art. 3(Treatment of Investors and of covered investments) 5.

4. 손실 보상

당사자 투자자의 관련 투자가 '전쟁이나 기타 무력 충돌, 다른 당사국의 혁
명, 국가 비상사태나 폭동이나 반란'으로 인하여 손실을 입은 경우에 배상, 보상
또는 기타 형태의 해결방식에 있어서 다른 당사자 '자국민의 투자자' 또는 '비당
사국의 투자자'에게 부여된 것보다 불리하지 않은 대우(treatment no less favourable)
를 해야 한다.[34] 그리고 이러한 상대방의 영토 내에서 손실의 배상이나 보상은
신속(prompt)하고, 적절(adequate)하며, 효과적(effective)으로 행해져야 한다.[35]

5. 수용

당사자는 국유화(nationalisation) 또는 수용(expropriation)(이하 '수용'으로 지칭)과
동등한 효과를 갖는 조치를 통하여 '간접적이든' 또는 '직접적이든' 관련 투자를
국유화하거나 수용해서는 아니 된다. 다만, 다음과 같은 경우에는 예외가 인정된
다: (a) 공공목적(public purpose)을 위하는 경우; (b) 법적 절차 하에서 이루어지는
경우; (c) 비차별적인 방법에 의하는 경우; (d) 신속하고, 적절하며, 효과적인 보상
의 지급에 대한 경우.[36]

한편 허용되는 '수용'에 대한 보다 명확한 해석은 아래와 같이 '수용에 관한
부속서 I'(Annex I: expropriation)에 의한다.

(1) 직접수용과 간접수용

동 부속서 I의 1항에 따라 수용은 직접수용(direct expropriation) 또는 간접수용
(indirect expropriation)을 구별하여 인정하고 있다. 즉 a) '직접수용'은 투자가 국유
화되거나 소유권의 공식적 이전(formal transfer of title) 또는 전면압수(outright
seizure)를 통한 직접적 수용 시 발생한다.[37] 그리고 b) '간접수용'은 소유권의 공

---

34) *Ibid.*, Art. 4(Compensation for losses) 1.
35) *Ibid.*, Art. 4(Compensation for losses) 2.
36) 이에 대한 보다 명확한 해석은 '수용에 관한 부속서 I'(Annex I: expropriation)에 의한다.
    Ibid., Art. 5(Expropriation) 1-2.
37) TTIP(Proposal), Chapter II Investment, Section 2 Investment protection, Annex I:
    expropriation, para.1 (a).

식적 이전 또는 전면압수가 없이 해당 투자의 이용, 향유, 처분할 권리를 포함하여 해당 투자상의 기본적인 재산 기여를 투자자에게서 실질적으로 박탈하는 것으로서 직접수용과 동등한 효과를 갖는 당사자의 조치에 의해 발생한다.[38]

(2) 간접수용 및 예외

각 사건마다(case-by-case) 구체적인 실제상황에 따라 당사자의 조치가 간접수용을 구성하는지 여부가 결정되는데, 이 간접수용은 아래의 요소를 고려한 개별적인 사실에 근거한 조사가 필요하다: a) 비록 당사자의 조치가 투자의 '경제적 가치'(economic value)에 악영향(adverse effect)을 미치는 유일한 사실로서 간접수용을 성립시키지 못할지라도 해당 조치로 인한 '경제적 영향'(economic impact)의 발생; b) 당사자 조치의 기간(duration); c) 당사자 조치의 특성(character), 특히 그 취지(object)와 내용(content).[39]

그런데 당사자의 조치의 영향이 명백하게 과도한 목적에 비추어 볼 때 너무나도 지나친 예외적 상황의 경우를 제외하고는 공중보건(public health), 안전(safety) 및 환경(environment)의 보호, 또는 공중도덕(public morals), 사회(social) 및 소비자(consumer) 보호, 문화다양성(cultural diversity)의 보호와 증진과 같은 '합법적 정책 목적들'(legitimate policy objectives)을 보호하기 위해 입안되어 적용되는 당사자의 '비차별적 조치'(non-discriminatory measures)는 간접수용에 해당되지 아니한다.[40][41][42]

---

38) *Ibid.*, Annex I: expropriation, para.1 (b).
39) *Ibid.*, Annex I: expropriation, para.2.
40) *Ibid.*, Annex I: expropriation, para.3.
41) 그런데 이와 관련된 간접수용의 참조 사례로 *Metalclad v. Mexico Case*를 들 수 있는데, 이 사건은 미국 델라웨어 주 법에 의거하여 설립된 미국 기업 폐기물처리회사 Metalclad Corporation이 '자사'가 멕시코에 투자하여 진행 중이던 '유독성 폐기물 매립지 개발과 운영'의 진행을 방해하였다는 이유로 북미자유무역협정(NAFTA) 제11장에 근거하여 멕시코 정부를 상대로 제소한 사건이다. Metalclad는 멕시코 San Luis Potosi주 Guadlcazar시 멕시코회사가 운영하던 위험폐기물처리장을 취득하였는데, 이 폐기물처리장의 운영을 위해서는 멕시코 연방정부의 많은 승인절차를 거쳐야 했고 그러한 승인은 이미 받은 상태였다. 그러나 추후 San Luis Potosi주 정부는 Metalclad가 폐기물처리시설을 다시 운영하려고 했을 때 운영허가를 거부하였고, 그 이유는 환경영향평가실시의 결과 동 시설이 지방하천 수질오염의 원인이 된다는 것이었고, 주지사는 폐기물처리장의 폐쇄를 명령하고 해당지역을 희귀 선인장서식지로 희귀동식물보호구역으로 지정하였다. Metalclad는 주지사의 이러한 행위가 '(간접)수용'에 해당한다고 주장하면서 90,000,000 달러의 손실보상을 주장하였다.

(3) 보상

이러한 허용되는 수용에 대한 보상(compensation)은 일반 대중이 알게 되는 수용의 즉각적인 시점에 해당 투자의 '공정한 시장 가치'(fair market value)를 반영해야 하며, 수용일자로부터 지불일자까지의 '시중금리'를 포함한다.[43] 그리고 이

Metalclad는 1997년 1월 2일 국제투자분쟁해결센터(ICSID)에 중재를 요청하였고, NAFTA 제1120조에 따라 ICSID 추가절차규칙(Additional Facility Rules: AFR)에 의한 중재를 요청하였다. ICSID 중재판정부는 양 당사자들의 동의에 의해 캐나다 브리티시컬럼비아 주 벤쿠버를 중재지로 정하였다.

Metalclad는 멕시코 정부의 행위가 투자자에 대한 '공정하고 공평한 대우(FET)'를 규정한 NAFTA 제1105조, '투자자를 수용 또는 국유화 조치로부터 보호하는 규정인 NAFTA 제1110조에 위반된다고 주장한 반면, 멕시코 정부는 이를 부인하였다. 결국, 중요한 것은 멕시코 정부의 행위가 무엇이며, 이러한 행위가 어떠한 성질을 갖는지가 판정의 핵심이 되었다. ICSID 중재판정부는 2000년 8월 30일 판정하여 멕시코 정부가 NAFTA 제1105조 및 1110조를 위반하였다고 판정하며 멕시코 정부는 Metalclad에 16,685,000 달러를 지불(손실보상)하라고 판정하였다. 정하명, 「북미자유무역협정에서의 간접수용」(경북대학교출판부, 2010), p. 137; 박덕영 외,「국제투자법」(박영사, 2012), p. 475.

42) 그런데 상기 *Metalclad v. Mexico Case*에서 ICSID 중재판정부가 투자자의 기대를 지나치게 보호하고 투자유치국의 환경보호 문제를 경시한 것은 아닌가 하는 비판이 제기되었다. 미국의 '규제적 수용'에서도 전통적으로 재산의 모든 가치가 떨어진 경우에 손실보상을 인정하는데, 동 사건에서는 재산의 상업적 가치가 일부 손상된 경우에도 손실보상을 요하는 것으로 보아 재산의 가치감소만으로는 수용을 증명하기 불충분하다는 미국의 '규제적 수용' 법리와도 불일치하는 문제가 있다. 그런데 동 사건에 의해 미국에서 규제적 수용의 경우로 보았던 토지이용규제나 환경규제에 대해 NAFTA를 이용하여 손실보상을 청구할 수 있는 길이 열렸다고 평가할 수도 있다.

한편 동 사건은 '간접수용'을 NAFTA 체계에서 다룬 최초의 사건으로 간접수용의 정의를 비교적 명확하게 제시하였다는 데에 의의가 있다. 본 중재판정부는 NAFTA 협정에서 규정하고 있는 '수용'이 몰수와 같이 '공개적, 의도적'인 재산의 수용 행위뿐만 아니라 재산의 이용에 대하여 은밀하게 시행되는 '부수적 간섭행위'도 포함된다고 정의함으로써 간접수용의 의미를 확인하였다. 이러한 중재판정부의 입장은 간접수용과 관련된 국제법정의 입장을 NAFTA 맥락에서 확인한 것이라 할 수 있다. 그런데 본 사건에서 멕시코 정부의 행위가 간접수용으로 인정될 것인지의 여부에 대해서는 회의적인 견해도 있다. 즉 해당 토지를 유해폐기물의 매립지로는 사용할 수 없지만 다른 용도로 사용할 수 있으므로 '경제적 효과'가 '상당히' 침해되었다고 보기는 어렵다는 것이다. 이 경우 경제적 재산가치의 완전한 박탈에는 해당하지 않고 재산의 물리적 침해나 양도권의 침해도 발생하지 않았기 때문이다. 이 사건은 NAFTA에서 인정하는 간접수용의 범위가 미국법원에서 인정하는 '규제적 수용'보다 넓은 것이 아닌가 하는 분석의 대상이 되었다. 미국법원에서보다도 NAFTA에서 투자 및 투자자 보호의 보장을 더 강화하고 있는 사례로 볼 수 있으며, 이는 국제사회의 개방적 측면에서 볼 때 하나의 현상(추세)으로 FTA에서는 투자 및 투자자 보호에 보다 심혈을 기울이고 있는 것으로 보인다. 정하명, *supra* note 41, p. 138; 서철원, "한미자유무역협정과 NAFTA의 투자보호조항 비교분석",「국제법학회논총」제53권 제1호(2008.4), p. 111 참조.

43) TTIP(Proposal), Chapter Ⅱ Investment, Section 2 Investment protection, Art. 5

러한 보상은 지체 없이 자유롭게 양도(freely transferable)할 수 있고, 효과적으로 실현될 수(effectively realisable) 있어야 한다.[44] 수용에 의하여 영향을 받은 '투자자'는 관련 당사자의 수용법 하에서, 이러한 수용에 관한 규정상 명시된 원칙을 준수하는 당사자의 사법당국 또는 기타 독립된 관할당국에 의한 해당 '투자의 권리 주장 및 투자의 가치'에 관한 신속한 검토를 위한 권리를 가진다.[45] 한편, 이러한 수용에 관한 조항은 지식재산권(intellectual property rights)과 관련하여 부여되는 강제실시권(compulsory licenses)의 발포에는 적용되지 않으며, 이는 WTO협정 부속서 1C의 TRIPs협정에 따라 그 발포의 내용이 결정된다.[46] 보다 명확하게 말하면, TTIP 지식재산 챕터 및 TRIPs 상의 지식재산권의 취소, 제한, 창출에 관한 권리들은 수용에 해당하지 아니한다. 또한 TRIPs 또는 TTIP 지식재산 챕터와 상반되는 행위의 결정이 있다 해도, 이로써 수용이 성립되지 아니한다.[47]

6. 혜택의 부인

당사자는 '비당사자의 투자자'가 해당 기업을 소유하거나 통제하는 경우 등과 같은 투자자의 투자의 경우에 타방 당사자의 투자자에게 부여되는 혜택을 부인할 수 있다. 이는 국적규정이 유리한 곳에 명목상으로 법인을 설치하거나 또는 투자 분쟁이 발생하는 경우 좀 더 유리한 분쟁해결방식이 적용될 수 있는 국가의 국적을 선택하기 위한 '국적계획'이나 '조약쇼핑'에 대응하기 위한 것이라 할 수 있다.

제 5 절 투자법원제도(ICS) 도입

1. 개관

투자자-국가 간 분쟁해결(Investor-to-State Dispute Settlement: ISDS)을 위한

(Expropriation) 3.
44) *Ibid.*, Art. 5(Expropriation) 4.
45) *Ibid.*, Art. 5(Expropriation) 5.
46) *Ibid.*, Art. 5(Expropriation) 6.
47) *Ibid.*, Art. 5(Expropriation) 7.

메커니즘으로 일반 '사법재판'보다 그동안 '중재판정'을 선호해 왔고,[48] 이에는 여러 가지 이유가 있었다.[49] 그럼에도 불구하고 오늘날 ISDS상 중재판정에 대하여 특히 경제적 약소국들이 문제를 제기하며 비판을 하고 있다.[50] 이에 여기에서는 기존 중재재판에 대한 장단점에 대한 이해를 전제로 TTIP 협상에서 논의된 '투자법원제도'(Investment Court System: ICS) 설립 시도를 통하여[51] 기존의 투자분쟁해결 방식에 대한 이해를 제고하고자 한다. 이를 위하여 2013년 7월 17일 EU의 대표인 집행위원회(European Commission)가 협상하기로 개시를 결정한[52] TTIP 협상에 관하여 2015년 5월 5일에 EU 통상담당 집행위원인 Cecilia Malmstrom이 발표한 '투자보호 및 ISDS에 대한 EU 집행위원회의 일반적인 입장 표명'으로서 구상서

48) 'ISDS'를 위하여 일반적으로 ICSID 중재(국제투자분쟁해결센터(International Centre for Settlement of Investment Disputes)), UNCITRAL 중재(UN국제상거래법위원회(United Nations Commission on International Trade Law)), SCC 중재(스톡홀름상업회의소(Stockholm Chamber of Commerce)), ICC 중재(국제상공회의소(International Chamber of Commerce)) 등이 선택되어 왔다.

49) 기존 ISDS의 장점에는 ① 우선 분쟁의 탈정치화로서 국내법원에 맡기는 경우 각종 국내 이익단체나 정부로부터 자유로울 수 없으며 투자유치국의 입장에서 판결을 내릴 가능성이 있다는 비판을 받을 수 있으나, 'ICSID 중재' 및 기타 '중재기관'을 통한 분쟁해결은 이러한 선입견에서 탈피하여 보다 공정하고 합리적인 판단을 기대할 수 있었고, 경제적 강대국의 투자자를 상대로 '제3자인 중재판정'에 분쟁해결을 맡기는 경우 '약소국'이 강대국의 압력에서 벗어날 가능성이 있었다. ② 그리고 분쟁해결의 전문성의 확보로서 국내법원과 달리 중재재판은 해당 분야의 전문가들로 구성된 중재인들을 '선임'할 수 있기 때문에, 보다 정확하고 전문적인 판정을 기대할 수 있다. ③ 또한 유연성의 확보로서 ISDS의 경우 분쟁당사자들의 합의에 의해 재판 기간을 결정할 수 있고, 재판절차에 대하여 합의 하에 유연하게 진행할 수 있으며, 합의 하에 비공개로 중재 심리를 진행할 수 있다. 그런데 이는 장점이자 또한 단점으로서 평가될 수 있다. 박덕영 외, *supra* note 41, pp. 16-17 참조.

50) 기존 ISDS의 단점에는 ① 우선 실제로는 당사국의 동의하에 이루어지기 때문에 사법주권의 자제 또는 재판관할권의 자제 차원으로 이해되기는 하나 사법주권의 침해가 있다. ② 그리고 국가의 규제 위축으로서 ISD가 증가하면서 정부의 공공정책을 위한 공공조치, 예를 들면 환경보호조치 등 공공이익을 구현하기 위한 여러 행위가 심각하게 위축될 가능성이 있다. 정부의 정당한 행위(조치)마저 제대로 이행할 수 없는 '규제 위축'(regulatory chill)의 효과가 나타날 가능성이 있다. *Ibid.*, pp.17~18 참조; '규제 위축'과 관련해서는 Kate Miles, *The Origins of International Investment Law* (Cambridge Univ. Press, 2013), pp. 178-187 참조.

51) 이와 관련된 주요 내용은 김두수, "범대서양무역투자동반자협정(TTIP) 협상과 투자법원제도(ICS)", 「국제법 동향과 실무」 통권 제40호(2016.3), pp.27-33을 참조.

52) EU의 일반적 조약체결 절차는 EU운영조약(Treaty on the Functioning of the European Union: TFEU) 제218조(구 EC조약 제300조의 개정)에 따라 이사회(Council)가 협상 개시를 결정하면, 집행위원회가 EU 대표자로서 협상을 진행하고, 추후 타결안에 대하여 유럽의회가 승인한다. 또한 국제협정체결 협상 중간에 집행위원회는 유럽의회에 보고하여 도움을 받도록 하고 있다. 김두수, 「EU법론」(한국학술정보, 2007), p. 341.

(Concept Paper)인 "Investment in TTIP and beyond — the path for reform"(부제: Enhancing the right to regulate and moving from current ad hoc arbitration towards an Investment Court), 동년 9월 16일에 집행위원회가 투자법원제도(ICS) 설립에 관하여 발표한 초안 "Draft text on Investment Protection and Investment Court System in the Transatlantic Trade and Investment Partnership (TTIP)", 동년 11월 12일 집행위원회가 투자법원제도(ICS) 설립에 관하여 제시한 최종안 "EU final proposal for investment protection and Court System for TTIP" 등에서 중점적으로 다루어진 EU의 투자법원제도(ICS) 설립 제안을 중심으로 검토하여 기존 ISDS에 대한 투자분쟁해결절차 개선에 관하여 살펴본다.

2. 구상서(Concept Paper): 투자보호 및 ISDS에 관한 EU 집행위원회 입장 공개

2015년 5월 5일에 EU 집행위원회의 통상담당 집행위원 Cecilia Malmstrom은 TTIP 협상에 있어서의 '투자보호' 및 '투자자─국가 간 분쟁해결'(ISDS)과 관련하여, TTIP 협상을 통한 동 분야 '개혁'(reform)의 중요성을 강조하면서, 이에 대한 집행위원회의 구체적인 입장으로서의 구상서(Concept Paper)를 공개하였다. 그 주된 논의는 ① 정부의 규제 권한 보호, ② 중재판정부의 설립과 기능에 관한 일반사항, ③ 일심제 ISDS에 대한 상소 메커니즘의 필요, ④ 국내구제절차와 ISDS의 관계 등 4개 분야를 중심으로 하였으며, 향후 이를 EU의 대외 통상협상[53]에서도 추가적으로 개선하고자 방향을 제시하였다.[54] 또한 ⑤ 장기 과제로 상소기구를 포함한 투자 부문의 다자간 '상설 국제투자법원'(permanent international investment court)을 설립하는 방안을 추후 추진할 것을 제시하였다.[55]

이러한 EU의 투자정책 개혁(reform)의 핵심 도전은 국제투자법의 전통적인 목적인 '투자의 보호 및 장려'라는 본래의 목적을 유지하면서도, 동시에 EU 및 회

---

53) WTO체제제상 EU의 공동통상정책(Common Commercial Policy: CCP)에 관한 상세한 내용에 관하여는 김두수, *supra* note 1, pp. 284─289 참조.

54) Concept Paper : Investment in TTIP and beyond — the path for reform — Enhancing the right to regulate and moving from current ad hoc arbitration towards an Investment Court(5, May 2015), p. 3.

55) *Ibid.*, p. 4.

원국 정부의 '공공정책'(public policies) 추진 목적을 위한 정부의 정당한 '규제 권한'(right to regulate)을 저해하지 않는 것이다.56) 아래는 4대 정책 분야에 관한 EU 집행위원회의 입장 및 장기 과제로서의 상설 국제투자법원 설립 계획의 상세 내용이다. 이는 TTIP협상에서 EU측의 투자보호 및 ISDS 관련 제안에 포함되어야 할 추가 개선사항의 핵심 내용으로 당시 내용을 정리하면 다음과 같다.

(1) 규제 권한(right to regulate)

투자분쟁시 ISDS의 '주권(정부의 규제 권한) 침해' 가능성에 대한 우려를 제거할 필요가 있다. 정부가 공공정책 목적을 달성하기 위한 정당한 조치를 취할 수 있는 '권한을 보유'하고 있음을 구체적인 조항(an operational provision(an article))으로 명시하고, 투자협정이 정부의 국가보조금 지급 중단 또는 기지급된 국가보조금에 대한 환급 요청을 하는 것을 저해하지 않는다는 조항을 도입할 필요가 있다는 것이다.57) 집행위원회는 금지된 국가보조금의 지급 중단 결정이 '공정하고 공평한 대우(FET)'의 위반을 구성한다는 중재판정부의 최근 판정에 대해서 부정적으로 평가하였다.58)

---

56) EU는 이미 캐나다 및 싱가포르와의 통상협상을 통해 투자보호 분야에서 상당한 개선을 이루어 왔다. 그간의 이러한 노력의 결과로는 ① 공중보건, 안전, 환경, 공중도덕, 문화다양성의 보호와 증진 등에 관한 '정부의 규제권한'에 대해서 통상협정문 서문에 명시, ② 분쟁의 발생을 사전에 차단하여 그 남용을 방지하기 위한 '공정하고 공평한 대우'(FET) 및 간접수용(indirect expropriation)의 개념 정의의 명확화, ③ ISDS 제소를 위한 최상의 협정을 찾는 Forum shopping 및 페이퍼 컴퍼니 수혜 방지, ④ 투명성(transparency)에 관한 UNCITRAL 규칙에 근거하여 당사자들이 제출한 문건 및 중재판정의 공개, 모든 구두절차의 공개, 이해당사자(NGOs, trade Unions)의 서면제출 등 중재판정 과정의 '완전하고 의무적인 투명성'(full and mandatory transparency) 원칙 도입, ⑤ 법규(rules)에 대한 최종 해석 권한을 중재자(arbitrators)가 아닌 '정부'에 부여하고 이러한 해석에 대하여 ISDS 중재판정부는 존중할 의무가 있음, ⑥ 중재재판관의 윤리적 및 전문적 행위규범(code of conduct) 규정, ⑦ 근거가 빈약한 제소(unfounded claims)의 조기 각하(early dismissal), ⑧ 패소자 비용 부담 원칙(loser pays principle)의 도입으로 ISDS 제소 전 투자자의 재고 기회 부여, ⑨ 상소 메커니즘(appeals mechanism)의 향후 도입 가능성 규정, ⑩ ISDS 제소시 투자자의 국내법원을 통한 국내구제절차와의 동시 진행 금지(투자자의 ISDS 제소시 국내법원을 통한 국내절차 종료 의무화)가 있다. *Ibid.*, pp. 2-3.

57) *Ibid.*, p. 6.

58) *Ibid.*, p. 5.

(2) 중재판정부의 설립과 기능(Improving the establishment and functioning of arbitral tribunals in order to increase legitimacy of the ISDS system)

중재재판관이 당사자에 의해 선택됨에 따른 유착(link) 가능성 등에 대한 대안이 필요하다. 모든 중재재판관이 협정 당사자에 의해 미리 수립된 중재재판관 명부(roster)에서 선택되도록 의무화하고, 중재재판관의 관련 자격 보유 및 국제법 관련 전문지식 등의 자격요건을 제시하며, 법정 조언(amicus curiae)의 수용 가능성 및 분쟁 결과에 직·간접적으로 영향을 받는 제3자의 개입을 보장할 필요가 있다.59)

(3) 상소 메커니즘(Appellate Mechanism)

1심으로 종료되는 중재판정의 오류에 대한 정정 기회의 상실에 대한 대안이 필요하다. 이에 ISDS에서 '상소 메커니즘'이 포함되어야 하며, 그 역할과 구성 및 운영에 관하여 규정할 필요가 있다. 이 상소기구는 법률 해석의 오류 및 사실관계 평가에 있어서의 명백한 오류에 대한 재검토를 하여 TTIP에 관한 법적 해석의 일관성을 보장한다. 그리고 이 상소기구가 독립성(independence), 공정성(impartiality) 및 예측가능성(predictability)을 갖추도록 제도화되어야 한다. 또한 이 상소기구는 WTO 분쟁해결양해(Understanding on Rules and Procedures Governing the Settlement of Disputes: DSU)상의 상소기구(Appellate Body)를 모델로 삼아 7인의 상임위원(EU와 미국 양 당사자 각각 2인, 제3자 3인)으로 구성될 수 있다.60)61)

---

59) *Ibid.*, pp. 7-8.
60) *Ibid.*, p. 9.
61) ICSID에는 불충분(deficient)하거나 오류(wrong)가 있는 판정에 대하여 수정하거나 또는 취소할 수 있는 상소기구(appellate body)가 없다. 이는 ICSID의 조직운영상의 중요한 문제(institutional problem)로 지적되기도 하며, ICSID 판정에 대한 취소가 매우 제한적(extreme limited)인 것으로 ICSID가 분명히 과도한 권한(manifest excess of powers)을 갖고 있다고 볼 수도 있다. Tullio Treves, Francesco Seatzu and Seline Trevisanut, *Foreign Investment, International Law and Common Concerns*(Routledge, 2014), pp.80-81; 김상찬, "ICSID 중재판정 취소제도", 「중재연구」 제25권 제2호(2015.6), p. 79.

(4) 국내구제절차와 ISDS의 관계(Addressing the relationship between ISDS and Domestic courts)

투자분쟁에 대한 이중적인 구제절차 진행으로 인한 이중 보상(double compensation) 등의 가능성을 제거할 필요가 있다. 이를 위해서는 ① 법적 구제절차 개시 초기 단계에서 ISDS 및 국내법원 중 하나를 선택하는 방식(fork-in-the road),[62] ② ISDS 절차를 개시하면 국내법원에의 제소 권한을 포기하도록 요청하는 방식(no u-turn)이 있는데, 둘 중 하나 또는 둘 다 도입이 가능하다.[63]

그리고 EU법질서와 ISDS 간의 양립성(compatibility)을 보장하기 위하여, ① 국내법의 적용은 ISDS 중재판정부의 관할권에 속하지 않으며, ② 국내법은 ISDS 중재판정부에 있어서 사실문제(matter of fact)로서만 고려되며, ③ ISDS 중재판정부의 국내법에 대한 해석은 국내법원에 구속적이지 않음을 확인하도록 한다.[64]

(5) 장기 추진 방향(TTIP and Beyond - Steps towards a multilateral system)

EU 집행위원회는 장기적으로 ISDS에 관한 다자간 제도 수립을 의도하고 있으며, 다음의 2가지 분야를 중심으로 추가 개발이 필요하다.

첫째, 양자간 상소 메커니즘(appellate mechanism)을 TTIP 뿐만 아니라 모든 EU의 무역·투자 협상에의 표준적 요소(standard feature)로 포함시켜, 상임 재판관(tenured judge)을 보유한 상소 메커니즘을 (opt-in system 방식을 활용하여) 다자적 형태로 적용하는 방법을 고려한다. 둘째, 중재재판관의 '고정 명부'(fixed list of arbitrators)의 작성은 ISDS 절차를 상설법원(permanent court)화하는 것을 더욱 용이하게 할 것으로 기대된다.

이에 따라 EU는 단일 상설투자법원의 창설을 추구할 것이며, 향후 이 상설투자법원은 다양한 당사자들 간의 다양한 투자 관련 협정들에 'opt-in' 방식으로

---

62) Rudolf Dolzer and Christoph Schreuer, *Principles of International Investment Law*(Oxford Univ. Press, 2012), p. 267 참조.

63) Concept Paper : Investment in TTIP and beyond - the path for reform - Enhancing the right to regulate and moving from current ad hoc arbitration towards an Investment Court(5, May 2015), pp. 10-11.

64) *Ibid.*, p. 11.

적용될 수 있을 것이다.65)

3. 투자법원제도(ICS) 설립에 관한 초안

2015년 9월 16일, EU 집행위원회는 TTIP 협상에서의 ISDS를 위한 새로운 '투자법원제도'(ICS)의 창설에 대하여 EU 차원에서 승인하였음을 발표하였으며, 이러한 "투자법원제도(ICS) 설립에 관한 초안"(Draft text on Investment Protection and Investment Court System in the Transatlantic Trade and Investment Partnership (TTIP))의 발표로서 2013년 2월 12일 미국의 제안으로 시작된 TTIP협상이 타결 목표 아래 양자 간의 투자분쟁해결 방안에 대한 구체적인 논의가 진행되고 있음을 알렸다.

즉 EU 집행위원회는 TTIP 협상 과정에서 '기존의 ISDS'를 '새로운 투자법원'으로 대체하는 내용을 담은 제안을 승인하였다. 동 제안은 유럽의회, 회원국, 각국 의회 및 공공협의 과정에서 제시된 민간의 의견을 반영하여 작성되었다. 그리고 집행위원회, 이사회, 유럽의회는 ISDS와 관련하여 중재의 요청, 서류 제출, 공청회(open hearings), 전문가의견을 통한 법정 자문(amicus curiae briefs), 중재판정의 공표(publication of awards)를 포함하는 중재판정의 '투명성'(transparency), '일관성'(consistency), '예측가능성'(predictability)을 강조한 바 있다.66)

이 '새로운 투자법원'은 국내법원과 국제법원의 주요 요소들을 도입하여, 정부의 정당한 규제 권한(right to regulate)을 법적으로 보호하고, 심리와 판정의 투명성(transparency) 및 신뢰성(accountability)을 보장하게 될 것이다. 그리고 이 새로운 투자법원은 WTO 상소기구 위원이나 국제사법재판소(International Court of Justice: ICJ) 재판관처럼 자국 고위 사법기관 경력 등 충분한 자격을 갖춘 법관으로 구성되고, 소송절차는 투명하게 진행될 것이며, 판결은 명확한 규칙에 기초하여 이루어질 것이다. 또한 상소법원(Appeal Tribunal)에 의한 재심(review)이 가능하게 될 것이다. 이는 기존의 ISDS보다 새롭고 현대화된 투자법원 시스템으로 볼 수 있다. 기존 ISDS 시스템은 '신뢰의 부족'이라는 근본적 문제를 갖고 있었고, EU 투자자들이 기존 ISDS 시스템을 가장 빈번하게 활용했기에 EU 차원에서 책임감을

---

65) *Ibid.*
66) Marc Bungenberg, August Reinisch and Christian Tietje, *EU and Investment Agreements: Open Questions and Remaining Challenges*(Hart Publishing, 2013), pp. 26, 38.

갖고 개혁(reform)을 주도하게 되었다.[67]

(1) 투자법원제도(ICS) 설립 초안의 주요 내용: 기존 ISDS 대비 차이점

새로운 투자법원제도(ICS)는 1심법원(Investment Tribunal -이는 최종안에서 'Tribunal of First Instance'로 결정되었고, 통상 'Tribunal'로 사용하기로 함)과 상소법원 (Appeal Tribunal)으로 구성된다. ① 1심법원은 15인(EU 국적 5인, 미국 국적 5인, 제3 국 국적 5인)의 재판관으로 구성되며, 각 사건에 대해서 3인으로 구성된 재판부에 의하여 판정한다. ② 상소법원은 6인(EU 국적 2인, 미국 국적 2인, 제3국 국적 2인)의 재판관으로 구성되며, 각 사건에 대해서 3인으로 구성된 재판부에 의하여 판정한 다.[68]

이들 법원의 재판관은 WTO 상소기구(AB) 및 국제사법재판소(ICJ)에 준하는 '높은 자격' 요건을 갖춘 자로 선임되며, 상소심은 WTO 상소기구와 유사하게 운 영된다.[69]

(2) 상기 주요 사항 외 EU의 기존의 접근방법 재고

① 새로운 투자법원제도(ICS)상의 '소송절차'는 '투명'하게 진행될 것이며, 모 든 공청회는 일반에 공개되고, 모든 자료들은 온라인으로 열람이 가능해지며, 분 쟁 이해관계자의 개입 권한이 부여될 것이다. ② 법정 선택(forum-shopping)은 금 지되며, 중복 및 병행 소송절차는 배제될 것이다. ③ 남소(frivolous and unfounded claims)는 즉시 각하될 것이며, 패소자 비용부담의 원칙(loser pays principle)이 적용 될 것이다. 그리고 ④ 중재재판관의 윤리적 및 전문적 자격을 엄격히 요구할 것 이다.[70]

당시 EU 집행위원회는 이사회 및 유럽의회와 동 제안 초안 건과 관련하여 논의를 진행한 후, 논의가 완료되면 TTIP협상에 EU측 제안으로 미국에 제시되고,

---

67) ISDS 제도에 관한 개혁(reform) 논의, 즉 상설 국제투자법원을 통한 투명성, 합법성 및 공 개의 제고, 그리고 상소기구 부재에 관하여는 Kate Miles, *supra* note 50, pp. 372-382 참조.
68) Draft text on Investment Protection and Investment Court System in the Transatlantic Trade and Investment Partnership(TTIP)(European Commission - Fact Sheet)(Brussels, 16, September 2015), p. 1.
69) *Ibid.*, p. 3.
70) *Ibid.*

여타 협상에도 사용할 계획을 갖고 있었다. 이에 TTIP협상과 병행하여, EU 집행위원회는 여타 국가들과 함께 상설 국제투자법원(permanent International Investment Court) 설립을 위한 작업을 시작할 예정이다. 이는 향후 EU 및 회원국이 제3국과 체결하는 모든 무역·투자 협정에서 기존 'ISDS' 메커니즘을 대체할 목적을 가지고 있으며, 이것이 성사되는 경우 국제투자분쟁해결제도상의 효율성(efficiency), 일관성(consistency), 합법성(legitimacy)을 보다 강화해 줄 것으로 예상된다.[71][72] 이는 일반 통상분쟁을 WTO 패널 및 상소기구가 다루고 있음에 비하여, 앞으로 투자분쟁은 새롭게 창설될 '상설 국제투자법원'이 다루게 된다는 점에서 매우 의미있는 논의가 될 것이다. 이 경우에 산재하고 있는 기존의 여러 중재법원을 통한 투자분쟁해결에 있어서의 투명성, 공정성, 예측가능성 등의 우려가 해소될 수 있을 것이다.

4. 투자법원제도(ICS) 설립에 관한 최종안 발표

2015년 11월 12일 EU 집행위원회는 TTIP 협상에서의 ISDS를 위한 투자법원제도(ICS) 설립에 관한 최종안 "EU final proposal for investment protection and Court System for TTIP"를 발표하고, 이를 동시에 미국측에 전달하였다. 최초 제안서(2015. 9. 16일 발표) 대비 주요 개선 사항으로는 아래와 같은 ① 보다 신속한 소송절차 진행, ② 소송비 절감, ③ 자발적 중개 제도, ④ 1인 재판관(제3국) 선임 가능성, ⑤ 자연인 및 중소기업(SMEs) 패소비용 일부면제 등이 있다.

첫째, 소송절차에 소요되는 시한을 '2년'으로 설정하였다. 1심법원은 최대 18개월 이내, 상소법원은 최대 6개월 이내 판결을 내려야 한다. 이 기한 내 판결이 어려운 경우 그 사유와 예상 소요시간을 문서로 작성해서 통지해야 한다.[73] 기존 ISDS 체제하에서는 통상 소요기간이 6년 내외로 걸린 것과 대비하여, 신속한 소

---

71) *Ibid.*, pp. 3-4.

72) 즉 상설 국제투자법원의 설립은 '구 ISDS'(old ISDS)를 완전히 대체하여 ISDS의 현대화, 효율성, 투명성, 공정성을 갖춘 제도로 자리매김할 것으로 기대된다. EU final proposal for investment protection and Court System for TTIP(European Commission ― Press release)(Brussels, 12, November 2015), p. 1.

73) TTIP(Proposal), Chapter Ⅱ Investment, Section 3 Resolution of Investment Disputes and Investment Court System, Art. 28(Provisional Award) 6 & Art. 29(Appeal procedure) 3.

송진행은 중소기업의 비용부담 절감효과가 있다.

둘째, 상소법원 재판관에 대한 비용은 EU 및 미국정부가 부담하며, 재판관에 대한 수임료는 '1일 한도'(a cap on daily fees for judges)가 설정되어 있다는 점에서, 소송당사자들 간의 협의 하에 수임료가 정해지는 기존 ISDS 체제와 차별화하고 있으며, EU측은 WTO 재판관 보수에 준하여 월 약 7,000유로를 제시하였다.[74]

셋째, EU와 미국이 지정하는 6명의 중개자를 통한 자발적(voluntary) '중개'(Mediation) 기회 제공을 통해 '정식 소송'으로 진행될 경우 대비 비용을 절감할 수 있다.[75] 이 제도의 도입으로 ICSID에 분쟁해결을 의뢰하지 않고 사건을 해결할 수 있다. 이는 법적 이슈를 차단하면서 원하는 결론에 도달하게 하는 제도로서, 중개에서 다루거나 주장한 내용은 추후 다른 재판절차에서 주장하거나 원용할 수 없는데, 이는 중개에서의 논의 내용에 법적 의미를 부여하지 않기 때문이다.

넷째, ① 중소기업이 제기하거나 또는 ② 보상이나 손실규모가 적은 소송의 경우, 요청에 따라 '제3국 1인 재판관'을 통해 판결을 받을 수 있다.[76]

다섯째, 자연인 또는 중소기업이 패소한 경우, 소송비의 일부만 지불하고 나머지는 일부 면제받을 수 있다.[77] 유럽의회는 이미 소기업(small businesses)에 대한 분쟁해결절차상의 비용부담을 고려할 것을 요청한 바 있다.[78]

5. 투자법원제도(ICS) 설립의 의의

과거 제2차 세계대전 이후에 국제무역기구(International Trade Organization: ITO)의 출범 계획 당시 통상과 투자를 모두 규제하여 분쟁해결을 시도한 바가 있었으나, ITO의 출범 계획이 실패로 돌아가면서 1965년 ICSID를 통한 투자분쟁해결이 주를 이루게 되었다. 이후 ICSID를 통한 ISDS가 많은 영향력을 미쳐오다가 최근 EU를 중심으로 투자법원제도(ICS)의 도입에 대한 움직임이 시작되었다.[79]

---

74) *Ibid.*, Art. 10(Appeal Tribunal) 12.

75) *Ibid.*, Art. 3(Mediation) 1-2, 4-5.

76) *Ibid.*, Art. 9(Tribunal of First Instance) 9.

77) *Ibid.*, Art. 28(Provisional Award) 5; 여기에서의 '판정 초안'(Provisional Award)은 상소가 없으면 최종판정이 되는 것이다.

78) Bungenberg, Reinisch and Tietje, *supra* note 66, p. 27 참조.

79) 김두수, "EU-캐나다 포괄적경제무역협정(CETA)상의 투자법원제도(ICS)에 관한 분석, 평가 및 국제적 전망", 「국제경제법연구」 제18권 제1호(2020.3), pp. 83-84 참조; 김두수,

그런데 국제사회에서 UN 회원국들이 기존 ISDS의 문제점에 대한 인식을 기초로 개선 논의를 하였으나, EU와 회원국들이 투자법원제도(ICS)의 도입에 의한 ISDS 개선에 대해 큰 관심을 보인 반면, 이외 대부분의 국가들은 ISDS의 제도적 개선에 대한 필요성에는 공감하나 개선책으로 ICS와 같은 상설 투자법원이 필요한지에 대해서는 견해가 대립되기도 하였다.[80]

그런데 ICSID는 워싱턴협약에 의해 설치된 중재재판기관으로 특정 국가의 영향력 하의 국제투자분쟁해결 기관이라는 비판에서 완전히 자유로울 수는 없을 것이다. 개도국 등 약소국 입장에서는 정부의 '규제 권한'이 반드시 필요한 국가 공공정책의 구현임에도 불구하고 투자 자유화 및 투자 보호 중심의 현 ISDS 하에서는 심각하게 위축될 수 있다. 또한 판정 심리절차의 비공개심리 및 중재판정문의 비공개와 일부발췌 공표 등에 대한 비판으로 '투명성' 등에 있어서 우려가 제기되기도 하였다. 이로써 개도국에 대한 투자위축 가능성도 없지 않으나, 현재는 지나치게 투자보호 위주임을 부인할 수는 없을 것이다.

이에 EU는 '상설 국제투자법원'을 설립하여 양자간 또는 나아가 다자간 투자분쟁해결을 시도함으로써 우려되는 특정 국가의 영향을 받지 않겠다는 의도로 보인다. 또한 이는 기존 ISDS를 대체하여 새로운 투자분쟁해결 방식을 선도하고자 하는 의도로 보인다. 결국은 투자분쟁을 외부의 기관이 아닌 양자간 또는 다자간 당사자들의 역내질서 내에서 '보다 공정하고 투명한 심사'를 통하여 해결하려는 시도로 보인다. 이 경우 위와 같은 우려를 해소할 뿐만이 아니라, 향후 EU의 투자 관련 대외협상에서도 적용하고자 하고 있어 국제사회에 적잖은 영향을 줄 수도 있다. 또한 이는 우리나라의 여러 FTA, 역내포괄적경제동반자협정(Regional Comprehensive Economic Partnership: RCEP)이나 CPTPP 등의 투자 부문에도 투자분쟁해결방식에 있어서 시사하는 바가 크다고 본다.

"EU-베트남 투자보호협정(IPA)상 투자분쟁해결(ISDS)을 위한 투자법원제도(ITS)에 관한 연구", 「국제경제법연구」 제18권 제3호(2020.11), p. 56 참조.

80) UNGA, "Possible reform of investor-State dispute settlement(ISDS)", United Nations Commission on International Trade Law, Working Group III(Investor-State Dispute Settlement Reform), Thirty-eighth session, A/CN.9/WG.III/WP.166, Vienna, 14-18 October 2019; 상소절차 도입 논의를 제외하고는 그동안 국제사회에서 심도 있는 논의가 진행되지 않았다는 견해도 있다. 이재민, "투자법원, 투자분쟁해결절차의 합리적 개선방안인가?-상설법원 도입 움직임의 제도적 함의 및 법적 쟁점", 「통상법률」 통권 제132호(2016.12), p. 72.

6. 소결

ICSID는 1965년 세계은행이 설립하여 ISDS라는 외국인 투자 보호를 위한 국제적 법제를 창설하는 데에 중요한 역할을 수행해 왔다. 현재 많은 국제투자협정들(IIAs)은 ICSID '중재규칙' 및 '1978년의 추가절차규칙' 하의 중재를 통한 ISDS에 관하여 규정하고 있다. 그러나 이는 투명성 및 공정성에 대한 우려, 상소절차의 미비 등이 부족한 점으로 지적되고 있다. 그리고 국제사회에서 '투자 자유화'와 환경보호 목적과 같은 '공공정책'의 구현에 대한 '정부의 규제 권한' 간에는 '규제 위축'이라는 논쟁을 유발하게 되었다. 그런데 근래 TTIP 협상에서, EU는 정부의 규제 권한 보장, 1심법원과 상소법원을 갖추어 재심이 가능한 새로운 상설 투자 법원제도(ICS)의 설립과 운영 등을 포함하는 최종안을 미국에 제안하였다. 이러한 EU의 제안은 기존의 ISDS에 대한 '개혁'의 과정으로서, 국가의 공익을 목적으로 하는 공공정책의 구현에 대한 정부의 규제 권한을 강화시켜 줄 것이며, 상소 메커니즘을 통하여 판정 오류의 정정 및 판정의 예측가능성을 보장해 줄 것이다. 이는 ISDS 제도의 효율성, 일관성 및 합법성을 더욱 증대시켜 줄 것이다. 또한 이는 기존의 ISDS 메커니즘의 투명성, 공정성을 강화시켜 줄 것이다. 그런데 EU의 투자법원제도(ICS) 제안은 미국이 반대하는 경우 채택이 불분명하며, 미국이 염두에 두고 있는 상소제도가 EU의 제안과 다를 수도 있다. 그럼에도 불구하고 EU의 투자법원제도(ICS) 제안은 미국의 수용 여부와 관계없이 기존의 투자분쟁해결절차의 개선을 위한 새로운 시도라는 점에서 의미가 있다.

제 6 절   예외

TTIP 제 1 장(일반규정)과 제 7 장(예외)은 TTIP 전체에 적용되는 규정이며, 제 7 장에 있어서 예외를 인정하더라도 당사자의 조치는 동일한 조건(like conditions) 하의 국가 간에 자의적(arbitrary)이거나 부당한 차별(unjustifiable discrimination)의 수단으로 취해져서는 아니 되며, 또한 회사의 설립이나 투자의 운영이나 국경 간 서비스 공급에 대한 위장된 제한(disguised restriction)을 구성하는 방식으로 적용되어서는 아니 된다. 제 7 장에서 인정되는 예외는 다음과 같다: (a) 공공안보(public security)나 공중도덕(public morals)의 보호 또는 공중질서(public order)의 유지를 위하여 필요한 조치; (b) 인간과 동·식물의 생명이나 건강의 보호를 위하여 필요한 조치; (c) 국내의 투자자나 국내의 서비스 공급 또는 소비에 대한 제한에 함께 적용되는 경우의 고갈될 수 있는 천연자원(exhaustible natural resources)의 보전과 관련된 조치; (d) 예술적, 역사적 또는 고고학적 가치가 있는 국보급 문화재 보호를 위하여 필요한 조치; (e) 본 협정의 규정들과 불합치하지 아니하는 법(laws)과 규정(regulations)의 준수를 보장하기 위하여 다음과 같이 필요한 조치, 즉 (i) 기만이나 사기 행위(deceptive and fraudulent practices)를 금지하거나 계약의 불이행(default on contracts)의 효과를 다루기 위하여, (ii) 개인정보의 처리와 유포, 개인의 기록과 계좌의 비밀보호와 관련된 개인의 사생활(privacy)의 보호를 위하여, (iii) 안전성(safety)을 위하여; (f) 내국민대우(NT)와 상반된 조치의 경우, 만약 이러한 조치에 의한 대우의 차별이 다른 상대방의 경제활동, 기업인, 서비스공급자에 대하여 효과적(effective) 또는 형평한(equitable) 직접세(direct taxes)의 부과나 징수를 보장하는 것을 목적으로 하는 경우이다.[81]

---

81) TTIP(Proposal), Chapter Ⅶ Exceptions, Art. 7−1(General Exceptions) 1 (a)−(f).

제 **9** 부

국제투자법

제 9 부   국제투자법

제33장
국제투자법의 역사와 현재

제1절 국제투자법의 의의

1. 국제투자법의 정의

국제투자법(international investment law)은, 어떻게 정의하는가에 따라 포함되는 법이 다양하다. 본 장에서는 국제경제법을 '국제경제교류와 관련된 국제법'이라고 정의하는 것에 맞추어, 국제투자법을 '국제투자와 관련된 국제법'이라고 정의한다. 이렇게 정의하더라도, 국제투자법은 국제투자와 관련된 국내법과 밀접한 관계가 있다는 것을 지적한다.

2. 국제투자법의 법원

(1) 조 약

국제법의 다른 분야와 마찬가지로, 국제투자와 관련된 국제법의 법원(法源)으로 조약과 국제관습법이 있다. 조약으로 대표적인 것이 투자협정이다. 이외에 최근에는 자유무역협정(Free Trade Agreement: FTA)에 투자에 관한 장을 두는 경우도 적지 않다.

관세와 무역에 관한 일반협정(GATT)이라는 다자조약이 있는 무역협정과 달리, 투자협정에서 모든 분야의 투자를 다루는 다자간 협정이 없다. 대부분의 투자협정은 양자조약이다. UN 무역개발회의(United Nations Conference on Trade and Development: UNCTAD)의 자료[1]에 의하면, 2017년 10월 현재 양자간 투자협정은

---

1) http://investmentpolicyhub.UNCTAD.org/IIA, 2017년 10월 28일 방문.

2,950개가 체결되어 2,360개가 발효되었으며, 투자에 관한 조항이 있는 협정은 372개가 체결되어 307개가 발효되었다. 양자간 투자협정 외에 북미 자유무역협정 (NAFTA)이나 아세안 포괄투자협정(ASEAN Comprehensive Investment Agreement)[2]과 같이 일부 국가나 지역국가들 간에 체결된 협정이 있다. 그리고 다자간 협정으로는 에너지 분야만을 그 대상으로 하는 에너지헌장 조약(Energy Charter Treaty)[3]만이 있다.

포괄적인 다자간 투자협정을 체결하려는 시도가 있었지만 실패하였다. 1995년부터 1998년까지 경제협력개발기구(OECD)에서 시도하였던 다자간 투자협정협정(Multilateral Agreement on Investment: MAI)이 그것이다. 초안작성까지 하였지만, 초안에 대한 시민단체와 개도국들의 비판 때문에, 그 채택에는 실패하였다.

세계무역기구(WTO)의 다자간 협정 중에도 투자와 관련된 것이 있다. 서비스무역에 관한 일반협정(GATS)의 서비스무역 자유화의 유형 중, 상업적 주재는 실질적으로 서비스분야의 투자에 관한 것이다. 무역관련 투자조치(Trade-Related Investment Measures: TRIMs) 협정도 간접적으로 투자와 관련된다.

이와 같이, 투자협정은 양자조약이 대부분이기 때문에, 투자협정을 양자간 투자협정(bilateral investment treaty: BIT)이라고 부르기도 한다. 그러나 본장에서는 양자조약의 경우에만 이 용어를 사용하고, 투자협정 일반을 지칭하는 용어로는 국제투자협정(international investment Agreement: IIA)라는 용어를 사용한다.

3,000개가 넘는 IIA의 투자보호에 관한 내용은 거의 유사하다. 세부적인 표현이나, 특별한 합의 내용에 차이가 있는 정도이다. 거의 유사한 내용의 3000개가 넘는 양자조약이 체결된 것과 관련하여, 양자조약에 규정된 투자보호에 관한 내용을 국제관습법이라고 할 수 있는가에 대해 논란이 있다. 긍정하는 견해도 있지만, 부정하는 견해도 있다. 개도국들이 투자유치를 위하여 양자무대에서는 투자보호를 중시하는 조약체결에 동의하지만, 다자무대에서는 투자유치국의 주권을 강조하는 입장을 견지하고 있다는 것이 부정적인 견해의 근거이다.

---

2) 2008년 2월 26일 채택, 2012년 2월 24일 발효.

3) 1994년 12월 17일 유럽 에너지헌장 회의(European Energy Charter Conference)에서 채택되어 1998년 4월 16일 발효. 2080 *UNTS* 95; 34 *ILM* 360 (1995).

(2) 국제관습법

과거에는 국제투자법에서 국제관습법의 역할이 중요하였지만, 최근에는 그 역할이 제한적이다. IIA가 체결되어 성문화가 된 영향도 있지만, 투자보호에 관한 국제관습법의 내용이 불명확하게 된 영향도 있다. 과거 유럽국가 중심의 국제사회에서는 투자보호에 중점을 둔 국제관습법이 인정되었다. 그러나 과거 식민지였던 지역이 독립하면서, 신생독립국들이 투자보호에 중점을 둔 국제관습법을 변경하고자 하여 그 내용이 모호해졌다.

(3) 국제기구의 결의 등

법적 구속력이 없는 국제기구의 결의나 지침 등은 국제투자법에서 중요한 역할을 한다. 그 자체로는 법적 구속력이 없지만, 국제관습법으로 발전하거나, 미래에 체결될 조약의 방향을 제시하는 경우가 적지 않다. OECD와 UN에서 채택된 다국적 기업에 관한 행위준칙(code of conduct)이나 지침, UN의 Global Compact 등은 국제투자법에서 중요한 연성법(soft law)이다.

국제투자법 분야에서, 신생독립국들은 투자보호에 중점을 둔 기존의 국제투자법을, 외국인 투자의 국유화를 허용하고 투자유치국의 통제권을 강화하는 내용으로 변경하는데, UN총회 결의를 많이 이용하였다. 그들의 수적 우위를 활용할 수 있었기 때문이다. UN총회 결의 1803(XVII)로 채택된 '천연자원에 대한 영구주권 선언',[4] 1974년 UN총회에서 채택된 '신국제경제질서에 관한 선언[5]과 '국가의 경제적 권리의무에 관한 헌장'[6] 등이 대표적인 예이다.

제 2 절 국제투자법의 역사

국제투자법의 역사는 그 시대를 3단계로 구분할 수 있다. 첫 번째는 유럽 제국주의 국가들이 식민지 개척을 통하여 세계 각지로 진출하던 시대이다. 두 번째

---

4) Permanent Sovereignty over Natural Resources, A/Res/17/1803 (14 Dec. 1962 채택).
5) Declaration on the Establishment of a New International Economic Order, A/RES/S-6/3201 (1 May 1974 채택).
6) Charter of Economic Rights and Duties of States, A/RES/29/3281 (21 Dec. 1974 채택).

는 식민지가 독립하여 공산주의 국가들과 연대하여 선진국들의 이익을 대변한다고 생각하는 국제투자법의 변경을 시도한 제2차 세계대전 후부터 1980년대까지의 시기이다. 세 번째는 공산주의 국가들이 붕괴하고 개도국들이 국제투자의 유치에 적극적인 태도를 취한 1980년대 후반부터 현재까지이다. 본 절에서는 앞 두 시기의 국제투자법의 특성에 대해 살펴보고, 1980년대 후반 이후 현재까지의 국제투자법의 특성에 대해서는 다음 절에서 살펴본다.

1. 식민제국주의 시대

이 시대의 국제투자법의 내용을 결정지은 주요 요인으로, 국제사회를 자본수출국인 제국주의 국가들이 주도하였다는 것과, 무력사용이 합법적인 외교의 수단으로 인정되었다는 것을 들 수 있다. 이러한 요인으로 인한 이 시대 국제투자법의 특징은, 다음의 두 가지로 정리할 수 있다.

첫째, 국제투자법의 성문화 수준은 낮아 그 내용이 명확하지 않았지만, 투자보호를 중시한 국제관습법이 주된 법원이었다.

둘째, 투자규범 준수를 보장하는 절차와 제도는 미비하였지만, 군사력을 사용할 수 있는 외교적 보호권(diplomatic protection)으로 투자를 보호할 수 있었다.

주지하는 바와 같이, 이 시기는 유럽제국이 세계 각지로 진출하면서 자신들의 규범을 다른 지역에 강요하던 시기였다. 국제투자법에서도, 투자보호에 중점을 둔 규범을 강요했다.[7] 국제적 기준에 의해 국제투자를 보호하는 것이 국제관습법이라는 것이었다.

이 시대에도 국제투자에 관하여 규정한 조약이 있었지만, 그 내용이 정교하지는 않았다. 그 당시 국제경제관계에 관한 주된 조약이었던 우호통상항해조약(Treaty on Friendship, Navigation and Commerce, FNC조약)이, 국제투자에 관한 조약의 역할을 하였다.[8] FNC조약에 투자에 관한 일부 규정을 두는 경우도 있었고,[9] 투

---

7) 물론 이러한 주된 움직임에 반대하는 목소리가 없었던 것은 아니다. 19세기에도 독립국가로 있었던 중남미 국가들은, 외국인도 내국인과 같은 기준으로 보호받고, 국제적 기준에 의한 특별한 보호를 받는 것이 아니라는 소위 Calvo주의를 주장하였다. 그러나 이러한 주장이 제국주의 국가들이 주도하는 국제질서를 변경할 수 있는 정도는 아니었다.

8) Kenneth J. Vandevelde, "A Brief History of International Investment Agreements", 12 *U.C. Davis J. of Int'l L. & Policy* 157 (2005), p. 158.

자에 관한 별도의 규정 없이 통상에 관한 규정을 투자에 적용하는 경우도 있었
다. 통상에 관한 규정으로 투자에도 적용될 수 있는 예로는, 통상을 위한 입국보
장, 내국민대우와 최혜국대우, 국제적 기준에 의한 외국인의 보호, 외국인 재산의
수용금지와 완전한 보호 등이 있었다. 이와 같은 상황이었으므로, 국제투자에 관
한 조약의 내용은 정교하지 않았다.

국제투자에 관한 규범의 준수를 보장하는 절차적 수단도 특별히 규정된 것
이 없었다. FNC조약에서는 분쟁해결수단을 규정하지 않거나, 규정하는 경우에도
체약국간의 중재를 규정하는 정도였다. 따라서 다른 국제법 위반의 경우와 마찬
가지로, 외교적 보호권이 투자보호의 주된 수단이었다.

실체규범이 명확하지 않고 그 이행을 보장하는 절차도 미비하였다는 약점에
도 불구하고, 투자보호에는 큰 문제가 없었다. 무력사용이 합법적인 외교적 보호
수단으로 인정되었고, 투자를 하는 국가는 강대국이고, 투자대상 지역은 식민지
이거나 이에 준하는 국가가 대부분이었기 때문이다.[10] 따라서 투자보호를 위한
적극적인 조치가 외교적으로 유리하다고 판단하는 경우에는, 군사력을 사용하여
언제라도 투자보호라는 목적을 달성할 수 있다. 실제로 미국은 미국시민이 받을
채권을 회수하기 위하여, 미주지역 국가들에게 군사력을 사용하겠다는 외교정책
을 오랫동안 유지하였다.[11]

2. 제 2 차 세계대전 후부터 1980년대

이 시기 국제투자법의 특징을 결정지은 주요 요인으로, 신생독립국과 공산주
의 국가들이 국제투자에 대해 적대적인 태도를 취한 것, 무력사용을 더 이상 투
자보호를 위한 수단으로 사용할 수 없게 된 것을 들 수 있다. 이러한 요인으로
인한 이 시대 국제투자법의 특징은, 투자 관련 국제관습법의 혼란과 이를 보완하

---

9) 미국이 체결한 FNC조약이 대표적인데, 다른 국가가 체결한 FNC조약과는 달리 기업을 설
   립할 수 있는 권리(right to establishment)를 규정하고 있었다.
10) 유일한 예외가 미국이 중남미국가에 투자한 것이었는데, 미국이 체결한 FNC조약에 국제
    투자에 관한 조문을 두기 시작한 것은 이러한 이유 때문이었다. M. Sornarajah, *The
    International Law on Foreign Investment,* (Cambridge, 2004), p. 19.
11) 미국의 이러한 정책에 관한 내용은 Edwin M. Bochard, "Limitations on Coercive
    Protection", 21 *AJIL* 303 (1927); Luis M. Drage, "State Loans in Their Relations to
    International Policy" 1 *AJIL* 692 (1907) 참고.

기 위한 투자협정의 체결, 그리고 투자분쟁 해결을 위한 절차 마련으로 요약할
수 있다.

제2차 세계대전 후, 정치적으로 독립하게 된 신생독립국들은, 경제적으로도
독립하기 위하여 노력하였다. 이들 국가의 상당수는, 선진국의 투자가 자국의 부
를 착취하고 경제적으로 종속시키는 것으로 의심하였다. 이러한 시각에 따라, 외
국인의 투자를 금지하거나, 기존에 있던 외국인의 투자를 국유화하거나, 그 통제
를 강화하였다. 경제정책도, 필요한 상품을 자국에서 생산하는 수입대체(import
substitution) 정책을 채택하였다. 외국과의 경제교류가 필요한 경우, 선진국보다는
개도국과의 경제교류를 선호하였다. 공산주의 국가들은 신생독립국들의 이런 움
직임에 힘을 실어주었다. 공산주의 국가들은 사유재산을 국유화하였는데, 그 대
상에는 외국인 소유의 재산과 투자도 포함되어 있었다.

신생독립국들과 공산주의 국가들은, 이러한 정책을 뒷받침하는 국제투자규범
을 만드는데 협력하였다. 그들의 수적 우세를 활용할 수 있는 UN총회를 주된 무
대로 이용하였다. 최초의 결실은 1952년에 UN 총회결의 626(VII)로 채택된 '천연
자원의 부와 자원을 자유롭게 개발하는 권리'12)라는 제목의 결의였다. 이 결의는
"천연의 부와 자원을 자유롭게 사용하고 개발하는 인민의 권리는, 그들의 주권에
고유한 것으로, UN헌장의 목적과 원칙에 부합하고, 모든 국가는 이러한 주권행사
를 방해하지 말 것을 권고한다"13)고 하였다.

후속작업의 결실은 UN총회 결의 1803(XVII)인 '천연자원에 대한 영구주권 선
언'14)이었다. 이 결의의 주요 내용은 "천연자원에 대한 국가의 주권은 영구적이
며, 이러한 주권행사를 위한 국가의 조치에, 외국투자자는 복종하고, 현지국의 관
련 법규와 경제정책을 존중해야 한다"15)는 것이었다. 이때까지만 해도 국유화와
관련하여 '국내법과 국제법에 따른 보상을 해야' 하고,16) 국가에 의한 통제권은
"국제법상의 규정과 조건에 따라야 한다"17)고 하여 자본수출국의 입장을 어느 정
도 고려하였다.

---

12) Right to Exploit Freely Natural Wealth and Resources, A/RES/626 (21 Dec. 1952 채택).
13) 동 결의 서문과 2.
14) *supra* note 4 참조.
15) 동 결의 paras. 2, 3, 8.
16) 동 결의 para. 4.
17) 동 결의 para. 3.

1974년 UN총회에서 채택된 '신국제경제질서에 관한 선언'[18]과 '국가의 경제적 권리의무에 관한 헌장'[19]에서는 국유화와 현지국의 통제에 대해 보다 강화한 내용을 담고 있었다. 전자는 외국인 투자를 국유화할 수 있다고 하면서, 보상의 의무에 대해서는 아무런 언급이 없었다. 후자는 보상의 의무에 대해서는 언급하였지만, "국제법에 따라"라는 문구는 삭제되고, "관련 국내법규와 투자유치국이 적절하다고 생각하는 상황에 따른 보상"[20]을 그 기준으로 제시하였다.

투자보호를 강조한 제국주의 시대의 국제관습법들이, 신생독립국과 공산국가들의 이러한 움직임으로 인해 혼돈상태에 빠지게 되었다.[21] 이러한 상태에서, 국제투자에 관한 국제규범을 명확하게 하는 방법은 조약을 체결하는 것이다. 다자조약을 체결하는 것도 이론적으로는 가능하다. 그러나 서구선진국과 신생독립국의 대립이 심각한 상황에서, 양진영이 다자조약 체결에 합의하는 것은 현실적으로 불가능하였다. 이에 자본수출국들은 양자조약을 체결하여 국제투자규범을 명확하게 하려고 노력하였다.

그 방법으로 FNC조약에 투자에 관한 내용을 보완하는 것도 이용되었지만,[22] 곧 투자문제만을 규정하는 BIT의 체결로 대체되었다. 이러한 변화의 요인으로, 우선 통상문제를 GATT에서 규율하여, 양자적 통상협정을 체결할 필요성이 적어졌다는 것을 지적할 수 있다. 그리고 다른 내용과 함께 규정하면 투자규범을 상세하게 규정하는데 불리하다는 것, 여러 문제를 한꺼번에 협상함으로써 양국 간의 합의를 어렵게 만든다는 우려 등도 이러한 변화의 요인으로 지적할 수 있다.[23]

BIT체결에 선도적인 역할을 한 국가는 독일이었다. 독일은 1959년에 파키스탄, 도미니카 공화국과 BIT를 체결하였다.[24] 유럽대륙의 국가들도 곧 독일의 선

---

18) *supra* note 5 참조.

19) *supra* note 6 참조.

20) 동 헌장 Art. 2, 2(c).

21) M. Sornarajah, *supra* note 10, pp. 212-213.

22) 이 때 보완된 주요 내용으로, FNC조약의 적용대상으로 자연인 외에 법인도 포함시킨 것, 외환통제에 관한 체약국의 주권행사에 제한을 둔 것, FNC조약의 해석 적용과 관련하여 분쟁이 발생하면 중재나 국제사법재판소(ICJ)에서의 재판으로 해결하도록 명시한 것을 들 수 있다.

23) Kenneth J. Vandevelde, "The Bilateral Investment Treaty Program of the United States", 21 *Cornell Int'l L. J.* 210 (1988), pp. 211-212.

24) 독일이 체결한 조약은 UNCTAD, *Bilateral Investment Treaties in the Mid-1990s*, U.N. Sales No. E. 98 II. D. (1998), p. 8; http//:icsid.worldbank.org/ICSID/FrontServle 참조.

례를 따랐다.[25) 영국은 1975년에 이집트와 최초의 BIT를 체결하였다. 미국은 이 시기에도 FNC조약 체결을 고집하다가, 1980년 중반부터 BIT를 체결하기 시작하였다.

이 시기에 체결된 BIT의 대부분은, 자본수출국인 선진국과 자본수입국인 개도국이라는 구도 하에서, 선진국과 개도국 사이에 체결된 것이었다. 선진국이 BIT를 체결한 주목적은, 국유화의 위험으로부터 자국 투자자를 보호하는 것이었다. 개도국이 BIT 체결에 동의한 이유는, BIT가 외국투자를 유치하는데 도움이 될 것이라는 기대 때문이었다. 이러한 이유로, BIT에는 국유화의 보상기준으로, 선진국이 주장하는 시장가격에 의한 보상을 의미하는 Hull 공식[26)이 보편적으로 규정되었다. 그러나 외국투자에 대해 우호적이지 않은 국제사회의 분위기 등으로 인해, 개도국은 BIT 체결에 적극적이지 않았다.

각국이 체결한 BIT의 내용은 거의 유사하였다. 최혜국대우와 내국민대우 등 비차별원칙, 국제적 기준에 의한 투자의 보호, 국유화는 일정한 요건을 충족하는 경우에만 인정된다는 것, Hull 공식이 국유화의 보상기준이라는 것을 보편적으로 규정하고 있었다. 투자보호에 초점을 맞추었기 때문에, 투자를 할 수 있는 권리(right to entry/establishment) 등 투자촉진에 관한 내용은 담고 있지 않았었다. 다만, 미국이 체결한 BIT에서는, 예외적으로 이 권리에 대해 규정하였다.

이 시기 국제투자법의 또 하나의 특징으로, 투자분쟁 해결을 위한 절차를 모색하였다는 것을 들 수 있다. 투자보호 수단으로 무력사용이 금지되면서, 이를 보완할 수단이 필요하였기 때문이다. 초기에는, 국가간 중재나 ICJ에서의 재판을 통한 분쟁해결을 규정한 조항들이 증가하였다. 그러나 이러한 절차로는 투자보호에 한계가 있어,[27) 이 한계를 극복하기 위한 제도가 고안되었다. 이것이 투자자가 국가를 상대로 직접 투자분쟁의 중재를 신청할 수 있도록 하는 투자자-국가간 투자중재(investor state dispute settlement: ISDS))이다. 이를 위한 중재기관으로,

25) 1960년에 프랑스가 차드와 BIT를 체결한 것을 시작으로, 1965년까지 스위스, 네덜란드, 이태리, 벨기에 스웨덴, 덴마크, 노르웨이 등이 개도국과 BIT를 체결하였다.
26) 1938년 멕시코가 석유산업을 국유화하였을 때, 당시 미 국무장관이었던 Hull이 제시한 보상의 기준인, "즉시 적절한 그리고 효과적 보상(prompt, adequate, and effective compensation)"이라는 기준이다. 당시 멕시코는 이러한 기준을 거부하였다.
27) 국가에 의한 중재나 재판 신청 여부가 국가의 재량이고, 중재나 재판 절차를 투자자가 직접 통제할 수 없는 등의 제한이 있다.

1965년 국제개발부흥은행(International Bank for Reconstruction and Development, IBRD) 산하에 국제투자분쟁해결센터(International Center for the Settlement of Investment Disputes: ICSID)[28]가 설립되었다.

ICSID를 포함한 중재기관에서 중재로 투자분쟁을 해결하기 위해서는, 투자유 치국과 투자자 사이에 분쟁을 중재로 해결하겠다는 중재합의가 있어야 한다. 그 런데 국가로부터 이러한 동의를 받아내기는 쉽지 않다. 이를 보완하는 방법으로, IIA에 협정상 보장된 권리를 침해하는 경우, 그 분쟁을 ISDS로 해결하도록 의무 화하는 조문을 두기 시작하였다. 이러한 조문이 있으면, 투자자와 투자유치국 사 이에 별도의 합의가 없어도, 투자분쟁을 ISDS로 해결할 수 있다. 이것은 외교적 보호권에 의한 투자분쟁해결의 한계를 극복하기 위한 것으로, 투자분쟁을 탈정치 화하여 법으로 해결하겠다는 시도이다. 그러나 이러한 조항에도 불구하고, 'IIA에 있는 중재조항을 관할권의 근거로 한 ISDS(이하 "협정투자중재"라고 한다)는, 1987 년에 신청되어 1990년에 판정이 내려진 AAPL 사건[29]에서 처음으로 이용되었다.

제 3 절 국제투자법의 현재와 과제

1. 특   징

1980년대 후반 이후 국제투자법의 특징으로, 우선 IIA의 수가 급증한 것을 들 수 있다. FTA에서 투자에 관한 조항을 두기 시작한 것도 이 시기 국제투자법 의 특징 중의 하나이다. 그리고 IIA의 성격과 내용에서 변화를 보인 것도 특징으 로 지적할 수 있다. 그러나 가장 큰 특징은 협정투자중재의 이용이 급증하였다는 것이다. 협정투자중재의 이용이 급증하면서, 협정투자중재의 문제점이 노출되었 다. 이러한 문제점을 해결하기 위한 노력이 국제투자법의 현주소라고 할 수 있다.

(1) IIA의 급증

UNCTAD의 자료[30]에 의하면 독일이 최초의 BIT를 체결한 1959년부터 1990

---

28) Convention on the Settlement of Investment Disputes Between States and Nationals of Other States, 575 *U.N.T.S.* 159.
29) Asian Agricultural Products Ltd *v.* Sri Lanka (Case No. ARB/87/3), 30 *ILM* 555 (1991).

년까지 IIA는 363개(서명일 기준, 이하 같음)가 체결되었다. 이들 중 1980년부터 1984년까지 체결된 것이 70개이고, 1985년부터 1990년까지 체결된 것이 190개이다. 1959년부터 1979년까지 20여 년 동안 체결된 것은 103개이다. 반면에, 1991년 이후 2017년까지 체결된 IIA는 2603개에 달한다. 1985년 이후부터 IIA의 체결이 급증한 것을 알 수 있다. 이 시기에 IIA의 체결이 급증한 이유는, 개도국들과 동구권 체제전환국들을 포함한 대부분의 국가가 국제투자 유치에 적극적이었기 때문이다. 이러한 노력의 일환으로, 투자보호를 위한 법적 장치로 IIA를 체결하였다. 그러면서도, 다자적 무대에서 개도국들은 이전의 주장을 계속 유지하고 있다. 투자유치의 필요성 때문에 BIT를 체결하지만, 자본수출국의 이익을 강조하는 국제관습법이나 다자적 규범의 출현은 바람직하지 않기 때문이다. 선진국들도 다자적 투자협정 체결은, 개도국과는 물론이고 선진국 간에도 어렵다는 것을 인식하고 있다.31)

(2) IIA와 통상협정의 결합

이 시기에는 이전시기에 투자와 통상이 분리되었던 것이 다시 결합되는 경향을 보이고 있다. 위에서 설명한 바와 같이, 식민지 시대에 FNC조약에서 투자문제를 다루던 것이, 1959년부터 투자문제만을 전적으로 다루는 BIT가 체결되면서, 투자와 통상이 분리되었다. 그런데 1990년대 들어, FTA의 일부분으로 투자에 대해 규정하여, 투자와 통상이 다시 결합하는 모습을 보이고 있다. 이 시기 체결된 IIA의 80% 이상이 투자만을 다루는 투자협정의 형태이지만, 적지 않은 수의 FTA에서 투자보장에 관한 별도의 장을 두고 있다.32)

세계무역기구(WTO)의 관할사항으로 투자에 관한 것이 포함되기 시작한 것이, 이런 변화에 부분적으로 영향을 미쳤을 것으로 생각한다. WTO의 관할사항인

---

30) http://investmentpolicyhub.UNCTAD.org/IIA/AdvancedSearchBITResults 참조 (2017년 10월 19일 방문).

31) UNCTAD, *Lessons from the MAI,* U.N. Doc. UNCTAD/ITE/IIT/MIsc.22, U.N. Sales No. E. 99 II. D. 26 (1999), pp. 23−24.

32) EU와 체결하는 FTA에는 국제투자에 관한 조항이 없었다. 그 이유는, 통상문제는 EU의 권한이었지만, 국제투자는 회원국의 권한으로 남아 있었기 때문이다. 그런데 리스본조약의 발효로 국제투자에 관한 권한이 EU로 이양되어, 앞으로는 EU와 체결하는 FTA에도 국제투자에 관한 조항이 포함될 것이다. 국제투자에 관한 권한이 회원국에서 EU로 이전된 후 체결된 FTA인 EU−캐나다 포괄적 경제무역협정(EU−Canada Comprehensive Economic and Trade Agreement, CETA)은 국제투자에 관한 내용을 담고 있다.

서비스무역의 한 형태인 상업적 주재(commercial presence)는 서비스사업의 투자이다. 그리고 무역관련 투자조치(TRIMs)도 투자와 부분적으로 관련된다. WTO의 자유화보다 더 심화된 자유화를 추구하는 것이 FTA라면, 투자도 FTA에 포함시키는 것이 자연스러운 태도일 것이다.

그러나 투자와 통상이 다시 결합하게 된 보다 근본적인 이유는, 산업구조의 변화에 따라 무역과 투자의 관계를 보는 시각이 변화되었기 때문이다. 과거에는 투자와 무역을 대체관계로 보는 경향이 있었다. 무역을 하다가, 관세장벽이나 기타 문제 때문에 현지에서 직접 생산하여 판매하는 것이 유리할 때에는, 투자를 하는 것으로 생각하였다. 그런데 이 시기에는, 다국적 기업의 활동으로 투자와 무역을 상호보완 관계로 보게 되었다. 다국적 기업이 여러 나라에서 부품을 생산하여, 다른 나라에 있는 생산시설에서 이 부품을 사용하도록 하는 것이 무역의 상당 부분을 차지하게 되었기 때문이다.

양국 간의 경제교류를 촉진하는 것이 FTA의 목적이라면, 상호보완 관계인 무역과 투자를 동시에 규정하는 것이 이러한 목적에 부합한다. 이러한 이유로 투자도 FTA에서 규정하는 것이 일반화되었다.[33]

(3) IIA의 성격 변화

이 시기 IIA의 성격상 특징은, IIA를 체결하는 체약국의 구도에 변화가 생겼다는 것이다. 1980년대까지 IIA는 자본수출국인 선진국과, 투자유치국인 개도국이라는 구도 속에서 체결되었다. 그런데 이 시기에는 선진국은 자본수출국, 개도국은 투자유치국이라는 구분이 흐려지게 되었다. 개도국 중에서도 상당한 경제개발을 달성한 국가는, 다른 개도국은 물론이고 선진국에도 적지 않은 투자를 하고 있다.[34] 그리고 미국이 세계 제1의 투자유치국이라는 통계[35]가 보여주는 바와 같이, 선진국도 투자유치국의 지위에 서는 경우가 적지 않다. 따라서 선진국과 선진국, 개도국과 개도국 간에도 적지 않은 IIA가 체결되었다.

33) Kenneth J. Vandevelde, *supra* note 8, pp. 180–181.
34) UNCTAD, *World Investment Report 2004: The Shift Toward Services,* U.N. Sales No. E. 04 II. D. 33 (2004), pp. 382–385.
35) *Ibid.,* p. 376.

(4) IIA의 내용

이 시기에 체결된 IIA의 내용상 특징은, 투자촉진 혹은 투자자유화에 관한 규정을 두는 것이 늘어난 것이다. 1980년대까지 체결된 것 중에서 미국이 체결한 IIA에서만 투자촉진에 관한 규정을 두었다. 그런데 그 후 체결된 IIA에서는, 투자보호 외에 새로운 투자를 할 수 있는 투자촉진 혹은 투자자유화에 대해 규정하는 것이 증가하였다.

투자자유화에 관한 내용으로 투자 후 보장되는 여러 가지 권리를 투자를 모색하는 설립 전 단계에도 적용하도록 하는 것이 있다. 그리고 투자자유화 대상의 설정, 투자가 자유화된 분야에서 유보나 예외 사항을 규정하는 것도 이와 관련된 주요 내용이다. 투자자유화는 투자유치국의 입장에서는 자국에게 불리한 투자를 선별할 수 있는 주권을 포기하는 것을 의미한다. 따라서 점진적으로 투자를 자유화하는데, 그 방법은 자유화하는 투자분야를 점진적으로 늘리면서, 자유화된 분야에서도 유보와 예외사항을 이용하는 것이다.

IIA에서 국제투자로 인한 경제외적인 부작용에 대해 고려하기 시작한 것도, 이 시기 IIA의 특징이다. 시민단체들은 투자자유화가 환경파괴를 가속화하고 인권을 침해한다는 이유로, BIT와 투자보호조항을 담고 있는 FTA의 체결을 반대하기도 하였다. 투자가 자유화되면, 환경기준이 낮은 곳과 근로기준이 열악한 국가로 투자가 집중되어, 환경파괴와 인권침해가 발생한다는 것이다. 이러한 우려를 반영하여, NAFTA의 부속협정으로 북미 환경협력에 관한 협정(North American Agreement on Environmental Cooperation)과 북미 노동협력에 관한 협정(North American Agreement on Labor Cooperation)이 체결되었다. 그 후의 BIT나 FTA에서는 투자자유화로 인한 부작용을 고려한 조항들을 두는 것이 증가하였다.

투자보호를 위한 실체적 권리의 목록에서, 1980년대까지 체결된 IIA와 이 시기에 체결된 IIA 사이에 큰 차이는 없다. 최혜국대우와 내국민대우, 국제기준에 의한 최소한의 보호, 국유화를 할 수 있는 요건, 국유화를 하는 경우 보상의 기준, 외환통제의 제한 등이 투자보호를 위한 중요한 실체적 권리이다. 다만, 이행조건(performance requirement) 부과의 금지,[36] 경영진의 인적구성제한 금지[37] 등은

---

36) 생산품의 일정한 비율을 수출하도록 하는 것, 부품의 일정비율을 현지에서 구입하도록 하는 것, 노동력의 일정비율 이상을 현지인을 채용하도록 하는 것 등을 금지하는 것이 주요

이 시기에 규정되기 시작한 새로운 내용이다. 그리고 보호되는 투자의 범위에 주식과 기타 증권의 취득 등 포트폴리오 투자를 포함시키는 것도 이 시기에 일반화되었다.

2. 협정투자중재의 활성화

이 시기 국제투자법의 가장 큰 특징은 협정투자중재가 활성화되었다는 것이다. 2017년 10월 현재, ICSID 사건 데이터베이스[38])에 올라 있는 해결된 사건과 진행 중인 사건의 수는 653개이다. 시기적으로 보면, 중재신청일 기준으로, 최초의 협정투자중재인 AAPL 사건이 신청된 87년 3월 이전의 사건의 수가 22개이고, 그 후에 제기된 사건의 수가 631개이다. 관할권의 근거를 기준으로 보면, 투자계약의 중재조항에 근거한 사건의 수가 111개이고, 기타 국내법 등에 근거한 사건의 수가 7개로, 협정투자중재가 아닌 사건의 수가 118개이다. 즉, AAPL 사건이후 제기된 631개 사건 중 투자계약과 국내법에 근거하여 신청된 중재사건은 96(118−22)개이고, 협정투자중재 사건은 535(631−96)개로, 후자가 압도적으로 많다. 협정투자중재 사건이 급증하였고, 이것이 투자중재 사건 급증의 주된 원인이라는 것을 알 수 있다.

협정투자중재 활성화에 가장 큰 기여를 한 것은 NAFTA에 근거한 협정투자중재였다. 미국은 NAFTA 협상을 하면서, 1938년 멕시코가 석유산업을 국유화한 경험 때문에 투자보호에 관한 강력한 실체적 권리를 규정하고, 절차적으로 ISDS를 두었다. 그런데 미국의 투자자뿐만 아니라, 다른 NAFTA 국가의 투자자도 ISDS를 적극적으로 이용하였다. NAFTA에서의 이러한 경험이 다른 IIA에 근거한 투자중재의 선례가 되어, 협정투자중재의 이용이 급증하였다.

내용상 큰 차이가 없는 IIA의 위반 문제를 다루는 사건이, 다른 중재기관을 제외하고서도, 500건이 넘게 제기된 것은, 국제법 역사에서 전례가 없는 일이다. 급증한 협정투자중재는 국제투자법에 많은 쟁점들을 제기하고 있다. 이들 쟁점들을 해결하는 것이 1990년 이후 현재에도 진행 중인 국제투자법의 과제이고, 국제

내용이다.

37) 임원의 일정비율 이상을 현지인이 되도록 하는 것 등을 금지하는 것이 주요 내용이다.

38) https://icsid.worldbank.org/en/Pages/cases/searchcases.aspx 참조 (2017년 10월 25일 방문).

투자법의 현주소라고 해도 과언이 아니다. 1990년 이후 국제투자법 관련 저서와 연구는 물론이고, IIA의 내용 변화의 대부분이 협정투자중재와 관련되어 있다.

3. 과제와 해결방안 모색

협정투자중재의 문제점을 거론하게 된 가장 중요한 계기로, NAFTA에서 미국의 경험과 아르헨티나가 외환위기에 대응하기 위하여 취한 조치들에 대하여 많은 협정투자중재가 제기된 것을 들 수 있다. 미국은 NAFTA에 투자보호에 관한 강력한 실체적 권리를 규정하고 절차적으로 ISDS를 두면서, 자국이 협정투자중재의 피청구국이 될 것이라고는 생각하지 않았다. 세계최고 수준의 제도를 가진 국가라는 자부심 때문이었다.

그러나 환경보호를 위해 취해진 조치[39]는 물론이고, 주 대법원의 판결[40]까지 협정투자중재의 대상이 되자, 협정투자중재의 문제점에 대한 비판이 미국 내에서 강하게 일었다. 이러한 비판을 반영하여, 미국은 NAFTA의 모델이었던 1994년 모델투자협정(US Model Bilateral Investment Treaty, 이하 US Model BIT)을 2004년 US Model BIT로 변경하였고, 2012년에 다시 변경하였다.

외환위기에 대응하기 위한 아르헨티나의 조치에 대하여, 천문학적 액수의 배상을 요구하는 수십 건의 협정투자중재가 제기된 사실은, 협정투자중재에 대한 부정적 이미지를 확산시키는 계기가 되었다. 이것이 일부 국가에서 IIA에 ISDS 조항을 두지 않거나, ICSID에서의 탈퇴를 선언하는 계기가 되었다. 이하 협정투자중재와 관련된 과제와 대응에 대해 살펴본다.

---

39) *Metanex v. United States* 사건이 이에 해당하는 좋은 예이다. 이 외에 다른 NAFTA 국가가 취한 환경보호 조치가 문제된 사건으로 *Ethyl v. Canada* 사건; *Metaclad v. Mexico* 사건; *Sun Belt v. Canada* 사건 등이 있다. 이들 사건을 포함하여 본고에서 인용하는 NAFTA에서의 사건에 대한 판정과 관련문서는 http://naftaclaims.com에서 확인할 수 있다.

40) *Loewen Group Inc. & Raymond L. Loewen v. United States of America* 사건이 그 예이다. 캐나다 투자자가 계약분쟁과 관련된 소송에서 미시시피 법원에서의 재판과정과 판결 그리고 집행중지 보증금의 결정이 문제가 있다는 것을 지적하면서 제기한 중재이다. 절차적인 문제로 미국이 승소하였지만, 중재판정은 미시시피 법원의 태도에 문제가 있었다는 것을 강하게 암시하였다.

(1) 공개성의 강화

중재판정을 포함한 중재자료는 공개되지 않고, 중재절차는 비공개로 진행되는 것이 상사중재의 원칙이다. 상사중재는 사적 권리의 문제를 다루므로, 이러한 비공개성이 문제가 되지 않는다. 그런데 협정투자중재에서는, 공익을 위하여 취해진 정부의 조치가 투자보호 조항을 위반하는가의 여부가 주된 쟁점이다. 공익을 위한 조치와 관련된 이러한 협정투자중재에, 상사중재의 모델을 그대로 적용하는 것에 대한 비판이 있었다. 즉, 공익을 위한 조치와 관련된 중재절차가, 여론의 감시 없이 밀실에서 진행되는 것은 부당하다는 비판이었다.[41]

이러한 비판을 수용하여, 협정투자중재의 자료와 절차를 공개하기로 하였다. 그리고 시민단체 등 해당 문제에 관심 있는 사람들이 의견을 제시할 수 있도록, 외부조언자 서면입장(*amicus curiae*) 제출 제도도 도입하였다. 이러한 변화는 NAFTA에서 시작되었다.[42] 그 후 US Model BIT에 이러한 내용이 반영되었고, 그 후에 체결된 IIA부터는 이러한 내용을 담는 것이 일반화되었다.[43] ICSID에서는 2005년 중재규칙을 개정하여 이러한 내용을 반영하였다.[44] UNCITRAL에서도, 2014년 협정투자중재에서의 투명성에 관한 규칙(UNCITRAL Rules on Transparency in Treaty-based Investor-State Arbitration)을 제정하여, 이러한 내용을 반영하였다.

(2) 남소의 방지

협정투자중재의 문제점에 대한 지적 중의 하나로, 협정투자중재의 남용 때문에 공익을 위한 조치를 취할 수 없다는 소위 'chilling effect'의 주장이 있다.[45] 이

---

41) Public Citizen, *NAFTA's Threat to Sovereignty and Democracy: The Record of NAFTA Chapter 11 Investor-State Cases 1994-2005,* (Feb. 2005), pp. 4-5.
42) 2001년 NAFTA의 자유무역위원회(Free Trade Commission)가 발표한 해석결정(decision declaring interpretation)에서 중재사실과 서류를 공개하기로 하였다. 중재절차의 공개는 2003년 미국과 캐나다정부가 그리고 2004년에는 멕시코정부가 이에 관한 성명을 발표하였다. 외부조언자의 서면입장 제출은 2003년에 있었던 NAFTA 자유무역위원회의 해석결정에서 실현되었다.
43) 2012 US Model BIT Art. 29; 한미 FTA 제11.20조 5항, 제11.20, 11.21조 참조.
44) ICSID Arbitration Rule, Rule 32, 27, 48.
45) Gilbert Gagné & Jean-Frédéric Morin, "The Evolving American Policy on Investment Protection: Evidence from Recent FTAs and the 2004 Model BIT", 9 *J. of Int'l Eco. L.* 357 (2006), pp. 365-368.

러한 주장을 수용하여 협정투자중재의 남용을 방지하기 위한 제도가 도입되었다. 본안을 심리할 가치가 없는 중재 제기에 대해서는 조기에 종료할 수 있도록 하는 것과 이런 중재를 제기한 투자자에게 중재 비용을 부담하도록 하는 것 등이 그 주요 내용이다. 이러한 내용을 규정한 IIA가 늘어나고 있으며,[46] 2005년 ICSID 중재규칙은 이러한 내용을 포함하도록 개정되었다.[47]

(3) 예측가능성의 강화

협정투자중재에서 동일한 조문에 대해 그 해석을 달리하는 판정이 내려지는 경우가 적지 않아, 혼란을 야기하고 법적 안정성을 해친다는 비판이 있었다.[48] 이 문제에 대해 다음과 같은 대응이 취해졌거나 모색되고 있다.

1) 조문이나 해석기준의 명확화

모순된 판정에 대한 문제점이 표면화되기 시작한 것은, NAFTA에서의 협정투자중재였다. 문제가 된 것은 수용과 관련된 조문의 해석과, 국제적 기준에 의한 최소한의 보호에 관한 조문의 해석이었다. NAFTA의 해석기준을 제시할 권한을 가진 NAFTA 자유무역위원회(Free Trade Commission)는, 이들 조문에 대해 다음과 같은 해석기준을 제시하였다. 이러한 해석기준은 그 후 US Model BIT와 미국이 체결한 IIA에 반영되었다.[49]

첫째, NAFTA 1110조가 적용되는 것은 직접수용, 간접수용만이고, 수용에 준하는 조치에는 적용되지 않는다는 것을 명확하게 한 것이다. NAFTA 제1110조의 조문이 수용에 준하는 조치를 포함하는 것으로 해석할 수 있는 여지를 제거하였다.

둘째, 국제적 기준에 의한 최소한의 보호에서, 국제적 기준은 국제관습법에 의한 기준이라는 것을 명확하게 하였다. 국제적 기준에 NAFTA를 포함한 다른 조약도 포함된다고 주장할 수 있는 여지를 제거하였다.

셋째, 간접수용을 인정하기 위한 요건으로, 미국헌법상의 세 가지 기준[50]을

---

46) 2012 US Model BIT Art. 28; 한미 FTA 제11.20조 7-8항 참조.

47) ICSID Arbitration Rule, Rule 41 para. 5.

48) 이에 대한 보다 상세한 내용은 졸저, "투자자 국가간 직접중재에서의 상소 메카니즘의 전망과 법적 쟁점", 국제법학회논총, 제52권 2호, 2007년 8월, pp. 190-193 참조.

49) 2012 US Model BIT Annex A, Annex B; 한미 FTA 부속서 11-가, 나 참조

50) 정부 행위의 경제적 영향, 정부행위가 투자에 근거한 분명하고 합리적인 기대를 침해하는 정도, 그리고 정부행위의 성격이라는 세 가지 기준이다. Penn Central Transportation Co. *v.*

명시하여, 모호한 간접수용 인정의 기준을 명확하게 하였다.

　이 외에 모순된 결정이 내려지는 대표적인 예로, 최혜국대우 조항을 보다 유리한 협정투자중재 절차를 원용하는데 사용할 수 있는가의 문제와 우산조항 (umbrella clause)이 모든 형태의 투자계약 위반에 적용되는 것인가 하는 문제가 있다. 이들 두 가지 이슈에 대하여 다수의 중재판정이 있었지만, 여전히 모순되는 판정[51]이 내려지는 등 아직까지 미해결의 상태에 있다. 이런 상황에서는 협정조문에 체약국이 의도하는 바를 명시하는 것이 가장 효과적인 방법이다. 일부 IIA에서 이러한 방법을 채택하였다.[52]

2) 항소기구 설치 모색

　투자중재법정은 그 사건만을 처리하기 위하여 구성되므로, 각 사건마다 중재인이 달라진다. 따라서 중재인이 누구인가에 따라 동일한 조문의 해석이 달라질 수 있다. 이러한 문제는 WTO분쟁해결기구도 유사하게 지니고 있다. 이러한 문제에 대응하기 위하여, WTO에서는 상설적인 항소기구를 설치하여 WTO협정 해석의 통일성을 기하고 있다.

　WTO의 이러한 모델에 따라, 항소법원을 설치하여 IIA 해석의 통일성을 도모하려는 움직임이 있다. 미국의회는 무역협정 신속체결권을 부여하면서, ISDS에서 항소법원 설치를 모색할 것을 협상목표의 하나로 제시하였다.[53] 이에 따라 미국은 2004 US Model BIT에 이 내용을 반영하였고, 한미 FTA[54]를 포함한 그 후 체결된 IIA에 항소법원 설치를 모색하는 조항을 두고 있다.

　　City of N. Y. 438 U.S. 104 (1978), at 124; 2012 US Model BIT Annex B Art. 4 (a); 한미자유무역협정 부속서 11-나 참조.

51)　MFN을 분쟁해결절차에도 원용할 수 있다고 한 대표적인 사건은 Emilio Agustion Maffezini v. Kingdom of Spain, ICSID Case No. ARB/97/7이고, 이것을 거부한 대표적인 사건은 Salini Construttori S.p.A. and Italstrade v. The Hashmite Kingdom of Jordan, ICSID Case No. ARB/02/13사건이다. 이러한 혼란은 ICS Inspection and Control Services Limited (United Kingdom) v. The Republic of Argentina, UNCITRAL, PCA Case No. 2010-9; Daimler Financial Services AG v. Argentine Republic, ICSID Case No. ARB/05/1; Wintershall Aktiengesellschaft v. Argentine Republic, ICSID Case No. ARB/04/14 등에서 계속 되고 있다. 우산조항에 대해서는 비슷한 사안에 대해 다른 결론을 내린 SGS v. Pakistan 과 SGS v. Philippine 사건이 대표적이다.

52)　CETA, Art. 8.7, 4는 최혜국대우조항이 절차문제에는 적용되지 않는다는 것을 명시하고 있다.

53)　19 U.S.C. §3802(b)(3)(g)(iv).

54)　한미 FTA 부속서 11-다는 한미 FTA가 발효한 후 3년 이내에, 항소 메카니즘을 설치할 것인지의 여부를 검토할 것만을 요구하고 있다.

그러나 단일협정의 해석에 관한 항소기구인 WTO 모델과는 달리 파편화된 수천 개의 협정들이 병렬적으로 존재하는 IIA에, 항소법원 제도를 도입하는 것은 여러 가지 문제점이 있다. 그 운영의 어려움은 별개로 하더라도, 각 협정마다 항소법원을 설치할 것인지, 아니면 단일 항소법원을 만들어 각 협정의 항소법원으로 이용할 것인지의 문제가 있다.

이러한 문제점으로 인해 항소법원의 설치 방안은 진전이 없다가, 최근에 주목할 만한 움직임이 있다. 국제투자에 관한 권한이 회원국에서 EU로 이전된 후 체결된 투자에 관한 조항을 포함한 최초의 FTA인 CETA에서, 항소법원에 관한 조항이 규정되었다. 그 내용은 양자간 항소법원의 설치를 확정적으로 규정하면서, 동시에 다자간 투자중재법원과 항소기구의 설치를 모색하는 것이다.[55] 거대한 경제권인 EU의 이러한 움직임이 다른 지역으로 확산될 것인지 주목할 필요가 있다.

3) 국제법적 성격의 강화

협정투자중재는 상사중재의 모델을 IIA 위반을 이유로 한 투자중재에 적용한 것이다. 중재기관으로, 투자계약 위반을 주로 다루었던 ICSID나 상사중재를 주로 다루던 다른 중재기관을 이용한다. 이러한 이유로, 협정투자중재에서 활동하는 중재인의 대부분은, 상사중재 분야에서 활동하던 사람이다.

상사중재에서는 계약이나 국내법을 해석하여 그 위반문제를 주로 다룬다. 반면에 협정투자중재에서는 조약인 IIA의 해석과 위반 문제를 주로 다룬다. 계약이나 국내법의 해석과 국제법의 해석 문제는 상당한 차이가 있으므로, 이에 대한 적절한 조치가 필요하다.

그리고 상사중재의 방법론을 협정투자중재에 그대로 적용하는 것이, 적지 않은 모순된 중재판정이 내려지는 이유 중의 하나라는 지적도 있다. 상사중재는 사적 권리와 관련된 분쟁을 다루는 것이다. 따라서 법적 안정성보다는 해당 사건에서 당사자 간 이해관계를 적절하게 조절하는 구체적 타당성이 중시된다. 반면에 조약인 IIA를 해석하는 협정투자중재에서는 다른 사건에 미치는 선례로서의 중요성도 충분히 고려해야 한다. 그런데 상사중재 전문가들에게는 이러한 고려가 부족하다는 것이 모순된 중재판정이 내려지는 요소가 된다.

이러한 문제점과 관련하여 CETA에서 주목할 만한 조문이 규정되었다. CETA

---

55) CETA Arts. 8.28, 8.29 참조.

제8.27조 제5항은 중재법정의 중재인이 국제법 전문가일 것을 요구하고 있다.[56] EU의 이러한 움직임이 국제투자법에 어떠한 영향을 미칠 것인지 주목된다.

(4) 투자보호와 정부규제권의 균형 추구

협정투자중재에서는 공익을 위한 정부의 규제권과 투자보호의 적절한 균형이 필수적이다. 위에서 본 절차적 개선도 이러한 균형을 달성하려는 노력이다. 이외에 투자보호의 예외 사항들을 명시함으로써 양자의 균형을 달성하려는 노력이 진행되고 있다. FTA에서는, 투자나 서비스무역에 관한 장에서 유보나 예외사항을 명시하는 방법과 일반예외의 장에서 GATT 제20조와 GATS 제14조의 일반예외가 투자보호에도 적용토록 명시하는 방법 등이 많이 이용된다.

유보사항을 규정하는 방법으로는 현재의 유보사항을 열거하는 것과 현재는 그렇지 않지만 미래에 보호와 자유화를 제한하는 조치를 취할 수 있는 미래유보사항을 열거하는 방법이 있다. 그리고 현재의 유보사항도, 앞으로 자유화를 더 제한하는 조치를 취할 수 있는 사항과, 자유화를 더 제한하는 조치는 취할 수 없고 자유화를 촉진하는 방향으로의 변경만 허용되는 소위 "후퇴방지(ratchet)" 사항을 구분하여 열거한다.[57]

IIA가 적용되는 범위를 결정하는 기준인 투자와 투자자의 범위를 확대하면서, IIA의 적용범위가 지나치게 확대되었다는 비판이 있었다.[58] 체약국에서 실질적으로 사업을 하지 않으면서, 페이퍼컴퍼니만 설치하여 IIA의 보호를 이용한다는 비판이다. 이에 대응하기 위하여, 상당수의 IIA에서 혜택의 거부(denial of benefit) 조항을 두어, IIA의 보호가 제공되는 범위를 조절하고 있다.[59] 그 내용은 체약국에 실질적인 사업을 하는 경우에만 IIA의 혜택을 누릴 수 있도록 하는 것

---

56) The Members of the Tribunal shall possess the qualifications required in their respective countries for appointment to judicial office, or be jurists of recognised competence. They shall have demonstrated expertise in public international law. It is desirable that they have expertise in particular, in international investment law, in international trade law and the resolution of disputes arising under international investment or international trade agreements. (밑줄 저자첨가)

57) 2012 US Model BIT Art. 14; 한미 FTA 제11.12조; CETA Art. 8.15 참조.

58) 이에 대한 상세한 내용은 졸저, "국내법인의 ICSID 중재청구권과 회사의 권리침해를 이유로 한 주주의 국제투자 중재청구권", 국제법학회논총 제55권 3호, 2010년 9월, pp. 65-92 참조.

59) CETA Art. 8.16; 2012 US Model BIT Art. 17 참조.

이다.

　이외에 환경보호, 노동기준 등에 관한 별도의 장이나 조항[60]을 두어, 투자보호와 무역자유화와 정부규제권의 균형을 모색하면서 시민단체의 우려를 완화시키기 위한 노력도 하고 있다.

---

60) CETA Chs. 23, 24; 2012 US Model BIT Arts. 12, 13 참조.

제34장
국제투자법의 실체적 조항

제1절 들어가는 말

국제투자협정(International Investment Agreements: IIAs)과 국제투자분쟁(Investor-State Dispute Settlement Proceedings: ISDS 절차)에 대한 국내외의 관심은 날로 높아지고 있다. 주요국과의 자유무역협정(Free Trade Agreement: FTA) 교섭 및 체결 과정에서 가장 민감한 쟁점으로 대두하고 있는 부분도 다름아닌 투자챕터이다. 2018년 9월 마무리된 한미 FTA 개정 협상에서도 투자챕터가 가장 중요한 항목 중 하나였다. 마찬가지로 양자간 투자보호협정(Bilateral Investment Treaty: BIT)은 어느덧 국내적으로 가장 중요하고 민감한 조약의 하나로 자리잡게 되었다. 한때 문화협정이나 사증면제협정과 같이 가장 부담없이 체결되곤 하던 투자협정이 이제 가장 중요하고 민감한 조약의 하나로 탈바꿈하였다.

지속적이고 안정적인 외국인 투자는 모든 국가의 경제발전에 있어 중요한 부분을 차지하고 있다. 따라서 FTA와 BIT를 통한 국제법적 체제의 구축을 통해 외국인 투자유치 확대를 도모하는 것은 대부분의 국가가 추구하고 있는 중요한 경제정책수단이다. 그러나 한편으로 외국인 투자의 확대는 각국 정부가 외국인 투자 및 투자자를 규율하기 위한, 또는 외국인 투자 및 투자자에 영향을 초래하는 국내 정책과 제도를 어디까지, 그리고 어떻게 도입할 수 있는지에 관하여 새로운 과제를 제시하고 있다. 외국인 투자의 확대와 이에 대한 보호도 중요하지만, 한편으로 이러한 확대와 보호만을 위하여 각국 정부가 정당한 규제권한을 포기하거나 경감할 수는 없기 때문이다. 이러한 상충하는 두 가치의 균형점을 찾고자 노력하는 것이 바로 현재 국제투자협정이 추구하고 있는 바이다. 즉, 한편으로는 외국인 투자의 확대와 보호를 달성하고자 하며, 다른 한편으로는 체약 당사국 정부의 외국인 투자와 투자자에 대한 정당한 규제권한을 보장하고자 하는 것이다. 1950년대 후반부터 체결되기 시작한 초기 BIT에서는 주로 전자, 즉 외국인 투자와 투자자의 보호에 주된 초점이 맞추어져 있었다. 그러나 최근에 체결되는 FTA 및 BIT에서는 국가의 규제권한 확보를 강화하는 추세로 점차 옮아가고 있는 모습을 보이고 있다. 시간이 지나면서 두 상충하는 이해관계의 중간지점에서 균형을 찾아가는 모습을 보여주고 있다. 그러나 구체적 사안에 있어서는 국제투자협정의 체약 당사국간, 그리고 외국인 투자자와 투자유치국 정부간 이를 둘러싼 이견과 분쟁이 이어지고 있다.

우리나라는 2021년 1월 현재 99개의 BIT(이중 10건은 양자합의로 종료)와 15개의 FTA(투자챕터 포함)를 체결하였다. 각각 30개, 50개 전후의 BIT를 체결한 일본, 미국에 비하면 이는 상당한 숫자이다. 현재 전 세계적으로는 3,293개의 투자협정이 존재하는 것으로 파악되고 있다. 또한 우리나라는 2021년 1월 현재 14건의 투자분쟁을 경험하였다. 외국 투자자가 각각의 투자협정에 기초하여 우리나라를 제소한 사건이 7건이다.[1] 또한 우리 기업이 외국 정부를 제소한 사건이 7건이다.[2] 이들 14건의 분쟁이 모두 2012년 이후 제기된 것이라는 점을 감안하면 앞으로 이들 분쟁이 더욱 증가할 것으로 판단하는 것도 무리는 아닐 것이다. 2020년 7월 말 기준 전 세계적으로는 1,061건의 투자분쟁이 제기되었다.

이러한 점을 염두에 두고 이 장에서는 FTA 투자 챕터와 BIT에 흔히 포함되는 실체적 조항들을 주로 살펴보고자 한다. 아래에서는 먼저 다자간 투자협정 체결을 위한 국제사회의 노력을 간략히 살펴보고 다음으로 이들 실체적 조항을 살펴보기로 한다.

---

1) 한국 정부에 대하여 제기된 최초 3건의 ISDS 분쟁은 다음과 같다. LSF−KEB Holdings SCA and others v. Republic of Korea(ICSID Case No. ARB/12/37); Hanocal Holding B.V. and IPIC International B.V. v. Republic of Korea(ICSID Case No. ARB/15/17); Mohammad Reza Dayyani and others v. Republic of Korea(PCA Case No. 2015−38).

2) Ansung Housing Co., Ltd. v. People's Republic of China(ICSID Case No. ARB/14/25); Samsung Engineering Co., Ltd. v. Sultanate of Oman(ICSID Case No. ARB/15/30) 등이 대표적인 사건들이다.

제2절 다자간 투자협정 체결을 위한 노력

양자간 투자협정은 전 세계적으로 확산되어 왔다. 국제연합무역개발협의회 (United Nations Conference on Trade and Development: UNCTAD)에서 발표한 통계에 따르면 2020년 7월 말 기준으로 전 세계적으로 3,293건의 투자협정이 체결된 것으로 확인되고 있다. 이러한 현상은 여러 국가가 투자협정 체결을 주요한 정책 목표 중 하나로 삼고 있음을 보여주고 있다. 그런데 특이하게도 투자협정 영역은 아직 진정한 의미의 다자간 국제협정이 부재한 상황이다. 국제교역이 세계무역기구(World Trade Organization: WTO)를 중심으로 하는 다자간 협정체제로 일사분란하게 운영되는 것과 비교하면 국제경제 체제의 또 다른 축을 구성하는 투자분야에서 다자간 협정 체제의 부재는 특히 우리의 눈길을 끈다. 이는 한편으로 이 분야에서 다자간 체제를 구축하기에는 여전히 남겨진 숙제가 적지 않고 또 국가들간 컨센서스 구축이 더욱 필요하다는 점을 보여주는 방증이기도 하다. 바로 위에서 언급한 투자자 보호와 국가 규제권한 보호라는 상충하는 가치의 균형점을 어떻게 잡을 것인지에 대하여 여러 국가의 시각과 평가가 서로 상이하기 때문이다. 다자간 협정 체제를 구축하는 것이 쉽지 않은 상황에서, 또한 한편으로 투자의 확대와 보호는 필요한 상황에서 여러 국가들이 채택할 수 있는 현실적인 대안은 서로 입장을 같이하는 국가들끼리 양자간 협정이라도 먼저 체결하여 상호간 투자를 증가시키고 또 자국 투자자의 보호를 도모하는 것이 될 것이다. 이러한 노력의 결과물이 최근 증가하고 있는 FTA 및 BIT 체결이라고 볼 수 있을 것이다.

원래 국제사회에서 다자간 투자협정 체결을 위한 노력은 경제협력개발기구 (Organization for Economic Cooperation and Development: OECD)에서 시작된 바 있다. 주요 선진국 중심 클럽인 OECD의 성격상 개발도상국에 투자하는 선진국 투자자의 보호가 이 국제기구의 주요한 의제로 대두될 수밖에 없었으며 그 결과 투자분쟁에 관한 논의와 투자협정 체결 문제는 OECD 초창기부터 시작되었고, OECD의 주요 과제 중 하나로 자리매김하여왔다. 초창기 OECD에서 채택한 문건 중 투자분야에 적용되는 문건으로는 1961년에 채택된 이후 지속적으로 수정되어 온 자본이동 자유화 코드(Code of Liberalization of Capital Movements)와 역시 1976년 채택되고 이후 수정되어 온 국제투자 및 다국적 기업에 관한 선언 및 결정(Declaration and Decisions on International Investment and Multinational Enterprises)이 있다.[3] 이들 문건은 회원국이 외국 투자자에 대한 차별적 조치나 관행을 점진적으로 철폐할 것을 선언하고 있다. 또한 한편으로 OECD는 외국에 투자를 실시하는 다국적 기업의 투자활동상의 투명성, 공정성을 제고하기 위한 규범을 별도로 정립하고자 OECD 다국적기업 가이드라인(Guidelines for Multilateral Enterprises)을 도입하기도 하였다.[4] 투자 유치국 정부의 조치와 함께 다국적 기업의 행위 역시 규율하고자 한 것이다.

이러한 노력의 결실로 다자간 투자협정(Multilateral Agreement on Investment: MAI) 체결을 위한 노력이 OECD 차원에서 1995년 개시되어 의욕적으로 추진되기에 이르렀다. 그러나 이 노력은 개발도상국과 일부 회원국의 강력한 반대로 1998년 결국 실패로 귀결되게 되었다. 일부 국가들이 반대의견을 개진한 여러 이유 중 하나는 이 협정을 통하여 개인투자자와 투자 유치국 정부간 분쟁해결절차를 다자간 차원에서 본격적으로 도입하기 위한 움직임이 종국에 가서는 해당국 정부의 주권을 침해한다는 것이었다. 그 결과 투자협정은 이후 양자간 협정 체제에 남겨지게 되었다. 이로 인해 3,322개에 이르는 국제투자협정의 산재와 확산을 가져오게 되었다.

한편 국제무역을 관장하는 WTO 역시 투자 문제에 관한 논의를 산발적으로 진행하여 오고 있다. 국제무역과 투자는 뗼래야 뗼 수 없는 관계를 형성하고 있기 때문이다. 그간 WTO에서는 주로 유럽연합(European Union: EU)의 주도로 투자 분야에 대한 규율을 WTO 협정에 포함시키는 방안이 검토되어 왔으나 역시 개발 도상국의 반대로 큰 진전을 이루지 못하였다.[5] 2001년 시작된 도하 개발라운드 (Doha Development Agenda: DDA) 협상에도 투자 분야 협상에 관한 조항이 포함되기는 하였으나,[6] DDA 자체가 교착상태에 빠져 있는 상황은 차치하고서라도 이 문제가 DDA 맥락에서 주요한 스포트라이트를 받지는 못하였다. 결국 2004년 7월

---

3) OECD 웹사이트(http://www.oecd.org/document/34/0,3746,en26493488719329621111,00.html) 참조. (2017년 11월 30일 방문)

4) See Id.

5) 이와 관련된 실무 작업과 협상은 WTO Working Group on the Relationship between Trade and Investment에서 진행되고 있다. WTO 웹사이트(http://www.wto.org/english/tratope/ investe/investe.htm) 참조. (2017년 11월 30일 방문)

6) Ministerial Declaration, WT/MIN(01)/DEC/1 (Nov. 20, 2001).

협상의제(July Package) 논의에서 도하 라운드 협상 항목에서 투자문제는 일단 제외되기에 이르렀다.[7] 어쨌든 DDA에서 일부 진행된 투자분야 관련 논의를 살펴보더라도 투자분야를 규율하는 다자간 국제협정을 도입함에 있어 염두에 두어야할 핵심 원칙은 투자자의 국적국과 투자 유치국 간, 그리고 외국인 투자자와 투자 유치국 간 이해관계의 균형이라는 점을 분명히 알 수 있다.[8] 즉, 외국인 투자에 대한 적절한 보호와 함께 투자 유치국 정부의 주권행사에 대한 부당한 제약의 회피라는 양자간 균형의 도모가 그 핵심을 이루고 있다.[9]

이러한 기본목적을 달성하고자 DDA 맥락에서 다양한 실체적, 절차적 이슈들이 세부적으로 논의가 되었으나 국가들간 입장 차이가 노정되었다. 가령, EU와 일본은 외국인 투자자 보호를 위한 절차적 투명성을 제고하고자 외국인 투자에 영향을 미치는 WTO 회원국의 국내법령과 관행이 적절히 공표되어야 하며 또한 이러한 국내법령과 관행에 변경이 있을 경우 이를 WTO에 통지할 의무를 부과할 것을 주장하였다.[10] 가령 무역구제조치 관련 법령에 대하여 부과되는 의무와 유사한 의무를 부과하고자 한 것이다.[11] 그러나 개발도상국들은 외국인 투자자의 보호와 관련된 이러한 새로운 규범의 도입에 대체로 부정적 입장을 견지해 왔다. 특히 NAFTA 등에서 외국인 투자자가 투자 유치국 정부를 분쟁해결절차에 회부하는 상황을 목도한 개발도상국들은 투자분야에서 WTO 차원의 다자간 협정 채택에 조심스러운 입장을 견지하여 오고 있다.

WTO 차원에서 투자협정의 체결을 주장하는 EU 등 일부 선진국들의 경우 1998년 OECD에서의 MAI 협정 체결 실패 사례를 교훈 삼아 WTO 협정의 경우 오로지 투자문제에 대하여도 국가 대 국가간(State-to-State) 분쟁해결절차만 도입할 것임을 강조하기도 하였다.[12] 그러나 적지 않은 수의 회원국들은 국가 대 국가간 분쟁해결절차 이외에 투자자 대 국가간 분쟁해결절차도 이미 국제사회에서 광범위하게 수용되고 있음을 들어 이 제도의 도입도 아울러 주장하고 있어[13] 이 문제

7) WT/L/579 (Aug. 2, 2004).
8) *See* Ministerial Declaration, WT/MIN(01)/DEC/1 (Nov. 20, 2001), at paras. 20, 21, and 22.
9) *Id.*
10) WT/WGTI/W/110, WT/WGTI/W/112 참조.
11) WTO 반덤핑 협정 제16.4조, 보조금 협정 제25.11조 참조.
12) 가령, European Commission, *Communication from the Commission to the Council and to the European Parliament: The EU Approach to the Millennium Round*(2000) 참조.
13) 가령, International Chamber of Commerce, *WTO Rules on Investment Would Benefit the*

에 관한 WTO 차원의 궁극적 해결은 아직은 요원한 것으로 보인다. 투자분야 다
자간 협정 논의과정에서 표출된 이러한 다양한 의견은 한편으로 외국인 투자를
규율하는 문제에 내재하는 고유한 특성 및 정치적 민감성을 잘 보여주고 있다.
이러한 배경에서 2004년 8월 1일 소위 "July Package" 논의에서 투자부분은 도하
라운드 협상에서 누락되기에 이른 것이다.

　　2013년 UNCITRAL 주도로 투자분쟁해결절차에 적용되는 투명성 규칙(Transparency
Rules)이 채택되고, 나아가 이를 2014년 4월 1일 이전의 투자협정에 소급적용하기
위한 투명성 협약(Transparency Convention)이 채택되며 투자문제의 다자적 논의를
위한 자신감이 조금씩 회복되어 가고 있는 모습이다. 이러한 모멘텀을 살려 현재
UNCITRAL, UNCTAD, OECD, ICSID 등에서는 투자협정과 투자분쟁해결절차를 개
선하기 위한 다양한 논의를 시작하였다. 만약 이러한 논의가 성과를 보인다면 그
결과는 다자간 협정의 모습을 띠게 될 것이다. 그간 요원하게만 느껴졌던 투자분
야의 다자간 협정이 어느 순간 우리에게 다가올 가능성도 이제 점차 커지고 있는
것이다.

　　어쨌든 그간 다자간 협정 체결이 조기에 달성되기 곤란한 이러한 상황에 직
면하여 여러 국가들은 양자간 투자협정 체결에 더욱 주력하게 되었다. 위에서 언
급한 바와 같이 주로 FTA의 투자 챕터와 BIT가 이러한 양자간 협정의 대표적인
형태로 자리잡게 되었다. 아래에서는 이러한 양자간 협정에 주로 포함되는 실체
적 규정을 살펴보기로 한다.

제 3 절   외국인 투자 보호를 위한 실체적 규정

　　양자간 투자협정에 포함되는 대표적인 규정들로는 내국민대우(National Treatment:
NT) 부여, 최혜국대우(Most Favored Nation Treatment: MFN) 부여, 간접수용(Indirect
Expropriation) 문제, 이행의무(Performance Requirement) 부과금지, 공정하고 형평한
대우(Fair and Equitable Treatment: FET) 부여와 관련된 조항들을 들 수 있다. 투자협
정이 양자간 협정의 형태로 진행되느니만큼 이러한 조항의 구체적 규정 방식과

Developing World(Press Release, Mar. 18, 2003).

범위는 각 협정별로 다소 상이한 내용을 담고 있다. 기본원칙은 동일하더라도 양자간 협정에 참여하는 국가별로 구체적 맥락에서는 다소 상이한 입장을 견지할 수밖에 없기 때문이다. 이러한 개별적 상이성에도 불구하고 대체적으로 다음의 내용에 대해서는 대동소이한 규정이 발견되고 있다. 아래에서는 일단 한미 FTA를 중심으로 설명하나 이러한 조항들은 여타 FTA 및 BIT에서도 사실상 동일하게 규정되어 있다.

1. 최혜국대우

양자간 투자협정에 포함되는 주요 원칙 중 하나는 바로 각 체약 당사국은 자국에 투자하는 상대국의 투자자에 대하여 최혜국대우를 부여하여야 한다는 것이다. 즉, 일방 당사국 정부는 자국이 외국인 투자 및 투자자에 대하여 부여하는 최고의 혜택을 협정 상대국의 투자 및 투자자에 대하여 부여하여야 한다. 여기서 말하는 혜택이란 투자와 관련되거나 또는 투자에 영향을 미치는 모든 형태의 정부 조치(governmental measure)를 의미한다. 법령과 제도는 물론이며 관련 정부기관의 관행 등도 모두 여기에 포함된다. 또한 동일한 대우를 부여할 의무는 투자의 특정 단계가 아닌 모든 단계에 원칙적으로 적용된다. 가령, 한미 FTA는 제11.4조에서 다음과 같이 최혜국대우 조항을 규정하고 있다:

제11.4조

최혜국대우

1. 각 당사국은 자국 영역 내 투자의 설립·인수·확장·경영·영업·운영과 매각 또는 그 밖의 처분에 대하여 동종의 상황에서 비당사국의 투자자에게 부여하는 것보다 불리하지 아니한 대우를 다른 쪽 당사국의 투자자에게 부여한다.

2. 각 당사국은 투자의 설립·인수·확장·경영·영업·운영과 매각 또는 그 밖의 처분에 대하여 동종의 상황에서 비당사국 투자자의 자국 영역 내 투자에 부여하는 것보다 불리하지 아니한 대우를 적용대상 투자에 부여한다.

예를 들어, 우리 정부가 일본인 투자자에 대하여 부여한 대우가 미국 국적의

외국인 투자자에게는 부여되지 않는 경우 그러한 미국인 투자자는 자신이 한국
정부에 의해 상대적으로 차별을 받았으며 그 결과 한국 정부는 한미 FTA 제11.4
조에 규정되어 있는 최혜국대우 조항을 위반하였음을 주장하게 될 것이다. 우리
나라가 외국 투자자에 대하여 부여하는 대우가 추후 조정되는 경우 미국 투자자
에 대하여 부여하는 대우 역시 여기에 맞추어 조정되게 된다. 다만 최혜국대우
의무는 "동종의 상황(like circumstances)"의 경우에 한하여 적용됨에 유의하여야 한
다. 동종의 상황이 아닌 경우에는 차이가 나는 대우를 할 수 있음은 물론이다. 이
는 상품교역을 규율하는 GATT 1994 협정 제I조의 동종상품(like product)에 비견되
는 개념이다.

　　최혜국대우 의무는 한편으로 아주 단순한 의무인 것으로 보이기도 하나 사
실은 여러 가지 복잡한 문제를 내포하고 있다. 바로 여러 국가들이 외국인 투자
를 자국으로 유치하기 위하여 특정 투자자에 대하여 다양한 인센티브를 부여하
고 있기 때문이다. 일국 정부가 특정 외국인 투자자를 유치하기 위하여 선별적으
로 또는 일회성으로 투자 유인책을 제공하며 여타 외국인 투자자에 대해서는 그
러한 우대 조치를 부여하지 않을 경우 장기적으로 여러 투자협정상 규정된 최혜
국대우 조항에 대한 위반 문제를 초래할 가능성이 있다. 따라서 투자 유치국 정
부 입장에서는 한편으로 외국인 투자를 유치하기 위해서는 다양한 우대정책을
채택하여야 하는 현실과 다른 한편으로 이러한 우대정책이 여타 국가 출신 투자
자에 대해서는 최혜국대우 조항을 위반하는 가능성을 동시에 고려하여야 하는
복잡한 상황에 직면하게 된다. 외국인 투자자에 대한 지원책 제공은 그 동안은
흔히 보조금 협정 위반 문제를 야기하여 왔으나 이제 투자협정이 촘촘하게 체결
됨에 따라 이 협정에 대한 위반 가능성도 아울러 대두되게 된 것이다.

　　한편으로 기계적인 MFN 원칙의 적용은 투자협정에 포함된 일부 사항에 대
하여는 — 가령 분쟁해결절차에는 — 적합하지 않을 수 있다는 점에 대해서는 상
당한 공감대가 형성되어 있다. 이에 따라 최근 체결되는 BIT의 일반 추세는 MFN
의무가 ISDS 절차에는 적용되지 않는다는 점을 밝히고 있는 경우가 적지 아니 하
다.[14] 가령 2012년에 체결된 한중일 3자투자보장협정의 경우도 제 4 조 3항에서

---

14) *See Maffezini case; Vladimir & Moise Bershader v. Russian Federation;* Luke Eric
　　Peterson, *China—Canada Bilateral Investment Treaty Unveiled: A First Look at the
　　Provisions of Long—Delayed Pact,* Investment Arbitration Reporter(Sept. 27, 2012) 참조.

이 협정상 MFN 의무가 ISDS에는 적용되지 않는다는 점을 분명히 하고 있다.[15] 그 결과 다른 나라와 체결한 BIT 및 FTA에서 보다 유리한 ISDS 규정이 도입되어 있거나 또는 앞으로 새로운 BIT나 FTA를 통해 보다 유리한 규정이 도입되는 경우에도 MFN 규정으로 인하여 TIT의 당사국이 자동적으로 그러한 유리한 ISDS 절차의 혜택을 향유하는 것은 아니라는 점이 분명하여졌다. 2012년 발효한 한미 FTA도 비록 명문의 조항을 포함하지는 않고 있으나 협상과정에서 MFN 조항은 분쟁해결절차에는 적용되지 않음을 서로 확인하고 이를 협상기록에 남긴 바 있다.

2. 내국민대우

양자간 투자협정에 포함되는 또 다른 주요 원칙은 내국민대우이다. 각 체약 당사국 정부는 자신이 국내 투자자에게 부여하는 것과 동일한 대우를 협정 상대방의 투자 및 투자자에 대해서도 부여하여야 한다는 것이다. 가령, 우리 정부가 우리 국적의 투자자에 대하여 부여하는 대우를 유사한 투자를 계획하는 일본인 투자자에 대해서는 거부하는 경우 이 조항에 대한 위반 문제가 발생하게 된다. 내국민대우 원칙 역시 투자의 모든 단계에 걸쳐 적용된다. 내국민대우 원칙과 관련하여 한미 FTA는 제11.3조에서 다음과 같은 규정을 두고 있다.

제11.3조

내국민대우

1. 각 당사국은 자국 영역 내 투자의 설립·인수·확장·경영·영업·운영과 매각 또는 그 밖의 처분에 대하여 동종의 상황에서 자국 투자자에게 부여하는 것보다 불리하지 아니한 대우를 다른 쪽 당사국의 투자자에게 부여한다.

---

15) 이 조항은 다음과 같이 규정하고 있다:

Article 4. Most-Favored Nation Treatment

3. It is understood that the treatment accorded to investors of the third Contracting Party or any non-Contracting Party and to their investments as referred to in paragraph 1 does not include treatment accorded to investors of the third Contracting Party or any non-Contracting Party and to their investments by provisions concerning the settlement of investment disputes between a Contracting Party and investors of the third Contracting Party or between a Contracting Party and investors of any non-Contracting Party that are provided for in other international agreements.

2. 각 당사국은 투자의 설립·인수·확장·경영·영업·운영과 매각 또는 그 밖
   의 처분에 대하여 동종의 상황에서 자국 투자자의 자국 영역 내 투자에
   부여하는 것보다 불리하지 아니한 대우를 적용대상 투자에 부여한다.

이 조항 위반 문제가 대두되는 대표적인 사례로 들 수 있는 것은 어떤 국가
가 외국인 투자 내지 투자자를 규제하기 위한 법령을 도입하는 경우이다. 외국인
투자 및 투자자를 주요 대상으로 규율하는 조치는 내국민대우 위반 문제를 초래
할 가능성을 항상 내포하고 있다. 특히 이와 관련하여 주목하여야 할 점은 최근
의 국제 투자분쟁 추세를 살펴보면 정부가 외국인 투자를 규율하기 위하여 도입
하는 정책의 목표 및 의도가 해당 정책의 투자협정 합치성을 보장하여 주지는 않
으며 그러한 정책이 실제 초래하는 "영향"이 중요하게 고려된다는 점이다. 이러
한 점은 상품교역을 규율하는 GATT 1994 협정 제III조에 따른 내국민대우 위반
평가에서도 목도되는 경향이다. 따라서 설사 특정 법령의 목적이 타당하며 외국
인 투자자에 대한 차별을 표면적으로 의도하고 있지 아니한 경우라도 실제 적용
과정에서 외국인 투자자에 대한 비차별적 효과가 발생할 경우 내국민대우 위반
으로 이어질 가능성을 배제할 수 없게 된다. 이 경우 일견 정당한 공공정책 목표
를 달성하기 위한 조치라고 하더라도 투자협정 위반 문제가 초래될 수 있으므로
외국인 투자 및 투자자에 대한 실제적인 차별 효과가 발생하지 않도록 법령과 제
도를 도입하는 것이 중요하다. 여기에서 말하는 불리하지 않은 대우란 법령과 제
도의 적용이 현실적으로 차별을 초래하는 방향으로 적용되지 않아야 함을 의미
하며, 구체적인 사안에 대하여 투자 유치국 정부가 항상 동일한 결론을 도출하여
야 한다는 의미는 아니다. "동종의 상황" 개념은 내국민대우에서도 동일하게 발
견되고 있다.

최근 투자협정에서는 내국민대우 조항이 좀 더 발전하는 모습을 보이고 있
기도 하다. 예를 들어 투자 유치국 정부가 보조금을 자국 기업에 교부하는 경우
에는 동일한 보조금을 외국인 투자자에게는 교부하지 않더라도 이 자체가 내국
민대우 위반은 아니라는 점을 명확히 규정하고 있다. 현실성 있는 조항을 도입하
기 위한 노력이라고 볼 수 있을 것이다.

이러한 투자협정상 의무는 지방자치단체들에게도 동일하게 적용된다. 우리
지방자치단체들이 다양한 형태의 투자 유치 정책을 실시하고 있는 상황에서 그

러한 지방자치단체들이 우리 국내 투자자에 대하여 특정한 대우를 부여하면 투자협정의 체약 당사국의 투자자에 대해서도 최소한 그러한 대우와 동일하거나 더 나은 대우를 부여하여야 한다. 특히 최근 지방자치단체들이 자신들의 영역 내에 존재하는 산업단지 조성 사업 등을 위하여 우리 국내기업들에게 다양한 지원책을 제시하는바, 이러한 조치가 체약 당사국 외국인 투자자에 대해서는 어떠한 함의가 있을지를 이 조항과 연관하여 면밀히 검토하여 볼 필요가 있다. 마찬가지로 외관상 비정부기관이 실질적으로 정부기관으로 간주되는 경우(예를 들어 국영기업) 이들이 국내 투자자에 대하여 부여하는 대우는 동일한 수준으로 외국인 투자자에 대해서도 부여되어야 투자협정상 요건을 충족하게 된다. 정부기관 이외의 다양한 정부유관 기업들이 과연 투자협정 적용 맥락에서 정부기관으로 간주되어야 하는지 여부는 점차 중요성을 더하여 가는 분쟁항목이 되었다.

3. 간접수용

한편, 간접수용 문제 역시 각 투자협정에서 중점적으로 다루고 있는 주요 사안이다. 대부분의 투자협정은 체약당사국 정부가 정당한 보상의 제공없이 부당하게 상대국 투자자의 재산을 수용하거나 또는 사실상 그 경제적 가치를 소멸시키는 조치를 채택하는 것을 금지하고 있다. 전자의 경우가 직접수용(direct expropriation)에, 그리고 후자의 경우가 간접수용(indirect expropriation)에 각각 해당한다. 1990년대에 들어와 국제적 관심을 끌게 된 간접수용은 외국 투자자가 투자 유치국 정부의 제반 입법/행정/사법 조치(measure)로 인하여 자신의 투자가 사실상 소멸하는 상황에 직면하는 경우 과연 이것이 국제법상 또는 투자협정상 "수용"에 해당하는지 여부와 관련되는 문제이다. 즉, 외국인 투자기업 등 외국인 사유재산의 국유화 또는 몰수(즉, "재산권의 공식적 이전(formal transfer of title)"이나 "직접적인 물리적 탈취(outright physical seizure)") 등을 매개로 하여 발생되는 직접수용과 대비되는 개념이다. 여기에서 유념할 점은 간접수용은 단순한 투자수익의 감소나 투자의 실패에는 적용되지 아니하며 사실상 직접수용에 버금가는 상황이 발생한 경우에만 적용되는 개념이라는 점이다.

사실 간접수용 개념의 역사는 1926년으로 거슬러 올라간다. 1926년 독일과 폴란드 간 폴란드 내 독일 재산의 처분에 관한 분쟁에서 간접수용 개념이 처음 언급된 이후16) 여러 분쟁을 통하여 지속적으로 발전하여 왔다.17) 체약 당사국 정부가 외국 투자기업의 사유재산을 사실상 국유화하거나 수용하는 경우 이에 대하여 보상을 제공하여야 한다는 내용을 그 골자로 하며 이제 투자협정의 가장 중요한 부분을 차지하는 사항으로 자리매김하게 되었다.

그동안 국제법이나 투자협정에서 "수용"이라고 할 경우 흔히 직접수용만 의미하는 것으로 이해되었으나 외국인 투자영역과 기대이익의 다변화에 따라 점차로 투자 유치국 정부의 정책 도입 또는 기존 정책 변경에 따라 외국인 투자자가 "눈에 보이지 않는" 또는 "예상치 못한" 투자 손실을 입게 된 경우 이것이 수용 (즉, 간접수용)에 해당하는지 여부에 관하여 국가간 또는 당사자간 대립이 존재하였다. 이러한 경우까지 광범위하게 수용으로 간주하여 보상이 필요함을 주장하는 외국인 투자자와 이러한 결과적 손실은 정부 정책의 파생적 효과에 불과한 일종의 상업상 위험으로 국제법상 또는 국제협정상 수용에 해당하지 않고 따라서 보상의 필요가 존재하지 않는다는 투자 유치국간 입장 차이가 노정된 것이다. 여러 분쟁을 거치며 이러한 경우 수용(즉, 간접수용)에 해당하기 위해서는 문제의 조치의 총체적 성격이 직접수용으로 간주될 수 있을 정도에 이르러야 한다는 법리가 확립되게 되었다. 따라서 정상적인 정부조치를 염두에 두는 한 외국인 투자에 영향을 미치는 대부분의 조치는 투자협정상 여타 조항(가령, 최혜국대우, 내국민대우 등)에 해당할 가능성은 있어도 간접수용에 해당할 가능성은 상당히 희박하다고 할 수 있다.

간접수용 문제가 최근 투자협정의 주요 쟁점으로 대두되게 됨에 따라 최근 체결된 투자협정들은 이를 규율하기 위한 상세한 규정을 도입하고 있다. 가령, 한미 FTA는 이와 관련하여 다음과 같은 조항을 도입하고 있다:

---

16) 사실 간접수용 문제가 최초로 대두된 사건은 1926년의 Chorzow Factory Case이다. 이 사건에서 상설국제사법재판소(PCIJ)는 폴란드 정부의 직접수용 대상이 되지 않았던 독일계 공장에 대해서도 사실상 수용에 준하는 피해를 입었음을 확인하고 수용에 해당하는 것으로 판결하였다. *See Case Concerning Certain German Interests in Polish Upper Silesia*(Germany v. Poland), 1926 PCIJ (ser. A) No. 7 (May 25, 1926).

17) *Oscar Chinn* Case(U.K. v. Belgium), 1934 PCIJ(ser. A/B) No. 63 (Dec. 12, 1934) *Barcelona Traction, Light & Power Co.* (Belgium v. Spain), 1970 ICJ 3 (Feb. 5, 1970); *Eletronica Sicula S.p.A.* (U.S. v. Italy), 1989, ICJ 15, 71 (July 20, 1989); *Sea−Land Service, Inc. v. Iran*, 6 Iran−U.S. Cl. Trib. Rep. 149, 166 (1984).

부속서 11-나

수 용

양 당사국은 다음에 대한 공유된 양해를 확인한다.

3. 제11.6조 제1항에 다루어진 두 번째 상황은 간접수용으로서, 당사국의
   조치 또는 일련의 조치가 권리의 공식적 이전 또는 명백한 몰수 없이 직
   접수용에 상당한 효과를 가지는 경우이다.

   가. 당사국의 조치 또는 일련의 조치가 특정의 사실 상황 하에서 간접수
      용을 구성하는지 여부를 결정하는 것은 다음을 포함하여 투자에 관한
      모든 관련 요소를 고려하는 개별 사안별, 사실 기초적 조사를 요한다.

      1) 정부 조치의 경제적 영향. 그러나, 당사국의 조치 또는 일련의 조치
      가 투자의 경제적 가치에 부정적인 영향을 미친다는 사실 그 자체만으
      로는 간접수용이 발생했음을 입증하지 아니한다.

      2) 정부 조치가 분명하고 합리적인 투자 근거 기대를 침해한 정도, 그
      리고

      3) 그 목적 및 맥락을 포함한 정부조치의 성격. 관련 고려사항은 정부
      조치가 공익을 위하여 투자자 또는 투자가 감수할 것으로 기대되는 것
      을 넘어선 특별한 희생을 특정 투자자 또는 투자에게 부과하는지 여부
      를 포함할 수 있을 것이다.

   직접수용의 경우 외관상 수용 여부가 명백히 확인되므로 그다지 논란의 여
지가 많지 않다. 따라서 대부분의 경우 수용에 따른 보상금액 산정과 관련한 분
쟁만이 주로 남게 된다. 그러나 간접수용은 그러한 간접적인 형태의 수용이 과연
발생하였는지 자체가 주요한 쟁점이며 당사자간 첨예한 이견이 노정되는 영역이
다. 이 과정에서 조치 시행국 정부가 어떠한 정책목표와 의도를 보유하고 있으며,
또 어떠한 절차를 통하여 해당 조치를 시행하였는지, 그리고 문제의 외국인 투자
자가 어떠한 피해를 입게 되었는지 등이 최종결정 도출에 중요한 변수로 작용한
다.18) 이 상황에서 조치 시행국 정부가 정책 및 법령의 도입과 시행에 있어 일관

---

18) 이러한 문제가 논의된 NAFTA 투자분쟁해결절차의 사건들로는 Glamis Gold Ltd. v.
United States of America(2009년 6월 8일), Waste Management, Inc. v. United Mexican
States(1998년 6월 30일), Metalclad Corp. v. United Mexican States(1996년 10월 2일) 등을

성이 결여되어 있거나 선별적 또는 자의적 운용 상황이 확인될 경우 해당 조치가 간접수용으로 간주될 가능성은 그렇지 않은 경우보다 전체적으로 높아지게 된다.[19] 외국인 투자자가 선별적이거나 비대칭적으로 피해를 입은 경우 역시 간접수용으로 확인될 가능성이 커지게 된다. 이 과정에서는 여러 제반 사정이 종합적으로 고려되게 된다.

이와 관련하여 유념할 점은 간접수용이든 직접수용이든 일단 수용으로 확정되면 조치 시행국은 외국인 투자자에 대하여 보상(compensation)의 의무를 부담한다는 것이다. 따라서 간접수용 및 직접수용 문제는 특정 조치가 수용에 해당하는지 여부를 결정하기 위한 일종의 선결문제와 관련되는 것이며 보상의 정도 및 방법과 관련되는 것은 아니다. 마찬가지로 간접수용의 경우 직접수용에 비하여 비난의 정도가 더 높아지는 것도 아니다. 단지 수용에 해당하는지 여부를 판정하는 것이 직접수용에 비하여 보다 복잡하여진 것으로 보면 정확할 것이다. 따라서 간접수용과 관련된 분쟁의 핵심은 "투자 유치국의 특정 조치가 과연 수용에 해당하는가"하는 것이며, 그 결과 수용에 해당하지 않는 것으로 결정될 경우 보상 문제는 기본적으로 제기되지 않게 된다. 일단 간접수용에 해당하는 조치임이 확인되면 직접수용의 경우와 동일하게 문제의 투자자 재산에 대하여 시장가격에 기초하여 보상이 이루어지게 된다. 외국인 투자자가 간접수용 문제를 제기하는 주된 이유도 궁극적으로는 바로 이러한 보상을 받기 위함이다.

정부가 외국인의 재산을 국유화하는 직접수용의 경우에는 그러한 수용조치가 국내법/국제법상 기본요건을 충족할 경우[20] 그러한 수용조치는 국가주권의 행사로서 간주되어 기본적으로 합법성이 인정되며 단지 보상범위와 방법의 문제만 남게 된다. 그러나 간접수용의 경우 그 동안 투자 유치국(즉, 조치 시행국)과 외국인 투자자(또는 외국인 투자자의 국적국)간 사실관계에 관한 이견은 물론이거니와 조치의 성격에 대하여 근본적 견해차이를 노정하는 경우가 빈번하다. 즉, 간접수용 분쟁에 있어서는 특정조치를 어떤 관점에서 파악하느냐에 따라 해당 조치가 수용에 해당하는지, 따라서 보상이 필요한지 여부가 결정되므로 국가간 입장차이

들 수 있다.

19) *See id.*

20) 국제법상 또는 주요국의 국내법에 의하여 인정되고 있는 합법적인 수용의 4대 요건은 공익의 원칙, 무차별의 원칙, 보상의 원칙 및 국유재산 존중의 원칙이다.

는 법률 및 사실관계 해석에 관한 차이라기 보다는 때로는 근본적인 관점의 차이로 귀결되는 경우가 적지 않았다. 바로 이러한 이유로 간접수용 문제는 투자협정의 주요 쟁점으로 등장하게 되었으며, 투자협정을 체결하는 국가들도 점차로 간접수용 문제에 대한 상세한 규정을 도입하기에 이르렀다. 한미 FTA가 대표적인 경우이다. 이 문제는 앞으로 우리나라가 체결하는 FTA와 BIT에서도 핵심 쟁점으로 계속 자리매김하게 될 것으로 보인다.

4. 이행요건 부과 금지 원칙

나아가 여러 투자협정은 체약당사국 정부가 외국인 투자자에 대하여 부당한 이행요건(performance requirements)을 부과하는 것을 금지하고 있다. 이행요건이란 투자허용 내지 국내 사업진출의 반대급부로 투자 유치국 정부가 외국인 투자자에 대하여 구체적인 작위 또는 부작위 요건을 부과하는 것이다. 투자를 허용하여 줄 터이니 이러 이러한 행위를 하지 말도록 요구하거나 또는 이러 이러한 행위를 하도록 요구하는 조건을 붙이는 것이다. 그러한 조건은 국내시장을 보호하기 위한 조건일 수도 있고, 정부의 목표 달성을 촉진하기 위한 조건일 수도 있으며, 때로는 외국인 투자자의 사업을 장기적으로 제한하기 위한 조건일 수도 있다. 이러한 이행요건은 시장에서의 자유로운 경쟁과 투자의 자유를 비정상적인 방법으로 제한한다는 이유로 금지되고 있다. 이와 관련하여 한미 FTA는 다음과 같이 규정하고 있다:

제11.8조

이행 요건

1. 어떠한 당사국도 자국 영역내 당사국 또는 비당사국 투자자의 투자의 설립/인수/확장/경영/영업/운영이나 매각 또는 그 밖의 처분과 관련하여, 다음의 요건을 부과 또는 강요하거나, 이에 대한 약속 또는 의무부담을 강요할 수 없다.

    가. 주어진 수준 또는 비율의 상품 또는 서비스를 수출하는 것

    나. 주어진 수준 또는 비율의 국산부품 사용을 달성하는 것

    다. 자국 영역에서 생산된 상품을 구매 또는 사용하거나 이에 대하여 선

호를 부여하는 것, 또는 자국 영역에 있는 인으로부터 상품을 구매하
는 것

라. 수입량 또는 수입액을 수출량이나 수출액, 또는 그러한 투자와 연계된
외화유입액과 어떠한 방식으로든 관련시키는 것

마. 그러한 투자가 생산 또는 공급하는 상품이나 서비스의 판매를 수출량
이나 수출액, 또는 외화획득액과 어떠한 방식으로든 관련시킴으로써
자국 영역에서 그러한 판매를 제한하는 것

바. 자국 영역의 인에게 특정한 기술, 생산공정 또는 그 밖의 재산권적 지
식을 이전하는 것, 또는

사. 그러한 투자가 생산하는 상품이나 공급하는 서비스를 당사국의 영역
으로부터 특정한 지역시장 또는 세계시장에 독점적으로 공급하는 것

위에 나열된 이행요건의 사례를 살펴보면 수출을 강요하거나 또는 국내생산
부품을 강요하는 조건은 국제교역에 직접적으로 부정적 영향을 초래한다. WTO
보조금 협정은 이러한 조치를 특히 금지보조금에 해당하는 조치로 파악하고 있
기도 하다.[21) 외국인 투자를 통하여 생산되는 상품과 서비스의 수출량과 수출액
등에 대한 통제 역시 국제교역에 직접적으로 부정적 영향을 초래하게 될 것이다.
투자 허용의 반대급부로 자국 기업에게 지식재산권을 전수하도록 요구하는 것
역시 금지되는 이행요건 중 하나이다. 외국인 투자자의 재산권에 대한 부당한 침
해에 해당하기 때문이다. 외국인 투자자가 생산하는 상품과 서비스를 특정 지역
시장과 세계시장에 독점적으로 공급하도록 요구하는 조건 역시 해당 투자자의
영업상 자유를 심대하게 침해하게 될 것이다. 결국 이행요건으로 금지되는 조치
들은 국제교역에 부당한 영향을 초래하거나 외국인 투자자의 영업에 심각한 제
약을 초래하는 조치들이라고 볼 수 있다. 이러한 조건들을 투자 허용의 반대급부
로 부과하지 못하도록 하는 것이다.

그렇다면 외국인 투자자가 자발적으로 수출목표액을 제시한다거나 국내생산
품 사용을 제안한다거나 또는 지식재산권을 국내기업에 이전하고자 하는 경우는
어떠한가? 이러한 자발적 제안들은 흔히 통상협정에서 말하는 회색조치에 해당하

---

21) WTO 보조금 협정 제 3 조 참조.

는 측면이 있어 그 합법성 여부를 평가하기가 쉽지는 않을 것이다. 그러나 이행요건 부과 금지 조항은 투자 유치국 정부가 그러한 조건을 투자허용의 반대급부로 부과하지 않도록 하는 의무이며 그러한 조건 자체를 불법으로 취급하고 있는 것은 아니라는 점에서[22] 외국인 투자자가 자발적으로 그러한 요건을 감수하기로 제안하는 경우에는 이 조항 위반 여부가 발생하지 않는 것으로 볼 수도 있을 것이다.

5. 공정하고 형평한 대우

실체적 규범 중에서도 특히 공정하고 형평한 대우(Fair and Equitable Treatment: FET) 조항은 투자분쟁 발생 시 가장 자주 원용되는 조항으로, 국제투자중재에서 국가의 투자자에 대한 실체적 의무 위반을 판단하는 가장 핵심적인 기준이다. FET 조항은 투자 협정의 가장 필수적인 요소로서, 외국인 투자자와 투자유치국 모두에게 가지는 의미가 크다. 외국인 투자자는 FET 조항을 통해 해외 투자에 대한 포괄적 보호를 제공받고 권리구제 수단을 확보할 수 있으며, 투자유치국 역시 본국으로의 투자를 촉진하는 상호 긍정적인 효과를 가진다고 볼 수 있겠다.

그러나 초기 투자협정에서 FET가 다소 추상적이고 포괄적인 문안으로 도입된 것이 그대로 다수의 협정에서 사용되면서, FET의 실체적 내용과 적용범위가 명확하지 않다는 문제점이 끊임없이 제기되어 왔다. 이에 따라 이 조항은 현재 투자협정의 가장 애매한 조항의 하나로 남게 되었다. 이 조항의 애매모호한 성격은 투자협정의 체약 당사국에 대하여 끊임없는 우려를 자아내고 있다. 이러한 점을 염두에 두고 여러 국가들은 해석의 여지가 많은 FET 조항을 명료화할 필요성을 가지고 모델 BIT의 제정 및 투자협정의 개정 등 다각도로 노력을 전개해 왔다. 이러한 국가들의 개정 노력을 통해 일부 문제점이 극복되었으나, 투자자의 '합리적 기대의 보호(Protection of Legitimate Expectation)' 법리의 경우에는 여전히 문제가 노정되고 있다. 이 법리는 다수의 중재판정례를 통해 확고하게 자리 잡은 FET의 주요 요소로서, 그동안 국제투자중재에서 가장 핵심적인 청구 원인으로 다루어지고 이를 통해 법리가 발전되어 왔다. 그럼에도 불구하고, 투자협정에서 동

---

22) 이러한 점에서 모든 회원국에 대하여 회색조치 자체를 금지하고 있는 WTO 세이프가드 협정 제11조와 대비된다.

법리가 명시적으로 도입된 전례가 없으며, 여전히 명확성이 부족하다. 그 적용범위가 광범위한 만큼 여러 투자분쟁에서 단골로 제기되는 조항이기도 하다. FET 조항은 명칭이나 문안 내용이 협정마다 상이한데, ① 별도의 FET의 범위에 대한 언급 없이 단순하게 '공정·공평한 대우'를 부여해야 한다고 명시한 유형, ② 국제법에 따른 외국인의 대우라고 추상적으로 명시한 유형, ③ 국제관습법에 따른 최소기준대우로 규정한 유형의 세 가지 유형으로 구분할 수 있다.

FET 조항이 부과하는 의무의 골격은 각 체약 당사국은 외국인 투자에 대하여 국제관습법(customary international law)상 인정되는 공정하고 공평한 대우 및 보호와 안전을 보장하여야 한다는 것이다. 국제관습법은 조약(treaties)과 함께 국제법의 법원(sources of law)을 구성하며 모든 영역에 걸쳐 광범위하게 존재하고 있다. 따라서 이러한 국제관습법을 수용하는 것을 골자로 하는 최소대우 기준 조항은 그 자체로서 광범위한 성격을 가질 수밖에 없다. 외국인에 대하여 적용되는 국제관습법은 실로 방대하기 때문이다.

결국 이 조항은 설사 어떠한 내용이 투자협정에 명시적으로 규정되어 있지 않은 경우에도 그러한 내용이 외국인 투자자를 대우하는 최소한의 국제기준을 담고 있는 경우 또는 외국인이나 외국인 투자자에 대한 보호 등과 관련되는 경우에는 그러한 내용들이 이 조항을 통하여 체약 당사국에 그대로 적용 가능하다는 것이다. 국제관습법으로 표현되어 있는 외국인, 외국인 투자자 내지 외국인 투자 관련 국제기준을 그대로 계수하여 적용하도록 하는 일종의 통로를 열어두고 있는 것이다. 이와 관련하여 한미 FTA는 제11.5조에서 다음과 같이 규정하고 있다.

제11.5조

대우의 최소기준

1. 각 당사국은 공정하고 공평한 대우와 충분한 보호 및 안전을 포함하여, 국제관습법에 따른 대우를 적용대상투자에 부여한다.

2. 보다 명확히 하기 위하여, 제1항은 외국인의 대우에 대한 국제관습법상 최소기준을 적용대상투자에 부여하여야 할 대우의 최소기준으로 규정한다. "공정하고 공평한 대우"와 "충분한 보호 및 안전"이라는 개념은 그러한 기준이 요구하는 것에 추가적인 또는 이를 초과한 대우를 요구하지 아니하며, 추가적인 실질적 권리를 창설하지 아니한다.

가. 제1항의 "공정하고 공평한 대우"를 제공할 의무는 세계의 주요 법률 체계에 구현된 적법절차의 원칙에 따라 형사·민사 또는 행정적 심판절차에 있어서의 정의를 부인하지 아니할 의무를 포함한다. 그리고

나. 제1항의 "충분한 보호 및 안전"을 제공할 의무는 각 당사국이 국제 관습법에 따라 요구되는 수준의 경찰보호를 제공하도록 요구한다.

이 조항의 적용과 관련하여 여전히 불투명한 부분은 여기에서 말하는 국제관습법이 외국인 투자 및 투자자와 직접적으로 관련되는 국제관습법만을 의미하는 것인지(가령, 합법적 국유화의 원칙, 보상의 원칙 등) 아니면 외국인 투자 및 투자자에 대하여 간접적으로 영향을 미치는 다양한 국제관습법(가령, 외교적 보호권, 기본적 인권의 보호, 경제활동 관련 여러 법규범)을 포괄하는지 여부 문제이다. 후자의 방향으로 이 조항의 의미가 해석될 경우 이 조항은 상당한 파급효과를 초래할 수 있다. 가령 부당한 방법으로 부과된 반덤핑 관세의 경우 본질적으로 통상문제임에도 불구하고 이로부터 피해를 입은 외국기업은 문제의 조치를 국제교역에 관한 국제관습법을 위반한 정부조치로 주장하며 WTO 협정 등 통상협정에 대한 위반과 함께 투자협정상 최소대우기준 의무 위반을 주장할 가능성도 전혀 배제할 는 없기 때문이다.[23] 투자협정별로 이에 대한 입장이 모두 상이하다. 머지 않은 장래에 이들 문제가 정리될 필요가 있다. 이 문제들이 향후 어떻게 정리될 것인지와 관련하여 투자분쟁해결절차를 담당하는 중재판정부의 법리 발전에 주목할 필요가 있다. 최근 투자협정상 간접수용 문제 등에만 관심이 집중된 감이 없지 않으나 사실은 FET 조항 등 여타 조항에 대한 논의와 법리 발전이 더욱 필요한 실정이다. 특히 FET 조항의 애매모호함을 극복하기 위한 다양한 방안들이 모색되고 있다. 이를 통해 법적 안정성을 높이고자 하는 시도이다.

---

23) WTO 반덤핑 협정에 포함된 내용 중 덤핑 마진 계산의 구체적 방법론 등은 오로지 협정상의 권리 및 의무이며 국제관습법을 창출하지는 않는 것으로 보여지나 이 협정에 포함된 절차적 정당성 확보, 효과적인 방어기회의 보장, 자료의 객관적 평가의무 등은 맥락에 따라서는 외국인 보호와 관련되는 국제관습법적 성격을 갖는 것으로 볼 여지도 없지 않다.

6. 송금의 자유

　　최근 투자협정에서 발견되는 또 다른 중요한 조항은 송금의 자유이다. 외국인 투자자에 대하여 송금의 자유를 최대한 보장하는 것은 모든 BIT의 주요한 관심사이기 때문이다. 송금을 자유로이 하지 못한다면 투자의 본질인 수익과 과실의 향유가 사실상 불가능하게 될 것이다. 따라서 송금의 자유는 투자자에 대하여는 가장 중요한 권리라 할 수 있을 것이다. 이에 따라 송금의 자유를 원칙적으로 보장하는 데에 투자협정의 초점이 맞추어져 있다.

　　다만 이러한 자유를 원칙적으로 선언하면서도 여러 예외사유를 역시 규정하고 있다. 예를 들어 투자유치국 "사법당국과 금융당국이 국내법 집행과 관련하여 필요한 경우"에는 송금 제한을 부과할 수 있도록 규정하는 것이 그러하다. 이 조항을 통하여 가령 금융당국이 금융건전성 감독조치(prudential regulation) 발동권한을 원용하여 필요한 경우 송금 제한 조치를 취할 수 있을 것이다. 이 조항은 기본적으로 투자 유치국의 국내법이 규정하는 테두리 내에서 적용되는 것으로 예정되어 있다. 마찬가지로 투자유치국 형사사법 당국이 국내법을 적용하는 과정에서 필요한 조치라면 반드시 형법상의 범죄와 연관되지 않는 경우라도 관련 법령의 테두리 내에서 송금 제한 조치를 원용할 수 있다. 가령 우리나라의 공정거래위원회 등에서 필요한 조치를 취하는 경우를 상정하여 볼 수 있을 것이다. 또한 전쟁 내지 국가긴급사태가 발생한 경우에도 송금의 자유를 제한할 수 있도록 규정하고 있다. 이러한 제한 사유는 물론 임시적으로만 적용되며 해당 사유가 사라지게 되면 곧바로 송금의 자유가 보장되어야 함은 물론이다.

제 4 절　나가며 ― 국제사회의 투자협정 조정 및 개정 움직임

　　투자협정과 투자분쟁해결절차에 대한 국제사회의 우려가 점증하자 2015년 이후 국제사회에서는 국제투자협정을 전반적으로 조정하기 위한 노력들이 다각도로 전개되고 있다. 특히 EU 집행위원회(European Commission)는 유럽의회(European Parliament), 회원국 정부, 회원국 의회 및 다양한 영역의 민간 의견을 반영하여 2015년 9월 16일 투자협정과 투자분쟁해결절차를 대폭적으로 개선하기 위한 새로운 제안을 발표한 바 있다.24) 이 제안은 현재 EU가 미국과 협상 중인 양자간 FTA인 범대서양 무역투자동반자협정(Trans-Atlantic Trade and Investment Partnership: TTIP)의 투자챕터에 관하여 EU가 자신들의 제안을 제시하는 모양을 취하고 있으나 그 내용이향후 EU가 추진할 투자협정 및 ISDS 절차의 기본골격을 제시하고 있다는 점에서그 의의를 찾을 수 있다.25) 단지 미국뿐 아니라 우리나라를 비롯한 여러 국가들이 EU의 새로운 제안에 대하여 큰 관심을 기울이고 있는 배경이다. 특히 우리나라는 2011년 발효한 한-EU FTA에 대한 개정협상을 통해 투자 챕터를 새로 포함시키기로 되어 있어 특히 최근 추이에 주목하고 있는 상황이다. EU 집행위원회는 2015년 11월 12일 투자협정과 ISDS 절차 개선 내용을 포함하는 제안을 최종적으로 정리하여 미국에 공식 제안하기에 이르렀다.26) 이들은 투자분쟁해결절차를개선하기 위한 작업과 함께 투자협정의 실체적 조항에 대한 개선 역시 적극적으로 모색하고 있다. 그 대표적인 예가 GATT 제XX조에서 보는 바와 같은 예외조항의 도입 문제이다. MFN, FET 조항 등 그간 분쟁의 핵심에 있던 여러 조항의 의미를 더욱 구체화하여 제시하고 있는 것도 주목할 만하다. 이러한 장치들을 도입하여 정당한 정부정책에 대한 보호막을 마련하고자 시도하는 것이다.

미국 역시 투자협정과 투자분쟁해결절차의 개선을 위한 다양한 제안을 검토하고 있다. 금융위기 극복조치에 대한 예외인정과 항소절차 도입 문제 등이 그러하다. 새로운 내용을 담은 투자협정을 채택하여 이 제도에 대한 우려를 조금이라도 불식시키기 위하여 노력하고 있다. UNCTAD, ICSID, UNCITRAL, OECD 등 여러 국제기구도 투자협정 개선 문제를 주요 과제의 하나로 선정하여 다양한 논의를 현재 진행하고 있다. 특히 2017년부터 여러 국제기구 및 포럼을 중심으로 이에 대한 논의가 본격적으로 전개되고 있다. 이러한 흐름에 힘입어 2020년대 상반기에는 새로운 제안과 실험들이 이어질 것으로 예견된다.

이미 알려진 바와 같이 투자협정은 각국의 국내법 입법 및 집행과 밀접하게

---

24) European Commission, *Commission Proposes New Investment Court System for TTIP and Other EU Trade and Investment Negotiations*, Press Release(Sept. 16, 2015), available at http://trade.ec.europa.eu/doclib/press/index.cfm?id=1364 (last visited on Jan. 1, 2021).

25) 강유덕·양효은, "최근 EU의 FTA 정책 동향과 향후 전망", 「KIEP 오늘의 세계경제」 Vol. 15, No. 26 (2015년 10월 21일), p. 15 참조.

26) Louise Woods, *Fit for purposes? The EU's Investment Court System*(Mar. 23, 2016), Kluwer Arbitration Blog, available at http://kluwerarbitrationblog.com/2016/03/23/to-be-decided/ (last visited on Jan. 1, 2021).

연관되어 있다. 투자협정은 체약 당사국 정부의 정책 도입 및 집행에 대하여 구체적이고 직접적인 다양한 제한사항을 포함하고 있기 때문이다. 이러한 속성은 앞으로 우리나라가 체결하는 모든 투자협정에 있어서 더욱 중요하게 부각될 것이다. 따라서 우리 정부가 투자협정의 체약 당사국으로 참여하는 투자협정은 우리 입법권, 행정권, 사법권에 직/간접적으로 다양한 영향을 초래하며 이러한 점을 염두에 두고 투자협정 교섭과 체결이 이루어져야 할 것이다.

제35장
국제투자법의 절차적 규범[*]1)

제1절 들어가면서

경영권을 수반하는 외국인투자자의 자본이 투자유치국에 장기간 투자되는 국제투자의 성격상 외국인투자자와 투자유치국간에는 투자와 관련된 다양한 분쟁이 발생할 소지가 있다. 이러한 분쟁은 통상적으로는 투자유치국의 행정 또는 사법 절차에 따라서 해결된다. 그러나 투자유치국이 자국에 투자한 외국인투자자의 재산을 국유화하거나 수용하는 등 재산권에 대한 심각한 침해를 한 경우에는 외국인투자자가 그 나라 법률에 따른 국내구제절차에서 공정한 판단을 받는 것을 기대하기가 어려울 수 있다. 투자유치국으로부터 권리침해를 받았을 때 외국인은 투자유치국에 대하여 국제법상 직접적인 제소권을 인정받지 못한다. 다만 일정한 요건이 충족되었을 때 외국인투자자의 본국이 투자유치국을 상대로 외교적 보호권을 행사할 수 있을 뿐이다. 외교적 보호권은 본국의 권리이고 그 행사 여부는 전적으로 본국의 판단사항이므로, 외국인투자자의 본국이 자국의 투자자와 투자유치국간의 투자분쟁이 양국 간의 정치 외교적 분쟁으로 비화하게 될 가능성을 고려하여 외교적 보호권의 행사를 꺼려할 가능성도 있다. 국제사법재판소(International Court of Justice)에서 다루어졌던 Barcelona Traction 사건1)은 외국인투

---

* 이 장은 신희택, 국제투자와 국제투자협정중재, "국제투자중재와 공공정책"(신희택, 김세진 편저, 서울대학교 출판문화원, 2014), pp. 3-43의 내용을 편집 및 보완한 것임을 밝힌다. 또한 신희택, 국제분쟁해결의 맥락에서 본 국제투자중재 — ICSID 협약에 의한 투자협정중재를 중심으로, 서울대학교 법학, 제55권 제 2 호 pp 193-236(2014년 6월)의 내용도 상당 부분 인용하였다.

1) *Case concerning the Barcelona Traction, Light and Power Company* (Belgium v Spain) [1970] ICJ Rep 44. 이 사건은 벨기에 정부가 스페인에 투자한 캐나다 법인의 주주인 벨기에 국민을 위하여 외교적 보호권을 행사하여 스페인을 상대로 국제사법재판소에 제소하였

자자가 외교적 보호권에 의존할 때 (특히 본국이 정치적 영향력이 그리 크지 아니한 국가인 경우에) 권리구제가 얼마나 어려운지를 단적으로 보여주는 사례라고 할 수 있다. 한편 과거에 외교적 보호권의 행사는 무력행사까지를 포함하였기 때문에, 투자유치국 역시 강대국의 자의적인 외교적 보호권 행사의 위협에 놓여 있었다. 1956년 이집트가 수에즈 운하의 운영권을 국유화하였을 때, 외국인투자자의 본국인 영국과 프랑스가 군대를 동원하여 수에즈 운하를 점령한 바가 있었다. 이러한 국제법의 현실적인 한계를 인식하여, 외국인투자자가 투자유치국의 국내 정치적인 압력에서 벗어나 보다 공정하게 권리 구제를 받을 수 있는 절차적 방안으로서 국제중재를 통하여 투자유치국을 상대로 직접 권리구제를 구할 수 있는 투자자－국가 간 분쟁해결(Investor－State Dispute Settlement, 이하 "ISDS") 방안이 고안되었다. 외국인투자자와 투자유치국간 투자분쟁의 해결을 위하여 제기되는 국제중재를 통상 투자중재(investment arbitration)라고 부른다.

국제투자법의 절차적인 규범에 대한 논의는 주로 (i) 국가들 간에 체결된 투자보장협정에 포함된 ISDS 조항과 (ii) 투자보장협정이 허용하고 있는 국제중재에 적용될 중재절차와 관련된 규범에 대한 검토를 중심으로 이루어지고 있다. 국제중재에 적용될 중재절차와 관련된 규범 중에서는 세계은행이 주도하여 발효된 다자간 조약인 '국가와 다른 국민간의 투자분쟁의 해결에 관한 협약'(Convention on the Settlement of Investment Disputes between States and Nationals of Other States, 이하 "ICSID 협약")이 가장 중요하다. 후술하는 바와 같이 투자중재의 60% 이상이 ICSID 협약에 따라서 제기되고 있기 때문이다. 이하 제 4 절에서 투자보장협정에 포함된 ISDS 조항에 대하여 검토하고, 제 5 절에서는 투자중재에 적용되는 ICSID 협약의 핵심적 조항을 검토하기로 한다.

제 2 절   국제 투자분쟁의 유형

투자중재에 회부되는 투자분쟁은 국가의 중재동의의 근거가 무엇인가에 따

던 사건이다. 국제사법재판소는 오랜 검토 끝에, 스페인에 투자한 투자자는 캐나다 회사이므로, 그 주주인 벨기에 국민을 위하여 벨기에는 스페인을 상대로 외교적 보호권을 행사할 수 없다는 결론을 내렸다.

라서 크게 세 가지 유형으로 나누어 볼 수 있다. 첫째는 투자유치국과 투자자가 특정 사업에 관한 투자계약(예컨대 석유채굴계약 등)을 체결하면서 투자계약과 관련된 분쟁이 있는 경우에 이를 국제중재를 통하여 해결하기로 합의한 경우이다. 즉 중재동의가 구체적으로 분쟁 당사자들간의 계약에 포함된 경우이다. 이 때 일방 당사자가 투자계약을 파기하거나, 위반한 경우 계약의 상대방인 국가 또는 외국인투자자가 계약에 정하여진 중재조항에 따라서 손해배상을 구하게 된다. 당해 투자계약의 위반 여부 및 그로 인한 손해배상액의 산정이 핵심 쟁점이 되며, 당사자의 일방이 국가라는 점 외에는 통상적인 국제상사중재와 별로 다른 점이 없다. 두 번째 유형은 투자유치국이 외국인투자의 유치를 위하여 국내입법으로 외국인투자자가 투자유치국과 분쟁이 있을 때, 투자유치국을 상대로 국제중재를 제기할 수 있다고 규정하는 경우이다. 마지막으로 가장 많은 형태의 분쟁은 국가 간의 투자보장협정에 투자유치국의 중재동의가 포함되어 있는 경우이다. 투자중재 중에서 투자보장협정에 포함된 중재동의를 근거로 제기되는 중재를 투자협정중재(investment treaty arbitration)라고 부른다. 투자협정중재는 투자자와 투자유치국이 직접 중재합의를 하는 것이 아니라, 국가가 먼저 투자보장협정을 통하여 상대방 국가의 국적을 가진 불특정 다수의 미래 투자자가 자국을 상대로 중재를 제기하는 경우에 이에 동의한다는 의사를 표명하고 있다는 점에서 특이점이 있다. 중재를 통하여 다투어지는 핵심적인 쟁점은 투자유치국의 공권력 행사가 국제규범인 투자협정에 위반되어 국가의 손해배상책임을 야기하는가 여부이다. 이 점에서 투자유치국이 주권국가로서 행사하는 규제권과 사경제주체인 외국인투자자의 보호 사이에 긴장관계를 유발한다는 특징이 있다.

보다 구체적으로 본다면, 투자협정중재의 쟁점은 다음과 같은 몇 가지 유형으로 나누어 볼 수 있다. 가장 흔한 유형은 투자유치국이 외국인투자자가 투자한 재산을 국유화하거나 수용하면서 투자보장협정에 정하여진 절차를 위반하거나, 보상을 하지 않는 경우이다. 이러한 경우 통상 국내적인 구제절차를 통하여서는 공정한 보상을 기대하기 어렵기 때문에, 외국인투자자가 투자보장협정에 따라서 국제중재를 통하여 수용된 재산에 대한 보상 또는 배상을 구하게 된다. 최근까지도 일부 국가들이 외국인투자자의 재산을 국유화한 예들이 많이 있고 이로 인하여 다수의 투자분쟁이 국제중재로 제기되고 있다.[2] 두 번째 유형은 법률적으로는 소유권이나 점유권이 외국인투자자 소유로 남아있어서 수용에 해당한다고는 볼

수 없으나, 투자유치국의 일련의 규제조치의 결과 사실상 그 재산에 대하여 국유
화나 수용이 된 것과 같이 투자자의 재산가치가 박탈된 경우이다. 소위 간접수용
(indirect expropriation) 또는 점진적 수용(creeping expropriation)의 문제이다.[3] 여기
서 말하는 정부의 규제조치란, 입법, 행정 및 사법부의 행위를 모두 포함하고, 지
방자치단체 및 공권력을 행사하는 공적 기관의 행위까지 다 포함한다. 또 다른
유형은 정부의 조치가 직접수용이나 간접수용에 해당하지는 아니하더라도 투자
보장협정이 보장하고 있는 외국인투자자에 대한 공정하고 공평한 대우(fair and
equitable treatment)에 위반하여 외국인투자자의 재산권을 침해하였다고 주장하는
경우이다.[4]

제3절   WTO 통상분쟁과의 차이

WTO 분쟁해결절차는 국가 외의 주체들에게 분쟁절차에서의 당사자 적격을
인정하지 않는다. 민간 기업들이 실질적인 이해관계를 가지고 있지만, WTO 분쟁
해결절차는 국가 대 국가의 대결구조로 진행된다. WTO 분쟁 해결절차의 목적은
문제가 된 WTO 협정에 위반하는 상대방 국가의 조치를 시정하는 것이지, 그러
한 조치로 인하여 피해를 입은 개인이나 기업의 손해를 배상하거나 보전하는 것
이 아니다. 국제투자협정중재는 외국인투자자에게 직접 당사자로서 중재를 제기
할 수 있는 자격을 인정하여 본국의 개입이 없이 스스로 손해를 배상받을 수 있

2) 예컨대, 아르헨티나는 2012년 5월 스페인 기업인 Repsol이 소유하고 있는 아르헨티나 최
   대의 에너지 회사인 YPF의 지분 51%를 국유화하였다. Repsol은 2012년 12월 ICSID에 이에
   대한 보상을 요구하는 중재를 제기하였다. *Repsol, S.A. and Repsol Butano, S.A. v.
   Argentine Republic* (ICSID Case No. ARB/12/38).
3) 간접수용이 인정된 대표적 사례로는 북미자유무역협정(NAFTA)를 근거로 미국 투자자인
   Metalclad 사가 멕시코를 상대로 제기한 *Metalclad v. Mexico* 사건(*Metalclad Corporation v.
   The United Mexican States*)을 들 수 있다.
4) 공정하고 공평한 대우가 인정된 대표적 사례로는 스페인 투자자가 멕시코를 상대로 제기
   한 *Tecmed v. Mexico* 사건(*Tecnicas Medioambientales Tecmed S.A. v. The United Mexican
   States*, Case No. ARB(AF)/00/2)을 들 수 있다. *AWG v. Argentina* 사건에서 중재판정부는
   간접수용 주장은 배척하였으나, 아르헨티나의 공정하고 공평한 대우 위반은 인정하고 아르
   헨티나에 이에 대한 손해배상을 명하였다. 정한별, BIT상 공정.공평 대우 FET 의 의미 및
   판, 전게 "국제투자중재와 공공정책", pp. 167-196 참조.

는 길을 열어주고 있다는 점에서 특이성이 있다. 투자유치국의 조치가 투자보장협정에 위반된다고 판단되는 경우에도, 그러한 조치를 철회하라는 판정이 아니라, 그러한 조치로 인하여 외국인투자자가 입은 손해를 배상하라는 판정을 하게 된다. 또한 중재라는 틀의 성격상 매 사건마다 그 때 그 때 중재인단이 구성되고, WTO 상소기구와 같은 제도화된 상소기구가 존재하지 않기 때문에, 판정의 일관성을 기대하기 어렵다. 따라서 제도 개혁의 일환으로 WTO 분쟁해결제도와 같이 상소제도를 두거나, 상설기구로서 국제투자재판소(international investment court)를 설치하자는 의견도 제시되고 있다.[5)]

제 4 절 투자보장협정에 포함된 ISDS 규정

1. 투자보장협정과 ISDS 규정 수용

1950년대 말 이후 자본수출국인 독일, 네덜란드, 영국, 프랑스 등 유럽의 전통적인 자본수출국들은 개발도상국들과 양자간 투자보장협정(bilateral investment treaty, 이하 "BIT")을 통하여 이들 국가에 투자된 자국투자자의 투자에 대한 보호를 강화하려는 노력을 경주하여 왔다. 많은 개발도상국들이 경제발전에 필요한 민간 해외 자본의 유치를 위하여 외국인투자에 관한 특별입법 등으로 외국인투자자의 보호를 약속하고는 있으나, 투자유치국의 국내법은 항상 일방적으로 변경될 위험을 내재하고 있을 뿐 아니라, 외국인투자의 보호와 관련된 국제관습법은 그 구체적 내용에 관하여 국제사회에서 상당한 이견이 노정되고 있기 때문에 외국인투자자에 대한 보호의 기준을 조약상의 의무로서 보다 명확하게 정의할 필요가 있었기 때문이다. 자본수입국의 입장에서도 경제개발에 필요한 투자유치를 위하여 이러한 투자협정을 통한 보호를 약속할 필요가 있었다. 초기의 BIT들은 외국인투자자에 대한 실체적 보호 기준만을 규정하면서 분쟁해결 방법으로는 국가와

---

5) 예컨대 Jaemin Lee, "Introduction of an Appellate Review Mechanism for International Investment Disputes—Expected Benefits and Remaining Tasks", in *Reform of Investor-State Dispute Management: In Search of A Roadmap*, Transnational Dispute Management 1 (Special Issue, 2014). EU는 중재판정부를 대신하는 개념으로 International Investment Court 제도를 채택하여, Canada 및 Vietnam과의 협정에 포함시키고 있다.

국가 간의 분쟁해결절차만을 규정하고 있었다.6) 1960년대 말경부터 네덜란드를 비롯한 유럽 국가들이 이러한 실체적인 보호 기준에 더하여, 투자유치국이 BIT에 규정된 의무를 위반하여 외국인투자자와 분쟁이 발생한 경우에 외국인투자자가 국제중재를 제기할 수 있고, 투자유치국은 이러한 중재에 동의한다는 취지의 사전적이고 포괄적인 체약국들의 동의 규정을 BIT에 포함시키기 시작하였다.7) 1980년대 이후에는 개발도상국 상호간에도 많은 BIT들이 체결되었다. 또한 최근에는 많은 국가들이 자유무역협정(free trade agreement, 이하 "FTA")을 체결하면서 독립된 투자의 장(investment chapter)을 포함시키는 것이 일반적인 경향이 되었다.8) 이러한 투자협정들은 대부분 투자분쟁이 발생하는 경우에 분쟁해결의 방법으로서 투자자와 국가 간의 국제중재를 수용하고 있다.9) 2021년 8월 기준으로 우리나라는 99개국과 투자보장협정을 체결하였으며, 이 중 84개가 발효되었다.10) 이들 중 80개 이상이 ISDS 규정을 포함하고 있다. 우리나라가 체결한 FTA 중에서 미국, 칠레, 캐나다, 호주 등과 체결한 상당수의 FTA가 투자의 장을 포함하고 있는데, 이

---

6) 우리나라가 최초로 체결한 BIT인 대한민국과 독일연방공화국간의 투자 증진과 상호 보호에 관한 조약(Treaty between the Republic of Korea and the Federal Republic of Germany concerning the Promotion and Reciprocal Protection of Investments, 1964년 서명, 1967년 발효)이 그 대표적인 예이다.

7) 1968년 네덜란드와 인도네시아 간에 체결된 양자간 투자보장협정(Agreement on Economic Cooperation between the Government of the Kingdom of the Netherlands and the Government of the Republic of Indonesia, 이하 "1968 네덜란드-인도네시아 투자협정")에서 최초로 외국인투자자와 투자유치국간에 분쟁이 있는 경우에, 서로가 상대방이 요구하는 경우에 ICSID 협약에 의한 중재에 동의할 의무가 있다는 내용의 조항이 포함되었다. 다만 1968 네덜란드-인도네시아 투자협정 제11조는 동의 자체가 아니라, 동의할 의무만을 규정하고 있다.

8) 국제연합무역개발회의(UNCTAD)에 의하면 2020년 말 현재 전 세계적으로 2,826개의 BIT가 체결되어 있고, 이 중 2,258개가 발효 중에 있으며, 독립된 투자의 장을 가지고 있는 FTA 및 특정한 분야에 적용되는 제한된 의미의 다자간 투자협정인 Energy Charter Treaty 등을 포함하면 그 숫자는 무려 3,246개에 이른다. UNCTAD, International Investment Agreements Navigator [https://investmentpolicy.unctad.org/international-investment-agreements] 이 글에서는 이러한 다양한 종류의 투자보호에 관한 협정을 모두 "투자보장협정"으로 통칭한다.

9) 2012년에 발간된 OECD의 보고서에 의하면 조사의 대상이 된 1,660개의 BIT 및 기타 투자협정 중에서 96%가 ISDS 조항을 포함하고 있다. J. Pohl, K. Mashigo and A. Nohen, *Dispute settlement provisions in international investment agreements: A large sample survey*, OECD Working Papers on International Investment, No. 2012/2 (2012), p. 10.

10) 우리나라가 체결한 투자보장협정 체결 및 발효 현황은 외교부 웹사이트 https://www.mofa.go.kr/www/brd/m_4059/list.do 참조 (마지막 방문 2021년 11월 19일). 99개의 투자보장협정 중 4개는 미발효, 11개는 종료되었다.

들도 대다수가 ISDS 규정을 포함하고 있다.[11]

2. 투자보장협정에 포함된 ISDS 규정의 검토

BIT는 대체로 단일한 조문으로 ISDS를 규정하고 있다. 투자분쟁의 정의와 ISDS를 제기할 수 있는 투자분쟁의 범위, 중재제기의 선행절차, 투자자에게 선택이 허용된 중재기관 또는 중재규칙, 명시적인 중재동의와 동의의 조건 등에 관하여 간략하게 규정하는 것이 통상적이다. 이에 반하여 FTA에 포함된 투자의 장은 상당수의 조문을 두고 중재에 관한 다양한 절차적인 쟁점을 아주 상세하게 규정하는 경향을 보인다.[12] 아래에서는 우리나라가 체결한 BIT 중에서 2013년에 발효된 르완다공화국과의 협정(한-르 BIT)[13]을 중심으로 투자보장협정에 포함된 ISDS 규정을 검토해 보기로 한다. 한-르 BIT는 제11조(어느 한쪽 체약당사자와 다른 쪽 체약당사자의 투자자간의 투자분쟁해결)에 투자자-국가간 분쟁해결절차를 규정하고 있다.

(1) 투자분쟁의 정의

구체적으로 중재에 회부할 수 있는 분쟁의 대상이 어디까지인지는 개별 투자보장협정마다 다르다. 중재의 대상이 되는 "분쟁"은 투자유치국의 조치가 투자보장협정에 위반한 경우로 한정하는 경우가 일반적이나, 그 외에 투자인가조건 위반 또는 투자계약 위반까지도 포함하는 경우도 있다. 한-르 BIT 제11조 제1항은 투자분쟁을 "어느 한쪽 체약당사자와 다른 쪽 체약당사자의 투자자간의 분쟁으로서, 어느 한쪽 체약당사자가 협정상의 의무를 위반한 것으로 주장되고, 이러한 의무 위반으로 투자자 또는 투자자의 투자에 손실 또는 손해를 초래한 분

---

11) 우리나라가 체결한 FTA 체결, 발효 현황 및 협정문은 산업통상자원부 웹사이트
   https://www.fta.go.kr/main/situation/kfta/ov/ 참조 (마지막 방문 2021년 11월 19일).
12) 예컨대, 한-미 FTA의 투자의 장은 사항을 모두 13개의 독립된 조항을 두고 ISDS 절차를 상세하게 규정하고 있다. 우리나라가 체결한 FTA의 투자의 장에 포함된 ISDS 규정은 그 형식과 내용에 있어서 한-미 FTA에 규정된 것과 상당히 유사하다.
13) 대한민국정부와 르완다공화국 정부 간의 투자의 증진 및 보호에 관한 협정(Agreement between the Government of the Repulbic of Korea and the Government of the Republic of Rwanda for the Promotion and Protection of Investments), 2009년 5월 29일 서명, 2013년 2월 16일 발효(조약 2125호).

쟁”이라고 정의하고 있다. 중국과 구 동구권 국가들이 1990년대에 체결한 BIT에
서는 중재의 대상이 되는 분쟁을 수용에 관한 보상액의 결정만으로 한정한 경우
도 있다.14)

(2) 투자자와 투자의 정의

투자보장협정은 통상 당해 협정에 의해 보호되는 투자자와 투자에 대한 정
의규정을 두고 있다. 투자보장협정에 의하여 보호되는 투자자가 투자보장협정이
보호하는 투자와 관련된 분쟁에 관하여 투자유치국을 상대로 중재를 제기할 수
있다. 따라서 투자중재에서 투자는 중재재판부의 사물관할의 범위를, 투자자는
인적관할의 범위를 결정하는 매우 중요한 요소가 된다. 한-르 BIT 제 1 조 제 3
항은 투자자를 “다른 쪽 체약당사자의 영역 내에 투자한 어느 한 쪽 체약당사자
의 자연인 또는 법인”이라고 정의하고 있으며, 원칙적으로 자연인의 경우에는 국
적을, 법인의 경우에는 설립준거법을 기준으로 한다고 규정하고 있다.15) 투자는
“어느 한쪽 체약당사자의 영역 내에서 다른 쪽 체약당사자의 투자자에 의하여 직
접적 또는 간접적으로 소유되거나 통제되고 있는 모든 종류의 자산으로서, 어느
한쪽 체약당사자의 법규에 따라 이루어진 투자”를 의미한다고 포괄적으로 정의하
면서, 투자의 유형으로 기업, 유무형의 재산, 동산 부동산, 지분, 주식, 채권, 회사
채, 지식재산권, 천연자원의 탐사, 개간 등을 위한 양허권 등을 예시하고 있다.
이에 덧붙여 “이 협정에서 어떤 자산이 투자의 정의에 포함되기 위해서는 자산이
자본 및 여타 자원의 투입, 이득이나 이윤에 대한 기대, 위험의 감수와 같은 투자
의 성격을 지니고 있어야 한다. 시장점유, 시장접근, 기대이익 및 이익획득의 기

---

14) 예컨대, 우리나라와 중국 간의 1992년도 투자보장협정 제 9 조 제 3 항. 2007년도에 서명된
　　우리나라와 중국 간의 새로운 투자보장협정은 제 9 조에서 이러한 제한을 삭제하였다. 중재
　　의 대상이 되는 분쟁을 수용에 관한 보상액의 결정만으로 한정한 중국과 페루간의 BIT를
　　근거로 중국인 투자자가 페루를 상대로 수용에 대한 보상을 청구한 사건에서 ICSID 중재
　　판정부는 수용에 관한 보상액의 결정을 위하여 수용이 있었는지 여부까지를 판단할 권한
　　이 있다는 입장을 취한 바 있다. *Mr. Tza Yap Shum v. The Republic of Peru*, ISCID Case
　　No. ARB/07/6, Decision on Jurisdiction and Competence, 2009년 6월 19일 결정.

15) 투자자의 정의에 관한 사례 분석으로는 신희택, 국제투자협정상 투자자의 정의와 정책적
　　고려사항, 통상법률 2017-2, pp. 11-56, 김민경, BIT상 ‘투자자’의 정의: *Saba Fakes v.*
　　Turkey 사건 검토, 전게 “국제투자중재와 공공정책”, pp. 49-65 및 조세화, 자연인투자자
　　의 국적문제: *Micula et. al. v. Romania* 사건 검토, 전게 “국제투자와 공공정책”, pp.
　　66-83 참조.

회는 그 자체만으로는 투자가 아니다"라고 하여 투자의 개념을 한정시키고 있다.[16]

(3) 중재제기전의 선행절차와 중재기관 또는 중재규칙의 선택권

투자보장협정은 대체로 투자자가 중재를 제기하기 전에 일정 기간 협상을 하거나 기타 국내적인 구제절차를 밟을 것을 요구한다. 한-르 BIT는 제11조 제2항에 투자분쟁은 "가급적 협상과 협의를 통하여 해결되어야" 하며, "분쟁이 어느 한쪽 당사자에 의하여 제기된 날부터 6개월 이내에 협상과 협의를 통하여 해결되지 못한 경우, 투자자는 투자자의 선택에 의하여 분쟁"을 (i) 분쟁당사국의 법원이나 행정재판소, (ii) 분쟁발생 이전에 합의된 분쟁해결절차, 또는 (iii) 국제중재절차에 회부할 수 있다고 규정하고 있다. 투자자가 국제중재를 선택하는 경우에, 초기의 투자보장협정들은 대체로 ICSID 협약에 의한 중재만을 허용하는 경우가 대부분이었으나, 1976년 유엔국제무역법위원회(UNCITRAL) 중재규칙[17]이 채택된 이후에는 대체로 투자자의 선택에 의하여 UNCITRAL 중재규칙에 따른 중재도 선택할 수 있도록 하고 있다.[18] 일부 투자협정들은 그 외에도 국제상업회의소(International Chamber of Commerce, 이하 "ICC"), 스톡홀름 상업회의소 중재원(the Arbitration Institute of the Stockholm Chamber of Commerce, 이하 "SCC") 등 국제상사중재를 전문으로 하는 중재기관에 의한 중재도 제기할 수 있도록 허용하여 투자자의 선택폭을 넓히고 있다. 또한 열거된 중재기관이나 중재규칙 이외에 분쟁 당사자들이 상호 합의하는 중재에 의할 수 있도록 하는 경우도 많이 있다.[19] 한-르 BIT 역시 투자자에게 ICSID 협약의 적용이 가능할 경우에는 ICSID 협약, ICSID 추가적 절차에 대한 규칙이 적용 가능할 경우에는 ICSID 추가적 절차에 관한 규

---

16) 일반상사채권과 투자의 차이에 관하여서는 오준성, 일반상거래상 금전청구권의 투자해당 여부: Global Trading v. Ukraine 사건 검토, 전게 국제투자중재와 공공정책, pp. 85-101 참조.

17) UNCITRAL 중재규칙의 투자중재에의 적용례에 관하여서는 신희택, "국제투자분쟁에서의 UNCITRAL 중재규칙 활용 실무"(법무부, 2013) 참조.

18) 자세한 내역은 J. Pohl, K. Mashigo and A. Nohen, 전게 *OECD Working Papers on International Investment*, No. 2012/2, pp. 20-22 참조.

19) UNCTAD 보고서에 의하면 2015년 말까지 파악된 국제투자협정중재가 모두 696건인데, 이중 약 62 퍼센트가 ICSID에 제기되었으며, 약 26 퍼센트가 UNCITRAL 중재규칙에 따라 진행되었다고 한다. UNCTAD, IIA Issues Note, June 2016, p. 4.

칙, UNCITRAL 중재규칙 및 분쟁당사자간의 합의에 따른 여타 중재기구 또는 여타 중재규칙 중에서 선택할 권한을 주고 있다.

(4) 다른 구제수단과의 관계

투자보장협정은 투자자가 특정 구제수단을 선택하면, 다른 구제수단을 더 이상 선택하지 못하도록 하는 규정을 두는 경우가 많이 있다. 예컨대, 한-르 BIT 제11조 제 3 항은 투자자가 중재를 청구하는 경우, 투자자는 동일한 분쟁에 관하여 다른 분쟁해결절차를 제기할 권리를 서면으로 포기하거나, 그러한 절차를 진행 중일 경우에는 이를 철회하여야 한다고 규정하고 있다. 이는 투자자에 의한 중복소송 및 남소를 제한하기 위함이다. 다만 당사자가 중재가 진행되는 동안 권리와 이익을 보전할 목적으로 사법 또는 행정재판소로부터 손해배상의 지급을 수반하지 않는 잠정적인 구제조치를 구하는 것은 허용하는 것이 통상적이다.

(5) 중재에 대한 국가의 동의

투자보장협정의 ISDS 조항에서 가장 중요한 내용이 중재에 관한 국가의 동의이다. 앞에서 설명하였듯이, 중재를 통한 분쟁해결에서는 분쟁당사자간에 중재에 대한 동의를 하는 것이 통상적인데, 투자협정 중재의 특징은 국가가 투자자와의 구체적인 분쟁이 있기 전에 먼저 투자보장협정을 통하여 상대방 체약국 국적을 보유한 불특정 다수의 투자자에 대하여 국제중재에 동의하는 의사를 표시한다는 점이다. 그 후 투자자가 국가의 중재동의에 수락하는 의사를 표시하거나, 구체적 분쟁이 발생하여 BIT에 따라서 국제중재를 제기한 경우에 분쟁당사자들간에 중재합의가 있는 것으로 인정된다. 일부 BIT에서는 국가의 동의 자체가 아니라, 앞으로 분쟁이 생겼을 때 동의를 할 의무만을 규정하고 있으니 주의를 요한다. 한-르 BIT는 제11조 제 3 항에 "각 체약당사자는 이 협정에서 규정된 절차에 따라 분쟁을 국제 중재에 회부하는 것에 동의한다"라고 규정하여 동의 자체를 한 것임을 명확하게 하고 있다.

(6) 중재판정부의 구성

중재판정부의 구성에 대하여서도 투자보장협정 자체에 규정을 두고 있는 경우가 많이 있다. 한-르 BIT는 "분쟁당사자가 달리 합의하지 아니하는 한 중재재판소는 3명의 중재재판관으로 구성되며, 각 분쟁당사자가 각 1명의 중재재판관을 임명하고 의장이 되는 세 번째 중재재판관은 분쟁당사자간의 합의에 의하여 임명"된다고 규정하면서, 중재에 회부된 일자로부터 75일 이내에 중재판정부가 구성되지 아니하는 경우, ICSID 사무총장이 의장중재인이 될 세 번째 중재재판관의 선정권자라고 명시하고 있다.

(7) 중재판정에서 허용되는 구제

최근에 체결되는 투자보장협정들은 보다 구체적으로 중재판정부가 판정할 수 있는 구제의 유형을 열거하기도 한다. 한－르 BIT는 제11조 제10항에서 중재판정부가 (i) 체약당사자가 이 협정상의 의무들을 준수하지 못하였다는 선언; (ii) 손실 또는 손해가 발생한 일자로부터 보상 지급일까지의 이자가 포함된 금전적 배상; (iii) 원상회복이 불가능한 부분에 대하여는 금전적 배상을 한다는 전제 하에 적절한 부분에 대한 재산의 원상회복; (iv) 분쟁당사자간의 합의에 의한 그 밖의 형태의 구제조치를 제시할 수 있음을 규정하고 있다.

(8) 중재판정의 효력

중재판정의 법률적 효력은 ICSID 협약에 의한 중재의 경우에는 ICSID 협약에 따라서, ICSID 협약에 따른 중재가 아닌 경우에는 중재지의 중재법과 다자간 조약인 '1958년의 외국중재판정의 승인과 집행에 관한 국제연합협약'(이하 "뉴욕협약")에 따라서 결정된다. 그러나 중재판정의 효과에 대하여 보다 구체적인 규정을 두고 있는 투자보장협정들도 있다. 예컨대 한－르 BIT 제11조 제11항은 "중재 판정은 당해 분쟁당사자에 대하여 최종적이며 구속력을 지닌다. 각 체약당사자는 자국의 영역 내에서 이 조에 따라 이루어진 중재판정의 실효적 집행을 위한 조치를 취하여야 하며, 분쟁당사자로 참가한 소송에서 내려진 판정을 지체 없이 집행하여야 한다."라고 규정하고 있다.

(9) 중재절차의 투명성 제고를 위한 규정

최근에 체결된 투자보장협정들은 중재절차의 투명성을 제고하기 위한 조항을 포함시키는 경우가 많다. 중재절차의 진행 상황 및 중재절차에서 당사자들이 제출하는 서류들에 대한 공개 의무를 규정하는 경우도 많이 있고, 또한 중재의 직접적인 당사자가 아닌 투자자의 본국이나 시민단체들이 중재판정부에 의견서를 제출할 수 있도록 허용하거나, 중재 심리기일에 참석할 수 있도록 허용하고 있는 경우도 늘고 있다.[20] 투자중재의 결과가 국가재정에 미치는 영향이 매우 클 수 있는데 반하여, 중재가 국민들의 알 권리를 고려하지 않고, 비밀리에 진행된다는 점에 대하여 국제사회에서 많은 비판이 있었기 때문이다.[21]

제 5 절   ICSID 협약에 따른 투자중재

1. ICSID 협약과 ICSID 투자중재의 현황

1966년 ICSID 협약이 발효되어 세계은행(World Bank) 내에 전적으로 투자분쟁만을 처리하는 중재기관으로서 ICSID가 창설되었다.[22] 2021년 11월 말 기준으로 156개국이 가입되어 있다.[23] ICSID 협약이 발효된 이후, 1968년 네델란드-인도네시아 BIT가 최초로 외국인투자자가 직접 투자유치국을 상대로 국내법원의 권리구제절차를 거치지 않고 ICSID에 국제중재를 제기할 수 있다는 조항을 수용

---

20) 한-미 FTA 제11장(투자) 제11.20조(중재의 수행) 제 4 항 및 제 5 항, 제11.21조(중재절차의 투명성).

21) UNCITRAL은 투자중재의 투명성을 강화하기 위하여 "협정을 근거로 하는 투자자-국가간 중재에 있어서의 투명성 규칙"(UNCITRAL Rules on Transparency in Treaty-based Investor-State Arbitration)을 채택하였다. 이 규칙은 체약국간에 다른 합의가 없다면, 원칙적으로 2014년 4월 1일 또는 그 이후에 체결된 투자보장협정을 근거로 하여 UNCITRAL 중재규칙이 적용되는 투자협정중재에 적용되는데, 원칙적으로 중재에 제출된 각종 서면과 구두변론을 위한 심리절차를 공개할 의무를 규정하고 있다. 2014년 4월 1일 이전에 체결된 투자보장협정을 근거로 UNCITRAL 중재규칙이 적용되는 투자협정중재에 대하여서도 위에서 언급한 투명성 규칙에 정한 투명성 원칙의 적용이 가능할 수 있도록 국제연합은 "United Nations Convention on Transparency in Treaty-Based Investor-State Arbitration (일명 "Mauritius Convention")을 채택하였다. 2017년 10월 18일 발효하였다. 2021년 11월말 기준으로 호주, 베닌, 볼리비아, 카메룬, 캐나다, 감비아, 이라크, 모리셔스 및 스위스 등 9개국이 비준 절차를 완료하였다.

22) ICSID 협약은 1966년 10월 14일 발효되었다. 우리나라는 1966년 4월 18일에 서명하였고, 1967년 3월 23일부터 우리나라에 대하여 협정이 발효되었다.

23) 국제투자에서 자본수출국 또는 자본수입국으로서 중요한 위치를 차지하고 있는 국가들은 대부분 ICSID 협약에 가입하고 있으나, 인도와 브라질은 ICSID 협약에 가입하지 아니하였다. 러시아는 ICSID 협약에 서명은 하였으나, 아직 비준을 하지 아니하고 있다. 현재까지 ICSID 협약에서 탈퇴한 국가는 에콰도르, 볼리비아와 베네수엘라의 3개국이다.

한 이래[24] 최근에 체결되는 투자보장협정들은 대부분 투자자－국가간 중재 조항에서 ICSID 협약에 의한 중재를 선택할 권리를 투자자에게 부여하고 있다. 우리나라도 1975년에 발효한 네델란드와의 BIT에서 최초로 외국투자자와의 중재에 동의하면서 중재기관을 ICSID로 명시한 바 있다.[25] 우리나라가 체결한 투자보장협정 중에서 ISDS 조항을 포함하고 있는 투자보장협정은 체약상대국이 ICSID 협약 가입국인 경우에 모두 ICSID 협약에 따른 중재를 투자자가 선택할 수 있는 중재의 하나로 규정하고 있다. ICSID 통계에 의하면, ICSID 창설 이래 ICSID에 제기된 ICSID 협정에 따른 중재건수는 2021년 6월말 기준으로 756건이다. 최근에는 일년에 약 40 내지 50여건 정도의 새로운 중재 건이 ICSID에 제기되고 있다.[26]

2. ICSID 기관중재[27]

중재의 당사자인 외국인투자자의 본국과 피제소국이 모두 ICSID 협약에 가입되어 있는 경우에는 ICSID 협약 및 이 협약에 근거한 '조정 및 중재 제기 절차에 관한 규정'(Rules of Procedure for the Institution of Conciliation and Arbitration Proceedings)과 '중재절차 규정'(Rules of Procedure for Arbitration Proceedings)에 따라서 중재를 진행한다. 만약 중재의 당사자인 외국인투자자의 본국이나 피제소국의 일방이 ICSID 회원국이 아닌 경우에는 당사자들의 합의가 있으면 ICSID가 중재기관으로서 ICSID '추가적 절차 규칙'(Additional Facility Rules)에 따라서 중재를 진행할 수 있다.

---

24) 1968 네델란드－인도네시아 투자보장협정 제11조.

25) 우리나라가 네델란드와 체결한 1975년 BIT 제 6 조. 이 조항은 사전적인 동의가 아니라 동의를 할 의무를 부과한 것으로 해석된다. 1975년 BIT는 2003년에 서명하여 2005년에 발효한 새로운 BIT로 대체되었는데, 새로운 BIT는 명시적인 중재동의규정을 두고 있다.

26) ICSID가 처리한 중재에 관한 통계는 ICSID가 매년 두 번 발간하는 The ICSID Caseload Statistics를 참조. 이 자료는 ICSID website에서 찾아볼 수 있다. https://icsid.worldbank. org/resources/publications/icsid－caseload－statistics 투자중재 전반에 관한 통계는 UN 기구인 UNCTAD가 파악하여 website에 올려 놓고 있다. https://investmentpolicy.unctad.org/ investment－dispute－settlement

27) ICSID 협약에 따른 중재에 관하여서는 L. Reed, J. Paulsson 및 N. Blackaby, Guide to ICSID Arbitration(2nd Edition, Wolters Kluwer (2011)이 가장 대표적인 저술이다. 국내문헌으로는 법무부, ICSID 중재제도 연구(2006)가 ICSID 협약에 의한 중재를 자세하게 설명하고 있다. 또한 전게 신희택, 국제분쟁해결의 맥락에서 본 국제투자중재 ― ICSID 협약에 의한 투자협정중재를 중심으로, pp. 193－236 참조.

ICSID는 조직상 의사결정기관이 운영이사회(Administrative Council)인데, 그 의
장(Chairman)은 세계은행 총재가 맡고 있다. 운영이사회는 각 회원국에서 파견된
대표 1명씩으로 구성되어 있다. 실제 업무는 대부분 사무총장(Secretary General)이
위임을 받아서 처리하고 있다. ICSID는 자체 조정인 명단(panel of conciliators)과
중재인 명단(panel of arbitrators)을 가지고 있는데, ICSID 체약국들이 각각 4명씩을
지명할 수 있다. 실제로 분쟁이 발생하면 통상 3명의 중재인으로 구성되는 중재
판정부가 구성되는데, 각 당사자가 1명씩 추천하고 나머지 1명인 의장중재인에
대하여 당사자들이 합의를 하지 못하는 경우에 ICSID 운영이사회 의장이 중재인
명단에 있는 사람 중에서 선정한다.

3. ICSID 협약의 핵심적 조항들

(1) ICSID의 관할(협약 제 2 장, 제25조)

ICSID 협약은 제25조 제 1 항에서 ICSID의 중재관할에 관하여 규정하고 있다.
체약국과 다른 체약국의 국민 사이의 "투자와 직접적으로 관련되어 제기된 법적
분쟁"(any legal dispute arising directly out of an investment)이 ICSID 중재의 대상이
다. 중재에 대한 동의는 서면으로 이루어져야 하며, 누구도 일방적으로 동의를
철회할 수 없다. 앞에서 설명하였듯이, 국가는 BIT나 FTA의 투자의 장에서 포괄
적인 사전동의를 하는 경우가 대부분이나, 일부 국가들은 국내법에서 그러한 동
의를 하고 있는 경우도 있다.[28] 당사자들이 ICSID 중재에 동의를 한 경우에도, 만
약 그 분쟁이 "투자와 직접적으로 관련되어 제기된 법적 분쟁"이라는 ICSID 협약
상의 관할의 범위를 넘는 경우에는 ICSID의 관할이 인정되지 아니한다. ICSID 협
약은 무엇이 투자인지에 대한 정의를 구체적으로 하고 있지 않으므로, 실제 중재
사건에서 이에 대한 많은 논란이 제기되고 있다. 상당수의 ICSID 중재판정부는
Salini 사건의 판정부가 제시하고 있는 자본의 투입, 어느 정도의 기간, 위험의 부

---

28) 최근 ICSID 통계에 의하면, 중재동의의 근거로서는 BIT가 60.%로서 가장 많고, 국가와 투
    자자 간의 투자계약상의 동의에 의한 경우가 15%, FTA의 투자의 장이 4%, Energy Charter
    Treaty가 9%이며, 개별 국가의 국내법상의 동의를 기초로 한 경우가 8% 정도라고 한다.
    The ICSID Caseload—Statistics(Issue 2021−2), p. 11 참조. 국내법에 의하여 중재동의를 한
    경우의 예로는 코트디부아르와 알바니아 등이 있다. 전게, Guide to ICSID Arbitration, p.
    54−55.

담 및 투자유치국의 경제적 발전에의 기여를 투자의 구성요소로 인정하고 있
다.29) 앞에서 살펴본 바와 같이 투자보장협정은 일반적으로 투자에 관한 정의 조
항을 포함하고 있다. ICSID가 중재관할을 가지기 위하여서는 분쟁의 대상이 되는
투자가 투자보장협정에서 규정한 투자에 해당하여야 할 뿐만 아니라, ICSID 협약
상 투자로서 인정될 수 있어야 한다고 보는 것이 다수의 중재판정부의 입장이다.
또한 Salini 중재판정부가 제시하고 있는 네 가지 기준 외에 선의의 투자(bona fide
investment)와 투자유치국의 국내법상 합법성을 요구해야 한다는 중재판정부들도
있어서30) 물적 관할의 가장 기본적인 요소인 투자의 개념에 관하여 상당한 혼란
이 있는 실정이다.

ICSID 협약 제25조 제2항은 ICSID 협약에 의하여 중재를 신청할 수 있는 당
사자의 범위를 규정하고 있다. 자연인의 경우, 분쟁 대상국이 아닌 다른 체약국
의 국적을 가진 사람이어야 한다. 여기에는 두 가지 요건이 있다. 적극적 요건으
로는 체약국의 국적을 가져야 하고, 소극적 요건으로는 분쟁 대상국의 국민이어
서는 안 된다. 복수 국적을 가진 사람은 두 나라 모두에 대하여 제소할 수 없다.
ICSID 중재제도의 취지가 외국인투자자에게 투자유치국을 상대로 국제중재를 통
하여 권리구제를 할 수 있도록 하는 것이므로, 투자자가 자국 정부를 상대로
ICSID중재를 제기하는 것은 허용하지 않겠다는 취지이다. 법인은 두 가지로 나뉜
다. 첫째, 자연인과 마찬가지로 분쟁 대상국이 아닌 다른 체약국의 국적을 가진
법인이다. 국적 보유 여부는 양 당사자가 중재 회부에 동의한 날을 기준으로 판
단한다. 둘째, 외국인이 지배하거나 소유하고 있는 투자유치국에 설립된 법인, 즉
외국인투자기업이다. 단, 양 당사자가 이러한 투자유치국에 설립된 외국인투자기
업을 중재 목적상 외국인으로 취급하겠다고 합의한 경우에만 가능하다. 예컨대,
한국 회사 A가 미국에 투자하여 미국 내에 100% 소유하는 B라는 회사를 만든 경
우, 미국의 동의가 있다면(BIT에 포함된 사전적 동의 또는 개별적인 동의), B가 미국
정부를 상대로 직접 투자협정중재를 제기할 수도 있다. 많은 경우에 투자유치국
의 국내법상 외국인투자자가 투자유치국에 법인체를 설립하도록 법에 의하여 강

---

29) *Salini Costuttori S.p.A. and Italstrade S.p.A. v. Kingdom of Morocco*, ICSID Case No.
ARB/00/4, Decision on Jurisdiction, 23 July 2001. 이러한 네 가지 기준을 통상 Salini Test
라고 부르고 있다.

30) 이러한 입장을 취하고 있는 중재판정에 관하여서는 조옥기, ICSID 협정상 '투자'의 요건:
Phoenix v. Czech, 전게 "국제투자중재와 공공정책", pp. 102－130 참조.

제되고 있는 현실을 고려한 것이다.

(2) 투자유치국 내 구제수단(Local Remedies)과의 관계(제26조)

달리 정함이 없는 한, ICSID 중재에의 동의는 다른 구제수단을 배제하는 전속적인 중재 약정이다. 이는 ICSID 중재에 동의하면 투자유치국 내 구제수단을 더 이상 밟을 수 없다는 의미로 해석되지만, 한편으로는 투자유치국 내 다른 구제수단을 거치지 않고도 중재를 제기할 수 있다는 의미도 된다. 다만, 체약국은 중재 동의의 조건으로 투자유치국 내 구제수단을 모두 거칠 것(exhaustion of local remedy rule)을 요구할 수 있다. 앞에서 본 바와 같이 상당수의 BIT들은 외국인투자자에게 국내 구제절차와 국제중재 간에 택일을 요구하고 있다.[31] 반면 일부 BIT들은 투자자에게 국제중재를 제기하기 전에 일단 일정기간 국내구제절차를 밟을 것을 요구하기도 한다.

(3) 외교적 보호권과의 관계(제27조)

투자자가 ICSID 협약에 의한 중재에 동의하거나 중재를 제기하면, 본국은 외교적 보호권을 행사할 수 없다. 다만, 중재 판정이 났음에도 불구하고 상대방 국가에서 중재 판정을 이행하지 않는 경우에는 일반 국제법 원칙에 따라서 외교적 보호권을 행사할 수 있다.

(4) 중재 절차(Arbitration Procedures)(제36조 – 제47조)

ICSID의 중재 절차는, 청구인이 ICSID 사무총장에게 중재신청서(Request for Arbitration)를 제출함으로써 시작된다. 이후 신청서의 형식적 요건에 대한 심사를 거치고, 위 심사를 통과하면 사무총장이 그 중재 신청을 등록한다. ICSID 중재의 가장 큰 특징은 중재신청이 등록되면, 바로 당해 사건이 ICSID에 중재가 제기되어 등록되었음이 ICSID website를 통하여 공개된다는 점이다. 국제상사중재의 경우 중재제기 사실자체가 비공개로 다루어지는 것과는 큰 차이가 있다.

다음으로 중재재판부 구성(Constitution of the Tribunal)의 단계를 거치게 되는데, 원칙적으로 당사자들이 각자 원하는 중재인을 1명씩 선임하고 양측의 합의로

---

31) 이러한 취지의 조항들을 fork-in-the-road clause(갈림길 조항)이라고 부르고 있다.

의장중재인(chairman)을 정한다. 당사자들이 의장중재인의 선정에 합의를 못하는 경우에는 운영이사회 의장이 의장중재인을 선정한다.

중재판정부가 구성되면, 당사자들과 그 대리인들, 그리고 중재판정부가 모두 모여서 사건 진행절차에 관한 협의를 한다. 그 후 절차는 통상 다음과 같은 순서로 진행된다. 일단 당사자들이 두 차례에 걸쳐서 서면을 주고받는다. 청구인 측에서 준비서면(Memorial)을 제출하면, 피제소국 측에서 이에 대한 답변서(Counter-memorial)를 낸다. 청구인이 다시 여기에 대한 반박서면(Reply)을 내고, 피제소국은 재차 이에 대한 재반박서면(Rejoinder)을 제출한다. 중재재판부는 이렇게 양 당사자의 서면을 받고, 구술심리 기일을 정하여 양 당사자의 주장을 듣고 증인의 증언 등 증거를 검토한 후에 최종 판정(award)을 내린다. 만일 피제소국에서 관할 항변을 제기하면, 중재재판부는 관할 문제만 별도로 먼저 판단할 것인지 아니면 이를 본안과 함께 판단할 것인지 결정한다.

(5) 중재지 법원의 관여

일반 국제상사중재에서는 중재지를 관할하는 국가의 법원이 그 중재지의 중재법에 따라서 중재절차에 관여한다.[32] 이에 반하여 ICSID 중재는 ICSID 협약에 따라서 중재지 법원의 간섭이 원칙적으로 배제되어 있다(ICSID 협약 제53조 제1항). 중재판정부의 구성, 중재절차의 진행 및 중재판정의 승인 또는 이에 관한 다툼 등 중재와 관련된 모든 사항을 ICSID 협약에 따라서 진행하게 된다.

(6) 준거법(Governing Rules, 제42조)

준거법은 기본적으로 당사자들의 합의에 따른다. 만일 이러한 합의가 없으면, 재판부는 (i) 국제사법을 포함한 분쟁 당사국의 법률과, (ii) 적용 가능한 국제법을 적용하여야 한다. 상당수의 BIT는 BIT 자체에서 투자분쟁에 준거법 규정을 두고 있는데, 이러한 경우에는 이를 당사자들의 합의로 보게 된다.

(7) 중재지

당사자들 간에 중재지에 대한 합의가 없는 경우에는 ICSID 중재 절차는 원칙

---

32) 예컨대, 우리나라 중재법 제7조, 제36조.

적으로 ICSID 본부의 소재지인 미국 워싱턴 D.C.에서 행해져야 한다(ICSID 협약 제62조, 제63조). 다만 앞에서 설명한 바와 같이 ICSID 중재의 경우에는 중재지가 가지는 특별한 법률적 의미가 없고, 단순히 중재 기일이 진행되는 장소적 의미만을 갖는다.

(8) 절차의 투명성과 제 3 자 참여

투자중재의 경우에는 투자유치국의 공공정책이 중재의 핵심 쟁점이 되는 경우가 많기 때문에 공공의 이익의 관점에서 절차의 투명성에 대한 요구가 높다. 이에 ICSID는 2006년 중재규칙을 개정하여 일정한 범위 내에서 중재판정부가 분쟁의 당사자가 아닌 제 3 자의 서면 의견서 제출을 허용할 수 있는 근거를 마련하였다. 중재판정부는 중재절차에 중대한 이해관계가 있는 제 3 자가 분쟁당사자들과는 다른 시각을 제시함으로써 분쟁의 사실관계에 대한 이해나 법적 쟁점의 결정에 도움이 된다고 판단하는 경우에는 양당사자와의 협의를 거친 후에 서면 제출을 허용할 수 있다(ICSID 중재규칙 제37조 제 2 항). 이 규정에 의하여 일부 ICSID 중재사건에서 국제기구나 시민단체들의 의견서 제출이 허용된 바 있다.[33] 또한 당사자의 어느 일방이라도 반대하지 않는 경우에는 중재판정부는 당사자 및 그 법률대리인 이외의 제 3 자에게 구술심리에 참석토록 하거나 이를 방청하게 할 수도 있다(ICSID 중재규칙 제32조 제 2 항).

(9) 중재판정(제48조 – 제52조)

중재판정의 결론은 과반수로 결정하는데, 개별 중재인은 반대의견 또는 별개 의견을 덧붙일 수 있다. 중재판정의 해석이나 범위를 둘러싸고 새로운 분쟁이 발생하면, 원칙적으로 그 중재판정을 내린 원 판정부(original tribunal)가 이를 판단한다. 원 판정부만큼 그 중재판정의 의미를 잘 알고 있는 사람은 없기 때문이다. 중재판정의 재심(revision)은 중재판정에 결정적인 영향을 줄 수 있는 사실이 중재판정 이후에 발견되었을 때 가능하다. 다만 당해 판정이 내려질 때까지 신청인과

---

33) 비대표적인 사례로서는 담배에 대한 규제가 쟁점이 되었던 *Philip Morris v. Uruguay*사건 (*Philip Morris Brand Sarl et.al. v. Uruguay*, Case No. ICSID ARB/10/7, 2016년 7월 8일 판정)을 들 수 있다. 중재판정부는 세계보건기구(World Health Organization)의 의견을 제출 받아 판정의 중요한 근거로 활용하였다.

중재판정부가 그 사실에 대하여 알지 못했고, 그 신청인이 그 사실을 알지 못하였던 것에 과실이 없어야 한다. 또한 그 사실을 발견한 후 90일 이내 또는 중재판정일 이후 3년 내에 재심을 신청하여야 한다. ICSID 협약상은 상소제도가 없다. 다만, 중재판정의 취소(annulment)라는 독특한 제도를 규정하고 있다. 중재판정을 취소할 수 있는 사유에는 5가지가 있다. 즉, (i) 중재재판부가 올바로 구성되지 않은 경우, (ii) 중재재판부가 명백히 그 권한을 넘어선 경우(예컨대 ICSID 관할 규정을 무시하고 판정을 내린 경우), (iii) 중재인의 뇌물수수 등 부패(corruption)가 있었던 경우, (iv) 기본적인 규칙에 대한 심각한 위반이 있는 경우, 그리고 (v) 판정이유에 대한 충분한 설시가 없는 경우이다. 그리고 중재판정의 취소 주장은 중재판정일 이후 120일 이내에 하여야 한다. 한편, 중재판정의 취소 여부는 세 명으로 구성된 별도의 위원회(ad hoc Committee)에서 판단하는데, 세 명의 위원들 모두 ICSID의 운영위원회 의장이 ICSID 중재인 명단 중에서 선정한다. 만일 중재판정이 취소되면, 일방 당사자의 요구에 따라 새로운 중재판정부가 그 분쟁에 대하여 다시 심리를 열어서 판단하게 된다.

(10) 중재판정의 승인과 집행(제53조－제55조)

ICSID 중재의 가장 중요한 특징은 중재판정의 승인과 집행에 있다. 체약국은 ICSID 협약에 의거한 중재판정을 구속력 있는 것으로 승인하여야 하고, 중재판정에서 인정된 금전채무를 그 나라의 확정판결로 인정된 금전채무와 동일하게 집행하여야 한다. 일반 국제상사중재의 경우에는 외국중재판정을 특정국가에서 집행하기 위하여, 뉴욕협약 회원국인 경우에는 이 협약에 따라서, 회원국이 아닌 경우에는 그 국가의 관련법에 따라서 승인과 집행절차를 밟아야 한다. ICSID 중재판정은 이러한 절차를 밟지 않아도 된다는 점에 큰 이점이 있다. ICSID 협약 체약국 내에서 판정의 승인과 집행을 하고자 하는 당사자는 그 체약국이 지정한 법원 기타 기관에 사무총장이 인증한 판정문 사본을 제출하여야 한다.[34] 다만 중재판정의 구체적인 강제집행(execution)에 관하여서는 집행지법의 법령에 따라야

---

34) 이를 위하여 각 체약국은 사무총장에게 중재판정의 승인과 집행을 담당한 법원 또는 기타 기관을 지정하여 통보하여야 한다(ICSID 협약 제54조 제 2항). 우리나라는 ICSID 협약에 따라 서울, 춘천, 대전, 대구, 부산, 광주, 전주 및 제주 지방법원을 관할 법원으로 지정하였다. ICSID, Designations of Courts or Other Authorities Competent for the Recognition and Enforcement of Awards rendered pursuant to the Convention, ICSID/8－E.

하며, 외국 정부의 재산에 대한 주권 면제(sovereign immunity) 관련 의무는 그대로 지켜야 하므로, 중재에서 패소한 국가가 자발적으로 중재판정을 준수하지 않는 경우에는 강제집행을 하는데 많은 난관이 있다.

제10부

국제금융법

제36장   IMF, IBRD, AIIB & 국제금융법

제**36**장
IMF, IBRD, AIIB & 국제금융법

제1절 국제금융의 관련 개념과 법원(法源)

1. 국제금융의 의미

국제금융이라 함은 국제무역, 해외투자, 자금의 대차거래 등에 수반하여 외환, 주식, 채권 등과 같은 금융자산의 이동이 국가 간에 이루어지는 것을 말한다. 투자자나 차입자는 일정한 기대위험 하에 자신의 수익성, 유동성, 안정성을 극대화하기 위하여 보유하고 있는 자산이나 부채를 해외금융시장에 파생금융상품 등 다양한 금융상품과 적극적으로 연계하여 필요한 거래를 한다. 과거 국제금융은 국제무역, 외국인 직접투자(FDI)에 있어서 필요한 자금의 이체행위가 주를 이루었으나, 오늘날에는 자금의 대차거래 및 포트폴리오투자가 주종을 이루고 있다.

2. 국제금융법의 법원(法源)

국제금융법의 법원은 크게 두 가지의 형태로 나눌 수 있다. 하나가 경성화된 조약을 통해서 만들어진 법원이며, 주로 브래튼우즈 협정(Bretton Woods) 체제하에서 조약의 형태로 도입된 국제금융규범이다. IMF 협정이 그 대표적인 형태이다. 브래튼우즈 체제가 무너진 오늘날은 강행성을 가진 조약형태의 금융규범은 점점 줄어들고, 규칙(Rules), 지침(Guideline), 표준(Standards), 협정(Arrangements) 모범사례(Best Practices), 행동규범(Code of Conduct) 등 다양한 형태로 규범이 정립되고 있다.[1] 이들 규범의 특징은 조약과 달리 강제력이 없다는 점과, 조약의 경우

---

1) 손성, 21세기 국제금융법의 형성과 전개, 2008, 동국대 출판부, p. 73.

정상회의 등을 통해 정립된 반면, 주로 전문화된 국제기구 및 단체 등에 의해 정립된다는 차이를 가지고 있다.

연성화된 국제규범이 실질적인 강제력을 갖는 주요한 방법은 시장에서 받아들여지는 관행으로 정립되고, 이러한 관행들이 각국의 입법과정에서 반영되는 과정을 거치는 것이다. 새로운 규범이 시장에서 일반화되었음에도 불구하고 특정국가가 해당 제도를 도입하지 않을 경우 시장에서의 부정적 평가가 작용하게 되며, 이는 제도도입에 대한 실질적인 압력수단이 되기도 한다.

3. 장소적 의미로서의 국제금융시장

국제금융시장이라 함은 국제금융거래가 반복적 그리고 대량으로 이루어지는 영국 또는 미국과 같은 국가의 금융시장을 말하기도 하며, 또는 이들 시장들이 연결된 네트워크 자체를 의미하기도 한다. 국제금융시장의 요건으로는 국제교환성을 갖춘 해당국 통화, 즉 기축통화에 해당하는 통화가 있어야 하며, 발달된 외환시장, 정보통신기술, 잘 갖추어진 중개기능 및 결제기능을 포함한 후선조직(back office)이 들어지고 있다.

국제금융의 중심이 되고 있는 특정국가의 금융시장을 국제금융센터라고 부른다. 국제금융센터는 국제금융시장의 요건을 갖추고 있으면서 국제금융거래가 집중적으로 지속적으로 이루어지는 장소이다.[2] 전통적인 국제금융센터로는 런던, 뉴욕을 들 수 있으며, 신흥 국제금융센터로는 룩셈부르크, 프랑크푸르트가 있다. 이외에 국제금융시장을 중심지 개념으로 분류하는 방식에 따르면 런던, 뉴욕 등을 글로벌 중심지, 홍콩, 싱가포르 등을 지역중심지로 분류하기도 한다.[3]

---

[2] 국제금융센터의 요건으로는 국제적 자본력과 경제력, 통화의 교환성, 완화된 금융규제, 통신시설의 완비, 주요금융시장과의 영업시간의 중복 등이 들어진다. 최해범, 글로벌시대의 국제금융론, 두남, 2009, pp. 245-246.

[3] 최승필, 동북아 금융중심지 조성을 위한 법·제도적 과제 ─ 금융규제법적 측면을 중심으로, 은행법연구, 제 1 권 제 1 호(2008), p. 238.

제 2 절 국제금융기구의 조직과 기능

국제금융규범을 형성해 나가는 국제금융기구, 즉 규범정립체로는 대표적으로 IMF, BIS, G20 그리고 FSB 등을 들 수 있다. 공적인 국제자금공급 기구로서 저개발국 또는 개발도상국에 대한 금융지원을 수행하고 있는 IBRD와 World Bank 역시 주요한 규범정립체라고 할 수 있으며, 이외에도 WTO 자체는 국제금융기구라고 할 수는 없으나, WTO 체제 내에서의 TRIMs와 GATS는 금융규범체의 일부를 형성하고 있다.

1. IMF(국제통화기금)

(1) 설립배경

1941년 전후 국제통화제도의 개편을 준비하던 미국에 의해 주도되었던 IMF의 설립안은 화이트안과 케인즈안으로 나뉘어져 논의가 되었다. 화이트(Harry Dexter White)안의 주요내용은 가맹국의 출자에 의한 국제환율기금을 조성하고 회원국의 국제수지불균형으로 인한 환율불안이 발생할 경우 단기자금을 공급하도록 하며, 기금과의 거래단위는 Unitas로 하는 것이었다. 반면, 케인즈(John Maynard Keyense)안은 국제청산동맹을 창설하고 거래단위로 국제통화인 Bancor를 발행하고 가맹국간 거래는 Bancor Account를 통해 이루어지도록 하고, 당좌대월 기능을 통한 자금공급을 주요내용으로 하였다.[4]

1944년 7월에 브래튼우즈(Bretten Woods)에서 열린 United Nations Monetary and Financial Conference에서는 45개국이 참석한 가운데 화이트안과 케인즈안의 절충적 형태인 'Article of Agreement of the IMF'가 결의되었다. 따라서 이로 인하여 형성된 새로운 국제통화체제를 브래튼우즈체제라고 부른다.

(2) 설립목적

IMF의 설립목적은 IMF 헌장 제 1 조에서 규정되어 있다. 첫째, 국제통화문제

---

4) 한국은행, 국제금융기구가 하는 일, 2005, pp. 30-31.

에 대한 협의와 협력을 위한 상설기관을 통한 국제통화협력의 증진, 둘째, 국제무역의 확대와 균형적 성장을 도모함으로써 모든 회원국 경제정책의 주된 목표인 고용 및 실질소득의 확대와 생산자원의 개발에 기여, 셋째, 외환의 안정을 촉진하고 회원국 간 질서있는 환(換)협약을 유지하며, 경쟁적인 평가절하의 방지, 넷째, 회원국간 경상거래에 관한 다자간 결제제도의 확립과 세계무역의 성장을 저해하는 외환에 관한 각종 제한의 철폐, 다섯째, 적절한 조건으로 회원국이 기금의 일반재원을 단기적으로 이용할 수 있게 함으로써 회원국이 국내와 국외적으로 유해한 조치를 취하지 않으면서도 국제수지의 불균형을 시정할 기회를 제공, 여섯째, 이상의 규정에 따라 회원국들의 국제수지불균형 기간을 단축함을 목표로 한다.

(3) 조직 및 거버넌스

총 회원국수는 2021년 현재 190개국으로 우리나라는 1955년에 가입하였다. 주요한 조직으로는 총회, 이사회, 총재, 국제통화금융위원회가 있다. 총회(Board of Governor)는 최고의사결정기구로서 각 회원국별 위원 및 대리위원으로 구성되며, 기금의 운영에 관한 일체의 권한을 보유한다. 그러나 실질적으로 회원국 모두가 모여 의사결정을 하기가 어려움에 따라 상당한 권한을 이사회에 위임하고 있으나, 신규가입 및 가입조건의 결정, 회원국에 대한 탈퇴요구, 협정문의 개정, 출자지분(Quota)의 결정 및 SDR[5]의 신규 배분의 사항은 직접 결정한다.

이사회(Executive Board)는 업무집행기관으로서 총 24명으로 구성되며, 총회로부터 권한을 위임받아 권한을 행사한다.[6] 영구적 이사회 구성원으로서 임명이사국은 미국, 독일, 영국, 프랑스, 일본의 5개국이며, 19개국은 나머지 회원국 중 선임을 통해 이루어지는 선임이사국이다. 선임이사국은 각 그룹단위로 구성되는 바, 중국, 사우디는 한 나라가 하나의 그룹을 형성하며, 상임선임이사국으로서 실질적인 영구적 지위를 갖고 있다. 이들 국가를 제외한 나머지 가맹국이 17개 그룹에 소속되어 그 중 한 국가가 교대로 각 그룹을 대표하여 참석한다. 따라서 이

---

5) SDR(특별인출권, Special Drawing Right)이라 함은 IMF에서 사용하는 국제통화단위로서 금생산량의 감소에 따른 금본위제의 수정필요, 기축통화로서의 달러화 가치의 불안정 가능성 등을 보완하기 위하여 1968년 IMF 이사회에서 창설되었다. 당시에는 세계무역에서 비중을 큰 주요 16개국 통화가치를 가중 평균한 바스켓 방식으로 산출되었으나, 오늘날에는 달러, 유로, 파운드, 엔의 바스켓 방식을 통하여 산출한다.
6) IMF 헌장 제12조 제3항 (a).

사회에서 임명이사국과 상임선임이사국을 제외한 나머지 대다수 회원국의 입장
반영은 실질적으로 어렵다는 비판이 가해진다.[7]

총재(Managing Director)는 이사회에서 선출되며, 이사회의 의장을 맡는다. 임
기는 5년이다. 지금까지 역대 IMF 총재는 미국과의 암묵적 합의에 의하여 유럽
측 인사가 선임되어 왔으며, 반면 World Bank는 미국 측 인사가 선임되어 왔다.

국제통화금융위원회(International Monetary and Financial Committee)는 24명의 위
원으로 구성되며, 총회 자문기관의 역할을 수행한다. 주요한 업무범위는 국제통
화제도의 운영 및 개선, IMF 이사회의 협정 개정안 검토, 국제통화제도 위기에
대한 대응책의 강구이다.

(4) 회원국의 주요의무

1) 안정적인 환율제도의 유지

IMF 헌장 제 4 조(Obligation regarding Exchange Arrangement) 제 1 항은 회원국
의 일반적 의무로서 안정적인 환율시스템의 운영을 명시하고 있다. 이는 자유
로운 환율제도하에서 수출증대를 통한 경상수지 확대를 목적으로 각국이 정부
개입을 통해 자의적으로 환율을 특정수준으로 유도하고자 하는 것을 방지하기
위함이다.

안정적인 환율제도를 유지하기 위한 구체화된 의무로서는 물가안정과 경제
성장을 촉진할 수 있는 금융경제정책을 운용하되, 불규칙적인 경제변동을 야기시
킬 수 있는 경제 및 금융통화정책을 수행하지 않아야 하며, 국제수지의 조정 또
는 타 국가에 대한 불공정한 경쟁이익을 얻기 위한 환율조작 및 국제통화제도의
교란행위를 하지 않아야 한다(제 4 조 제 1 항 1호~3호). IMF의 지침인 '회원국 환율
정책 지도원칙(Principles for the Guideline of Members' Exchange Rate Policies)'에 따르
면, 자국통화 환율의 일시적 불균형을 시정하기 위해 필요한 경우에만 외환시장
에 개입하며, 이때는 여타 회원국의 입장을 고려해야 한다.

2) 경상거래에 대한 제한 철폐

IMF 헌장 제 8 조는 제 2 항에 경상지급에 대한 제한의 철폐를, 제 3 항에서는

---

7) 한인택, IMF 내 권력관계의 분석: 2006년 지분 특별 증액국들을 중심으로, 국제정치논총,
   제46권 제 4 호(2006), p. 142.

특정 통화에 대한 차별적 관행이 존재하지 않도록 규정하고 있다. 이중 가장 중요한 것이 제2항에서 규정하고 있는 경상지급에 대한 제한 철폐이다. 오늘날 국제무역, 투자 등에 있어서 자금의 이동은 핵심적인 요소이며, 자유로운 자금의 이동은 필요조건이라고 할 수 있다.

회원국은 IMF에 의해 승인받은 경우를 제외하고, 경상적인 지급이나 자본의 이동을 제한할 수 없다. 환(煥)계약은 IMF 헌장과 조화를 이루고 있는 회원국의 외국환거래규범에 배치될 경우 그 효력이 부인된다. 아울러 회원국들은 상호간 협정에 부합한 보다 효과적인 규범의 형성을 위해 노력해야 한다(제8조 제2항 b호). 이와 같이 제8조에서 규정한 바를 준수할 것을 수락한 국가를 소위 '제8조국'이라고 명명하며, 우리나라의 경우 1986년 11월 11일 제8조국에 가입하였다.

(5) Quota와 표결

표결은 각국의 쿼터에 연동하는 가중투표방식으로 이루어진다. 쿼터라 함은 IMF가 각 회원국들에게 요구하는 출자금(capital subscription)을 의미한다. 모든 회원국은 기본적으로 250표를 가지고 있으며, 여기에 10만 SDR[8]마다 1표를 추가적으로 행사할 수 있게 된다. 이와 같은 가중투표제가 헌장 제12조 제5항 (a)에 도입된 이유는 국제통화금융에 관한 사항에 대해서는 회원국의 실질적 경제력을 반영한 의사결정이 현실과 부합하다는 사고에서 출발하였다. 그러나 IMF의 창설 당시와는 달리 개발도상국의 비약적 경제발전이 이루어졌음에도 불구하고, 이들 국가에 대한 쿼터는 비례적으로 증가하지 않았으며, 이는 의사결정체제에까지 영향을 미치고 있다는 비판이 제기되었으며,[9] 이를 개선하고자 쿼터 증가에 대한 검토(General Review of Quotas)가 이루어지고 있다.

---

8) IMF 기금의 안정화와 국제유동성의 확보를 위해 1968년 IMF가 창설한 통화단위를 말한다. 창설배경에는 당시 베트남전 수행으로 미국에 국제수지 적자가 발생하자 미달러화의 금태환성에 대한 신뢰 저하가 있었다. 따라서 이를 개선하고자 당시 세계 무역에서 비중이 큰 주요 16개국 통화를 바스켓 방식으로 가중평균하여 가치를 정하였다. 이후 미국, 영국, 독일, 일본, 프랑스 5개국 통화의 가치를 바스켓으로 하였으며, 유로화 출범이후 미국 달러화, 영국 파운드화, 일본 엔화, 유로화의 바스켓으로 변경되었다.

9) 최승필, 동아시아 금융협력체제의 필요성과 가능성에 대한 법·제도적 접근, 국제지역연구 제14권 제12호(2010.7.30.), p. 420.

(6) 신용제도

회원국들은 국제수지의 불균형으로 인한 경제위기에 대응하기 위하여 IMF로부터 자금지원을 받을 수 있다. 신용의 방식은 SDR이나 자국통화(원화)로 필요한 통화(달러화)를 매입하고, 대출기간 만료시 기존 매입했던 통화를 매도·SDR이나 자국통화를 매입하는 방식(일종의 환매방식)으로 이루어진다. 특별한 요건하에 이루어지는 특별신용제도를 제외한 일반신용제도에서 자금을 인출할 수 있는 실제 규모의 최대는 출자할당액의 125%이다. 이중에서 인출지분은 총 5차로 구분되며, 제1차 지분을 리저브 트란셰(reserve tranche), 그리고 나머지 각 25%의 4차수의 총 100%에 해당하는 지분을 신용지분(credit tranche)이라고 한다.[10] 금, SDR, 교환성 통화 등으로 납입한 25%에 해당하는 부분에 대해서는 특별한 조건없이 인출이 가능하지만 나머지 100%에 대해서는 대기성협정(Stand-by Agreement)이라 불리우는 경제안정화 프로그램에 의해 '조건(conditionality)'[11]이 부과된다.

(7) 국제금융규범 정립활동

IMF가 제시하고 있는 자료공시, 재정투명성, 통화금융정책의 투명성 기준 등은 다음과 같다. 통화정책에 대한 기준으로서는 통화정책의 투명성에 관한 최적규범(Code of Good Practices on Transparency in Monetary and Financial Policies)이 있으며, 금융정책에 대해서는 투명성에 관한 최적관행(Good Transparency Practicies for Financial Policies by Financial Agencies)이 있다. 이외에도 금융구조의 건전성을 평가하기 위한 금융건전성 지표, 금융위기에 대한 조기경보체제 구축을 위해 금융위기 취약성 지표 등도 제시하고 있다.

---

10) 최승환, 국제경제법, 제3판, p. 755 표 15-2 참조; 한국은행, 전게서, p. 103, 표 II-17 참조
11) 아시아 외환위기를 계기로 IMF의 자금지원에 부가된 conditionality에 대해서 많은 비판이 제기되고 있다. 특히 당시 한국에·부과되었던 외환자유화, 환율평가절하, 고금리정책의 유지, 재정적자 통제, 외국인투자 자유화 등이 국제수지불균형의 해소에 필수적이었는가가 논란이 되었으며, 1980년대 라틴아메리카의 외환위기시 적용되었던 조치가 사회·경제적 상황이 다른 한국에 적용되었다는 비판이 가해졌다. 이에 대해서는 최승필, 전게논문, pp. 422-423; 김왕식, IMF 경제안정화 프로그램의 효과, 한국정치학회보, 제25권 제1호 (1991), p. 501; 이대기, IMF 대출제도의 문제점과 개선방안, 주간금융브리프 18권 3호 (2009), p. 11; Stglitz Joseph, 세계화와 그 불만, 2002, pp. 125-152.

2. World Bank Group

(1) 세계은행의 임무 및 구조

세계은행은 개발도상국가들에 대한 재정적·기술적 지원을 주 임무로 하는 국제기구로서 1944년 브레튼우즈 협정에 따라 창설되었으며, 1946년부터 업무를 시작하였다. 구체적인 역할로는 개발도상국가들에게 저금리 대출 등의 재정지원을 실시함으로써 해당국가의 교육, 보건, 공공행정, 사회 인프라 구축, 농업 및 환경문제 해결을 지원하며, 더 나아가 자원개발지원 등의 활동을 펼치고 있다. 세계은행의 이와 같은 임무는 세계은행그룹의 조직구조에서도 찾아볼 수 있다.

세계은행그룹은 5개 기구로 나뉘어지는데, IBRD(International Bank for Reconstruction and Development), IDA(International Development Association)가 주요기구이며, 이들 기구의 기능을 지원하거나 보완하기 위한 기구들로 IFC(International Finance Corporation), MIGA(Multilateral Investment Guarantee Agency), ICSID(International Center for the Settlement of Investment Disputes)가 있다.

(2) 각 기구의 기능 및 역할

1) IBRD

제2차 세계대전 이후 전쟁복구를 목적으로 설립된 조직으로서 1944년 브래튼우즈 회의 당시 협정이 이루어졌으며, 1945년 12월 27일 발효되었다. 따라서 IBRD 협정문 제1조는 동 기구의 설립목적을 전쟁으로 파괴된 또는 와해된 경제의 회복, 평시 수요재 생산을 위한 생산설비의 전환 등 전시경제에서 평시경제의 전환이 포함되어 있다. 이외에도 제1조는 저개발국가의 생산설비와 자원개발 등 생산목적의 자본투자, 민간투자자에 의한 대출 및 기타 투자에 대한 보증 및 참가를 통한 해외투자 촉진, 가맹국 자원개발을 위한 국제투자 장려를 통해 장기적인 균형발전을 도모함을 정하고 있다.

가난한 중저개발국가(middle-income and creditworthy poorer countries)에 대한 장기적인 융자지원을 실시한다. 융자의 방식은 IBRD 자체 재원으로만 이루어지는 투자융자, 타 재원과의 결합을 통해 이루어지는 협조융자(Co-financing), 민간자본이 신흥개도국으로 원활하게 흘러들 수 있도록 하는 지급보증을 통한 위험

인수가 있다.

2) IDA

최빈국(world's poorest countries)에 대한 양허적 자금공여를 목적으로 1960년 9월 24일 설립된 국제기구이다. IBRD 자금의 경우 비교적 엄격한 융자조건이 부과되고 있어 최빈개도국들이 이를 준수하기 어려움에 따라 이들 국가들을 지원하기 위해 창설되었다. 당시 정치적으로는 냉전시대 소련의 동구권에 대한 자금지원에 대응한다는 의미가 있었다.

최빈국에 개발자금을 35년에서 40년의 장기 및 무이자로 융자해 주거나 무상으로 공여한다. 자금의 배분기준은 실적을 기준으로 하는데, 실적에 대한 평가는 경제운용, 구조정책, 사회정책, 공공부문관리 및 제도 등을 평가하게 된다. 이외에도 최빈국의 외채경감프로그램에도 참여한다. IDA 자금의 주요한 지원분야는 교육, 보건, 상하수도 사업, 환경보호, 기업환경의 조성, 사회인프라의 구축 등이다.

3) IFC

제2차 세계대전 후 개발사업이 정부주도 사업인 데 반해 민간기업에 대한 지원체제가 부재한 상태에서 이를 지원하고자 1956년 7월 20일에 설립되었다. 이러한 민간기업에 대한 보증은 기존 국제기구의 지원방식을 보완한다는 측면에서 의미를 지닌다. 민간기업에 대한 자금의 투융자를 행함에 있어 해당 기업이 타재원을 조달할 가능성이 있는 경우, 해당국 정부가 반대할 경우에는 투융자가 실시되지 않는다. 또한 자금 지원에 있어서도 자금의 지역적 편중이 없는 균등한 사용이 조건으로 부가된다. 한편 IFC가 투융자시 경영권 행사의 문제가 있는데, IFC는 대상기업의 대주주가 되지 않으며, 이사회 참여와 표결권 행사 등 기업경영과 관련한 권한행사는 하지 않는다.

4) MIGA

해외투자 관련 리스크를 보증하기 위해 설립된 국제적인 보증기구로서 1988년 4월 12일에 발효되었다. MIGA에서 보증하고 있는 해외투자관련 리스크는 비상업적 위험, 즉 정치 및 사회불안, 수용적 조치, 송금제한 등으로 이들은 선진국들의 개도국 투자를 기피하는 주요한 요인이다. MIGA와 투자자간의 보증계약에 의해서 투자보증이 이루어지며, 총 보증한도는 자본금 및 준비금과 이사회에서 정하는 재보험한도를 합한 금액의 1.5배 이하이다. 단독적인 보증이외에도 타 기관과의 공동보증을 제공하거나 재보험을 제공하기도 한다.

5) ICSID

국제투자의 활성화를 위해서는 국제투자의 과정에서 벌어지는 분쟁을 해결하는 과정이 필요하다. 따라서 이를 전담하는 공정하고 중립적인 분쟁해결기구의 설립은 필수적이다. IBRD는 이를 위해 국제투자분쟁해결센터를 설립하였다. ICSID의 설립과 운영은 1965년 3월에 성립되고 1966년 10월 18일에 발효된 '국가와 타국민간의 투자분쟁의 해결에 관한 협약(Convention on the Settlement of Investment Disputes between States and Nationals of Other States)'에 근거를 두고 있다.

ICSID에 의한 분쟁해결을 위해서는 당사자의 동의, 당사자 적격 그리고 분쟁의 성질이라는 3가지 요건을 충족해야 한다. 당사자 동의의 경우, 당사자가 속한 국가가 협약에 가입했다할지라도 당사자의 동의가 없는 한 중재절차에 곧바로 회부되지는 않는다. 국제투자계약에서 계약당사자가 본 계약에 관련되거나 본 계약으로부터 발생하는 분쟁을 조정이나 중재로 해결하기 위해 이를 ICSID에 회부하기를 동의한다는 내용을 포함하는 모델약관을 포함할 경우에는 ICSID의 관할에 속하게 된다. 한편, 당사자 적격에 있어서는 체약국과 타방체약국의 국민이어야 하며, 분쟁의 대상은 투자자로부터 직접 발생하는 법적 분쟁이다.[12]

3. WTO

(1) WTO와 국제금융, GATS

WTO는 국제금융제도와 크게 두 가지 점에서 관련성을 갖는다. GATS(General Agreement on Trade in Services)와 WTO, WTO와 IMF와의 협력이다. 오늘날 금융업을 포함한 자유로운 서비스의 이동은 국제무역의 매우 중요한 영역중 하나이다. 이를 위해 우루과이라운드에서 합의된 바에 따라 1995년 1월에 서비스에 관한 다자간 국제조약인 GATS가 성립되었다.

---

12) 오원석, 국제투자분쟁해결을 위한 ICSID 중재에 관한 고찰, 무역학회지 제31권 제4호 (2006.8), pp. 131-133, 147.

GATS 협정문은 서문과 함께 제6장으로 구성되어 있다. 규정내용은 GATS의 정의와 범위, 일반적 의무 및 원칙, 구체적 약속, 점진적 자유화, 제도적 규정 및 최종조항으로 구성되어 있다. 한편 부속서는 서비스 공급자의 이동에 관한 부속서, 금융서비스에 관한 부속서, 금융서비스에 관한 제2부속서 등 8개 부속서로 이루어져 있다. 분쟁발생시 분쟁해결 절차 역시 WTO의 DSU의 절차에 따른다.

(2) 주요내용

1) 서비스의 개념과 공급방식

조약의 적용대상으로서의 서비스의 개념에 대해서는 조약자체 내에서는 명시적인 규정을 두고 있지 않다. 그러나 이 조약은 Annex on Financial Service에서 특별하게 금융서비스의 정의를 내리고 있다. 부속서에 따르면 금융서비스라 함은 중앙은행 및 통화당국이 행하는 통화정책 및 외환정책, 사회보장 및 연금제도, 그리고 정부(지방정부 포함)의 재정활동 또는 재정을 통한 보증, 즉 비상업적이며, 다수의 공급자가 경쟁구도 하에서 행하는 것이 아닌 나머지 활동들을 말한다(금융부속서 제1항(b), 제1조 제3항 (b) (c)).

서비스의 공급방식(Mode)은 4가지로 나뉜다(제1조 제2항). 첫째, Mode 1으로서 서비스의 국경간 공급(Cross border supply), 둘째, Mode 2로서 서비스 소비자의 해외소비(Movement of customers), 셋째, Mode 3으로서 외국서비스 공급자의 상업적 주재(commercial presence abroad), 넷째, Mode 4로서 자연인의 주재(presence of natural persons abroad)이다. 이들 4가지 공급방식은 금융서비스에도 동일하게 적용된다. 예컨대, 외국금융기관이 인터넷을 통한 보험 등 금융상품의 판매, 회원국 국민이 해외에서 외국금융기관에 계좌개설, 외국계 금융기관의 국내지점 개설을 통한 금융상품 판매, 외국계 금융컨설팅사의 일시적인 국내에서의 금융컨설팅 등을 들 수 있다.

(3) 회원국의 준수 사항

회원국의 준수사항은 WTO체제하에서 여타 협정과 유사하다. 즉 최혜국대우, 투명성, 비차별, 우월적 지위의 남용금지, 양허분야의 경우 국내규제의 통보 등이다. 적용예외로서 GATT 제20조가 적용됨은 물론이다. 그러나 GATS의 경우 추가적인 예외를 규정하고 있는데, 개인정보의 처리 및 유포와 관련한 사생활 보호,

계좌 등의 비밀보호 등을 규정하고 있다. 특히 금융서비스의 경우 계좌내역을 포
함한 방대한 정보가 처리됨에 따라 오늘날 개인의 금융정보 보호 문제는 매우 민
감한 문제이나 각국의 정보보호체계 및 수준이 상이함에 따라 이를 국제적 기준
으로 수렴하려는 논의가 이루어지고 있다.

4. G20 정상회의

(1) G20 정상회의의 국제금융법상의 의미

미국발 금융위기 이후 세계경제에서 그 역할이 강조되고 있는 것이 G20[13)
정상회의이다. G20 회의는 본래 국제적으로 공조의 필요성이 있는 정치, 경제,
사회, 문화 등의 모든 의제를 다루는 정상회의체로 1999년 발족하였다. 금융분야
에 있어서 미국발 금융위기 당시 G20은 우선적 과제로서 국제금융시장의 정상화
와 위험의 전이 방지 등을 위해 노력하였으며, 그 결과 괄목할만한 결과를 도출
해 내면서 국제금융분야에서 매우 중요한 의미를 지니게 되었다. G20 설립 이후
많은 회의가 있었지만 금융과 관련한 중요한 회의로는 런던회의, 피츠버그회의,
서울회의를 들 수 있다.[14)

(2) 주요회의의 내용

런던회의의 주요내용은 크게 3가지 분야로 나누어 정리할 수 있다. 첫째, 거
시경제공조강화이다. 세계경제회복을 위한 재정지출확대와 확장적 통화정책 합
의, 신흥개도국 및 빈곤국을 위한 대출지원확대, 금융보호주의 정책의 배격 선언
을 들 수 있다. 둘째, 국제금융기구개편이다. 금융안정포럼(FSF)를 확대 개편하여
금융안정위원회(FSB)를 설립하고, 2008년 합의된 IMF 및 세계은행 개혁방안의 실
행노력 및 IMF의 개도국과 신흥국에 대한 지원강화를 주된 내용으로 하고 있다.
셋째, 금융감독 및 규제강화와 개선이다. FSB와 IMF에 의한 G20의 권고사항 점
검, 바젤은행감독위원회(BCBS) 참가국 확대, 헤지펀드 등록 및 정보공개를 통한

---

13) 아르헨티나, 호주, 브라질, 캐나다, 중국, 프랑스, 독일, 인도, 인도네시아, 이태리, 일본, 멕
   시코, 러시아, 사우디아라비아, 남아공, 대한민국, 터키, 영국, +유럽연합(EU).
14) 금융위기의 대응과 관련하여 위싱턴 D.C.회의(2008.11.15), 런던회의(2009.4.2), 피츠버그회
   의(2009.9.24−25), 토론토회의(2010.6.26.−27), 서울회의(2010.11.11.−12)가 있었다.

헤지펀드 리스크 강화, 신용평가사에 대한 정기감독의 실시, 금융기관 종사자의 risk-taking과 보상체계에 대한 감독강화, 금융상품 회계기준 정비, 금융규제체제 투명성 제고를 위한 금융평가프로그램(FSAP: Financial Sector Assessment Program)의 실시를 주요한 내용으로 하고 있다.

서울정상회의에서는 이러한 논의가 구체화되었다. 주요내용은 크게 4가지로 나눌 수 있다. 첫째, 환율정책의 공조에 대한 국가간 합의가 이루어졌다. 시장결정적인 환율제도를 통하여 환율의 유연성을 제고하되, 경쟁적 평가절하를 자제하도록 하였다. 둘째, Basel III의 적극적 도입과 소위 '시스템적으로 중요한 금융기관(SIFI: Systematically Important Financial Institution)'에 대해 강화된 규제시스템 도입이 이루어졌다. 셋째, 국제금융기구의 개혁으로 IMF 쿼터이전과 지배구조개선이다. 마지막으로 글로벌 금융안전망의 구축이다. 자국의 경제운용상의 실패가 아님에도 불구하고 외부경제에 의해 유동성위기를 겪는 것을 방지하기 위한 지원수단 확보이다.

이외 금융과 관련한 최근 G20의 주요 논의사항을 정리하면 다음과 같다. 2011년 깐느회의에서는 SIFIs의 규제체제마련, FSB에 대한 법인격 부여 및 기능강화가 이루어졌으며, 2012년 로스카보스 회의에서는 세계 경제위기 대응을 위한 IMF 재원확충 및 자금세탁방지기구인 FATF의 강화된 기준에 대한 지지가 있었다. 2013년 상트페테르부르크 회의에서는 IMF 중심의 금융체제를 보완하기 위한 지역금융안전망(RFAs) 강화에 합의하였으며, 2014년 브리즈번 회의에는 소득이전을 통한 세원잠식(BEPS) 대응방안을 마련하고 각국이 역외조세회피 방지를 위한 조세정보 자동교환을 이행하도록 하였다. 2015년 안탈랴 회의에서는 글로벌 대형은행의 손실흡수능력(TLAC) 확충을 위한 개혁과 역외조세회피대응 패키지를 최종승인하였으며, 2016년 항저우 회의에서는 안정적이고 회복력 있는 국제금융체제를 위한 G20 발전방안을 마련하였다.[15]

5. FSB

1999년 아시아 외환위기를 계기로 G-7은 세계적인 금융위기 예방을 위한

---

15) 보다 자세한 사항은 외교부, 국가 및 지역정보-지역협력체-G20 참조.

대책마련을 위해 당시 의장국이었던 독일에게 방안을 제안할 것을 요청하였고, 이에 당시 독일연방은행 총재였던 Hans Tietmeyer가 국제금융 및 감독기관간 협력체로서 FSF(Financial Stability Forum)를 제안하였다. 금융안정포럼(Financial Stability Forum, FSF)은 2009년 4월 런던 정상회의 커뮤니케(communiqué)에 따라 FSB라는 위원회로 정착되었다. 2021년 현재 참가국은 EU를 포함하여 25개국이며, 4개 국제금융기구와 6개 국제기준정립기관이 가입되어 있다.[16]

FSB의 역할은 산재되어 있는 각 국가별 금융규범의 조화추진, 개별적으로 각 기구별로 정립되어 온 국제금융규범의 통합 및 조율 그리고 기구간 정보의 교환이다. 구체적으로 살펴보면, 첫째, 글로벌 금융시스템에 영향을 주는 취약성에 대한 평가 및 판단, 둘째, 금융안정을 위한 국가간 정보의 교환과 공조의 추진, 셋째, 각국의 금융규제정책에 대한 모니터링과 조언, 넷째, SIFI의 지정 및 감독가이드라인 등의 설정이다.[17]

6. 자금세탁방지기구(FATF-GAFI)

자금세탁방지기구(Financial Action Task Force on Money Laundering)는 OECD 산하기구로 1989년 파리 G7 정상회의 이후 자금세탁방지를 위한 국제협력 및 각국의 관련제도 이행상황 평가를 목적으로 설립되었다. 우리나라는 2009년 10월에 동 기구에 가입하였다. 이 기구는 제3차 라운드(2004~2012)에서는 40+9개 권고사항을 제시한 바 있다. 그리고 2014년에 시작된 제4차 라운드에서는 40개의 권고사항을 제시하고 있다.[18]

이들 권고사항은 크게 7가지 카테고리로 나눌 수 있는데, 첫째, 정책과 조정, 둘째, 자금세탁과 몰수관련 법제도, 셋째, 테러자금조달과 확산금융, 넷째, 고객확

---

16) 국제금융관련기구: BIS, IMF, OECD, The World Bank, 6개 국제기준정립기관: BCBS(Basel Committee on Banking Supervision), CGFS(Committee on the Global Financial System), CPMI(Committee on Payments and Market Infrastructures), IAIS(International Association of Insurance Supervisors), IASB(International Accounting Standard Board), IOSCO(International Organization of Securities Commissions)
17) www.fsb.org.
18) 구체적인 권고사항에 대해서는 FATF 제4차라운드 자금세탁 및 테러·확산금융 방지에 관한 국제기준(International Standards on Combating Money Laundering and the Financing of Terrorism & Proliferation) 참조.

인제도를 포함한 예방조치, 다섯째, 법인 및 법률관계의 투명성과 실소유자, 여섯째, 관계기관의 권한과 책임, 기타 제도적 조치, 일곱째, 국제협력이다.

제3절 업역별 금융감독기구의 조직 및 기능과 역할

1. 은행부문-BIS

(1) 목적 및 법적지위

1930년 5월 네덜란드의 헤이그에서 전쟁배상금 문제의 해결을 위하여 헤이그 협약을 체결하고, 배상금 결제를 담당하기 위한 기구로 국제결제은행(Bank of International Settlement)을 설립하였으며, 각국의 중앙은행을 회원으로 하고 있다. BIS 정관 제3조는 "중앙은행간 협력을 증진하고 국제금융거래의 원활화를 위한 편의를 제공하며, 국제결제업무와 관련하여 수탁자(trustee) 및 대리인(agent)로서의 역할을 수행"함을 명시함으로써 기구의 설립목적을 규정하고 있다.

BIS는 스위스 국내법에 의해 설치된 주식회사이자 정부간 협정에 의해 승인된 국제기구라는 이중적인 성격을 가지고 있다. 국제기구로서의 특성을 가짐에 따라 스위스 은행법 및 회사법상의 규제는 적용되지 않으며, 납세의무 역시 면제된다.[19] 회원의 자격은 각국의 중앙은행이다.

(2) 조직 및 위원회

총회(General Meeting)는 BIS 참가국 63개(2021년 기준) 중앙은행이 참가하는 최고 의사결정 기구로서 표결권은 지분참가에 비례하여 배분된다. 이사회(Board of Directors)는 2021년 기준으로 18명으로 구성되어 있다. 그 중 당연직 이사국은 창설멤버국가들로서 벨기에, 프랑스, 독일, 이탈리아, 영국, 미국이다. 한편, 이들 국가는 자국의 인사를 별도로 지명직 이사로 지명할 수 있다. 이외에 선출이사국이 있는 바, 최대 9명까지이며, 현재는 캐나다, 중국, 일본, 멕시코, 스웨덴, 스위스 중앙은행 총재와 유럽중앙은행 총재로 구성되어 있다. 의장은 이사회 멤버 중에서 선출되며 3년 임기이다. 이사회의 임무는 BIS의 정책방향과 전략을 결정하며,

---

19) 한국은행, BIS와 바젤은행감독위원회의 주요 Isssue에 대한 이해, 1996. 8, p. 1.

업무의 수행사항을 감독한다.

주요위원회를 살펴보면, 은행감독위원회(BCBS: Basel Committee on Banking Supervision)는 은행감독에 관한 정기적인 포럼형태의 위원회로서 1974년 독일의 Bankhaus Herstatt 파산사건을 계기로 주요한 감독이슈에 대한 이해의 확대와 은행감독의 질적향상을 위해 설립되었다. 이 위원회에는 각국의 감독당국이 참여하여 국내적인 감독이슈에 대한 정보의 교환과 국제적인 감독기준을 설정한다. 위원회가 설정한 주요한 감독기준으로는 자본적정성에 관한 기준(standard on capital adequacy), 효과적인 은행감독을 위한 핵심원칙(core principles for effective banking supervision), 다국적은행 감독기준(minimum standards for the supervision of international banking groups and cross-border establishments), 국경간 감독에 관한 협약(concordat on cross-border banking supervision)이 있다.

지급결제 및 시장인프라위원회(CPMI: Committee on Payment and Market Infrastructures)[20]는 건전하고 효율적인 지급결제시스템의 구축을 통해 금융시장의 인프라 구축에 기여하는 것을 목적을 설립된 위원회이다. 자금결제에 있어서 완결성은 금융시스템 유지에 있어서 필수적 요소이다. 주요한 활동으로는 시스템적으로 중요한 결제시스템을 위한 핵심원칙(Core Principles for systematically important payment systems)을 발표하였으며, 금융시장 인프라에 관한 원칙(PFMIs: Principle of Market Infrastructure)을 제정하고 이를 기준으로 각국 중앙은행의 지급결제시스템에 대해 평가하고, 지급결제와 관련한 현안 발굴 및 대응방안 도출 등의 업무를 수행한다.

이외에 글로벌금융시스템위원회(Committee on the Global Financial System), 시장위원회(Market Committee), 중앙은행 통계에 대한 피셔위원회(Irving Fisher Committee on Central Bank Statistics)가 있다.

(3) BIS 자기자본비율

BIS 자기자본비율(Basel Capital Accord)은 은행의 건전성 정도를 측정하는 지표로 바젤 은행감독위원회(BCBS)에 의해 1988년 개발되었다. Basel I은 자산유형별로 규제자본을 산출하는 구조를 가지고 있었으며, Basel II는 동일한 자산 유형

---

20) 구 지급결제제도위원회(CPSS: Committee on Payment and Settlement System)가 업무범위의 확대 및 명확화를 위해 명칭을 변경하였다.

일지라도 차주의 신용등급에 따라 규제자본요구수준을 차등화하였고, 리스크관리 절차 및 공시 및 시장규율을 강화했다. 2009년 G20 피츠버그 정상회의의 결과 대규모 금융위기 방지를 위해 Basel III가 도입되었다. 새로운 기준은 위기상황시 은행이 손실을 흡수하기 위한 자본보전완충자본과 경기순응성 완화를 위한 경기대응완충자본을 두고 있으며, 과도한 레버리지로 인한 리스크 확대 방지를 위해 레버리지비율규제와 함께, 지급능력향상을 위한 유동성 규제기준을 두었으며, '시스템적으로 중요한 금융기관(SIFIs)'에 대한 규제를 강화하였다.[21]

2. 증권부문-국제증권감독위원회(IOSCO)

증권부문의 국제기구로서 대표적인 것이 국제증권감독위원회(International Organization of Securities Commissions)이다. 동 기구는 투자자보호, 공정하고 효율적이고 투명한 시장의 유지, 시스템리스크의 방지 등을 목적으로 각종 규제조치 등에 대한 국제적인 기준을 제시하고 이를 이행하는데 있어서 국가간 협력을 도모하기 위하여 1983년에 설립되었다. 우리나라는 1984년에 가입하였다.

IOSCO가 제시하고 있는 증권시장 규제의 기준 중 가장 주요한 것은 증권규제의 목적과 원칙(Objectives and Principles of Securities Regulation)[22]이다. 이 기준은 크게 9개의 영역(규제 및 감독, 자율규제, 제재, 규제협력, 발행, 신용평가 및 감사 등, 집합투자, 중개, 유통시장)으로 구분되어 증권시장의 발행과 유통 및 감독 등에 관한 원칙을 제시하고 있다.

회원은 정·부 및 연계회원으로 구분된다. 정회원은 회원국의 증권위원회, 정부 또는 법적인 규제위원회가 되며, 부회원은 회원국의 공적규제기관 등이며, 연계회원은 회원국의 증권시장관련 자율규제기관이나 국제기구이다. IOSCO의 조직으로는 각국의 증권감독당국 또는 통합감독형 국가인 경우는 금융감독당국의 수장이 참여하는 총회와 실무중심의 집행위원회, 사무국, SRO(Self Regulatory Organization) 협의위원회가 있다.

---

21) 최승필, 거시건전성 금융규제체제의 국제적 동향과 변화, 한국법제연구원, 2013, pp. 38-42; 금융위원회, 보도자료: 2013.12.1.일부터 국내은행에 바젤 III 중 자본규제 시행, 2013.5.31. 참조.
22) OICU-IOSCO, Objectives and Principles of Securities Regulation, 6. 2010.

3. 보험부문-국제보험감독자협회(IAIS)

보험부문의 가장 주요한 국제감독기구는 국제보험감독자협회(International Association of Insurance Supervisors)이다. 1994년 설립된 기구로 국제보험감독기준의 제정, 각국 보험감독당국 간의 정보교환, 보험감독분야 협력을 위해 설립되었다. 회원은 정회원과 옵져버로 구성되며, 정회원에는 각국의 보험감독당국 및 IMF, World Bank와 같은 국제금융기구가 가입되어 있으며, 우리나라는 창립멤버이다. 한편 옵져버 그룹으로는 각국의 보험관련협회, 보험회사 등이 가입되어 있다.

IAIS의 조직은 크게 총회, 집행위원회, 전문위원회, 이행위원회, 예산위원회, 사무국으로 구성된다. IAIS가 제시하는 주요규제기준으로는 보험핵심준칙(ICPs: Insurance Core Principles)이 있는데, 총 26개 항목으로 구성되어 있으며, 효과적인 보험감독의 조건, 감독협력 및 정보공유, 내부통제, 보고 및 모니터링, 시장분석, 리스크 평가 및 관리, 자본여력과 지급적정성 등에 대한 사항을 정하고 있다.

제 4 절   우리나라의 양자간 및 역내 금융협력

1. FTA를 통한 금융서비스

우리나라가 체결하고 있는 FTA는 발효기준 총 17건(2021년 현재)에 이르지만, 금융서비스와 관련하여 가장 큰 의미를 가지고 있는 FTA는 금융선진국과 체결한 한-미 FTA와 한-EU FTA[23]이다. 양 FTA 사이에는 개방분야와 조건면에서 다소간의 차이는 있으나 대체로 큰 틀에서는 유사하다. 한미 FTA를 기준으로 살펴보면 다음과 같다.

개방되는 보험분야는 생명보험과 비생명보험을 포함한 직접보험, 그리고 대면방식을 전제로 한 재보험 및 재재보험, 비대면방식의 보험중개, 대면방식의 상담·계리·위험평가 및 손해사정 서비스 등의 보험 부수업무이다. 은행 및 기타 금융서비스의 경우에는 예금 및 그 밖의 상환성 자금의 인수, 소비자신용·담보대

---

23) 한-EU FTA에 대한 자세한 사항은 협정문 및 한·EU FTA의 경제적 효과분석(대외경제정책연구원외 9개 기관, 2010) 참조.

출 및 상업적 거래금융을 포함하는 여신, 금융리스, 신용, 선불, 직불카드, 여행자수표 및 은행수표를 포함한 지급 및 송금서비스, 보증 및 약정, 외환, 선물 및 옵션 등의 파생상품, 금괴 등의 거래, 증권발행서비스, 자금중개업 등이 있다.

　　금융거래와 관련하여 중요한 업무 중 하나가 금융정보와 자료의 처리, 신용조회이다. 국내 소재 미국계 금융기관이 고객정보를 외국의 본점 고객정보처리센터에 위탁하는 것을 허용하였다.24) 금융분야 협상의 예외로서 공공성이 강한 금융관련 서비스는 제외되었는바, 공적퇴직연금, 사회보장보험, 공공기관의 재원관련 사항이다.25)

　　일방당사국의 영역에서는 제공되지 아니하나 다른 쪽 당사국 영역 내에서 제공되는 금융서비스를 신금융서비스(New Financial Service)라고 한다. 이 서비스는 새로운 법의 제정 또는 개정을 하지 않는 것을 전제로 자국 금융서비스 공급자에게 공급을 허용할 서비스를 동일하게 다른 쪽 당사자도 공급할 수 있도록 허용하고 있다. 감독당국은 건전성을 이유로 신금융서비스 허용을 거부할 수 있다.26)

　　양국 간 금융서비스에 대해서 내국민대우와 최혜국(MFN)대우가 적용된다. 그러나 금융시장의 건전성 유지를 위하여 금융기관에 대한 건전성 규제조치는 취할 수 있다. 규제제도는 투명성이 전제되는바, 도입하고자 하는 규정안에 대해서 의견제시의 기회가 제공되어야 하며, 이해관계인에 의해 제기된 의견에 대해서는 서면으로 답변해야 한다. 그리고 규제조치와 관련하여 필요한 모든 서류 및 금융서비스의 공급을 위해 필요한 요건은 사전에 공개되어야 한다. 규제의 방식으로는 네거티브 방식도 포함한다.27) 이외에 행정지도에 대한 서면, 공개제도도 포함되었다.

　　분쟁해결은 한미 FTA의 일반적 해결절차(제22장 제2절)를 적용한다. 그러나 국가-투자자 직접제소(ISD)의 경우에는 중재재판부와 금융서비스위원회가 관할하는 바, 중재재판부가 미구성될 경우 금융서비스 위원회가 담당한다. 패널이 협정문 불일치로 결정하면 상대 당사국은 금융서비스 분야에 대한 혜택을 중지할

24) 금융위원회는 2013년 금융정보처리 및 전산설비의 위탁에 대하여 규율하기 위하여 금융회사의 정보처리 및 전산설비의 위탁에 관한 규정을 제정·시행하였다.
25) KORUS 협정문 제13.1조; 한-EU FTA 제7.44조.
26) KORUS 협정문 제13.6조; 한-EU FTA 제7.42조.
27) 각국대표 양해서한문 참조.

수 있다.

2. 통화스왑협정과 역내금융기구의 형성

외환위기 이후 역내 통화스왑 및 금융망 감시체제를 구축하기 위한 아시아 국가간 노력이 있었다. 그 대표적인 형태가 치앙마이 이니셔티브(CMI: Chiang Mai Initiative)이다. 이와 같은 지역간 금융통합에는 기존의 국제금융질서가 역내 금융위기에 효과적으로 대응하지 못했다는 점과 국지적인 금융시장의 불안요소가 여타 국가에게 부정적인 영향을 미칠 위험을 낮추고자 하는 동인이 있었다. 이러한 동기를 바탕으로 2000년 태국의 치앙마이에서 아세안 국가들과 동아시아 주요 3국인 한국, 일본, 중국을 포함한 'ASEAN+3'의 재무장관이 만나 역내에서 외환위기 발생시 신속하게 외화유동성을 공급하기 위한 통화스왑협정을 체결하는 것을 내용으로 하는 치앙마이 이니셔티브를 발표하였다.

치앙마이 이니셔티브에 의하여 2001년 7월, 한국과 일본이, 2002년 6월, 한국과 중국이, 2002년 3월, 중국과 일본이 양자간 통화스왑협정을 체결하였다. 그러나 치앙마이 이니셔티브는 양자간 협정을 기본으로 함에 따라 각 국가들이 양자간 협정을 맺었다 하더라도 별도의 기금이 조성되지 않아 이행의 불확실성이라는 한계를 가지고 있었다. 따라서 다자간 협정으로의 전환과 함께 계약이행의 일정부분을 의무사항으로 전환해야 하는 필요성이 있었다. 2005년 5월 제8차 ASEAN +3 재무장관회의에서 기존의 CMI를 다자간 협정(CMIM)으로 전환하는 것을 합의하고 2009년 5월 발리에서 열린 제12차 ASEAN +3 재무장관 회의에서 공식적으로 다자간 체제인 아시아 공동기금에 대한 합의가 이루어졌다. 개별적 스왑방식이 아닌 정식의 지역금융기구가 출범하게 된 것이다. 아울러 각국의 분담금이 결정된 것과 동시에 기금내의 의사결정방식도 합의제 방식을, 자금지원 사항에 대해서는 다수결이 도입되었다.[28]

---

28) 제12차 ASEAN +3 재무장관 회의 결과, 기획재정부 보도자료 2009.5.3; 보다 자세한 논의는 최승필, 전게논문, pp. 427-430.

3. 역내개발금융기구의 새로운 변화 - AIIB(아시아인프라투자은행)

(1) 설립목적

2013년 10월, 중국 시진핑 주석이 인도네시아 자카르타에서 아시아 지역 역내 인프라 투자를 위한 금융기구로서 AIIB(Asian Infrastructure Investment Bank) 설립을 공식 제안한다.

2014년 10월, 베이징에서 20개 아시아 국가들과 AIIB 출범을 위한 양해각서를 체결하였으며, 57개국이 참여하였다. 기존의 아시아 역내 개발금융기구로서 일본이 주도하는 ADB는 아시아 개발도상국가에서의 경제성장과 협력을 추진함으로써 경제개발과 빈곤감소에 기여하는 것을 목표로 하고 있어 양자간 기능이 겹치는 부분이 발생하고 있다.

AIIB의 공식적인 설립목적은 지속가능한 경제발전 및 부의 창출, 지역내 인프라의 상호연계성(interconnectivity)과 협력 및 파트너쉽을 제고하기 위한 것이다.[29] AIIB의 활동은 아시아 지역에서의 인프라개발을 비롯한 생산 분야에 집중하고 있다. 여기에는 에너지, 교통, 통신, 지방인프라 확충 및 농업개발, 수도공급 및 정수, 환경보호, 도시개발 및 운송 등을 포함한다. 지원방식은 대출, 보증, 지분투자 등의 형태이다.

(2) AIIB의 지배구조

AIIB는 역내 금융기구로서의 특성에 부합하도록 75%의 지분을 아시아 회원국들에게, 나머지 25%는 비아시아 회원국들에게 할당하였다. 지분율은 의결권[30]에 영향을 미치는데, 2021년 기준으로 전체 의결권 중 주요국 비중을 살펴보면 다음과 같다.

---

29) AIIB를 설립하게 된 초기 배경에는 중국의 신전략인 일대일로(一帶一路)를 달성하기 위한 금융플랫폼으로서의 활용과 중국 국내경제의 과잉공급문제를 해결하고 과도하게 보유하고 있는 외환보유액(세계 1위)을 활용하기 위한 목적이 있었으나, AIIB의 설립 추진과정에서 중국주도의 국제개발은행의 출범으로 주목적이 바뀌었다는 평가가 있다. 최원기, 아시아인프라투자은행(AIIB)의 출범: 평가와 전망, 국립외교원 안보연구소, 2016.2.26., pp. 2-3, 10.
30) 의결의 방식은 단순다수결, 특별다수결, 최대다수결로 구분되는데, 신규회원국 가입은 특별다수결 사항이며, 비회원국 지원 및 수권자본금 변경, 이사회 구성변경, 협정문 개정은 최대다수결 사항이다.

국가	지분율(%)	투표권 비중(%)
중국	30.78	26.57
인도	8.65	7.60
러시아	6.75	5.98
대한민국	3.86	3.50
호주	3.81	3.46

주요기구로서는 최고 의사결정기구로서 각국의 대표자(위원 및 대리위원)가 참여하는 총회(Board of Governors)가 있는데 가입승인, 증·감자, 자금배분, 협정의 수정, 총재의 임면 등 주요사항을 결정한다.[31] 이사회(Board of Directors)는 AIIB를 운영하는 비상주 조직으로 협정문상 고유업무 및 총회가 위임한 업무를 수행한다. 12명의 이사로 구성되며, 이 중 9명은 역내,[32] 3명은 역외위원이다. AIIB의 운영에 관한 규범으로는 AIIB 설립협정문, 운영세칙(By-Laws), 총회의사절차(Rules of Procedure), 행동강령(Code of Conduct)이 있다.

(3) 기존 지역별 투자기구와의 관계

AIIB는 기존 지역별 투자기구와의 협력을 표방하고 아시아개발은행(ADB),[33] 유럽개발은행(EBRD) 그리고 유럽투자은행(EIB)와 양해각서를 체결하였다. 양해각서에 따른 협력분야로는 기후변화완화 및 적응, 에너지, 운송 및 통신 등 AIIB가 추진하는 사업을 주된 대상으로 하여 해당 사업과 관련된 지역·국가활동에 대한 컨설팅 및 공동자금지원 기회의 모색, 지역 및 국가수준에서의 정책개혁의 수행을 지원하고 분석할 수 있는 역량의 강화, 효과적인 지식파트너관계의 형성을 통하여 공동의 관심사에 대한 연구와 분석에 기여, UN 기후변화협약하에서 파리협

---

31) AIIB 창설협정문 제5조.
32) '역내'는 AIIB 창설협정문 제1조 제2항에서 정의를 내리고 있는바, 유엔지역분류 방식상의 기준에 따라 아시아와 오세아니아의 조합을 의미한다. 그러나 러시아는 협의를 통해 역내국으로 분류하였다.
33) Memorandum of Understanding for Strengthening Co-operation Between Asian Development Bank And Asian Infrastructure Investment Bank. 다른 기구들도 이와 유사하므로 설명 생략.

정과 지속가능한 개발 아젠더 2030의 추진 협력을 규정화고 있다. 이러한 협력을 유지하기 위한 구체적 수단으로 공동서베이를 포함한 공동데이터수집, 타방 당사자의 연차총회에 참석, 직원교류, 프로젝트 공동 파이낸싱 등을 들 수 있다.

제 5 절 맺음말

지금까지 국제금융 매카니즘의 외연을 구성해왔던 국제금융제도는 미국발 금융위기 전까지 매우 공고한 것으로 보여졌다. 이는 국제금융체제의 기간(基幹)이자, 실질적으로 세계 금융의 중심에 있던 미국이 위기의 중심에 있지 않았기 때문이다. 그러나 미국발 금융위기 이후 국제금융체제는 커다란 변화를 보이고 있으며, 지금도 계속되고 있다. 그리고 새로운 환경에 대응하는 과정에서 명확해진 것은 기존의 국제금융인프라가 완전한 형태가 아니며, 지속적으로 개혁과 개선의 과정을 거쳐야 한다는 점이다.

아울러 각종 국제금융기구간 또는 회원국들간 협력 역시 더욱 중요시되고 있다. 업역과 지역을 넘어선 금융거래들이 지속적으로 증가하고 있기 때문이다. 따라서 오늘날 국제금융규범 역시 협력과 공조를 통해 하나의 규율로 이행하고 있다.

찾아보기

■ 사항색인

■ 영문색인

제 4 판
신국제경제법

초판발행	2012년 2월 29일
보정판발행	2013년 1월 15일
전면개정판발행	2018년 9월 5일
제4판발행	2022년 2월 25일

지은이　　　한국국제경제법학회
펴낸이　　　안종만·안상준

편 집　　　양수정
기획/마케팅　조성호
표지디자인　이소연
제 작　　　고철민·조영환

펴낸곳　　　(주) **박영사**
　　　　　　서울특별시 금천구 가산디지털2로 53, 210호(가산동, 한라시그마밸리)
　　　　　　등록 1959. 3. 11. 제300-1959-1호(倫)

전 화　　　02)733-6771
f a x　　　02)736-4818
e-mail　　　pys@pybook.co.kr
homepage　　www.pybook.co.kr
ISBN　　　979-11-303-4118-7　93360

정 가　　　45,000원